改訂第6版
救急診療指針
上巻

監修　一般社団法人　日本救急医学会
編集　日本救急医学会指導医・専門医制度委員会
　　　日本救急医学会専門医認定委員会

へるす出版

監修にあたって

　この度,『改訂第6版 救急診療指針』を世に問うことができましたことを,心より嬉しく思います。改訂にあたり,大谷典生編集タスクフォース長をはじめとする編集タスクフォースの皆様,および学会の関連委員会の皆様,多数の執筆者の皆様,そして出版に向けて尽力いただいた株式会社へるす出版の皆様に,深く感謝申し上げます。

　救急医学は,常に社会の変化や医療現場の最前線での経験が反映されるべき学問であり,その体系は継続的な更新が求められます。本書は,救急医学の進歩と最新の知見,社会状況に基づき,救急科専門医が習得すべき知識と技術のレベルを示す教科書です。救急科専門医として要求される最新の知識,技術,そして診療の指針を,過不足なく,丁寧に記述しました。さらに救急科専門医だけでなく,広く救急医療に携わる医師,看護師,薬剤師,メディカルスタッフの実践的な知識と技術の向上に資することを目指しています。

　改訂第5版の発行以降,われわれは新型コロナウイルス感染症(COVID-19)という前例のない公衆衛生上の危機に直面しました。未知の恐怖のウイルス感染症であった初期の頃から,COVID-19患者の診療の最前線に立ってきたのは救急医でしたが,わが国の救急医療体制に未曾有の試練をもたらしました。救急医学の学問体系においても,感染症対策や健康危機管理への関与がいっそう重要になりました。また,頻発する災害への医療,高齢化社会における救急医療,人生の最終段階における医療,医療安全・医療の質の管理など,今まさに直面している課題への対応を,本書の改訂において重視しております。

　新専門医制度がスタートして5年が経過し,全国の救急科専門医の研修プログラムも充実しつつあります。一方で,長年の取り組みにもかかわらず,医師不足・地域偏在は一向に解決しません。そのような状況下,2024年4月より「医師の働き方改革」のもと,医師の時間外労働時間の上限が法律に基づいて規制されます。その結果,医師不足の地域における医療崩壊が危惧されます。この問題を解決する方策として,日本救急医学会は一貫して「救急科専門医の増員」を主張してまいりました。本書は救急科専門医の研修プログラムに十分に対応するものであり,次世代の救急医療を担う医師たちにとって,必携の一書となることを期待しております。

　最後に,本書が救急医療の現場で直面するさまざまな課題への解決策を提供し,救急医療のさらなる発展に寄与することを心から願っております。

2024年2月
一般社団法人 日本救急医学会
代表理事　大友　康裕

刊行にあたって

編集にあたって

　ようやく『改訂第6版 救急診療指針』を皆様のお手元に届けることができた。前版は2018年4月の発刊であり，6年ぶりの改訂版である。その間，社会は大きく動き，各種の診療ガイドラインも改訂された。また，予期せぬCOVID-19パンデミックにも見舞われ，そのなかで数多くの挑戦をしてきた救急医の姿は，その社会的存在価値を再認識させるものであった。前版も多大な労力を費やし改訂されたが，救急医学は日々進化する分野であり，かつ社会のニーズに応えるためにも私たちの知識と技術は常に更新されつづける必要がある。そこでこの第6版では，最新の知見を盛り込みつつ，救急医療における新たな課題にも対応することを目指した。

　本書でまず目を引くのは，ボリュームの多さ，そして章・項目の多さであろう。改訂にあたり，まず上記方針のもと目次・章立ての見直しが行われた。結果，計15章，204項目というボリュームとなり，『救急診療指針』初の2分冊での刊行となった。具体的な内容としては，医療計画と救急医療の関連性，地域医療との連携強化，心肺蘇生の最新ガイドラインへの対応，初期診療と鑑別診断の再構築，疾患領域別の救急診療の充実化など，多岐にわたる分野で内容更新を行った。また，Ⅵ章として「患者背景を考慮した救急診療」を新設，倫理問題や終末期患者への対応などにも言及するなど，多様な患者に対するきめ細やかな対応を強調している。あわせて，社会医学的ニーズにも応えるべく，各種組織とのかかわりや法的問題に対する記載もさらに充実を図った。

　思い返せば，今版の編集にかかるプロジェクトは2021年5月にスタートし，3年近くにわたるものとなった。前版同様，日本救急医学会の監修書籍として，同学会の指導医・専門医制度委員会と専門医認定委員会を親委員会とした「編集タスクフォース」が本書の編集実務にあたった。今版では，前版タスクフォースが7名体制であったところ，若手の先生もタスクフォースに加え，計14名で編集実務を行ってきた。若手の先生方の革新的な視点，そして指導・管理的立場にある先生方の経験豊富な視点をともに大切にし，本書の主たる読者である専門医試験受験前の専攻医にとどまらず，あらゆる世代の救急医にとって少しでも有益な書籍にするべく，議論を重ねた。目次立ての見直しに始まり，全原稿のチェック・校正・編集作業という工程において，編集会議はwebおよび対面会議として計26回。それ以外にも小さなmeetingを数多く重ね，そして日本救急医学会理事の先生方，親委員会の先生方のご高閲を経て，本書完成に至っている。学会監修の"教科書"となる書籍を作成している領域は少ないなかで，このようにご尽力いただいた理事・親委員会委員・タスクフォースの先生方には，この場を借りて改めて御礼を申し上げる。

　実際の学びを深めるうえでは各領域・項目において専門書籍を参照されるにしても，本書ではわれわれ救急医が押さえておかなくてはならない事項をできるかぎり網羅し，実際の診療現場での問題解決の糸口としていただけるよう心がけた。救急医療は日々進化しており，新たな研究成果や臨床経験が絶えず蓄積されている。本書に反映されたこれらの知見を参照いただくことで，救急医の皆様が，社会に資する専門家としてより質の高い医療を提供するための一助となることを祈っている。

　最後に，COVID-19パンデミック下での救急診療，そして数々の災害対応などでご多忙のなか，原稿執筆にあたられた多くの先生方，そして本書編集に多大なるご尽力をいただいたへるす出版編集部の皆様に，心から感謝の意を表したいと思う。

2024年2月

一般社団法人 日本救急医学会『改訂第6版 救急診療指針』編集タスクフォース

委員長　大谷　典生

監修にあたって（第5版）

　この度『改訂第5版 救急診療指針』を上梓することができました。鶴田良介編集委員長ならびに委員の皆様，執筆を担当した多くの皆様，そして発刊に際して多くの事務作業を担っていただいた株式会社へるす出版に，学会員を代表して心から感謝を申し上げます。

　本書は，日本救急医学会の救急科専門医が習得すべき知識や技術についての教科書というだけでなく，現時点での救急医学という学問体系の解説書でもあります。社会医学，基礎医学，臨床医学を"縦糸"とするならば，救急医学の学問体系はしばしば"横糸"に例えられます。その意味は，救急医学が，医療機関内での診断学や治療学だけではなく，時に国や地方自治体とも連携して急性期疾患への対応や評価，治療を横断的に体系化していることにあります。本書の初版は1994年に発刊されていますが，当時の大塚敏文理事長は本書を救急認定医（当時）の"minimum requirement"に位置づけると記しています。その後も版を重ね，2011年4月に発刊された改訂第4版では当時の有賀徹代表理事は"救急医療が社会から必要とされるなか，本書はその期待に十分応えるもの"と高い評価を与えています。

　本書改訂第4版が発刊される直前に襲った東日本大震災は地域社会のあり方を大きく変化させ，災害医療に以前から深くかかわってきた救急医学の学問体系にも大きな影響を及ぼしました。すなわち，従来からの多発外傷，広範囲熱傷，あるいは急性薬物中毒などの外因性救急疾患を中心とした初療室や集中治療室，手術室での迅速な対応・技術・知識の基盤となることに加えて，災害医療などの病院前治療，メディカルコントロールへの関与，高齢者の内因性救急疾患への対応，ドクターヘリやドクターカーへのかかわりなど，救急医学には新たな体系の構築と推進も求められるようになりました。

　このようななか，一般社団法人日本専門医機構の主導のもとに2018年4月から新専門医制度がスタートします。この新専門医制度における救急科専門研修プログラムのなかで，本書『改訂第5版 救急診療指針』は，ますますその意義が増していくものと考えます。鶴田良介編集委員長のリーダシップのもとに，知識・経験の豊富な第一線の救急科専門医を中心として執筆された本書が，救急科専門医を目指す医師はもちろん，救急医療に携わるすべての医師，看護師，薬剤師，メディカルスタッフのための成書として役立つものと確信をしています。

　本書の監修作業を進めている際に，執筆者のお一人であった勝見敦先生（武蔵野赤十字病院救命救急センター）の訃報がありました。心からご冥福をお祈りいたします。

2018年3月

一般社団法人　日本救急医学会
代表理事　横田　裕行

監修にあたって（第4版）

　ここに『改訂第4版　救急診療指針』を多くの方々のご尽力によって上梓することができました。遠藤裕編集委員長ならびに委員の方々，執筆にあたった多くの方々，関係の皆々様に深甚なる感謝の意を表したく思います。誠にありがとうございました。

　さて，日本救急医学会の専門医（救急科専門医）は，その一般社会への広告がすでに可能となっていて，日本救急医学会そのものも，現在では日本専門医制評価・認定機構に所属する基本領域18学会の1つです。加えて，初期臨床研修医が履修すべき必修分野について救急医療も重要な位置を占めていて，その指導医として救急科専門医に多くの期待が寄せられている状況も周知のことです。

　以上のように，救急医学，救急医療の医学的，社会的な重要性については，本書が版を重ねるごとに長足の進歩があって，そのことは歴史的にも日本救急医学会に関係する我々の士気を大いに高めてきたと言うことができます。

　しかし，本書の第3版の発刊に前後して，救急医療における"たらい回し"などと揶揄される社会状況に陥り，今日においてもそれを克服できているわけではありません。この原因として，社会的，経済的なことなど諸々が俎上に載りますが，翻って我々医学を志した立場から医学の発展の歴史を辿りますと，そこには臓器別の専門性がその分野でより先鋭的かつ細かくなる歴史が多々ありました。確かにそのような発展によって恩恵を受けた国民がきわめて多かったことも確かでしょうが，今や初期診療において専門分化し過ぎた弊害がしばしば指摘されていることも事実です。

　医療の提供という，より広い視野からは，総合診療の意義についての議論などもあって，その一環として若手医師への卒後研修の指導について救急科専門医に大きな貢献が求められているということもあります。本書を手にとって，いずれ救急科専門医をめざそうとする日本救急医学会の会員を含めて我々は，総合的な視野で救急医療を実践しています。そのような意味で，社会からの必要性はますます高まっています。つまり，このことには歴史的な必然性があるということです。本書は，現在における，そのような需要，期待に十分に応えるものです。

　さらに，わが国の専門医制度そのものが，斯界の医療者のみによる位置づけではなく，わが国の社会の仕組みとして広く認知される日がいずれ来るなら，そこでは我々の分野における医療の質や患者安全，医療倫理などについても標準的な学習のプロセスが求められることになるはずです。そのような観点からも，本書が日本救急医学会にとって基本的な位置にあることもここで確認しておきたく思います。

　医学的，社会的な大きな期待に応えながら，本書が今後とも発展していくことを切に希望いたします。

2011年4月

一般社団法人　日本救急医学会
代表理事　有賀　徹

監修にあたって（第3版）

　日本救急医学会は発足して35年以上が経過する。その間わが国における救急医学と救急医療の確立を目指して，診療，教育，研究の幅広い分野で活動してきた。また，21世紀に入ってからの救急医療をとりまく医学的・社会的環境は大きく変化してきており，学会の果たす役割はますます重要度を増してきている。

　平成14年に厚生労働省が「医学に関する広告規制の緩和」を打ち出し，翌平成15年には資格認定団体となった本学会が認める者を「救急科専門医」として広告できることとなった。救急科専門医とは，2年間の初期臨床研修修了後，日本救急医学会の定めるカリキュラムに従い3年以上の専門研修を修め，資格試験に合格した医師である。さらに，救急医療の知識と技能を生かし，救急医療制度，メディカルコントロール体制や災害医療に指導的立場を発揮する。平成20年1月現在で2701名が救急科専門医として登録されている。

　平成16年から始まった卒後臨床研修の必修化では，医師としての幅広い基本的診療能力を2年間で修得することが義務付けられ，救急医療はその中で内科・外科とともに基本的研修科目に組み込まれた。

　こうして救急医療に携わる医師の専門性が医学的にも社会的にも広く認知されるようになってきた。この一方で救急科専門医の不足－救命救急センターだけでも全国で205カ所設置されているなかで救急科専門医は前述したように2701名しかいない－，救急医療体制の崩壊といった厳しい社会情勢の嵐が吹き荒れていることは周知の通りである。

　さて，学会活動のなかで教育については，これまで対象となる医師にとっての到達目標を客観的かつ明確に示すことで知識・技術の統一化・標準化が図られるという観点からとくに重視してきた。上記の状況下で，卒後臨床研修に携わる若手医師からその教育指導にあたる医師，さらには「救急科専門医」取得のための救急医療あるいは救急医学にかかわる，これらのすべての医師のための標準的専門書として出版されたのが本書である。

　本書の初版は15年前に企画・編集・出版されたが，5年前に救急科専門医取得を目指す医師を視野に入れたものに改訂した。今回の改訂では，記述内容の見直しは勿論，医療全体にとって重要な位置づけとなってきている「医療の質の評価」「安全管理」「医療倫理・生命倫理」を新たに追加した。改訂第2版に比してその充実ぶりはいうまでもない。また，本書の目的として上述したような関係から，卒後臨床研修の医師が取得すべき知識と技術の基本的内容から「救急科専門医」が取得できうるに足る十分な専門的救急医療と医学の内容を網羅したものとなっている。救急医療の最前線で日夜活躍されている救急医の座右の書として活用いただけるものとなっていると確信する。

　本書編集のために，ご多忙の中を精力的かつ情熱的に取り組んでいただいた丸藤哲編集委員長をはじめとする編集作業実務担当の諸先生，編集委員，短時間の内に改訂原稿の執筆作業をお引き受けいただいた著者の諸先生に監修責任者として学会を代表して御礼を申し上げるしだいである。

　本書がわが国の救急医学において良質の医療が提供できる医師育成と，救急医学の専門医取得のための成書として役立つことを大いに期待している。

2008年3月

有限責任中間法人　日本救急医学会

代表理事　山本　保博

監修にあたって（第2版）

　本書『救急診療指針』は，約10年前に日本救急医学会認定医認定委員会が『救急認定医のための診療指針』として発刊した教科書の全面的改訂版であるが，初版の編集委員長をさせていただいた小生としても感慨深い。

　さて，日本救急医学会が発足し，早や30年以上になるが，21世紀に入っての救急医療をとりまく医学的・社会的環境は大きく変化してきている。とくに平成16年から始まる卒後臨床研修の必須化では，医師としての幅広い基本的診療能力を2年間で修得することが義務づけられ，その中で救急医療は内科，外科とともに基本的研修科目に組み込まれている。さらに厚生労働省が「医学に関する広告規制の緩和」として平成14年より，新たな医療の内容に関する情報として専門医の広告が可能となった。そして平成15年6月25日付で厚労省より，㈲日本救急医学会が資格認定団体となり，本学会の認める者を「救急科専門医」として広告できる旨の通知があり，救急医療に携わる医師の専門性がここに初めて医学的にも社会的にも認知されることになった。

　以上のような状況下で，卒後臨床研修に携わる若手医師からその教育指導にあたる医師，あるいは日本救急医学会の認定医に取って代った「救急科専門医」取得のための，救急医療あるいは救急医学にかかわる，これらすべての医師のための標準的専門書が早急に必要となってきた。

　そこで学会が監修する質の高い救急医療に関する『救急認定医のための診療指針』に代る新しい専門書を作成することになった。編集委員長には日本救急医学会専門医認定委員会委員長（旧認定医認定委員会委員長）である杉本壽 大阪大学教授に，編集委員は専門医認定委員会の方々にお願いし，最前線で救急医学を指導されている各施設の実務責任者の先生方からできるだけ著者を選んでいただいた。

　内容構成は，Ⅰ救急医学総論，Ⅱ救急初期診療における診療指針，Ⅲ救急患者処置の基本手技，Ⅳ重症患者管理の指針，Ⅴ災害医療，Ⅵ救急医療に必要な法律と倫理，等となっており，初版と比べてその充実ぶりがうかがえる。また，本書の目的として上述したような関係から卒後臨床研修の医師が取得すべき知識と技術の基本的内容から，「救急科専門医」が取得できうるに足る十分な専門的救急医療と医学の内容を網羅したものとなっている。

　本書作成のため精力的かつ情熱を傾けて編集作業を進めていただいた，編集委員長，編集委員ならびに著者の諸先生に監修責任者として学会を代表してあらためてお礼を申し上げたい。

　本書が日本の救急医学において良質の医療が提供できる医師の育成と救急医学の専門医取得のための成書として役立つことを大いに期待している。

2003年7月

日本救急医学会理事長
島崎　修次

監修にあたって（初版）

　日本救急医学会は昭和48年（1973年）の発足から今日まで，わが国における救急医学と救急医療の確立を目指して，診療，教育，研究の幅広い分野において活動してきた。このうちの1つ，教育に関していえば，出版事業の果たす役割はきわめて大きい。すなわち，対象となる人々にとっての到達目標が客観的かつ明確に示されることにより，知識や技術の統一化，普遍化が図られるからである。このような観点から，心肺蘇生に携わる人々のための「救急蘇生法の指針」，医学生のための「標準救急医学」などをこれまで学会監修の形で発刊してきた。

　さて，学会が発足した当時は救急医療を専門とし，あるいは一定期間救急医療の研修だけを行うといった救急専従医は数えるほどでしかなかったが，今日，全国の大学救急部や救命救急センターで日夜救急医療に従事している研修医や若手の臨床医は数えきれないほど多い。しかしながらこのような救急の第一線において，若手医師に対する教育，指導体制が確立している施設はまだまだ少なく，多くの場合，個々の医師がそれまで積み重ねてきた知識と技術，そして手近にある参考書の知識をプラスして対処しているのが現状であろう。救急医療に関与するすべての医師のための標準的な専門書が必要とされる所以である。

　このような観点から日本救急医学会理事会は平成5年1月より，認定医取得のための指針ともなりうる「救急医学の専門書」の出版企画を開始した。そして編集方針の骨子として，認定医の診療実績を網羅すること，全体の約3分の1を基本手技が占めること，救急医学の卒後研修の手引きとして使用可能なこと，などが確認された。言い換えるならば本書は救急認定医にとっての minimum requirement として位置付けられたのである。

　学会監修の書物ともなれば，書物の質の高低はとりも直さず学会の学問的レベルの評価に繋がるわけであり，その意味からも学会の総力をあげて本書の出版にあたったつもりである。

　編集委員長は杏林大学　島崎修次教授にお願いをし，編集委員は日本救急医学会認定医認定委員会委員の各先生方に御担当頂いた。

　内容構成は，救急医療，侵襲と生体反応，救急患者へのアプローチ，クリティカル・ケアの基本，ショックの診断と治療，急性臓器不全，疾病救急の鑑別診断と管理，外傷の診断と治療，熱傷・化学損傷，中毒，環境障害・その他，重症患者処置の基本手技，などとなっており，各項目の執筆者はそれぞれの領域においてわが国のトップレベルにある方達ばかりである。にもかかわらず，たび重なる編集会議においては，作成されてきた論文をすべての編集委員が1編1編詳細に検討し，何時間にもわたる激しい議論を積み重ねながら質の向上を図ったと聞き及んでいる。本書発刊の意を汲んで何回にも及ぶ原稿の修正依頼に対して快く応じて頂いた一人ひとりの執筆者に対し，監修責任者として心からのお詫びと御礼を申し上げる次第である。また，きわめて情熱的かつ精力的に編集作業を進めて頂いた編集委員の諸先生に対しても，学会を代表して深甚なる謝意を表すものである。

さて，このような経過で誕生した本書は，今日におけるわが国の救急医学および救急医療を余すところなく網羅した，高レベルかつきわめて実践的，臨床的な書物である。救急医学を専攻する若手医師はもちろんのこと，全国の救急医療施設で日夜，奮闘しておられる研修医や各科専門医，あるいは開業の第一線で御苦労されている先生方にとっても座右の書として十分御利用頂けるものと確信する。本書が一人でも多くの臨床医に活用され，わが国における救急医療の質的向上に寄与することができるならば，筆者の喜びこれに勝るものはない。

1994年9月

日本救急医学会理事長
大塚　敏文

監修・編集者一覧

監　　修　一般社団法人　**日本救急医学会**

編　　集　**日本救急医学会指導医・専門医制度委員会**
◎中村　光伸，石松　伸一，牛越　博昭，杉田　　学，竹内　一郎，
　中森　知毅，奈良　　理，林　　宗博，松嶋　麻子，森村　尚登，
　矢口　有乃，山口　芳裕，横堀　將司，○大友　康裕

◎委員長　　○担当理事

日本救急医学会専門医認定委員会
◎石松　伸一，岩田　充永，上村　修二，笠岡　俊志，杉田　　学，
　中尾　篤典，中森　知毅，原田　正公，福島　英賢，吉村　有矢，
○木村　昭夫

◎委員長　　○担当理事

編集タスクフォース

◎**大谷　典生**	聖路加国際病院　救急科・救命救急センター
○**椎野　泰和**	川崎医科大学　救急医学
有元　秀樹	医誠会国際総合病院　救急科
磯川修太郎	聖路加国際病院　救急科・救命救急センター
大嶋　清宏	群馬大学大学院医学系研究科　救急医学
阪本雄一郎	佐賀大学医学部　救急医学
佐々木　亮	国立国際医療研究センター（NCGM）病院　救命救急センター・救急科
武部弘太郎	京都府立医科大学　救急医療学
中田　孝明	千葉大学大学院医学研究院　救急集中治療医学
増井　伸高	札幌東徳洲会病院　救急センター
水島　靖明	大阪けいさつ病院　ER・救命救急科
山口　順子	日本大学医学部　救急医学系　救急集中治療医学分野
山下　智幸	日本赤十字社医療センター　救命救急センター・救急科
山本　一太	東京ベイ・浦安市川医療センター　救急集中治療科

◎委員長　　○副委員長

執筆者一覧（五十音順）

会田　薫子	東京大学
相引　眞幸	八王子山王病院
赤坂　理	藤沢市民病院
浅利　靖	北里大学
安宅　一晃	奈良県総合医療センター
渥美　生弘	聖隷浜松病院
阿南　英明	藤沢市民病院／神奈川県庁
有吉　孝一	神戸市立医療センター中央市民病院
飯尾純一郎	熊本赤十字病院
池上　徹則	倉敷中央病院
池田　貴夫	藤田医科大学
石井　潤貴	広島大学大学院
石原　諭	兵庫県災害医療センター
石松　伸一	聖路加国際病院
伊関　憲	福島県立医科大学
伊藤　香	帝京大学
伊藤　岳	兵庫県立加古川医療センター
伊藤　敏孝	新百合ヶ丘総合病院
稲田　眞治	日本赤十字社愛知医療センター名古屋第二病院
稲葉　一人	いなば法律事務所
井上　弘行	札幌医科大学
井上　貴昭	筑波大学
井上　義博	岩手医科大学
今井　寛	三重大学
今泉　均	市立函館病院
岩井　完	順天堂大学／弁護士法人岩井法律事務所
岩瀬　弘明	山梨県立中央病院
岩田　充永	藤田医科大学
岩渕　正広	国立病院機構仙台医療センター
石見　拓	京都大学
上田　剛士	洛和会丸太町病院
上田　泰久	埼玉医科大学
畝本　恭子	日本医科大学多摩永山病院
梅村　武寛	琉球大学
梅村　穣	大阪大学
大嶋　清宏	群馬大学
大下慎一郎	広島大学大学院
大須賀章倫	地域医療機能推進機構中京病院
太田　凡	京都府立医科大学
大塚　剛	国立病院機構横浜医療センター
大友　康裕	国立病院機構災害医療センター
大曲　貴夫	国立国際医療研究センター
岡田　邦彦	佐久医療センター
岡本　健	順天堂大学
岡本　博之	手稲渓仁会病院
荻野　隆光	倉敷中央病院
小倉　真治	岐阜大学
小倉　崇以	済生会宇都宮病院
小倉　裕司	大阪大学
小野　元	聖マリアンナ医科大学
織田　順	大阪大学
恩田　秀寿	昭和大学
垣花　泰之	鹿児島大学
笠岡　俊志	熊本大学
加藤　宏	防衛医科大学校
角谷　隆史	栃木県立がんセンター
上條　吉人	埼玉医科大学
神薗　淳司	聖ルチア病院
亀田　徹	済生会宇都宮病院
北川　喜己	名古屋掖済会病院
北村　伸哉	君津中央病院
木下　浩作	日本大学
清住　哲郎	防衛医科大学校
清田　和也	さいたま赤十字病院
桐ケ谷　仁	横浜市立大学
久志本成樹	東北大学大学院
工藤　大介	東北大学大学院
熊田　恵介	岐阜大学医学部附属病院
栗原　智宏	国立病院機構東京医療センター
黒住　健人	虎の門病院
黒田　泰弘	香川大学
鍬方　安行	関西医科大学
小井土雄一	国立病院機構本部DMAT事務局
郷内　志朗	聖路加国際大学
河野　元嗣	筑波メディカルセンター病院
郡山　一明	北九州総合病院
小谷　穣治	神戸大学
小林　弘幸	順天堂大学
今　明秀	八戸市立市民病院
近藤　豊	順天堂大学

執筆者一覧（五十音順）

齋藤　大蔵	国士舘大学
坂本　　壯	総合病院国保旭中央病院
坂本　哲也	公立昭和病院
櫻井　　淳	日本大学
佐々木淳一	慶應義塾大学
佐藤　直樹	かわぐち心臓呼吸器病院
佐藤　格夫	愛媛大学
佐藤　幸男	慶應義塾大学
澤野　宏隆	大阪府済生会千里病院
澤野　　誠	埼玉医科大学
志賀　　隆	国際医療福祉大学
七戸　康夫	国立病院機構北海道医療センター
嶋津　岳士	大阪急性期・総合医療センター
清水　直樹	聖マリアンナ医科大学
清水　裕章	兵庫県立はりま姫路総合医療センター
志馬　伸朗	広島大学大学院
庄古　知久	東京女子医科大学
庄司　高裕	東京都済生会中央病院
杉田　　学	順天堂大学
鈴木　信哉	亀田総合病院
鈴木　　昌	東京歯科大学
須田　果穂	日本医科大学
砂原　　聡	千葉大学
須原　　誠	岩手県立中央病院
関根　和彦	東京都済生会中央病院
関根　康雅	防衛医科大学校
高氏　修平	北海道大学病院
高江洲　怜	沖縄県立南部医療センター・こども医療センター
髙岡　　諒	兵庫県立はりま姫路総合医療センター
髙階謙一郎	京都第一赤十字病院
高須　　修	久留米大学
高田　壮潔	山形市立病院済生館
髙橋　　仁	東京ベイ・浦安市川医療センター
高橋　　毅	国立病院機構熊本医療センター
高平　修二	埼玉医科大学
田上　　隆	日本医科大学
田熊　清継	川崎市立川崎病院
竹内　一郎	横浜市立大学
武田　　聡	東京慈恵会医科大学
田﨑　　修	長崎大学
立川　温子	長崎みなとメディカルセンター
田邉　晴山	救急振興財団救急救命東京研修所
谷口　　巧	金沢大学
角山泰一朗	藤枝市立総合病院
鶴田　良介	山口大学
土井　研人	東京大学
土肥　謙二	昭和大学
豊里　尚己	沖縄県立中部病院
内藤　博司	広島市立広島市民病院
中永士師明	秋田大学
中尾　彰太	りんくう総合医療センター
中川　儀英	東海大学
永嶋　　太	公立豊岡病院
中田　孝明	千葉大学
中田　康城	堺市立総合医療センター
中根　正樹	山形大学
中野　敏明	聖路加国際病院（現 トータルスキンケア・クリニック銀座）
中原　慎二	東京通信病院
中村　謙介	横浜市立大学
中村　光伸	前橋赤十字病院
中森　知毅	横浜労災病院
奈良　　理	手稲渓仁会病院
成松　英智	札幌医科大学
西内　辰也	兵庫県立尼崎総合医療センター
西田　　修	藤田医科大学
西田　昌道	東京通信病院
仁平　敬士	湘南鎌倉総合病院
野々木　宏	大阪青山大学
萩原　佑亮	東京都立小児総合医療センター
俗　　光司	国立病院機構北海道医療センター
橋口　尚幸	順天堂大学
橋本　　聡	国立病院機構熊本医療センター
橋本雄太郎	香川大学
長谷川有史	福島県立医科大学
長谷川栄寿	国立病院機構災害医療センター
畑田　　剛	桑名市総合医療センター
畑中　哲生	健和会大手町病院
浜崎　俊明	晴心会野上病院

執筆者一覧（五十音順）

早川　峰司	北海道大学病院	
林　　寛之	福井大学	
林　　宗博	日本赤十字社医療センター	
林　　靖之	大阪府済生会千里病院	
久村　正樹	岡山大学	
菱川　　剛	国立病院機構災害医療センター	
日野　耕介	沼津中央病院	
一二三　亨	聖路加国際病院	
廣瀬　保夫	新潟市民病院	
福島　憲治	国立国際医療研究センター病院	
福田　　靖	徳島赤十字病院	
藤島清太郎	慶應義塾大学	
藤谷　茂樹	聖マリアンナ医科大学	
藤見　　聡	大阪急性期・総合医療センター	
藤原　崇志	倉敷中央病院	
布施　　明	日本医科大学	
不動寺純明	亀田総合病院	
船曳　知弘	藤田医科大学	
古谷　良輔	国立病院機構横浜医療センター	
細野　茂春	自治医科大学	
堀江　勝博	聖路加国際病院	
本多　英喜	横須賀市立うわまち病院	
本多　　満	東邦大学医療センター大森病院	
本間康一郎	慶應義塾大学	
本間　正人	鳥取大学	
本間　洋輔	千葉市立海浜病院	
前田　正一	慶應義塾大学大学院	
前田　秀将	大阪大学	
益子　一樹	日本医科大学	
増井　伸高	札幌東徳洲会病院	
松嶋　麻子	名古屋市立大学	
松田　　潔	道志村国民健康保険診療所	
松田　直之	名古屋大学	
松村　洋輔	千葉県総合救急災害医療センター	
松本　博志	大阪大学	
真弓　俊彦	地域医療機能推進機構中京病院	
丸橋　孝昭	北里大学	
溝端　康光	大阪公立大学	
宮内　雅人	高知大学	
宮川　幸子	琉球大学	
三宅　康史	帝京大学	
宮里　篤之	順天堂大学	
三好ゆかり	順天堂大学	
村田　希吉	松戸市立総合医療センター	
望月　　徹	イムス東京葛飾総合病院	
望月　俊明	がん研究会有明病院	
森下　幸治	東京医科歯科大学	
森村　尚登	帝京大学	
諸江　雄太	日本赤十字社医療センター	
矢形　幸久	兵庫県災害医療センター	
矢口　有乃	東京医科大学八王子医療センター	
柳川　洋一	順天堂大学医学部附属静岡病院	
山内　　聡	仙台市立病院	
山上　　浩	湘南鎌倉総合病院	
山岸　絵美	日本医科大学	
山下　幸一	高知赤十字病院	
山下　智幸	日本赤十字社医療センター	
山勢　博彰	日本医科大学	
山田　康雄	国立病院機構仙台医療センター	
横田　裕行	日本体育大学大学院	
横田　茉莉	東京逓信病院	
横堀　將司	日本医科大学	
吉澤　　城	慶應義塾大学	
和田　剛志	北海道大学	
渡瀬　剛人	藤田医科大学	
渡部　広明	島根大学	

目次 —上巻

I章 救急医学総論

1. 救急医療と救急医学 … 2
- 救急医療を特徴づける要素 … 2
- 救急患者の現状や特徴 … 3
- 救急医学と日本救急医学会 … 5
- 救急科専門医と日本救急医学会指導医 … 5

2. 医療計画と救急医療 … 7
- 医療計画制度 … 7
- 救急医療の需要 … 9
- 救急告示制度 … 10
- 初期・二次・三次救急医療体制 … 11
- 循環器病救急医療体制 … 12
- 特殊救急医療体制 … 13
- 救急情報体制 … 16

3. 救急医療と地域医療 … 18
- 地域医療構想 … 18
- 地域包括ケアシステム … 19
- 小児の在宅医療システム（医療的ケア児支援法の施行） … 19
- 救急医療の現状・課題，今後の展望 … 20

4. 救急科専門医に求められる知識・技能・態度 … 23
- 救急科専門医・指導医制度 … 23
- 救急科専門研修の到達目標 … 23

II章 病院前救急医療

1. 病院前救護体制 … 28

1-1. 病院前救護の成り立ち … 28
- 近代医療における患者安全確保の歴史（医師資格と医療施設） … 28
- 病院前救護の歴史 … 30

1-2. 救急救命士制度 … 32
- 救急救命士制度の誕生と発展 … 32
- 救急救命士と救急救命処置 … 33
- 消防機関における救急救命士とその業務 … 35
- 医療機関における救急救命士とその業務 … 36

1-3. メディカルコントロール … 38
- メディカルコントロールの概念 … 38
- メディカルコントロール協議会 … 39
- メディカルコントロールのコア業務 … 40
- メディカルコントロールの具体的な内容 … 40
- メディカルコントロールの今後の展望 … 43

2. 病院前診療体制 … 44

2-1. ドクターカー … 44
- ドクターカー導入・運用の歴史と現状 … 44
- ドクターカーの類型と役割 … 44
- ドクターカー運用の課題・展望 … 46

2-2. ドクターヘリ … 48
- ドクターヘリの誕生 … 48
- ドクターヘリの特徴と活動状況 … 49
- ドクターヘリの適応病態 … 49
- Total prehospital time … 50
- 安全管理 … 52
- 大規模災害時の運用 … 53
- ドクターヘリの課題と展望 … 53

III章 心肺蘇生

1. 心肺蘇生法の原理 … 56
- 胸骨圧迫による心拍出と臓器血流 … 56
- 換気と血液の酸素化 … 59

2. 心肺蘇生のガイドライン … 61
- JRC蘇生ガイドライン作成までの経緯と特徴 … 61

- ■『JRC 蘇生ガイドライン 2020』の特徴と各国との比較 ………………………………… 63
- ■ウツタイン様式とわが国からの国際発信 …… 65

3．成人の救命処置 …………………… 69
- ■救命の連鎖 …………………………………… 69
- ■一次救命処置（BLS）………………………… 69
- ■二次救命処置（ALS）………………………… 72
- ■蘇生努力の中止 ……………………………… 75
- ■特殊な状況下の心停止への対応 …………… 75

4．小児の蘇生 ………………………… 78
- ■小児の定義 …………………………………… 78
- ■救命の連鎖 …………………………………… 78
- ■呼吸障害とショックの早期認識・初期対応 ………………………………………………… 79
- ■小児の気道異物除去 ………………………… 79
- ■小児の一次救命処置 ………………………… 80
- ■小児の二次救命処置と不整脈治療 ………… 80
- ■ショックと特殊な状況 ……………………… 82
- ■ECPR …………………………………………… 82
- ■心拍再開後の集中治療 ……………………… 82
- ■死後の検証 …………………………………… 83

5．新生児の蘇生 ……………………… 84
- ■新生児蘇生の概要・特徴 …………………… 84
- ■新生児蘇生の実際 …………………………… 84
- ■蘇生のアルゴリズムで使用されている評価項目 ……………………………………………… 87
- ■病院前新生児蘇生法 ………………………… 88
- ■Apgar スコアと予後 ………………………… 89

6．妊産婦の蘇生 ……………………… 90
- ■一次救命処置（BLS）………………………… 90
- ■二次救命処置（ALS）………………………… 92
- ■鑑別診断 ……………………………………… 94
- ■蘇生後のケア ………………………………… 94
- ■シミュレーション …………………………… 95
- ■母体の心停止予防 …………………………… 95
- ■母体の死後対応 ……………………………… 96

7．心停止後症候群の病態と集中治療 …… 98
- ■心停止後症候群 ……………………………… 98

- ■心拍再開後の集中治療 ……………………… 98
- ■ROSC 後の神経学的予後評価 ……………… 102

Ⅳ章　初期診療と鑑別診断

1．救急初期診療の理論 ……………… 108
- ■救急初期診療の原則と目標 ………………… 108
- ■生命維持と蘇生 ……………………………… 108
- ■救急初期診療の基本的なアプローチ ……… 109
- ■救急初期診療において重要な考え方・理論 ………………………………………………… 110
- ■初期診療理論の応用例（外傷初期診療）…… 112

2．救急初期診療の実際 ……………… 117

2-1．院内トリアージ ………………… 117
- ■「緊急度」と「重症度」 …………………… 117
- ■院内トリアージとは ………………………… 117
- ■成人患者の院内トリアージ ………………… 118
- ■小児患者の院内トリアージ ………………… 120
- ■院内トリアージの意義 ……………………… 122

2-2．気道の評価と初期対応 ………… 123
- ■気道狭窄／閉塞の原因 ……………………… 123
- ■気道確保法 …………………………………… 123
- ■確実な気道確保が必要となる状況 ………… 124
- ■気道確保の基本 ……………………………… 124
- ■気道確保（気管挿管）後の確認事項 ……… 124
- ■DA および CICV への対応 ………………… 124
- ■特殊な状況への対応 ………………………… 125

2-3．呼吸の評価と初期対応 ………… 127
- ■呼吸と組織低酸素 …………………………… 127
- ■呼吸の性状の評価 …………………………… 127
- ■初期対応 ……………………………………… 128
- ■モニタリング・検査 ………………………… 129
- ■評価の再検討 ………………………………… 130

2-4．循環の評価と初期対応 ………… 131
- ■循環の評価にかかわる生理学的知識 ……… 131
- ■心拍出量（CO）に影響を与える因子とその介入 ……………………………………………… 132

- ■酸素含有量（CaO_2）に影響を与える因子とその介入 ………… 133
- ■ショックの概要と対応の基本 ………… 133
- ■モニタリング・検査と初期対応 ………… 135

2-5．中枢神経の評価と初期対応 ……… 138
- ■目標と対象疾患 ………… 138
- ■ABCの評価・安定化における注意点 ………… 138
- ■Dの評価・介入の流れ ………… 138
- ■Dの評価の方法 ………… 139
- ■意識障害評価のスケール ………… 139

2-6．体表・体温の評価と初期対応 ……… 142
- ■体温調節機構 ………… 142
- ■患者到着前の情報収集と準備 ………… 143
- ■脱　衣 ………… 143
- ■体温測定 ………… 143
- ■体温異常時の対応 ………… 143

3．電解質異常 ……… 145
- ■低ナトリウム血症 ………… 145
- ■高ナトリウム血症 ………… 147
- ■低カリウム血症 ………… 148
- ■高カリウム血症 ………… 149
- ■低カルシウム血症 ………… 150
- ■高カルシウム血症 ………… 151
- ■低マグネシウム血症 ………… 151
- ■高マグネシウム血症 ………… 152
- ■低リン血症 ………… 152
- ■高リン血症 ………… 152

4．酸塩基平衡異常 ……… 154
- ■生体におけるpH調整機構の意義 ………… 154
- ■生体内における酸の産生と調整システム ………… 154
- ■酸塩基平衡障害に対するアプローチ ………… 156
- ■代謝性アシドーシス ………… 158
- ■代謝性アルカローシス ………… 160
- ■呼吸性アシドーシス ………… 161
- ■呼吸性アルカローシス ………… 161

5．心電図検査の基本 ……… 162
- ■心電図の正常波形 ………… 162
- ■12誘導心電図 ………… 162
- ■モニター心電図 ………… 162
- ■新たな心電図検査システム ………… 163
- ■心電図に異常を認める主な救急疾患・病態 ………… 163

6．救急画像診断の基本 ……… 169
- ■単純X線検査 ………… 169
- ■超音波検査 ………… 171
- ■CT検査 ………… 171
- ■MRI検査 ………… 173
- ■血管造影検査 ………… 175

7．超音波検査の基本 ……… 176
- ■超音波の基礎 ………… 176
- ■領域別活用法 ………… 179
- ■領域横断的活用法 ………… 184

8．救急薬剤使用の基本 ……… 188
- ■薬理学の基本的知識 ………… 188
- ■薬剤投与の基本 ………… 191
- ■特定の背景を有する患者に対する薬剤使用 ………… 191
- ■薬剤に関する法律・制度の基本的知識 ………… 193

9．輸液療法の基本 ……… 195
- ■体液の組成と分布 ………… 195
- ■体液量の調節機構 ………… 196
- ■救急初期診療で使用される輸液製剤 ………… 196
- ■輸液の指標・モニタリング ………… 197
- ■輸液経路 ………… 198

10．輸血療法の基本 ……… 200
- ■輸血に必要な検査 ………… 200
- ■輸血用血液製剤 ………… 200
- ■血漿分画製剤 ………… 203
- ■救急診療における輸血療法の要点 ………… 204
- ■輸血の副作用 ………… 204

11．救急症候 ……… 208

11-1．意識障害 ……… 208
- ■病　態 ………… 208
- ■初期診療の基本 ………… 208
- ■意識レベルの評価 ………… 208

- ■病歴聴取 ……………………………… 209
- ■身体・神経学的診察 ………………… 210
- ■検査と鑑別 …………………………… 210
- ■高齢患者における注意点 …………… 211

11-2. めまい ……………………………… 212
- ■症候の概要 …………………………… 212
- ■診断のアプローチ …………………… 212
- ■初期対応 ……………………………… 218
- ■患者処遇の判断（disposition）……… 218

11-3. 頭　痛 ……………………………… 219
- ■症候の概要 …………………………… 219
- ■診断のアプローチ …………………… 219
- ■初期対応 ……………………………… 223
- ■患者処遇の判断（disposition）……… 223

11-4. けいれん …………………………… 226
- ■症候の概要 …………………………… 226
- ■診断のアプローチ …………………… 226
- ■初期対応 ……………………………… 229
- ■患者処遇の判断（disposition）……… 229

11-5. 運動麻痺，感覚障害 ……………… 231
- ■症候の概要 …………………………… 231
- ■診断のアプローチ …………………… 231
- ■初期対応 ……………………………… 235
- ■患者処遇の判断（disposition）……… 236

11-6. 失　神 ……………………………… 237
- ■症候の概要 …………………………… 237
- ■診断のアプローチと初期対応 ……… 240
- ■患者処遇の判断（disposition）……… 243

11-7. 胸　痛 ……………………………… 246
- ■症候の概要 …………………………… 246
- ■診断のアプローチ …………………… 246
- ■初期対応 ……………………………… 250
- ■患者処遇の判断（disposition）……… 251

11-8. 動　悸 ……………………………… 253
- ■症候の概要 …………………………… 253
- ■診断のアプローチ …………………… 255
- ■初期対応 ……………………………… 255
- ■患者処遇の判断（disposition）……… 258

11-9. 高血圧切迫症・緊急症 …………… 259
- ■症候の概要 …………………………… 259
- ■初期対応の基本 ……………………… 259
- ■主な鑑別疾患に応じた初期治療 …… 261
- ■患者処遇の判断（disposition）……… 263

11-10. 呼吸困難 …………………………… 265
- ■症候の概要 …………………………… 265
- ■診断のアプローチ …………………… 265
- ■鑑別診断と初期対応 ………………… 267
- ■患者処遇の判断（disposition）……… 269

11-11. 咳，痰 ……………………………… 271
- ■症候の概要 …………………………… 271
- ■診断のアプローチ …………………… 272
- ■初期対応 ……………………………… 273
- ■鑑別診断 ……………………………… 273
- ■患者処遇の判断（disposition）……… 276

11-12. 喀　血 ……………………………… 277
- ■症候の概要 …………………………… 277
- ■診断のアプローチ …………………… 277
- ■初期対応 ……………………………… 280
- ■患者処遇の判断（disposition）……… 281

11-13. 吐血，下血 ………………………… 282
- ■症候の概要 …………………………… 282
- ■診断のアプローチ …………………… 282
- ■出血源の同定と初期対応 …………… 283
- ■患者処遇の判断（disposition）……… 284

11-14. 腹　痛 ……………………………… 285
- ■症候の概要 …………………………… 285
- ■診断のアプローチ …………………… 285
- ■初期対応 ……………………………… 289

- ■患者処遇の判断（disposition）……289

11-15. 悪心，嘔吐……291
- ■症候の概要……291
- ■診断のアプローチ……291
- ■鑑別診断……292
- ■初期対応……295
- ■患者処遇の判断（disposition）……296

11-16. 下痢，便秘……297
- ■下痢……297
- ■便秘……300

11-17. 腰痛，背部痛……302
- ■症候の概要……302
- ■診断のアプローチ……302
- ■鑑別診断に基づく初期対応と患者処遇の判断……305

11-18. 尿閉，乏尿，無尿……307
- ■尿閉……307
- ■乏尿，無尿……309

11-19. 血尿……312
- ■症候の概要……312
- ■診断のアプローチ……313
- ■初期対応……316
- ■患者処遇の判断（disposition）……316

11-20. 発熱，高体温……318
- ■症候の概要……318
- ■診断のアプローチ……319
- ■初期対応……322
- ■患者処遇の判断（disposition）……323

11-21. 咽頭痛，嚥下時痛……324
- ■症候の概要……324
- ■診断のアプローチ……325
- ■鑑別診断……325
- ■初期対応……327
- ■患者処遇の判断（disposition）……327

11-22. 倦怠感，脱力感……328
- ■症候の概要……328
- ■診断のアプローチ……328
- ■初期対応……330
- ■患者処遇の判断（disposition）……330

11-23. 異常な皮膚所見……331
- ■症候の概要……331
- ■皮膚紅潮や粘膜の充血をきたす重大な疾患……331
- ■重症薬疹……332
- ■発熱患者において見落としてはならない局在性皮疹……333
- ■ショック患者の皮膚所見……333

11-24. 精神症候……335
- ■せん妄……335
- ■自傷行為……336
- ■興奮……337
- ■抑うつ状態……339
- ■過換気症候群……339

V章 疾患領域別の救急診療

1．中枢神経系疾患……344
- ■中枢神経系疾患の救急診療……344
- ■疾患分類……345
- ■脳梗塞……345
- ■くも膜下出血……349
- ■脳出血……350
- ■脳動脈解離……351
- ■脳静脈洞閉塞症……353
- ■髄膜炎……353
- ■脳炎……356
- ■脳膿瘍……358
- ■脳症……358

2．末梢神経系疾患，神経筋接合部疾患……362
- ■Guillain-Barré 症候群……362
- ■Fisher 症候群……364
- ■Bell 麻痺……364

- ■糖尿病性ニューロパチー……………… 366
- ■重症筋無力症…………………………… 367
- ■Lambert Eaton 筋無力症候群………… 370
- ■ボツリヌス症…………………………… 370
- ■重症疾患多発ニューロパチーおよび
  重症疾患多発ミオパチー…………… 371

3．循環器系疾患 …………………… 374

- ■急性冠症候群…………………………… 374
- ■大動脈解離……………………………… 378
- ■大動脈瘤破裂…………………………… 381
- ■肺血栓塞栓症…………………………… 382
- ■弁膜症…………………………………… 386
- ■急性心筋炎……………………………… 388
- ■急性心膜炎……………………………… 389
- ■たこつぼ症候群………………………… 390
- ■感染性心内膜炎………………………… 391
- ■急性動脈閉塞…………………………… 393
- ■徐脈性・頻脈性不整脈………………… 395
- ■遺伝性不整脈…………………………… 397
- ■植込み型心臓電気デバイスのトラブル …… 400
- ■高血圧緊急症…………………………… 401
- ■成人先天性心疾患……………………… 402

4．呼吸器系疾患 …………………… 408

- ■肺　炎…………………………………… 408
- ■気管支喘息……………………………… 412
- ■慢性閉塞性肺疾患（COPD）………… 415
- ■特発性間質性肺炎，特発性肺線維症 …… 418
- ■過敏性肺炎……………………………… 421
- ■好酸球性肺炎…………………………… 423
- ■脂肪塞栓症候群………………………… 424
- ■気　胸…………………………………… 424
- ■胸水貯留，胸膜炎……………………… 425

5．消化器系疾患（消化管）……… 428

- ■食道・胃静脈瘤破裂…………………… 428
- ■特発性食道破裂………………………… 429
- ■Mallory-Weiss 症候群………………… 430
- ■胃・十二指腸・小腸穿孔……………… 430
- ■腹膜炎（特発性細菌性腹膜炎を含む）…… 430
- ■小腸閉塞………………………………… 432
- ■上腸間膜動脈/静脈閉塞症…………… 432
- ■上腸間膜動脈解離，腹腔動脈解離 …… 434

- ■非閉塞性腸管虚血……………………… 434
- ■感染性腸疾患…………………………… 435
- ■急性虫垂炎……………………………… 436
- ■虚血性腸炎……………………………… 438
- ■S 状結腸軸捻転………………………… 438
- ■大腸閉塞………………………………… 440
- ■大腸憩室炎……………………………… 440
- ■下部消化管出血性疾患………………… 440
- ■肛門疾患（痔核出血，肛門周囲膿瘍など）… 442

6．消化器系疾患（肝胆膵）……… 446

- ■急性膵炎………………………………… 446
- ■慢性膵炎………………………………… 449
- ■症候性胆石症…………………………… 449
- ■急性胆管炎・胆嚢炎…………………… 450
- ■急性肝炎………………………………… 452
- ■肝膿瘍…………………………………… 453
- ■急性肝不全（劇症肝炎）……………… 454
- ■慢性肝不全（肝硬変，アルコール性肝炎）… 456

7．腎・泌尿器系疾患 ……………… 459

- ■急性腎盂腎炎…………………………… 459
- ■気腫性腎盂腎炎………………………… 459
- ■急性巣状細菌性腎炎…………………… 460
- ■腎膿瘍…………………………………… 461
- ■腎梗塞…………………………………… 462
- ■膀胱炎…………………………………… 463
- ■急性細菌性前立腺炎…………………… 463
- ■前立腺膿瘍……………………………… 464
- ■尿路結石………………………………… 464
- ■急性陰嚢症……………………………… 465
- ■尿路系の性感染症……………………… 466

8．代謝・内分泌系疾患 …………… 468

- ■低血糖症………………………………… 468
- ■糖尿病ケトアシドーシス，高浸透圧高血糖状態
  ………………………………………… 469
- ■アルコール性ケトアシドーシス……… 471
- ■乳酸アシドーシス……………………… 473
- ■粘液水腫性昏睡………………………… 474
- ■甲状腺クリーゼ………………………… 476
- ■急性副腎不全（副腎クリーゼ）……… 477
- ■褐色細胞腫クリーゼ…………………… 478
- ■脚気，Wernicke 脳症，Korsakoff 症候群 … 479

9. 血液・免疫系疾患 …………… 482
- 造血機能における解剖と生理 ………… 482
- 赤血球系疾患（貧血） ………………… 484
- 白血球系疾患 …………………………… 484
- 血球貪食症候群 ………………………… 488
- アナフィラキシー ……………………… 490
- 血栓性微小血管症 ……………………… 491
- 免疫性血小板減少症 …………………… 493
- 遺伝性血管性浮腫 ……………………… 494
- 後天性血友病 …………………………… 495

10. 内因性の筋・骨格系疾患 ……… 497
- 化膿性関節炎（感染性関節炎） ……… 497
- 痛風（痛風発作） ……………………… 498
- 偽痛風 …………………………………… 499
- 腰椎椎間板ヘルニア …………………… 500
- 頸椎椎間板ヘルニア …………………… 502
- 化膿性脊椎炎 …………………………… 502
- 腸腰筋膿瘍 ……………………………… 503
- 特発性脊髄硬膜外血腫 ………………… 504

11. 外因性の筋・骨格系疾患 ……… 506
- 骨粗鬆症，脆弱性脊椎骨折 …………… 506
- 若年例の脊椎圧迫骨折 ………………… 507
- 脆弱性骨盤骨折 ………………………… 507
- 大腿骨頸部／転子部骨折 ……………… 508
- 橈骨遠位端骨折 ………………………… 509
- 上腕骨顆上骨折 ………………………… 511
- 横紋筋融解症 …………………………… 512

12. 皮膚科領域 ……………………… 515

12-1. 蕁麻疹・血管性浮腫を呈する疾患 ……………………………………… 515
- 救急診療における皮膚疾患 …………… 515
- 概　要 …………………………………… 515
- 疫　学 …………………………………… 516
- 病態生理 ………………………………… 517
- 症　状 …………………………………… 517
- 検査・診断 ……………………………… 517
- 治　療 …………………………………… 518

12-2. 薬　疹 …………………………… 520
- 概　要 …………………………………… 520
- 疫　学 …………………………………… 521
- 病態生理 ………………………………… 521
- 症　状 …………………………………… 521
- 検査・診断 ……………………………… 524
- 治　療 …………………………………… 525

12-3. 中毒疹 …………………………… 527
- 概　要 …………………………………… 527
- 疫　学 …………………………………… 527
- 病態生理 ………………………………… 527
- 症　状 …………………………………… 527
- 検査・診断 ……………………………… 529
- 治　療 …………………………………… 529

12-4. 水痘・帯状疱疹 ………………… 533
- 疫　学 …………………………………… 533
- 病態生理 ………………………………… 533
- 水痘の症状 ……………………………… 533
- 帯状疱疹の症状 ………………………… 534
- 検査・診断 ……………………………… 535
- 治　療 …………………………………… 535

12-5. 皮膚細菌感染症，褥瘡，疥癬 …… 537
- 皮膚細菌感染症 ………………………… 537
- 褥　瘡 …………………………………… 542
- 疥　癬 …………………………………… 544

13. 眼科領域 ………………………… 548
- 症状から想定される疾患 ……………… 548
- 眼外傷から想定される疾患 …………… 554

14. 耳鼻咽喉科領域 ………………… 560
- 急性中耳炎 ……………………………… 560
- 乳突洞炎 ………………………………… 560
- 突発性難聴 ……………………………… 561
- メニエール病 …………………………… 562
- 良性発作性頭位めまい症 ……………… 563
- 前庭神経炎 ……………………………… 563
- 鼻出血 …………………………………… 564
- 扁桃周囲膿瘍 …………………………… 564

- ■急性喉頭蓋炎 ································ 565
- ■咽後膿瘍 ···································· 567
- ■Ludwig's angina（口腔底蜂窩織炎）··· 567
- ■外耳道異物 ································ 568

15. 婦人科領域 ································ 570
- ■卵巣出血 ···································· 570
- ■卵巣囊腫茎捻転 ·························· 571
- ■骨盤内炎症性疾患 ······················· 572
- ■卵巣過剰刺激症候群 ··················· 574
- ■不正性器出血 ····························· 577

16. 産科領域 ·· 579
- ■異所性妊娠 ································ 579
- ■妊娠高血圧症候群 ······················· 580
- ■子癇 ··· 580
- ■HELLP症候群 ···························· 581
- ■急性妊娠脂肪肝 ·························· 581
- ■周産期心筋症 ····························· 582
- ■羊水塞栓症 ································ 583
- ■産科異常出血の概要 ··················· 584
- ■産科危機的出血 ·························· 584
- ■凝固障害 ···································· 586
- ■弛緩出血 ···································· 587
- ■産道損傷 ···································· 588
- ■子宮破裂 ···································· 590
- ■子宮内反症 ································ 590
- ■胎盤卵膜遺残 ····························· 591
- ■胎盤早期剝離 ····························· 592
- ■前置胎盤 ···································· 593

17. 感染症 ·· 597

17-1. 敗血症 ·· 597
- ■敗血症の疫学 ····························· 597
- ■敗血症の定義，診断基準 ············ 597
- ■敗血症の診療指針 ······················· 597
- ■初期蘇生 ···································· 598
- ■輸液療法 ···································· 598
- ■血管収縮薬，強心薬 ··················· 600
- ■抗菌薬，感染巣コントロール ······ 600
- ■栄養管理 ···································· 601
- ■鎮痛・鎮静管理 ·························· 601
- ■免疫グロブリン静注療法 ············ 602
- ■PMX-DHP ·································· 602
- ■SSCGとJ-SSCGの相違点と，日本の敗血症診療の独自性 ························ 602
- ■標準的な診療指針と個別医療のバランスの重要性 ··································· 605

17-2. 緊急対応を要する感染症 ··········· 607
- ■破傷風 ······································· 607
- ■壊死性軟部組織感染症 ················ 609
- ■急性感染性電撃性紫斑病 ············ 612
- ■劇症型溶血性レンサ球菌感染症 ·· 613
- ■侵襲性肺炎球菌感染症 ················ 614
- ■脾摘出後重症感染症 ··················· 615

17-3. 新興感染症，再興感染症 ··········· 617
- ■重症熱性血小板減少症候群 ········· 617
- ■鳥インフルエンザ ······················· 618
- ■中東呼吸器症候群 ······················· 619
- ■新型コロナウイルス感染症（COVID-19）··· 620
- ■デング熱 ···································· 623
- ■エボラ出血熱 ····························· 624
- ■結核症 ······································· 624
- ■マラリア ···································· 625
- ■麻疹 ··· 626

18. 外傷 ·· 629

18-1. 重症多発外傷の蘇生戦略 ··········· 629
- ■外傷初期診療の基本 ··················· 629
- ■ダメージコントロール戦略 ········· 630
- ■Damage control resuscitation（DCR）··· 631
- ■外傷蘇生の戦術 ·························· 632

18-2. 頭部外傷 ···································· 634
- ■疫学 ··· 634
- ■解剖 ··· 634
- ■病態生理 ···································· 635
- ■頭部外傷の症状 ·························· 637
- ■形態的分類 ································ 637
- ■診断のためのモダリティ ············ 641
- ■外傷初期診療における頭部外傷診療 ··· 642
- ■重症頭部外傷の管理・治療 ········· 642
- ■頭蓋内圧亢進への対応 ················ 643
- ■軽症・中等症頭部外傷の対応・治療 ··· 643
- ■小児・高齢者における頭部外傷の特徴 ··· 644
- ■合併症への対応 ·························· 644

- ■頭部外傷に関連する特殊な病態……645
- ■抗血栓薬の中和の知識……646
- ■頭部外傷における血液凝固障害……646

18-3. 顔面・頸部外傷……648
- ■顔面外傷……648
- ■頸部外傷……652

18-4. 脊椎・脊髄損傷……657
- ■疫　学……657
- ■解　剖……657
- ■病態生理……658
- ■初期診療……662
- ■急性期の治療戦略……663

18-5. 胸部外傷……667
- ■受傷機転……667
- ■解　剖……667
- ■病　態……668
- ■Primary survey と蘇生……668
- ■Secondary survey……671
- ■根本治療を必要とする胸部外傷……672

18-6. 腹部外傷……677
- ■疫　学……677
- ■解　剖……677
- ■病態生理……677
- ■症状・症候……677
- ■検査・診断・評価……678
- ■治療・処置……679
- ■損傷臓器別の診断・治療……682

18-7. 骨盤外傷……688
- ■骨盤の解剖……688
- ■骨盤輪損傷の病態……690
- ■骨盤輪損傷の診断……690
- ■骨盤輪損傷の分類……691
- ■骨盤輪損傷の初期治療……692
- ■骨盤輪損傷に対する根本治療……695
- ■合併臓器損傷などへの対応……695
- ■寛骨臼骨折の診断・治療……696

18-8. 四肢外傷……699
- ■疫　学……699
- ■病態生理と対応の基本……699
- ■骨折・脱臼……699
- ■血管損傷……701
- ■神経損傷……702
- ■開放骨折……703
- ■切断肢……704
- ■デグロービング損傷……705
- ■コンパートメント症候群（筋区画症候群）……706
- ■クラッシュ症候群（圧挫症候群）……707

19．熱傷・凍傷……709

19-1. 熱傷診療の基本……709
- ■疫学と受傷機転……709
- ■病態生理……709
- ■熱傷深度……709
- ■熱傷面積……710
- ■初期診療……711
- ■入院・転送の判断……712
- ■虐待のスクリーニング……713

19-2. 広範囲熱傷……715
- ■定　義……715
- ■疫　学……715
- ■病態生理……717
- ■初期診療の基本……717
- ■初期輸液療法……717
- ■呼吸管理……719
- ■熱傷創処置……719
- ■手術療法……719
- ■感染対策……720
- ■栄養管理……721
- ■リハビリテーション……721
- ■リエゾンと緩和的治療……721

19-3. 気道損傷……722
- ■定　義……722
- ■疫　学……722
- ■病態生理……722
- ■検査・診断，重症度評価……723
- ■治　療……723

19-4. 化学熱傷 ……726
- 化学熱傷とは……726
- 初期治療の原則……726
- 受傷形態……727
- 重症度……728
- 化学物質別の特徴・対応など……728
- 化学物質に関する情報……731

19-5. 低温熱傷 ……733
- 定義・疫学……733
- 病態生理……733
- 症　状……733
- 原　因……733
- 検査・診断……734
- 治　療……734
- 予　防……734
- 診療上の注意点……734

19-6. 凍　傷 ……736
- 定義・分類……736
- 病態生理・症状……736
- 発症に関連する因子……736
- 現場での応急対応と病院前診療……738
- 医療機関での診療……738

19-7. 電撃傷，雷撃傷 ……742
- 電撃傷……742
- 雷撃傷……744

20. 急性中毒 ……747

20-1. 中毒診療の基本 ……747
- 急性中毒の疫学……747
- 安全確保，情報収集と除染……747
- 全身管理と対症療法……748
- 吸収の阻害……751
- 薬毒物の排泄促進……754
- 解毒・拮抗薬……755
- 再発の防止……755

20-2. 中毒原因別の対応 ……758
- 農薬中毒……758
- 化学用品・工業用品……761

- ガ　ス……762
- 市販薬中毒……765
- 医薬品中毒……767
- 生物毒……770

21. 環境障害 ……772

21-1. 熱中症 ……772
- 定義と分類……772
- わが国における熱中症の実態……772
- 病態生理と症状・所見……775
- 診断・治療……776
- 予防と啓発……777

21-2. 偶発性低体温症 ……779
- 定　義……779
- 偶発性低体温症の重症度分類……779
- 疫　学……779
- 病態生理……780
- 診　断……781
- 救急外来での注意点……782
- 検　査……782
- 治療法……782
- 予後因子……783
- 予防法……783

21-3. 気圧障害（減圧障害，圧外傷）……785
- 減圧障害の定義……785
- 減圧障害の原因……785
- 減圧障害の病態……785
- 減圧障害の症状・病型……786
- 減圧障害の診断……788
- 減圧障害の治療……790
- 圧外傷の分類と症状，対応……793

22. 溺　水 ……796
- 定　義……796
- 疫学・実状……796
- 病態生理……796
- ファーストエイドと一次救命処置……797
- 二次救命処置および救急外来での処置……798
- 集中治療室における治療……798
- 合併症……800

23. 異 物 ……… 801

- ■疫　学 ……… 801
- ■気道異物 ……… 801
- ■上部消化管異物 ……… 803
- ■下部消化管異物（直腸異物） ……… 804
- ■鼻腔・耳・眼・性器異物 ……… 805

24. 刺咬症 ……… 807

- ■毒ヘビ ……… 807
- ■海洋生物 ……… 809
- ■節足動物（昆虫および昆虫以外） ……… 811
- ■動物（イヌ，ネコ） ……… 812

目次 —下巻

VI章 患者背景を考慮した救急診療

1．小児 …………………………………… 814

1-1．小児救急診療の要点 …………… 814
- 救急医療にかかわる小児保健の動向 …… 814
- 小児の発達段階と事故予防 …………… 814
- 小児診察の基本 ……………………… 814
- 小児における緊急度・重症度評価と対応 … 819
- 小児における輸液療法 ………………… 821
- 小児における救急・集中治療体制の整備 … 823
- 児童虐待への対応 …………………… 823

1-2．小児に特有の疾患・病態 ………… 826
- けいれん発作，けいれん重積 …………… 826
- 気管支喘息発作 ……………………… 828
- 急性喉頭蓋炎 ………………………… 828
- 深頸部感染症 ………………………… 828
- クループ症候群 ……………………… 829
- 誤嚥・誤飲 …………………………… 829
- 腸重積症 …………………………… 831
- 鼠径ヘルニア嵌頓 …………………… 831
- 嵌頓包茎 …………………………… 831
- 小児に特有の外傷 …………………… 832
- 小児に特有の感染症 ………………… 833

2．妊産婦 ………………………………… 835

2-1．母体救急総論 …………………… 835
- 救急医療と周産期医療 ………………… 835
- 妊娠の確認と妊娠経過 ………………… 835
- 妊産婦の生理学的変化と母体管理の留意点 …………………………………… 837
- 母体救急 …………………………… 837

2-2．妊産婦の救急疾患 ……………… 841
- 脳卒中 ……………………………… 841
- 敗血症 ……………………………… 841
- 急性大動脈解離 ……………………… 841
- 急性心筋梗塞 ………………………… 842
- 肺血栓塞栓症 ………………………… 842
- けいれん重積 ………………………… 842
- 麻酔合併症 ………………………… 842
- 妊婦の外傷（trauma in pregnancy）…… 843

3．高齢者 ………………………………… 847
- 高齢者救急医療体制の現状と課題 …… 847
- 高齢者診察時の配慮点 ………………… 847
- 高齢者でとくに注意すべき外傷 ………… 850
- 高齢者虐待 ………………………… 852

4．精神疾患患者 ………………………… 857
- 精神科救急医療体制 ………………… 857
- 精神疾患と身体疾患を合併する患者への対応に関する連携モデル …………… 857
- 精神保健福祉法と精神科病棟の入院形態 … 858
- 救急医療と精神科救急の連携 ………… 859
- 救急医療現場で遭遇し得る精神疾患 …… 860
- 気分障害（うつ病性障害，双極性感情障害）…………………………………… 860
- 統合失調症 ………………………… 862
- 情緒不安定性パーソナリティ障害 ……… 863
- パニック障害 ………………………… 864
- アルコール使用障害（離脱症候群，依存症）…………………………………… 864
- 向精神薬の副作用 …………………… 866

5．自殺企図者 …………………………… 869
- 自殺問題の概要と社会的な対策 ……… 869
- 自殺企図者診療の実際 ………………… 870
- 診療後のケア・サポート ………………… 874

6．担がん患者 …………………………… 875
- Oncologic emergency とは …………… 875
- 脊髄圧迫 …………………………… 877
- 上大静脈症候群 ……………………… 877
- 高カルシウム血症 …………………… 877
- 低ナトリウム血症 …………………… 879
- 腫瘍崩壊症候群 ……………………… 879
- がん関連血栓症 ……………………… 879
- 免疫関連有害事象 …………………… 880
- 担がん患者への侵襲的処置と蘇生適応 … 881

7．免疫不全患者 ……… 883
- 免疫不全症の分類 ……… 883
- 免疫不全患者の特徴と対応の要点 ……… 883
- 好中球減少 ……… 884
- 細胞性免疫障害 ……… 886
- HIV 感染症 ……… 887
- 液性免疫障害 ……… 888
- 固形臓器移植後患者 ……… 889
- 免疫不全患者の呼吸不全 ……… 890

8．犯罪被害者 ……… 893
- 犯罪被害者に関する統計 ……… 893
- 犯罪被害者等基本法と，それに基づく取り組み ……… 893
- 犯罪被害者の救急外来診療 ……… 894
- 診療後のケア・サポート ……… 896

9．生活困窮者 ……… 898
- 救急医療と貧困・困窮の関係 ……… 898
- 医療保険の利用 ……… 899
- 社会福祉制度の利用 ……… 901
- 生活保護の利用 ……… 901

10．長距離搬送を要する患者 ……… 904
- 長距離搬送の対象 ……… 904
- 長距離搬送の準備 ……… 904
- 長距離搬送の手段と特徴 ……… 905
- 長距離搬送の費用と診療報酬 ……… 909

Ⅶ章　救急手技・処置

1．気管挿管 ……… 912
- コツとピットフォール ……… 912
- 概　要 ……… 912
- 適応・禁忌 ……… 912
- 準　備 ……… 912
- 方法・手順 ……… 913
- 合併症とその対応 ……… 915
- 気管挿管困難患者への対応 ……… 917
- DAI と RSI ……… 918
- 患者年齢による相違点・注意点 ……… 918

2．輪状甲状靱帯穿刺・切開 ……… 920
- コツとピットフォール ……… 920
- 概　要 ……… 920
- 適応・禁忌 ……… 920
- 輪状甲状靱帯穿刺 ……… 920
- 輪状甲状靱帯切開 ……… 921

3．気管切開 ……… 924
- コツとピットフォール ……… 924
- 概　要 ……… 924
- 頸部の解剖 ……… 924
- 適応・禁忌 ……… 925
- 準　備 ……… 926
- 方法・手順 ……… 926
- 合併症とその対応 ……… 927

4．胸腔ドレーン挿入 ……… 929
- コツとピットフォール ……… 929
- 概　要 ……… 929
- 適応・禁忌 ……… 929
- 準　備 ……… 929
- 方法・手順 ……… 929
- 合併症とその対応 ……… 932

5．酸素療法 ……… 933
- コツとピットフォール ……… 933
- 概　要 ……… 933
- 適応・禁忌 ……… 933
- 酸素療法の実際 ……… 933
- 合併症とその対応 ……… 935

6．非侵襲的陽圧換気（NPPV） ……… 936
- コツとピットフォール ……… 936
- 概　要 ……… 936
- 適応・禁忌 ……… 937
- 準　備 ……… 938
- 方法・手順 ……… 939
- NPPV を使用した治療例 ……… 940
- 合併症とその対応 ……… 941

7．侵襲的陽圧換気（IPPV） ……… 943
- コツとピットフォール ……… 943

- ■概　要 …………………………………… 943
- ■適応・禁忌 ……………………………… 943
- ■準　備 …………………………………… 944
- ■IPPVの基本的な換気モード設定 ……… 944
- ■人工呼吸器からの離脱 ………………… 946
- ■合併症とその対応 ……………………… 946

8．気管支鏡検査 ……………………………… 948
- ■コツとピットフォール ………………… 948
- ■概　要 …………………………………… 948
- ■適応・禁忌 ……………………………… 948
- ■準　備 …………………………………… 949
- ■方法・手順 ……………………………… 950
- ■合併症とその対応 ……………………… 952

9．動脈穿刺，観血的動脈圧測定，動脈シース挿入 ……………………… 953
- ■コツとピットフォール ………………… 953
- ■概　要 …………………………………… 953
- ■適応・禁忌 ……………………………… 953
- ■準　備 …………………………………… 953
- ■方法・手順 ……………………………… 954
- ■合併症とその対応 ……………………… 956

10．中心静脈カテーテル挿入 ……………… 958
- ■コツとピットフォール ………………… 958
- ■概　要 …………………………………… 958
- ■適　応 …………………………………… 958
- ■アプローチ法 …………………………… 958
- ■準　備 …………………………………… 959
- ■方法・手順 ……………………………… 959
- ■合併症とその対応 ……………………… 961

11．電気ショック ……………………………… 963
- ■コツとピットフォール ………………… 963
- ■概　要 …………………………………… 963
- ■適応・禁忌 ……………………………… 963
- ■準　備 …………………………………… 963
- ■方法・手順 ……………………………… 964
- ■合併症とその対応 ……………………… 966

12．緊急ペーシング …………………………… 967
- ■コツとピットフォール ………………… 967
- ■概　要 …………………………………… 967
- ■適応・禁忌 ……………………………… 968
- ■経皮的ペーシング（TCP）の実際 …… 969
- ■経静脈的ペーシング（TVP）の実際 … 969
- ■合併症とその対応 ……………………… 970
- ■うまく作動しないときの確認 ………… 970

13．心囊穿刺，心囊開窓術 …………………… 972
- ■コツとピットフォール ………………… 972
- ■概　要 …………………………………… 972
- ■解剖学的特徴 …………………………… 972
- ■適応・禁忌 ……………………………… 973
- ■心囊穿刺の実際 ………………………… 973
- ■心囊開窓術の実際 ……………………… 976
- ■合併症とその対応 ……………………… 978

14．肺動脈カテーテル挿入 …………………… 980
- ■コツとピットフォール ………………… 980
- ■概　要 …………………………………… 980
- ■測定項目 ………………………………… 980
- ■適応・禁忌 ……………………………… 980
- ■準　備 …………………………………… 981
- ■方法・手順 ……………………………… 982
- ■合併症とその対応 ……………………… 984

15．IABP実施・管理 ………………………… 985
- ■コツとピットフォール ………………… 985
- ■概　要 …………………………………… 985
- ■適応・禁忌 ……………………………… 985
- ■準　備 …………………………………… 987
- ■方法・手順 ……………………………… 987
- ■合併症とその対応 ……………………… 989

16．ECMO導入・実施 ……………………… 991
- ■コツとピットフォール ………………… 991
- ■概　要 …………………………………… 991
- ■V-A ECMO ……………………………… 991
- ■V-V ECMO ……………………………… 994
- ■合併症とその対応 ……………………… 996

17．蘇生的開胸術 ……………………………… 999
- ■コツとピットフォール ………………… 999
- ■概　要 …………………………………… 999
- ■適応・禁忌 ……………………………… 999

- ■準　備 ……………………………… 1001
- ■方法・手順 ……………………… 1002
- ■合併症とその対応 …………… 1005

18. 大動脈遮断用バルーンカテーテル挿入 …… 1006
- ■コツとピットフォール ………… 1006
- ■概　要 ……………………………… 1006
- ■外傷における適応 …………… 1006
- ■非外傷病態における適応 …… 1007
- ■準　備 ……………………………… 1008
- ■方法・手順 ……………………… 1008
- ■合併症とその対応 …………… 1010

19. 処置時の鎮痛・鎮静 …… 1014
- ■コツとピットフォール ………… 1014
- ■概　要 ……………………………… 1014
- ■適応・禁忌 ……………………… 1014
- ■準　備 ……………………………… 1014
- ■PSAで使用する薬剤 ………… 1016
- ■方法・手順 ……………………… 1019
- ■合併症とその対応 …………… 1020

20. 全身麻酔 …… 1022
- ■コツとピットフォール ………… 1022
- ■救急医療における全身麻酔の適応 … 1022
- ■全身麻酔薬 ……………………… 1022
- ■全身麻酔で使用するその他の薬剤 … 1023
- ■準　備（術前評価） …………… 1025
- ■方法・手順 ……………………… 1026

21. 腰椎穿刺 …… 1029
- ■コツとピットフォール ………… 1029
- ■概　要 ……………………………… 1029
- ■適応・禁忌 ……………………… 1029
- ■準　備 ……………………………… 1030
- ■方法・手順 ……………………… 1030
- ■合併症とその対応 …………… 1031

22. 腹腔穿刺 …… 1033
- ■コツとピットフォール ………… 1033
- ■概　要 ……………………………… 1033
- ■適応・禁忌 ……………………… 1033
- ■準　備 ……………………………… 1033
- ■方法・手順 ……………………… 1034
- ■評　価 ……………………………… 1034
- ■合併症とその対応 …………… 1036

23. 関節穿刺 …… 1038
- ■コツとピットフォール ………… 1038
- ■概　要 ……………………………… 1038
- ■適応・禁忌 ……………………… 1038
- ■準　備 ……………………………… 1038
- ■方法・手順 ……………………… 1038
- ■評　価 ……………………………… 1039
- ■合併症とその対応 …………… 1041

24. 消化管内視鏡検査 …… 1042
- ■コツとピットフォール ………… 1042
- ■概　要 ……………………………… 1042
- ■適応・禁忌 ……………………… 1042
- ■準　備 ……………………………… 1044
- ■方法・手順 ……………………… 1045
- ■合併症とその対応 …………… 1046

25. 胃管挿入，胃洗浄 …… 1047
- ■コツとピットフォール ………… 1047
- ■胃管挿入 ………………………… 1047
- ■胃洗浄 …………………………… 1048

26. SBチューブ挿入 …… 1051
- ■コツとピットフォール ………… 1051
- ■概　要 ……………………………… 1051
- ■適応・禁忌 ……………………… 1051
- ■準　備 ……………………………… 1051
- ■方法・手順 ……………………… 1052
- ■合併症とその対応 …………… 1053

27. イレウス管挿入 …… 1055
- ■コツとピットフォール ………… 1055
- ■概　要 ……………………………… 1055
- ■適応・禁忌 ……………………… 1055
- ■準　備 ……………………………… 1055
- ■方法・手順 ……………………… 1056
- ■挿入後の管理 …………………… 1058
- ■合併症とその対応 …………… 1058

28. 創傷処置（汚染創の処置） 1060
- ■コツとピットフォール 1060
- ■概　要 1060
- ■創のリスク評価 1061
- ■適応・禁忌 1061
- ■準　備 1061
- ■方法・手順 1061
- ■合併症とその対応 1064

29. 骨折整復・固定 1066
- ■コツとピットフォール 1066
- ■概　要 1066
- ■適　応 1066
- ■準　備 1067
- ■方法・手順 1067
- ■合併症とその対応 1069

30. 脱臼整復 1070
- ■概　要 1070
- ■手指関節脱臼の整復 1070
- ■肘関節脱臼の整復 1071
- ■肩関節脱臼の整復 1073
- ■股関節脱臼の整復 1074
- ■顎関節脱臼の整復 1076

31. 筋区画内圧測定 1079
- ■コツとピットフォール 1079
- ■概　要 1079
- ■適応・禁忌 1079
- ■準　備 1079
- ■方法・手順 1080
- ■測定結果の解釈 1081
- ■合併症とその対応 1081

32. 減張切開 1082
- ■コツとピットフォール 1082
- ■概　要 1082
- ■適応・禁忌 1082
- ■準　備 1083
- ■方法・手順 1083
- ■合併症とその対応 1085

33. 腹腔洗浄 1087
- ■コツとピットフォール 1087
- ■概　要 1087
- ■適応・禁忌 1087
- ■準　備 1088
- ■方法・手順 1088
- ■評　価 1088
- ■合併症とその対応 1089

34. 緊急IVR 1090
- ■コツとピットフォール 1090
- ■概　要 1090
- ■適応・禁忌 1090
- ■TAEの実際 1091
- ■合併症とその対応 1094

35. 頭蓋内圧測定 1095
- ■コツとピットフォール 1095
- ■概　要 1095
- ■適応・禁忌 1095
- ■準　備 1095
- ■方法・手順 1096
- ■合併症とその対応 1098

36. 腹腔（膀胱）内圧測定 1099
- ■コツとピットフォール 1099
- ■腹腔内圧の定義・基準 1099
- ■測定法の変遷と現状 1099
- ■適応・禁忌 1099
- ■準　備 1100
- ■方法・手順 1100
- ■合併症とその対応 1101

37. 急性血液浄化療法 1102
- ■コツとピットフォール 1102
- ■概　要 1102
- ■血液浄化療法の種類 1102
- ■適応と治療法の選択，および禁忌 1103
- ■準備・方法・手順 1105
- ■合併症とその対応 1107

VIII章 重症患者管理と集中治療

1. 救急医療における集中治療 …… 1110
- 集中治療とは …… 1110
- 救急医療における集中治療の役割 …… 1110
- 集中治療室（ICU）の管理方式 …… 1110
- 集中治療の課題・展望 …… 1111

2. 重症度評価の指標 …… 1113
- 重症度評価の目的と意義 …… 1113
- 死亡率の予測に用いられる指標・スコア …… 1113
- 臓器障害の程度を予測する指標・スコア …… 1114
- 急変リスクを予測する指標・スコア …… 1116

3. 侵襲から臓器障害に至るメカニズム …… 1118
- 侵襲とSIRS …… 1118
- 感染による侵襲から臓器障害に至るメカニズム …… 1118
- PAMPs, DAMPs, PRRs …… 1119
- サイトカイン …… 1120
- 血管内皮細胞の透過性亢進 …… 1120
- NETs …… 1120
- 播種性血管内凝固症候群（DIC） …… 1121
- 外傷による直接的な臓器障害 …… 1121
- 外傷と敗血症の関係 …… 1121

4. 代表的な臓器障害へのアプローチ …… 1124

4-1. 神経集中治療管理 …… 1124
- ICP亢進の病態生理 …… 1124
- 脳血流の変化とICPの関係 …… 1124
- ICP亢進と関連する重症病態 …… 1125
- ICPのモニタリングと管理 …… 1127
- 脳波モニタリング …… 1127
- 局所脳酸素飽和度（rSO$_2$）モニタリング …… 1128

4-2. ARDSと呼吸管理 …… 1131
- 重症患者における呼吸管理の目的・意義 …… 1131
- ARDSの定義・診断など …… 1131
- ARDSを含む重症呼吸不全の治療・管理 …… 1132
- 呼吸管理に用いられるパラメータ・指標 …… 1135
- 人工呼吸管理からの離脱 …… 1137
- 人工呼吸管理時に注意すべき合併症など …… 1139

4-3. 急性心不全と循環管理 …… 1146
- 身体所見とバイタルサインの基本的な評価 …… 1146
- うっ血の評価 …… 1147
- 低灌流の評価 …… 1148
- 急性心不全の評価・分類と基本的対応 …… 1148
- 心原性肺水腫の治療・管理 …… 1150
- 体液貯留の治療・管理 …… 1152
- 低灌流・低心拍出の治療・管理 …… 1153
- 急性心不全に伴う特殊病態への対応 …… 1153

4-4. AKIに対する腎代替療法 …… 1155
- 急性腎障害（AKI）の定義 …… 1155
- AKIに対する腎代替療法 …… 1155
- 腎代替療法の適応・開始時期 …… 1156
- 腎代替療法の実際 …… 1157
- 腎代替療法施行時の注意点・合併症 …… 1159

4-5. 腹腔内圧管理とIAH/ACS …… 1161
- 腹腔内圧管理にかかわる定義・基準 …… 1161
- 腹腔内圧の上昇に伴う臓器障害の病態 …… 1162
- 腹腔内圧の評価 …… 1163
- IAH/ACSの治療 …… 1165

4-6. 凝固線溶管理とDIC …… 1168
- 生体侵襲に対する生体反応としての凝固線溶変化 …… 1168
- 凝固線溶管理に関連する検査・指標 …… 1170
- DICの分類と診断 …… 1172
- 敗血症におけるDIC …… 1174
- 外傷性凝固障害 …… 1176

5. 体温管理 …… 1179
- 体温管理の目的と意義 …… 1179
- 重症患者における体温管理の適応 …… 1179

- ■体温の測定・モニタリング……………1180
- ■体温管理の方法……………………………1180
- ■体温管理時の注意点………………………1182

6. 栄養療法 …………………………………1183
- ■重症病態におけるエネルギー消費量の推定 ……………………………………………1183
- ■栄養投与の実際……………………………1184
- ■特定の条件・タイミングにおける栄養療法 ……………………………………………1186
- ■蛋白投与量…………………………………1187
- ■免疫調整栄養剤……………………………1187
- ■栄養状態の評価……………………………1188
- ■経腸栄養療法時の管理・モニタリング……1189

7. 鎮痛・鎮静，せん妄管理 ………………1192
- ■重症患者の痛みの評価法…………………1192
- ■重症患者の不穏・鎮静の評価法…………1193
- ■重症患者のせん妄評価法…………………1193
- ■重症患者に用いられる鎮痛・鎮静薬……1195
- ■重症患者のせん妄発症の予防・治療など ……………………………………………1197

8. 早期リハビリテーション ………………1199
- ■早期リハビリテーションとは……………1199
- ■PICS，ICU-AW ……………………………1199
- ■ICUケアバンドル…………………………1199
- ■早期リハビリテーションの実際…………1200
- ■早期リハビリテーションの効果…………1200
- ■早期リハビリテーションの導入…………1201

IX章 災害医療

1. 災害医療総論 ……………………………1206
- ■災害医療はすべての医療職が学ぶべきもの ……………………………………………1206
- ■災害医学・医療の定義……………………1206
- ■災害の分類…………………………………1207
- ■災害対応における重要概念………………1208
- ■災害時の疾病構造…………………………1209
- ■救急医が習得しておくべき災害医療の能力 ……………………………………………1210
- ■災害時の法律………………………………1213

- ■わが国の災害医療体制……………………1213
- ■災害と精神医療……………………………1216

2. 災害医療におけるトリアージ ………1217
- ■災害医療におけるトリアージの意義・目的 ……………………………………………1217
- ■トリアージの実際…………………………1217
- ■トリアージタグとその記載方法…………1218
- ■トリアージ場所による違い………………1220
- ■さまざまなトリアージ法…………………1220

3. DMAT ……………………………………1224
- ■DMATとは…………………………………1224
- ■DMATの変遷と実績………………………1224
- ■平時の準備・訓練…………………………1225
- ■DMATの派遣………………………………1225
- ■DMATの活動期間…………………………1226
- ■DMATの指揮命令系統と各部の役割……1226
- ■広域災害時のDMAT活動の優先順位……1228
- ■広域医療搬送………………………………1229
- ■新型コロナウイルス感染症に対するDMAT活動 …………………………………………1230
- ■スムーズなDMAT活動・活用のために…1230

4. マスギャザリングに対する医療支援 ……………………………………………1231
- ■マスギャザリングに対する医療支援……1231
- ■マスギャザリングに対する医療の特徴……1231
- ■傷病者発生に関連するリスク因子………1232
- ■マスギャザリングイベントでの傷病者発生頻度 ……………………………………1232
- ■マスギャザリングの医療支援体制と救急医の役割 ……………………………………1232
- ■医療支援体制の実際………………………1233

5. CBRNEテロ・災害 ……………………1237
- ■院内対応・体制の基本……………………1237
- ■CBRNEテロ・災害対応の要点……………1238
- ■除染の種類と方法…………………………1239
- ■個人防護具（PPE）の取り扱い …………1240
- ■化学テロへの対応…………………………1241
- ■生物テロへの対応…………………………1244
- ■CBRNEテロ・災害対応の課題……………1246

6. 爆傷 ……………………………… 1249
- 爆傷の特徴 …………………………… 1249
- 爆傷に対する病院前救護 …………… 1249
- 爆傷による損傷の特徴とその対応 …… 1250

7. 事態対処医療 ………………… 1253
- 事態対処医療の定義・目標 ………… 1253
- 事態対処現場における外傷対応の基本 …… 1253
- 事態対処現場における傷病者対応の実際 …………………………………… 1253
- 事態対処救護要員の携行資器材 …… 1257
- 事態対処医療の習得 ………………… 1257

8. 緊急被ばく医療 ……………… 1259
- 放射線事故・災害, 原子力災害と緊急被ばく医療 …………………………… 1259
- 被ばくと汚染（電離放射線の種類と特徴） …………………………………… 1259
- 放射線による生体影響の機序と急性障害の特徴 …………………………… 1260
- 緊急被ばく医療の特徴 ……………… 1260
- 緊急被ばく医療の実際 ……………… 1261
- 原子力災害発生時の公衆の防護 …… 1264
- 原子力災害時の医療体制 …………… 1264

9. 健康危機管理 ………………… 1266
- 健康危機管理の重要性 ……………… 1266
- 健康危機管理の基本 ………………… 1266
- 危機管理のプロセス ………………… 1266
- 危機の「蓋然性」と「インパクト」 …… 1268
- 保健所との連携 ……………………… 1268
- 情報共有の重要性 …………………… 1268
- 国民・社会とのコミュニケーション …… 1270

X章 救急医療の質の管理

1. 救急医療の質の評価 ………… 1272
- 質の管理 ……………………………… 1272
- 対象別の評価指標例 ………………… 1273
- 継続的な質の向上と総合的な質の管理 …… 1277

2. 外傷診療の質の評価・管理 ………… 1279
- 外傷診療の質の評価指標 …………… 1279
- 質の評価の実際 ……………………… 1281
- 外傷診療の質の向上を目指した取り組み …………………………………… 1283

3. レジストリー ………………… 1285
- 救急医療の質の管理におけるレジストリーの役割 …………………………… 1285
- 救急医療の質の管理に関するレジストリーの現況 …………………………… 1285
- レジストリーを救急医療の質の管理・改善に役立てるために ……………… 1285
- レジストリーを活用した救急医療の質の管理の具体例 …………………… 1286
- レジストリーで得られた成果の活用 …… 1288

4. 救急部門の管理・運営 ……… 1290
- わが国における救急部門の運営方式と特徴 …………………………………… 1290
- 救急部門の管理・運用における救急科専門医の役割・立ち位置 ………… 1291
- 救急部門スタッフの労務管理と働き方改革 …………………………………… 1293

5. 救急医療におけるチーム医療 ……… 1295
- チーム医療の考え方の変遷 ………… 1295
- 各職種の業務拡大など ……………… 1295
- チーム医療アプローチの形 ………… 1297
- チーム医療に関連する多様な医療スタッフの役割 ………………………… 1298
- チーム医療における医師の管理の重要性 …………………………………… 1299

6. 成人教育 ……………………… 1302
- 成人教育とは ………………………… 1302
- 学習の目標とその評価 ……………… 1302
- 学習に必要なこと …………………… 1302
- シミュレーション教育 ……………… 1303
- 医師の研修と成人教育 ……………… 1304

7．医療費と保険制度 ……………… 1306
- 社会保障給付費と国民医療費 ………… 1306
- 医療保険と診療報酬の基本 …………… 1306
- 救急医療にかかわる主な診療報酬項目 … 1307
- DPC制度（DPC/PDPS） ……………… 1311

XI章 医療安全

1．救急医療と医療安全 …………… 1314
- 医療安全に関する用語 ………………… 1314
- 医療安全に対する基本的な考え方 …… 1315
- エラーの原因 …………………………… 1316
- エラーの対策 …………………………… 1319

2．院内迅速対応システム（RRS） …… 1322
- RRSとは ………………………………… 1322
- RRSの構成要素 ………………………… 1322
- RRSの起動基準 ………………………… 1323
- RRSの構築・整備 ……………………… 1324

3．インシデント報告 ……………… 1326
- インシデント報告の意義・重要性 …… 1326
- インシデント報告の実際 ……………… 1326
- 医療事故情報収集等事業 ……………… 1329

4．医療事故調査制度 ……………… 1331
- 制度の目的・趣旨 ……………………… 1331
- 制度設立の背景 ………………………… 1331
- 医療事故の定義と制度の対象 ………… 1332
- 事故報告の方法・手順 ………………… 1332
- 遺族への説明内容 ……………………… 1333
- 院内調査と医療事故調査等支援団体 … 1333

5．医事紛争 ………………………… 1335
- 医事紛争の現状 ………………………… 1335
- 医師・医療機関が問われる法的責任 … 1335
- 日々の診療における留意点 …………… 1337
- 医療事故発生後の対応 ………………… 1339

XII章 感染管理

1．感染予防策 ……………………… 1342
- 標準予防策 ……………………………… 1342
- 感染経路別予防策 ……………………… 1343
- 薬剤耐性菌 ……………………………… 1344
- 滅菌・消毒 ……………………………… 1345
- 院内感染制御体制の整備 ……………… 1346

2．救急外来部門における感染対策 …… 1348
- 救急外来は医療機関の門戸 …………… 1348
- 救急外来部門に特化した感染対策指針の必要性 ………………………………… 1348
- 救急外来における感染対策の基本的な考え方 …………………………………… 1349
- 救急外来部門における感染対策チェックリスト ………………………………… 1349
- 病院前救護活動における感染対策 …… 1350
- 感染症アウトブレイク発生時の対応 … 1350
- 感染症患者の届出義務 ………………… 1350
- 渡航者および帰国者からの感染対策 … 1350

3．職業感染対策 …………………… 1355
- 曝露事故の予防と対応 ………………… 1355
- 血液・体液曝露後の対応 ……………… 1356
- 飛沫・飛沫核曝露後の対応 …………… 1358
- 医療従事者のワクチン予防接種 ……… 1359

XIII章 医療倫理

1．医療倫理と臨床倫理 …………… 1364
- 医療倫理の歴史的展開 ………………… 1364
- 生命倫理とは …………………………… 1365
- 臨床倫理とは …………………………… 1366
- 臨床倫理における倫理原則 …………… 1369

2．臨床現場における「尊厳」の意味 …… 1372
- 「尊厳」の概念の端緒と多義性 ……… 1372
- 生命の尊厳 ……………………………… 1372
- 人間の尊厳 ……………………………… 1373
- 米国の生命倫理学における考え方 …… 1373

- "dignity" としての「尊厳」の意味 …… 1374
- 身体拘束と「尊厳」 …… 1374
- 延命措置と「尊厳」 …… 1375
- 「尊厳死」をめぐる日米間の相違 …… 1376

3. 臨床倫理と課題対応 …… 1378

- 倫理的判断を必要とする事案が増加している背景 …… 1378
- 発生した事案への対応 …… 1378
- 手続履践の意義 …… 1380
- 救急医療に関係するガイドラインと臨床倫理コンサルテーション …… 1380
- 臨床倫理に係る取り組みの機軸 …… 1381

4. インフォームド・コンセント …… 1383

- インフォームド・コンセントとは …… 1383
- 法的基盤としてのインフォームド・コンセント …… 1383
- 倫理的基盤としてのインフォームド・コンセント …… 1384
- 実践基盤としての日常診療でのインフォームド・コンセント …… 1386
- 実践基盤としての救急現場でのインフォームド・コンセント …… 1387

5. 救急医療に関する意思表示への対応 …… 1389

- 病院前救護活動に関与する場合 …… 1389
- 院内で治療を実施する場合 …… 1391

6. 医療資源の公正配分 …… 1392

- 医療資源の公正な配分とは …… 1392
- 恣意的でない判断のために …… 1393

7. 臨床研究 …… 1395

7-1. 研究倫理 …… 1395

- 研究倫理とは …… 1395
- 研究計画の立案から受審まで …… 1397
- 研究の遂行から成果発表まで …… 1398

7-2. 臨床研究法 …… 1400

- 臨床研究法設立の背景と経緯 …… 1400

- 臨床研究法の要点 …… 1400
- 臨床研究の定義 …… 1400
- 臨床研究および特定臨床研究の該当性 …… 1402
- 特定臨床研究の実施に関する手続き …… 1404
- 臨床研究の実施基準 …… 1404
- 研究責任医師等の責務 …… 1404
- 疾病等発生時の報告・定期報告と厚生労働大臣の命令 …… 1406
- 認定臨床研究審査委員会申請・情報公開システム …… 1406

XIV章 人生の最終段階における医療

1. 人生の最終段階における医療に関するガイドライン・指針 …… 1410

- 背景 …… 1410
- 日本集中治療医学会の勧告 …… 1410
- 日本救急医学会の提言（ガイドライン） …… 1410
- 終末期医療の決定プロセスに関するガイドライン …… 1411
- 3学会合同ガイドライン …… 1411
- 人生の最終段階における医療・ケアの決定プロセスに関するガイドライン …… 1412
- 日本医師会のガイドライン …… 1412
- 日本脳卒中学会のガイドライン・提言 …… 1413
- 救急・集中治療現場でのポイント …… 1414

2. 人生の最終段階における緩和ケア …… 1415

- 救急・集中治療における緩和ケアの領域 …… 1415
- 救急・集中治療における緩和ケアニーズ …… 1415
- ICUに緩和ケアを導入する道筋 …… 1416
- 救急・集中治療領域における緩和ケアの背景とエビデンス …… 1417
- 患者・家族とともに行う意思決定のためのGOCD …… 1418
- 集中治療の「差し控え」などの考え方 …… 1418

3. 患者・家族ケア …… 1422

- 患者・家族ケアの基本的な考え方 …… 1422
- 終末期における患者・家族ケア …… 1423

4．脳死と脳死下臓器提供 ……… 1427
- ■脳死の病態と脳死者数 ……………… 1427
- ■脳死下臓器提供の概要 ……………… 1427
- ■法的脳死判定とは …………………… 1428
- ■「脳死とされうる状態」とは ………… 1428
- ■法的脳死判定の実際 ………………… 1429
- ■脳死下臓器提供に関する近年の変化など
  …………………………………………… 1432

5．心停止後臓器提供 ………………… 1434
- ■心停止後臓器提供の歴史と現状 …… 1434
- ■救急現場の心停止後臓器提供 ……… 1434
- ■心停止後臓器提供の実際 …………… 1435
- ■心停止後臓器提供が考慮される疾患 … 1435
- ■心停止後臓器提供の特徴・注意点 … 1435
- ■救急医療現場での具体的な取り組み … 1436
- ■心停止後臓器提供での臓器保護への期待
  …………………………………………… 1436

XV章　救急医療と医事法制

1．異状死と検死 ……………………… 1438
- ■異状死体とは ………………………… 1438
- ■異状死体の届出義務とその解釈 …… 1439
- ■死亡診断書と死体検案書 …………… 1439
- ■監察医および警察医による検案 …… 1441
- ■死体検案の実際 ……………………… 1441

2．個人情報保護 ……………………… 1446
- ■個人情報とは ………………………… 1446
- ■個人情報保護法の目的・対象 ……… 1446
- ■近年の法改正の要点 ………………… 1446
- ■例外的な個人情報の取り扱い ……… 1448

3．医師の法的義務（届出・守秘義務）
………………………………………………… 1450
- ■基本的人権 …………………………… 1450
- ■医師に課せられる法的義務 ………… 1450
- ■医師による届出 ……………………… 1452
- ■守秘義務と届出は相反する問題か … 1455

4．暴力・虐待行為に関する法制度 …… 1456
- ■暴力・虐待行為の通報 ……………… 1456
- ■性犯罪・性暴力に関する法制度など … 1457
- ■配偶者暴力に関する法制度など …… 1457
- ■児童虐待に関する法制度など ……… 1458
- ■高齢者虐待に関する法制度など …… 1458
- ■障害者虐待に関する法制度など …… 1459

救急医学総論

1. 救急医療と救急医学 2
2. 医療計画と救急医療 7
3. 救急医療と地域医療 18
4. 救急科専門医に求められる知識・技能・態度 23

I 救急医学総論

1 救急医療と救急医学

坂本 哲也

　救急医療と救急医学は，多様で多彩な救急患者を対象とする，非常に幅広く，奥深い領域である。医師国家試験では救急医療について基本的な知識が問われ，臨床研修では救急部門における研修が必須とされているように，すべての医師に一定水準以上の対応能力が求められる領域であると同時に，救急科専門医に限らず，それぞれの医師がどのような地域・施設・立場・レベル・専門性で救急医療・救急医学に携わっているかによって，この領域に含まれる範囲と深さはさまざまに異なってくる。ここでは本書の導入として，救急医療を特徴づけるいくつかの要素や，救急患者の現状，救急医学および学会の歴史，救急科専門医制度などについて，その概略を述べる。なお，社会的な制度・システムとしての救急医療体制や病院前救護体制の具体的な解説は，本書Ⅰ章およびⅡ章の各項をそれぞれ参照されたい。

救急医療を特徴づける要素

　旧厚生省の「救急医療体制基本問題検討会報告書」（1997年12月）[1]では基本的視点として，「救急医療は"医"の原点であり，かつ，すべての国民が生命保持の最終的な拠り所としている根元的な医療と位置付けられる」と述べられている。ここで「"医"の原点」と表現されているように，急病や外傷の患者を救うことは黎明期から普遍的に医療に求められてきた役割である。

　現代の救急医療は個々の患者に対する診療にとどまらず，"社会インフラ"や"社会のセーフティネット"などと表現される社会的なシステムの意味も内包し，上記の報告書でも「救急医療は地域における重要な政策課題であり，地域住民の必要性を満たすよう充実する必要がある」とされている[1]。ここでは救急医療に共通する特徴的な要素として，①対象とする患者・疾患・病態が多様であること，②院外でも重要な役割を担い得ること，③"時間軸"の概念が重要であること，の3点をあげて説明する。

1 対象患者・疾患・病態の多様性

　救急医療は，すべての年齢層で，臓器・疾患・病態を問わず，あらゆる緊急度・重症度の患者がその対象となり得る。例えば，前述した「救急医療体制基本問題検討会報告書」で「救急患者」とは，「通常の診療時間外の傷病者及び緊急的に医療を必要とする傷病者」とされている[1]。また，日本救急医学会の「救急科領域専門研修プログラム整備基準」では，冒頭の「救急科専門医制度の理念」のなかで，「急病，外傷，中毒など原因や罹患臓器の種類に関わらず，すべての緊急性に対応する」救急科専門医が国民にとって重要であるとされている[2]。この2つの説明では共通して，特定の疾患や病態によらず，緊急性の高い患者は救急医療のもっとも重要な対象と考えられているが，前者では「通常の診療時間外の傷病者」も救急患者に含め，後者では当初は緊急性が低いとされた患者のなかに，実際には高い患者も混在しているため「すべての緊急性に対応する」ことが求められている。このように幅広い患者に対して，どのような医師がどのように診療を行うかも，施設の環境や医師の専門性などによって大きく異なる。そして，このような患者の多様性にあわせて，そのときの医療資源に応じた最適解を選択し対応することは，救急医療を特徴づける要素の一つと考えられる。

　わが国では1977年に初めて救命救急センターが設置されたが，その端緒は1960年代に交通事故・労働災害などによる重症外傷患者が増加したことにあるとされる。救命救急センターは重症外傷のほか熱傷や中毒を中心に，既存の専門診療科だけでは対応が困難な患者の診療を一貫して集学的に担う部門として対象を広げ発展してきた。人口の高齢化による内因性疾患の増加や，交通事故による重傷外傷の減少により，その対象患者・疾患は変化してきたが，現在も救命救急センターは内因性・外因性疾患を問わず，重篤な状態の救急患者すべてに対する初期治療，根本治療および集中治療を担っている。そのために，救命救急センターの救急医には，心肺蘇生やあらゆる疾患・外傷の初期治療だけでなく，集中治療管理

や終末期対応などが求められ，専門診療科との役割分担により根本治療を担うこともある。

一方で，後述するような患者の"数"でみれば，救急医療の対象となる患者の多くは重篤な疾患・病態を抱えた者ではなく，軽症・中等症の患者である。その診療を主に担うのは初期・二次救急医療機関であるが，三次救急医療機関（救命救急センターを有する医療機関）でも，緊急度・重症度にかかわらず救急科医師が広く患者を受け入れ，入院治療が必要であれば各専門診療科や他院と連携し対応している施設も少なくない。このような体制を想定した救急医療で求められるのは，専門的治療や主治医としての入院患者管理というよりも，症候論的に必要な処置や入院の要否を判断し実施する知識・技能や，連携/引き継ぎをする各専門診療科・他院とのコミュニケーション能力，隠れた緊急度・重症度の高い患者を見逃さない判断力，そして，緊急度に応じた優先順位をつけながら複数患者に対しても同時に対応できるマルチタスク能力が主となるであろう。

2 院外での救急医療の役割

救急医療の実践の場は，医療機関内に限られない。ドクターヘリ・ドクターカーによる病院前診療や，災害時の医療支援活動は，院外での救急医の役割としてわかりやすい例といえる。いずれも，あらゆる状況で，あらゆる患者に対応することができる，救急医に期待される重要な役割である。また，メディカルコントロール（medical control；MC）体制は，救急隊員や救急救命士による処置などに対して医師が指示や助言をしたり，地域の救急搬送基準を策定することなどにより，地域の病院前救護の質を保証するものであるが，その中心となるメディカルコントロール協議会は各地域や都道府県の救急医療機関と救急医が担っている。このように，来院した患者の診療を行うのみならず，必要に応じて院外で診療を行うこと，あるいはメディカルコントロール協議会に参画することも，救急医療の役割の大きな特徴と考えられる。

3 "時間軸"の概念の重要性

救急医療では，程度の差はあれ，ほとんどすべての場面で"時間軸"の概念，すなわち緊急度・重症度，とくに緊急度を意識することが重要となる。緊急度に確立された定義はないが，一般に"重篤な状態に至るまでの時間的な余裕のなさ"ということができる[3]。

例えば，救急外来で多数の，しかもほとんどが初診の患者に適切に対応し，院内の救急医療を円滑に運用するためには，まず各患者の緊急度を判断し，必要に応じて緊急度の高い患者から優先的に対応すること（トリアージ）も求められる。また，救急初期診療のアプローチとして，気道（A；Airway），呼吸（B；Breathing），循環（C；Circulation），中枢神経（D；Dysfunction of CNS），体温（E；Environmental control）の順に評価や初期対応を行う"ABCDEアプローチ"が一般的であるが，これもまず，その患者がすぐさま命にかかわるような緊急度の高い状態であるかどうかを判断し，救命のための処置を行うことを最優先することを表現したものといえる。

このような"時間軸"の概念とくに緊急度を意識した診療のあり方は，すべての医療に共通するところであるが，救急医療においてはとくに重要であり，特徴的な要素と考えられる。

救急患者の現状や特徴

総務省消防庁は，救急搬送患者に関するデータをまとめ「救急・救助の現況」として毎年公表している。ここでは以下，本稿執筆時点で最新の「令和5年版 救急・救助の現況」[4]に基づいて述べる。

搬送人員数（救急搬送傷病者数）については他項（p.7参照）でも図示されているため詳細は省くが，統計開始から年々増加して2019年に約598万人となった後，新型コロナウイルス感染症流行の影響で2020年と2021年は550万人を下回ったが，2022年には約620万人と再び増加している。また，年齢区分別にみると，65歳以上の高齢者が約385万人（全体の約62％）を占め，とくに75歳以上が約295万人（全体の約47％）となっている。一方で，小児（少年，乳幼児）は約48万人であり，割合にすると約8％であるが，決して少ない数とはいえない。

事故種別の搬送人員数を表1[4]に示す。年々増加する「急病」が67.3％と約2/3を占めており，一般負傷・交通事故などの外傷よりはるかに多くなっている。また，「急病」の分類別・程度別の搬送人員数を表2[4]に示す。「症状・徴候・診断名不明確の状態」が約40％ともっとも多いのは救急初療時の確定診断の難しさから当然の結果であるが，個別の分類では，循環器系（脳疾患，心疾患等）が14.7％，呼吸器系が9.0％，消化器系が8.5％と多様で

表1 事故種別の搬送人員数（2022年）

区分 事故種別	2022年中 搬送人員	構成比（％）
急病	4,186,450	67.3
交通事故	347,372	5.6
一般負傷	985,958	15.9
加害	18,938	0.3
自損行為	40,256	0.6
労働災害	56,814	0.9
運動競技	34,890	0.6
火災	4,937	0.1
水難	1,879	0.0
自然災害	449	0.0
その他	539,340	8.7
合計	6,217,283	100

〔文献4〕より抜粋して引用〕

表2 急病の疾病分類別・傷病程度別の搬送人員数（2022年）

分類項目		死亡	重症 （長期入院）	中等症 （入院診療）	軽症 （外来診療）	その他	合計
循環器系	脳疾患	1,593 (2.1)	61,511 (20.2)	170,907 (9.3)	43,014 (2.2)	0 (0.0)	277,025 (6.6)
	心疾患等	32,781 (42.9)	68,137 (22.3)	154,865 (8.5)	85,181 (4.3)	0 (0.0)	340,964 (8.1)
消化器系		1,082 (1.4)	17,962 (5.9)	184,490 (10.1)	151,423 (7.7)	0 (0.0)	354,957 (8.5)
呼吸器系		2,743 (3.6)	35,429 (11.6)	225,420 (12.3)	114,082 (5.8)	0 (0.0)	377,674 (9.0)
精神系		10 (0.0)	1,314 (0.4)	16,302 (0.9)	70,429 (3.6)	0 (0.0)	88,055 (2.1)
感覚系		89 (0.1)	3,025 (1.0)	51,850 (2.8)	109,336 (5.5)	0 (0.0)	164,300 (3.9)
泌尿器系		316 (0.4)	5,991 (2.0)	65,804 (3.6)	80,324 (4.1)	0 (0.0)	152,435 (3.6)
新生物		2,564 (3.4)	12,944 (4.2)	45,351 (2.5)	8,354 (0.4)	0 (0.0)	69,213 (1.7)
その他		3,987 (5.2)	30,189 (9.9)	288,285 (15.8)	346,973 (17.6)	0 (0.0)	669,434 (16.0)
症状・徴候・診断名 不明確の状態		31,240 (40.9)	68,720 (22.5)	624,739 (34.2)	966,590 (48.9)	1,104 (100)	1,692,393 (40.4)
合計		76,405 (100)	305,222 (100)	1,828,013 (100)	1,975,706 (100)	1,104 (100)	4,186,450 (100)

〔文献4〕より引用〕

ある。傷病程度をみても，循環器系に死亡と重症が多いが，それぞれの分類において重症から軽症までさまざまである。

一方，これらのデータはあくまで消防機関による救急搬送傷病者数をまとめたものであり，救急医療の対象には，主として通常の診療時間外にwalk-inや自家用車などで自ら来院した患者も含まれる。例えば，2022年度の東京都休日・全夜間診療事業実施医療機関（東京都指定二次救急医療機関）の休日・全夜間受診患者は，同救急搬送432,737人（内，緊急入院142,118人），独歩来院472,775人（内，緊急入院75,843人）であり，独歩来院は休日・全夜間受診患者の54.4％，同緊急入院患者の34.8％を占めていた。

救急医学と日本救急医学会

実践された救急医療を科学的に検証し技術と体制を進歩させることで，より優れた救急医療の提供を目指す普遍的学問が，救急医学である。わが国の大学に救急医学講座が初めて開設されたのは，救命救急センターの発足と同じ1977年であり，それを救急医学の学問としての端緒ととらえるのであれば，医学のなかでは比較的新しい専門分野といえる。

救急医療と同様に救急医学も非常に多様性のある領域であり，分野横断的であることが救急医学の特徴の一つと考えられる。医学の各専門分野は臓器別・疾患別に高度に分化してきているが，救急医学の対象となる急性病態は複数の専門分野にまたがるものが多い。各専門分野にとどまらず，急性病態を全身的・総合的にとらえて研究することをアイデンティティとして重視し追求する学問が，救急医学であるとも考えられる。

そして，上記のとおり救急医学という学問は，よりよい救急医療のために現実の問題を解決することを目的としている。救急医学では個々の患者への治療のみでは解決できない問題も多く，救急医療体制の変革が求められることもある。救急医学の成果を救急医療の現場へ有効に落とし込み，社会としての取り組みとするために，日本救急医学会が重要な役割を担っている。

日本救急医学会（Japanese Association for Acute Medicine；JAAM）は1973年に設立され，当初の会員数は約900人であったが，1987年には5,000人を，2006年には10,000人を超えて安定し，2023年10月時点で10,186人となっている[5]。なお，第1回の総会も設立と同年の

〔文献6）より引用〕

図1　「第1回 日本救急医学会総会」の看板（1973年，神戸）

1973年11月に開催された（図1）[6]。本学会は日本医学会分科会となっており，わが国を代表する救急医療・救急医学領域の学会として国際的にも，アジア救急医学会（Asian Society for Emergency Medicine；ASEM）や国際救急医学連盟（International Federation for Emergency Medicine；IFEM）に加入している。学会の具体的活動についてはホームページなどを参照されたいが，救急医療・救急医学の実践や教育を担う救急科専門医および日本救急医学会指導医の認定は，学会の非常に重要な役割である。

救急科専門医と日本救急医学会指導医

日本救急医学会では，学会発足から10年後の1983年に認定医制度を設け，1989年には指導医制度を設けた。2003年には厚生労働省により，広告可能な専門医の一つとして学会認定医が認められたことで「救急科専門医」制度となり，現在の日本専門医機構の前身である日本専門医制評価・認定機構の設立に伴って，専門医制度の18の基本領域の一つとなった。2018年には現在の日本専門医機構による新専門医制度が始まったが，救急科専門医は引き続き基本領域（総合診療科が加わって19領域）に含まれている。日本救急医学会が示す「救急科専門医の使命」は下記のとおりである[7]。

「救急科専門医の社会的責務は，医の倫理に基づき，急病，外傷，中毒など疾病の種類に関わらず，救急搬送患者を中心に，速やかに受け入れて初期診療に当たり，必要に応じて適切な診療科の専門医と連携して，迅速か

つ安全に診断・治療を進めることである．さらに，救急搬送および病院連携の維持・発展に関与することにより，地域全体の救急医療の安全確保の中核を担う．」

救急科専門医数は2023年10月時点で5,814人であり，近年は毎年300人程度増加している．単純な専門医数では東京，大阪，神奈川といった大都市が多くなっているが，人口100万人当たりの専門医数でみると京都，沖縄，福井に多い[8]．ただし，全国で適切な救急医療を運用するためには救急科専門医が10,000人必要ともいわれており，地域間の偏在や医師の働き方改革の影響も考えると，今後さらなる救急科専門医の増加が望まれている．なお，救急科専門医制度の詳細や具体的目標については本書他項（p.23参照）のほか，日本救急医学会や日本専門医機構のホームページ，また専門医に関するデータや試験については日本救急医学会の情報サイト「救急医をめざす君へ」に詳しいため，参照されたい．

一方，日本救急医学会指導医とは，その制度規則によれば「救急医学及び救急医療の進歩発展のために，救急医療に従事し，救急医学教育・研究に携わり，専門研修指導医への教育や，メディカル・コントロール等において社会的責務を果たすとともに，日本救急医学会の管理・運営にも積極的に関与し，社会に貢献する指導的人材」である．新専門医制度における専門研修指導医とは異なる．指導医指定施設などにおける救急医療従事年数など一定の条件のもと，業績・診療実績によって審査・認定され，2023年1月現在で850人が認定されている．毎年実施されている厚生労働省による救命救急センター充実段階評価では，救命救急センター長の要件として，救命救急センター長が専従医師であり，かつ日本救急医学会指導医であることが評価点となっている．

▶文　献

1) 厚生省健康政策局：救急医療体制基本問題検討会報告書，1997．
   https://www.mhlw.go.jp/www1/shingi/s1211-3.html
2) 日本救急医学会：救急科領域専門研修プログラム整備基準．
   https://www.jaam.jp/senmoni/senmoni.html
3) 日本臨床救急医学会　緊急度判定体系のあり方に関する検討委員会：緊急度判定の体系化；発症から根本治療まで．日臨救急医会誌 19：60-5，2016．
4) 総務省消防庁：令和5年版 救急・救助の現況．
   https://www.fdma.go.jp/publication/rescue/post-5.html
5) 日本救急医学会：正会員名簿．
   https://www.jaam.jp/about/shisetsu/member-list.html
6) 嶋津岳士：日本救急医学会と"救急医学"のこれから；我々はどこから来たのか？　我々は何者か？　我々はどこへ行くのか？ 救急医学 43：1808-14，2019．
7) 日本救急医学会：救急科専門医の使命．
   https://www.jaam.jp/senmoni/ideal.html
8) 日本救急医学会：救急医をめざす君へ；救急医の基本データ．
   https://qqka-senmoni.com/detail/data

2 医療計画と救急医療

嶋津　岳士

　救急医療は外傷，疾病などの原因を問わず，痛みや苦しみと向きあうことから「医の原点」ともいわれる。人の営みと不可分の関係にあり，自然発生的に行われていたが，社会の成熟に伴って，いつでも，どこでも，誰もがその恩恵に与ることができるように，社会のセーフティーネットの一つとして整備されるようになった。わが国では，昭和30年代後半に交通事故による死傷者が激増したことを契機に，救急医療が社会的課題として認識され，行政的に組織立って取り組まれるようになった。

　厚生労働省の「救急医療体制基本問題検討会」報告書（1997年12月）には，基本的視点として，「救急医療は"医"の原点であり，かつ，すべての国民が生命保持の最終的な拠り所としている根源的な医療と位置付けられる。従って，救急医療は地域における重要な政策課題であり，地域住民の必要性を満たすよう充実する必要がある」と記載されている[1]。

　すべての国民は健康な生活を営む権利を有しており，この権利を守るために救急医療体制を整備することは国の責務の一つといえる。そして，都道府県は，国の定める基本方針に即し，「医療計画」を策定するとともに，都道府県民に対しては，良質かつ適切な医療を受ける際の参考となる基本的情報の提供を行う。

医療計画制度

1 医療法と医療計画

　医療計画は，医療法第30条の4に基づいて，都道府県が策定する行政計画で，地域の実情に応じて，当該都道府県における医療提供体制の確保を図るための施策の方向性やそれを実現するための具体的な方法や手段を示す。

　医療計画制度は，医療資源の地域的偏在の是正と医療施設の連携を推進するため，1985年の医療法改正により導入され，都道府県の二次医療圏ごとの病床数の設定，病院の整備目標，医療従事者の確保などが記載された。

　2006年の医療法改正では医療計画の見直しが行われ，「4疾病・5事業」の具体的な医療連携体制について記載することが定められた（第5次医療計画）。それに従って，「医療提供体制の確保に関する基本方針」（厚生労働省告示）が示され，各都道府県における4疾病・5事業ごとの医療体制構築に係る指針が具体的に提示された[2]。これらの多くは救急医療に密接にかかわっていることから，救急医療体制にも大きな影響を及ぼした。

　2011年の医療法改正では，既存の4疾病に精神疾患を追加した5疾病・5事業および在宅医療の医療連携体制の構築が進められることになった（第6次医療計画）。さらに，2014年の医療法改正により「地域医療構想」が記載された。その後，2018年の医療法改正により，「医師確保計画」および「外来医療計画」が位置づけられることとなった。

　2023年現在は第7次医療計画（2018〜2023年）に沿って地域の実情に応じた医療提供体制の確保が進められている（表1）[3]。また，2021年の医療法改正では，医療計画制度の見直しが行われ，第8次医療計画（2024〜2029年）から新興感染症などの感染拡大時における医療を既存の5事業に追加し，5疾病・6事業とすることとなった。

2 5疾病・5事業

　5疾病とは，広範かつ継続的な医療の提供が必要と認められる疾病（医療法第30条の4第2項第4号）を指す。具体的な考え方としては，患者数が多く国民に広くかかわるもの，死亡者数が多いなど政策的に重点が置かれるもの，症状の経過に基づくきめ細やかな対応が必要なもの，医療機関の機能に応じた対応や連携が必要なもの，が該当する。現行の5疾病は，「がん」「脳卒中」「心筋梗塞などの心血管疾患」「糖尿病」「精神疾患」となっている（医療法施行規則第30条の28）。

　5事業は，医療の確保に必要な事業（救急医療等確保事業，医療法第30条の4第2項第5号）で，具体的には，医療を取り巻く情勢から政策的に推進すべき医療，医療体制の構築により，患者や住民が安心して医療を受けら

医療計画と救急医療

表1 医療計画の概要

計画期間	6年間（第7次医療計画の期間は2018〜2023年度，中間年で必要な見直しを実施）
主な記載事項	**医療圏の設定，基準病床数の算定** ・病院の病床および診療所の病床の整備を図るべき地域的単位として区分 　2020年4月現在，二次医療圏[*1]：335医療圏，三次医療圏[*2]：52医療圏（都道府県ごとに1つ，北海道は6医療圏） ・国の指針において，一定の人口規模および一定の患者流入/流出割合に基づく，二次医療圏の設定の考え方を明示し，見直しを促進 **地域医療構想** ・2025年の，高度急性期，急性期，回復期，慢性期の4機能ごとの医療需要と将来の病床数の必要量，在宅医療などの医療需要を推計 **5疾病・5事業および在宅医療に関する事項** ・5疾病：がん，脳卒中，心筋梗塞などの心血管疾患，糖尿病，精神疾患 ・5事業[*3]：救急医療，災害時における医療，へき地の医療，周産期医療，小児医療（小児救急医療を含む） ・疾病または事業ごとの医療資源・医療連携などに関する現状を把握し，課題の抽出，数値目標の設定，医療連携体制の構築のための具体的な施策などの策定を行い，その進捗状況等を評価し，見直しを行う（PDCAサイクルの推進） **医師の確保に関する事項** ・三次・二次医療圏ごとに医師確保の方針，目標医師数，具体的な施策などを定めた「医師確保計画」の策定（3年ごとに計画を見直し） ・産科・小児科については，政策医療の観点からも必要性が高く，診療科と診療行為の対応も明らかにしやすいことから，個別に策定 **外来医療に係る医療提供体制の確保に関する事項** ・外来医療機能に関する情報の可視化，協議の場の設置，医療機器の共同利用等を定めた「外来医療計画」の策定

〔文献3）より引用・改変して作成〕

[*1] 一般の入院に係る医療を提供することが相当である単位として設定。社会的条件（地理的条件などの自然的条件，日常生活の需要の充足状況，交通事情など）を考慮
[*2] 特殊な医療を提供する単位として設定。ただし，都道府県の区域が著しく広いなどの特別な事情があるときは，当該都道府県の区域内に2以上の区域を設定し，また都道府県の境界周辺の地域における医療の需給の実情に応じ，2以上の都道府県にわたる区域を設定することができる
[*3] 2024年度からは，「新興感染症等の感染拡大時における医療」を追加し，6事業

れるようになるもの，と考えられる。現行の5事業は，「救急医療」「災害時における医療」「へき地の医療」「周産期医療」「小児医療」となっているが，2024年度からは，「新興感染症等の感染拡大時における医療」が追加されて6事業となる[3)]。

3 医療提供体制を取り巻く状況

医療提供体制の改革については，もっとも人口の多い団塊の世代が75歳（後期高齢者）になる2025年を目指して，地域医療構想の実現などの取り組みが行われている。これは，2025年における，高度急性期，急性期，回復期，慢性期の4機能ごとの医療需要と将来の病床数の必要量，在宅医療などの医療需要を推計し，実現を目指す取り組みである。しかし，少子高齢化は2025年以降も進展することが見込まれており，人口減に伴う医療人材の不足，医療従事者の働き方改革といった新たな課題への対応も必要とされている[4)]。さらに，団塊ジュニア世代が70歳を超える2040年における医療提供体制の構築に向けて，「地域医療構想」「働き方改革」「医師偏在対策」を「三位一体」で推進していくという方針が，2019年の社会保障審議会医療部会において示されている。

1）人口動態

65歳以上人口は急増しており，そのピークは2040年頃に到来するが，今後は減少する都道府県も発生する。2025年以降，「高齢者の急増」から「現役世代の急減」に局面が変化する。その結果，高齢者の減少と現役世代の急減が同時に起こる二次医療圏が数多く発生する。

2）マンパワー

働き方改革への対応と地域医療の確保の両立が求められるなかで，2025年以降，人材確保がますます大きな課題となる。2040年には就業者数が大きく減少するが，医

療・福祉職種の人材は現在より多く必要となる。一方で，働き方改革へ対応するために労働時間の短縮を進めていく必要がある。さらに，提供者側（医師）の高齢化も進展している。

3）医療需要の変化

超高齢化・人口急減で，急性期の医療ニーズが大きく変化する。入院患者数は，全体としては増加傾向にあるが，外来患者数はすでに減少局面にある医療圏が多い。在宅患者数は多くの地域で今後増加すると予測される。医療と介護の複合ニーズがいっそう高まることから，介護施設やほかの医療施設へ退院する患者数が増加する。また，死亡数がいっそう増加する。

救急医療の需要

1 救急患者

1）救急患者とは

一般的には，通常の診療時間以外の受診者は救急患者として扱われるが，救急患者の定義は必ずしも明確ではなく，医療施設によっては紹介状のない患者を救急扱いとする場合もある。一方，診療時間内であっても，救急車による搬送例などのように，救急患者は存在する。

前述した厚生労働省の「救急医療体制基本問題検討会」報告書（1997年12月）には，「救急患者とは，通常の診療時間外の傷病者及び緊急的に医療を必要とする傷病者をいい，これらの救急患者に対し，医療を提供する医療機関を救急医療機関という」と記載されている[1]。すなわち救急患者には，重篤で緊急性の高い病態の患者だけでなく，診療時間外に受診する通常の患者が含まれる。

2）救急患者の数

厚生労働省の患者調査によると，1日当たりの外来の「救急の受診」者数は3.76万人であり，同様に新入院のうち「救急の受診」者数は1.27万人であった（2020年10月）[5]。これらの数字は任意の1日の調査結果であるため，正確な推計とはならないが，365倍して1年に換算すると，救急の受診者数は1,372万人，救急の新入院者数は464万人程度に相当する。なお，2020年は新型コロナウイルス感染症の流行により不急の受診が抑制されたため，それ以前よりも低めの数字となっている可能性がある。

一方，診療時間外受診患者については，2014年の医療施設調査の結果を12カ月分に換算すると，年間の診療時間外受診患者は1,300万人あまりとなる[6]。このうち，緊急入院患者数を12カ月分に換算すると，240万人あまりと推定される。なお，2017年以降の医療施設調査では記載項目が減少しているため，診療時間外受診患者（救急患者）を推定することはできなくなっている。

2 消防機関による救急搬送業務

1）市町村の救急業務実施率と人口カバー率

消防機関による救急搬送業務が法制化された当初は人口10万人規模の都市を対象とするものであったが，やがて全国の市町村に広がり，2022年4月1日現在では1,690市町村で723本部が救急業務を実施している。救急業務の実施体制のない地域は29町村（全市町村の約1.7%）にすぎず，全人口の99.9%がカバーされている[7]。

2）救急搬送傷病者

救急搬送の需要は2019年まで年々増加の一途をたどってきたが，2020年は新型コロナウイルス感染症の拡大のため，2008年以来12年ぶりに減少した（図1）[7]。

2021年中（1～12月）の出動件数は約619万件，搬送傷病者数549万人であった。これは平均すると，5.1秒に1回出動し，人口100人当たり4.9人が救急搬送されていることになる。また，搬送傷病者の65.5%を急病が占める一方で，交通事故は5.9%であり，実数も著減している。入院を要さない軽症が44.3%であり，3週間以内の入院を要する中等症が45.8%，3週間以上の入院を要する重症が8.0%で，中等症と重症を合計した入院数は約190万人であった。搬送人員に占める65歳以上の高齢者の割合は，2011年の52.0%から2021年には61.9%まで増加している。さらに，超高齢社会を反映し，搬送傷病者の46.3%を75歳以上が占めており，85歳以上は23.4%であった。

通報を受けてから現場到着までの時間は徐々に延び，1996年に平均6.0分であったものが，2021年には9.4分になった。さらにこの間に，現場到着から医療機関収容までの時間は，18.4分から42.8分へと大幅に延長している。

3）搬送および受け入れ実施基準の作成

2006～2008年頃，救急搬送において受け入れ医療機関の選定が困難な事案が全国各地で発生し，社会問題となった。このような選定困難問題を解決し，傷病者の搬送および受け入れをより迅速かつ適切に行うため，「消防法の一部を改正する法律」が2009年10月に施行された。

法律の施行にあたり，救急搬送・受け入れに関する協議会（メディカルコントロール協議会など）において地

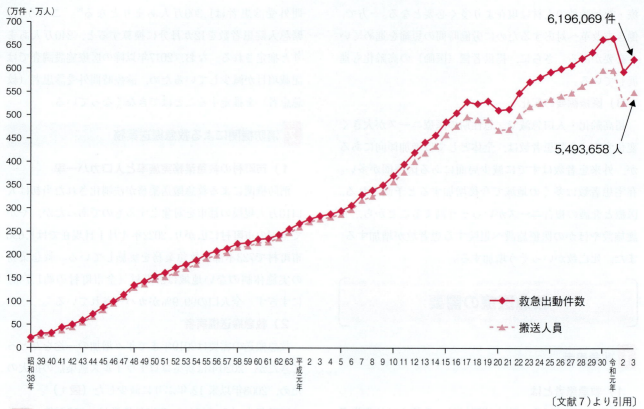

図1 救急出動件数および搬送人員の推移（2021年まで）

〔文献7〕より引用〕

域の搬送・受け入れルールが策定され，消防機関は搬送・受け入れルールを遵守し，医療機関は搬送・受け入れルールを尊重することが定められている。

3 ヘリコプター搬送患者

阪神・淡路大震災の経験などを経て，災害時および平時のヘリコプター搬送の必要性が認識されるようになった。1998年には消防法施行令が改正され，消防・防災ヘリコプターによる傷病者搬送が法制化され，2000年には出動基準が具体的に示された。2009年以降，消防・防災ヘリコプターの出動件数と搬送人員数は，それぞれ約3,300件，2,500人程度で横ばいであったが，2021年は新型コロナウイルス感染症の拡大のため，それぞれ2,488件，1,914人と大きく減少した[8]。

一方，救急医療に必要な機器および医薬品を装備し，救急医療の専門医および看護師などが同乗して救急現場等に向かい，現場等から医療機関に搬送するまでの間，患者に救急医療を行うことのできる専用のヘリコプターであるドクターヘリは，厚生労働省により2001年度から導入された。ドクターヘリ事業は全国に広く普及し，2022年4月18日現在，47都道府県において56機のドクターヘリが62の基地病院で運航されている（うち6県では2病院を基地病院として運用）。ドクターヘリの出動件数は年々増加し，日本航空医療学会によれば平成30年度は合計25,469件であった。

4 ドクターカー搬送患者

ドクターカーは，医師を派遣することで病院到着前に早期に診療を開始することができ，また，搬送中の診療の継続を可能とする車両である（p.44参照）。現場に医師が急行する場合や，転院搬送に医師が同乗する場合など，多様な運用事例がある。救命救急センターの有するドクターカーの台数および年間運航件数は，2017年度までは増加傾向にあったが，その後は減少傾向に転じ，2019年にはそれぞれ216台，29,271件となっている[9]。

救急告示制度

消防機関による救急業務が1963年に法制化されたのを受けて，翌1964年に「救急病院等を定める省令」（厚生省令）が出され，救急隊によって搬送される傷病者を受け入れる医療機関が定められた。医療機関からの自主的

表2 救急医療機関に求められる機能・役割

初期救急医療機関
【概要】
- 傷病者の状態に応じた適切な情報や救急医療を提供する

【求められる事項】
- 主に，独歩で来院する軽度の救急患者への夜間および休日における外来診療を行う

二次救急医療機関
【概要】
- 24時間365日，救急搬送の受け入れに応じる
- 傷病者の状態に応じた適切な情報や救急医療を提供する

【求められる事項】
- 地域で発生する救急患者への初期診療を行い，必要に応じて入院治療を行う
- 脳卒中，急性心筋梗塞などに対する医療など，自施設で対応可能な範囲において高度な専門的診療を担う
- 自施設で対応困難な救急患者については，必要な救命処置を行った後，速やかに救命救急医療を担う医療機関などへ紹介する
- 救急救命士などへの教育も一部担う

三次救急医療機関（救命救急センター）
【概要】
- 都道府県の医療計画に基づき，都道府県知事により指定され，救命救急医療機関として位置づけられたもの
- 24時間365日，救急搬送の受け入れに応じる
- 傷病者の状態に応じた適切な情報や救急医療を提供する

【求められる事項】
- 緊急性・専門性の高い脳卒中，急性心筋梗塞などや，重症外傷などの複数の診療科領域にわたる疾病など，幅広い疾患に対応し，高度な専門的医療を総合的に実施する
- その他の医療機関では対応できない重篤患者への医療を担当し，地域の救急患者を最終的に受け入れる役割を果たす
- 救急救命士などへのメディカルコントロールや，救急医療従事者への教育を行う拠点となる

〔文献11）より引用して作成〕

な救急患者受け入れ協力の申し出に応じて，知事が「救急病院」「救急診療所」と告示したことから，「救急告示制度」と呼ばれている。

2021年4月1日現在の救急告示医療機関は4,186施設（3,971病院，215診療所）であり[10]，救急搬送患者の約95％が救急告示医療機関に収容されている[7]。しかし，「救急病院」の数は減少傾向にあり，1997年の4,275病院から，4,129病院（2007年），4,011病院（2017年）を経て，2021年には3,971病院となっている[10]。

初期・二次・三次救急医療体制

1977年から始まった救急医療対策事業（国庫補助制度）の一環として，従来の救急告示制度とは別個に，救急医療機関を機能別に初期（一次）・二次・三次救急医療機関に階層化し，人員や設備の効率的配置を目指した救急診療体制が構築された。従来の救急告示制度と併存する形となり住民や救急隊にわかりにくいことから，1998年に医療計画作成指針で医療計画に記載された二次・三次救急医療機関を「救急病院（診療所）」に認定することによって，救急診療体制の一元化が試みられた。

現在，救急告示制度による救急病院（診療所）の認定と初期・二次・三次救急医療体制の整備は，都道府県知事が定める医療計画のもとで一元的に実施されている。救急医療機関に求められる機能と役割を表2[11]に要約した。

なお，このほかにいわゆる"ER型救急"と呼称される診療形態をとっている施設もあるが，これについては本書他項（p.1290）を参照されたい。

1 初期救急医療機関

主に，独歩で来院する軽度の救急患者への夜間および休日における外来診療を行う施設である。2020年4月1日現在で，休日夜間急患センターが551カ所あり，在宅当番医制の地区が607ある。軽度の救急患者への夜間・休日における診療を行う病院（診療所）は1,367施設である[10]。

2 二次救急医療機関

地域で発生する救急患者への初期診療を行い，必要に応じて入院治療を行う医療機関である。救急隊による搬送であるかどうかにかかわらず，傷病者の状態に応じた適切な情報や救急医療を提供し，24時間365日，救急患者の受け入れに応じる。なお，病院群輪番制では複数の病院が当番制により救急患者を受け入れる。これらのなかには診療科にとらわれず救急医療を担う病院および診療所と，脳卒中や急性心筋梗塞などに対する急性期の専門的医療を担う病院または診療所が含まれる。病院群輪番制病院（398地区，2,723カ所）と共同利用型病院（14カ所）がある（2020年4月1日現在）。救急医療告示医療機関は4,186施設（3,971病院，215診療所）である[10]。

3 三次救急医療機関

救命救急センターは，重症および複数の診療科領域にわたるすべての重篤な救急患者を24時間体制で受け入れる施設である。初期および二次救急医療機関から依頼された重症救急患者についても24時間体制で受け入れる。2023年12月現在で，304カ所の救命救急センターが指定を受けており，そのうち高度救命救急センターは47カ所，地域救命救急センターは19カ所である。

救命救急センターは，責任者が直接管理する概ね20床以上の専用病床および専用の集中治療室（ICU）で入院治療を行うが，2003年度より病床数が10床程度の施設や小規模で既存のセンターを補完する施設も認定が可能となり，これらの施設は「新型救命救急センター」または「地域救命救急センター」と呼ばれている。「高度救命救急センター」は，救命救急センターのうち，とくに広範囲熱傷，指肢切断，急性薬物中毒などの特殊疾病患者を受け入れる施設である。一方，救命救急センターでは，常に必要な病床を確保するため，生命の危機を脱した患者は，積極的に併設病院の病床または転送元の医療施設などの後送病院に転床させる必要がある。

救命救急センターの責任者としては日本救急医学会指導医などが，専任医師としては救急科専門医などが適当数いることが求められている。また，循環器疾患，脳神経疾患，重度外傷などに対応するため，循環器科，心臓血管外科，脳神経外科，整形外科，麻酔科をはじめとする専門科の医師も適時確保できる体制が必要である。

救命救急センターの評価については，厚生労働省によ り1999年度から救命救急センター全体のレベルアップを図ることを目的として実施されてきた。2010年度評価（2009年度実績）より診療の体制面を中心とした新しい充実段階評価が用いられたが，2018年度評価（2017年度実績）からは，プロセスも含めた評価体系へ見直しがなされ，新たな方法で充実段階評価が実施されている（p.1272参照）。

循環器病救急医療体制

「循環器病」（脳卒中，心臓病その他の循環器病）は，急激に発症し，数分から数時間の単位で生命にかかわる重大な事態に陥り，突然死に至ることがある。また，とくに脳卒中においては重度の後遺症を残すことも少なくない。しかし，発症後早急に適切な治療が行われれば，後遺症を含めた予後が改善される可能性がある。救急現場から医療機関へ迅速かつ適切に搬送できる体制の構築が求められている。

1 循環器病対策推進基本計画

心臓病や脳卒中などの循環器病は，疾病による死亡の原因および介護を要する状態となる原因の主要なものとなっていることから，急性期から回復期・慢性期まで一貫した診療提供体制の構築が広く求められている。このような状況から，誰もがより長く元気に活躍できるよう，健康寿命の延伸などを図り，あわせて医療および介護に係る負担の軽減に資するため，予防や医療および福祉に係るサービスのあり方を含めた幅広い循環器病対策を，総合的かつ計画的に推進することを目的として，「健康寿命の延伸等を図るための脳卒中，心臓病その他の循環器病に係る対策に関する基本法」が2019年12月に施行された。この基本法第9条第1項の規定に基づいて，「循環器病対策推進基本計画」が策定された[12]。

循環器病対策推進基本計画は，全体目標として「循環器病の予防や正しい知識の普及啓発」「保健，医療及び福祉に係るサービスの提供体制の充実」および「循環器病の研究推進」を掲げ，これら3つの目標を達成することにより，「2040年までに3年以上の健康寿命の延伸及び循環器病の年齢調整死亡率の減少」を目指している。

「保健，医療及び福祉に係るサービスの提供体制の充実」では複数の個別施策が提示されているが，救急医療ととくにかかわりの深い個別施策として，「救急搬送体

制の整備」と「救急医療の確保をはじめとした循環器病に係る医療提供体制の構築」があげられている。前者は救急現場から医療機関に，より迅速かつ適切に搬送可能な体制の構築を目指すものであり，後者では地域の実情に応じた医療提供体制の構築が求められている。

2 循環器救急医療体制（心血管疾患）

循環器疾患の救急診療体制は，循環器内科を中心とする施設間ネットワークがすでに機能している地域もあるが，循環器病対策推進基本計画に従って各都道府県で整備が進められている。

急性心筋梗塞に対する救急医療体制は，再灌流達成までの時間を発症から120分以内，救急隊員の現場到着から90分以内とすることが目標とされている。循環器救急疾患に対する救急医療体制の構築にあたっては，このような時間的制約の観点が重要となる。一方で，循環器救急疾患の治療は高い専門性が求められるため，三次救急医療機関もしくは専門性が高い二次救急医療機関への搬送が原則となる。

急性期診療提供のための施設間ネットワークでは，地域の医療施設が連携し，24時間専門的な診療を提供できる体制を，平均的な救急搬送圏内で構築することが基本とされているが，緊急の外科的治療が必要となる急性大動脈解離への対応などでは，平均的な救急搬送圏外とのより広域な連携体制の構築が必要となる[13]。

3 脳卒中救急医療体制

脳卒中には脳梗塞，脳出血，くも膜下出血などが含まれるが，構築すべき救急医療体制はほぼ同様と考えられている。

脳梗塞に対する医療体制として求められる専門的な診療としては，遺伝子組換え組織プラスミノゲン・アクチベータの静注療法（rt-PA静注療法）と，血管内治療による機械的血栓回収療法がある。発症から4.5時間以内の急性期脳梗塞に対するrt-PA静注療法は，現在標準的な治療として広く行われているが，rt-PA静注療法は再開通率が低く，適応時間が短いという制約があり，その適応患者も限られている。rt-PA静注療法によって症状の改善が認められない場合や治療の適応外の症例に対しては，カテーテルを用いた脳血管内治療が行われるようになり，最近では血栓回収デバイスによる血栓回収療法が注目されている。一定の条件を満たした場合には，rt-PA静注療法に追加して，発症から6時間以内にカテーテルを用いた血栓回収療法が推奨されている。また，上記以外にも血栓回収療法の適用は拡大されつつある。

脳卒中救急医療体制の構築にあたっても，時間的制約の観点が重要となる。前述の急性期診療提供のための施設間ネットワークでは地域の医療施設が連携し，24時間専門的な診療を提供できる体制を平均的な救急搬送圏内で構築することが基本とされているが，rt-PA静注療法や血栓除去術などではより広域での連携体制の構築が必要となる。

一次脳卒中センター（primary stroke center；PSC）は，脳卒中急性期が疑われる患者の24時間365日の受け入れや，速やかな診断とrt-PA静注療法が可能などの基準を満たす施設であり，地域での脳卒中診療の中核を担う施設としてこれまでに約1,000施設が日本脳卒中学会により認定されている。

特殊救急医療体制

周産期，小児科，眼科，耳鼻咽喉科，精神科などの領域の傷病者は，年齢や背景，症状などから担当診療科が比較的特定しやすく，診療の専門性や特殊な診療機器を必要とすることが多いため，一般の救急医療体制とは別に，地域ごとにそれぞれの領域の専門団体などに委ねられる部分が大きかった。そのため，その整備状況には地域によって大きな差がみられる。

1 周産期救急医療体制

周産期とは妊娠22週〜出生後7日未満のことをいい，周産期医療とは妊娠，分娩にかかわる母体・胎児管理と出生後の新生児管理を主に対象とする医療のことをいう。わが国の新生児死亡率，母体死亡率はいずれも世界トップクラスの低さであるが，少子化が急速に進むなかで，安心して子どもを産み育てられる社会環境の実現は喫緊の政策課題である。

これまで，「周産期医療体制整備指針」（2010年1月）に基づいて総合周産期母子医療センター（112施設，2022年4月1日現在），地域周産期母子医療センター（296施設，同年同月現在），搬送体制の整備などを行い[14]，地域の実情に応じて，母体・胎児におけるリスクの高い妊娠に対する医療，高度な新生児医療などの周産期医療

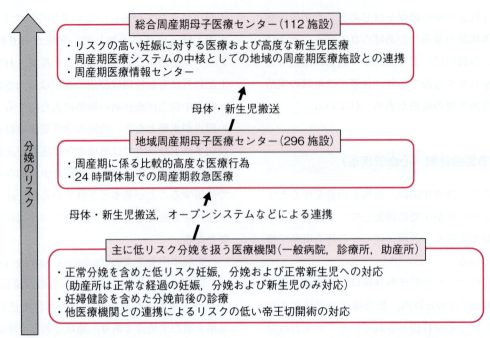

図2 周産期医療の体制
施設数は2022年4月1日現在。総合周産期母子医療センターは，原則として三次医療圏に1施設整備。
地域周産期母子医療センターは，総合周産期母子医療センター1カ所に対して数施設整備

が推進されてきた（図2）[15]。

総合周産期母子医療センターは，母体・胎児集中治療管理室（MFICU）を含む産科病棟および新生児集中治療管理室（NICU）を備え，常時母体および新生児搬送・受け入れ体制を有する医療機関で，母体の救命救急への対応，ハイリスク妊娠に対する医療，高度な新生児医療などを担っており，都道府県が指定する。周産期医療体制の中核として地域周産期母子医療センターその他の地域周産期医療関連施設などとの連携を図る。また，地域周産期母子医療センターは，産科・小児科を備え，周産期にかかわる比較的高度な医療行為を実施できる施設で，24時間体制で周産期救急医療（緊急帝王切開術，その他の緊急手術を含む）に対応することが求められる。

わが国の周産期医療提供体制は，比較的小規模な多数の分娩施設が分散的に分娩を担うという特徴を有しているものの，近年は分娩取扱施設については重点化，集約化が徐々に進んでいる。一方で，新生児医療を専門とする小児科医，産婦人科医の不足，偏在が深刻であり，周産期医療の整備状況には地域格差がある。

周産期医療体制の整備の一環として，「周産期医療情報センター」（周産期救急情報システムを含む）を総合周産期母子医療センターなどに設置することが定められ，そこに「搬送コーディネーター」を配置することが求められている。さらに，周産期における災害対策の重要性が認識され，都道府県災害医療コーディネーターをサポートすることを目的として「災害時小児周産期リエゾン」が任命されるようになった。

2 小児救急医療体制

小児救急患者とは，15歳以下の小児で，救急車などによって救急搬送される小児患者や，休日・夜間など通常の診療時間外に医療機関を受診する小児患者などを指す。わが国では少子化が継続的に進行し，小児人口は2020年までの20年間に1,847万人から1,503万人に約19%減少した（2020年国勢調査）が，18歳未満の救急搬送件数が減少しはじめたのは比較的最近のことである。また，2020年に救急搬送された18歳未満の傷病者における軽症者の割合は約70%以上を占めている[7]。さらに，小児の入院救急医療機関（二次救急医療機関）を訪れる患者のうち，9割以上は軽症であることが以前より指摘されている。このように，小児救急患者の特色は，その多くが軽症患者であり，かつ軽症患者は重症患者を扱う医療機関にも多数受診していることがあげられる。また，小児救急患者の時間帯別の受診状況をみると，平日では夕刻から準夜帯に多く，さらに土・日曜が多くなっており，いわゆる時間外受診が多いことが特色である[16]。これらに対応するための事業の一つに「子ども医療電話相談事

業（#8000)」がある（後述）。

初期小児救急医療は，入院を必要としない小児救急患者に対して，小児初期救急センター，休日夜間急患センターなどにおいて平日昼間や夜間・休日に提供されるが，実施状況は地域によって異なる。

休日および夜間に入院を要する小児の中等症・重症救急患者への対応（いわゆる二次救急）を行う体制の整備を目的として，小児救急医療支援事業が160地区の二次医療圏で実施されている（2021年4月1日現在）[9]。また，小児救急医療拠点病院は，都道府県が地域の実情に応じて休日および夜間における入院を必要とする小児の重症救急患者のために整備するもので，31カ所の病院がある（2021年4月1日現在）[9]。

一刻を争う重篤な症状の小児患者に対する三次救急医療（救命救急医療）を提供するために，診療科を問わず，重症外傷を含めたすべての重篤な小児救急患者を24時間体制で必ず受け入れ，小児救急外来と小児集中治療室（PICU）で構成される小児救命救急センターが全国に18カ所整備されている（2021年4月1日現在）[9]。しかし，小児の最大の死因である不慮の事故による重症救急患者は，小児救急医療機関ではなくもっぱら救命救急センターに収容されているのが実情であり，地域の連携の構築を含めたさらなる体制の整備が求められる。

3 精神科救急医療体制

救急医療対策のなかで精神科の救急医療は必ずしも十分でなかったことから，1995年に精神科救急医療体制整備事業が開始され，精神科救急情報センターや輪番制による精神科初期救急医療システムなどの事業が進められてきた。

精神科救急医療体制整備は，地域の実情に合わせて精神科救急医療圏域を設定するとともに，精神科救急医療施設，身体合併症対応施設の確保とこれらの連携による24時間365日対応できる体制の構築，受診前相談の機能を担う精神科救急情報センターや精神医療相談窓口の設置が行われてきた。しかし，現状では，精神科救急医療圏域の設定や精神科救急医療施設の確保状況には地域差が存在している。なかでも，身体合併症のある精神科救急患者への対応が大きな課題である。さらに，今日では，精神障害にも対応した地域包括ケアシステム構築の観点からも精神医療，精神科救急医療体制の整備が求められている。

4 へき地・離島の救急医療体制

「へき地」とは，「交通条件及び自然的，経済的，社会的条件に恵まれない山間地，離島その他の地域のうち医療の確保が困難であって無医地区及び無医地区に準じる地区の要件に該当する地域」とされており[17]，2014年時点で千葉県，東京都，神奈川県，大阪府を除く43道府県にへき地が存在する[9]。深刻な医師不足にもかかわらず，交通の便がよくなったことや住民人口が減り続けていることによって，2022年10月末時点で，無医地区数は557地区となり減少傾向が続いており，無医地区の人口は122,206人と，前回調査時（2019年）に比べて4,645人減少している[18]。また，へき地診療所があっても医療資源が限られているため，対応には制限がある。へき地・離島の医療環境は今もなお厳しい状態に置かれている。

へき地の診療を支援するへき地医療拠点病院は全国に341施設（2021年4月1日現在）あり[9]，伝送装置（へき地診療所診療支援システム）を通じた診療支援を行うとともに，緊急の内科的・外科的処置が必要な救急患者を受け入れる役割を担っている。

5 高齢者救急医療体制

高齢者の増加に伴って救急医療の需要はさらに増大し，救急搬送のうち6割強を高齢者が占めている[7]。高齢者救急では，搬送先病院の選定が困難（受け入れ困難）であるだけでなく，救急入院により一定の治療を受けて状態が安定した後に，自宅への退院やほかの回復期・慢性期の施設への転院に難渋することから，救急医療機関，とくに救命救急センターでの新たな受け入れが困難となること（出口問題）が指摘されている。

超高齢社会においては，高齢者が重度の要介護状態となっても，住み慣れた地域で自分らしい暮らしを人生の最期まで続けることができるようにすることが求められている。そのために，住まい・医療・介護・予防・生活支援が一体的に提供される「地域包括ケアシステム」の構築が提唱されている（p.18参照）[19]。このように地域で生活を支えられて生活する高齢者が誤嚥や転倒，既往症の増悪によりしばしば救急医療の対象となることがあるが，急性期医療を終えてももとの生活に戻れないことが多い。救急医療機関と地域の医療機関や在宅医，介護関係者との連携を強化する必要がある。

救急情報体制

1 救急医療情報センター

　救急医療情報センターは,「救急医療対策事業実施要綱」(1977年)により都道府県に設置が定められた救急医療に関する情報集約・提供システムである。平時には救急医療機関の応需情報(診療科目,診療・手術の可否,男女別空きベッドの有無)などを収集し,救急現場に出場中の救急隊からの照会に適切な医療機関を迅速に紹介する。また,一般市民,医療機関などからの問い合わせに対しても案内を行う。また,災害時には情報収集および提供事業を行う。

2 周産期医療情報センター

　都道府県は,総合周産期母子医療センターなどに周産期医療情報センターを設置し,地域周産期母子医療センターおよび助産所を含む一次医療施設と接続し,地域の周産期医療システムの運営に必要な情報の収集を行うとともに,地域周産期医療関連施設や地域住民などに対する情報提供,相談を行う[14]。

　一部の先進地域では以前から周産期施設のネットワーク化が行われており,成果を上げてきた。脳内出血などほかの合併症にも対応するためには,救急医療情報システムとの一体的運用や相互の情報参照などにより,救急医療情報システムと連携を図ることが必要である。

3 精神科救急情報センター

　精神科救急医療システムへの入り口となる電話相談を担当する窓口である。精神科救急に関するあらゆる相談を受けつけ,急性精神病状態をはじめとした,早急に精神科救急医療を必要とする患者の緊急度・重症度を判断して,精神科救急担当病院への受診を指示するほか,当座どうすべきかの助言を提供する。精神保健福祉士や臨床心理技術者,看護師など精神科専門職員が常時対応できることなど,いくつかの条件を満たすことにより,精神科救急情報センターとして国に認可され,運営補助金が支給されるが,認可されているのは全体の半数程度の都道府県にすぎない。

4 救急安心センター事業

　総務省消防庁は電話による救急相談事業を「＃7119」(救急安心センター)として全国展開に努めている。医師,看護師,トレーニングを受けた相談員などが相談に対応し,緊急性の判断や応急手当の方法,受診手段,適切な医療機関などについて助言している。相談内容に緊急性があれば,直ちに救急車を出動させる体制を整備し,24時間365日体制で運営されている。2020年10月1日現在で全国17地域において実施されており,日本の人口の46.0％をカバーしている[20]。

5 子ども医療電話相談事業

　小児救急における受療行動には,少子化,核家族化,夫婦共働きといった社会情勢や家庭環境の変化に加え,保護者等による専門医志向,病院志向が大きく影響している。そのため,夜間や休日に,子どもの病気やけがへの対応について,保護者等の不安を軽減し,不要不急の受診を抑制するため,全国共通ダイヤルで看護師や小児科医師からアドバイスを受けられる「子ども医療電話相談事業(＃8000事業)」(2018年度に呼称変更)を厚生労働省が2004年度から開始した。2010年度以降は全都道府県で実施されており,年間相談件数は,2010年度の46.6万件から,2019年度には111.5万件と増加している[9)16]。

6 日本中毒情報センター

　日本中毒情報センターは,化学物質などに起因する急性中毒などについて,一般国民および医療従事者などに対する啓発や情報提供などを行うことを目的として,1986年に厚生大臣の設立認可を得て設立された。一般市民と医療機関および賛助会員を対象に,「大阪中毒110番」(大阪府)と「つくば中毒110番」(茨城県)の2カ所で,24時間体制で情報提供を行っている。2022年の統計では,受信件数は26,978件で,患者の年齢層別では5歳以下が69％を占めた。起因物質としては家庭用品がもっとも多く,次いで医薬品であった。

文 献

1) 厚生労働省：救急医療体制基本問題検討会報告書, 1997.
   https://www.mhlw.go.jp/www1/shingi/s1211-3.html
2) 厚生労働省医政局指導課長：疾病又は事業ごとの医療体制について（医政指発第0720001号，平成19年7月20日）.
   https://www.mhlw.go.jp/web/t_doc?dataId=00tb3569&dataType=1&pageNo=1
3) 厚生労働省：第1回 第8次医療計画等に関する検討会（令和3年6月18日）資料.
   https://www.mhlw.go.jp/stf/newpage_19282.html
4) 厚生労働省：第66回社会保障審議会医療部会（平成31年4月24日）資料.
   https://www.mhlw.go.jp/stf/shingi2/0000210433_00004.html
5) 厚生労働省：令和2年患者調査；推計患者数，入院（新入院-繰越入院）-外来・来院時の状況×傷病中分類×病院-一般診療所.
6) 厚生労働省：平成26年医療施設（静態・動態）調査；病院の患者数（重複計上），二次医療圏・救急告示-救急医療体制別.
7) 総務省消防庁：令和4年版救急・救助の現況（救急編），2023.
   https://www.fdma.go.jp/publication/rescue/post-4.html
8) 総務省消防庁：令和4年版救急・救助の現況（航空編），2023.
   https://www.fdma.go.jp/publication/rescue/post-4.html
9) 厚生労働省：第11回 第8次医療計画等に関する検討会（令和4年7月27日）資料；5疾病・5事業について（その2；5事業について）.
   https://www.mhlw.go.jp/stf/newpage_27077.html
10) 総務省消防庁：令和3年版消防白書；消防防災の組織と活動，2022.
    https://www.fdma.go.jp/publication/hakusho/r3/63931.html
11) 厚生労働省：第17回 救急・災害医療提供体制等の在り方に関する検討会（令和元年11月6日）参考資料2；救急・災害医療に係る現状について.
    https://www.mhlw.go.jp/stf/newpage_07707.html
12) 厚生労働省：「循環器病対策推進基本計画」について，2020.
    https://www.mhlw.go.jp/stf/newpage_14459.html
13) 厚生労働省 脳卒中，心臓病その他の循環器病に係る診療提供体制の在り方に関する検討会：脳卒中，心臓病その他の循環器病に係る診療提供体制の在り方について，2017.
    https://www.mhlw.go.jp/stf/shingi2/0000173150.html
14) 厚生労働省課長通知：周産期医療の体制構築に係る指針（令和4年4月13日）.
15) 厚生労働省：小児・周産期医療について；周産期医療について（体制図）.
    https://www.mhlw.go.jp/stf/seisakunitsuite/bunya/0000186912.html
16) 厚生労働省課長通知：小児医療の体制構築に係る指針（令和4年4月13日）.
17) 厚生労働省：第1回へき地保健医療対策検討会（平成17年1月24日）資料2；第9次へき地保健医療計画の取り組み等.
    https://www.mhlw.go.jp/shingi/2005/01/s0124-11b.html
18) 厚生労働省：無医地区等調査.
    https://www.mhlw.go.jp/toukei/list/76-16.html
19) 厚生労働省：第4回 医療計画の見直し等に関する検討会（平成28年9月9日）資料.
    https://www.mhlw.go.jp/stf/shingi2/0000136152.html
20) 総務省消防庁：第3回救急業務のあり方に関する検討会 別添資料3；「#7119の全国展開に向けた検討部会」報告書，2021.
    https://www.fdma.go.jp/singi_kento/kento/post-57.html

I 救急医学総論

3 救急医療と地域医療

高橋 毅

ここでは，国と自治体で推進する地域医療政策のトピックとして，地域医療構想，地域包括ケアシステム，小児の在宅医療システム（医療的ケア児支援法の施行）の概要を述べたうえで，締めくくりとして救急医療の現状・課題と，今後の展望を述べる。

地域医療構想

1 地域医療構想とは

今後の人口減少，高齢化に伴う医療ニーズの質・量の変化や労働力人口の減少を見据え，質の高い医療を効率的に提供できる体制を構築するためには，医療機関の機能分化・連携を進めていく必要がある。

このため，効率的かつ質の高い医療提供体制を構築するとともに，「地域包括ケアシステム」を構築することを通じ，地域における医療および介護の総合的な確保を推進するため，医療法が2014年6月に改正され，2015年度以降，都道府県は，「医療計画」において「地域医療構想」に関する事項を定めるものとされ，すべての都道府県で2016年度末までに策定が完了している。

「地域医療構想」に関する事項とは，①二次医療圏を基本とする各構想区域における2025年の医療（入院）需要と病床の必要量について，病床の機能区分（表1）ごとに，さらに在宅医療などを推計し，②目指すべき医療提供体制を実現するための施策（例えば，医療機能の分化・連携を進めるための施設整備，在宅医療などの充実，医療従事者の確保・養成など）とされている。

この地域医療構想の達成を推進するため，一般病床と療養病床を有する各医療機関は，毎年10月に自院の医療機能の現状と今後の方向性（病床数の増減も含む）を「病床機能報告」として報告し，都道府県はその内容を「見える化」しつつ，各構想区域に設置された「地域医療構想調整会議」（医療関係者，医療保険者などで構成）において，病床の機能分化・連携に向けた協議を実施している。加えて，新型コロナウイルス感染症の感染拡大により病床の機能分化・連携などの重要性が改めて認識さ

表1 病院の機能区分

高度急性期病院
急性期の患者に対し，状態の早期安定化に向けて，診療密度がとくに高い医療を提供する
急性期病院
急性期の患者に対し，状態の早期安定化に向けて，医療を提供する
回復期病院
急性期を経過した患者への在宅復帰へ向けた医療やリハビリテーションを提供する
慢性期病院
長期にわたり療養が必要な患者を入院させる

れたことを踏まえ，2022年度および2023年度において，都道府県の主導のもと，地域医療構想に係る民間医療機関も含めた各医療機関の対応方針策定や検証・見直しを行うこととされている。

このような各地域の取り組みを，厚生労働省では，都道府県を通じ，適時・適切に把握しつつ，自主的に検討・取り組みを進めている医療機関や地域について，その検討・取り組みを「重点支援地域」や「病床機能再編支援制度」などにより支援している。

2 地域医療構想の現状と今後

地域医療構想の進捗として，2021年度の「病床機能報告（全国計）」上，2015年度の同報告と比較し，高度急性期は1.4万床減，急性期は4.7万床減，回復期は6.3万床増，慢性期は4.3万床減となっている。2025年の見込みは，2021年と比較すると，高度急性期は0.5万床増，急性期は1.3万床減，回復期は1.3万床増，慢性期は1.3万床減となっている。この2025年の見込みと地域医療構想における2025年の病床の必要量の推計を単純比較すると，高度急性期は2.9万床超過，急性期は13.5万床超過，回復期は16.9万床不足，慢性期は1.5万床超過となっている。

ここで留意すべき点は，2025年の病床の必要量は一定

の仮定を置いた推計値であることから，実際の病床数との比較上，「超過」であっても病床の削減ありきではなく，各都道府県では地域の関係者と地域の実情（人口動向や医療機関の状況）を踏まえ，安定的かつ継続的な医療サービスができる体制を追求していくこととなる。

なお，2025年以降の地域医療構想の扱いについては，国の全世代型社会保障構築会議（全世代対応型の持続可能な社会保障制度を構築する観点から，社会保障全般の総合的な検討を行うため，全世代型社会保障改革担当大臣のもとに開催）の「議論の中間整理」[1]では，「生産年齢人口の減少が加速していく2040年に向けたバージョンアップを行う必要がある」とされ，今後，国においてコロナ禍で顕在化した課題も含め，中長期的課題について整理し，都道府県に示されることとなる。

地域包括ケアシステム

わが国では諸外国に類を見ないスピードで高齢化が進行しており，国立社会保障・人口問題研究所の推計（2020年）上，65歳以上の人口は2040年に3,920万人（うち75歳以上の人口2,239万人）でピークを迎えると予測されている。一方で，75歳以上の人口は2055年（2,446万人）まで増加しつづける見込みである。また，地域別では，人口が横ばいで75歳以上人口が急増する大都市部，75歳以上人口の増加は緩やかであるが人口は減少する町村部など，高齢化の進展状況に大きな地域差が生じる見込みである。

このような状況のなか，団塊の世代が75歳以上となる2025年以降は，国民の医療や介護の需要がさらに増加することが見込まれる。このため，厚生労働省においては，2025年を目途に，高齢者の尊厳の保持と自立生活の支援の目的のもとで，重度な要介護状態となっても可能なかぎり住み慣れた地域で，自分らしい暮らしを人生の最期まで続けることができるよう，地域の包括的な支援・サービス提供体制（地域包括ケアシステム）の構築を推進している（**図1**）[2,3]。

地域包括ケアシステムは，保険者である市町村や都道府県が，地域の自主性や主体性に基づき，地域の特性に応じて作り上げていくことが必要とされており，市町村では2025年に向けて，3年ごとの介護保険事業計画の策定・実施を通じて，地域の自主性や主体性に基づき，地域の特性に応じた地域包括ケアシステムの構築を進めている。

小児の在宅医療システム（医療的ケア児支援法の施行）

医療技術の進歩により，多くの子どもを救命できるようになった一方で，救命できたもののさまざまな障害を残す子どもも増加している。新生児集中治療室（NICU）などに長期入院した後，日常生活および社会生活を営むために，恒常的に医療機器と医療的ケア（人工呼吸管理，喀痰吸引，その他の医療行為）を受けることが不可欠な児童（18歳以上の高校生などを含む）は「医療的ケア児」と定義されており，在宅の医療的ケア児数は全国に約2万人いると推計されている[4]。

1 医療的ケア児支援法

「医療的ケア児及びその家族に対する支援に関する法律」（医療的ケア児支援法）は2021年9月に施行された。同法は，医療的ケア児およびその家族が個々の医療的ケア児の心身の状況などに応じた適切な支援を受けられるようにすることが重要な課題となっていることに鑑み，医療的ケア児およびその家族に対する支援に関し，基本理念を定め，国・地方公共団体・保育所の設置者・学校の設置者などの責務を明らかにするとともに，保育および教育の拡充に係る施策や医療的ケア児支援センターの指定などについて定めること，また，医療的ケア児の健やかな成長を図るとともに，その家族の離職の防止に資することで，安心して子どもを生み，育てることができる社会の実現に寄与することを目的としている。

医療的ケア児支援法の施行を踏まえ，今後，国や地方公共団体，関係医療機関において，医療的ケア児やその家族を支援できる地域でのシステムづくりが重要となるが，なかでも高度医療機関と小児在宅医療など地域の医療サービスの連携が必須となる。この連携にあたっては，医療・福祉・教育など多施設・多職種のかかわりが求められるため，施設・機関間および職種間を調整するコーディネーターの役割が大きく，このようなコーディネーターの育成を急ぐ必要がある。

2 医療的ケア児等医療情報共有システム（MEIS）

医療的ケア児は原疾患や心身の状態がさまざまであり，救急時の対応が課題となっている。厚生労働省では，全国の医師・医療機関（とくに救急医）が迅速に必要な

図1 地域包括ケアシステム

〔文献2）3）より引用〕

患者情報を共有するためのシステム「医療的ケア児等医療情報共有システム（Medical Emergency Information Share；MEIS）」を構築し，2020年7月に本格運用を開始した（図2）[5]。本人や家族，かかりつけ医が，医療などに関する情報を手元のスマートフォンなどで入力しデータベース化すると，もし外出先で救急搬送されても，救急隊員や搬送先の医療機関の救急医などがスマートフォンやパソコンを利用して情報を閲覧できるものである。2020年2月末現在，医療的ケア児など349名，医師368名が本システムに登録している[5]が，さらなる有効活用のために登録拡大が望まれる。

救急医療の現状・課題，今後の展望

1 救急患者の現状と展望

厚生労働省が示す「医療計画の作成指針」では，都道府県は，救急医療提供体制を構築するにあたり，重症度・緊急度に応じて適切な医療が提供されるよう，また関係機関の信頼関係が醸成されるよう配慮することが求められている。

「令和4年版救急・救助の現況」[6]によれば，2021年中の救急自動車による搬送人員は549万1,744人で，前年比19万7,914人（3.7％）増であった。一方で，65歳以上の高齢者が339万9,802人と搬送人員の約6割を占めており，今後の高齢化の進展とともに救急搬送件数は増大し，救急搬送に占める高齢者の割合も増加すると見込まれる。救急医療資源に限りがあるなかで，この需要に対応

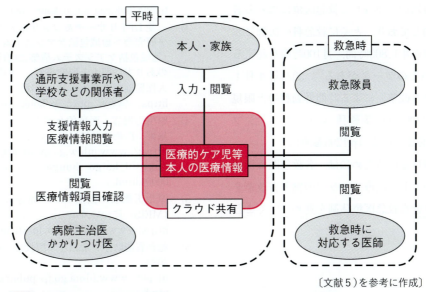

図2 医療的ケア児等医療情報共有システム（MEIS）の概要
〔文献5）を参考に作成〕

しつつ，より質の高い救急医療を提供するためには，地域の救急医療機関が連携し，地域が一体として小児救急，周産期救急，精神科救急を含め，すべての救急患者に対応できる救急医療体制を構築することが重要である。

2 受け入れ先選定困難事案などへの対応

2006～2008年に受け入れ医療機関の選定困難事案が発生したことを契機として，2009年5月に消防法が改正され，都道府県に，傷病者の搬送および傷病者の受け入れの実施に関する基準（以下，実施基準）の策定，および実施基準に係る協議，調整などを行うメディカルコントロール協議会の設置などが義務づけられた。現在，すべての都道府県において実施基準が策定されている。今後は，実施基準のより円滑な運用および改善が必要であり，協議会において実施基準に基づく傷病者の搬送および受け入れの実施状況の調査・検証を行い，実施基準を必要に応じて見直すことにより，傷病者の状況に応じた適切な搬送・受け入れ体制を構築することが期待されている。

救急医療機関が搬送に応じられない原因としては，「手術中・患者対応中」「処置困難」「ベッド満床」「専門外」「医師不在」などがあげられる。このうち「ベッド満床」の背景として，救急医療機関（とくに三次救急医療機関）に搬送された患者が救急医療用病床を長期間転院・退院できないことで，救急医療機関が新たな救急患者の受け入れが困難になる，いわゆる救急医療機関の「出口問題」

が指摘されている。出口問題が生じる理由として，一つは高齢の救急患者が治療を経て症状の安定を得ても，退院後に入浴・食事などの介護が受けられない，家族の協力が得られないといった社会的な理由もある。この解決に向けては，在宅などにおける長期にわたる医療と介護の一体的な提供体制として，前述した地域包括ケアシステムの構築を急ぐ必要がある。救急医療機関と訪問看護ステーションなどを有する，いわゆる地域密着型病院や回復期リハビリテーション病院，介護施設などとの切れ目のない連携の充実が求められる。

また，救急搬送される傷病者で急病に分類されるもののうち，診療の結果として帰宅可能な「軽症」が45％程度を占める[6]。このなかの一部には不要不急にもかかわらず安易に救急車を利用している例も散見される。円滑な救急患者受け入れ体制整備のためには，国民に救急車の適正利用などについての理解を深めるための取り組みを進めることも重要である。

3 救急医療体制確保のために

高齢化に伴って救急患者も増加し，救急医療のニーズが高まっていくなかで，救急医療体制の確保も重要な課題である。救急医療は病院前における救急業務に始まり，救急外来における救急診療を経て，入院病棟における入院診療へと続く。これは，病院前では救命救急士が，医療機関搬入後には医師・看護師などが主な業務を担うなど，多職種連携により成り立っている。

しかし，搬送人員増加に比例して救急医療に携わる者にかかる負担も増加しており，とくに救急科の医師においては，時間外労働が年1,800時間，月100時間を超える医師の割合が14.1％とのデータがある[7]。2024年4月1日には「医師の働き方改革」による時間外勤務の上限規制がかかるため，医師から多職種へのタスク・シフト／シェアを進める必要がある（p.1295参照）。

地域医療提供の確保を図るためには，各救急医療機関で，救急医をはじめとした医療スタッフの働き方改革を通じ，自院の持続可能な救急医療体制を進めていくことが重要となる。

▶ 文　献

1) 内閣官房：全世代型社会保障構築会議；議論の中間整理，2022.
https://www.cas.go.jp/jp/seisaku/zensedai_hosyo/dai5/gijisidai.html
2) 厚生労働省：地域包括ケアシステム．
https://www.mhlw.go.jp/stf/seisakunitsuite/bunya/hukushi_kaigo/kaigo_koureisha/chiiki-houkatsu/
3) 三菱UFJリサーチ&コンサルティング「＜地域包括ケア研究会＞地域包括ケアシステムと地域マネジメント」（地域包括ケアシステム構築に向けた制度及びサービスのあり方に関する研究事業），平成27年度厚生労働省老人保健健康増進等事業，2016.
https://www.murc.jp/houkatsu_01/
4) 厚生労働省：医療的ケア児等とその家族に対する支援施策；医療的ケア児について．
https://www.mhlw.go.jp/stf/seisakunitsuite/bunya/hukushi_kaigo/shougaishahukushi/service/index_00004.html
5) 厚生労働省：医療的ケア児等医療情報共有システム（MEIS）について．
https://www.mhlw.go.jp/stf/newpage_09309.html
6) 総務省消防庁：令和4年版救急・救助の現況（救急編），2023.
https://www.fdma.go.jp/publication/rescue/post-4.html
7) 厚生労働省：第19回医師の働き方改革に関する検討会資料；時間外労働規制のあり方について⑤（議論のための参考資料），2019.
https://www.mhlw.go.jp/content/10800000/000481338.pdf

I 救急医学総論

4 救急科専門医に求められる知識・技能・態度

石松 伸一

そもそも一言で「救急科専門医を目指す」といっても，専攻医の思いは多様であろう。将来においてわが国の救急医療体制を支える人物になりたい者（救命救急センターのような重篤・致死的な患者を扱う救急医療から，プライマリ・ケア的な一般的疾患にも幅広く対応できる救急医療までを含む）や，救急医療での技術や経験を得て公衆衛生的立場で広く人類の健康に貢献したいと思う者，あるいは近年多発する災害などに対し適切に初期対応できる医療従事者として社会の安全保障の一翼を担いたいと思う者，現在のわが国の医療において十分ではない部分（へき地や医療従事者不足地域，新型コロナウイルス感染症のような未知の感染症の爆発的流行など）への貢献を希望する者など，さまざまである。

ここでは，このように多様な希望をもった専攻医が，まず最初に目指すところの「救急科専門医」とはどのようなものであり，現在どのような制度となっているかを概説するとともに，救急科専門研修プログラムにおいて救急科専門医に求められている知識・技能・態度の要点を示す。

救急科専門医・指導医制度

1 旧専門医制度（日本救急医学会認定）

認定された約3年間の救急科専門医プログラムを修了し，専門医審査（書類審査と学科試験）に合格すれば，「救急科専門医」の資格を取得できる。本制度（旧制度）は2025年をもって終了する予定である。

2 新専門医制度（日本専門医機構認定）

「救急科専門医」を取得するためには，日本専門医機構が認定した救急科専門研修プログラムを修了し，専門医審査（プログラム修了の証明と学科試験）に合格する必要がある。原則はプログラム制によるが，プログラムにのっとることが困難な場合にはカリキュラム制で修了し，受験資格を得ることもできる。

なお，日本専門医機構は機構が認定する「専門医」を「それぞれの診療領域における適切な教育を受けて，十分な知識・経験を持ち患者から信頼される標準的な医療を提供できるとともに先端的な医療を理解し情報を提供できる医師」と定義している[1]。

3 指導医制度

現時点では，日本救急医学会が認定する「日本救急医学会指導医」制度がある。この指導医は専門医取得後の一定の期間，指定された施設（日本救急医学会指導医指定施設）で研鑽を積み，指導医としての資格を取得した場合に認定される。

なお，今後，日本専門医機構の専門医制度に全面的に移行した際には「指導医」という名称は使われなくなる可能性があるが，日本救急医学会では，専門医制度の全面移行後も学会認定「指導医」という呼称を残そうという意見もある。

救急科専門研修の到達目標

救急科専門医に求められる知識・技能・態度については，日本専門医機構が提示している「救急科専門研修プログラム整備基準」[2]内の研修カリキュラムにおいて，「専門研修の目標」として明示されている12個のアウトカム（**表1**）がその根本となるが，一読では理解が難しい部分もあると思われる。そのため以下，整備基準内に記載されている救急科専門医が目標とすべき能力や，求められる学問的姿勢，倫理的・社会的姿勢について概説する。

1 様々な傷病，緊急度の救急患者に，適切な初期診療を行える

「様々な傷病，緊急度の救急患者」とは，疾患や臓器にこだわらない，あらゆる緊急度の患者という意味であり，救急医療が本質的に対象とすべき患者である。「適

表1 救急科専門研修プログラムで示されている専門研修後の成果（アウトカム）

1. 様々な傷病，緊急度の救急患者に，適切な初期診療を行える
2. 複数患者の初期診療に同時に対応でき，優先度を判断できる
3. 重症患者への集中治療が行える
4. 他の診療科や医療職種と連携・協力し，良好なコミュニケーションのもとで診療を進めることができる
5. 必要に応じて病院前診療を行える
6. 病院前救護のメディカルコントロールが行える
7. 災害医療において指導的立場で対応できる
8. 救急診療に関する教育指導が行える
9. 救急診療の科学的評価や検証が行える
10. プロフェッショナリズムに基づき，最新の標準的知識や技能を継続して修得し，能力を維持できる
11. 救急患者の受け入れや診療に際して倫理的配慮を行える
12. 救急患者や救急診療に従事する医療者の安全を確保できる

切な初期診療」は応急処置的にとらえられがちであるが，どの時相までかは明示されていない。必要に応じた治療方針の決定や他科コンサルトまでにとどまらず，確定診断や根治的治療までも含む場合がある。これらを実践するため救急科専門医には，さまざまな疾患の診断能力に加えて，診断まで至らなくとも必要十分な初期対応（処置，治療）を行うことができる能力が求められる。また，日々の救急患者対応を通して，自分の未熟な部分や未知の部分を把握し，新しい知識を吸収する態度も重要である。

2 複数患者の初期診療に同時に対応でき，優先度を判断できる

「複数患者の初期診療に同時に」とは通常の救急診療現場のことであるが，時として災害時における多数傷病者対応の意味も含んでいる。すなわち，そのときの現場（もしくは環境）で利用可能な医療資源（リソース）を十分把握し，それを最大限利用したうえで（一方でその限界も理解したうえで）最良の結果を出すという，救急医療と災害医療の両者の要素を意味している。また，「優先度を判断」とは救急外来におけるトリアージのことを指すが，医学的優先度以外に社会的優先度も含む場合がある。

3 重症患者への集中治療が行える

救急科専門医の重要な基本構成要素である「重症患者管理，治療」の能力である。最新のエビデンスとともに技術や機器にも精通し，これらを常に最新化し有効に使用して患者を治療することが求められる。基本的能力として生理学や生化学，薬理学の知識をはじめ，機器の使用に関する医用工学的な能力も必要となる。

4 他の診療科や医療職種と連携・協力し，良好なコミュニケーションのもとで診療を進めることができる

救急科専門医はある意味，複数診療科の役割を1人で果たさざるを得ないという実情がある一方で，多職種チームのメンバーを有効活用して診療全体をうまく進めることで，最大限の効果を引き出せるようにコーディネートすることが求められる。また，「良好なコミュニケーション」を構築するためには，社会が救急医に求める態度としてあげられる高いコミュニケーション能力や，ジェームズ・ヘックマン（シカゴ大学，労働経済学者，2000年にノーベル経済学賞受賞）が唱える非認知能力（理性的な側面というより，むしろ情動的な側面をもつ非認知的な能力）の高さが重要である。

5 必要に応じて病院前診療を行える

現在わが国の病院前救護は主に救急隊員や救急救命士が担っているが，彼らの業務内容や範囲を理解し，病院前救護特有の困難さや苦労を知ることは，救急科専門医にとって重要な要素である。そのためには，救急科専門医として時に現場に臨場し，救急隊員や救急救命士とともに活動することが重要である。結果，現場での適切な活動・搬送の実施や，病院前救護の質の向上，傷病者の予後改善にもつながる。

一方，病院前診療はドクターカー・ドクターヘリでの

出動や DMAT としての現場出動などが該当する。ここでは病院内での診療とは異なった診療の優先順位や診療可能範囲を意識する必要がある。同時に，前述した病院前救護にあたっている救急隊員・救急救命士などとの協働も必要となってくる。

これらを理解し，現場で十分な力量を発揮するためには，病院前救護・病院前診療に多く参加し，経験を積むことが重要である。

6 病院前救護のメディカルコントロールが行える

救急隊員や救急救命士が行う病院前救護において，医師のいない環境下で一部の医療行為が許可される条件として「医師のメディカルコントロール下にあること」がある。直接指示のみならず，現場の活動が法的根拠と活動基準に基づいて行われているかの検証，検証結果のフィードバック，さらに必要に応じた活動基準の見直しや改訂などもメディカルコントロールの一環である。メディカルコントロールを行うためには，医師法や医療法のほか，救急救命士法などを熟知しておくことが求められる。

7 災害医療において指導的立場で対応できる

災害医療は救急医療のなかでも重要な領域であり，近年多発する各種の災害対応において国民が救急医に期待している業務の一つである。トリアージや被災者の初療といった現場対応だけでなく，現場の医療チームや消防・警察をはじめとする初動部隊に適切な医学的助言・指導ができることが求められる。災害現場で修練を積むことができれば理想的であるが，現実的には困難であるため，各種の災害対応訓練を通じて多職種の役割・活動についての理解を深めることが重要である。

8 救急診療に関する教育指導が行える

医師免許取得直後の臨床研修が必修化され，このなかで救急科研修が3カ月課されている。救急科専門医にはこれらの研修医に対して，例えば BLS（Basic Life Support）や ACLS（Advanced Cardiac Life Support），ICLS（Immediate Cardiac Life Support）をはじめとする蘇生法や，外傷初期診療の JATEC™（Japan Advanced Trauma Evaluation and Care）など，ガイドラインに基づいた標準化教育を行う能力と，それを十分に実践応用できるような現場指導能力が求められる。

また，初期研修医のみならず救急科専門医を目指す救急科専攻医に対する教育指導も行い，国・地域で求められる救急医を養成することは，まさに専門研修プログラムの根幹となる理念である。

9 救急診療の科学的評価や検証が行える

救急診療の科学的検証のため，救急患者のデータ分析・判断・検証とフィードバックを継続して行い，将来診療するであろう患者の予後改善につなげていく姿勢が重要である。これは，例えば心停止患者に対するウツタイン方式によるレジストリーをもとにした大規模な取り組みにとどまらず，診療現場の個々の事例においても同様のサイクルが求められる。

これらを実行するためには救急科専門研修の一環として，あるテーマについて臨床研究を行い，得られたデータの正当な科学的評価を行い，その結果を学会・研究会などで報告し，論文を作成・公開する一連の行動が求められる。また，これらの経験と知識をもとに，後進に教育指導できるような体制が必要である。

また，救急診療の現場で日々発生するインシデント・アクシデントのふり返りや，救急車不応需例の分析・検証といった，救急診療全体の質の向上に取り組む姿勢も忘れてはならない。

10 プロフェッショナリズムに基づき，最新の標準的知識や技能を継続して修得し，能力を維持できる

医師の「プロフェッショナリズム」の定義にはさまざまなものがあり，一定の見解はない。卓越性や人間性，説明責任，利他主義といった表現が用いられることも多い。「最新の標準的知識や技能を継続して修得」については，現在では学会活動や e-ラーニングを通して手軽に修得できるようになってきているが，重要なことは最新の知識や技術を学びつづけたいと思う向上心である。これはすなわち医師としてのプロフェッショナリズムの一端にほかならない。

11 救急患者の受け入れや診療に際して倫理的配慮を行える

救急医療では，その判断や行為の実行に時間的余裕がなく，個人的な判断や価値観がその内容に影響する場面が生じ得る。そのため，公平性と倫理性を常に意識した診療を行う必要がある。公衆への公開に耐え得る医療の展開は，救急医療の密室化を防ぎ，公平性・社会性を保ち，倫理的配慮を行うためにも重要な視点である。そのような意味でも個別事例の共有・振り返りが重要となる。倫理的判断における意見をもらうための場としては，時に多職種に参加してもらうカンファレンスも有用である。

12 救急患者や救急診療に従事する医療者の安全を確保できる

医療従事者の安全を脅かすリスクには，患者の暴言・暴力，職業感染症の存在などさまざまなものがある。救急科専門医には，自分のみならず救急患者，および救急診療に従事する医療従事者の安全を確保するための対策立案，助言ができる能力が求められる。以下に，代表的なリスクである患者の暴言・暴力に対する考え方を例示する。

救急外来では診療にあたるまで患者がどのような人間がわからないことが多い。また，薬物中毒やアルコール中毒患者，精神疾患患者が身体症状を主訴に救急外来を受診することもある。そのため，救急外来診療においては，患者による医療従事者に対する暴言・暴力が発生するリスクが常に潜んでいるといえる。

患者の暴言・暴力に対しては常に毅然とした対応をすることが求められるが，安全確保の見地からは，そもそものリスクを回避することが重要である。具体的なリスク回避の方策として，患者と医療従事者が密室で1対1にならないように診察室を配置することや，保安係やガードマンを常駐させること，あるいは必要時に警察などに通報し即応するシステムを準備することなどがあげられる。また，必要な場所には監視カメラを設置し，プライバシーに配慮しつつ，医療従事者の人権と安全を守る設備も重要となる。

▶文 献

1) 日本専門医機構ホームページ.
https://jmsb.or.jp/
2) 日本専門医機構：基本領域学会・研修プログラム整備基準.
https://jmsb.or.jp/senkoi#an05

病院前救急医療

1. 病院前救護体制 …… 28
  1-1. 病院前救護の成り立ち …… 28
  1-2. 救急救命士制度 …… 32
  1-3. メディカルコントロール …… 38

2. 病院前診療体制 …… 44
  2-1. ドクターカー …… 44
  2-2. ドクターヘリ …… 48

1-1 病院前救護の成り立ち

郡山 一明

歴史を学ぶことの意義は,「これまで」の出来事を振り返り,それが起こった理由の社会との関係性に気づき,「これから」に活かすことにある。

これまで病院前救護の歴史を語るとき,多くの場合,救急搬送手段とそこにかかわる救急隊員の行う処置が,どのように変遷してきたかについて記述されてきた。それは,消防の視座から眺めた救急搬送の年譜である。

ここでは,病院前救護にかかわる医師が,常に変わりゆく社会のなかで,正しく病院前救護体制を構築していくことができるように,病院前救護の歴史を医療全体の視座から眺めることとしたい。なお,本項における「病院」は診療所を含む用語とする。

近代医療における患者安全確保の歴史（医師資格と医療施設）

病院前救護の特異性を理解するためには,近代医療がどのような変遷を経て,患者の安全を確保し,信頼を得てきたのかを知る必要がある。そこで,まず近代医療における患者安全確保の歴史を,「医師資格制度の変遷」と「病院の変遷」の2つの軸から述べる。

1 医師資格制度の変遷

医療とは生命・身体に対する侵襲行為である。それゆえ,医師は,古来より洋の東西を問わず,親方に弟子入りして修行する徒弟制,同業者によるギルド制などで専門職として養成されてきた。

系統立った医学教育が最初に行われたのは,10世紀後半の南イタリアのサレルノ医学校といわれている[1]。この地にいた,コンスタンティヌス・アフリカヌスという人物のもとに各地の医者が集まり,医学徒の共同体が生まれた。コンスタンティヌスはアラビア語をラテン語に翻訳することに長けており,彼の翻訳書のなかには多くの医学書があったからである。

この頃,中世ヨーロッパでは,学問に情熱を傾ける人々が,高名な教師を求めてヨーロッパ各地から集まるという習慣があった。もっとも有名な地はイタリアのボローニャとフランスのパリである。各地から集まった人々は,現地の人々から「異邦人」としての生活上の制約を受けたため,生活権を得ることを目的に,教師と生徒からなるギルドが自然発生した。これが大学の起源である。つまり,初期の「大学」とは土地や建物を所有していたわけではなく,それを指す言葉でもなかった。その後,次第に学問を交換する場所が固定され,1230年頃にはボローニャ大学とパリ大学が形として現れた。当初,両大学は神学と法学を学ぶ場所であったが,13世紀後半には医学部が生まれた[2]。大学ごとに統一したカリキュラムで教育が施され,それを修めることで,それぞれの大学から医師資格が与えられた。医学教育と医師資格は国家による統制を受けたわけではなく,大学という単位で行われていたのである。この状況は19世紀の半ばまで続く。イギリスでは1858年に医師法が制定され,ようやく医師が国家資格となった。

わが国に目を向ければ,体系的な医学教育の源流は,関東管領の上杉憲実が1439年,室町時代につくられた足利学校を再興し,易学の一部として医学の講義を行わせたことにある。22歳で足利学校に学んだ曲直瀬道三（1507〜1594年）は,その後,九段階からなる修学階梯をつくり,多くの門弟を集めて段階的医学教育を実施した[3]。曲直瀬道三はテキストを用いて教育を行ったが,そのテキストは活字印刷技術の伝来と相まって,地域と時代を超えて各地の医学教育に発展・継承されていく。江戸時代になると,徳川吉宗（在位1716〜1745年）が半井家・今大路家を典薬頭に任じ,医師を専門職として幕府機構に位置づけた。この流れのなかで,世界の大学創立から遅れること500年以上,1791年に幕府直轄の医学教育施設として江戸医学館が設立される。同時に諸藩では官立の藩校が設立され,学制が整備されていった。ほどなく,優秀な人材を藩校から幕府直轄学校へ進学させる制度も形成されていった。

医師の資格制度は,1851年に佐賀藩が行った「医業免札制」が最初である[4]。明治維新になると,わが国は急速に流れ込んできた世界の仕組みを一気呵成に取り入れた。1874年に明治政府によって「医制」が定められ,医

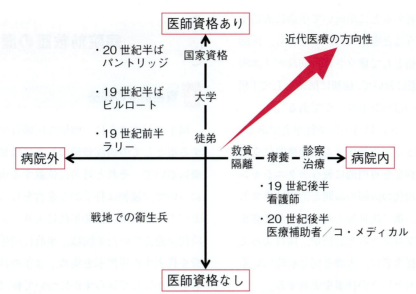

図1 近代医療の方向性とさまざまな医療の位置づけ（筆者作成）

師が国家資格となった。500年以上の遅れをわずか10数年で整えたのである。1906年に旧医師法が，1948年に現行の医師法が制定された。

2 病院の変遷

病院が「診療（診察・治療）の場」としての役割を果たすようになったのは，ここ100年程度に過ぎない。それまでの病院は救貧施設であり，病気の観察施設であり，感染症の隔離施設であった。ナイチンゲールは1859年に「病院覚え書」という書物を著しているが[5]，そのなかで病院建築のあるべき姿を「患者に新たな害を与えない」こととし，室内への新鮮な空気，陽光，室温の供給の必要性を説いた。つまり，19世紀半ばにおいても最新の病院とは「療養の場」にとどまっていたのである。

1846年に米国のモートンによりエーテル麻酔が，1867年に英国のリスターにより消毒法の概念が確立されると，外科技術も大いに進化していく。これに伴い，病院は手術を行うためのさまざまな医療器具と清潔な場所を備えた「治療の場」へと次第に変わっていった。同時に検査機器も開発されていく。1893年にはアイントホーフェンが心電図の記録に初めて成功するが，その心電計は両手と左足を水が入ったバケツにつけて記録するもので，小さな部屋一つ分の空間が必要であった。それらの機器を病院に整備することで，病院の機能には機器を用いて科学的診断を行う「診察の場」が加わるのである。

わが国の病院変遷も医師資格とまったく同様で，明治維新に西洋の病院を取り入れた。

3 近代医療の方向性とさまざまな医療の位置づけ

医師資格の有無を縦軸，診療の場が病院の内外どちらであるかを横軸として，近代医療の方向性とさまざまな医療の位置づけを図1に示す。

もっとも重要なことは，近代医療が医学教育の統一，医師資格の国家資格化，病院の発展とそこへの医師の組み込みなど，図1の右上象限の頂点を目指して発展してきたことである。その目的は，医療を受ける人々における安全性の確立と信頼の醸成である。

では，ほかの象限には何が相当するだろうか。左上象限には戦場で傷病兵を搬送する馬車を走らせたことで有名なドミニク・ジャン・ラリー[6]，1870年の普仏戦争で戦場に赴き，戦傷者の治療にあたったテオドール・ビルロート[7]（胃再建術にその名を残した医師），1960年代に除細動器を積んで患者のもとに出向き心室細動の治療を行ったフランク・パントリッジなどが入る。ラリーとビルロートはまだ病院が「療養の場」，もしくはそれ以前であった時代の医師であるから，医療を行う場が病院の内と外のどちらであったかを論じる意味はない。なお，ラリーは，パリのオテルデューの主任外科医に師事することで医師となり，ビルロートは大学を卒業することで医師資格を得た。いずれも国家資格となる前である。この意味でも，彼らの行為は近代医療以前に位置づけられる。一方，パントリッジは1939年に国家資格としての医師資格を得ており，彼が医師として働いていた1960年代，彼が勤める病院には心臓グラフトのために開心術を行う設備があった[8]。そのようななか，彼は病院で患者を待

つのではなく，直接患者のもとに出向いて生命に直結する心室細動の治療を行うことを始めた。すなわち，医師資格が厳正なる国家資格として確立され，病院が「診療の場」となった近代医療において，最初に医師として「病院前」で医療を行ったのはパントリッジである[9]。

右下象限に属するのは，医師以外の医療従事者である。20世紀後半の医療は高度化・複雑化する医療機器に支えられており，それらの機器を専門的に使うテクニシャンのサポートなくして，現代の医師の診断と治療は成立しなくなった。このため，第二次世界大戦後からさまざまな医療関連職種の教育プログラムと資格が，国によって作成されてきた。医療従事者は，医師と同じ病院にいることで，医師の指示のもとにその仕事を実施する。

左下象限に属するのは戦場での衛生兵である。戦争に伴って必然的に発生する傷病者をいかに再生させ，戦場に戻すかを目的につくられた制度である。医師資格はおろか，医療従事者の資格ももたない者が，医師がいない場所，すなわち戦場で応急手当を行う。その起源はきわめて古くローマ時代にまでさかのぼる。そして新たな戦争のたびに，傷病兵の移動手段や治療内容が時代に応じて発展してきた。当然，その行為は「戦場」という限られた場所でのみ許容された。決して，平時の一般社会で行われたわけではない。

4 病院前救護の位置づけ

「病院前救護」が図1のどこに位置づけられるかを考えると，医師資格以外の医療従事者による行為ととらえれば，左下象限となる。それは「戦地での衛生兵」が属するのと同じ象限である。つまり，「病院前救護」は近代医療が目指した患者の安全性確保と信頼を得る構造とは対角の関係にある。それゆえに，近代医療と整合性を保ちつつ「病院前救護」を構築するには，きわめて慎重でなければならなかった。病院前救護員の必要性を科学的に証明し，それを行う資格を定め，実施体制を確保する必要があった。それは単に右下象限に属する医療従事者を増やせばよかったわけではない。医療従事者は病院内の医師と協働する場で，医師が行う「診察」を補充するものであるのに対し，「病院前救護」の医療従事者は，医師がいない場で，パントリッジのように「治療行為」まで行うからである。

病院前救護の歴史

1 資格制度の構築

図1に示すように，厳格な医師資格制度と医療を提供する場としての病院整備のもとに構築されてきた近代医療において，それと対角に位置する病院前救護の必要性について，最初に科学的な提言を行ったのは米国科学アカデミーである。1960年代に入り，交通事故が急増する時代を迎えていた米国は，事故に関係するさまざまな分野を代表する専門家を集め，3年の月日をかけて，犠牲者をいかにして減らすかについて検討したのである。その成果は1966年に，「事故による死と身体障害，現代社会で無視されてきた病」という報告書として発表された[10]。同報告書では，事故予防，緊急処置，救急車，救急車と病院の通信，必要な病院タイプ，病院における外傷対応の質向上（外傷登録制度，院内委員会設置），回復期医療の充実などについて現状把握が行われ，今後の体系的整備のために，必要な調査を行うことが提言された。このうち，緊急処置の項目において「救急隊をはじめとするいくつかの職種は心肺停止に直面する機会が多いにもかかわらず，心肺蘇生の基本すらほとんどトレーニングされていない」ことが述べられ，すべての救急隊員が標準的かつ最低限のトレーニングレベルを確保できるようにすること，救急隊が病院外で生命危険回避の処置を実施できるような医療資格をつくること，救急隊と病院が連携することが提言された。

提言を受けた米国連邦議会は1973年に救急システム法を成立させ[11]，提言を計画的に実施していった。まず，国民に対する応急対応の教育体制が構築された。そして，「病院前救護」にとってもっとも大きな変革点となったのが，救急医療士（初等，中等，高等の3段階がある）制度の創設である。この制度の創設によって，医師以外が実施することを認められていなかった救急救命処置を，医師でない救急隊員が病院外で実施することが可能になったのである。

日本でも1960年代に入り交通事故が急増したため，1963年に消防法が改正され，救急搬送を消防の業務として正式に法制化した。これを受けて，厚生省は1964年に「救急病院等を定める省令」を発出し，外傷患者の受け入れ病院の施設基準を定めた。この後の施策は，救急救命士法の制定に至るまで，病院前で何を行うかではなく，

救急現場と病院をいかにつなぐかが主眼に置かれた。

　日本における病院前救護の構築のきっかけは1986年，バレーボールの日本リーグの試合中に，1人の選手がコート上で気分不良を訴え，ベンチに戻った直後に倒れこんだことによる。そのとき，おそらく心停止に近い状況であった選手に対して，誰からも生命の危険状況の確認と，それに続く応急処置が実施されることなく担架で運び出される姿を，テレビを通じて多くの人々が観たのである。これを契機に米国の救急医療士のような医療資格の必要性がマスコミによって報じられ，世論も同調していった。これを受けて，1989年に厚生省が救急医療体制検討会を発足させ，わが国の心停止例について調査が行われた。その結果，わが国の心停止事例の社会復帰率が約1％にすぎず，欧米に比べて著しく低いこと[12]，救急現場での心停止例の約30％は心室細動であること，それらの約40％は病院到着時には心静止に悪化することが明らかにされた[13]。この間，東京消防庁は救急指令センターに救急医を常駐させ，現場の救急隊に指示を出す試みも行ったが，少なくとも心停止事例の救命率向上にはつながらず，根本的な改革が必要と考えられた。そして，1991年，医師の指示のもとに搬送途上の傷病者の生命危険回避を業として行う救急救命士資格が法制化されたのである。

2 実施体制の確保

　前述したように，近代医療が目指してきた方向と整合性をもって病院前救護を実施するには，新たな医療資格と実施体制の確保が必須である。実施体制が「メディカルコントロール」と呼ばれるものである。本来であれば新たな医療資格とメディカルコントロール体制は並列して法整備されるべきであるが，メディカルコントロール体制は必ずしも資格制度と同時に構築されたわけではない。米国では一部の州でメディカルコントロール体制の構築を先進的に行っていたが[14]，これが可能であったのは米国が連邦国家であり，各州が主権を有し，憲法上，連邦政府のいかなる監督下にも置かれていないため，法律の制定・施行も州に権限があるからである。

　日本におけるメディカルコントロール体制・協議会は，救急救命士資格の法制化から遅れること10年，2000年に厚生省が「病院前救護体制のあり方に関する検討会」を設置し，その報告[15)16)]を受けて，2001年に消防庁が「救急業務の高度化の推進について」，厚生労働省が「病院前救護体制の確立について」の通知を全国自治体に発出したことによって始まった。その後，救急救命士の処置拡大のたびに，監督官庁である厚生労働省と総務省消防庁からメディカルコントロール体制の強化についての通知が出され，メディカルコントロール協議会の役割と責任が拡大していくこととなる。それにもかかわらず，2022年の段階でメディカルコントロール体制・協議会設置はいまだ法的根拠をもっていない。医療が国民からの信頼を得て，患者の安全性を確保するためには，救急医療という部分の最適化を行うのではなく，医療全体の最適化を図らなければならない。

▶文　献

1) 坂井建雄：図説 医学の歴史．医学書院，2019，pp70-3．
2) 坂井建雄（編）：医学教育の歴史；古今と東西．法政大学出版局，2019，pp5-14．
3) 菅原正子：日本中世の学問と教養，同成社，2014．
4) 佐賀県立図書館（編）：直正公譜・贈正二位公御年譜地取（佐賀県近世史料第1編第11巻）．2003．
5) フロレンス・ナイティンゲール（著），小玉香津子（訳）：病院覚え書き　第3版．日本看護協会出版会，2022，p208．
6) Deherly F：Dominique Larrey, chirurgien militaire. Le Blog Gallica, 2021.
https://gallica.bnf.fr/blog/29042021/dominique-larrey-chirurgien-militaire
7) 佐藤裕：ビルロート余滴・12；ドイツ外科学会とBillroth．臨床外科 58：1640-2，2003．
8) Clarke RSJ, Royal Victoria Hospital：HISTORY OF THE ROYAL VICTORIA HOSPITAL.
https://www.ums.ac.uk/inst/hrvh_rc.pdf
9) Pantridge JF, et al：A mobile intensive care unit in the management of myocardial infarction. Lancet 2 (7510)：271-3，1967.
10) National Academy of Sciences：Accidental Death and Disability：The Neglected Disease of Modern Society. 1966.
https://www.ncbi.nlm.nih.gov/books/NBK222962/
11) EMS Systems Act of 1973, Public Law 93-154.
12) 小濱啓次：DOAに関する調査研究．厚生行政科学研究報告書，1990．
13) 安川透：急性心肺停止例の救急現場心電図所見と心拍再開率の検討．日救急医誌 2：691-9，1991．
14) Amey BD, et al：Medical control of paramedic services. Emerg Med Serv 7：22-4, 92-3，1978.
15) 厚生省：病院前救護体制のあり方に関する検討委員会報告書．2000．
https://www.mhlw.go.jp/stf/shingi/2r9852000002umg2-att/2r9852000002umkn.pdf
16) 総務省消防庁：救急業務高度化推進委員会 報告書；救急業務の新たなる高度化を実現するために．2001．
https://www.fdma.go.jp/singi_kento/kento/items/kento263_01_130409kyukyu.pdf

1-2 救急救命士制度

田邉　晴山

救急救命士制度の誕生と発展

1 救急救命士制度の誕生

1990年頃，わが国では病院前救急医療体制が諸外国に比べて不十分であるとの認識が高まった。当時DOA（dead on arrival）と呼ばれていた院外心停止について，その生存率や社会復帰率が欧米に比べて低い水準にある点などがとくに問題視された。その改善を目的に，消防機関の救急隊員が一定の研修を受けて医療資格を取得することで，より高度な処置を実施可能とする体制についての議論が進み，1991年に救急救命士法が成立するとともに，救急救命士制度が誕生した。

制度発足前，心停止に対する処置として，医師の"包括的"指示下での除細動，気管挿管，静脈路確保とアドレナリン投与の3処置の実施が念頭に置かれていたが，制度発足時はいずれも時期尚早と判断され，それぞれ，医師の"具体的"指示下での除細動，ラリンゲアルマスクなどの声門上気道デバイスによる気道の確保，静脈路確保のみの実施（アドレナリン投与は不可）として許可された。

2 救急救命処置範囲の拡大

制度発足から10年を経て，救急救命士に対する社会の認知・期待の高まりとともに当初実現しなかった心停止に対する前述した処置について再検討がなされ，"包括的指示下"での除細動（2003年），気管内チューブによる気道確保（2004年），アドレナリンの投与（2006年）が可能となった。その後，処置範囲の拡大は心停止以外の傷病者を対象としたものにも広がり，アナフィラキシーに対する自己注射器によるアドレナリン投与（2009年），ショックなどに対する乳酸リンゲル液を用いた静脈路確保および輸液，血糖測定，低血糖発作症例へのブドウ糖溶液の投与（いずれも2014年）が加えられた。

表1　救急救命士の業務場所の拡大

救急救命士法第2条（改正前）
この法律で「救急救命処置」とは，その症状が著しく悪化するおそれがあり，又はその生命が危険な状態にある傷病者が病院又は診療所に搬送されるまでの間に，当該重度傷病者に対して行われる気道の確保，心拍の回復その他の処置であって，当該重度傷病者の症状の著しい悪化を防止し，又はその生命の危険を回避するために緊急に必要なものをいう

救急救命士法第2条（法改正後，2021年）
この法律で「救急救命処置」とは，その症状が著しく悪化するおそれがあり，若しくはその生命が危険な状態にある傷病者が病院若しくは診療所に搬送されるまでの間又は重度傷病者が病院若しくは診療所に到着し当該病院若しくは診療所に入院するまでの間（当該重度傷病者が入院しない場合は，病院又は診療所に到着し当該病院又は診療所に滞在している間）に，当該重度傷病者に対して行われる気道の確保，心拍の回復その他の処置であって，当該重度傷病者の症状の著しい悪化を防止し，又はその生命の危険を回避するために緊急に必要なものをいう

3 業務場所の拡大

救急救命士制度は病院前救急医療体制の充実を目的に発足したものであり，その業務の場は病院前に限られ，医療機関内での活動は禁止されてきた。そのため，救急救命士がその資格を十分に生かせる職場は概ね消防機関に限られていた。2020年になり，救急医療にかかわる医師の過重労働の改善や救急医療機関での人手不足の解消を目的に，また消防機関に属さない救急救命士の資格者数が増加してきたことを背景として，2021年に救急救命士法の改正がなされ，医療機関においても入院前の重度傷病者（患者）に対して救急救命処置の実施が可能となった（**表1**）。

4 養成課程

救急隊員になるためには各自治体の消防官採用試験に合格する必要があるが，救急救命士は国家資格であり，一定の教育を受けたうえで，国家試験に合格することで

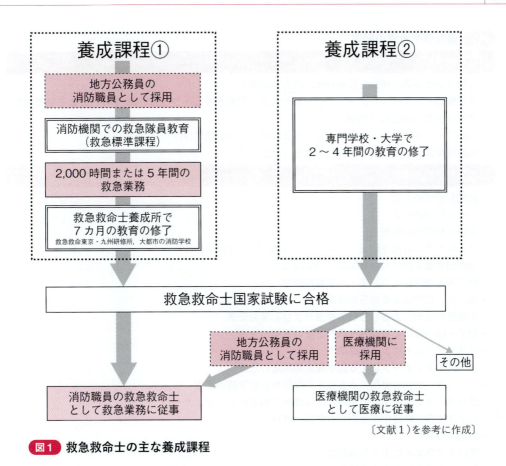

図1 救急救命士の主な養成課程

その資格を得ることができる。救急救命士の養成課程は大きく下記の2つに分けられる（図1）[1]。従来は消防関係の救急救命士養成施設で教育を受ける者が大半を占めていたが，近年は民間の救急救命士養成施設の割合が63％（2022年，国家試験合格比）となっている。

1）消防関係の救急救命士養成施設

消防職員として救急業務を一定程度（2,000時間または5年間）経験した後に，救急救命士養成所での教育（7カ月程度）を修了し，国家試験に合格することで資格を得る。

2）民間の救急救命士養成施設

高等学校などを卒業後，専門学校や大学の救急救命士養成課程において2〜4年間の教育を修了し，国家試験に合格することで資格を得る。

5 救急救命士の活躍の現状

2021年までの救急救命士の免許登録者数は64,000人余りであり，これは医師数の約20％，看護師数の約4％である。従来，その多くが消防本部に所属し，少数が海上保安庁や自衛隊などに所属し業務を行ってきた。前述したとおり，2021年の救急救命士法改正に伴って医療機関内においても救急救命処置が可能となり，病院などに就業する救急救命士が増加している。消防機関に所属する救急救命士と区別するために「病院救命士」などと呼ばれることもある。

救急救命士と救急救命処置

1 救急救命士の定義

「救急救命士」とは，「厚生労働大臣の免許を受けて，救急救命士の名称を用いて，医師の指示のもとに，救急救命処置を行うことを業とする者」（救急救命士法第2条の2）であり，厚生労働大臣からの免許を受ける医療に関する国家資格の一つである。救急救命士は，保健師助産師看護師法の規定にかかわらず「診療の補助」として救急救命処置を行うことができるとされている（救急救命士法第43条）。

2 救急救命処置と特定行為

前述したとおり，「救急救命処置」とは，「気道の確保，心拍の回復その他の処置であって，重度傷病者の症状の

表2 救急救命処置の範囲

医師の具体的指示（特定行為）

- 乳酸リンゲル液を用いた静脈路確保のための輸液
- 食道閉鎖式エアウエイ，ラリンゲアルマスク，気管内チューブ（2004年から）による気道確保
- アドレナリンの投与（2006年から）
- 乳酸リンゲル液を用いた静脈路確保および輸液（2014年から）
- 低血糖発作例へのブドウ糖溶液の投与（2014年から）

医師の包括的な指示

- 精神科領域の処置
- 小児科領域の処置
- 産婦人科領域の処置*
- アドレナリン自己注射薬（エピペン®）の使用（2009年から）
- 血糖測定器を用いた血糖測定（2014年から）
- 聴診器の使用による心音・呼吸音の聴取
- 血圧計の使用による血圧の測定
- 心電計の使用による心拍動の観察および心電図伝送
- 鉗子・吸引器による咽頭・声門上部の異物の除去
- 経鼻エアウエイによる気道確保
- パルスオキシメータによる血中酸素飽和度の測定
- ショックパンツの使用による血圧の保持および下肢の固定
- 自動式心マッサージ器の使用による体外式胸骨圧迫心マッサージ
- 特定在宅療法継続中の傷病者の処置の維持
- 口腔内の吸引
- 経口エアウエイによる気道確保
- バッグマスクによる人工呼吸
- 酸素吸入器による酸素投与
- 自動体外式除細動器による除細動（心臓機能停止状態の者が対象，2003年から）
- 用手法による気道確保
- 胸骨圧迫
- 呼吸吹き込み法による人工呼吸
- 圧迫止血
- 骨折の固定
- ハイムリック法および背部叩打法による異物の除去
- 体温，脈拍，呼吸数，意識状態，顔色の観察
- 必要な体位の維持，安静の維持，保温

* 墜落産時の処置：臍帯処置（臍帯結紮・切断），胎盤処理，新生児の蘇生（口腔内吸引，酸素投与，保温）。
子宮復古不全（弛緩出血時）：子宮輪状マッサージ

著しい悪化を防止し，又はその生命の危険を回避するために緊急に必要なもの」であり，「その症状が著しく悪化するおそれがあり，若しくはその生命が危険な状態にある傷病者（以下「重度傷病者」という。）が病院若しくは診療所に搬送されるまでの間又は重度傷病者が病院若しくは診療所に到着し当該病院若しくは診療所に入院するまでの間（当該重度傷病者が入院しない場合は，病院又は診療所に到着し当該病院又は診療所に滞在している間）」に行われるものをいう（救急救命士法第2条）。本稿執筆時点で救急救命処置として厚生労働省より示されているものを**表2**に示す。

救急救命処置のうち，比較的高度な処置についてはその実施に際して医師からの具体的な指示が必要となる（救急救命士法第44条）。これらの処置は「特定行為」と呼ばれるが，特定看護師の特定行為とは異なる。病院前で特定行為を実施する場合の具体的な指示は，基本的に携帯電話（オンラインメディカルコントロール医と救急救命士の間）を介して行われる。一方，特定行為に該当しないその他の救急救命処置は必ずしも医師の具体的指示を必要とせず，プロトコルなどによる医師の包括的指示下で実施可能である。

表3 心肺機能停止状態に対する特定行為の適応の詳細

特定行為の種類	心臓機能停止および呼吸機能停止の状態	心臓機能停止または呼吸機能停止の状態
乳酸リンゲル液を用いた静脈路確保のための輸液	○	○
食道閉鎖式エアウエイ，ラリンゲアルマスクによる気道確保	○	○
気管内チューブによる気道確保	○	—
アドレナリンの投与	○	心臓機能停止の場合のみ○

3 対象に注意を要する救急救命処置

1）特定行為

5の特定行為のうち，①乳酸リンゲル液を用いた静脈路確保のための輸液，②食道閉鎖式エアウエイ，ラリンゲアルマスクおよび気管内チューブによる気道確保，③アドレナリンの投与の3つは，心肺機能停止状態の傷病者が対象とされている。さらに，心肺機能停止状態を「心臓機能停止」と「呼吸機能停止」の状態と定義し，表3に示すように各処置の適応が定められている。なお，ここでいう心臓機能停止状態とは，心電図において心室細動，心静止，無脈性電気活動，無脈性心室頻拍の場合，または臨床上で意識がなく，頸動脈，大腿動脈（乳児の場合は上腕動脈）の拍動が触れない場合である。また，呼吸機能停止状態とは，観察や聴診器などにより自発呼吸をしていないことが確認された場合である。

一方，乳酸リンゲル液を用いた静脈路確保および輸液，低血糖発作例へのブドウ糖溶液の投与の2つは，心肺機能停止状態ではない重度傷病者に対する特定行為である。乳酸リンゲル液を用いた静脈路確保および輸液の対象は，ショックまたはクラッシュ症候群が疑われる（クラッシュ症候群に至る可能性が高い）者であり，厚生労働省が示す標準的なプロトコルでは心原性ショックは対象から外されている。また，ブドウ糖溶液の投与の対象は，血糖測定により低血糖状態が確認された者である。標準的なプロトコルでは，血糖値50mg/dL未満の15歳以上（推定を含む）を対象に，50％ブドウ糖溶液20mLを2本投与するとされている。

2）血糖測定器を用いた血糖測定

血糖測定器を用いた血糖測定は観血的処置であるが，特定行為としては位置づけられておらず，実施に際して医師の具体的指示は必要とならない。標準的なプロトコルにおける血糖測定の対象は，意識障害（目安としてJCSで10以上）を認め，血糖測定を行うことにより意識障害の鑑別や搬送先選定などに利益があると判断される場合とされている。

3）エピペン®の使用

医師からあらかじめアドレナリンの自己注射薬（エピペン®）の処方を受けた傷病者がアナフィラキシーを起こし，自らエピペン®を使用できない場合には，救急救命士が傷病者本人などに代わってそれを使用することができる。医師の診察を受けてエピペン®の処方を受けている傷病者に対して，本人に代わって実施する処置であるため，特定行為としては位置づけられていない。

消防機関における救急救命士とその業務

1 消防機関と救急業務

消防機関は地方自治体によって組織され，その業務は，警防（火災，消火に関すること，通信指令も含む），救急，救助，予防である。救急業務は，傷病者のうち医療機関などへ緊急に搬送する必要がある者を，救急隊によって医療機関などに搬送することをいう。「傷病者が医師の管理下に置かれるまでの間において，緊急やむを得ないものとして応急の手当を行うことを含む」とされる（消防法第2条第9項）。これを根拠に救急隊の業務が行われている。

2 救急隊員と救急救命士

救急業務は救急隊によって行われ，一隊は通常，救急隊員3名で構成される。救急隊員のうち約1/3は救急業務を専任とし，残りはほかの業務との兼任である。救急隊員になるには救急標準課程（250時間）などの一定の研修を経る必要がある。前述したとおり，救急隊員のなかには，さらに消防関係の救急救命士養成施設での研修を受けて救急救命士の資格を得る者もいる。また，民間の救急救命士養成施設で救急救命士の資格を得た後に，消防機関に入職し救急隊になる者もいる。2021年時点では全国の消防機関に41,000人余りの救急救命士の有資格者が在籍し，これは救急救命士全体の約64％を占め，そのうち7割が救急隊員として乗務している。

3 指導救命士

各消防本部において，メディカルコントロールを担う医師との連携のもとに，救急救命士，救急隊員，通信指令員などへの救急全般の教育・指導を行う救急救命士を指導救命士という。**表4**[2]を目安として，各都道府県のメディカルコントロール協議会で定められた要件を満たすことが求められている。指導救命士の位置づけは各都道府県や消防本部によって異なる。上記の要件を満たす救急救命士をすべて指導救命士と位置づける場合と，要件を満たしたうえで職務上も指導者としての立場に就いている救急救命士に限って指導救命士と呼ぶ場合がある。

4 救急業務で行われる処置

救急隊員の救急救命士は，救急隊員として可能な処置と救急救命士として可能な処置の双方を実施することができる。前者は，総務省消防庁の告示である「救急隊員の行う応急処置等の基準」に基づいており，後者は救急救命士法に基づく。

医療機関における救急救命士とその業務

救急救命士制度は従来，病院前での業務を前提として，ほかの医療資格者との役割分担なども含めてその体制整備が進められてきた。そのため，2021年の法改正により救急救命士は医療機関内でも業務可能となったものの，

表4 指導救命士の要件

- 救急救命士として通算5年以上の実務経験を有する者
- 救急隊長として通算5年以上の実務経験を有する者
- 特定行為について一定の施行経験を有する者
- 医療機関において一定の期間の病院実習を受けている者
- 必要な養成教育を受けている者，もしくは一定の指導経験を有する者
- 消防署内の現任教育，講習会などでの教育指導，学会での発表など，教育指導や研究発表について豊富な経験を有する者
- 所属する消防本部の消防長が推薦し，都道府県メディカルコントロール協議会が認める者

〔文献2）より引用〕

その実施にあたっては看護師などとは異なる制約がある点に留意が必要となる。

1 医療機関内で業務を行うための必要事項

救急救命士が医療機関内で救急救命士としての業務を行うために，医療機関の管理者に対して，勤務する救急救命士への院内研修と，救急救命士に関する委員会の設置が求められている（救急救命士法第44条第3項，同法施行規則第23条）。院内研修や委員会の設置については，関係学会のガイドライン[3]を参考にされたい。

1）院内研修

これまでの救急救命士の養成課程における教育は病院前での業務を前提として行われており，医療機関内での業務を想定した講義・実習にはなっていない。それを補うため，以下の3項目の研修が求められている。

- チーム医療に関する事項：医師その他の医療従事者との緊密な連携の促進に関する事項
- 医療安全に関する事項：傷病者に係る安全管理に関する事項，医薬品および医療資器材に係る安全管理に関する事項，その他の医療に係る安全管理に関する事項
- 院内感染対策に関する事項

2）救急救命士に関する委員会

委員会は，救急救命処置を指示する医師，医療安全管理委員会の委員，救急救命士，看護師などによって構成される。院内で救急救命士が実施する救急救命処置に関する規定（各救急救命士が実施する処置の範囲，処置を指示する医師の管理，処置の実施状況に関する検証方法など）を定めることを役割とする。また，処置に関する事後検証の実施，それに基づく院内研修の運用の見直しなども役割となる。

2 医療機関内での業務に関する留意事項

1）救急救命処置の対象

医療機関内においても救急救命処置の対象は「重度傷病者」であり，医療機関に到着し入院するまでの間（入院しない場合は，医療機関に滞在している間）の傷病者とされている。救急車で搬送された傷病者に限らず，walk-in で来院した者でも重度傷病者であればその対象となる。重度傷病者に該当するか否かは診察する医師が判断するものと考えられている。

入院するまでの傷病者が対象となるため，院内急変に対応するチームの一員などとして救急救命士が業務を行うことは許容されないと考えられている。ただし，院内急変に救急救命士が遭遇し，医師などほかの医療従事者が対応できない場合などに，救急救命士が胸骨圧迫やAEDによる電気ショックなどを実施することは緊急避難としてやむを得ないと考えられる。

2）医療機関内での救急救命処置の範囲

医療機関内における救急救命処置の範囲は，病院前と同じ範囲とされている。そのため現状では，採血などの検体採取，乳酸リンゲル液以外による静脈路確保・輸液，ブドウ糖やアドレナリン以外の薬剤投与などを行うことはできない。

3）医師による指示の形態

消防機関などによる病院前での業務では，現場に医師が不在であることを前提として指示体制が整えられている。そのため，特定行為を除けば，救急救命処置はプロトコルなどの事前指示（包括的指示）に基づいて行われるのが一般的である。一方，医療機関内には医師が存することが前提であり，基本的にほかの医療関係職種に対する指示と変わるものではない。

4）救急救命処置以外の業務

救急救命士の資格を必ずしも必要とせず実施可能であるが，救急救命士としての知識などを有効に活用できる業務もある。その例を**表5**[3]に示す。

表5 救急救命処置以外の業務の例

- 消防機関からの受け入れ要請への対応，記録の作成
- 紹介元からの診療情報提供書，画像情報などの管理
- ドクターカー，病院救急車の管理・運行
- 患者への診療，看護の支援
- 患者・家族などへの病状や各種検査の説明，同意書受領
- 患者の院内搬送
- 転院先の手配や調整
- 医療物品の管理，補充，請求
- 症例データバンクなどへの情報登録
- 医師事務作業の補助
- 院内スタッフに対する一次・二次救命処置の教育や訓練

〔文献3）を参考に作成〕

▶文　献

1) 平成27年度　厚生労働科学研究「救急医療体制の推進に関する研究」分担研究「消防機関以外の救急救命士の知識・技能の活用に関する研究」（田邉晴山）．
https://mhlw-rants.niph.go.jp/system/files/2015/154011/201520028A/201520028A0002.pdf
2) 総務省消防庁：救急業務に携わる職員の生涯教育の指針 Ver.1, 2014.
https://www.fdma.go.jp/singi_kento/kento/items/kento125_14_shishin.pdf
3) 日本臨床救急医学会，日本救急医学会：医療機関に勤務する救急救命士の救急救命処置実施についてのガイドライン，2021.
https://www.jaam.jp/info/2021/files/info-20210929.pdf

1-3 メディカルコントロール

今井　寛

メディカルコントロールの概念

1 メディカルコントロールとは

メディカルコントロール（medical control；MC）とは医学的な質を保障する取り組みである。1991年に救急救命士が誕生し，救急救命士による特定行為が実施されることになり，医師から指示を受けられる体制が整備されてきた。そのなかで2000年に提出された厚生省の「病院前救護体制のあり方に関する検討会」報告書[1]に初めて，メディカルコントロールという用語が記載された。報告書によれば，メディカルコントロールとは，傷病者を救急現場から医療機関へ搬送する間に救急救命士が実施する医行為に対して，医師が指示または指導・助言および検証することにより，それらの医行為の質を保障することを意味する。つまり，メディカルコントロールは医師が救急救命士，救急隊員に指示または指導・助言し，さらには行われた救急活動の事後検証をすることで，医療関連行為を保障することである。

2 メディカルコントロール体制

2001年の総務省消防庁「救急業務高度化推進委員会」の報告書では，メディカルコントロール体制として以下の3つの構築が必要とされている[2]。
①常時かつ迅速・適切に指示，指導，助言を行える体制
②「救急業務に精通した消防機関の指導者による，救急活動全般についての事後検証」と「医師による医学的観点からの事後検証」の二重評価を行える体制
③救急救命士の質のさらなる向上を図る目的で，病院実習を含む再教育を実施できる体制

2003年にはメディカルコントロール体制の充実強化について都道府県メディカルコントロール協議会，地域メディカルコントロール協議会の役割が提示され，協議会でプロトコルの策定，オンラインメディカルコントロール，事後検証，再教育の4つのコア業務がスタートすることになった。2005年には心肺機能停止の状態にある傷病者への薬剤投与，2014年には心肺機能停止前の重度傷病者への輸液，低血糖発作症状へのブドウ糖溶液の投与が行われるようになり，応急処置・救急救命処置範囲の拡大も進み，メディカルコントロールの役割は大きくなっている。2014年には指導救命士制度も始まり，メディカルコントロール体制のなかで，医師と連携して救急業務を指導する者として定義されるようになった。

このようにメディカルコントロールとは，病院前救護の質を医学的に保障する取り組みとして始まり，病院前における救急救命士・救急隊員によって行われる処置などの医療関連行為を対象に発展してきた（救急救命士などの観察・処置を医学的観点から保障する体制：メディカルコントロール体制第1ステージ）。その後，搬送先医療機関の選定についても搬送実施基準が策定されるようになり（2009年，傷病者の搬送および受け入れの実施基準の策定を通じて，地域の救急搬送・救急医療リソースの適切な運用を図る体制：メディカルコントロール体制第2ステージ），メディカルコントロールの対象は病院前医療のみならず，メディカルスタッフによる診療の補助や一般市民による応急手当，さらにはそれらを提供する体制にも及び，地域全体の医療を考えていく枠組みを広くメディカルコントロールと考えるようになってきている。そのため，医師の役割は病院前で行われる医療関連行為に関する質の保障だけでなく，医療機関選定や救急医療体制の整備に関しても質の保障が求められ，関係団体との協議や教育・研修にかかる企画，地域の危機管理や情報管理なども求められる。

将来的には地域包括ケアシステムにおいて，地域を全体的にみることのできる医療体制としてもメディカルコントロールは重要な役割を担うことになる（地域包括ケアにおける医療・介護の連携において，消防救急・救急医療で協働する体制：メディカルコントロール体制第3ステージ）。2021年には救急救命士の活動範囲が病院内にも広がり，院内でのメディカルコントロール体制も必要になってくる（図1）[3]。

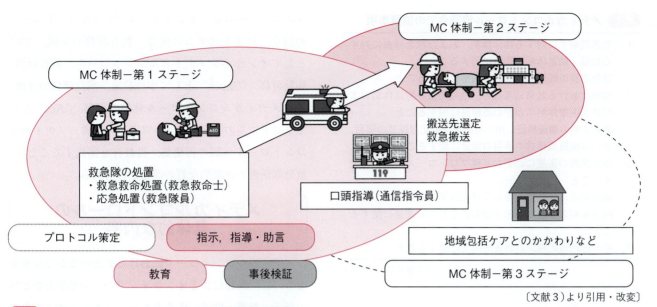

図1 メディカルコントロール（MC）体制の全体像

〔文献3）より引用・改変〕

メディカルコントロール協議会

1 メディカルコントロール協議会の役割

　病院前医療体制の充実には消防機関と保健所を含む医療機関との連携が必要であり，その連携を支えるうえで関連団体により組織化された協議会が必要になる。「病院前救護体制のあり方に関する検討会」の報告書[1]のなかでメディカルコントロールという用語が使用された後，2001年に適切な病院前救護活動が可能な体制を構築するメディカルコントロール協議会の内容が示された。消防機関が行う医療関連行為を医学的に保障するメディカルコントロール協議会は，地域の病院前救護体制の充実のために不可欠な体制である。

2 医療機関と消防機関の連携

　消防機関における救急業務は傷病者を医療機関まで搬送することであり，医師の管理下に置かれるまでに緊急やむを得ない場合には応急の手当を行う（消防法第2条第9項）。そのため，メディカルコントロール協議会がその質を保障する範囲は，救急救命処置に限らず救急隊員が行う応急処置を含めた救急現場活動に加え，通信指令員が行う口頭指導や救急隊員の生涯教育にまで及ぶ。2009年の消防法改正に伴い，傷病者の緊急度や病態に応じた適切な医療機関選定と医療機関への迅速な引き渡しが行われるために，搬送と受け入れの実施基準などを定め，病院前救護体制の充実強化が図られている。

3 協議会の構成員と協議事項

　メディカルコントロール協議会の構成員については，2001年の「救急業務の高度化の推進について（通知）」（消防救第204号，平成13年7月4日）および「病院前救護体制の確立について（通知）」（医政指発第30号，平成13年7月4日）により，都道府県消防主管部局，都道府県衛生主管部局，担当範囲内の消防機関，担当範囲内の郡市区医師会，担当範囲内の救急医療機関および担当範囲内の救命救急センターなどに所属する救急医療に精通した医師によって構成することとされている。メディカルコントロール協議会での協議事項を表1[4]に示す。

4 メディカルコントロール協議会の種類

　メディカルコントロール協議会には地域メディカルコントロール協議会と都道府県メディカルコントロール協議会があり，その質を全国的に底上げする目的で全国メディカルコントロール協議会連絡会が設置されている。

1）地域メディカルコントロール協議会

　地域メディカルコントロール協議会は，救命救急センターなど中核となる救急医療機関を中心に，常時指示体制が包括している地域を単位として設置することが望ましいとされる。

1. 病院前救護体制

表1 メディカルコントロール協議会での協議事項

1. 救急救命士に対する指示体制，および救急隊員に対する指導・助言体制の調整に関すること
2. 救急隊員の病院実習などの調整に関すること
3. 地域における救命効果など，地域の救急搬送体制および救急医療体制にかかわる検証に関すること
4. 救急活動の事後検証に用いる救急活動記録様式の項目，または検証票様式の項目の策定に関すること
5. 救急業務の実施に必要な各種プロトコールの策定に関すること
6. 傷病者受け入れにかかわる連絡体制の調整など，救急搬送体制および救急医療体制にかかわる調整に関すること
7. その他地域の病院前救護の向上に関すること

〔文献4）より引用〕

2）都道府県メディカルコントロール協議会

都道府県メディカルコントロール協議会は，都道府県消防主管部局・衛生主管部局，都道府県医師会，都道府県内の救命救急センターの代表者，都道府県内の消防機関などで構成され，地域のメディカルコントロール体制間の調整や，地域メディカルコントロール協議会からの報告に基づき，指導・助言などの役割を担っている。

3）全国メディカルコントロール協議会連絡会

総務省消防庁および厚生労働省は，メディカルコントロール協議会に関係する機関が関連する課題を整理し，自己評価および他の協議会から学ぶことができるよう情報共有および提言の場として，全国メディカルコントロール協議会連絡会を開催している。全国メディカルコントロール協議会連絡会は，全国のメディカルコントロール協議会関係者や救急救命士・救急隊員など病院前救護に従事する者や，救急医療に関係する学会・団体，消防機関，医療機関などの出席者により構成される。

メディカルコントロールのコア業務

メディカルコントロールのコア業務としてプロトコルの策定，オンラインメディカルコントロール，事後検証，再教育があげられる（図2）[5]。

品質管理の手法として知られているPDCAサイクルは，計画を立て（Plan），それに従って実行し（Do），その結果を確認し（Check），必要に応じて修正する（Act）ことで業務改善を行う方法のことである。メディカルコントロールにおける一連の作業において，"Plan"として活動基準となるプロトコルの作成，地域メディカルコントロールの設立，オンラインメディカルコントロールの設立，検証システムの構築，教育研修の企画，"Do"としてオンラインメディカルコントロール，教育研修，病院研修，"Check"として事後検証，病院研修の評価，地域メディカルコントロール体制の評価，"Act"としてプロトコルの改定，検証システムの改善，メディカルコントロール体制の再構築，再教育を実施することで，救急隊活動の継続的な質の改善が行われる。

メディカルコントロールの具体的な内容

メディカルコントロールにおける実務のなかでも重要なものに，医師によるオンラインでの救急救命士などへの指示・指導・助言，すなわちオンラインメディカルコントロールがあり，それを行う医師をオンラインメディカルコントロール医と呼ぶ。救急救命士は，法的に医師の指示のもとに救急救命処置を行うことを業とする者とされており，医師の指示には法的な強制力があると考えられている。オンラインメディカルコントロールを行う場面としてもっとも多いのは救急救命士による特定行為の実施時で，特定行為は医師からの指示で行うことが救急救命士法により義務づけられている。

これらのことを学ぶために，メディカルコントロールを担う医師の育成として厚生労働省が「病院前医療体制における指導医等研修」を初級者対象と上級者対象に分けて開催し，メディカルコントロールの理念や運用体制を理解し，指示，指導・助言ならびに事後検証に必要な知識を習得する研修を行っている。また，救急科専門医制度における専門研修プログラムによっても，「地域医療・地域連携への対応」としてメディカルコントロールの参画が組み入れられている。日本救急医学会では「メディカルコントロールにおける救急医のキャリアパス」を公表しており（表2）[5]，これに基づいて具体的な内容を学ぶことが必要である。

1 プロトコル

メディカルコントロールにおけるプロトコルとは，医師の診療の補助行為である救急救命処置や通信指令員が行う口頭指導などの質を医学的に担保するために，事前に定められた手順のことをいう。救急救命処置は医師の診療の補助行為であるため，プロトコルに従って行う必要がある。救急隊員が行う応急処置も同様であり，通信

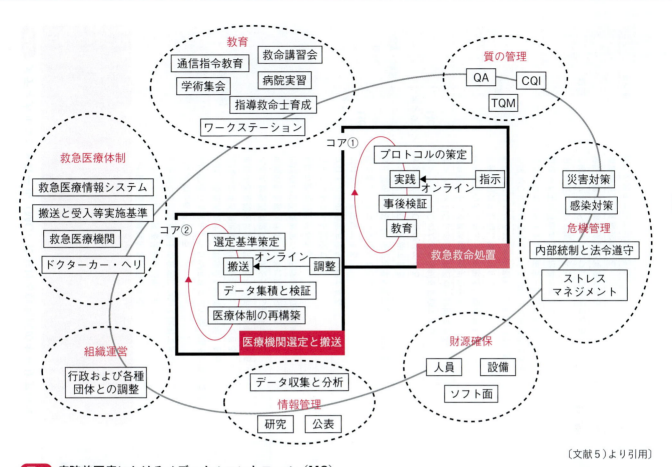

図2 病院前医療におけるメディカルコントロール（MC）
CQI：continuous quality improvement, TQM：total quality management, QA：quality assurance

〔文献5〕より引用〕

指令員が行う口頭指導など，救急業務全般にわたる。救急現場および搬送途上における観察・処置や搬送方法に関するプロトコルの策定を国から示された標準的プロトコルをもとに，各地域の医療機関の分布や機能などの実情に合わせ，それぞれの地域によってメディカルコントロール協議会の医師が中心となって作成される。このプロトコルによる事前指示を「包括的指示」といい，「具体的指示」以外の救急救命処置はこの「包括的指示」を必要とする。

らの判断で行うのではなく，医師の指示に基づいて行うものである。とくに救急救命処置のうちの特定行為については，医師による「具体的指示」が必要である。医療機関内において看護師が薬の投与など医行為の一部を医師から委任され，代行することを「包括的指示」に基づく行為という。日常的に行われている医師の指導教育や事前に発行されたプロトコルに従って行われる。救急救命処置も看護師と同様に医師の診療の補助行為であり，あらかじめ定められたプロトコルに従い行われる。

2 オンラインメディカルコントロール

オンラインメディカルコントロールは医療機関や消防機関の通信指令室などに待機する医師が，電話や無線などにより活動中の救急救命士と直接通信を行うものである。救急救命士は口頭で，特定行為の指示，処置の指導・助言，医療機関選定の助言を得る。

具体的指示により救急救命士が行う救急救命処置は，「救急救命士法」によって「医師の診療の補助行為」として位置づけられている。救急救命士自身が医行為を自

3 事後検証

救急活動記録に基づく救急活動の医学的な検証とフィードバックを行う。メディカルコントロールにおける事後検証は，プロトコルの対象事例，重症例および対応困難例を中心に医師が医学的な立場から検討することによって行われる。検証では救急救命士の行った観察，処置，記録および医療機関選定などについて傷病者の転帰との関連で検討を加える。個々の事例を対象に救急救命士の判断と行為を検証するのが目的であるが，消防機

1. 病院前救護体制

表2 メディカルコントロール（MC）における救急医のキャリアパス

	到達目標	専門医・専攻医 3〜5年目 専門医取得	専攻医・指導医 5年目以降年次問わず 専門医への指導	MC コア業務担当医 5年目以降年次問わず MC コア業務の理解と実践	MC 管理業務担当医 10年目以降年次問わず MC 管理業務の理解と実践
MC体制	わが国の救急医療体制を説明できる	○	○	○	○
	わが国の病院前医療体制を説明できる	○	○	○	○
	救急隊員と救急救命士の資格について説明できる	○	○	○	○
	MC活動を説明できる	○	○	○	○
	MC関連の法規およびDNAR等の法的諸問題を説明できる	○	○	○	○
	地域の救急搬送状況・問題点を把握し説明できる	○	○	○	○
	地域の救急医療機関の状況を説明できる	○	○	○	○
	地域の救急医療機関の状況・問題点を分析し説明できる		○	○	○
	地域の救急搬送状況の改善に取り組める			○	○
	地域の救急医療機関の状況改善に取り組める				○
	MCの効果判定ができる			○	○
指示・助言 オフラインMC	各種プロトコルを説明できる	○	○	○	○
	プロトコルの策定方法を説明できる		○	○	○
	新たなプロトコルを提案できる		○	○	○
	改正消防法に基づく実施基準を策定できる			○	○
	プロトコルを策定し改訂できる			○	○
オンラインMC	オンラインMCを実施できる	○	○	○	○
	オンラインMCを検証できる		○	○	○
	オンラインMCのための体制を整備できる			○	○
	オンラインMCにおける問題点を説明できる			○	○
教育	救急救命士の教育体制を説明できる	○	○	○	○
	病院実習を計画し指導できる		○	○	○
	症例検討会を計画し指導できる	○	○	○	○
	所属MCにおける128単位履修の実施状況を説明できる		○	○	○
	所属MCにおける特定行為の実施状況を説明できる		○	○	○
	生涯教育カリキュラムを策定・改訂できる			○	○
	事後検証の実施評価および指導ができる		○	○	○
	搬送時の実施評価について説明できる		○	○	○
検証	的確なフィードバックについて説明できる	○	○	○	○
	検証会議での事後検証を実施できる		○	○	○
	事後検証方法を策定できる			○	○
その他	MCの教育方法を策定できる				○

（文献5）より引用）

関・医療機関側の対応における問題点などが明確になることもある。

一次検証，二次検証と段階を経る検証体制をとっている地域もある。例えば，一次検証では，プロトコル上の救急活動と搬送や現場滞在時間など消防業務としての救急隊活動を含めた検証が消防本部（署）内で行われ，二次検証として，メディカルコントロール協議会の検証医師によって医学的見地から医行為が検証される。事後検証票は救急活動記録票をもとに，地域のメディカルコントロール協議会によって作成される。心肺蘇生を行った事例については，ウツタイン様式に基づいた記録が参考にされる。ただし，地域によって検証体制・方法はさまざまである。事後検証会には救急救命士を含む救急隊員のほか，通信指令員や消防隊員，救助隊員などが参加することもある。

4 生涯教育

メディカルコントロールにおける生涯教育は，救急救命士の資格取得後の資質向上のためにきわめて重要であり，病院実習などの教育カリキュラムの作成と実施・評価，事後検証や症例検討会の開催や研究会などへの参加などを含めて，救急活動にかかわる施策，評価，教育のことをいう。経験豊富な救急救命士が救急隊員の生涯教育の中心になることで，救急業務の質の向上および消防本部と医療機関の負担軽減を図るために，2014年に指導救命士制度が誕生した。前述したとおり，メディカルコントロール体制のなかで，医師と連携して救急業務を指導する者として指導救命士が定義され，指導救命士の育成・教育も重要になった。生涯教育に医師と連携して指導救命士も参画し，日常的な救急活動での指導や講習会の開催などが行われている。また，地域ごとに開催される事例検討会，救急医療に関する学術集会や研究会，全国救急隊員シンポジウムへの参加などを通して，活動経験の共有やそれによる質的向上が図られる。生涯教育のうち病院実習は，オフラインメディカルコントロールの教育として行われる。

メディカルコントロールの今後の展望

今後もメディカルコントロール体制について地域の救急医療の中核となる救急医療機関と医療行政担当者，医師会，消防機関，保健所などが重要性を認識し，連携を図っていくことが重要である。医療法などの改正に伴い一部改正された救急救命士法施行規則が，2021年10月1日に施行された。この法改正により，救急救命士の業務範囲が医療機関内へも拡大し，救急救命士の働き方も多様化してくると考えられる。このなかでもやはり院内のメディカルコントロール体制を院内委員会などで整備して医療関連行為を保障することが必須となる。

▶文　献

1) 厚生労働省：病院前救護体制のあり方に関する検討委員会 報告書，2000.
https://www.mhlw.go.jp/stf/shingi/2r9852000002umg2-att/2r9852000002umkn.pdf
2) 総務省消防庁：救急業務高度化推進委員会 報告書；救急業務の新たなる高度化を実現するために，2001.
https://www.fdma.go.jp/singi_kento/kento/items/kento263_01_130409kyukyu.pdf
3) 総務省消防庁：救急業務のあり方に関する検討会（第1回 令和3年6月15日）資料「救急業務におけるメディカルコントロール（MC）体制のあり方」，2021.
https://www.fdma.go.jp/singi_kento/kento/items/post-93/01/shiryou1.pdf
4) 厚生労働省医政局指導課：メディカルコントロール協議会の現状について，2013.
https://www.mhlw.go.jp/file/05-Shingikai-10801000-Iseikyoku-Soumuka/0000023223.pdf
5) 日本救急医学会メディカルコントロール体制検討委員会他（監），救急医療におけるメディカルコントロール編集委員会（編）：救急医療におけるメディカルコントロール，へるす出版，2017.

Ⅱ 病院前救急医療　2．病院前診療体制

2-1 ドクターカー

林　靖之

ドクターカー導入・運用の歴史と現状

　ドクターカーとは，「緊急度・重症度の高い傷病者を病院外で診療するため，診療に必要な医療機器・医薬品等を搭載し，医師が搭乗した緊急自動車」であり[1]，傷病者の発生した現場に出動したり，医療施設間搬送を実施したり，在宅支援を実施することを目的としている。自動二輪車や自転車などの道路交通法における緊急車両ではない車両はドクターカーに該当しない。

　もともとドクターカーとして有名なのは，フランスで運用されている"Service d'Aide Medicale Urgente (SAMU)"がある[2]。これは自治体規模で統括・展開される救急システムで，わが国の119に相当する電話番号に連絡すると，その通報内容から重症症例と判断されるものについては，該当地域の医療機関に所属するドクターカーを出動させる判断を下し，医師を現場に急行させるものである。わが国では，これら海外のさまざまなシステムを参考にしながら，1990年代前半から厚生労働事業の一環として，救急車タイプの車両を使用したドクターカーシステムの導入が進められてきた[3]。

　その後，2008年4月に道路交通法が改正され，緊急自動車として「医療機関が，傷病者の緊急搬送をしようとする都道府県又は市町村の要請を受けて，当該傷病者が医療機関に緊急搬送をされるまでの間における応急の治療を行う医師を当該傷病者の所在する場所にまで運搬するために使用する自動車」が追加された。つまり，医師を現場まで運搬する乗用車タイプの車両が緊急車両として認可されることになり，これらを使用したラピッド・ドクターカーの運用も全国的に広がってきている。しかし，人員確保や運用コストなどの問題が足かせとなり，ドクターカーを常時運用している施設は限られているのが実情である。

ドクターカーの類型と役割

　ドクターカーの類型分類を**表1**[1]に示す。

1 ドクターカー類型分類

1）搬送機能付ドクターカー

　救命救急センターなどの医療機関が，自施設の保有する高規格救急車を緊急自動車として登録し，多くの場合は，消防機関からの出動要請により医師，看護師，救急救命士などが乗務して現場に出動して医療を行う。一部の医療機関では，ECMO（extracorporeal membrane oxygenation）などの高度な医療を必要とする傷病者が医療機関内で発生した場合に，より高度な医療機関への施設間搬送を目的としてドクターカーを使用している。このタイプのシステムの稼働には多大な経費負担とマンパワーが必要となるが，医療機関が運用方法や診療対象を決めることができるため，出動範囲には市境といった制限がなく広範囲での活動が可能である。

2）ラピッド・ドクターカー

　2008年の道路交通法施行令改正以降は，乗用車が緊急車両に追加されたため，医師，看護師などが自ら運転して現場に出動する，新型ドクターカーの運用が可能となった。そのため，さまざまな医療機関が各種車両を使用してシステムを稼働させている。一般的にはラピッドカーと呼ばれることが多い。車両には緊急走行を行うためにサイレンおよび赤色灯を装備し，緊急車両の指定申請および届け出を都道府県の公安委員会へ行う。また，運転手については特別な規定や条件はないが，安全走行の観点からは自動車安全運転センター安全運転中央研修所で行われている「消防・救急自動車運転技能者課程」の修了が望ましいとされている。なお，現場での診療については搬送機能付ドクターカーと同じであるが，傷病者を医療機関に搬送する際には，消防機関の救急車を使用し医療スタッフが同乗する。このシステムでは車両や運転手にかかる経費負担が軽減されるため，搬送機能付ドクターカーと比較すると導入へのハードルは低くなる。

3）在宅ドクターカー

　診療所などに所属する医師が，在宅患者からの依頼によりその支援を目的に稼働させるシステムである。しか

表1 ドクターカーの類型分類（日本病院前救急診療医学会による）

類型	車両の所属	傷病者搬送	医師派遣	主な機能	車両の種類	根拠法令（道路交通法施行令）
（搬送機能付）ドクターカー	医療機関	○	○	現場出動 施設間搬送 その他*	高規格救急車	第13条 第1項 第1号の2
ラピッド・ドクターカー	医療機関	×	○	現場出動 その他*	乗用車**	第13条 第1項 第1号の5
在宅ドクターカー	医療機関	×	○	在宅支援	乗用車**	第13条 第1項 第1号の6
ワークステーション型ドクターカー***	消防機関	○	○	現場出動 施設間搬送 その他*	高規格救急車	第13条 第1項 第1号の2

〔文献1）より引用・改変〕

* 災害出動，イベント出動など
** 高規格救急車などを用いてもよい
*** 医師が主体的に診療を行い，診療録が作成されるもの。ピックアップ方式も含まれる

し，稼働状況についての全国的な調査は未実施のため実態は明確ではなく，今後の調査が待たれる。

4）ワークステーション型ドクターカー

ワークステーション方式とは，自治体消防機関がその自治体運営の医療機関に救急ステーションを設置し，そのステーションに救急救命士や救急隊員および高規格救急車を配置し，当該医療機関で研修を行いながら，重症度の高い救急事例が発生した場合にはそのステーションから医師同乗にて現場に出動して医療行為を行うシステムである。消防機関の救急車が出動後に医療機関に立ち寄り，医師（あるいは医療チーム）をピックアップして現場に向かい医療を行うピックアップ方式もこのシステムに含まれる。このシステムでは，車両や運転手は消防機関の所属であるため，医療機関の経費負担は発生しないが，出動範囲は当該消防機関の管轄内に制限されることが課題である。

2 ドクターカーの運用実態

日本病院前救急診療医学会は，2015年に全国248地域のメディカルコントロール協議会に対して，現場出動を目的としたドクターカーに関するアンケート調査を実施した（回収率100％）[4]。

1）運用時間別分類

全国の397医療機関にドクターカーが存在し，そのなかで365日24時間運用している（カテゴリー1）のは95施設（24％）であった。もっとも多数を占めたのは事案ごとに消防本部が医療機関に出動要請を行い，医師の都合がつく場合のみに出動するタイプ（カテゴリー7）で，140施設（35％）であった（表2）[4]。

2）活動頻度別分類

3カ月間に12回（およそ1週間に1回以上）の頻度で出動しているドクターカーを「活動的システム」，3カ月間に一度も出動していないドクターカーを「休眠システム」，そして，そのどちらにも該当しないものを「中間的システム」と定義したところ，活動的システムに該当するドクターカーは86施設（22％）にとどまり，多くのドクターカーは休眠システムに該当し，274施設（67％）を占めていた。

3）活動的システムを提供する医療機関が運用するドクターカー車両の種類

活動的システムを提供する医療機関が運用するドクターカーの種類については，病院所属乗用車（28施設），ワークステーション高規格救急車（27施設），病院所属高規格救急車（25施設）がほぼ同数であり，一部にピックアップ方式で使用する消防所属高規格救急車（5施設）が存在していた[4]。

3 ドクターカーの診療対象

現場出動を目的としたドクターカーにより診療を行う対象は，運用地域や医療機関の特性により異なる。運用地域が人口密度の高い都市部であれば，短時間で医療機関への搬送が可能なため，ドクターカーの診療対象とな

2. 病院前診療体制

表2 ドクターカーの運用時間別分類と運用施設数（n＝399）

カテゴリー	説明	運用施設数（％）
1	365日24時間運用	95（24％）
2	365日運用であるが，夜間など休止	33（8％）
3	平日のみ24時間運用	0（0％）
4	平日日中のみ運用	100（25％）
5	週の何日かを定期運用	8（2％）
6	週の何日かを不定期運用	18（5％）
7	運用日の設定なし（要請ごと判断）	140（35％）
8	その他の運用	5（1％）

〔文献4）をもとに引用〕
複数のメディカルコントロール地域にまたがって出場する場合に，出場先ごとにカテゴリーに違いがある医療機関が存在するためn＝399となっている

る傷病者は，必然的に心停止症例や呼吸・循環不全などの病院搬送までに心停止に至るような緊急度の高い疾病が中心となる。逆に人口密度が低く面積が大きい地方であれば，医療機関への搬送には都市部と比較すると時間がかかる場合が多くなるため，ドクターカーの診療対象となる傷病者は，緊急度の高い疾病だけでなく，重症外傷などでかつ医療機関への搬送に長時間を要する場合も対象となる。

なお，このような搬送に長時間を要する地域では，これらの出動対象はドクターカーよりもドクターヘリの適応となるが，ドクターヘリは夜間や悪天候時には使用できないため，運用不能時を補完するかたちでドクターカーを運用している地域も存在する。また，医療機関が循環器科や小児科などの特定の疾患に特化している場合，その疾患のみを対象にドクターカーを稼働させる場合もある。

ドクターカー運用の課題・展望

1 ドクターカーの適切な出動に関する検証

現場出動を目的としたドクターカーが迅速に出動するためには，依頼元である各消防機関の通信指令員に対して，119番通報時点でドクターカー出動の要否を判断してもらわなければならない。通信指令員は，緊急度や重症度などの医学知識を十分に持ち合わせていない場合もあり，そのような通信指令員でも迅速なドクターカー出動要請を実施できるためには，キーワード方式のような仕組みが重要となる。

このキーワード方式とは，ドクターカー出動の対象となる緊急度の高い傷病者が訴える症状のなかから「呼吸が苦しい」「胸が痛い」などのいくつかのキーワードをあらかじめ作成しておき，通報者から得られる傷病者の訴えがキーワードに少しでも合致すればドクターカー出動を要請するという仕組みである。キーワード方式では，重症であっても出動要請されないアンダートリアージや，軽症であっても出動要請されるオーバートリアージが一定数発生することになるが，ここで問題になるのは，キーワードの数や内容によりそのバランスが大きく変動することである。アンダートリアージを減らそうとしてキーワードの数を増やしたりすれば，必然的にオーバートリアージが増加し出動件数が著増することになり，逆にオーバートリアージを減らそうとすればアンダートリアージが増加し，ドクターカーを必要とする事例を取りこぼすことになる。そのためドクターカーの効果的な運用のためには，アンダートリアージ，オーバートリアージの両者を常に検証し，両者の割合を適切に保つようにキーワードの内容を検討していくことが重要となる。

2 メディカルコントロール協議会との連携

メディカルコントロールとは，当初は救急隊員の病院前救護の質を担保するシステムのことを意味していたが，現在は広く病院前救急診療全体の質の向上にかかわるシステムを意味するようになっている。メディカルコントロールのコア業務として，救急救命士および救急隊員に対するプロトコル策定，現場活動，事後検証，再教育というPDCAサイクルがあげられるが，ドクターカー

が病院前救急診療にかかわる以上，これらの PDCA サイクルにドクターカーが組み込まれることが望ましい。具体的にはドクターカーの協働を前提として各コア業務を策定することであるが, 現状は，ドクターカーがメディカルコントロール協議会のなかに組み込まれ，PDCA サイクルを回している地域はそれほど多くないと思われ，この連携強化が課題である。

3 乗務医師（医療スタッフ）の教育

医療機関内で救急患者を診察する場合，診察室は明るく適温で患者と医療スタッフの両者にとって快適な環境が保たれ，さらに機器やマンパワーが十分に準備され，医師は万全の体制で患者の診療を行うことができる。しかし救急現場では，気温や照明，騒音，スペースなど，何らかの制約のある環境で診療を行わなければならない場合が多く，ドクターカーの乗務医師（医療スタッフ）は，その特殊性を十分に理解していることがまず必要である。そして，特殊状況下であっても傷病者に十分な診察を行い，緊急度・重症度を的確に判断し，必要な処置を適切なタイミングで的確に実施できる能力が必要とされる。

また，現場では救急救命士や救急隊員という他組織のスタッフと共同作業を行わなければならず，他組織スタッフと適切に意思疎通を図る能力も必要となる。実際これらの能力をすべて備えるためには，一定期間の座学と現場でのトレーニングが必要となるが，わが国には今のところ確立された教育システムは存在しない。そのため多くの医療施設では，一定年数の救急医療を経験した医療スタッフを対象として，ICLS（Immediate Cardiac Life Support）をはじめとした心肺蘇生法教育やJPTEC（Japan Prehospital Trauma Evaluation and Care）をはじめとした病院前外傷処置教育コースなどの off-the-job training と，現場で実際に診療を行う on-the-job training を組み合わせ，試行錯誤しながらドクターカー乗務のための教育を実施しているのが現状である。この病院前救急診療に関する医療スタッフ教育については，今後，標準的な教育カリキュラムを作成していくことが課題である。

4 経済的問題

ドクターカー運用にかかる経費は，初期投資と毎年の経費とに分けられる。初期投資は緊急走行のための車両，資器材などが該当し，高規格救急車であれば約1,800万円，一般車両で数百万円のコストがかかる。また毎年の経費については，運転手の確保や車両の保守点検にかかる車両運行委託費，医師・看護師などの医療スタッフ確保のための人件費が該当する。これに対し，ドクターカー出動で得られる医療収入については，往診料720点と救急搬送料1,300点が主体である。

▶ 文献

1) 日本病院前救急診療医学会：ドクターカーの定義と分類，2019.
http://square.umin.ac.jp/jspm/dokuta-car_teigi.pdf
2) Santé AMU de France ホームページ．
http://www.samu-de-france.fr
3) 甲斐達朗：ドクターカーによる病院前救急診療体制の構築．救急医学 33：503-6，2009.
4) 日本病院前救急診療医学会．平成27年における本邦ドクターカー運用の実態；全国248地域メディカルコントロール協議会を通じたアンケート調査，2016.

Ⅱ 病院前救急医療　2．病院前診療体制

2-2 ドクターヘリ

北村　伸哉　　荻野　隆光

ドクターヘリの誕生

　ドクターヘリ導入の推移を図1に示す。昭和30年代の高度成長期，交通事故死亡者数が日清戦争の戦死者を上回った。いわゆる交通戦争である。死亡者数は1970年にいったんピーク（16,765人）を迎え，その後，減少傾向にあったが，1981年以降，再び増加した。これに対して，政府は交通安全運動や交通違反の取り締まりによりその増加に歯止めをかけようとしたが，その増加は1992年まで続いた。

　一方，ヨーロッパにも同様な現象に悩む国家があった。速度無制限区間を有するアウトバーン（自動車高速道路）を抱えるドイツである。しかし，ドイツは救急法の整備とヘリコプター救急の導入により，交通事故死亡者数の約19,000人（1970年）を15年で半減させた[1]。つまり，ドイツ連邦各州の救急法で定められたresponse time（緊急通報から適切な救急治療開始までの時間。各州法で異なるが，概ね15分以内）を遵守するために，医療用ヘリコプターを活用したわけである。もちろん，運転時のアルコール制限の強化やシートベルト着用義務などの交通安全教育の成果によるところは大きいが，ドイツの救急ヘリコプターが1970年11月に運航を開始し，その後，ヘリコプターの基地を中心とする半径50kmの円（一つの救急ヘリコプターの活動範囲）が国土を覆い尽くしたこともまた事実である。それは，巡航時速200kmのヘリコプターが国内どこでも15分以内に到達できることを意味している。日本にドクターヘリが誕生する30年前のことである。

　わが国においても1981年に救急ヘリコプターの実用化研究が行われ，その効果が報告された。しかし，導入への動きは遅く，1995年に発災した阪神・淡路大震災においては，本来活躍すべき救急医療専用ヘリコプター自体が整備されておらず，発災後の反省によりようやくその導入についての議論が本格化した。そして，1999年のドクターヘリ試行的事業を経て，2001年4月，ドクターヘリ導入促進事業として全国展開が開始された[2]。

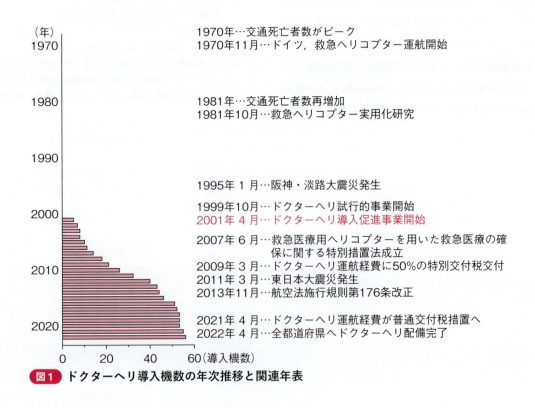

図1　ドクターヘリ導入機数の年次推移と関連年表

1970年…交通死亡者数がピーク
1970年11月…ドイツ，救急ヘリコプター運航開始
1981年…交通死亡者数再増加
1981年10月…救急ヘリコプター実用化研究
1995年1月…阪神・淡路大震災発生
1999年10月…ドクターヘリ試行的事業開始
2001年4月…ドクターヘリ導入促進事業開始
2007年6月…救急医療用ヘリコプターを用いた救急医療の確保に関する特別措置法成立
2009年3月…ドクターヘリ運航経費に50％の特別交付税交付
2011年3月…東日本大震災発生
2013年11月…航空法施行規則第176条改正
2021年4月…ドクターヘリ運航経費が普通交付税措置へ
2022年4月…全都道府県へドクターヘリ配備完了

表1 ドクターヘリ事業集計

年　度	要請件数	要請受諾	内　訳*			要請不応需	内　訳			
			現場出動	施設間搬送	ミッション中止		重複要請	天候不良	時間外要請	その他
2018	38,727	30,420	19,938	5,000	5,454	8,307	3,313	3,122	846	1,026
2019	38,114	29,438	18,790	4,912	5,731	8,676	3,290	3,528	768	1,090
2020	32,626	25,469**	16,725	4,034	4,704	7,157	2,291	3,188	589	1,270

* 2018年度…その他：28，2019年度…その他：5
**不明6

年　度	診療人数*	外因性	内　訳		内因性	内　訳			自施設への搬送数
			外傷	その他外因性		脳血管障害	心・大血管	その他内因性	
2018	25,645	12,290	10,462	1,828	13,355	4,018	3,847	5,490	13,565
2019	23,922	11,231	9,516	1,715	12,691	4,079	3,618	4,994	12,687
2020	21,077	9,549	8,161	1,388	10,650	3,327	2,965	4,358	10,941

* 2020年度…内因性か外因性か不明：878

〔日本航空医療学会ドクターヘリ事業集計（2018～2020年度）より作成〕

ドクターヘリの特徴と活動状況

　ドクターヘリの特徴として，その機動性により病院前搬送時間を短縮できること，救急医療に精通した医師・看護師による現場医療活動を可能にしたこと，その結果，適切な医療機関の選定ができるようになったことがあげられる。そのコンセプトは，2007年に公布された「救急医療用ヘリコプターを用いた救急医療の確保に関する特別措置法」により明確化された。

　運航経費は当初，都道府県負担分の50％が厚生労働省からの国庫補助金で賄われていたが，財政力に乏しい県では残りの50％の負担がドクターヘリ導入のハードルであった。これに対して，2009年から当該県の財政力に応じて特別交付税からさらに当該県負担分の50～80％の補助ができるようになり，導入が急速に進んだ。さらに2021年からは1機目のドクターヘリの費用負担分は普通交付税での措置となり，その財源がより明確に担保されるようになった（2機目以降は特別交付税）。

　2022年4月には，すべての都道府県でドクターヘリが導入され，全国で56機が運用されるに至った。なお，京都府はドクターヘリを保有していないが，関西広域連合との相互応援体制を構築しており，連合のドクターヘリを運用可能としている。また，北海道では4機，青森県，新潟県，千葉県，長野県，静岡県，兵庫県および鹿児島県では2機のドクターヘリを運用している。

　全国のドクターヘリ要請件数は年々増加してきたが，日本航空医療学会のドクターヘリ事業集計（表1）によると，2018年度の38,727件がピークとなり，2020年度は新型コロナウイルス感染症の影響もあってか32,626件と減少した。2020年度では，要請に対して25,469件が応需され，中止となったミッション（活動）は4,704件であった。その多くは軽症のため，要請側からのキャンセルとなった事例である。要請に対して不応需となった件数は7,157件であり，その理由は天候不良が44.5％，次いで重複要請が32.0％を占めた。活動形態は現場出動が約80％，施設間搬送が約20％であった。

　対応疾患は各基地で特徴があるものの，2018～2020年における各年の全国平均では外因性疾患と内因性疾患の診療割合はそれぞれ47％，53％とやや内因性疾患が多く，外傷が全体の40％，脳血管障害が16％，心・大血管疾患が15％であった。自施設（基地病院）への搬送率は，15～85％と多様であり，地域特性が顕著であるが，平均すると自施設への搬送率が53％と他施設に比べてやや多かった。

ドクターヘリの適応病態

　ドクターヘリの適応病態はいうまでもなく重症である。迅速性が生命予後を左右するため，根本的治療を行うことができる医療機関到着までの時間（total prehospital time）を常に念頭に置き，活動すべきである。そ

表2 ドクターヘリ医療クルーの教育・研修における到達目標例

ドクターヘリのクルーとして習得すべき項目	フライトドクターとして習得すべき項目
◎ 機内における運航クルー・医療クルー間の協力体制（CRM）を理解している	◎ ドクターヘリの効果（有効性）が理解できている
◎ CRMが実践できる	◎ ドクターヘリの適応症例が理解できている
◎ 使用しているヘリコプターの性能の概要が理解できている	○ 基地病院のある道府県およびその周囲の道府県の救急医療体制を理解している
○ ヘリコプターの積載燃料と飛行距離の関係が理解できている	○ ドクターヘリ活動圏域内にある受け入れ医療機関の情報を理解している
○ ヘリコプターの重量とバランスの関係が理解できている	◎ 消防機関との連携ができる
○ 気温による機体の性能変化が理解できている	○ 隣県のドクターヘリとの連携ができる
○ 高度の変化による患者への影響が理解できている	○ 消防・防災ヘリコプターとの連携ができる
○ エンジンカットの手順が理解できている	◎ 無線通信機が適切に運用できる
◎ 機体からの脱出方法が理解できている	◎ ドクターヘリのスタッフ間および消防組織との無線による交信が適切にできる
◎ 消火器の使用方法を理解している	○ 第三級陸上特殊無線技士の資格を取得している
◎ 緊急時の衝撃防止姿勢を理解して実践できる	
○ 発煙筒が使用できる	
◎ ドクターヘリ周囲の見張りができる	
◎ どのような医療資器材がドクターヘリに搭載されているかを理解している	
◎ ドクターヘリに搭載されている医療資器材の使用方法を理解している	
◎ 感染の制御と二次汚染予防を理解して実践できる	
◎ ヒヤリ・ハット，インシデント/アクシデントを的確に認知して報告できる	
○ ドクターヘリに関連した法令を理解している	

◎習得すべき項目，○習得することが望ましい項目
CRM：crew resource management
〔文献3）より引用・一部改変〕

のためには，発症からドクターヘリの要請，患者への接触，現場医療活動，医療機関選定と，一つひとつのフェーズでの時間短縮を目指しつつ，一方で安全と医療の質を担保しなければならない。限られた時間内に何が目の前の患者に必要な処置なのかを即座に判断し，行動に移せる能力が医療クルーには求められる（表2）[3]。

Total prehospital time

病院外での救急疾患はより早く診断し，適切な医療機関へ搬送することが求められる。一方，現場でのバイタルサインの安定化や多数患者発生事例におけるトリアージも重要であり，これには医師・看護師の介入が必要不可欠となる。したがって，この状況下でいかに時間を短縮し，患者に必要な医療を提供するかがドクターヘリ活動の重要な鍵となる。それには，total prehospital timeを消防機関の覚知から患者が医療機関の救急室に到着するまでの3つのセグメント，すなわち① response time（覚知から患者接触まで），② on-scene time（診療と医療機関選定），③ scene to ER time（救急現場から救急外来搬入まで）に分けて考えると理解しやすい（図2）。

1 Response time

ドクターヘリ活動における response time は消防覚知から現場においてフライトドクターが患者に接触するまでの時間を指す。このなかで，もっとも重要なのは消防機関が覚知してからドクターヘリを要請するまでの時間である。そして，この時間短縮は消防機関の通信指令室もしくは現場に到着した救急隊に大きく依存している。

通常，市民からの119番通報が消防機関の通信指令室に入電すると，指令員は現場へ救急車を派遣する。現場に到着した救急隊は傷病者の状態を確認し，重症と判断すると，消防機関の指令室へドクターヘリを要請する。要請を受けた指令員はドクターヘリの基地にドクターヘリの出動を要請するとともに，ドクターヘリの臨時離着陸場いわゆるランデブーポイントに安全管理のための支援隊を派遣する。

各都道府県では，公園，小学校や中学校のグランドなど〔一般基準では13.03m×13.03m以上の地積があり，傾斜5％（2.86％）以内の平坦な場所など〕がランデブーポイントとして登録されており，通常，現場からもっとも近いランデブーポイントが指定される。しかし，学校

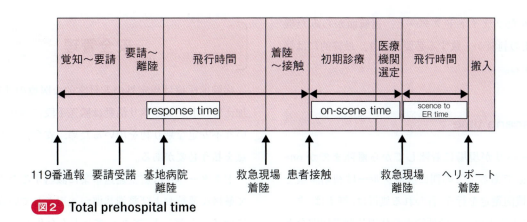

図2 Total prehospital time

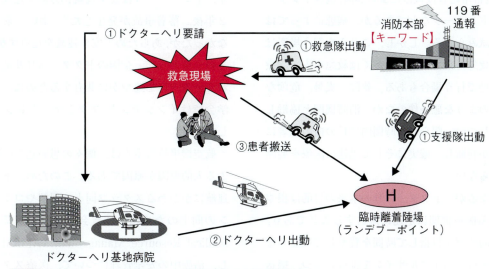

図3 ドクターヘリ要請の流れ（救急隊現場到着前要請）

のグランドは砂地であることが多く，消防機関の水槽車やポンプ車が支援隊として散水を行うと同時に周囲の安全確保を行う必要がある。乾燥した砂地では，ヘリコプターのダウンウォッシュにより砂塵が舞い上がり，視界が効かなくなるばかりか，周囲の家屋にも悪影響を与えるからである。

要請を受けたドクターヘリは離陸後，指定されたランデブーポイントを目指し，支援隊と交信しながら地上の安全確保を確認後に着陸する。救急隊とはランデブーポイントで合流し，診療を開始する。しかし，この方式には時間的に大きな欠点がある。それは救急隊員が現場で重症度を確認しなければ，ドクターヘリを要請できないことである。このため，あらかじめ重症度が予測できるようなキーワード（高所転落，横転事故や激しい胸痛，頭痛など）を設定し，市民からの通報にこのキーワードが含まれていた場合には，救急隊が現場到着する前に指令員がドクターヘリを出動要請する地域が増えてきた（図3）。この方式では救急隊現場到着後のドクターヘリ要請に比べ，約15分の短縮が可能とされる。一方，市民からの通報は情報が不正確な場合も多く，キャンセル率は多かれ少なかれ増加するため，キーワードの設定には検証が必要である。なお，2019年度の君津ドクターヘリでのデータによると，救急隊現場到着前要請では，覚知からドクターヘリ要請まで8±3分，キャンセル率27％であった。一方，現場到着後要請では，覚知からドクターヘリ要請まで22±1分，キャンセル率7％であった。

前述したようにドクターヘリは通常，救急現場からもっとも近いランデブーポイントで診療を開始するが，ランデブーポイントが救急現場から遠く離れている場合や支援隊の到着に時間がかかる場合，現場での患者救出に時間がかかる場合には現場の消防機関の協力のもと，機長の判断で現場直近に着陸することも可能である。狭隘でも着陸可能なヘリコプターの利点を利用し，道路の路側帯，高速道路上，冬季であれば乾いた水田，河岸，農道，ゴルフコースに着陸可能である。しかし，救急現場への着陸は安全管理面からみた現場消防支援隊と，医

療面からみたフライトドクターと，運航面からみた機長・整備士の判断が一致する必要があり，最終的には機長が決断する。

2 On-scene time

ドクターヘリが現場に着陸してから離陸までがon-scene timeである。この間に医療クルーは初期診療を行い，医療機関選定を行う。行われる処置は，例えば，ターニケットによる止血，気管挿管や輪状甲状靱帯切開などの気道管理，携帯用超音波機器による診断，胸腔ドレナージそして心嚢ドレナージなどであるが，病態によっては緊急開胸術も試みられる。しかし，これらを行う場所は環境の整った救急外来ではない。多くは救急車内で診療を行うが，現場で行う場合もある。狭隘，炎暑，危険などが伴う。このような悪条件のなか，消防機関と協働して安全管理をしつつ，限られた時間内に目の前の患者に何が必要なのか判断し，確実にそして迅速に医療を展開しなければならない。

繰り返しになるが，ドクターヘリの本来の目的は根本的治療の行える医療機関に迅速に搬送することであり，現場では根本的治療を目指して時間を費やしてはならない。搬送に耐え得るバイタルサインを維持しつつ，搬送に移る。運航クルーは医療クルーに指示された搬送可能な医療機関までの所要時間を計算し，医療クルーはその情報と患者の病態を鑑み，医療機関選定を行う。このようにフライトドクター，フライトナース，機長，整備士およびコミュニケーションスペシャリスト（基地においてドクターヘリに係る運航支援業務を行いつつ，消防機関や医療機関との調整・情報収集・伝達を行う者）は訓練された一つのチームであるべきである。このため，救急科専門医としての基本知識・手技以外にもドクターヘリの乗員としてのさまざまな能力が求められる。

3 Scene to ER time

このフェーズはヘリコプターの性能と環境に影響される。現在，わが国で使用されているドクターヘリは概ね巡航時速が200kmであるが，風向・風力により対地速度は変化する。強い向かい風で到着時刻が大幅に遅れるような場合，この時間を利用して患者の状態を再評価し，輸血，手術室の準備などの必要性を医療業務用無線などで医療機関に伝えることも重要である。

安全管理

病院前医療は想定外の非日常的な医療の連続である。加えて，ドクターヘリ活動は搬送手段にヘリコプターという不安定な乗り物を用いるため，安全性にも十分に注意を払う必要がある。

ドクターヘリは航空運送事業に該当するため，きわめて厳格な運航および整備基準が適用されているが，実際にはインシデント／アクシデントも発生している。2014年，ドクターヘリは安全運航10万回を達成したが，その2年後，落着事故が発生した[4]。幸い，乗員に負傷者はなかったが，あらためて安全運航を見直す契機になった。その一環として，全国のドクターヘリ基地病院で収集されている内容を速やかに共有するために，日本航空医療学会ではインシデント／アクシデントレジストリを整備している[5]。

航空機事故の多くは，個々の思い込みや勝手な行動による人的要因が原因である。このため，ドクターヘリの運航にかかわるスタッフ同士の理解やコミュニケーションの向上のために，運航会社は基地病院に対してAir Medical Resource Management（AMRM）訓練を開催し，活動中の安全管理について，医療スタッフの理解を深めてもらっている。また，現場においては医療クルーも安全を遵守するために個人防護具として，原則，ヘルメット／シートベルト，安全靴，難燃性フライトスーツ，ライフジャケットなどを着用することが望ましい。診療に使用した危険物，汚染物の処理にも注意を払うべきである。

さらに，brace position（衝撃緩衝姿勢，衝撃防止姿勢）や不時着時の対応方法など，起こり得る危機に対する備えも重要である。航空機の水上への緊急不時着はditchingと呼ばれるが，着水したヘリコプターはエンジンが上部にあるため，多くは転覆し，一瞬で沈没する。このため，緊急不時着したヘリコプター事故の死亡率は25％前後といわれ，その死因のほとんどは溺水である[6][7]。Ditchingへの対応コースはHelicopter Underwater Egress Training（HUET）と紹介されており[8]，日本においてもヘリコプター乗員向けの不時着対応訓練（Aircrew Ditching Course；ADC）として，日本サバイバルトレーニングセンターから提供されている[9]。

大規模災害時の運用

　阪神・淡路大震災の教訓から誕生したドクターヘリはその後の地震災害で経験を積み，東日本大震災では全国から18機が参集し，被災地のドクターヘリとともに災害初動期の医療に大きく貢献した。一方で，それまで不明確であった運用面でのルールや出動するための根拠に関する問題があらためて浮き彫りになった。その問題は，以下の3点に集約される。

　①ドクターヘリが国土交通大臣の許可なく出動するには，航空法施行規則に基づく消防機関等からの依頼，通報が必要となっている。しかし，東日本大震災では各ドクターヘリはそれがないままに出動した。

　②災害時におけるドクターヘリの運航要領が各都道府県で策定されていなかった。

　③大規模災害時における全国規模でのドクターヘリの運用体制が確立されていなかった。

　①に関してはドクターヘリが民間機であるがゆえの制約であったが，航空法施行規則が改正され，消防・防災ヘリコプターと同様，公的なヘリコプターとして活動が可能になったことで解決した。②に対しては各基地のドクターヘリ運航要領に災害時の運用について記述し，各都道府県・地域の防災計画に落とし込むように厚生労働省より通知がなされた。また，③においては被災地への遠方からの参集を避け，効率的なドクターヘリ派遣を行うために，被災地を中心に全国を半径300km圏内の地域ブロックに分け，DMAT事務局もしくは被災都道府県からの要請により，ブロック内で派遣調整を行うことになった。現在は参集場所や被災地での活動計画は被災都道府県医療本部内に設置されるドクターヘリ調整部で行い，DMAT調整本部や他機関の航空隊と連携（航空運用調整班）することが提案され，実際に運用されている。

ドクターヘリの課題と展望

1 近隣県同士の広域連携

　ドクターヘリは都道府県（以下，県）が運航主体となっているが，近年，地域での需要が高まり，県境を越えた活動も求められるようになってきた。このため，それに応需するために近隣県同士が協定を締結し，県の枠組みを越えた活動を行う地域も増えている。多くは自県のドクターヘリが優先されるが，他県ドクターヘリの出動要件として，自県のドクターヘリが重複要請などの理由で対応できない場合や多数傷病者発生事例などで複数のドクターヘリが必要になった場合，あるいは早期の医療介入という観点から自県よりも他県のドクターヘリが効果的と判断された場合などがあげられている。しかし，他県のドクターヘリを活用することは，その活動に当該県に国庫から交付された補助金を充てることになるため，費用負担は避けることのできない問題となる。とはいえ，ドクターヘリという資源を有効活用するためには広域連携は重要な課題であり，地域の実情や運用方法を鑑み，関係各県間で十分に検討したうえで，前向きに進めるべきである。

2 夜間運航

　ドクターヘリは運航開始当初より有視界飛行方式（visual flight rules；VFR）を原則としてきた。これは欧米における救急医療用ヘリコプターの事故頻度が天候不良時や夜間において高く，安全運航を重要視してのことであった。しかし，夜間は対応できる医療機関も少なくなるため，救急活動に対する地域需要は高く，ドクターヘリの夜間運航への期待は大きい。欧米の医療用ヘリコプターはすでに夜間でもVFRにより運航を開始しているが，日本においても消防・防災ヘリコプターをはじめ，警察・海上保安庁・自衛隊ヘリは患者搬送などの夜間運航を行ってきた。これらの活動から，ドクターヘリがVFRによる夜間運航を開始するためには以下の条件があげられる[10]。

①夜間照明設備の整った臨時ヘリポートの確保
②夜間でも視認しやすい飛行経路の整備
③障害物が視認できる夜間障害灯（送電線，鉄塔，索道など）の配備
④医師・看護師，パイロットおよび整備士の確保（また，運航時間増加に対応した人数が必要になる）
⑤夜間離着陸による騒音苦情への対応

　①〜③の条件に関しては日中，行われている活動と同じ現場出動は難しいが，これらの条件のもと，定点間搬送は可能と考えられる。しかし，搬送だけであれば，従来の消防・防災ヘリコプターなどが医師のピックアップ

を付加しつつ，代役を務めることが可能かもしれない．また，現時点でもパイロット不足が問題になっていることから，④の運航時間延長や計器飛行証明資格を有するパイロットなど人材確保は難しい課題である．さらに，⑤の問題も無視することはできない．いずれにせよ夜間救急における諸問題に対してドクターヘリが十分に応えられるかどうかは，慎重に議論する必要がある．

3 レジストリーと活動の質的評価

2020年度より「日本航空医療学会ドクターヘリ全国症例登録システム」（JSAS-R）がスタートし，全国的なドクターヘリ活動の実態が把握できるようになった[11]．全国配備が実現した今，これらの客観的データに基づき，ドクターヘリ活動の質を維持し，さらなる向上を目指すべきステージに入ったと考えられる．ドクターヘリが出動要請に対して迅速に応需できたのか，既存の代替手段（救急車）に比べて医学的にそして時間的に優れた医療を提供できたのかなど，前述した基本的な時系列や医療介入に加えて，有害事象，インシデント/アクシデントの発生状況など，安全面の評価も踏まえ，患者・家族のニーズに応えられたかどうかについて，さまざまな角度から検証していかなければならない．

▶ 文献

1) Timmermann A：Traffic safety education and activities in Germany. https://www.iatss.or.jp/common/pdf/en/iatss/composition/FY2014_Report_DE_En.pdf

2) 小濱啓次：ドクターヘリの過去・現在・未来．日救急医会誌 21：271-81, 2010.

3) 厚生労働科学研究「ドクターヘリの適正配置・利用に関する研究」：ドクターヘリの安全な運用・運航のための基準．2018. https://www.mhlw.go.jp/file/05-Shingikai-10801000-Iseikyoku-Soumuka/0000209534.pdf

4) 運輸安全委員会：航空事故調査報告書；朝日航洋株式会社所属 川崎式BK117C-2型（回転翼航空機）JA6917ハードランディングによる機体損傷，2017. https://www.mlit.go.jp/jtsb/aircraft/rep-acci/AA2017-8-1-JA6917.pdf

5) 北村伸哉，他：全国のドクターヘリ基地病院におけるインシデント/アクシデントの情報収集と速やかな共有に向けて．日航空医療会誌 20：12-9, 2019.

6) Brookes CJ, et al：Civilian helicopter accident into water：Analysis of 46 cases, 1979-2006. Avitat Space Environ Med 79：935-40, 2008.

7) Brookes CJ, et al：Helicopter crashes into water：Warning time, final position, and other factors affecting survival. Avitat Space Environ Med 85：440-4, 2014.

8) Bottenheft C, et al：Self-assessed preferred retraining intervals of helicopter underwater egress training (HUET). Aerosp Med Perform 90：800-6, 2019.

9) 日本サバイバルトレーニングセンターホームページ．https://n-s-t-c.com/

10) 救急ヘリ病院ネットワーク（HEM-Net）：ドクターヘリの夜間運航に関する調査研究委員会報告書．2022. https://onl.la/4Q8iPzt

11) 日本航空医療学会：ドクターヘリ全国症例登録システム（JSAS-R）及びドクターヘリインシデント・アクシデント登録．https://square.umin.ac.jp/jsas/registry.html

心肺蘇生

1. 心肺蘇生法の原理 …………… 56
2. 心肺蘇生のガイドライン …………… 61
3. 成人の救命処置 …………… 69
4. 小児の蘇生 …………… 78
5. 新生児の蘇生 …………… 84
6. 妊産婦の蘇生 …………… 90
7. 心停止後症候群の病態と集中治療
   …………… 98

Ⅲ 心肺蘇生

1 心肺蘇生法の原理

畑中 哲生

　心肺蘇生（cardiopulmonary resuscitation；CPR）とは，心停止の患者に対して胸骨圧迫と人工呼吸を行い，心拍出の維持と血液の酸素化を図る行為をいう。

胸骨圧迫による心拍出と臓器血流

1 基本的メカニズム

　胸骨圧迫を行うと，安静正常時における心拍出量の約10〜25％に相当する心拍出が生じる[1]。その機序に関しては心臓が胸骨と脊椎の間で直接圧迫されることによるとする cardiac pump theory（図1a）と，胸骨の圧迫で胸腔全体がポンプとして機能するとする thoracic pump theory（図1b）がある。

　cardiac pump theory は古典的な理論であるが，1990年代に行われた食道超音波検査による観察で，胸骨圧迫中には閉じている僧帽弁が圧迫解除中には開く，胸骨圧迫中に心室から心房へ向かう逆流が認められることがある（心房・心室間に圧較差が生じていることを示す），などが新たな根拠とされている。

　一方，thoracic pump theory は，心臓が単なる導管として作用するにすぎないとする説である。この説によれば，胸骨圧迫による順方向の血流は，胸腔内圧の上昇によって上下の大静脈が胸郭出口付近で圧迫・閉鎖されることによって生じる。胸骨圧迫中の心室，心房，胸腔内圧がいずれもほぼ等しいこと，圧迫のタイミングに合わせて陽圧換気を行うと1回拍出量が増加すること，肺気腫のために胸郭前後径が大きく，相対的に心臓が小さな患者でも胸骨圧迫によって有効な心拍出が得られることなどが根拠となっている。

　2つの説の根拠とされている観察結果には互いに相反するものもあるが，実際の臨床では，患者の胸郭の機械的特性や循環動態，CPR時間の長短などに応じて，2つの説がそれぞれ異なる割合で寄与しているのであろう。

　CPR中は脳および心臓への血流分配がとくに問題となる。心筋（冠循環）の灌流圧は胸骨圧迫を解除した時期における大動脈圧と右房圧の差にほぼ比例する。胸骨圧迫中は右心房を含む心腔内および大動脈の圧力がほぼ等しくなるため，冠循環の血流は生じにくい。圧迫解除時には大動脈の弾性によって大動脈圧が比較的維持されやすいのに対し，弾性に乏しい大静脈や心房内の圧力は速やかに低下するため，冠灌流圧が生じる。

　脳血流を維持するための脳灌流圧は大動脈圧と頭蓋内圧との差によって決まるため，脳血流は主に胸骨を圧迫した時期に増加する。圧迫中は胸郭出口で大静脈が圧閉される（大静脈が starling resistor として作用する）ため，圧迫によって上昇した右房圧は内頸静脈には伝達されにくい。大静脈が完全に圧閉されない場合でも，内頸静脈側に逆流した血液の多くは伸展性に富む（厳密には unstressed vascular volume の大きな）頸部の静脈拡張によって吸収されるため，圧迫中の頭蓋内圧の増加は比較的小さい。

　頭部高位では頸部の静脈還流が促進されて頭蓋内圧が低下する。上半身を30°程度の頭高位とする head-up CPR では，頭蓋内圧の低下に伴って脳血流が増加する可能性が指摘されている（図2）[2]。この場合，上半身を2〜4分かけて徐々に頭高位とすることによって最大の効果が得られるともされるが[3]，そのメカニズムはよくわかっておらず，国際蘇生連絡委員会（International Liaison Committee on Resuscitation；ILCOR）による CoSTR（consensus on science with treatment recommendations）2021は head-up CPR をルーチンで行わないことを提案している[4]。

2 心拍出に影響を与える因子

1）圧迫の深さとリコイル

　胸骨圧迫の深さと心停止患者の転帰との関連を調査した研究のほとんどで，深さが2〜6cmの範囲では，圧迫が深くなるにつれて心拍再開率や生存率が向上している。Vadeboncoeur らによれば，生存率および社会復帰率に対する深さ（5mm当たり）のオッズ比はそれぞれ1.29，1.30であり，深さが患者転帰に与える影響は大き

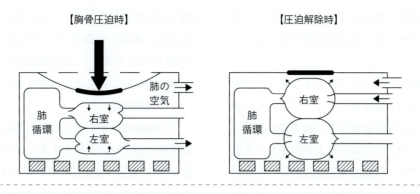

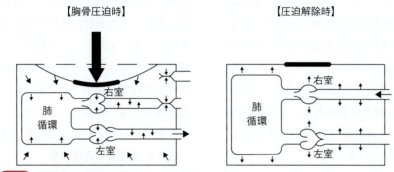

図1 標準的心肺蘇生法による心拍出の機序

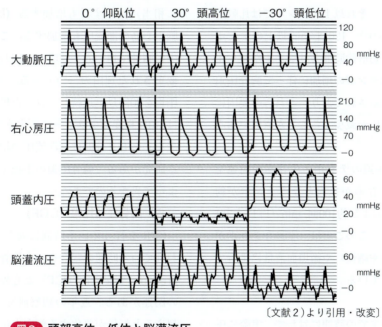

〔文献2〕より引用・改変〕

図2 頭部高位・低位と脳灌流圧

い[5]。2015年に公表されたILCORのCoSTRは，圧迫の深さが約4.6cmの場合に生存率がもっとも高くなるとするStiellらの報告[6]を重視して，約5cmの深さを推奨している。ただし，いずれの研究も欧米諸国の市民に対するCPRで得られたデータに基づくものであり，比較的小柄な日本人にとっての最適の深さが明確に判明しているわけではない。

実際の臨床における胸骨圧迫の深さは，圧迫のテンポと負の相関を示す。Vadeboncoeurらによれば，圧迫の深さを＜38mm，38〜50mm，＞50mmに分類した場合，それぞれの平均テンポは125.0，115.6，105.7回/minであった[5]。胸骨圧迫の深さやテンポと患者転帰の関連に

ついての研究では，多変量解析などを用いて深さやテンポ，それぞれ単独の影響を報告していることが多い。後述するように，至適なテンポを検討する際にはこの点を考慮する必要がある。

圧迫と圧迫の間は胸郭が自らの弾性によってリコイルすることにより，胸腔内に陰圧が生じる。リコイルが不十分になると，胸腔内の陰圧が減少して静脈還流が妨げられるだけでなく，圧迫のストロークも減少するため胸骨圧迫の効率が低下する。圧迫を解除した時期の胸腔内の陰圧を強くするための資器材として，impedance threshold valve（ITD）や active compression decompression CPR がある。動物実験では胸骨圧迫による心拍出量や血圧を高める効果が確認されているが，Resuscitation Outcomes Consortium（ROC）による大規模RCTではITDの効果は認められなかった[7]。ただし，ITDとCPRの質には強い相互作用があり，良質なCPRが行われた患者に限定した再解析ではITDに有意な転帰改善効果があると示されている[8]。

2）圧迫のテンポ

心停止患者の生存退院率は圧迫のテンポが120回/min程度の場合に極大となり，それ以上のテンポでは比較的急激に減少する傾向を示す[9]。120回/min以上のテンポでは，心充満に必要な圧迫解除時間とリコイルが減少すること，および臨床ではテンポの増加に伴って胸骨圧迫の深さが減少することが示されており，これらの要因によって心拍出量や冠灌流圧が減少することが原因であろう。

ITDの有無別に胸骨圧迫のテンポと生存率の関連を調査した研究[9]では，生存率が極大となるテンポが約118回/min（ITDなし）および約100回/min（ITDあり）と明らかに異なっていた。このことは，至適なテンポが胸郭の機械的特性（弾性や剛性）や循環血液量によっても異なる可能性を示唆している。

3）Duty cycle

胸骨圧迫から次の圧迫までの時間に対して，実際に圧迫している時間の比を duty cycle という。ピストン式胸骨圧迫装置では，ピストンが駆動されている時間の比として明確に定義することができるが，用手による胸骨圧迫に際しては，「胸郭前後径の時間的変化を示す曲線より下の面積」あるいは「胸骨を圧迫する力が漸増している時間の比」とするなど，いくつかの定義がある。近年の研究では，duty cycle と胸骨圧迫の深さには負の関連（圧迫が深くなると duty cycle が減少する）がある

ことが示されており[10]，現在の一般的な推奨値である50％に疑問が呈されているが，臨床でduty cycleを意識する，あるいは調節するのは非現実的である。duty cycleは主にピストン式胸骨圧迫装置を設計する際の一つの要素としてとらえるべきであろう。

4）胸腔内圧

平均胸腔内圧が上昇すると，静脈還流が妨げられて心拍出量や冠灌流圧が減少する。平均胸腔内圧は1回換気量や換気回数の増加とともに上昇する。非同期CPRでは1分間の換気回数が『JRC蘇生ガイドライン』の推奨値である10回/minを超えることが多いため注意が必要である。平均胸腔内圧が上昇する可能性のあるほかの状況として，気管チューブにフィルター（人工鼻）を接続している場合（フィルター面が血液で汚染されると換気ガスの呼出が障害される），ジャクソン・リース式人工呼吸器を用いる場合（ポップオフバルブの調整を誤ると容易に PEEP が発生する）などがある。

5）胸骨圧迫の連続回数

胸骨圧迫を連続するにつれて，圧迫中の最大血圧（収縮期血圧に相当）と圧迫解除中の最低血圧（拡張期血圧に相当）はいずれも増加する（図3）[11]。これに伴って脳や心筋の灌流圧も増加する。このことは，かつて「CPR中の胸骨圧迫：人工呼吸」の回数比が15：2から30：2に変更された理由の一つである。非同期CPRなど，胸骨圧迫を30回以上連続して行った場合の冠灌流圧については，10秒程度でプラトーに達することを示唆する研究と，少なくとも2分間は冠灌流圧の増加が続くことを示唆する研究がある。胸骨圧迫の手技や患者の循環動態などによって異なるのであろう。

6）胸骨圧迫比率（CCF）

CPRを行っている時間に対して実際に胸骨圧迫が行われている時間の割合を示す胸骨圧迫比率（chest compression fraction；CCF）と心停止患者の転帰には，正の関連がある。近年の観察研究[12)13)]ではCCFが80％を超えると転帰が悪化する傾向も示されているが，これは心拍が再開するまでのCPR時間によって交絡されている可能性が高い。すなわち，CPRの初期にはさまざまな要因によってCCFが低下しがちであるが，その時期に心拍が再開した患者の転帰は比較的良好である。これに対し，長時間のCPRではCCFが高くなるが，そのような患者で良好な転帰を期待するのは難しいため，CCFと転帰の間に見かけ上の負の関連が生ずる。

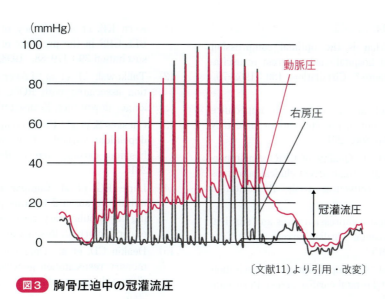

図3 胸骨圧迫中の冠灌流圧
〔文献11)より引用・改変〕

換気と血液の酸素化

CPRでは胸骨圧迫によって人工的な血液循環を維持すると同時に，その血液の酸素化を図る必要がある。とくに胸骨圧迫と人工呼吸を同期させて行うCPRでは，人工呼吸のための胸骨圧迫中断と換気量の維持をバランスよく組み合わせる必要がある。

1 陽圧換気による血液の酸素化

胸骨圧迫による心拍出量は正常安静時の30％に満たないため，肺における換気血流比を考えれば，CPR中の分時肺胞換気量はそれに見合った量でよい。呼吸数や1回換気量を減少させることによって，人工呼吸のための胸骨圧迫中断や胸腔内圧の上昇が抑えられ，CPRがより効果的なものになる。ただし，1回換気量や呼吸数を極端に減少させると，死腔換気率が高くなるだけでなく，肺胞虚脱が進行して肺血管抵抗が増加し，ひいては心拍出量を低下させる可能性が指摘されている。ブタでの非同期CPR中において，呼吸数を10回/minとした場合と2回/minとした場合では，動脈血酸素分圧に差はなかったものの，頸動脈血流量は後者において約1/2であった[14]。肺胞虚脱に伴う肺血管抵抗の増加が原因と考えられている。

2 受動的換気による血液の酸素化

胸骨圧迫のリコイルにより胸腔内圧は陰圧となる。このときに気管挿管などで気道が確保されていれば，受動的に起こる吸気によってある程度の換気量が得られる。欧米の一部地域では，受動的換気を活用する目的で，胸骨圧迫のみのCPR中に気管チューブへ酸素を送気する試みが行われているが，それが呼吸状態や患者転帰に与える影響は定かではない。気管挿管下のヒトでは，受動的換気による1回換気量は40mL程度であり，有効な換気を得るには不十分であるとする報告がある[15]。ただし，この研究は蘇生不能の判断がなされた後に行われたものであり，肺コンプライアンスや胸郭剛性などの状態が悪いときに得られた数値であることに留意が必要である。

▶文　献

1) Barsan WG, et al：Experimental design for study of cardiopulmonary resuscitation in dogs. Ann Emerg Med 10：135-7，1981.
2) Debaty G, et al：Tilting for perfusion：Head-up position during cardiopulmonary resuscitation improves brain flow in a porcine model of cardiac arrest. Resuscitation 87：38-43，2015.
3) Ryu HH, et al：The effect of head up cardiopulmonary resuscitation on cerebral and systemic hemodynamics. Resuscitation 102：29-34，2016.
4) Wyckoff MH, et al：2021 International Consensus on Cardiopulmonary Resuscitation and Emergency Cardiovascular Care Science With Treatment Recommendations. Resuscitation 169：229-311，2021.
5) Vadeboncoeur T, et al：Chest compression depth and survival in out-of-hospital cardiac arrest. Resuscita-

tion 85：182-8，2014.
6) Stiell IG, et al：What is the optimal compression depth during out-of-hospital cardiac arrest resuscitation of adult patients? Circulation 130：1962-70, 2014.
7) Aufderheide TP, et al：A trial of an impedance threshold device in out-of-hospital cardiac arrest. N Engl J Med 365：798-806, 2011.
8) Yannopoulos DT, et al：Quality of CPR：An important effect modifier in cardiac arrest clinical outcomes and intervention effectiveness trials. Resuscitation 94：106-13, 2015.
9) Idris AH, et al：Chest compression rates and survival following out-of-hospital cardiac arrest. Crit Care Med 43：840-8, 2015.
10) Johnson BV, et al：Cardiopulmonary resuscitation duty cycle in out-of-hospital cardiac arrest. Resuscitation 87：86-90, 2015.
11) Kern KB, et al：Efficacy of chest compression-only BLS CPR in the presence of an occluded airway. Resuscitation 39：179-88, 1998.
12) Talikowsk M, et al：Lower chest compression fraction associated with ROSC in OHCA patients with longer downtimes. Resuscitation 116：60-5, 2017.
13) Cheskes S, et al：Chest compression fraction：A time dependent variable of survival in shockable out-of-hospital cardiac arrest. Resuscitation 97：129-35, 2015.
14) Lurie KG, et al：Comparison of a 10-breaths-per-minute versus a 2-breaths-per-minute strategy during cardiopulmonary resuscitation in a porcine model of cardiac arrest. Respir Care 53：862-70, 2008.
15) Deakin CD, et al：Does compression-only cardiopulmonary resuscitation generate adequate passive ventilation during cardiac arrest? Resuscitation 75：53-9, 2007

III 心肺蘇生

2 心肺蘇生のガイドライン

野々木 宏

JRC蘇生ガイドライン作成までの経緯と特徴

1 心肺蘇生の歴史と国際蘇生連絡委員会の設立

心肺蘇生（cardiopulmonary resuscitation；CPR）の確立は，1960年に人工呼吸法（口対口呼吸），循環確保法（胸骨圧迫心臓マッサージ法），電気的除細動と3つが揃って米国で統合されたことによる。

1974年，米国心臓協会（American Heart Association；AHA）は蘇生に関する膨大なデータや実践に基づき，"Standards for CPR & ECC"という現在のガイドラインの原型というべき指針[1]を発表し，その普及・促進のリーダーとして医療従事者のみならず一般市民の教育活動を精力的に開始した。その後，名称をStandardsからガイドラインへと変更しながら，1992年まで6年ごとに改訂した。この内容は日本を含め世界に大きな影響を与えた。ヨーロッパでは各国が共通のCPRマニュアルを作成しようとする機運が高まり，1989年にヨーロッパ蘇生協議会（European Resuscitation Council；ERC）が結成された。1990年にはノルウェーのウツタイン修道院で，すでにガイドラインを作成していた世界の団体が集まり，院外心停止の経過に関する定義や登録様式を統一する国際会議を開催した。ウツタイン様式の誕生である[2]。この会議を母体として，1992年に国際蘇生連絡委員会（International Liaison Committee on Resuscitation；ILCOR）[3]が設立された（表1）。

ILCORは世界におけるCPRの標準化を目指し，2000年にAHAとともに「心肺蘇生と救急心血管治療の国際ガイドライン2000」を出版した。その後，2005年には「心肺蘇生と緊急心血管治療のための科学と治療の推奨に関わる国際コンセンサス（Consensus on Science with Treatment Recommendations；CoSTR）」を発表した。心肺蘇生のガイドラインは，このCoSTRに基づき，各地域や国の実情に合わせて作成されることとなり，AHAとERCからCoSTRと同時にガイドラインが発表された。

ILCORは2023年に設立30周年を迎える若い組織であるが，エビデンスに基づいた国際コンセンサス作成のため世界中の加盟国から専門家を招集し，5年ごとにCoSTRを作成してきたことは，CPRを世界的に統一したこととともに，さまざまな医療分野のなかでも特筆すべきことである。

2 わが国におけるCPRの取り組み

わが国では，前述したAHAの"Standards for CPR & ECC"（1974年）[1]などを参考に，関係団体が独自にCPRトレーニング方法を考案して普及・啓発に努めていた。しかし，その方法は団体ごとに解釈が異なり，統一されたものではなかった。その後，ILCORとAHAからの国際ガイドライン2000の発表を受けて，国内関係団体によりCPRが初めて標準化されたが，国際ガイドラインを一方的に導入するだけであったこと，またCoSTR公開後に内容を吟味してマニュアルの改訂を行うため，発表までに時間がかかるといった課題があった。また，当時のわが国のCPRへの取り組みやエビデンス作成は欧米から約30年の遅れがあるといわれていた。

2000年代になると，その遅れを取り戻す活動が活発化した。具体的には，国際連携を目的とした日本蘇生協議会（Japan Resuscitation Council；JRC）の設立や，市民による自動体外式除細動器（automated external defibrillator；AED）使用の解禁，国際連携としてわが国を中心としたアジア蘇生協議会（Resuscitation Council of Asia；RCA）の設立とそのILCOR加盟，そしてCoSTR作成への参画などがあげられる（表2）。

3 JRC蘇生ガイドライン作成の経緯

ILCOR加盟により，わが国においても国際連携のもとにガイドラインが作成できることとなり，2010年，2015年，2020年に『JRC蘇生ガイドライン』が発表された。2007年からのILCORにおけるCoSTR作成（work sheet作成）に，JRCから25名の担当者を派遣し得た。

表1 国際蘇生連絡委員会（ILCOR）とアジア蘇生協議会（RCA）の構成組織

国際蘇生連絡委員会（International Liaison Committee on Resuscitation；ILCOR）
- 米国：American Heart Association（AHA）
- ヨーロッパ：European Resuscitation Council（ERC）
- カナダ：Heart and Stroke Foundation of Canada（HSFC）
- オーストラリア，ニュージーランド：Australian and New Zealand Committee on Resuscitation（ANZCOR）
- アフリカ：Resuscitation Councils of Southern Africa（RCSA）
- 中南米：Inter American Heart Foundation（IAHF）
- アジア：Resuscitation Council of Asia（RCA）

アジア蘇生協議会（Resuscitation Council of Asia；RCA）
- 日本：Japan Resuscitation Council（JRC）
- 韓国：Korean Association of Cardiopulmonary Resuscitation（KACPR）
- 台湾：Taiwan Resuscitation Council（TRC）
- シンガポール：National Resuscitation Council of Singapore（NRCS）
- タイ：Thai Resuscitation Council（TRC）
- フィリピン：Philippine Heart Association（PHA）
- 香港：Resuscitation Council of Hong Kong（RCHK）

表2 わが国の蘇生領域における2000年以降の進展

1．組織化
- 日本蘇生協議会（JRC）発足：2002年
- アジア蘇生協議会（RCA）設立とILCOR加盟：2006年
- 国際コンセンサス作成（ILCOR-CoSTR）への貢献：2010年，2015年，2020年

2．標準化のための導入と普及
- 国際標準の心肺蘇生導入（AHA）と普及・啓発：2003年
- 救急救命士による電気的除細動（電気ショック）の実施：2003年
- 市民によるAED使用の解禁：2004年

3．研究費獲得とエビデンス発信
- 厚生労働科学研究班発足（J-PULSEなど）：2004年
- 院外心停止全例登録，大阪・東京から全国規模へ（大規模データ発信）：2005年以降
- 海外研究者との連携推進：2006年以降

J-PULSE：Japanese Population-based Utstein-style study with basic and advanced Life Support Education

そのメンバーはILCORにおける3年間の綿密な作業を体験することができ，その後の国内ガイドライン作成活動の大きな進展につながった。CoSTRの評価や集約を行う各領域のタスクフォースにおけるJRCからのメンバーは，2015年は5名，2020年および2025年には7名と増加している。今後，世界的なオピニオンリーダーとしても期待される。

また，2015年からのCoSTR作成において，エビデンスの評価と勧告の方法の大きな変革があった。それまでは，動物実験，マネキン・モデル研究および臨床研究のすべてが文献検索の対象とされ，システマティックレビュー（systematic review；SysRev）やメタアナリシスの論文も原著と同様に取り扱われた。このような方法は，評価は厳密ではあるものの透明性や明確性に欠ける点があった[4]。そこで2015年にILCORは，GRADE（Grading of Recommendation Assessment, Development and Evaluation）によるエビデンスの評価と勧告の作成を採用した[5)6)]。

『JRC蘇生ガイドライン2020』の特徴と各国との比較

1 ガイドラインの作成・改訂方法

2017年，ILCORは5年ごとのCoSTR作成ではなく，エビデンスを連続的に評価して重要な内容はその都度ウェブ上で公開していく方針を示し，毎年CoSTRサマリーを発表することとした[3]。ガイドライン改訂をCoSTRに応じて毎年行うか，従来どおり5年ごとに行うかは，各国の蘇生協議会の判断に委ねられた。JRCでは，ガイドラインの普及には一定の時間がかかり，毎年内容を変更するのは利用者の混乱を招く可能性があるとするRCAの方針に従い，5年ごとの改訂とする方針を選択した。その結果，JRC[7]やERC[8]は2020年に蘇生ガイドラインの改訂版を発表し，AHAは毎年のアップデートとして発表した[9]。これらは勧告内容として同じCoSTRをもとにしているが，各国の医療事情に応じて作成しているため，内容には若干の差異がある。表3に3つのガイドラインの比較をまとめた。

2 各国ガイドラインと比較した特徴・違い

ILCORの作業部会は6つ，すなわち①一次救命処置（basic life support；BLS），②二次救命処置（advanced life support；ALS），③小児，④新生児，⑤普及・教育，⑥ファーストエイドであるが，JRCではそれらに加えてわが国の救急医療で重要な急性冠症候群，脳神経蘇生，妊産婦蘇生の3つを独自に設定し，GRADEシステムを用いて2020年版のガイドラインを作成した。ガイドラインは計10章から成り，補遺として新型コロナウイルス感染症（COVID-19）流行下でのCPRについても言及されている（**表4**）。

1）救命の連鎖

JRCのガイドラインでは，救助者が判断に迷っても蘇生に遅れがないように，できるかぎりわかりやすい工夫がなされているのが特徴である。AHAは「救命の連鎖」を院内/院外に分け，また小児と成人にも分けて，6つの輪を提唱している。JRCは，ERCと同様に4つの輪を前版から継続して啓発に努めている。「救命の連鎖」は小児と成人で共通であり，最初の輪に予防が含まれ，また最後の輪には長期予後の重要性も含まれている。JRCのガイドラインは，シンプルであることと，継続性を重要視することをコンセプトに作成されている。

2）胸骨圧迫の方法

胸骨圧迫の深さについて，海外のガイドラインでは「少なくとも5cm」と推奨されているが，JRCではCoSTRのエビデンスに忠実に「約5cm」を推奨している。今後，欧米と体格差のあるアジア人における適切な胸骨圧迫の深さに関するエビデンスが必要である。また，胸骨圧迫のみのCPRを1人で続ける場合，疲労によりCPRの質が低下するリスクがあるため，JRCではエビデンスを呈示して「1～2分での交代」を提案している。

3）AEDパッドの種類・呼称

AEDのパッドの種類は，海外のガイドラインでは8歳未満に「小児用パッド」の使用が勧められていたが，JRCは「8歳未満」よりも「未就学児」のほうが使用者による判断が容易であることから，2010年から未就学児には「小児用パッド」を，小学生以上には「成人用パッド」を使用することとした。しかし，「小児用」という呼称から誤って小学生に「小児用パッド」が使用されかねない事例が報告されたため，2020年版のガイドラインでは，「小児用パッド」「成人用パッド」から「未就学児用パッド」「小学生～大人用パッド」にそれぞれ呼称が変更された。

4）異物除去

異物除去は，害が少なく，容易に実施可能な背部叩打から始め，無効であれば腹部突き上げを行うことが提案されている。

5）高度な気道確保

高度な気道確保デバイスの院外における選択に関して，CoSTRでは，気管挿管の成功率（2回の手技）が高い地域では気管挿管あるいは声門上気道デバイスを使用し，気管挿管の成功率が低い地域では声門上気道デバイスの使用が勧告されている。AHA，ERC，JRCのガイドラインも同様の内容であるが，ERCは気管挿管の高い成功率を95％以上と具体的に定義している。この勧告をわが国で適用するには，「気管挿管の成功」の定義を明らかにして，地域メディカルコントロール協議会における検証を行い，また高度な気道確保のトレーニングを要すると考えられる。

6）アドレナリンの使用

心停止に対する薬物について，ショック非適応リズムではできるかぎり早くアドレナリンを使用することが推奨されている。ショック適応リズムでは，電気ショックが不成功の場合にアドレナリンの使用が勧められるが，

表3 JRC，AHA，ERCの2020年版ガイドラインの比較

		JRC	AHA	ERC
編集方針	ILCOR-CoSTRとの関係	CoSTRに忠実に，推奨を記載。国内の事情を付記	CoSTRの推奨に基づいているが，国内の事情を強く反映し個別に解釈を追加	CoSTRの推奨に基づいているが，欧州の事情を強く反映
	ILCORのPICOおよび非ILCORトピックを含む	序文に作成経緯や心停止の疫学を記載。日本で重要な脳神経蘇生，急性冠症候群，妊産婦蘇生についてGRADE評価を行い追加　EITに倫理と法の章を追加　補遺としてCOVID-19対策を追加	1年ごとにアップデート版が出ているため，2020年として全領域の記載ではない。ファーストエイドが記載されていない	欧州の心停止レジストリーから疫学追記，COVID-19の章あり
	推奨レベルなどの表記	GRADE表記	AHA独自のクラス分類	GRADE表記
	救命の連鎖	4つの輪　予防・長期予後を含む	6つの輪（院内・院外）　長期予後を含む	4つの輪（2015年）
成人BLS市民	反応・呼吸の有無で判断に迷う場合の記載	あり	なし	なし
	異常な呼吸の判断	気道確保不要　死戦期呼吸を削除　普段どおりの呼吸をしていない	気道確保なし　死戦期（agonal）呼吸あり	気道確保後　死戦期呼吸を削除　正常な呼吸
	胸骨圧迫の深さ	約5cm　6cmを超えない	少なくとも5cm　6cmを超えない	少なくとも5cm　6cmを超えない
	人工呼吸	意思と技術があれば30：2	訓練者は30：2　非訓練者は胸骨圧迫のみ	訓練者は30：2　非訓練者は胸骨圧迫のみ
	AEDパッド	未就学児用パッド　小学生〜大人用パッド	乳児および8歳未満用　8歳以上用	乳児および8歳未満用　8歳以上用
	救助者の交代	疲労が生じれば交代　1〜2分	疲労が生じれば交代　2分ごと	疲労が生じれば交代　2分ごと
	異物除去（窒息）	背部叩打　無効であれば腹部突き上げ	腹部突き上げ	背部叩打　無効であれば腹部突き上げ
成人BLS医療	心停止の判断	呼吸確認と頸動脈触知	呼吸確認と頸動脈触知	呼吸確認
成人ALS（※）	院内心停止のRRS	強調	強調	強調
	高度な気道確保デバイス	BVMが基本　気管挿管の成功率により高度な気道確保デバイスの選択を考慮	BVMが基本　気管挿管の成功率により高度な気道確保デバイスの選択を考慮	BVMから必要に応じて高度な気道確保デバイスを選択　気管挿管の成功率が95％以上と高い場合（2回の手技で成功），気管挿管を選択
	アドレナリンPEA/心静止	可及的速やかに使用	可及的速やかに使用	可及的速やかに使用
	アドレナリンVF/無脈性VT	2回目の電気ショック後に使用	2回目の電気ショック後に使用	3回目の電気ショック後に使用（研究プロトコルに忠実）
	抗不整脈薬	電気ショック抵抗性のVF/無脈性VT（3回ショック後）に，アミオダロンの代替薬として，ニフェカラントあるいはリドカインを使用	電気ショック抵抗性のVF/無脈性VT（3回ショック後）に，アミオダロンの代替薬としてリドカインを使用	電気ショック抵抗性のVF/無脈性VT（3回ショック後）に，アミオダロンの代替薬としてリドカインを使用
	骨髄投与	静脈路確保が不成功な場合，骨髄路を使用	静脈路確保が不成功な場合，骨髄路を使用	静脈路確保が不成功な場合，骨髄路を使用
	徐脈　硫酸アトロピン量	0.5mg	1mg	0.5mg

BVM：bag valve mask，EIT：education, implementation, and teams
※マニュアルや指針の内容を含む。とくに薬物投与の適切なタイミングについては議論があり，今後の課題である

表4 『JRC蘇生ガイドライン2020』の章立て

第1章	一次救命処置（市民）
第2章	二次救命処置
第3章	小児の蘇生
第4章	新生児の蘇生
第5章	妊産婦の蘇生*
第6章	急性冠症候群*
第7章	脳神経蘇生*
第8章	ファーストエイド
第9章	普及・教育のための方策
第10章	海外での課題
補　遺	COVID-19への対策

＊ JRC独自作成

ショック後の最適なタイミングは不明であり，各ガイドラインでも何回のショック後に使用するかについては不揃いである。搬送時間が短いなどの地域事情によっては，アドレナリンを使用せずに，抗不整脈薬やECPR（extracorporeal CPR）の迅速な使用が可能な医療機関へ搬送するプロトコルを策定することも容認される。

7）抗不整脈薬の使用

抗不整脈薬は，わが国でのニフェカラントの有用性を示す観察研究を反映して，2015年ガイドラインと同様に，アミオダロンの代用としてニフェカラントあるいはリドカインの使用が提案されている。今後，ニフェカラント使用に関する質の高いエビデンスの構築が必要である。

徐脈時のアトロピン投与量は，各ガイドラインに基づいて作成されたトレーニングマニュアルにより推奨が異なっている[10)11)]。わが国では従来どおり0.5mg（静注）が勧告されているが，AHAは1mg（静注）を勧めている。徐脈によるショックなどの重症度に対する考え方に違いが出たものと思われる。

ウツタイン様式とわが国からの国際発信

1 ウツタイン様式

1990年，ノルウェーのウツタイン修道院にAHAやERCの救急医療の専門家が集まり，院外心停止の定義や，国際的に共通の様式で記録するための勧告が作成された[2)]。その様式は開催地にちなんで「ウツタイン様式」と呼ばれている。

ウツタイン様式による心停止とは「脈拍が触知できない，反応がない，無呼吸で確認される心臓の機械的な活動の停止」と定義され，心原性と推測できるものと非心原性に分けられ，原因が不明な場合には除外診断に基づき心原性と扱われる。非心原性には，乳幼児突然死症候群，急性薬物中毒，自殺，溺死，出血，脳血管障害（くも膜下出血を含む），外傷が分類される。

2 わが国における適用

わが国では1998年から院外心停止例に関する大規模な登録が大阪で開始され，東京都のデータとともに世界で最大規模の院外心停止データとなった。それに基づく研究結果は2007年に報告され[12)13)]，胸骨圧迫のみのCPRの有効性としてCoSTRが変更されるなど世界的な影響を与えた。

その成果を踏まえて，総務省消防庁による簡易型のウツタイン様式を用いた院外心停止データ登録が2005年から開始されている。その匿名化データは，発生年月日，年齢，性別，心停止の目撃，バイスタンダーによる救命処置，司令センターによる蘇生法の口頭指導，初期心電図波形，病院前救護における二次救命処置，医師の関与，心停止の原因，救急活動に関する時間（覚知，現着，病着，各救命処置実施時間），病院前の心拍再開，1カ月後の生存，1カ月後の神経学的転帰などである（**表5**）。年間約13万例の登録データがあり，現在は約200万件と世界に誇るべき院外心停止のビッグデータとなっている[14)]。

表5 ウツタイン様式の変遷

簡易型ウツタイン項目（日本）

- 発生年月日
- 都道府県
- 年齢，性別
- 目撃の有無
- 目撃者の種別
- 目撃者による胸骨圧迫，人工呼吸開始時刻
- 医師の同乗と処置
- 市民のAED
- 口頭指導の有無
- 初期波形
- 電気ショック（二相性/単相性）実施時刻，回数，実施者
- 気道確保の種類，実施時刻
- 静脈路確保，時刻
- アドレナリン投与，時刻
- 覚知，現着，接触，CPR開始時刻
- 病院収容時刻
- 心原性/非心原性
- 心拍再開時刻
- 1カ月生存，CPC

1990年原著[2]で上記にない項目

- 救急外来での治療
- 1年生存

2014年原著改訂[15]で追加された項目

- DNAR表記
- 救命処置中止基準
- 院外12誘導心電図記録
- 通信指令員口頭指導
- 12誘導心電図によるSTEMIの有無
- 補助人工心臓の有無
- 植込み型除細動器の有無
- 転帰（死因，QOL状況，臓器提供，1年生存）
- 入院後の検査・治療
  体温管理療法
  ECMO，IABP，機械的CPR装置
  薬物治療内容
  検査（pH，乳酸，血糖）
  12誘導心電図
  神経学的予後評価
  病院規模と種類
  再灌流療法
  治療中断の有無

CPC：cerebral performance category，DNAR：do not attempt resuscitation
簡易型ウツタイン項目は，2005年に総務省消防庁が全国で開始した登録項目

その特徴は，国際標準の方法を用いたことと，全国登録による悉皆性と継続性にある。表6に消防隊の登録時の注意点をあげた。大規模データの解析時には，データのエラーの発生により異なる結果が抽出される可能性があるため，エラー入力が生じないような対策が必要である。これには各消防本部，メディカルコントロール協議会，解析者らによる連携やフィードバックをもとに登録者へ教育することも必要である。

3 今後の課題

ウツタイン様式が提案された当時に比べ，心拍再開後の集中治療が進歩し，緊急冠動脈カテーテル治療や体温管理療法などが積極的に実施され，転帰の改善がもたらされている。そのためウツタインデータを解釈するには，病院外の要因のみならず，病院内の治療内容と1年後の長期予後も必要となっている。このことから，2014年にILCORから報告されたウツタイン登録の改訂テンプレート[15]には，これらの項目が数多く含まれた（表5）。また，わが国においても日本救急医学会を中心に院外と院内のデータを連結した登録が行われている[16]。悉皆性のある院外・院内データを連結できる大規模なシステムが望まれる。

これまで，わが国の院外心停止全例登録データベース解析を通じて数多くの重要なエビデンスが国際的に発信され，CoSTRや各国の蘇生ガイドラインに影響を与えてきた（図1）。一方，未知あるいは調整できない重症度の違い，入院後の治療内容の差などの調整できない交絡因子などによる観察研究の限界も指摘され，その解決のために院外でのアドレナリン，高度な気道確保デバイスに関するRCTが各国で実施された。今後，わが国でも，救急医療の現場で実施可能なクラスターRCTを含めた質の高い臨床研究の実施が必要と考えられる。

表6 ウツタイン収集項目と登録上の注意点

収集項目	項目の説明	入力時・クリーニング時の注意点
基本データ	都道府県，発生年月日，性別，年齢，救急救命士同乗，医師同乗，医師による二次救命処置	重複登録の注意 年齢など欠損値に注意
心停止の目撃	目撃または音の確認（時刻） 目撃者（家族・その他・消防隊・救急隊）	市民による目撃時刻が救急隊接触時刻より早いことを確認
バイスタンダーCPR	あり（胸骨圧迫，人工呼吸，市民AED）/なし CPR開始時刻，口頭指導の有無	市民によるCPR開始時刻が救急隊によるCPR開始時刻より早いことを確認 口頭指導の有無の欠落に注意
初期心電図波形	VF，無脈性VT，PEA，心静止，その他	VFと無脈性VTの区別を確認
救急救命処置の内容	除細動（二相性/単相性），初回実施時刻，回数 除細動実施者（救急救命士，救急隊員，消防隊員） 気道確保，特定行為（LM，食道閉鎖式エアウエイ，気管チューブ），使用時刻 静脈路確保時刻，薬剤投与，初回投与時刻，回数	市民によるAED実施と救急隊による除細動の区別 欠落選択肢に注意
時間経過	覚知（救急要請）時刻，現着時刻，接触時刻 CPR開始時刻，病院収容時刻	心停止であれば必ず救急隊のCPRの有無と開始時刻を記載
心停止の推定原因	心原性（確定，除外診断による） 非心原性（脳血管障害，呼吸器系疾患，悪性腫瘍，外因性，中毒，溺水，交通外傷，低体温，アナフィラキシー，その他）	非心原性の場合に原因を選択
転帰および予後	病院収容前の心拍再開の有無，初回心拍再開時刻 1カ月予後の回答有無 1カ月生存 脳機能カテゴリー（CPC 1～5） 全身機能カテゴリー（OPC 1～5）	1カ月生存とCPC 5の一致を確認

CPC：cerebral performance category，OPC：overall performance categories

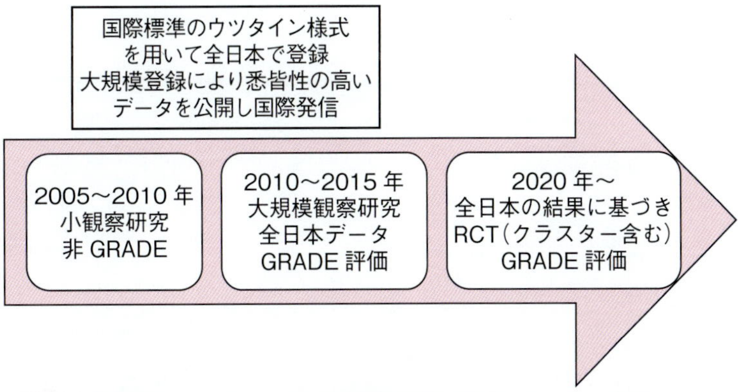

図1 わが国でのウツタイン様式を用いた院外心停止登録の変遷・活用

国際標準のウツタイン様式を用いて全日本で登録　大規模登録により悉皆性の高いデータを公開し国際発信

- 2005～2010年　小観察研究　非GRADE
- 2010～2015年　大規模観察研究　全日本データ　GRADE評価
- 2020年～　全日本の結果に基づきRCT（クラスター含む）　GRADE評価

院外データ（ウツタイン）と院内データ（DPCデータなど）を合体してビッグデータを再構築し（日本救急医学会多施設共同院外心停止レジストリーなど），わが国からRCTを発信することが今後の課題である

▶ 文　献

1) Standards for Cardiopulmonary Resuscitation (CPR) and Emergency Cardiac Care (ECC). JAMA 227：833-68, 1974.
2) Cummins RO, et al：Recommended guidelines for uniform reporting of data from out-of-hospital cardiac arrest：The Utstein Style：A statement for health professionals from a task force of the American Heart Association, the European Resuscitation Council, the Heart and Stroke Foundation of Canada, and the Australian Resuscitation Council. Circulation 84：960-75, 1991.
3) ILCOR ホームページ. https://www.ilcor.org/
4) 日本蘇生協議会, 他（監）：JRC 蘇生ガイドライン2010, へるす出版, 2011.
5) 相原守夫：診療ガイドラインのための GRADE システム, 第3版, 中外医学社, 2018.
6) Morley PT, et al：Evidence evaluation process and management of potential conflicts of interest：2020 international consensus on cardiopulmonary resuscitation and emergency cardiovascular care science with treatment recommendations. Circulation 142（16_suppl_1）：S28-40, 2020.
7) 日本蘇生協議会（監）：JRC 蘇生ガイドライン2020. 医学書院, 2021.
8) Perkins GD, et al：European Resuscitation Council guidelines 2021：Executive summary. Resuscitation 161：1-60, 2021.
9) Merchant RM, et al：Part 1：Executive summary：2020 American Heart Association guidelines for cardiopulmonary resuscitation and emergency cardiovascular care. Circulation 142（16_suppl_2）：S337-57, 2020.
10) 日本救急医療財団心肺蘇生法委員会（監）：救急蘇生法の指針2020（医療従事者用）, 改訂6版, へるす出版, 2022.
11) American Heart Association：ACLS プロバイダーマニュアル；AHA ガイドライン2020準拠, シナジー, 2022.
12) Iwami T, et al：Effectiveness of bystander-initiated cardiac-only resuscitation for patients with out-of-hospital cardiac arrest. Circulation 116：2900-7, 2007.
13) SOS-KANTO study group：Cardiopulmonary resuscitation by bystanders with chest compression only (SOS-KANTO)：An observational study. Lancet 369：920-6, 2007.
14) 総務省消防庁：令和4年版救急・救助の現況, 2023. https://www.fdma.go.jp/publication/rescue/post-4.html
15) Perkins GD, et al：Cardiac arrest and cardiopulmonary resuscitation outcome reports：Update of the Utstein Resuscitation Registry Templates for Out-of-Hospital Cardiac Arrest. Circulation 132：1286-300, 2015.
16) Kitamura T, et al：The profile of Japanese Association for Acute Medicine：Out-of-hospital cardiac arrest registry in 2014-2015. Acute Med Surg 5：249-58, 2018.

3 成人の救命処置

ここでは，主に日本蘇生協議会の『JRC蘇生ガイドライン2020』[1]に準拠して，成人の心停止に対する一次救命処置（basic life support；BLS）および二次救命処置（advance life support；ALS）と，特殊な状況下の心停止対応について概説する。

救命の連鎖

「救命の連鎖」（chain of survival）とは，①心停止の予防，②早期認識と通報，③一次救命処置（心肺蘇生とAED），④二次救命処置と集中治療の4つを迅速・円滑に連携させる概念である。生命の危機に陥った者を救命し，社会復帰させるためには，患者の年齢を問わず，この「救命の連鎖」が途切れなく行われることがきわめて重要である[1,2]。

第1の鎖は，「心停止の予防」である。急性冠症候群や脳卒中など重篤な急性疾患の初期症状への気づきや，とくに小児では不慮の事故の発生予防などが重要である。また，院内では心停止につながり得る呼吸・循環の異常を早期に認識し，迅速に治療を開始するためのRRS（rapid response system）などが重要である。

第2の鎖は，「早期認識と通報」である。突然倒れた人や反応のない人に接した場合，直ちに心停止を疑って，心肺蘇生を開始することが重要である。院内では，緊急コールなどで応援の要請と資器材の手配を行ったうえで，直ちに心肺蘇生（cardiopulmonary resuscitation；CPR）を開始する。

第3の鎖は，「一次救命処置（心肺蘇生とAED）」である。胸骨圧迫と自動体外式除細動器（automated external defibrillator；AED）などによる電気ショックが中心であるが，医療従事者が業務として行うCPRは胸骨圧迫と人工呼吸の組み合わせが原則である。とくに質の高い胸骨圧迫は，心停止中の脳循環維持と電気ショックによる除細動効果を高め得る。

第4の鎖は，「二次救命処置と集中治療」である。医療従事者はBLSと並行して，薬剤や医療機器を用いたALSを実施する。そして，自己心拍が再開した患者を社会復帰に導くためには，心停止の原因に対する治療や体温管理療法，リハビリテーションなどの包括的な集中治療を継ぎ目なく行うことが重要である。

一次救命処置（BLS）

図1[1]に「医療用BLSアルゴリズム」を示す。なお，本アルゴリズムは成人・小児共通のものである。

1 安全の確認

異常に気づいて患者に近寄る前に，周囲を見渡して安全を確認し，状況に応じて安全を確保した後で，患者に接触する。院内の場合には標準予防策を講じたうえで対応するのが基本である。手袋・マスクのほか，患者の状況（吐物・出血などによる体表汚染，既知の感染症の有無など）によっては，ゴーグルや長袖ガウンなどの個人防護具の装着や，感染経路別予防策も必要となる。院内における感染リスクとしては接触感染と針刺し事故も重要であり，針刺し事故防止機構付き静脈留置針を使用するなどして対策する。

2 反応の確認と応援要請，資器材手配

安全が確認できたら，患者の肩を叩きながら大声で呼びかけ，何らかの返答や目的のある仕草などが認められなければ「反応なし」と判断する。

院内であれば，あらかじめ定めた手順で緊急コールを行い，応援人員を確保しつつ必要資器材を手配する。CPRは連携のとれたチームで行うことにより最大の効果を得ることができるため，チーム全員が手順と認識を共有するうえでも，アルゴリズムの理解が重要である。

院外の場合には，周囲の人に119番通報とAEDの手配を依頼する。反応の有無の判断に迷った場合でも，速やかな治療につなげるためすぐに応援を要請する。救助者が1人の場合は，CPRの開始よりも応援要請と資器材の手配を優先する。

成人の救命処置

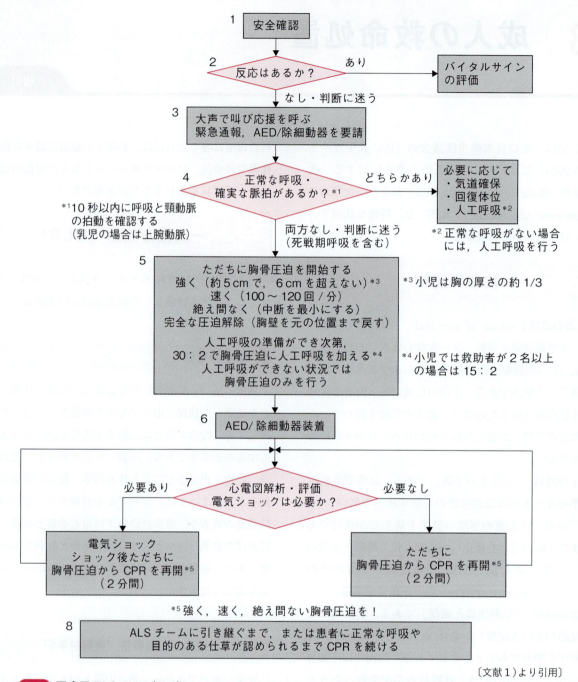

図1 医療用BLSアルゴリズム

〔文献1)より引用〕

なお，通信指令員による口頭指導は市民救助者のCPR実施率向上につながるため，重要である。医療従事者には，メディカルコントロール体制の一環として，口頭指導実施者に対する教育と継続的な質の改善を図ることが求められる。

3 心停止の判断

患者の反応がない場合，あるいは反応の有無の判断に迷う場合には，患者を仰臥位にして胸・腹部を観察し呼吸状態を評価する。呼吸がない，もしくは死戦期呼吸がみられる場合，あるいは呼吸の判断に迷う場合には，心停止とみなして対応する。また，呼吸の観察と並行して，頸動脈を触知して脈拍の有無を確認する。頸動脈の脈拍を確実に触れることができれば，心停止ではない。これらの評価・判断には10秒以上かけないようにし，CPRの開始を遅らせないことが重要である。なお，『JRC蘇生ガイドライン2020』では，この段階では気道確保の必要はないとされている[1)]。

胸骨圧迫開始後に刺激に対する反応が出現したら，そ

の時点で胸骨圧迫を中断して再度呼吸と脈拍の観察を行う。この間の胸骨圧迫による致死的な損傷は報告されていない。

反応はないが呼吸が正常な場合，正常な呼吸はないが頸動脈を確実に触れる場合には，胸骨圧迫は必要ないと判断する。患者の呼吸状態に応じて，気道確保や人工呼吸，補助呼吸を行いながら，応援チームなどの到着を待つ。

4 胸骨圧迫

CPRは胸骨圧迫から開始する。胸骨圧迫は，胸骨の下半分を約5cm（ただし，6cmを超えない）の深さで，1分間当たり100〜120回のテンポとし，中断を最小限にする。毎回の胸骨圧迫の後で完全に胸壁が元の位置に戻るように圧迫を解除する。ただし，圧迫解除のために手が離れて，圧迫が浅くなったり，位置がずれないよう注意する。圧迫にかける時間と圧迫を解除している時間の比は，ほぼ1：1になるのが理想である。院内のベッド上でCPRを行う場合，ベッドマットレスを固くできるモード（CPRモード）の使用や背板の使用を考慮するが，それらの準備などによる胸骨圧迫の開始の遅れや中断時間は最小にする。人工呼吸用デバイスや除細動器/AEDの準備ができるまで胸骨圧迫のみのCPRを継続する。疲労による質の低下を避けるため，救助者が複数いれば1〜2分ごとを目安に胸骨圧迫を交代する。交代に要する時間は最小にする。

胸骨圧迫の適切な位置については，「胸の真ん中」を目安として，剣状突起に触れないことが重要である。安定したテンポを保つために，メトロノームなどによるガイドを用いてもよい。また，圧迫のテンポや深さなどをリアルタイムにフィードバックする装置があれば使用してもよいが，使用後にデブリーフィングで検証することが重要である。

5 気道確保と人工呼吸

バッグ・バルブ・マスク（bag valve mask；BVM）などの人工呼吸用デバイスが届き次第，頭部後屈あご先挙上法（場合により頭部後屈と下顎挙上法の併用）で気道を確保しながら，人工呼吸を2回行う。以後，胸骨圧迫と人工呼吸のサイクルを30：2の比率で繰り返す。2回の人工呼吸のいずれも胸の上がりが悪かった場合でも，3回目の換気は行わずに胸骨圧迫を再開する。

送気は，胸が上がる程度の換気量を約1秒かけて行う。過大な1回換気量は胸腔内圧を上昇させて静脈還流を妨げ，胸骨圧迫による心拍出量と冠灌流圧（coronary perfusion pressure；CPP）の低下を招いて生存率を低下させるため，胸壁が少しでも上がるのが確認できれば，それ以上送気しない。CPR中の人工呼吸は可能なかぎり高い吸入酸素濃度を使用する。複数の救助者で人工呼吸を行う場合は，1人が両手でマスクを保持し，もう1人がバッグで換気することで，マスクと顔面との密着がより確実になり，安定した人工呼吸を行うことができる。

6 AED/除細動器の装着・使用

AEDまたはマニュアル式除細動器が届いたら，直ちに使用する。電極パッドや心電図電極を貼付する間もCPRは可能なかぎり中断せず，心電図の自動解析または評価の準備が整ってから中断する。

電極パッドは，2枚のパッドで心臓を挟むように，1枚を胸の右上（右鎖骨の下で胸骨の右），もう1枚を胸の左下（左腋下の5〜8cm，乳頭の斜め下）の皮膚に直接密着させて貼付する。患者の胸壁が濡れている場合やパッド貼付位置に貼付薬がある場合には，これらを除去してからパッドを貼付する。また，貼付位置の皮下にペースメーカや除細動器が植え込まれている場合は，それを避けるように位置をずらして貼付する。

心電図解析・評価の結果，電気ショックが必要な波形であれば，患者に誰も触れていないこと，投与酸素が遠ざけられていることなど，安全を確認してから電気ショックを実施する。電気ショック後は，直ちに胸骨圧迫からCPRを再開する。電気ショックが不要な波形であった場合も，直ちに胸骨圧迫からCPRを再開する。

7 CPRの継続

CPRは，ALSを行うチームなどに患者を引き継ぐ，あるいは患者に十分な循環が回復するまで継続する。人工呼吸やAEDによる解析などやむを得ない場合以外には，CPRは中断しない。AEDを使用している場合，約2分ごとに心電図解析が始まるため，音声指示などに従う。マニュアル除細動器を使用している場合には，2分ごとに心電図波形を評価する。2分間のCPRの間に患者が目的のある仕草を示したり，明らかな自発呼吸が再

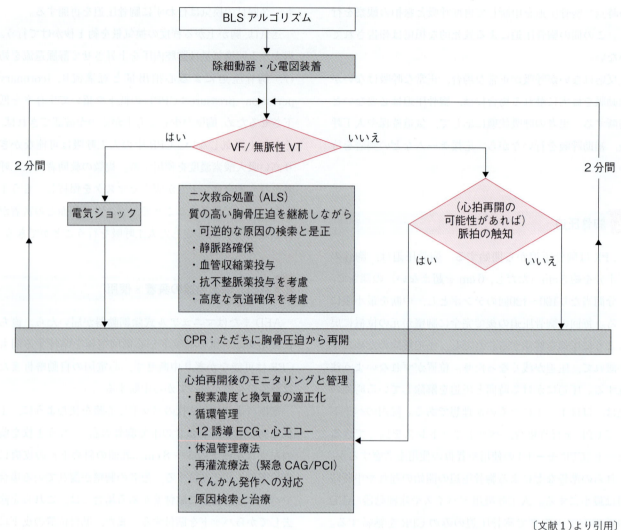

図2 心停止アルゴリズム

〔文献1）より引用〕

開した場合には，CPRを中断して呼吸と脈拍を評価する。脈拍や普段どおりの呼吸を確信できない場合は胸骨圧迫を再開する。循環（脈拍）はあるが呼吸がない，または不十分な場合には，人工呼吸（6秒に1回）や補助呼吸，気道確保を行い，少なくとも2分おきに確実な脈拍を触れることを確認しながらALSチームの到着を待つ。

二次救命処置（ALS）

BLSのみで自己心拍再開（return of spontaneous circulation；ROSC）が得られない場合には，「心停止アルゴリズム」（図2）[1]に準じてALSを実施する。ALSには，心停止前後の不整脈に対する治療や心拍再開後の集中治療が含まれるが，ここではBLSから引き継ぐためのALSとして，心拍再開までに行う治療について述べる。

1 心肺蘇生と電気ショック

ALSを開始しても，ROSCが得られるまでの治療の中心は質の高いCPRと電気ショックである。とくに，絶え間なく質の高い胸骨圧迫は，CPRのなかでもっとも重要な要素である。

心停止の波形は，電気ショックの適応となる①心室細動（ventricular fibrillation；VF）と②無脈性心室頻拍（pulseless ventricular tachycardia；無脈性VT），および電気ショックの適応とならない③心静止（asystole）と④無脈性電気活動（pulseless electrical activity；PEA）の4つに分けられる。

VF/無脈性VTであれば，直ちに電気ショックを行った後，胸骨圧迫を再開する。心静止あるいはPEAであれば，直ちに胸骨圧迫を開始する。その際，心電図の電極などの確認を頻回に行う。マニュアル除細動器を用い

表1　4つのHと4つのT（4H4T）

4H	Hypoxia（低酸素症）
	Hypovolemia（循環血液量減少）
	Hypo/Hyperkalemia/metabolic acidosis（低カリウム血症，高カリウム血症，代謝性アシドーシス）
	Hypothermia（低体温）
4T	Tension pneumothorax（緊張性気胸）
	Tamponade（cardiac：心タンポナーデ）
	Toxins（急性中毒）
	Thrombosis（coronary：急性冠症候群，pulmonary：肺血栓塞栓症）

〔文献2）より引用〕

る場合には，2分ごとに胸骨圧迫を中断して心電図波形を評価する。QRS波形が確認され，ROSCの可能性があれば，脈拍の有無を確認する。脈拍が確信できない場合はPEAと判断し，直ちに胸骨圧迫を再開する。

電気ショックの出力は単相性よりも二相性で行うことが推奨されているが，実際のエネルギー量については除細動器の種類によって異なるため，各除細動器に記載された初回エネルギー量を選択する。具体的には，初回エネルギー量として，二相性切断指数波形では150J，二相性矩形波形では120Jが推奨されている。単相性除細動器の場合には，360Jが推奨されている。初回の電気ショックで効果がなかった場合など，2回目以降の電気ショックを行う際には，可能な機器であればエネルギー量を漸増してもよい。

電気ショック時に電極パドルと粘着性パッドのどちらがより除細動効率がよいかはわかっていない。電極パドルを用いる場合はゲルパッドやペーストを使用し，適度な圧で胸壁に密着させる。パドルもしくはパッドを装着する位置は，AEDのパッドと同様である。電気ショック実施時には，エネルギーを充電しながら患者に誰も触れていないことを確認し，直前の心電図波形を確認してから電気ショックを行う。その後，心電図波形や脈拍の確認は行わず，直ちに胸骨圧迫を再開する。

2　可逆的な原因の検索と是正

質の高い胸骨圧迫を継続しながら，心停止の原因の検索と是正を行う。心停止の原因となった病態が改善されないかぎり，一時的にROSCが得られても，再び心停止となる可能性が高い。心停止に至った状況や既往歴，身体所見などを総合的に評価し，動脈血ガス分析や電解質の結果からその原因を推定する。また，CPRを継続しながら行うことができる超音波検査も参考にする。可逆的な心停止の原因として代表的な病態「4H4T」を表1[2)]に示す。

3　薬剤投与経路の確保

ALSでは，血管収縮薬や抗不整脈薬のほか，心停止の原因に対する治療薬の投与経路が必要となる。質の高いCPRを継続しながら，速やかに静脈路を確保する。すでに中心静脈路が確保されていれば，中心静脈路経由で薬剤を投与する。新たに投与経路を確保する場合は，末梢静脈路を第一選択とする。末梢静脈路確保が難しい場合や時間を要する場合には，骨髄路の確保を考慮する。適切に確保された骨髄路は輸液速度や安全性について末梢静脈路と同等であり，蘇生に用いる薬剤や輸血は末梢静脈路と同様に安全に投与できる。

4　薬剤投与

心停止に対する薬剤投与は，心電図波形確認後，速やかに実施できるよう準備する。電気ショック不適応の場合（心静止，PEA）は，できるかぎり早くアドレナリンを投与する。一方，電気ショック適応の場合（VF/無脈性VT）は，少なくとも1回の電気ショック後に，VF/無脈性VTが持続していればアドレナリンや抗不整脈薬などを投与する。薬剤投与は2回目の電気ショックの直前・直後でも可能であるが，迅速な電気ショック施行と胸骨圧迫中断時間の最短化が求められる。

アドレナリンは心停止時にもっとも用いられるカテコラミンであり，心停止時のすべての心電図調律に適応と

なる。神経学的転帰改善のエビデンスは乏しいが、ROSC率と短期間の生存率改善のエビデンスがある。とくにショック非適応の場合にはできるかぎり迅速にアドレナリンを投与する。アドレナリンは静脈路または骨髄路から1回1mgを投与し、3〜5分間隔で追加投与する。高用量アドレナリンやバソプレシンのルーチン投与は行わない。

VF/無脈性VTで電気ショックやアドレナリンなどに効果がない場合、あるいは再発を繰り返す場合には、抗不整脈薬の適応となる。第一選択薬は、ROSC率改善のエビデンスが示されているアミオダロンである。初回投与量として、300mgを静脈内投与する。アミオダロンが使用できない場合、ニフェカラントまたはリドカインを使用してもよい。ニフェカラントは0.3mg/kgを静脈内投与、リドカインは1〜1.5mg/kgを静服内投与する。マグネシウム、カルシウム、炭酸水素ナトリウム、アトロピン、ステロイドのルーチンの投与は行わない。

5 高度な気道確保

高度な気道確保の実施時期については、器具挿入の難易度や合併症などを考慮して判断する。原則として、初回の電気ショックまではBVMによる換気を行い、質の高い胸骨圧迫と早期の電気ショック実施を最優先する。

BVM換気と高度な気道確保で、転帰の有意差は認められていない。また、声門上気道デバイス（食道閉鎖式エアウエイ、口腔咽頭チューブ）と気管挿管の比較でも、神経学的転帰に有意な差は認められていない。気管挿管は確実な気道確保が可能であるが、食道挿管など一定のリスクを伴う処置であり、確実かつ迅速に施行するための訓練が必要である。一方、医療従事者は気管挿管のみにこだわることなく、声門上気道デバイスなど少なくとも2種類の気道確保方法に習熟し、どのような状況下でも確実に気道確保と換気ができるようにすべきである。

CPR中の気管チューブの位置確認には、身体所見に加えて、可能であれば波形表示のある呼気CO_2モニターを用いる。これが使用できない場合には、波形表示のないCO_2モニターや比色式CO_2検出器、食道挿管検出器、あるいは気管超音波検査で代用する。

気管挿管が正しく行われれば、胸骨圧迫と換気は非同期でそれぞれ独立して行うことができる。胸骨圧迫は1分間に100〜120回で連続して行い、換気は6秒に1回程度で行う。声門上気道デバイスを用いた場合も、換気が確実に行われていることが確認できれば、胸骨圧迫と換気を非同期で行ってよい。

6 CPRの評価

1）リアルタイムフィードバック装置

CPRの質を担保するために、音声や視覚的なサインなどによってCPRの"出来具合"をリアルタイムでフィードバックする機器を使用してもよい。表示画面があるような機器であれば、胸骨圧迫の深さやテンポなどのパラメータを救助者がリアルタイムに確認できる。また、フィードバック装置を使用した場合には、記録されたCPRの内容を振り返り、胸骨圧迫比率（chest compression fraction；CCF）などを評価して、CPRの質の改善につなげることが重要である。

2）冠灌流圧（CPP）

CPPは大動脈拡張期圧と右房拡張期圧の差で、冠循環の血管抵抗が一定であれば、冠血流量はCPPにほぼ比例する。CPR中のCPPは質の高いCPRが行われた場合でも25mmHg程度と正常時に比べて非常に低い。動脈圧および中心静脈圧（右房圧の代用）の連続測定が行われている場合、これらの圧の拡張期圧差をCPPの簡易値と考えて、胸骨圧迫の効果を示す指標として使用できる。CPPをできるかぎり高く保つような胸骨圧迫を行うべきである。なお、中心静脈圧が測定できない場合、中心静脈圧は一定とみなして、動脈拡張期圧を胸骨圧迫の効果を示す一指標とすることもできる。

3）呼気CO_2モニター

組織で産生されたCO_2が肺胞から呼気中に排出されるには、胸骨圧迫によって組織灌流および肺血流が維持される必要がある。そのため、呼気中に一定以上のCO_2が呼出される場合、組織でのCO_2産生維持や、CO_2を運搬する血流の維持が示唆される。呼気終末CO_2分圧測定は、CPR中の質の評価にも応用でき、急激に上昇した場合にはROSCによる肺血流量の増加を示している可能性がある。

4）脈拍触知

胸骨圧迫によって発生した心腔内の圧変動は、動脈だけでなく静脈にも伝播するため、頸部や鼠径部で触知できる拍動は必ずしも動脈の拍動であるとは限らない。また、触知した拍動が仮に動脈のものであったとしても、それは主に収縮期の脈動を反映しており、冠血流を左右する拡張期血圧を評価することはできない。

5）動脈血ガス分析

CPR 中の動脈血ガス分析は，CPR の質の評価指標として使用できない。低二酸化炭素血症や高酸素血症は肺胞でのガス交換が良好であることを反映しているが，胸骨圧迫によって重要臓器の酸素化状態や酸塩基平衡が改善したことを示すものではない。一方，高二酸化炭素血症および低酸素血症を認める場合には，肺胞におけるガス交換や換気に重大な障害が発生している可能性が高い。重要臓器の酸素化状態や酸塩基平衡は，動脈血よりもむしろ混合静脈血において反映するといわれているがCPR 中の臨床的意義は確定していない。

6）パルスオキシメータ

CPR 中のパルスオキシメータは通常，末梢組織血流の拍動が不十分なため正しく機能しない。胸骨圧迫に伴って拍動が生じた結果，パルスオキシメータが何らかの数値を示したとしても，それは静脈の拍動を反映している可能性もある。

7）局所脳組織酸素飽和度

院外・院内心停止症例を対象にした多くの研究のシステマティックレビューでは，局所脳組織酸素飽和度とROSC の関連が示されており，局所組織酸素化の指標としてさらなる検討が期待される。

7 CPR の補助的手段

1）機械的 CPR 装置

機械的 CPR 装置のルーチンの使用は推奨されていない。一方で，質の高い用手胸骨圧迫の継続が実行不可能な状況（搬送中の救急車内など）や，胸骨圧迫実施者が危険にさらされるような状況では，機械的 CPR 装置を用いてもよい。機械的 CPR 装置が導入されている施設などでは，トレーニングを積んで使用に備えておく。なお，装置の種類による優劣は示されていない。

2）開胸 CPR

複数の動物研究で開胸 CPR の有効性が示唆されているが，ヒトに関するデータは限られており，エビデンスは十分ではない。実際の蘇生現場では，開胸術患者や胸腹部外傷患者などで，すでに開胸ずみ，あるいは直ちに開胸できる場合には開胸 CPR を考慮してもよい。

3）体外循環補助を用いた CPR（ECPR）

体外循環補助を用いることで，とくに冠動脈血流の回復と，心停止の原因疾患治療のための時間的余裕が生まれる可能性がある[3)4)]。低体温，薬物中毒，ST 上昇型心筋梗塞（ST elevation myocardial infarction；STEMI）などにおいては，体外循環補助を用いた CPR（extracorporeal CPR；ECPR）の導入により原因病態の改善が見込まれる。ECPR は多くの人員・医療資源を要するが，実施可能な施設においては，通常の CPR が奏功しない場合には ECPR を考慮する。ECPR の導入基準については施設ごとに定められているのが現状である。

蘇生努力の中止

蘇生努力の中止について，『JRC 蘇生ガイドライン2020』[1)]では，十分な社会的議論が必要な今後の課題として取り上げられており，具体的な推奨はなされていない。一方で，AHA（American Heart Association）は以下のような CPR の中止基準を示している[5)]。

1）BLS：医療者目撃なしの心停止，ACLS：目撃なしの心停止でバイスタンダー CPR なし。
2）搬送前 ROSC なし。
3）AED による電気ショックなし。

これら3つを満たす場合，生存率が1％未満となるため CPR 中止を考慮し，どれか1つでも満たさなければCPR を継続し，搬送するとされている。

特殊な状況下の心停止への対応

ここでは，特殊な状況下で心停止となった患者への対応について述べる。各疾患・病態の詳細については，本書の別章・別項を参照されたい。

1 偶発性低体温症による心停止

偶発性低体温症と診断し心停止状態であれば，直ちに CPR を開始し，適応があれば電気ショックを行う。中心部体温が30℃以下の場合は初回電気ショックで反応がないことが多く，反応がなければ質の高い CPR を行いながら復温を図る。復温および呼吸・循環の補助手段として，ECPR の導入も考慮する。アドレナリンなどの血管収縮薬は，中心部体温が30℃を超えるまで復温してから投与することが望ましい。また，30℃を超えていても代謝速度は低下していると考えられるため，復温できるまでは薬剤投与間隔を2倍程度に延長する。体表・体内加温により積極的に復温を行う場合は，復温後の高体温回避のため35℃前後までの復温にとどめ，以降は通常加

温とする。

院外のケースでは，明らかに死体徴候がある場合や凍結でCPRができない場合を除いて，蘇生を試みるべきである。とくに雪崩による事例では傷病者の発見・救助に時間を要すると救命が困難となるが，低体温による心停止では脳が保護されて，神経学的転帰良好につながる可能性もある。そのため，①35分以上の埋没，②初測定時の中心部体温32℃以下，③初測定時の血清カリウム値8 mEq/L以上，④致死的外傷がある，のいずれにもあてはまらない場合には，ECPRを含めてできるかぎりの蘇生処置を考慮する。

2 溺水による心停止（とくに入浴中）

わが国では浴槽での溺水事例が多く，その予防・啓発が重要である。溺水による心停止では，水没時間が10分未満であれば転帰良好の可能性が高く，逆に25分以上では転帰不良となる可能性が高い。低酸素症改善のため，人工呼吸を組み合わせたCPRが必須である。

3 肺血栓塞栓症による心停止

肺血栓塞栓症が心停止の原因であると疑われる場合，血栓溶解療法を考慮する。肺血栓塞栓症の存在が明らかな場合には，血栓溶解薬の投与，外科的・経皮機械的塞栓除去術を検討する。それらに効果がみられなければ，体外循環補助の早期導入を検討する。

4 冠動脈カテーテル中や心臓手術後の心停止

冠動脈カテーテル術中のVF/VT例では，一時的な処置として咳によるCPR（cough CPR）を考慮してもよい。また，冠動脈カテーテル中の心停止例でALSに反応しなければECPRの導入も考慮する。心臓手術後の心停止に対しては，胸骨再切開による開胸心マッサージやECPRを考慮する。胸骨再切開による開胸心マッサージは，手技に習熟した者が集中治療室で行うことが望ましく，その体制を整えておくことが望ましい。なお，緊急胸骨再切開の準備中も胸骨圧迫は中断しない。

5 致死的喘息による心停止

喘息による心停止では，エアートラッピングによる肺の過膨張によって換気が困難または不可能な場合がある。そのため，換気を30〜60秒間中断する方法や，胸郭を外側から圧迫する方法（胸郭外圧迫法）により，過膨張した肺の気量を少しでも減少させて換気を試みる。それらの効果が不十分であれば，直ちにECPRの準備を開始する。また，肺の過膨張に伴って経胸郭インピーダンスが増加していると考えられるため，2回目以降の電気ショック時はエネルギー量の増加を考慮する。

6 アナフィラキシーによる心停止

アナフィラキシーでは，アドレナリン自己注射薬（エピペン®）の投与を含む早期治療によって心停止を予防することが重要であるが，心停止に陥った場合にはCPRを開始する。とくに上気道の狭窄や閉塞が高度で換気不能な場合は，気管挿管に固執することなく，輪状甲状靱帯穿刺・切開を行う。蘇生中のアドレナリン投与は通常のALSと同様に行う。

7 薬物過量投与による心停止

1）オピオイド中毒

海外では院外でのオピオイド中毒に対してナロキソンの使用が推奨されているが，わが国の救急隊は使用できないため，通常のBLSで対応する。ただし，わが国では院外オピオイド中毒例は非常に少ない。一方，院内発生が想定される麻酔後のオピオイド中毒に対しては，ナロキソンの静脈内投与が安全かつ効果的である。

2）局所麻酔薬中毒

局所麻酔薬が血中に大量流入すると，けいれんや低血圧を招き，心停止に至ることもある。局所麻酔薬中毒による心停止例では脂肪乳剤の静脈内投与を考慮してもよい[6]。

3）β遮断薬中毒

β遮断薬は心血管系に強力な抑制作用を有し，通常のALSでは蘇生困難となる場合がある。そのため，β遮断薬中毒による心停止では通常のALSに加えて，グルカゴン投与（50〜150 μg/kg），高インスリン血症・正常血糖療法，カルシウム静脈内投与，ホスホジエステラーゼ（PDE）阻害薬静脈内投与，ECPRの導入を考慮する。

4）三環系抗うつ薬中毒

三環系抗うつ薬中毒は，QT 延長による心室不整脈につながりやすい急性中毒として知られている。心停止例に対する特別な治療はないが，とくに ROSC 後に QRS 幅の延長を認めた場合は，炭酸水素ナトリウムの投与を考慮してもよい。

▶ 文　献

1) 日本蘇生協議会（監）：JRC 蘇生ガイドライン2020，医学書院，2021．
2) 日本救急医療財団心肺蘇生法委員会（監）：救急蘇生法の指針2020（医療従事者用），改訂6版，へるす出版，2022．
3) Sakamoto T, et al；SAVE-J Study Group：Extracorporeal cardiopulmonary resuscitation versus conventional cardiopulmonary resuscitation in adults with out-of-hospital cardiac arrest：A prospective observational study. Resuscitation 85：762-8, 2014.
4) Inoue A, et al：Extracorporeal cardiopulmonary resuscitation for out-of-hospital cardiac arrest in adult patients. J Am Heart Assoc 9：e015291, 2020.
5) Greif R, et al：Education, implementation, and teams：2020 international consensus on cardiopulmonary resuscitation and emergency cardiovascular care science with treatment recommendations. Circulation 142（16_suppl_1）：S222-83, 2020.
6) 日本麻酔科学会：局所麻酔薬中毒への対応プラクティカルガイド，2017．
https://anesth.or.jp/files/pdf/practical_localanesthesia.pdf

III 心肺蘇生

4 小児の蘇生

清水　直樹

小児の定義

1歳未満を「乳児」，1歳から思春期まで（目安としてはおよそ中学生までを含む）を「小児」と定義する。国際的にも生理学的観点からも，小児と成人の区切りは思春期頃とするのが妥当とされているが，出生後から思春期までを広く小児ということもある。

以下，ここでは「乳児」と「小児」を包括して「小児」と記載し，この年齢層に対する救命処置・救急蘇生法を概説する。なお，詳細については『JRC蘇生ガイドライン2020』（以下，JRC G2020)[1]）や『救急蘇生法の指針2020』[2]などを参照されたい。

救命の連鎖

1 1つに統合された救命の連鎖

救命の連鎖は社会全体で取り組む一つの目標である以上，小児から成人にわたって統一された概念であることが望ましい。わが国では『JRC蘇生ガイドライン2010』[3]において，小児と成人を包括した救命の連鎖として，世界に先駆けて1つにまとめられた。救命の連鎖は，以下の4つの要素から構成される。

(1) 心停止の予防
(2) 早期認識と通報
(3) 一次救命処置（心肺蘇生とAED）
(4) 二次救命処置と心拍再開後の集中治療

2 小児心停止の予防

「救命の連鎖」の第1の鎖は，不慮の事故の予防のみならず，疾病予防，疾病警告サインの認識による心停止予防も含めた概念である。成人に比べて小児では不慮の事故が心停止の原因に占める割合が大きく，多くの場合でその予防・防止が可能であることから，事故・傷害の防止対策が強調されてきた[4]。これにより不慮の事故による死亡は減少傾向にあるとはいえ，今後も継続的な努力・啓発が必要である。また，児童虐待による乳児・未就学児童の死亡の背景となる児童相談所通告件数の急増，自殺による就学児童死亡件数の急増は近年の大きな問題であり，小児医療における身体的・精神的・社会的（biopsychosocial）な対応が強く求められる。

3 早期認識・通報の重要性

「救命の連鎖」の第2の鎖は，心停止の早期認識，救急医療システムへの通報で，院内での救急医療チーム（medical emergency team；MET）の始動を含めた概念である。心停止に直結する呼吸障害とショックに早期に気づき，速やかに対応することが救命率改善には欠かせない。

小児の心停止の原因としては，成人と比較して呼吸状態の悪化や呼吸停止に引き続く心停止（呼吸原性心停止）が多い。乳児をはじめとした低年齢の小児になるほど，その傾向が強いと考えられている。心停止に至った場合の転帰は不良であるが，呼吸停止のみの状態で発見され，心停止に至る前に治療が開始された場合の救命率は70％以上と報告されている[5]。

4 心停止の予防・早期認識のための医療システムの構築

欧米諸国では，バイタルサインの急変に迅速に対応することで院内心停止を予防することを目的とした救急医療チーム（MET）や迅速対応チーム（rapid response team；RRT），小児早期警告スコア（pediatric early warning score；PEWS）の活用といった診療体制の導入が試みられている。小児領域においても，METやRRTを導入することで院内死亡率や心停止・呼吸停止の頻度，ICU外での死亡率を減少させる可能性がある[6)7]。わが国においても小児集中治療室（pediatric intensive care unit；PICU）をはじめとした小児に対するICUの整備と小児MET/RRTの設置が望まれる。JRC

G2020では，小児の治療にあたる病院で小児MET/RRTシステムを活用することが提案されている。

呼吸障害とショックの早期認識・初期対応

1 心停止発生前の介入のために

小児救急患者の診療の際には，病名診断から入りがちであり，診断がつかないと治療が始められないという誤解が多い。しかし，病名診断がつかなくとも以下に述べるような生理学的評価に基づく迅速な初期評価を行い，これをもとに初期治療を直ちに開始することが不可欠である。最終的には，状態を安定させつつ診断をつける努力をして，さらに高度な治療に結びつけることができる。またこれが，心停止に至ってから蘇生が開始されることの防止につながり，小児心停止事象の死亡率改善につながる手立てとなる。

2 呼吸障害

呼吸障害は，重症度により呼吸窮迫と呼吸不全に分類される。呼吸窮迫では，頻呼吸，呻吟，陥没呼吸，鼻翼呼吸などの徴候が認められる。これらにより血液酸素化や分時換気量が正常，またはそれに近く代償されている状態である。呼吸不全では，呼吸障害がさらに悪化し，血液酸素化や分時換気量が正常に保たれず，低酸素血症や高二酸化炭素血症を呈する状態となる。

呼吸障害があれば，直ちに酸素投与を開始する。投与すべき酸素濃度に応じて鼻カニューレ，フェイスマスク，ヘッドボックスなど適切な投与方法を選択する。低換気状態に陥っている場合はバッグ・マスク換気（自己膨張式バッグ，流量膨張式バッグ）などによる補助呼吸，あるいは調節呼吸を行う。短時間であればバッグ・マスク換気のみで対処可能であるが，長時間に及ぶ場合や高い吸気圧・呼気終末陽圧を要する場合は，気管挿管下の人工呼吸管理を考慮する。

3 ショック

ショックとは，組織の酸素需要に不均衡をもたらす急性かつ全身性の循環障害である。侵襲や生体反応の結果として臓器血流が維持できなくなり，細胞の代謝障害や臓器障害が起こる。呼吸窮迫，頻拍または徐脈，毛細血管再充満時間（capillary refill time；CRT）の延長，血圧低下，脈圧の減少，意識状態の悪化，四肢冷感，冷汗，尿量減少などが一般的な徴候である。

心室からの1回拍出量が低下していても，心拍数増加による心拍出量増加や末梢血管収縮による体血管抵抗上昇などの代償機転により，血圧が各年齢における許容下限値以上に保たれている状態が「代償性（正常血圧性）ショック」と定義される。代償性ショックの状態からさらに悪化し，生体の代償機転の限界を超え，血圧が各年齢における許容下限値以下の低血圧になってしまった状態が「非代償性（低血圧性）ショック」と定義される。

ショックの原因もさまざまあるが，初期治療としては原因にかかわらず等張性輸液（生理食塩液やリンゲル液など）10〜20mL/kgを急速投与する。低張性輸液は使用しない。迅速な初期評価に続いて再評価を行い，必要があれば等張性輸液を再投与するが，同時にショックの原因検索も行う。また，ショック状態においては体組織の酸素需要が供給を上回っているため，直ちに酸素投与を行う。

小児の気道異物除去

気道異物による窒息が疑われる小児を発見し，咳をしている場合は，自発的な強い咳き込みで閉塞解除が期待できるため，まず咳を促しつつ注意深く観察する。状態が悪化して咳ができなくなるようであれば，迅速に異物除去を行う。

小児に対しても成人と同様に，まず背部叩打法を行い，異物が除去できなければ腹部突き上げ法を試みる。異物が取れて閉塞が解除されるか，患者の反応がなくなるまで一連の手技を継続する。乳児に対しては背部叩打と胸部突き上げを交互に数回行い，腹部突き上げ法は腹部臓器損傷の危険性が高いため行わない。

異物除去中に患者の反応がなくなった場合には，直ちに心肺蘇生（cardiopulmonary resuscitation；CPR）を開始し，状況により必要な応援・資器材などを要請する。気道確保の際に口の中を覗き込み，視認できる固形の異物があれば指でかき出してもよい。また，可及的速やかに喉頭鏡を用いて，直視下にマギール鉗子などで異物の除去を試みる。

小児の一次救命処置

1 一次救命処置（BLS）

　市民救助者が小児に対してCPRを行う場合は，成人と共通の「市民用BLSアルゴリズム」に従う[1]。一方，病院・救急車内など医療環境の整ったなかで日常業務として医療従事者や救急隊員などが蘇生を行う場合は，小児の二次救命処置（pediatric advanced life support；PALS）の端緒として一次救命処置（basic life support；BLS）が開始される。このような状況では，市民を対象として作成された市民用BLSアルゴリズムではなく，救助者の熟練度や資格，準備された資器材などが異なっていることを考慮して最適化された，成人と共通の「医療用BLSアルゴリズム」（p.70参照）を使用し，小児・乳児の特性を加味する[1]。

2 ポイント

　胸と腹部の動きを観察して呼吸がない，あるいは死戦期呼吸の場合には心停止と判断する。呼吸の有無が「わからない」ときは呼吸がないものとみなし，胸骨圧迫を開始する。なお，小児で死戦期呼吸がみられることは少ないが，窮迫呼吸（浅く速い呼吸）や呻吟呼吸（うめくような呼吸）をみることは多い。これらは死戦期呼吸とは異なるものであり，心停止と判断すべきではない。

　呼吸を評価しつつ，蘇生に熟練した医療従事者や救急隊員は同時に脈拍を確認する。脈拍の確認にあたっては，乳児では上腕動脈を，小児では頸動脈もしくは大腿動脈の拍動を確認する。しかし，脈拍確認のためにCPRの開始を遅らせてはならない。呼吸を観察している間に脈拍を確信できなかった場合には，呼吸の観察のみに基づいてCPRを開始する。脈拍が確信できても脈拍数60回/min未満で，かつ循環が悪い（皮膚の蒼白，チアノーゼなど）場合には，CPRが必要と判断する。呼吸・脈拍の評価にかける時間は10秒以内にとどめる。

　CPRの迅速な開始を促すために，成人と同じくCPRは胸骨圧迫から開始する。人工呼吸はその準備ができしだい，早急に開始する。小児の心停止は呼吸原性が多いため，人工呼吸が早期に開始されることが望ましい。したがって，病棟などで小児の呼吸停止，あるいは心停止の可能性が察知された場合には，直ちに酸素投与と感染防護具を用いた人工呼吸が開始できるように準備を整えておくべきである。

　JRC G2020における大きな変更点として，AEDパッドの名称があげられる。旧来の「小児用パッド（モード）」における適応年齢の混乱を防止するため，「未就学児用パッド（モード）」と呼称するようになった（旧来の「成人用」は「小学生～大人用」と呼称）。また，新型コロナウイルス感染症パンデミックによる影響で，CPRにおける人工呼吸が敬遠されがちな昨今であるが，胸骨圧迫のみのCPRが小児において選択肢となるとはいえ，小児とくに乳児における人工呼吸の重要性は従来と変わらない。

小児の二次救命処置と不整脈治療

1 二次救命処置（ALS）のアルゴリズム

　日常的に蘇生を行う者が心停止時に行う処置の手順を1つの流れにまとめたものが，二次救命処置（ALS）の「心停止アルゴリズム」（p.72参照）[1]である。アルゴリズム自体は成人と同一であるが，電気ショックのエネルギー量や血管収縮薬投与量，抗不整脈薬の選択などには相違があるため注意する。小児の心停止では，呼吸不全やショックが先行する無脈性電気活動/心静止が多い。したがって，効果的なCPRの実施と心停止に至った原因の検索と是正がより重要になる。小児の心停止において心室細動/無脈性心室頻拍は院外心停止の8～19％にみられ，院内心停止では10～27％に認めるとされる[2]。それらに対しては，迅速な電気ショックの実施が原則であることに変わりはない。

　その他のアルゴリズムとしては，小児用の「徐脈アルゴリズム」（図1）と「頻拍アルゴリズム」（図2）がある[1]。小児においては徐脈への対応に特徴があり，心拍数60回/min未満，あるいは急激に心拍数が低下して呼吸・循環不全を伴っている症例においては，酸素投与や人工呼吸で改善がなければ，速やかに（脈があっても）胸骨圧迫を開始することがきわめて重要である。また，ここで改善がみられない場合には，硫酸アトロピンではなくアドレナリンが用いられる。

2 ポイント

　JRC G2020においても，呼気二酸化炭素モニターの重

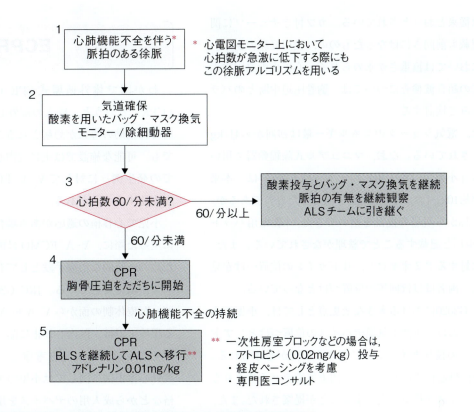

図1 小児の徐脈アルゴリズム

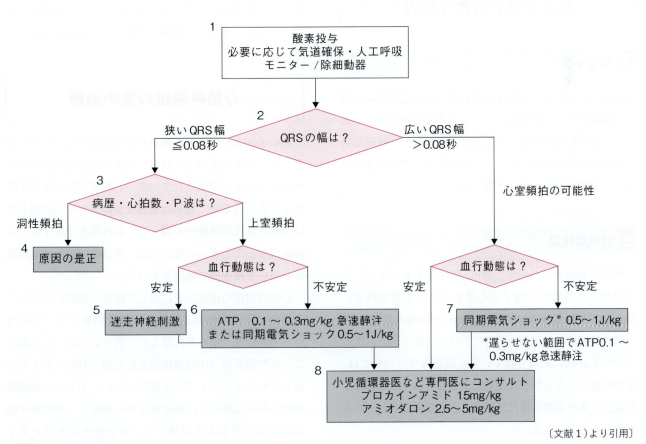

図2 小児の頻拍アルゴリズム

要性は従来どおりとされている。カフ付きチューブに関する記載も前向きにはなったものの，使用経験の少ない施設においては慎重さが求められる。心停止の原因検索としての超音波検査については，胸骨圧迫中断とのバランスをみて検討する。

また，電気ショックのエネルギー量は初回から4J/kgで統一されている。なお，マニュアル式除細動器で用いられる「小児用（小人用）パッド（パドル）」は，本来は体重約10kg（およそ1歳）を上限としたものであるが，その名称から現場の混乱を招いてきた。「乳児用パッド（パドル）」と記載することで整理がなされている。また，小児に対するアミオダロン，リドカインの位置づけが見直され，両者はほぼ同等の位置づけとなっている。

JRC G2020における大きな変更点としては，小児の心停止時における声門上気道デバイスの位置づけと，アドレナリンの投与タイミングに関する推奨があげられる。小児の院外心停止に対して，声門上気道デバイスよりもバッグ・マスク換気を実施することが提案された。また，小児の電気ショック不要の院内・院外心停止に対して，アドレナリンの初回投与はできるかぎり早い段階で行うことが提案された。

ショックと特殊な状況

1 ショック

前述したとおり，救命率改善には，小児心停止に直結する病態としての呼吸障害とショックを早期認識し，速やかに初期治療を開始することが欠かせない。呼吸障害は比較的認識されやすいが，小児のショックは認識困難なことも多いため，注意を要する。

2 特殊な状況

外傷性心停止について，『JRC蘇生ガイドライン』では旧来より特殊な状況下の心停止として記載されている。そのほか，Norwood/Glenn/Fontan術後の症例など，一連の先天性心疾患術後患者における心停止時の対応についても詳細に記載されている。肺高血圧については，術後肺高血圧も包括した記載がなされており，これは小児救急・集中治療の専門医でなくとも習得しておくべき知識であるといえる。

ECPR

わが国で体外循環式CPR（extracorporeal CPR；ECPR）というと，成人の院外心停止を対象とした経皮的心肺補助の導入が想起されることが多い。しかし小児でも，可能な施設では主に院内心停止（とくにPICU内での発生例）に対してV-A ECMOを導入してECPRを実施することがある。

小児で心移植の適応がある場合や回復が望める心停止に至った際に，V-A ECMOは酸素化や循環を維持するための一時的な治療手段として有効であるというエビデンスが増えてきている。JRC G2020では専門家・医療資源・医療体制の面からV-A ECMOの管理を適正化できる環境下では，院内心停止に陥った小児の心疾患患者に対してECPRの実施を考慮してもよいとされている。院外心停止例に関しては小児のエビデンスがないが，体格などから成人用のデバイスを用いることもできる。

小児では，心停止からECPR導入までの時間やCPR時間がより短いことが生存率を改善する可能性があるため，ECPRを迅速に導入するためのプロトコルを整備し，質の高いCPRを行いながら30〜90分以内の導入を目指すことが望ましい。このような観点からも，PICUの整備に加えて，重症小児患者のPICUへの集約が求められる。

心拍再開後の集中治療

JRC G2020では心拍再開後の集中治療バンドルの一部として，中枢温を37.5℃以下に維持する体温管理療法を実施することが提案されている。心拍再開後は体温上昇がよくみられるが，発熱は虚血後脳障害からの回復を妨げるため体温管理療法を導入し，高体温を予防する。高体温になってしまった場合には，解熱薬の投与や冷却機器を用いて積極的に体温を下げる。

心拍再開後の昏睡患者に対して体温管理療法を施行する場合の至適な体温目標値や期間は明確になっていない。平温管理（中心部体温として36〜37.5℃）と比較して，低体温管理（中心部体温として32〜34℃）がより有効とされるエビデンスは小児にはない。小児への体温管理療法導入に際しては適応を十分に考慮し，小児集中治療施設などの安全な環境下で，適切なモニタリングを行ったうえで実施することが望まれる。

低体温管理とする場合，その導入方法や維持期間，復温に関する理想的な方法はまだわかっていない．低体温導入時のシバリング予防のために，鎮静薬と必要に応じて筋弛緩薬を投与する．低体温療法中は感染徴候を注意深く観察し，心拍出量低下，不整脈，膵炎，凝固異常，血小板減少，低カリウム血症，低リン血症，低マグネシウム血症などにも注意する．筋弛緩薬により，脳波上でけいれん発作があっても身体所見で判断できなくなることに留意する．

心拍再開後は，治療可能な血糖値異常や電解質異常も検索する．とくに低ナトリウム血症は血清浸透圧低下をきたし，脳浮腫を助長する．心拍再開後の管理をはじめ，中枢神経系の病変のある重症小児患者に対して低張性輸液を用いることは，低浸透圧による医原性の脳浮腫を惹起する危険性がある．海外ではすでに低ナトリウム血症の弊害に関して指摘されはじめているが，わが国ではあまり注意が払われていない．心拍再開後の管理で，とくに中枢神経系の異常を伴う場合は，低ナトリウム血症を避けるべきである．

死後の検証

こども家庭庁の政策の柱の一つとして，CDR（child death review；予防のための子どもの死亡検証）が謳われている[8]．CDRでは，子どもが死亡した際に，その子どもの既往歴や家族背景，死に至る直接の経緯などの情報を関係機関から収集し，複数の機関により検証を行うことによって効果的な予防策を導き出し，予防可能な子どもの死亡を減らすことを目的としている[9]．このためにも，死後の原因検索はきわめて重要であり，死後に積極的に生前の心電図レビューを行うことや，解剖を行うことを考慮する．また，乳幼児突然死症候群（sudden infant death syndrome：SIDS）の原因の一つにイオンチャネル異常の関与が示唆され，遺伝子レベルでの変異が関係しているとされている．今後，このようなイオンチャネル異常に加えて，一般的な感染症の検索や先天性代謝異常症の検索が可能な体制の構築が求められる．また，心原性心停止の原因を学校心臓検診と連携して検索するシステムの確立も求められる．さらに，死亡症例の登録制度，病理解剖・行政解剖制度，死亡時画像診断（autopsy imaging；Ai）の整備も望まれる．

▶ 文　献

1) 日本蘇生協議会（監）：JRC蘇生ガイドライン2020, 医学書院, 2021.
2) 日本救急医療財団心肺蘇生法委員会（監）：救急蘇生法の指針2020（医療従事者用）, へるす出版, 2022.
3) 日本蘇生協議会, 他（監）：JRC蘇生ガイドライン2010, へるす出版, 2011.
4) 日本小児科学会ホームページ：Injury Alert（傷害速報）.
https://www.jpeds.or.jp/modules/injuryalert/
5) Schoenfeld PS, et al：Management of cardiopulmonary and trauma resuscitation in the pediatric emergency department. Pediatrics 91：726-9, 1993.
6) Bonafide CP, et al：Impact of rapid response system implementation on critical deterioration events in children. JAMA Pediatr 168：25-33, 2014.
7) Kolovos NS, et al：Reduction in mortality following pediatric rapid response team implementation. Pediatr Crit Care Med 19：477-82, 2018.
8) 日本小児科学会ホームページ：予防のための子どもの死亡検証委員会.
http://www.jpeds.or.jp/modules/about/index.php?content_id=162
9) 厚生労働科学研究費補助金 成育疾患克服等次世代育成総合研究事業（健やか次世代育成総合研究事業）「わが国の至適なチャイルド・デス・レビュー制度を確立するための研究」研究班：わが国のChild Death Review（予防のための子どもの死亡検証）運営のためのガイダンス2022.

Ⅲ 心肺蘇生

5 新生児の蘇生

細野　茂春

新生児蘇生の概要・特徴

1 新生児蘇生を要する場面

　新生児とは，医学的には生後28日未満の児と定義される。現在では分娩予定日近くに胎児の健常性を評価することが可能であり，必要があれば緊急帝王切開を含む急速遂娩で児を娩出させ，子宮外での治療，すなわち新生児蘇生が行われる。一方で，順調な妊娠・分娩経過をたどり，出生直前の胎児心拍モニタリングでも異常を認めなかった児においても新生児仮死を認めることもまれではない。出生後，85％の児は30秒以内に自発呼吸が出現し，10％の児は皮膚乾燥と刺激によって自発呼吸が出現するが，残り5％の児は人工呼吸などの介入が必要となる[1~3]。ただし，酸素を用いた人工呼吸と胸骨圧迫またはアドレナリン投与が必要となるのは，0.1％の例にすぎない[4]。

　新生児仮死のほとんどは分娩時，かつ医療機関内で生じる。わが国では分娩の99.8％が医療機関で扱われているため，各施設が新生児蘇生に関する適切な資器材を整備し，医療スタッフがその訓練などを行っておくことが重要である。

2 出生前後の児の解剖学的・生理学的特徴

　出生前，胎児の肺は肺水で満たされており，虚脱することなく拡張している。胎児は肺を使用したガス交換は行っておらず，児が生存するための酸素供給はすべて胎盤を介して母体から供給される。一方で，二酸化炭素は胎盤を介して胎児から母体へ送られる。したがって，子宮内で認められる胎児の胸郭の動きは「呼吸様運動」と称され，子宮外での呼吸とは異なる。

　出生後の第一啼泣がなぜ発来するかは，まだ完全には解明されていない。肺呼吸が始まると全肺水の1/3は口腔内へ，残り2/3は速やかに肺組織にあるリンパ管，血管に移行して空気に置き換わる。肺呼吸に移行するにあたっては，いったん拡張した肺が高い表面張力に抗して機能的残気量を保つ必要がある。機能的残気量が保たれていれば，弱い陰圧で肺を伸展することができる。表面張力は肺胞虚脱の方向に作用し，肺サーファクタントの存在により表面張力に拮抗する。

　解剖学的に新生児は，肺胞容積に比較して生理的死腔が大きい。また，1回換気量が少なく，分時換気量を確保するために，呼吸数は成人と比較して2倍以上の40～50回/minとなる。

新生児蘇生の実際

　成人では心原性心停止が多く，胸骨圧迫とAEDによる蘇生が重要であるが，新生児では呼吸原性（低酸素性）心停止が多いため，人工呼吸がもっとも重要な蘇生の手技となる。

　日本蘇生協議会の『JRC蘇生ガイドライン2020』では第4章「新生児の蘇生（neonatal cardiopulmonary resuscitation；NCPR）」[5]が設けられており，その推奨の検討・作成は主に日本周産期・新生児医学会の常設委員会である新生児蘇生法委員会が担当している。推奨は他領域と同様に国際蘇生連絡委員会（International Liaison Committee on Resuscitation；ILCOR）の国際コンセンサスをもとに作成され，5年に一度，エビデンスに基づいて改訂されている。

　以下，「2020年版NCPRアルゴリズム」（図1）[5]に準じて，新生児蘇生の手順とポイントを解説する。なお，本アルゴリズムの基本として，各ステップにおいて正しい介入が約30秒間実施されたら評価を行うこと（単純に30秒ごとに評価・介入を繰り返すわけではないこと）と，介入は進むも戻るもワンステップずつ行うことに注意されたい。

1 ブリーフィング

　ブリーフィングでは，生まれてくる児の蘇生リスクを事前に把握し，リスクに応じた人員配置および役割分担

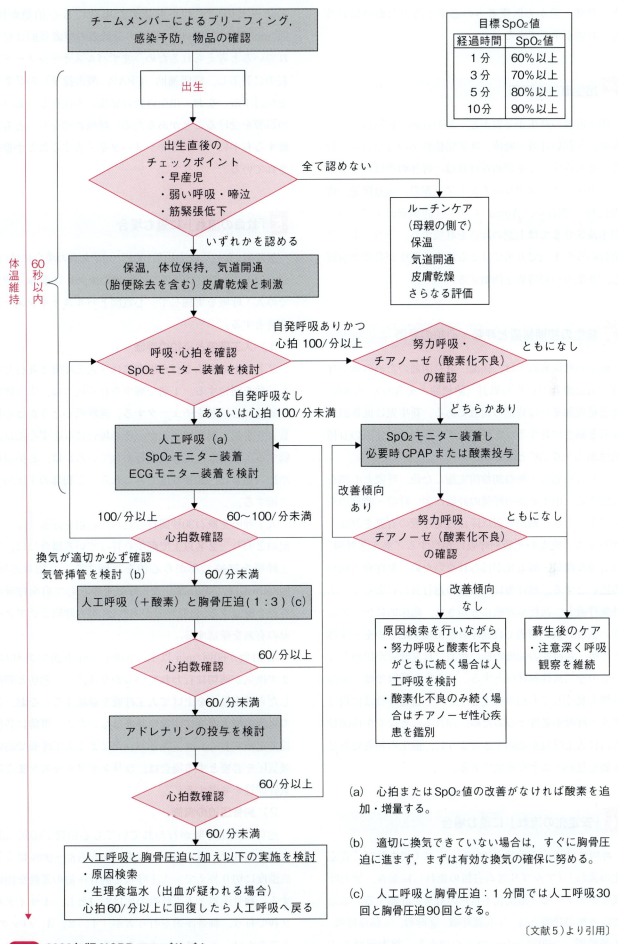

図1 2020年版 NCPR アルゴリズム

〔文献5〕より引用〕

と，母体・児から医療者への感染予防のための情報共有・対策が重要である。

2 出生直後の評価

出生直後の蘇生が必要かどうかの評価・判断は，①早産児，②弱い呼吸・啼泣，③筋緊張低下の3項目から行う。これらすべてを認めなければ，母体のそばのラジアントウォーマー下でルーチンケア（保温，気道開通，皮膚乾燥）を行い，Apgarスコア（詳細後述）をつけ，出生後5分までは上記の評価を継続する。一方，上記3項目のうち1つでも当てはまる場合は蘇生が必要と判断し，蘇生の初期処置を開始する。

3 蘇生の初期処置と呼吸・心拍の評価

蘇生の初期処置とは，保温，気道開通のための体位保持，気道開通のための吸引（胎便除去を含む），皮膚乾燥と足底部または背部の刺激である。新生児は低体温に陥ると蘇生に対する反応性が低下するため，体温の目標値は36.5～37.5℃とする。

これらの処置を概ね30秒間実施した後，呼吸と心拍を評価する。出生直後の呼吸の評価は弱い呼吸・啼泣の有無であったが，初期処置以降は自発呼吸の有無を評価・判断する。成人の死戦期呼吸に相当する"あえぎ呼吸"は有効な換気・酸素化が得られないため，無呼吸と同様の扱いとする。無呼吸は低酸素の進行具合によって一次性無呼吸と二次性無呼吸に分類され，臨床的には，短時間の強度の低い刺激で自発呼吸が出現するものを一次性無呼吸，短時間の強度の低い刺激で自発呼吸が出現しないものを二次性無呼吸とする。二次性無呼吸では，刺激時間を長くしても刺激強度を上げても自発呼吸は出現せず人工呼吸が必要となるため，遅れることなく生後60秒以内に人工呼吸が開始できるように，蘇生の初期処置と評価を進めることが重要である。

4 「安定化の流れ」に進む場合

呼吸を認め，心拍数が100回/min以上であれば「安定化の流れ」（アルゴリズム右側の流れ）に進み，努力呼吸とチアノーゼ（酸素化不良）の有無を評価する。ここでいう努力呼吸とは，①鼻翼呼吸，②呻吟，③陥没呼吸，④多呼吸（＞60回/min）の4つである。努力呼吸かチアノーゼのいずれかを認めた場合にも心拍数が100回/min以上であれば，脳への最低限の酸素運搬は保たれていると考えられるため，まずパルスオキシメータを右手に装着し，呼吸補助（CPAP，酸素投与）の必要性を検討する。なお，出生直後は動脈管が開存しておりその影響を受けることがあるため，呼吸状態をもっとも反映する右手にパルスオキシメータを装着することが推奨されている。

5 「救命の流れ」に進む場合

無呼吸，もしくは心拍数100回/min未満の場合には「救命の流れ」（アルゴリズムの左側の流れ）に進み，空気での人工呼吸を実施して，心電図とパルスオキシメータを装着する。

1）人工呼吸と心拍の評価

2名以上で蘇生を行う場合には，人工呼吸と並行して心拍数を測定する。1名で蘇生を行う場合は，人工呼吸開始前に心拍数をチェックする。無呼吸かどうかは心拍数よりも先に判断できるが，その場合にも必ず心拍は評価する。有効な人工呼吸が行われているかは，心拍数の増加（通常15～20秒程度でみられる）と胸郭の上下動で評価する。

人工呼吸を概ね30秒間行ったら，心拍を評価する。上記のとおり，2名以上で蘇生を行っている場合には，人工呼吸を継続しながら心拍を評価する。心拍数が100回/min以上であれば，人工呼吸を中止して自発呼吸の有無を確認する。自発呼吸があれば，努力呼吸とチアノーゼの有無を確認する。

心拍数が60回/min以上，100回/min未満であれば，まず換気が適切に行われているかを確認し，適切と判断したら酸素濃度を上げて人工呼吸を継続する。なお，この場合の酸素濃度に明確な基準はないため，事前に各施設で定めておく。マスクとバッグによる人工呼吸で高い吸気圧を必要とする場合は，ラリンゲアルマスクまたは気管挿管を考慮する。

2）胸骨圧迫の実施

適切な人工呼吸が行われていても心拍数が60回/min未満であれば，吸入酸素濃度を21％から80～90％以上の高濃度に切り替えて，人工呼吸と胸骨圧迫の連動を開始する。胸骨圧迫と人工呼吸の比は3：1とし，1サイクル2秒で行う。胸骨圧迫を行う者が「1，2，3，バッグ」と声をかけ，ペースメーカーを担う。

2名以上で蘇生を行っている場合には胸郭包み込み両母指圧迫法で胸骨圧迫を行う。胸骨圧迫担当者は酸素濃度を上げてから胸骨圧迫を開始し、人工呼吸を中断しないようにする。そのため、胸骨圧迫開始時点では非同期となることがあるが、その後はペースメーカーの声かけに合わせる。

　なお、初期処置後の評価ですでに心拍数が60回/min未満であった場合にも、直ちに胸骨圧迫を開始するのではなく、まず空気での人工呼吸を30秒間行ったうえで心拍を評価し、心拍数60回/min未満が持続していれば、その時点から酸素を使用した人工呼吸と胸骨圧迫を開始する。

　人工呼吸と胸骨圧迫の連動後の心拍評価も、人工呼吸を継続したまま行う。心拍数が100回/min以上であっても呼吸の有無の判断は行わず、まず胸骨圧迫を中止して人工呼吸をさらに30秒間行った後で心拍を評価し、心拍数が引き続き100回/min以上であれば人工呼吸を中断して呼吸の有無を確認する。このとき、SpO_2が95％以上であれば、吸入酸素濃度を漸減していく。

3）アドレナリンの投与

　高濃度酸素使用下で人工呼吸と胸骨圧迫を適切に概ね30秒間行っても心拍数が60回/min未満であれば、人工呼吸と胸骨圧迫を中断することなく、アドレナリンの投与を検討する。

　アドレナリン投与経路の第一選択は臍帯静脈であるが、迅速に確保できれば末梢静脈から投与してもよい。静脈路からは、アドレナリン 0.01～0.03mg/kgを投与する。第二選択として気管内投与する場合には、アドレナリン 0.05～0.1mg/kgを投与する。

　アドレナリン投与30秒後の評価で心拍数60回/min未満が続いている場合でも、同一経路からのアドレナリンの反復投与は3～5分間隔とする。ただし、初回投与が気管内投与であった場合に限り、静脈路が確保できた時点で心拍数が依然として60回/min未満であれば、初回投与から3～5分経過していなくても静脈路からのアドレナリン投与を行う。

4）原因検索と輸液・輸血

　アドレナリン投与30秒後の評価で心拍数が60回/min未満であれば、蘇生と並行して原因検索を行う。出血などにより循環血液量の不足が疑われる場合には、生理食塩液などの等張性輸液10mL/kgを5～10分かけて静脈内投与する。胎児期から貧血が疑われる場合には、O型Rh（－）の赤血球製剤投与を検討する。

蘇生のアルゴリズムで使用されている評価項目

1 呼吸の評価

　呼吸の評価には、数と質の評価がある。出生直後の呼吸の評価は質の評価であり、「弱い呼吸・啼泣か」を評価する。一方、蘇生の初期処置後の評価は「自発呼吸の有無」、すなわち呼吸の数を評価することになるが、正確に1分当たりの呼吸数をカウントするわけではない。

　あえぎ呼吸は、脳幹部の低酸素によって引き起こされる異常な呼吸パターンである。急速な吸気と緩徐な呼気によって構成され、正常な呼吸と比較して呼吸の深さ・周期ともに不規則な呼吸である。このあえぎ呼吸は有効な換気ではないため、無呼吸と同様に取り扱う。生理学的には一次性無呼吸と二次性無呼吸の間に出現する。あえぎ呼吸の視覚的な判断は難しいこともあるが、通常はあえぎ呼吸があれば心拍数は100回/min未満である。また、心拍数100回/min以上と判断して人工呼吸を開始しなければ、心拍数は徐々に低下する。あえぎ呼吸かどうかの判断に迷った場合には、人工呼吸を開始して30秒ごとに評価することが重要である。

2 心拍の評価

　心拍数の上昇は、蘇生が有効であることを示すもっとも信頼できる指標である。初回と胸骨圧迫後の心拍評価では、聴診を必ず行う。動脈拍動を触知する方法の信頼性は低いが、臍基部の触診がほかの部位よりは優れている。

　パルスオキシメータによる心拍の評価は、心拍を客観的かつ連続的に測定できる点において、聴診や触診による心拍評価と比較して優れている。したがって、「救命の流れ」に進み人工呼吸・補助呼吸を行う場合にはパルスオキシメータを装着する。

　ハイリスク分娩を多く取り扱う施設においては、さらに迅速かつ正確な心拍評価として心電図モニターの併用を検討する。心電図モニターはパルスオキシメータよりも迅速に心拍を表示することができる。一方で、新生児においても無脈性電気活動（pulseless electrical activity；PEA）が報告されていることには注意を要する。

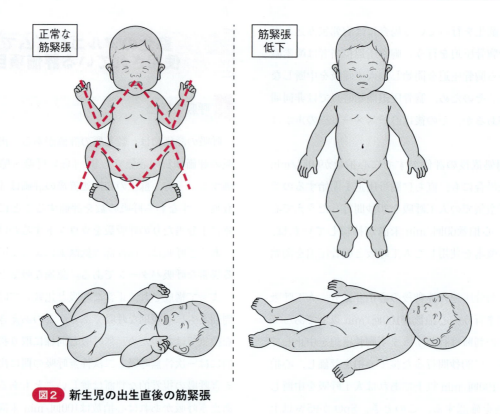

図2 新生児の出生直後の筋緊張

3 チアノーゼ（酸素化）の評価

　視診による中枢性チアノーゼの評価は、評価者間で個人差があり信頼性が低い。また、チアノーゼは多血症では認識されやすく、貧血では認識されにくい。貧血ではより酸素運搬能が低いにもかかわらずチアノーゼが認識されず、酸素投与が遅れることが問題となる。このような問題点を解決し、酸素を過不足なく使用するためにも、パルスオキシメータが有用である。

　手足の末端にのみチアノーゼを認める末梢性チアノーゼは生直後の健常児でもしばしば認められ、一般的にSpO_2も正常範囲を示すため、治療の対象とはならない。これに対して、口唇や口腔内粘膜、躯幹の中心部にみられる中枢性チアノーゼはSpO_2が低いことを示す徴候であり、介入が必要な可能性がある。生後数分の間でも中枢性チアノーゼを認めることがあるため、パルスオキシメータを装着してSpO_2の経過時間ごとの目標値を参考に介入の必要性を判断する。生後1分、3分、5分、10分の下限値は、60％、70％、80％、90％であるが、これらの値を多少下回っていても、蘇生を行いSpO_2が上昇傾向にあれば慌てて酸素投与を行う必要はない。

4 在胎週数の評価

　分娩前に妊娠週数を確認する。妊婦健康診査未受診妊婦や飛び込み分娩などで妊娠週数が不明の場合には蘇生の初期処置に進む。

5 筋緊張の評価

　出生直後の評価の一つに、筋緊張低下の有無がある。上下肢の屈曲が乏しく弛緩した状態で、自発呼吸が乏しい場合には筋緊張低下と判断する（図2）。

病院前新生児蘇生法

　消防庁によると、2021年の新生児（日齢28未満）の救急車搬送人数は12,303人で、搬送人員全体の0.2％に過ぎない[6]。このうち出生直後の搬送依頼がどの程度を占めているかは不明であるが、医師のいない現場で新生児蘇生を行って搬送される例もある。

　2015年の病院前周産期救護を調査した研究[7]では、742消防本部に対してアンケートを行い、回答のあった652消防隊本部で891例の施設外分娩の取り扱いがあったと報告されている。分娩状況としては、「既に娩出」が660例（74％）、「搬送中の救急車内での分娩」が133例（15％）、

「現場到着で救急隊が分娩立ち会い」が82例（9％）であった。新生児に対して蘇生が行われたのは47例（5.3％）で，人工呼吸と胸骨圧迫が36例，胸骨圧迫のみが7例，人工呼吸のみが7例であった。また，新生児に対して実際どのような蘇生を行うかは各地域のメディカルコントロール協議会で決定されるが，本調査では胸骨圧迫と人工呼吸が3：1の比で行われたのは21％と報告されている。

日本周産期・新生児医学会では新生児蘇生法普及事業として，救急救命士，救急隊員，消防吏員などを対象に，院外での分娩を想定した講習会も開催している（Pコース，講義＋実習で3時間）[8]。基本的にはNCPRアルゴリズムに準じた内容であるが，院外出生自体がハイリスクであり，在胎週数も不明のことが多いため，出生後全例で蘇生の初期処置を行ったうえで呼吸・心拍の確認に進むこととしている。また，現状では薬物を使用した蘇生はできないため，適切な人工呼吸と胸骨圧迫の習得が重要である。

Apgarスコアと予後

Apgarスコアは米国の麻酔科医Verginia Apgarが提唱した出生後の児の状態を判断するためのスコアで，周産期領域では全世界的に使用されている，もっとも有名かつ重要なスコアである。①皮膚色，②心拍，③刺激に対する反応性，④筋緊張，⑤呼吸の5項目を0〜2点で評価する（総得点は0〜10点）。特殊な機器を必要とせず，どのような分娩施設でも仮死の評価が可能であり，高次医療機関での治療・経過観察の判断材料となる。0〜3点を重症仮死，4〜6点を軽度仮死としている。生体の低酸素・虚血からの回復過程には一定の決まりがあるため，Apgarスコアもその過程に沿って改善していく。例えば，心拍0点で出生した児では，心拍→皮膚色→呼吸→刺激に対する反応・筋緊張の順で改善する。

わが国では，Apgarスコアは基本的に1分値と5分値で評価され，仮死の児では10分値も評価する。また，5分値が7点未満であれば5分ごとに再評価して，7点以上になるまで，20分まで評価を行う。とくに5分値は神経学的後障害の予測指標として使用されてきた。現在では，低体温療法の導入などによる低酸素性虚血性脳症に対する集学的治療の進歩によってApgarスコアの役割が変化してきたが，5分値は蘇生に対する反応性の評価に，10分値は新たに低体温療法導入の基準値としても使用され，その評価の重要性は変わっていない。

ただし，Apgarスコアは集団としての予後評価には使用できるが，個々の症例では低値であっても必ずしも予後不良を示さない場合もあるため，低酸素性虚血性脳症の程度やaEEG（amplitude-integrated EEG）の結果を含めて代諾者に対する予後説明を行う。また，心拍以外は主観的評価に基づくため，評価者によりバラツキがみられる点にも注意を要する。

▶ 文　献

1) Ersdal HL, et al：Early initiation of basic resuscitation interventions including face mask ventilation may reduce birth asphyxia related mortality in low-income countries：A prospective descriptive observational study. Resuscitation 83：869-73，2012.
2) Ersdal HL, et al：Neonatal outcome following cord clamping after onset of spontaneous respiration. Pediatrics 134：265-72，2014.
3) Niles DE, et al：Incidence and characteristics of positive pressure ventilation delivered to newborns in a US tertiary academic hospital. Resuscitation 115：102-9，2017.
4) Halling C, et al：Efficacy of intravenous and endotracheal epinephrine during neonatal cardiopulmonary resuscitation in the delivery room. J Pediatr 185：232-6，2017.
5) 日本蘇生協議会（監）：新生児の蘇生（NCPR）．JRC蘇生ガイドライン2020，医学書院，2021，pp 231-63.
6) 総務省消防庁：令和4年版救急・救助の現況（救急編），2023.
https://www.fdma.go.jp/publication/rescue/post-4.html
7) 宮園弥生，他：平成28年度救急救命の高度化の推進に関する調査研究事業；救急現場における周産期救急；わが国の実態調査と病院前周産期救急教育のあり方に関する検討，2017.
https://fasd.jp/files/libs/701/201706090910578607.pdf
8) 細野茂春（監）：病院前新生児蘇生法テキスト，改訂2版，メディカ出版，2022.

III 心肺蘇生

6 妊産婦の蘇生

櫻井 淳　山下 智幸

　妊婦の心停止において，成人の心停止と異なる点は，重量と大きさを増した妊娠子宮が母体に影響を及ぼすこと（aortocaval compression；ACC）である。この影響が大きくなる妊娠後半（妊娠20週以降）の場合には，妊娠子宮への対応が成人の蘇生に追加されることになる。また，妊娠・分娩管理のために行われる医学的介入に関連して偶発的に発生する心停止を考慮する必要がある。

　日本蘇生協議会（Japan Resuscitation Council；JRC）が『JRC蘇生ガイドライン2020』を作成するにあたり，日本産科婦人科学会がJRCの正会員に加わったことから，日本独自の妊産婦用のアルゴリズムが作成された[1]。その背景を踏まえて，ここでは救急科専門医が蘇生を担う者として認識しておくべき事項を示す。

一次救命処置（BLS）

　妊産婦に対する一次救命処置（basic life support；BLS）のアルゴリズムは成人のそれと大きく変わらない。妊娠後半（妊娠20週以降）である場合に，妊産婦のBLSアルゴリズムが適応になる（**図1**）[1]。

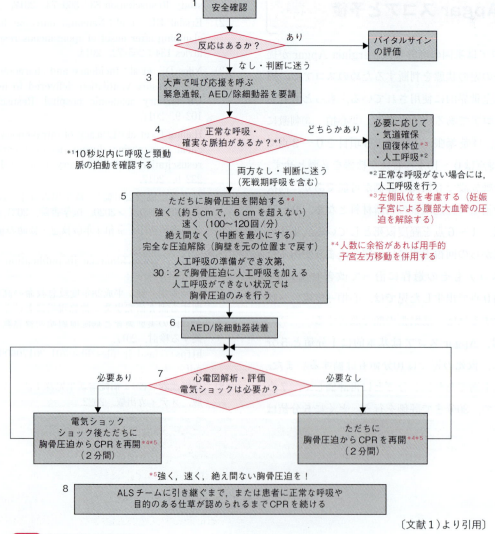

図1 妊産婦医療用BLS

〔文献1）より引用〕

しかし，倒れている人が妊娠後半であることを直ちに認識できるとは限らず，とくに妊娠20週程度でも仰臥位であれば腹部の膨らみを認識するのは難しい。腹部の膨らみから妊娠が明らかな場合を除けば，所持品にマタニティマークがついていることなどを参考にして妊娠を推定する必要がある。母子健康手帳があれば正確な妊娠週数を特定し得るが時間を要する。妊娠週数を推定する簡便な方法は，腹部を触診し子宮底の高さを把握することである。子宮底が臍高に達していれば妊娠20週に達していると判断する（図2）。この所見に基づき，妊産婦用のアルゴリズムを活用すべきかを判断すればよい。

後述する用手的子宮左方移動には人員を要するため，早期から多くの人を集めることが重要である。また，二次救命処置（advanced life support；ALS）への円滑な移行に向けて，妊産婦用のアルゴリズムを用いる場合には可及的速やかに帝王切開チーム，新生児蘇生チームを起動しておくことが望ましい。

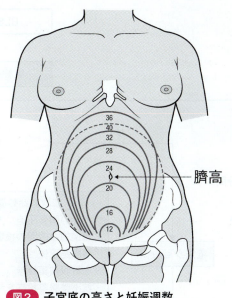

図2 子宮底の高さと妊娠週数

1 胸骨圧迫と用手的子宮左方移動

胸骨圧迫のテンポ，深さ，位置などは成人と同様でよい。胸骨の下半分を圧迫する際に，乳腺の発達に伴い乳頭の位置は参考にならないため注意する。

重量と大きさを増した妊娠子宮は下大静脈を圧迫し，心臓への静脈還流を減少させるため，心拍出量低下に影響する。健康な妊婦でも，仰臥位低血圧症候群（supine hypotensive syndrome）が発症するとされる妊娠後半，すなわち妊娠20週以降は，蘇生に際して用手的子宮左方移動（left uterine displacement；LUD）を行う[1]。システマティックレビュー[2]により，左半側臥位は胸骨圧迫の十分な深さとその割合，圧迫位置といった胸骨圧迫の質が低下することが判明しており，LUDを選択する。

LUDを実施するには蘇生担当者とは別に1人の人員が必要である。妊娠子宮の右背側に手を当て，母体の左腹側に向かって持ち上げる，または押し上げるようにして子宮を左側に移動させる（図3）。誤って子宮を母体背側に移動させ，下大静脈を圧迫しないよう注意する。

2 気道確保と人工呼吸

成人の蘇生と同様に対応すればよいが，妊娠中の生理学的変化や分娩時の努責に関連して上気道系は浮腫傾向となることが知られている[3]。経鼻エアウエイによる鼻出血や舌根沈下に留意する。また，妊娠子宮と食道括約筋の緩みから胃内容物が逆流しやすいため，吸引などを備える。

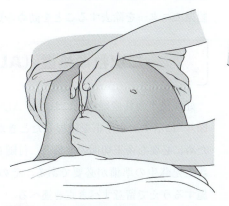 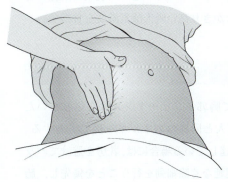

図3 用手的子宮左方移動（LUD）

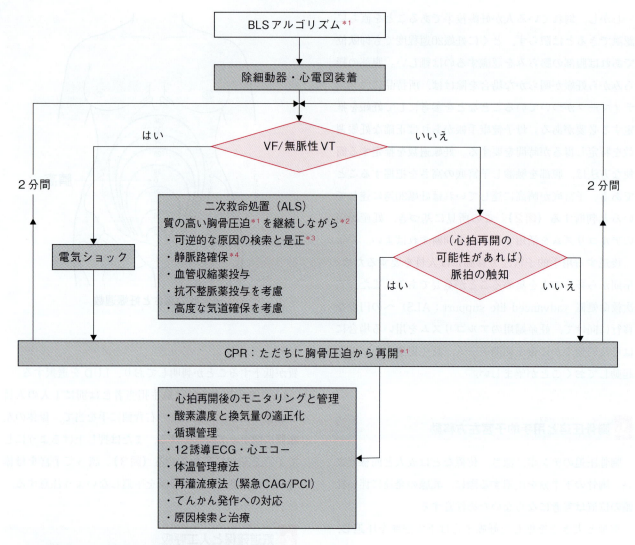

*1 児娩出までは用手的子宮左方移動を併用する
*2 可及的速やかに死戦期帝王切開の準備を開始する
*3 以下の特殊な状況下での治療を行うことは臨床上理にかなっている
　・局所麻酔薬中毒が疑われる場合は，補助療法として脂肪乳剤投与を考慮
　・マグネシウムの持続静脈投与時は，マグネシウムを停止してカルシウム製剤投与を考慮
*4 上肢など横隔膜上の輸液路を用いることは理にかなっている

〔文献1〕より引用〕

図4 妊産婦ALS

　妊娠中は酸素消費量が増加し機能的残気量が低下するため，低酸素状態に陥りやすいが，蘇生法を変更させることがよいかは明らかになっていない。成人と同様に対応しつつ，可能なかぎり高い吸入酸素濃度を目指す。

3 除細動

　妊娠に関連して胸郭インピーダンスは変化しないため[4]，除細動は成人と同様のエネルギー量で実施する。ただし，乳房が発達している場合には，乳房を避けてパッドを貼付する。遅延なく除細動を行うことを優先し，胎児モニターの対応により除細動が遅延しないようにすべきである。母体の蘇生には胎児モニターは不要であり，除細動や引き続く二次救命処置の妨げになるおそれから胎児モニターを除去することを勧める意見もある[5]。

二次救命処置（ALS）

　妊娠後半の妊産婦蘇生におけるALSアルゴリズムを図4[1]に示す。心停止を把握したときから，母体救命のために必要な帝王切開の準備と，付随して対応を要する新生児蘇生の準備が必要である。そのほか，ALSを実施するうえで留意すべき点を述べる。

1 気道・呼吸管理

確実な気道確保に際し，妊産婦はdifficult airwayであることを念頭に置く。気管チューブは内径6.0〜7.0mmを選択し，気道の浮腫に備える。ビデオ喉頭鏡を第一選択にするのもよい。喉頭展開困難・気管挿管困難であっても，CICV（cannot intubate, cannot ventilate）に陥らないようにバックアッププランを複数備えておく。

気管チューブ先端位置の確認にはカプノグラフィを併用するように努め，EtCO$_2$が10mmHgを超えていることで胸骨圧迫の質を確認することを検討する。

2 輸液路確保と薬剤投与

『JRC蘇生ガイドライン2020』では，静脈還流が妊娠子宮により障害されることに留意し，横隔膜上の静脈系を用いるとしており，その根拠はスコーピングレビューによって確認されている[6]。静脈路を第一選択とする[7]なかで，妊産婦では容易にアクセスが可能な上肢などを優先し，確保困難な場合には，骨髄路（intraosseous；IO）のうち妊産婦では上腕骨が選択可能である。

妊娠に伴って薬剤の分布容積やクリアランスなど薬物動態が変化しているが，心停止時の影響は明らかではなく，成人蘇生と同様に対応する。母体の安定化は子宮内の胎児の安定化にもつながるため，母体優先を原則としつつ，蘇生薬を使用する。

3 母体蘇生のための急速遂娩

妊娠子宮による影響（ACC）を解除するためには，母体の蘇生を目的とした分娩が必要である。帝王切開による分娩が一般的であり，死戦期帝王切開（perimortem cesarean delivery；PMCD）というが，近年は蘇生的子宮切開術（resuscitative hysterotomy；RH）と呼ぶことが提唱され[8]，国際的にも受け入れられつつある[9]〜[13]。

妊娠後半にPMCD/RHが提案されているが，開始時期に関するエビデンスは十分でない。一般に，妊産婦の心停止を認識したらすぐにPMCD/RHの準備を開始し，蘇生に反応がない時点で速やかに開始すべきとされる[1]。日本母体救命システム普及協議会（Japan Council for Implementation of Maternal Emergency Life-Saving System；J-CIMELS）の教育コース[14]でも可及的速やかにPMCD/RHを実施するとされている。心停止からPMCD/RHまでの時間が短いほど母体および胎児の蘇生率は高く，良好な神経学的転帰につながると考えられており[15]〜[19]，心室細動など除細動により回復が見込める場合を除けば，直ちにPMCD/RHが開始されることもあり得る。一方で，心停止からPMCD/RH開始までが45分という母体救命例もあり[20]，PMCD/RHが適応外となる時期について根拠はないため，母体が蘇生適応である状況では常にPMCD/RHを考慮すべきと考えられる。

PMCD/RHの合併症として，心拍再開後の凝固障害を伴う大量出血があげられ，心拍再開まで20分を超えた場合や，ECPR（extracorporeal cardiopulmonary resuscitation）を導入した症例では出血量が多くなる[19]。そのため，PMCD/RHは輸血体制が十分に整った高次医療施設で実施することが望ましいが，それがかなわない場合には転院搬送を考慮する。

PMCD/RHを施行する場所は，院外心停止か院内心停止かによって異なると考えられ，また各施設の事情により変化し得るため，あらかじめ施設内で一定のコンセンサスを得ておくことが望まれる。手術室，救命救急センター，分娩室などが想定されるが，シミュレーションなどにより検証しておくと円滑である。

また，分娩中の産婦が心停止に至った場合，分娩の進行状況によっては鉗子分娩や吸引分娩による急速遂娩が選択肢になるため，妊娠後半の妊婦心停止が常に帝王切開になるとは限らない。PMCD/RHと同様に，心拍再開後には出血に注意する。

4 新生児蘇生

PMCD/RHは母体の蘇生を意図した医学的介入であるが，児娩出後には新生児蘇生が必要になる。PMCD/RHを準備する場合は並行して新生児蘇生の準備も行い，新生児科医や小児科医を含む新生児蘇生チームが起動されることが望ましい。

新生児蘇生法については他項（p.84）を参照されたいが，新生児の蘇生適応は原則在胎22週以降であり，母体のPMCD/RH適応時期（妊娠20週以降）と差がある。したがって，妊娠20週以降かつ妊娠22週未満の場合には新生児蘇生を必ずしも要さない。しかし，救急の場では週数を厳密に特定できない場合も十分考えられるため，PMCD/RHと同時に新生児蘇生の準備を行うのは合理

表1 母体心停止の鑑別診断

Anesthetic complications	高位脊髄くも膜下麻酔，局所麻酔薬中毒，気道閉塞，誤嚥，呼吸抑制，低血圧
Accidents/trauma	外傷，自傷行為
Bleeding	凝固障害，弛緩出血，胎盤卵膜遺残，癒着胎盤，胎盤早期剥離，前置胎盤，子宮破裂，子宮内反症，手術関連，輸血合併症
Cardiovascular causes	心筋梗塞，大動脈解離，心筋症，不整脈，弁膜症，先天性心疾患
Drugs	マグネシウム，オピオイド，インスリン，オキシトシン，違法薬物，誤投与，アナフィラキシー
Embolic causes	羊水塞栓症，肺塞栓症，脳血管障害，空気塞栓症
Fever	敗血症，感染症
General H's and T's	Hypoxia, Hypovolemia, Hydrogen ion, Hypo-/hyperkalemia, Hypothermia, Toxins, Tamponade, Tension pneumothorax, Thrombosis（cardiac/pulmonary）
Hypertension	子癇，妊娠高血圧腎症，HELLP症候群，頭蓋内出血

〔文献14)より引用〕

的である。ラジアントウォーマーなどの準備が必要になるため，院内急変および救急搬送例を想定し，蘇生を行う場について事前に協議しておくとよい。

5 ECPR

『JRC蘇生ガイドライン2020』では妊産婦へのECPRに関して触れられていないが，施設によってはECPR導入が考慮される[15]。PMCD/RHとECPRのどちらを先に施行すべきかについてはいまだ決着がついておらず，今後のデータ蓄積が必要である。

鑑別診断

妊産婦の心停止の原因は，"A-H"で整理される（表1)[14]。ここでは，『JRC蘇生ガイドライン2020』で取り上げられているマグネシウム中毒と局所麻酔薬中毒について述べる。

1 マグネシウム中毒

切迫早産や妊娠高血圧症候群，子癇で入院中の妊産婦は，硫酸マグネシウムの投与が行われている場合があり，マグネシウム中毒が発生し得る。治療の目標となる血清マグネシウム濃度は4～7mg/dLであるが，それを超えると傾眠，低血圧，徐脈，腱反射消失を呈し，血清マグネシウム濃度が12mg/dLを上回ると昏睡，麻痺，徐呼吸，房室ブロック，心停止を生じ得る。

マグネシウム中毒が考えられる場合，マグネシウム製剤の投与を中止したうえで，カルシウム製剤を投与することは理にかなっている[1]。2％塩化カルシウム20～40mLあるいは8.5％グルコン酸カルシウム20mLを緩徐に投与するのが一般的である[21]。腎障害を伴う例では腎代替療法を検討する。

2 局所麻酔薬中毒

妊産婦では無痛分娩に関連した局所麻酔薬中毒による心停止が発生し得る。不整脈の治療目的でリドカインの使用は避ける[22]。標準的な蘇生に脂肪乳剤を追加することは理にかなっている[1]。組織に分布した悪影響を及ぼしている局所麻酔薬が，血漿の脂肪乳剤に取り込まれ，毒性が改善するなどの機序が考えられている[23]。脂肪乳剤の使用方法などについては他項（p.843）を参照されたい。

蘇生後のケア

心停止後症候群（post-cardiac arrest syndrome；PCAS）の管理では，低酸素血症の回避や高酸素血症の回避に加えて，$PaCO_2$を生理的な範囲に保つことが一般的であるが，妊娠中は生理的に呼吸性アルカローシスを呈しており，血液ガス検査の基準値が異なるため留意する。

循環管理の目標値は平均動脈圧65mmHg程度と考えられるが，妊娠中の管理では子宮胎盤循環の評価として胎児心拍数モニタリングを活用する。妊娠中は母体の脳・心臓・肺・腎・肝のみならず子宮も重要臓器と認識し，胎児心拍数モニタリングにより子宮の臓器障害（す

なわち胎児機能不全）を早期認知するように努める。

非妊娠患者における体温管理療法は，体温32～36℃を目標とし，少なくとも24時間維持することが提案されているが[7]，妊婦に対して低体温が有益であるかは不明である。妊娠初期の低体温療法に関する症例報告はあり[24)～26)]，低体温と因果関係不明の1例の死産を除き，胎児への有害事象は認められていない。非妊娠患者と同様に発熱を避け，けいれんを認めれば妊婦で使いやすいレベチラセタムを用いるのがよいと考えられる。

シミュレーション

『JRC蘇生ガイドライン2020』では，学会などにより認定された成人ALSトレーニングを医療従事者に提供すること，チームおよびリーダーシップトレーニングを医療従事者のALSトレーニングの一部として加えることが提案されている[27]。

妊産婦の心停止は小児の心停止と同様にまれであるが，救急医，産婦人科医，麻酔科医のいずれも妊婦蘇生に関する知識・技能が不十分であることが指摘されており[28]，わが国では日本臨床救急医学会も協賛団体となっているJ-CIMELSが運営するJ-MELSベーシックコースやJ-MELSアドバンスコースが母体心停止のトレーニングを扱っている[14)29)]。救急医は成人教育を行う機会も多いが，周産期領域においても救急医の教育活動への参加や救急医との連携に関するシミュレーションが期待されている[30]。

母体の心停止予防

院内急変を予防するrapid response system（RRS）を妊産婦に対して備える場合，妊産婦用に調整された早期警告スコアを検討することができる。わが国では分娩の約半数が診療所や助産所で扱われ[31]，総合・地域周産期母子医療センターにおける分娩は30％未満であるため[32]，分娩を集約化させ大規模施設で取り扱っている欧米とは体制が大きく異なる。急変時には救命救急センターなどへの転院搬送が考えられるため，地域の特性に応じて受け入れ体制を整えておくことが求められる。

日本産婦人科医会では2010年から分娩後1年未満の女性の死亡全例を対象とした「妊産婦死亡報告事業」を実施し，2021年からは「妊産婦重篤合併症報告事業」を開始している。これらの取り組みにより，国内で生じる妊産婦死亡（妊娠中または妊娠終了後満42日未満の死亡）および後発妊産婦死亡（妊娠終了後満42日以後1年未満の死亡）は網羅的に集積され，妊産婦死亡症例検討評価委員会において死因究明や予防策について検討し，「母体安全への提言」が毎年発出されている[33]。国内死亡例の全例を評価する必要性が強調されており，救急科で妊娠中または分娩後1年未満の女性の死亡を扱った場合には，院内の産婦人科医と連携するか，あるいは日本産婦人科医会へ問い合わせるなどにより調査票を提出する（日本産婦人科医会ホームページ内の医療安全部会のページに各種提出様式が掲載されている）。

2010～2021年までに把握された国内の妊産婦死亡原因は，依然として産科危機的出血が多いが，頭蓋内疾患，心血管疾患，敗血症，肺血栓塞栓症などの救急疾患も多い（表2）[31]。また，東京都監察医務院の調査結果（2016年発表）や，死亡届と出生届または死産届を突き合わせて調査した周産期関連の医療データベースのリンケージの研究（2017年発表）により，妊産婦（妊娠中から分娩後1年未満を含む）の自殺が従来把握されていたすべての妊産婦死亡の2倍以上存在していると推測され，正確な数字が把握できていないことが指摘されている[34]。自殺企図に対応することも多い救急医には，自殺予防を含めた対応が求められる。

世界保健統計2022年版によれば，わが国の妊産婦死亡率は5人/10万人出産であり，オーストリア，ベルギー，オランダなどと並び世界第5位で，イギリス，韓国，アメリカ，中国よりも少ない水準である[35]。一方で，生殖医療の発展に伴って高年齢妊婦やハイリスク妊婦の増加

表2 妊産婦の死亡原因
（2010～2021年，n＝517）

死亡原因	割合
産科危機的出血	18％
頭蓋内出血・梗塞	14％
偶発・自殺	12％
心肺虚脱型羊水塞栓症	10％
心・大血管疾患	9％
感染症	9％
肺疾患	8％
その他	10％
不明	10％

〔文献31)より作成〕

表3 女性の死亡診断書（死体検案書）記入時の留意点

1. 妊婦または出産後1年未満の産婦が死亡した場合，産科的原因によるか否かにかかわらず，妊娠または分娩の事実（妊娠満週数，産後満日数）を記入する
2. 産科的原因（死亡の原因が妊娠出産に関連した精神疾患などによる自殺の場合も含む）である場合は，Ⅰ欄に妊娠または分娩の事実を記入する
3. 産科的原因でない場合は，Ⅱ欄に妊娠または分娩の事実を記入する

〔文献36）より作成〕

表4 妊産婦の死亡診断書（死体検案書）記載方法

死亡時期	記入方法
分娩前（陣痛開始前）の死亡	妊娠満○週
分娩中（陣痛開始から胎児および胎盤などが娩出し終わるまで）の死亡	妊娠満○週の分娩中
出産後1年未満の死亡	妊娠満○週，産後満△日 （出産当日は産後満0日）

〔文献36）より引用・一部改変〕

も懸念されている。「防ぎ得る母体死亡・障害（preventable maternal death/disability）」になり得る病態（産科危機的出血，帝王切開に際した気道確保困難，無痛分娩に関連した偶発症や妊娠に重なった救急疾患など）では，救急医療システムおよび救急医の貢献が期待される。

母体の死後対応

女性の死亡診断書（死体検案書）作成に際しては，妊娠中ならびに出産（生産，死産）後1年未満の死亡についての記載が求められている（表3，4）[36]。女性の死亡を確認した際には，遺族などに妊娠や出産の有無について尋ねる必要がある。

原死因を確定するにあたり，産科的原因は「①妊娠時（妊娠，分娩及び産じょく）の産科的合併症，関与，義務の怠慢又は不適切な処置から生じたもの，②妊娠前から存在した疾患又は妊娠中に発症した疾患が，妊娠の生理的作用によって悪化したもの」とされており[36]，死因統計（人口動態統計）に用いる死亡診断がICD-10（2013年版）に基づくようになった2017年1月1日以降，妊娠に関連した精神疾患などによる自殺は産科的死亡として整理されている。

母体の自殺（時に心中を含んでおり，児童虐待との関連も無視できない）の実態を把握し，今後の予防策の検討などを可能にしていくためにも，死亡診断書（死体検案書）の記載にあたっては自殺に至る背景を確認し，産科的原因による自殺か，産科的原因ではない自殺かを判断し，付言欄に判断に至った背景を記載する。

▶文 献

1) 日本蘇生協議会（監）：妊産婦の蘇生．JRC蘇生ガイドライン2020, 医学書院, 2021, pp 266-77.
2) Enomoto N, et al：Effect of maternal positioning during cardiopulmonary resuscitation：A systematic review and meta-analyses. BMC Pregnancy Childbirth 22：159, 2022.
3) Mushambi MC, et al：Obstetric Anaesthetists' Association and Difficult Airway Society guidelines for the management of difficult and failed tracheal intubation in obstetrics. Anaesthesia 70：1286-306, 2015.
4) Nanson J, et al：Do physiological changes in pregnancy change defibrillation energy requirements? Br J Anaesth 87：237-9, 2001.
5) Panchal AR, et al：Part 3：Adult Basic and Advanced Life Support：2020 American Heart Association Guidelines for Cardiopulmonary Resuscitation and Emergency Cardiovascular Care. Circulation 142 (16_suppl_2)：S366-468, 2020.
6) Nakamura E, et al：Intravenous infusion route in maternal resuscitation：A scoping review. BMC Emerg Med 21：151, 2021.
7) 日本蘇生協議会（監）：成人の二次救命処置．JRC蘇生ガイドライン2020, 医学書院, 2021, pp 48-150.
8) Rose CH, et al：Challenging the 4- to 5-minute rule：From perimortem cesarean to resuscitative hysterotomy. Am J Obstet Gynecol 213：653-6, 2015.
9) Lott C, et al：European Resuscitation Council guidelines 2021：Cardiac arrest in special circumstances. Resuscitation 161：152-219, 2021.

10) Kamei H, et al：Resuscitative hysterotomy in a patient with peripartum cardiomyopathy. J Obstet Gynaecol Res 45：724-8, 2019.
11) Groombridge C, et al：Resuscitative hysterotomy： Training for this rare life-saving intervention. Emerg Med Australas 30：851-3, 2018.
12) Bloomer R, et al：Prehospital resuscitative hysterotomy. Eur J Emerg Med 18：241-2, 2011.
13) Tambawala ZY, et al：Resuscitative hysterotomy for maternal collapse in a triplet pregnancy. BMJ Case Rep 13：e235328, 2020.
14) 日本母体救急システム普及協議会（監）：J-MELS 母体救命 Advanced Course Text，改訂第2版，へるす出版，2024.
15) 日本救急医療財団心肺蘇生法委員会（監）：妊産婦の蘇生．救急蘇生法の指針2020（医療従事者用），改訂6版，へるす出版，2022, pp 178-86.
16) Katz V, et al：Perimortem cesarean delivery：Were our assumptions correct? Am J Obstet Gynecol 192：1916-20, 2005.
17) Einav S, et al：Maternal cardiac arrest and perimortem caesarean delivery：Evidence or expert-based? Resuscitation 83：1191-200, 2012.
18) Benson MD, et al：Maternal collapse：Challenging the four-minute rule. EBioMedicine 6：253-7, 2016.
19) Kobori S, et al：Utility and limitations of perimortem cesarean section：A nationwide survey in Japan. J Obstet Gynaecol Res 45：325-30, 2019.
20) Schaap TP, et al：Maternal cardiac arrest in the Netherlands：A nationwide surveillance study. Eur J Obstet Gynecol Reprod Biol 237：145-50, 2019.
21) 日本救急医療財団心肺蘇生法委員会（監）：特殊な状況下の二次救命処置．救急蘇生法の指針2020（医療従事者用），改訂6版，へるす出版，2022, pp 86-99.
22) 日本麻酔科学会：局所麻酔薬中毒への対応プラクティカルガイド，2017.
https://anesth.or.jp/files/pdf/practical_localanesthesia.pdf
23) Ok SH, et al：Lipid emulsion for treating local anesthetic systemic toxicity. Int J Med Sci 15：713-22, 2018.
24) Chauhan A, et al：The use of therapeutic hypothermia after cardiac arrest in a pregnant patient. Ann Emerg Med 60：786-9, 2012.
25) Rittenberger JC, et al：Successful outcome utilizing hypothermia after cardiac arrest in pregnancy：A case report. Crit Care Med 36：1354-6, 2008.
26) Wible EF, et al：A report of fetal demise during therapeutic hypothermia after cardiac arrest. Neurocrit Care 13：239-42, 2010.
27) 日本蘇生協議会（監）：普及・教育のための方策．JRC蘇生ガイドライン2020, 医学書院，2021, pp 384-478.
28) Shields AD, et al：Staying current：Developing just-in-time evidence-based learning objectives for a maternal cardiac arrest simulation curriculum. Cardiol Cardiovasc Med 6：245-54, 2022.
29) 日本母体救急システム普及協議会，他：産婦人科必修 母体急変時の初期対応，第3版，メディカ出版，2020.
30) 妊産婦死亡症例検討評価委員会：母体安全への提言 2014（Vol. 5），2015.
http://www.jaog.or.jp/wp/wp-content/uploads/2017/01/botai_2014.pdf
31) 妊産婦死亡症例検討評価委員会：母体安全への提言 2021（Vol. 12），2022.
https://www.jaog.or.jp/wp/wp-content/uploads/2022/06/botai_2021.pdf
32) 木下勝之：地域で安心して分娩ができる医療施設の存続を目指す議員連盟発足の意義（日本産婦人科医会 第154回記者懇談会），2021.
https://www.jaog.or.jp/wp/wp-content/uploads/2021/07/154_20210715.pdf
33) 日本産婦人科医会ホームページ：母体安全への提言 2010〜2021.
https://www.jaog.or.jp/about/project/document/teigen/
34) 相良洋子：妊産婦に対する支援（厚生労働省自殺総合対策の推進に関する有識者会議 第5回 会議資料），2021.
https://www.mhlw.go.jp/content/12201000/000862045.pdf
35) World Health Organization：World health statistics 2022：Monitoring health for the SDGs, sustainable development goals, 2022.
https://www.who.int/publications/i/item/9789240051157
36) 厚生労働省：令和5年度版死亡診断書（死体検案書）記入マニュアル，2023.
https://www.mhlw.go.jp/toukei/manual/

Ⅲ 心肺蘇生

7 心停止後症候群の病態と集中治療

黒田 泰弘

心停止後症候群

　心停止後症候群（post-cardiac arrest syndrome；PCAS）とは，心停止および自己心拍再開（return of spontaneous circulation；ROSC）に伴う臓器の虚血・再灌流障害が原因で生じる病態の総称である（図1）[1]。心停止から心肺蘇生開始までの時間が no flow time，心肺蘇生開始から自己心拍再開までの時間が low flow time とされる。PCAS は以下の4つの病態から構成される。

1 心停止後脳損傷

　脳への虚血・再灌流による細胞障害で，そのメカニズムは興奮毒性，カルシウムホメオスターシスの破綻，フリーラジカルの生成，プロテアーゼカスケードの活性化，細胞死シグナルの伝達など複雑である。症状としては，昏睡，けいれん，ミオクローヌス，精神障害などがみられ，植物状態，脳死に移行することもある。脳血流の自己調節能が破綻すれば脳灌流圧（平均動脈圧−頭蓋内圧）に依存して脳血流量が変動するため，血圧の上昇に伴う脳浮腫あるいは血圧低下時の脳虚血が起こる。PCAS における著明な頭蓋内圧亢進はけいれん重積合併例で報告されている[2]。

2 心停止後心筋不全

　心臓全体が hypokinesis となり心拍出量が減少する。血圧低下や不整脈が起こる。急性冠症候群（acute coronary syndrome；ACS）が心停止の原因であった場合，原因治療により冠循環が再開すれば，心機能低下による心拍出量の減少は24時間程度で回復する。

3 全身性虚血・再灌流障害

　全身臓器の虚血・再灌流障害により，血管調節能障害，

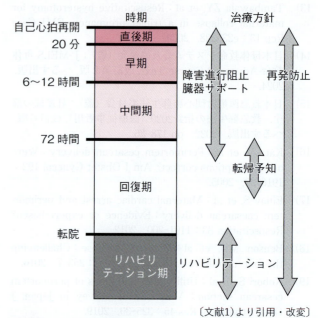

図1 心停止後症候群（PCAS）の5つの時期
〔文献1）より引用・改変〕

凝固能亢進，副腎機能低下，組織への酸素供給・利用障害，免疫能減弱が起こる。その結果，発熱，高血糖，低血圧などがみられる。

4 残存する心停止の原因疾患

　心停止の原因となる疾患を検索し，併行してその治療を行う。

心拍再開後の集中治療

　心停止の再発を防ぎ血行動態の安定化を図るために，緊急冠動脈造影（coronary angiography；CAG）に加えて，頭部および胸部の単純（＋造影）CT などにより原因の検索と治療を行う必要がある。ROSC 患者の心停止の原因として，くも膜下出血は16.2％にみられたとのケースシリーズがある[3]。

　ROSC 後においては，呼吸・循環動態および体温，代謝を安定させて，心臓および脳などの臓器・組織に必要十分な酸素と血流を確保し，臓器障害の進行を防ぐこと

が重要である。ここでは主に『JRC蘇生ガイドライン2020』（以下，JRC G2020)[4]に準拠して，心拍再開後の集中治療の現状や要点を概説する。とくに断りや他文献の掲示がない場合，本稿中の推奨・提案はJRC G2020によるものと理解されたい。

1 呼吸管理

1）酸素投与量の適正化

ROSC後の脳への血流減少および低酸素症は，脳酸素供給不足により低酸素性脳障害を引き起こす。一方，高酸素血症は血液中の溶存酸素を増加させ，神経細胞にとって有害な酸素フリーラジカルが増加して二次性脳障害を引き起こす。高酸素血症と神経学的転帰不良との関連は多くの研究で示されているが，高酸素血症の定義，高酸素への曝露タイミング，解析に使用したPaO_2値自体の相違もあり，結果が一貫していない[5]。

二次性脳障害を防止できる最適な酸素投与量の目標値には定説がない。ROSC後，SaO_2またはPaO_2が確実に測定されるまで100％酸素吸入濃度の使用が提案されている。SaO_2またはPaO_2が確実に測定できるようになった後では，低酸素血症（$PaO_2<60mmHg$）を回避することが推奨され，高酸素血症を回避することが提案されている。JRC G2020では特定の値は記載されていないが，米国心臓協会（American Heart Association；AHA）ではSpO_2 92～98％[6]，欧州蘇生協議会（European Resuscitation Council；ERC）および欧州集中治療医学会（European Society of Intensive Care Medicine；ES-ICM）ではPaO_2 75～100mmHg，SpO_2 94～98％[7]とされている。

また，不必要な酸素投与により$PaO_2>300mmHg$になると神経学的転帰不良と関連するため回避すべきとの検討がある[5]。

2）換気量の適正化

ROSC後，脳血流の自己調節能は障害されても二酸化炭素反応性は通常維持される。したがって，$PaCO_2$の増加は脳血流量ひいては頭蓋内圧を増加させ，一方で過換気では脳血管が収縮して脳虚血を引き起こす可能性がある。ただし，二次性脳障害を防止できる最適な換気量の目標値には定説がない。肺保護換気の視点から1回換気量は患者理想体重1kg当たり6～8mLとする。$PaCO_2$は生理的な正常範囲内（35～45mmHg）に維持する[6,7]。また，低$PaCO_2$をルーチンに目標としないことが提案されている。体温管理療法（targeted temperature management；TTM），とくに低体温療法中では代謝量が減少することにより$PaCO_2$が低値になることがあるので，$EtCO_2$モニターを使用し，さらに$PaCO_2$の評価頻度を高めることによりこれを回避する。

2 冠循環の維持

1）12誘導心電図・心エコー

心停止の可逆的な原因として，ACSおよび致死性不整脈は重要である。ROSC後できるかぎり早期に12誘導心電図を記録し，ACSおよび致死性不整脈の鑑別を行う。急性冠動脈閉塞による心停止でも，12誘導心電図においてST上昇や左脚ブロックなどの典型的なST上昇型心筋梗塞（ST elevation myocardial infarction；STEMI）の所見を呈さないことがあるため注意が必要である。心エコー検査は，原因および心機能を評価するうえで有用であり，非侵襲的かつ患者の移動なしに実施できるため，ROSC後に可能であれば実施する。

2）再灌流療法

心原性が疑われる院外心停止のROSC後に12誘導心電図でST上昇を呈した患者に対しては，緊急CAGによる評価を行い，適応に応じてプライマリ経皮的冠動脈インターベンション（percutaneous coronary intervention；PCI）を行うことが推奨されている。

心原性が疑われる院外心停止のROSC後に12誘導心電図でST上昇を認めない患者に対しては，RCTの結果から緊急CAGの有益性が否定されており[8,9]，ほかの集中治療が優先される。ただし，心電図にST上昇がみられない場合でも，急性冠動脈閉塞の可能性が高いと判断されるとき（血行動態や電気的に不安定など）は，緊急あるいは待機的にCAGで評価し，適応に応じてプライマリPCIを行う。

ROSC後に昏睡状態であっても（神経学的転帰が不良かどうかはその時点では不明であるため）緊急CAGとプライマリPCIの禁忌にはならない。また，TTMは二次性脳障害の防止の観点からはできるかぎり早期に開始したほうがよい（後述）。したがって，ST上昇を呈した患者に対する緊急CAGおよび適応に即したプライマリPCIにおいては，PCI開始前から可能であればTTMを始めることを考慮する。抗凝固療法および抗血小板療法自体はTTMの禁忌ではなく，TTM中でもCAGは安全に施行できる。

3 循環管理

ROSC後，脳低灌流は数時間以内に発症し，数日継続する。この間，脳血管抵抗は増加して血流と酸素供給が減少する。したがって，微小血管の脳血流を維持するためには脳灌流圧を増加させる必要がある。循環管理の目標値と転帰の関連の検討では，昇圧薬を使用した平均動脈圧（MAP）>80mmHg維持は神経学的転帰改善と関連する[10]，逆に血圧低値は死亡率の上昇と関連する[11]といった観察研究がある。しかし，2つのRCT[12)13)]では特定MAPと転帰に関連はなく，このうちAmelootらは，MAP 85～100mmHg管理はMAP 65mmHg管理に比して脳内酸素飽和度は有意に高値であるが，神経学的転帰の改善とは関連しないと報告している[13]。

以上より，二次性脳障害を防止できる最適な循環管理の目標値には定説がない。AHAでは血圧低下を避け，収縮期血圧>90mmHg，MAP>65mmHgで維持するとされている[6]。ERC/ESICMでは低血圧（MAP<65mmHg）を回避し，尿量維持（>0.5mL/kg/hr）と乳酸値が正常あるいは減少傾向となるMAPで維持するとされている[7]。JRC G2020では，循環管理の目標値（MAP，収縮期血圧）はROSC後の状況および既存の合併症などに影響されるため，患者ごとに考慮することが提案されている。脳灌流圧の維持を考慮しMAPをより高く（例えば，>80mmHg）管理することの有用性は，引き続きの検討課題である。

循環の維持は病態に応じて輸液，ノルアドレナリン，ドブタミンを組み合わせて行う。とくにTTM施行時には，寒冷利尿による脱水，電解質異常（細胞内シフトによる低カリウム血症，低マグネシウム血症，低リン血症）とそれに伴う不整脈が起こるため，これらを適正化する必要がある。TTM2 trial[14)]では低体温群で不整脈の頻度が有意に高かったと報告されており，低体温に維持する場合，循環管理にさらに注意が必要である。

低体温療法（33℃など）でみられる徐脈に対しては，血圧，乳酸値，心拍出量が維持されていれば治療介入しない。徐脈により循環障害が起きている場合は，アトロピンは効果がないことが多いため，βアゴニストを使用するか，目標体温の上昇（～36℃）を考慮する。

コルチコステロイドの効果に関するエビデンスは十分ではないため，ルーチンでは投与しない。

4 体温管理療法（TTM）

低体温は脳酸素需要を抑制し，また脳の低酸素・虚血・再灌流に伴う細胞障害プロセスは体温依存性であることから，迅速な低体温達成（4時間以内）では臓器保護効果がみられ，神経学的転帰が改善したとの基礎研究が数多く報告されている[15]。細胞障害プロセスは心停止後早期から進行するため早期冷却が重要であり，冷却が遅れるとその臓器保護効果が減少・消失する。以上から，TTMは迅速に開始する。

1）TTMの適応・除外条件

TTMの適応は，ROSC後に昏睡状態あるいは従命に意味のある反応がない状態の患者であり，32～36℃の間で目標体温を設定し，その体温を一定に維持することが推奨されている。特定の心停止患者において低い目標体温（32～34℃）と高い目標体温（36℃）のどちらかがより有益であるかは不明である。また，院外心停止で初期心電図波形がショック適応リズムの場合はTTMの施行が推奨される。院外心停止でも，初期心電図波形がショック非適応リズムの場合，および院内心停止の場合では，TTMの施行が提案されている。このTTMの適応は，AHA，米国神経学会（American Academy of Neurology；AAN），国際蘇生連絡委員会（International Liaison Committee on Resuscitation；ILCOR）でも同様である[6)16)17)]。

TTMを施行しないことを考慮する状況としては，①心拍再開後に急速に覚醒した場合，②DNAR（do not attempt resuscitation）指示がある場合，③集中治療室入室が禁忌である場合，④意味のある回復を妨げる既往疾患がある場合，⑤心停止から12時間以上経過している場合が考えられる[18]。また，コントロール不良の出血の存在や難治性のショック例に対しては，TTMの適応は慎重に考える必要がある。

2）TTMの課題

ILCORのTTMに関するConsensus on Science with Treatment Recommendation（CoSTR）のドラフト版では，目標体温は37.5℃以下とし，少なくとも72時間は積極的に発熱を防止する（actively preventing fever；APF）ことが提案されている[19]。また，ERC/ESICMのガイドラインでは，院外・院内心停止あるいは初期心電図波形にかかわらず，目標体温（中枢温）は37.7℃以下とし，少なくとも72時間，APFを行うことが推奨されている[20]。APFは，解熱薬などを使用して不十分で

あれば体温管理デバイスを考慮する方法であるが，体温管理デバイスおよび解熱薬を定期投与する方法に比して目標体温を維持できる割合は有意に低いとの報告がある[21]。

ガイドラインにより目標体温および管理方法が異なるのは，低体温療法の有効性が研究により異なることに起因する。HACA trial[22]では32〜34℃で24時間のTTMと冷却なし（実質37.6℃）を，HYPERION trial[23]では34℃で24時間のTTMと37℃で24時間TTMをそれぞれ比較し，ともに低体温療法群で有意に神経学的転帰良好例が多かった。一方，TTM trial[24]では33℃で24時間のTTMと36℃で24時間のTTMを，TTM2 trial[14]では33℃で24時間のTTMと37.8℃（実質37.5℃）で24時間のAPFを比較し，ともに死亡率・神経学的転帰に有意差はなかった。

このように，RCTにおける介入の有効性が異なる原因としては，①そもそも効果がない，②患者背景の複雑化（高齢化，免疫不全など），③患者病態の不均一性の評価不足があげられる[25]。実際，前述の低体温療法が有効との報告[22][23]では対象をVF/無脈性VTあるいはPEA/心静止患者に限定しているのに対し，常温管理と差がないとした報告[14][24]は心原性院外心停止が対象であるが初期心電図波形はVF/無脈性VTには限定されていない。したがって，患者の病態，すなわち重症度が異なることがTTMの効果の相違の一因である可能性がある。

今後は，心原性，バイスタンダーCPR，VF/無脈性VTの各割合，心停止からROSCまでの時間などの全身パラメータに加えて，持続脳波，神経学的瞳孔指数（neurological pupil index；NPi），脳内酸素飽和度，CTなど脳障害を定量化できるパラメータで重症度を評価する必要がある。

3）TTMの導入，維持，復温

病院前においてROSC直後の急速な大量冷却輸液による冷却はルーチンに行わないよう推奨されている。TTM施行時，目標体温にかかわらず膀胱温などの中枢温をモニタリングする。体温をフィードバックして自動的に体温調節を行うデバイス（血管内体温管理装置，体表水循環ゲルパッド装置など）を使用するとよい[19]。

シバリングは体温を上昇させ，代謝需要および脳酸素消費量の増加から二次性脳障害の発生につながるとともに，TTM導入時に目標体温までの到達時間を遅らせる。したがって，目標体温にかかわらず鎮痛薬・鎮静薬を使用し，さらにcounter warmingとしての体表加温，解熱薬，マグネシウム補充などを併用してシバリングを防止する。筋弛緩薬はルーチンに使用しないが，シバリングを抑制するための手段として，とくに導入期には積極的に使用する。体温管理デバイスおよびシバリングスケールを使用したシバリング防止を行うことで，目標体温まで迅速に到達することができる。

目標体温の維持期間は少なくとも24時間とすることが提案されている。復温速度に関する推奨はないが，0.05〜0.1℃/hrであることが多い。体温管理デバイスを使用し，鎮痛薬・鎮静薬・筋弛緩薬を併用したシバリング防止は，TTM維持期とともに復温完了まで継続する。この間に厳格に体温を管理することは合併症の防止にもつながる。

また，TTMの要点として"high quality TTM"の概念が提唱され[26]，「心停止〜目標体温（<34℃）到達が4時間未満」「過冷却（<32℃）なし」「オーバーシュート（>35℃）なし」「維持期の体温変動<0.5℃」「復温速度<0.2℃/hr」「復温後38℃以上の発熱なし」をhigh qualityの指標とする報告がある[27]。TTM導入が早く，維持期の体温管理も厳格な例として33℃のTTM24時間と48時間を比較したTTH48 trialでは，神経学的転帰は良好であった[28]。

4）復温後の体温調節

発熱は神経損傷を伴う多くの重症病態で転帰不良と関連する。TTM終了後も昏睡状態が遷延している場合，発熱をコントロールする。いつまで，何℃に維持するのがよいかについての定説はないが，TTM2 trialでは蘇生後少なくとも72時間まで37.7℃以下にコントロールされている[14]。

5 てんかん発作への対応

てんかん発作（seizure）には，筋活動を伴うけいれん性てんかん発作（convulsive seizure）に加えて，筋活動を伴わない非けいれん性てんかん発作（nonconvulsive seizure；NCS）が含まれる。非けいれん性てんかん発作の診断は持続脳波モニタリングによって行う。てんかん重積状態（status epilepticus；SE）は「臨床的あるいは電気的てんかん活動が少なくとも5分以上続く場合，あるいはてんかん活動が回復なく反復し5分以上続く場合」と定義されている。ROSC後，てんかん発作は30%[29]，非けいれん性てんかん重積状態は12〜24%[30]

でみられたと報告されている．したがって，持続脳波モニタリングは，けいれんを起こした患者では脳波上の発作波の同定および治療効果の判断のため，筋弛緩薬で不動化する患者では非けいれん性てんかん重積状態のモニタリングのためTTMを施行する全例に適応がある．

1）てんかん発作の予防

ROSC後の昏睡患者において，てんかん発作とくにSEは転帰不良と関連している．てんかん発作やSEは心停止による重症の脳損傷の結果であるとともに，これらが脳損傷をさらに増悪させる可能性がある．しかし，ROSC後の昏睡状態の患者におけるてんかん発作予防のための抗てんかん薬投与の時期，期間，投与量，薬物の選択に関するデータは不十分である．そのためROSC後はてんかん発作の予防をルーチンには行わない．

2）てんかん発作の治療

発症しているてんかん発作は脳損傷を増悪させる可能性があり，再発するてんかん発作およびSEの治療は標準的な治療の一環である．ROSC後のてんかん発作治療としては，鎮静薬に加えて，第一選択の抗てんかん薬としてレベチラセタムまたはバルプロ酸ナトリウムが推奨されている．しかし，けいれん性てんかん発作以外のてんかん様活動の治療に関する基準は十分に定められていない．

2022年に，PCAS昏睡でTTMを施行した患者を対象に持続脳波モニタリングを行い，抗てんかん薬で臨床的なてんかん発作に加えて脳波上における律動性あるいは周期性てんかん様活動を48時間抑制した群（脳波上発作治療群）と，臨床的なてんかん発作のみ治療した対照群を比較したRCT（TELSTAR trial）が発表された[31]．本研究では，3カ月後の神経学的転帰不良は脳波上発作治療群で90％，対照群で92％と有意差はなかった．対象患者の約80％に0.5〜2.5Hzの全般性周期性発射，約60％にミオクローヌス発作がみられ，また約30％の患者で短潜時体性感覚誘発電位（short latency somatosensory evoked potential；SSEP）の両側N20が消失しており，重度脳障害例を対象としていたと考えられる．

脳波は障害度を層別化できる可能性があり，TTMや抗けいれん薬が有効な患者層を脳波により検討する研究が必要である．

6 血糖のコントロール

ROSC後には，一般の重症患者に対する血糖管理と同様のプロトコルで対応することが提案されている．ROSC後，とくにTTM施行時には高血糖がみられる．180mg/dL以上の高血糖は治療する．低血糖（＜70mg/dL）は回避し，低血糖リスクを増大させる厳格な血糖管理は行わない．障害脳では血糖が正常範囲でも脳内ブドウ糖は枯渇しているという研究[32]もあり，糖尿病患者における血糖コントロールの範囲や血糖値変動の許容範囲と神経学的転帰の関係は今後の検討課題である．

7 その他の集中治療

TTM施行時においては感染のリスクが増加する可能性がある．予防的抗菌薬投与により肺炎の発症が減少する可能性はあるが，これにより死亡率や入院期間は影響せず，抗菌薬使用が耐性菌増加に寄与するリスクもある．したがって，抗菌薬の予防的投与をしないことが提案されている．

ほか，ストレス潰瘍の予防および深部静脈血栓症の予防を行う．栄養に関しては，低体温療法施行時においても低速度で経腸栄養を開始し，復温完了後に必要に応じて増量する．36℃でTTMを施行する場合の経腸栄養はTTM早期から通常速度での投与を考慮する．

ROSC後の神経学的予後評価

ROSC後昏睡状態が持続する患者においては，神経学的所見，神経電気生理学的検査，血液バイオマーカー，イメージングを使用して神経学的予後評価を行う．なかでも，神経学的所見は予後評価の基本である．ただし，単一の検査では偽陽性を排除するのに十分な特異度が得られないため，神経学的予後評価では複数の検査を組み合わせることが推奨されている．

昏睡患者において神経学的転帰不良を判断する場合は，交絡因子（低体温，鎮痛薬，鎮静薬，筋弛緩薬など）を除外したうえで検査結果を評価する．TTMとくに低体温療法を施行した場合は，シバリング抑制のために使用した鎮痛薬，鎮静薬，筋弛緩薬の代謝が遷延する可能性を考慮して復温後に予後評価する．これらの検査の予後評価の精度はROSC後もしくは復温後時間が経過するとともに高くなるため，判断はROSC後72時間以降

に行う．転帰不良を予測する検査結果を治療，とくに生命維持療法の中断決定に使用する場合には，自己充足的予言（思い込みを現実化してしまうこと）のリスクがあることに注意する．

1 神経学的所見

GCSのM1（無反応）またはM2（除脳硬直姿勢）は偽陽性率が高いため，単独で転帰不良を評価しないよう提案されている．ただし，感度は高いため，蘇生後72時間以降に予後評価が必要な神経学的状態が悪い患者の同定あるいは転帰不良の評価のために，ほかのより強い指標と組み合わせて使用できる可能性がある．さらに，蘇生後72時間以降においてGCS M1，M2に加えてM3（除皮質硬直姿勢）であることは，神経学的転帰不良が予測される患者のスクリーニングに使用できる[7]．

ROSC後72時間以降でも昏睡状態が続く患者では，①標準的な対光反射が両側とも消失，②定量的瞳孔径測定，③両側性の角膜反射の消失をそれぞれ神経学的転帰不良の判断に使用することが提案されている．対光反射は72時間以降では特異度が高く，予測判定に有利である．定量的瞳孔径測定のうちNPiは，計算式がブラックボックスであるものの，ROSC後24時間以内でも特異度100％で神経学的転帰不良を予測できるとした多施設研究が欧州から報告されている[33]．ほかの指標と併せて使用する．

ROSC後72時間以内で観察されたミオクローヌスは，神経学的転帰不良の指標にはならない．しかし，ROSC後72時間の時点で観察されたミオクローヌス重積状態（＝30分以上持続する全身性のミオクローヌス）はほかの検査所見と組み合わせて神経学的転帰不良の指標になり得る．ミオクローヌス様の運動があれば，関連するてんかん様活動を検知するために，持続脳波を記録することが提案されている．

2 神経電気生理学的検査

1）脳 波

ROSC後72時間以降における，①痛み刺激に対する背景脳波活動（バックグラウンド波形）の反応性の持続的欠如，②TTM復温後における持続するburst suppression，③難治性で持続的なてんかん重積状態は，神経学的転帰不良を示唆する．ただし，背景脳波活動（バックグラウンド波形）の反応性の消失のみでは神経学的転帰不良を予測しないことが提案されている．

"highly malignant EEG"の概念が神経学的不良の予測の感度を高めるために提唱されている[34]．highly malignant EEGとは，①背景脳波活動（バックグラウンド波形）の抑制（＜10μV），②背景脳波活動（バックグラウンド波形）の抑制＋持続性周期性発射，③burst suppression，④burst suppressionに発射が加わったもの，という4つのパターンである（図2）[34]．これらの脳波パターンは，神経学的転帰不良の指標として，TTM終了後や鎮静解除後に使用することが提案されている．

成人ROSC後昏睡状態の850人に早期から持続脳波モニタリングを施行して神経学的転帰との関連を検討した前向きコホート研究[35]では，全般性のサプレッション波形（＜10μV）および同期パターンでサプレッション波形が50％以上である場合は神経学的転帰不良と関連した（ROSC後12時間の時点で特異度100％）．一方で，周波数がいくらであれ持続性のバックグラウンド波形が出ていることは神経学的転帰良好と関連した（ROSC後12時間の時点で特異度91％）．このように，ROSC後の早期から脳波上で神経学的転帰良好を予測する指標が検討されている．

2）短潜時体性感覚誘発電位（SSEP）

SSEPは，正中神経を刺激してシグナルが大脳皮質に至る経路でそれぞれの部位の神経電位を積算して表示する検査で，N20波は刺激から20msec後に出てくる陰性（negative；N）の波形で，大脳皮質感覚野の機能を示す．麻酔薬などの影響を受けにくく，ROSC後の脳機能評価に適している．ROSC後72時間以降におけるN20波の両側消失は神経学的転帰不良の指標であり，別の指標を組み合わせて評価することが提案されている．

ただし，SSEPの検査には技術と経験が必要であり，ICU環境からの電気的干渉，筋肉由来のアーチファクト，使用薬物の影響を避けるために最大限の努力を払うべきである．SSEPを行う際には筋弛緩薬の使用を常に考慮する．

3 血清バイオマーカー

ROSC後72時間以内の神経特異エノラーゼ（neuron specific enolase；NSE）をほかの検査と組み合わせて神経学的転帰不良の予測に使用することが提案されてい

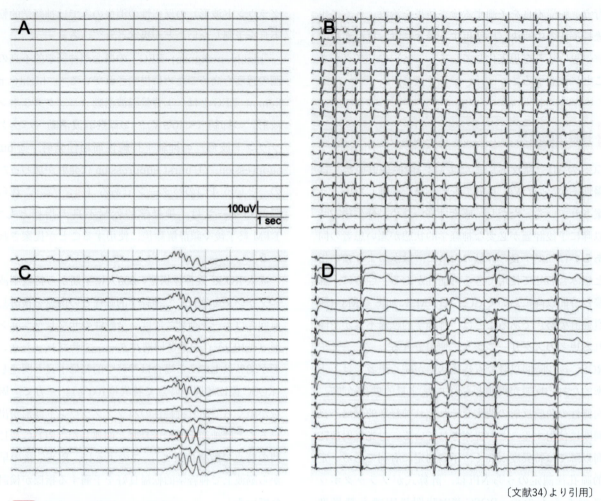

〔文献34)より引用〕

図2 Highly malignant EEG
周期性あるいは律動性パターン，病的もしくは反応性のない背景脳波活動（バックグラウンド波形）のことで，転帰不良予測の感度を高めるために使用する
A：背景脳波活動（バックグラウンド波形）が抑制（<10μV）され，発射がまったくみられない
B：背景脳波活動（バックグラウンド波形）の抑制（<10μV）に持続性の周期性発射が加わったもの
C：burst suppression（発射はなく，<10μVのサプレッションが記録の50％以上を占める）
D：burst suppression＋発射

る。ただし，閾値についてはコンセンサスが得られていない。心停止後の転帰を予測するには，ほかの方法と組み合わせてNSEの連続測定を行う。24〜48時間または72時間の間に値が上昇し，48時間および72時間に高い値となる場合，予後が悪いことを示している。

また，S-100B蛋白質，GFAP（glial fibrillary acidic protein），血清タウ蛋白，NfL（neurofilament light）については，神経学的転帰不良の予測に使用しないことが提案されている。

4 イメージング

正常脳の灰白質と白質のCT値の比（gray white matter ratio；GWR）は約1.3であり，脳浮腫ではGWRが低下する。ROSC後2時間以内において，基底核および大脳からの平均GWR値が1.1〜1.23であることは，ほかの指標と組み合わせることで神経学的転帰不良の指標となる[36]。特異度100％となるGWRの閾値は研究・報告により異なる。

脳MRIでは，ROSC後2〜6日後の拡散強調画像における広範囲な高信号領域の存在を，ほかの指標と組み合わせることで神経学的転帰不良の指標とすることが提案されている。さらに，脳MRIでは，みかけの拡散係数（apparent diffusion coefficient；ADC）が低値を示す領域の存在を神経学的転帰不良の指標とすることが提案されている。

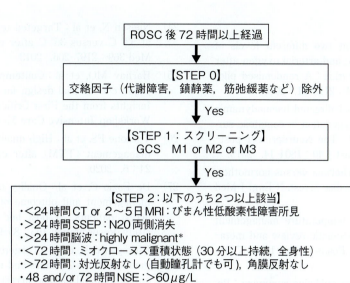

図3 神経学的転帰不良の予測アルゴリズム
＊背景脳波活動の抑制±持続性周期性発射，バーストサプレッション±発射

5 多角的アプローチによる神経学的転帰の予測

神経学的転帰不良の予測アルゴリズムの例を図3[7]に示す。前提条件はROSC後72時間以上経過し，交絡因子（代謝障害，鎮痛薬，鎮静薬，筋弛緩薬の使用）を除外できていることである。次に，GCSのM1，M2，M3であるかを確認する。CT/MRI所見，SSEP N20波形の消失，highly malignant EEG，ミオクローヌス重積状態，両側の角膜反射および対光反射の消失，NSEのなかから2つ以上の基準に該当すれば転帰不良が示唆される。

この転帰不良予測のアルゴリズムは，GCS M3を加えることで対象を拡大し，また highly malignant EEGを採用することでその感度を高め，神経学的転帰良好まで予測することを目的として改訂されたものである[37]。

▶文献

1) Nolan JP, et al：Post-cardiac arrest syndrome：Epidemiology, pathophysiology, treatment, and prognostication：A Scientific Statement from the International Liaison Committee on Resuscitation. Resuscitation 79：350-79, 2008.
2) Sakabe T, et al：Intracranial pressure following cardiopulmonary resuscitation. Intensive Care Med 13：256-9, 1987.
3) Inamasu J, et al：Subarachnoid haemorrhage as a cause of out-of-hospital cardiac arrest：A prospective computed tomography study. Resuscitation 80：977-80, 2009.
4) 日本蘇生協議会（監）：JRC蘇生ガイドライン2020, 医学書院, 2021.
5) Yamamoto R, et al：Oxygen administration in patients recovering from cardiac arrest：A narrative review. J Intensive Care 8：60, 2020.
6) Panchal AR, et al：Adult Basic and Advanced Life Support Writing Group：Part 3：Adult basic and advanced life support：2020 American Heart Association guidelines for cardiopulmonary resuscitation and emergency cardiovascular care. Circulation 142（16_suppl_2）：S366-468, 2020.
7) Nolan JP, et al：European Resuscitation Council and European Society of Intensive Care Medicine guidelines 2021：Post-resuscitation care. Intensive Care Med 47：369-421, 2021.
8) Lemkes JS, et al：Coronary angiography after cardiac arrest without ST-segment elevation. N Engl J Med 380：1397-407, 2019.
9) Desch S, et al：Angiography after out-of-hospital cardiac arrest without ST-segment elevation. N Engl J Med 385：2544-53, 2021.
10) Janiczek JA, et al：Hemodynamic resuscitation characteristics associated with improved survival and shock resolution after cardiac arrest. Shock 45：613-9, 2016.
11) Beylin ME, et al：Higher mean arterial pressure with or without vasoactive agents is associated with increased survival and better neurological outcomes in comatose survivors of cardiac arrest. Intensive Care

Med 39:1981-8, 2013.

12) Jakkula P, et al:Targeting two different levels of both arterial carbon dioxide and arterial oxygen after cardiac arrest and resuscitation:A randomised pilot trial. Intensive Care Med 44:2112-21, 2018.

13) Ameloot K, et al:Early goal-directed haemodynamic optimization of cerebral oxygenation in comatose survivors after cardiac arrest:The Neuroprotect post-cardiac arrest trial. Eur Heart J 40:1804-14, 2019.

14) Dankiewicz J, et al:Hypothermia versus normothermia after out-of-hospital cardiac arrest. N Engl J Med 384:2283-94, 2021.

15) Arrich J, et al:Targeted temperature management after cardiac arrest:A systematic review and meta-analysis of animal studies. Resuscitation 162:47-55, 2021.

16) Geocadin RG, et al:Practice guideline summary:Reducing brain injury following cardiopulmonary resuscitation:Report of the Guideline Development, Dissemination, and Implementation Subcommittee of the American Academy of Neurology. Neurology 88:2141-9, 2017.

17) Berg KM, et al:Adult advanced life support:2020 international consensus on cardiopulmonary resuscitation and emergency cardiovascular care science with treatment recommendations. Circulation 142(suppl 1):S92-139, 2020.

18) Elmer J, et al:Emergency neurological life support:Resuscitation following cardiac arrest. Neurocrit Care 27(Suppl 1):134-43, 2017.

19) Soar J, et al:Temperature management in adult cardiac arres t:Advanced life support systematic review, 2021. https://costr.ilcor.org/document/systematic-review-temperature-management-in-adult-cardiac-arrest-als#comments（accessed 2023-2-27）

20) Sandroni C, et al:ERC-ESICM guidelines on temperature control after cardiac arrest in adults. Intensive Care Med 48:261-9, 2022.

21) Alnabelsi TS, et al:Passive antipyretic therapy is not as effective as invasive hypothermia for maintaining normothermia after cardiac arrest. Am J Emerg Med 50:202-6, 2021.

22) Holzer M, et al:Mild therapeutic hypothermia to improve the neurologic outcome after cardiac arrest. N Engl J Med 346:549-56, 2002.

23) Lascarrou JB, et al:Targeted temperature management for cardiac arrest with nonshockable rhythm. N Engl J Med 381:2327-37, 2019.

24) Nielsen N, et al:Targeted temperature management at 33°C versus 36°C after cardiac arrest. N Engl J Med 369:2197-206, 2013.

25) Harhay MO, et al:Contemporary strategies to improve clinical trial design for critical care research:Insights from the First Critical Care Clinical Trialists Workshop. Intensive Care Med 46:930-42, 2020.

26) Taccone FS, et al:High quality targeted temperature management（TTM）after cardiac arrest. Crit Care 24:6, 2020.

27) De Fazio C, et al:Quality of targeted temperature management and outcome of out-of-hospital cardiac arrest patients:A post hoc analysis of the TTH48 study. Resuscitation 165:85-92, 2021.

28) Kirkegaard H, et al:Targeted temperature management for 48 vs 24 hours and neurologic outcome after out-of-hospital cardiac arrest:A randomized clinical trial. JAMA 318:341-50, 2017.

29) Beretta S, et al:Neurologic outcome of postanoxic refractory status epilepticus after aggressive treatment. Neurology 91:e2153-62, 2018.

30) Rittenberger JC, et al:Frequency and timing of nonconvulsive status epilepticus in comatose post-cardiac arrest subjects treated with hypothermia. Neurocrit Care 16:114-22, 2012.

31) Ruijter B, et al:Treating rhythmic and periodic EEG patterns in comatose survivors of cardiac arrest. N Engl J Med 386:724-34, 2022.

32) Kurtz P, et al:Reduced brain/serum glucose ratios predict cerebral metabolic distress and mortality after severe brain injury. Neurocrit Care 19:311-9, 2013.

33) Oddo M, et al:Quantitative versus standard pupillary light reflex for early prognostication in comatose cardiac arrest patients:An international prospective multicenter double-blinded study. Intensive Care Med 44:2102-11, 2018.

34) Westhall E, et al:Standardized EEG interpretation accurately predicts prognosis after cardiac arrest. Neurology 86:1482-90, 2016.

35) Ruijter BJ, et al:Early electroencephalography for outcome prediction of postanoxic coma:A prospective cohort study. Ann Neurol 86:203-14, 2019.

36) Sandroni C, et al:Prediction of poor neurological outcome in comatose survivors of cardiac arrest:A systematic review. Intensive Care Med 46:1803-51, 2020.

37) Sandroni C, et al:ERC-ESICM guidelines for prognostication after cardiac arrest:Time for an update. Intensive Care Med 46:1901-3, 2020.

IV 初期診療と鑑別診断

1. 救急初期診療の理論 …………………… 108
2. 救急初期診療の実際 …………………… 117
   - 2-1. 院内トリアージ ……………………… 117
   - 2-2. 気道の評価と初期対応 …………… 123
   - 2-3. 呼吸の評価と初期対応 …………… 127
   - 2-4. 循環の評価と初期対応 …………… 131
   - 2-5. 中枢神経の評価と初期対応 ……… 138
   - 2-6. 体表・体温の評価と初期対応 …… 142
3. 電解質異常 ……………………………… 145
4. 酸塩基平衡異常 ………………………… 154
5. 心電図検査の基本 ……………………… 162
6. 救急画像診断の基本 …………………… 169
7. 超音波検査の基本 ……………………… 176
8. 救急薬剤使用の基本 …………………… 188
9. 輸液療法の基本 ………………………… 195
10. 輸血療法の基本 ………………………… 200
11. 救急症候 ………………………………… 208
    - 11-1. 意識障害 …………………………… 208
    - 11-2. めまい ……………………………… 212
    - 11-3. 頭 痛 ……………………………… 219
    - 11-4. けいれん …………………………… 226
    - 11-5. 運動麻痺, 感覚障害 ……………… 231
    - 11-6. 失 神 ……………………………… 237
    - 11-7. 胸 痛 ……………………………… 246
    - 11-8. 動 悸 ……………………………… 253
    - 11-9. 高血圧切迫症・緊急症 …………… 259
    - 11-10. 呼吸困難 ………………………… 265
    - 11-11. 咳, 痰 …………………………… 271
    - 11-12. 喀 血 …………………………… 277
    - 11-13. 吐血, 下血 ……………………… 282
    - 11-14. 腹 痛 …………………………… 285
    - 11-15. 悪心, 嘔吐 ……………………… 291
    - 11-16. 下痢, 便秘 ……………………… 297
    - 11-17. 腰痛, 背部痛 …………………… 302
    - 11-18. 尿閉, 乏尿, 無尿 ……………… 307
    - 11-19. 血 尿 …………………………… 312
    - 11-20. 発熱, 高体温 …………………… 318
    - 11-21. 咽頭痛, 嚥下時痛 ……………… 324
    - 11-22. 倦怠感, 脱力感 ………………… 328
    - 11-23. 異常な皮膚所見 ………………… 331
    - 11-24. 精神症候 ………………………… 335

Ⅳ 初期診療と鑑別診断

1 救急初期診療の理論

溝端　康光

救急初期診療の原則と目標

救急初期診療においては，以下の原則に基づいて診療を進める。

①生命を脅かす病態への対応を最優先すること。
②最初に生理学的徴候の異常を把握すること。
③確定診断に固執しないこと。
④時間を重視すること。
⑤不必要な侵襲を加えないこと。

これは外傷初期診療ガイドラインJATEC™（Japan Advanced Trauma Evaluation and Care）[1]でも紹介されているものであるが，内因性疾患などに対する救急診療（以下，ここでは「疾病救急」という）を含むすべての救急初期診療において通じる原則・概念である。

救急初期診療においてはまず，第一印象で患者状態をある程度把握し，次に生命維持機能にかかわる異常，すなわち気道（A；Airway），呼吸（B；Breathing），循環（C；Circulation），中枢神経（D；Dysfunction of CNS），体温（E；Environmental control）の異常に関する評価を行い，それらの安定化のために必要な処置（蘇生）を迅速に実施する。

そして，種々の症候・所見などから原因疾患・病態を検討しつつ，緊急度・重症度を評価する。緊急度・重症度が高い，もしくはそれと疑われる場合には，より詳細な診察や検査を行う。原因の鑑別を進めながら，緊急病態を回避すべく必要に応じた処置・治療を実施，あるいは高次医療機関への転送や専門科での根本治療などへつなげることを目標とする。一方，緊急度・重症度が低い（もしくは処置の結果，緊急度・重症度が低くなった）と判断できれば，実施すべき処置・検査・診断・治療の優先順位を考慮しつつ，患者の適切なdisposition（帰宅，入院，転院，専門他科受診，翌日以降の再診など）を決定する。

一連の診療においては，どのような場面においても患者にとって適応され得る具体的診療の優先順を常に考え，今やるべきことと，後でよいこと（後のほうがよいこと）を的確に判断することが重要である。

このような救急初期診療の原則と目標は，事前に想定される緊急度・重症度にかかわらない。言い換えれば，初期・二次・三次救急の区別にかかわらず共通のものであり，救急搬送されてくる患者はもちろんのこと，例えば独歩受診で軽症が想定される患者であっても同様である。対面時に意識がはっきりしており，外見上の異常もみられず，すぐ軽症と判断した場合でも，それはすなわち第一印象の評価および，ABCDEの異常の評価を総合的に行った結果といえる。また，いったん軽症と判断したとしても，その後の問診や診察で緊急度・重症度の高い原因が隠れていないか探索し必要な処置を行う流れも，原因を精査し必要な対応を講じる基本的な流れと一致する。すなわち，救急科専門医には，救急初期診療の原則・目標（理論）を理解したうえで，初期・二次・三次救急を問わず状況にあわせて理論を応用することが求められる。

生命維持と蘇生

救急患者の初期診療においては，生命維持の生理を確認したうえで，生命維持機能を障害する病態を理解するとともに，初期対応の手順を整理する必要がある。

ヒトは大気中の酸素を体内に取り込み，全身に供給する一連の仕組みによって生命を維持している。気道・呼吸・循環を介する全身への酸素供給が中心であるが，中枢神経系に酸素が供給されることにより気道開通と呼吸運動が維持され，生命を維持するための輪が形成される。また，適切な体温維持も，生命維持機能として重要である。

生命維持機能が障害を受けた場合には，直ちにこの連鎖を立て直さなければならない。このための一連の処置が，蘇生である。蘇生の基本は，生命維持機能への支持療法であるが，処置の順番は気道，呼吸，循環，中枢神経系となる。その理由は以下の2つで説明される。

第一に，生命維持の輪が，酸素の取り込みと全身への供給で構成されることから，体内に酸素を取り込む気道

を最初に機能させるのが理にかなっている．第二に，現時点での医療レベルで支持・根本療法をもっとも迅速かつ確実にできるのは気道系であり，次に呼吸系，循環系と続くためである．上気道閉塞による窒息は急速に心停止に至るが，気管挿管を行うことで迅速かつ確実に気道を開通させることができる．また，酸素投与や人工呼吸，胸腔ドレナージなどによる呼吸系への処置は迅速に実施でき，多くの場合，呼吸機能を改善し得る．これに対し，循環破綻であるショックは，心原性・循環血液量減少性・血液分布異常性のいずれも，機能改善のために時間と，時には手術などの大きな処置を必要とし，効果の確実性も低い．中枢神経系および体温の異常に対しては，それぞれへの処置も必要であるが，気道・呼吸・循環を維持することで，さらなる悪化を回避しつつ生命維持に必要な機能を保つことができる．

以上より，救急初期診療における生理学的機能異常の評価と初期対応は，気道（A），呼吸（B），循環（C），中枢神経（D），体温（E）の順に，ABCDEアプローチとして実施するのが基本となる．

救急初期診療の基本的なアプローチ

救急初期診療における基本的な考え方を図1に示す．本稿執筆時点で救急初期診療の確立されたアプローチは存在しないが，ここでは便宜的に，第一印象の把握に引き続き3つのステップに分けて要点を述べる．ただし，これは救急初期診療の手順や用語を厳密に規定・分割するものではないことに留意されたい．

最初に行うべきは「第一印象」の把握である．患者と対面した際，生理学的異常の存在，すなわち蘇生の要否を大まかに把握する．その後，以下のステップに進む．

第一のステップは「初期評価と蘇生」である．ABCDEアプローチに沿って生命維持機能の異常の評価を行う．異常があった場合は直ちに蘇生を開始し，患者状態の安定化を図る．

第二のステップは「緊急度・重症度の評価と介入」である．的を絞った病歴聴取，身体診察，各種検査を通じて存在し得る緊急度・重症度の高い原因疾患・病態を想起し，除外する．緊急度・重症度の高い原因疾患・病態の可能性が残り，即時に行うべき処置・治療があれば，迅速に介入を開始する．

第三のステップは「原因疾患および病態の鑑別・絞り込み」である．可能性のある疾患・病態を鑑別していく

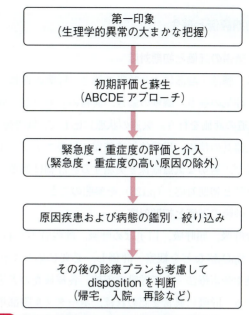

図1 救急初期診療における基本的な考え方
※病状急変時は「初期評価と蘇生」へ戻る
※評価・介入・鑑別においては，常に優先順位を考慮する
※診断においては，緊急度・重症度の高い原因の除外からアプローチする
※確定診断を得ることに固執しない

ために，詳細な病歴聴取，身体診察，各種検査を行う．

このようなステップを経て最終的に帰着すべき目標は，根本治療や専門的な検査など，今後必要となる診療プランを見越したdispositionの決定である．

1 第一印象

患者に接触したら，迅速に気道・呼吸・循環・中枢神経・体温を評価することにより，第一印象を把握する．具体的には「わかりますか？」「お名前は？」などと話かけ，通常の発声がなければ気道（A）の異常または意識障害（D）と判断する．呼びかけと同時に前頸部や胸部を観察し，呼吸（B）を評価する．呼吸が速いか遅いか，もしくは浅表性で努力様の場合は異常と判断する．同時に末梢の皮膚や脈を触れ，循環（C）と体温（E）を感じとる．末梢が蒼白で冷たく，脈が触知しにくい場合には循環（C）に異常があると判断する．体幹に触れ，低体温・高体温の評価を行う．このように五感を働かせてA・B・C・D・Eの異常を短時間で感じとり，緊急度や重症度の第一印象を把握する．

2 初期評価と蘇生

1）気道の評価と初期対応

視診・聴診・触診により呼吸の深さ，呼吸の性状，呼吸音，呼気の強さ，胸壁の動き，異物の有無などを観察し，気道の評価を行う．気道の状態に応じて，気管挿管，声門上器具の使用，用手的気道確保，経鼻エアウエイの使用など，適切な気道確保を実施する．詳細は他項「気道の評価と初期対応」（p.123）を参照のこと．

2）呼吸の評価と初期対応

起坐呼吸，頻呼吸，口すぼめ呼吸，呼吸音の左右差，喘鳴，SpO_2値などを観察・評価し，必要に応じて体位の変換や酸素療法，人工呼吸の実施，各種検査の実施を考慮する．呼吸に異常を認めれば，ポータブル胸部単純X線撮影や超音波検査を実施する．詳細は他項「呼吸の評価と初期対応」（p.127）を参照のこと．

3）循環の評価と初期対応

血圧や脈拍数（心拍数）測定，心電図モニター波形確認などを通じて評価する．超音波検査も有用である．必要に応じて末梢静脈路を確保する．数値データのみでなく，末梢の冷感・湿潤，微弱な脈拍などの身体所見を確認し，ショックの徴候を見落とさないようにする．詳細は他項「循環の評価と初期対応」（p.131）を参照のこと．

4）中枢神経の評価と初期対応

意識レベルをJCS（Japan Coma Scale）やGCS（Glasgow Coma Scale）などのスケールを用いて定量評価する．また，対光反射の消失，麻痺の有無などの評価も行う．これらは経時変化が重要となるため，繰り返しの評価が求められる．気道の確保と適切な酸素化，循環の安定化により中枢神経系の病態悪化を防止することが重要である．詳細は他項「中枢神経の評価と初期対応」（p.138）を参照のこと．

5）体温の評価と初期対応

深部体温として腋窩温あるいは鼓膜温を測定する．深部体温32℃以下など低体温状態の場合には心電図モニターで厳重に監視し，表面加温や加温輸液による復温を考慮する．一方，深部体温40℃以上など高体温状態の場合には，意識障害やけいれんを起こしやすく，表面冷却や冷却輸液投与による深部冷却を考慮する．詳細は他項「体表・体温の評価と初期対応」（p.142）を参照のこと．

3 緊急度・重症度の評価と介入

生命維持機能にかかわる異常の評価と初期対応・安定化に引き続いて，緊急度・重症度の評価を行う．症候などから緊急度・重症度の高い疾患・病態を想起し，的を絞った病歴聴取，および特徴的な身体所見・検査所見などに基づいてそれらの除外を行う．とくに緊急度の判断においては時間経過に伴う病態の変化の程度に注目する．疾病救急でとくに注意が必要な，緊急度の高い原因疾患・病態の例を**表1**に示す．これらの多くは治療開始時間が転帰に影響するため，除外できるまではとくにスピードを落とすことなく，迅速に診療を進めるべきである．また，この段階では緊急度・重症度の高い疾患・病態の"除外"が重要となるため，検査の企画においては，想起されている疾患に対し感度の高い検査が優先される．緊急度・重症度の高い原因疾患・病態が疑われれば，必要な対応を迅速に開始する．

4 原因疾患および病態の鑑別・絞り込み

とくに緊急度・重症度の高い原因疾患・病態が除外できたら，「可能性のある」原因疾患・病態を鑑別すべく詳細な病歴聴取と身体診察，必要に応じた追加検査を行い，原因疾患・病態の鑑別を絞り込んでいく．その際も単に鑑別疾患を列挙しつぶしていくのではなく，緊急度・重症度の観点から検討すべき疾患・病態の優先順位を常に意識することが重要である．

5 Dispositionの判断

救急初期診療で重要なのはその時点で必要な処置・判断を適切に行うことであり，帰着すべき目標は患者のdispositionを決定することである．dispositionはその後の診療プランを考慮して決定することが望ましい．この時点で確定診断を得ることに固執する必要はない．

救急初期診療において重要な考え方・理論

1 臨床推論

とくに疾病救急の原因疾患・病態を鑑別するプロセスにおいて必要となるのが臨床推論である．

臨床推論とは，患者の健康問題の解決に関して医療面

表1 主な症候ごとの，とくに緊急度の高い原因疾患・病態の例

症候	緊急度の高い原因疾患・病態
気道狭窄，咽頭痛，嗄声	急性喉頭蓋炎，扁桃周囲膿瘍，咽後膿瘍，Ludwig's angina
呼吸困難	気管支喘息，肺血栓塞栓症，重症肺炎，緊張性気胸，急性心不全
ショック	心原性ショック：急性心筋梗塞，致死的不整脈，心筋炎 心外閉塞・拘束性ショック：緊張性気胸，心タンポナーデ，肺血栓塞栓症 循環血液量減少性ショック：内・外出血，消化管出血，脱水 血液分布異常性ショック：アナフィラキシー，敗血症
意識障害，けいれん	脳出血，くも膜下出血，脳梗塞，致死的不整脈，低酸素，低血糖
麻痺，しびれ	脳梗塞
頭痛	くも膜下出血，脳出血
胸痛	急性冠症候群，急性大動脈解離，緊張性気胸，肺血栓塞栓症，特発性食道破裂
腹痛	急性冠症候群，腹部大動脈瘤破裂，急性大動脈解離，腸間膜動脈閉塞症，消化管穿孔，絞扼性腸閉塞
腰・背部痛	急性大動脈解離，大動脈瘤破裂，急性膵炎
上・下肢痛	動脈閉塞による下肢虚血，コンパートメント症候群，壊死性軟部組織感染症

接や身体診察，各種検査を行って，問題を解き明かす認知プロセスである．臨床推論の思考様式について，確立された分類法はないが，①仮説演繹法，②パターン認識法，③徹底的検討法，④多分岐法の4つに分類すると理解しやすい[2]．

仮説演繹法では，問診による病歴をもとに，知識や経験，疫学と照合していくつかの可能性のある疾患や病態の仮診断を立てる．これが「仮説」の過程である．さらに診断を確定するために尤度比などを参考に必要な検査を追加し，仮診断の妥当さを検証する「演繹」の過程を行う．演繹は三段論法に基づき，①「A症候およびB検査結果を有するすべての患者はM病である」という前提のもと，②「S患者はA症候およびB検査結果を有する」ことを確認し，③「ゆえにS患者はM病である」と確定診断に至る技法である．

パターン認識法は直感的なもので，仮診断を想起せずに直感や感覚，経験などから迅速に最終診断に至る手法である．例えば，「突然発症の頭痛・嘔吐を伴う片麻痺」との情報があれば，脳出血と強く確信し得る．外傷初期診療での原因病態の特定は，多くの場合，このパターン認識法が用いられる．例えば，致死的胸部外傷の評価では，気管の偏位と片側呼吸音の消失，呼吸運動の左右差とショック症状から緊張性気胸と診断される．

徹底的検討法とは，症候に該当するすべての疾患を想定し，網羅的に検討して診断を進めるものである．系統的評価ともいわれる．網羅的に診断名を集めるが，検討には演繹法を用いる．

多分岐法とは，既知の仮説演繹法やパターン分析法の結果をアルゴリズム化したものを用いて診断に至る手法である．

このような臨床推論はとくに，症候に対して想起される原因疾患・病態が多岐にわたる救急初期診療において，必要な情報や検査の選択，鑑別診断の絞り込みに活用することができる．

2 感度，特異度，尤度

救急診療において，身体診察や各種検査を実施し，原因疾患・病態の鑑別を進める際には，陽性所見や陽性結果がどの程度診断に寄与するのかを理解しておく必要がある．感度，特異度，尤度はそのための指標となる．

感度は，「当該疾病を有する人」を分母に，「検査陽性の人」を分子にして算出する．特異度は，「当該疾病を有しない人」を分母に，「検査陰性の人」を分子とする．感度の高い検査は鑑別診断において当該疾患を除外するために有用である．すなわち，感度の高い検査結果が陰性であった場合，その患者が当該疾患である確率は低く鑑別診断のなかで除外し得る．一方，特異度は確定診断に有用である．特異度が高い検査結果が陽性であった場合，その患者が当該疾患である確率が高くなる．

これら感度，特異度は身体診察や検査の有用性の評価には役立つものの，診療対象である患者が当該疾患であるか否かを判断するための指標にはしづらい。臨床現場において知りたいのは，検査が陽性であった場合に，患者が当該疾患である確率はどれくらい高くなるのか，である。その指標となるのが，尤度比である（likelihood ratio；LR）。尤度比の計算にはオッズが用いられる。オッズとは，当該疾患がある確率/当該疾患がない確率で算出される。尤度比は，検査後オッズ/検査前オッズで算出される。例えば，心窩部痛を訴える患者における心筋梗塞の割合が30％であった場合，オッズは0.3/（1－0.3）＝0.43である。心窩部痛を訴える患者におけるトロポニンT検査の心筋梗塞診断の感度が90％，特異度が95％であった場合，心窩部痛を訴える100人の患者において，トロポニンT検査陽性患者における心筋梗塞の割合は27/（27＋3.5）＝0.89である。オッズは0.89/（1－0.89）＝8.1となり，心窩部痛を訴える患者においてトロポニンT検査の陽性尤度比は8.1/0.43＝18.8である。患者の診断という面では，心窩部痛のため心筋梗塞の事前確率は30％であったが，陽性尤度比18.8のトロポニンT検査を実施し，検査が陽性であれば心筋梗塞の事後確率を89％に上げることができる。

このように，陽性尤度比が高い検査は，陽性結果を確定診断のために用いることができる。一方，陰性尤度比が低い検査は，陰性結果を除外診断に用いることができる。ただし，尤度比はどのような患者群の事前確率をどの程度の事後確率に高めるか（低めるか）を示すものであるため，尤度比を定めた事前確率の患者群の特性（上記の場合，胸痛を訴える患者であるか）を確認しておく必要がある。

3 チームアプローチ

救急診療は緊急度・重症度の高い患者を扱う場面ほど，多職種からなる診療チームで行うことが必要となる。とくに，前述した初期診療の「初期評価と蘇生」の段階では，マンパワーを確保することで迅速に診療を進めることが可能となる。良好なチーム診療の実践は，診療時間の短縮，的確な診療，転帰改善につながる[3)4)]。質の高いチームとするためには，ブリーフィングでチームビルディングを行い，強いリーダーシップに加え，メンバー間の適切なコミュニケーションを実践することが重要とされている。

初期診療理論の応用例（外傷初期診療）

冒頭で述べたとおり，救急初期診療の理論・アプローチは基本的にすべての救急患者に共通するものであるが，救急科専門医には状況に応じてその理論を応用し，実際の診療に臨むことが求められる。その応用が具体化されたものとしてもっとも代表的なのが，外傷初期診療ガイドラインJATECである。JATECは確立された外傷初期診療の理論として救急科専門医にとって欠かせないものであるため，ここでは以下，その背景となる外傷の病態生理も含めて概説する。

1 外傷の病態生理

1）気道の障害

外傷における気道の障害は，頭部・顔面外傷や頸部外傷で生じる。頭部外傷の意識障害に伴う舌根沈下は，気道閉塞の原因としてもっとも頻度が高い。頭蓋底骨折，顔面外傷，頸部外傷による出血，歯牙などの異物，誤嚥した吐物なども気道閉塞の原因となる。頸部外傷では，気管周囲に形成される血腫が気道を圧迫し気道狭窄をきたす。

気道が完全に閉塞すると，酸素を取り入れることができなくなり短時間で心停止に至る。心停止を回避できても，重篤な低酸素血症は全身の臓器機能障害の原因となる。また，高二酸化炭素血症は頭部外傷における脳腫脹を増悪させ，救命を困難にする。

2）呼吸の障害

吸気中の酸素を血液に受け渡す呼吸機能は，換気とガス交換からなる。換気障害は頭部外傷による呼吸抑制に加え，頸髄・胸髄損傷に伴う横隔神経・肋間神経障害，多発肋骨骨折や横隔膜損傷による胸郭の異常で生じる。多発肋骨骨折に伴うフレイルチェストはその典型例である。

肺胞でのガス交換は，肺そのものの損傷である肺挫傷により引き起こされる。また，頭蓋底骨折や顔面外傷からの出血が誤嚥され，無気肺を生じることでも酸素化は障害される。四肢骨折に伴う肺脂肪塞栓症は，骨折部の脂肪滴が血液中に流入することで発症するガス交換障害である。

このような換気とガス交換の障害は低酸素血症，高二酸化炭素血症を引き起こし，病態をさらに悪化させる。

3）循環の障害

全身の循環を司る因子として，循環血液量，心拍出量，血管抵抗の3つがあるが，外傷はこれらいずれの因子にも影響し，循環障害を引き起こす。

(1) 循環血液量の減少（出血性ショック）

外傷におけるショックの多くが出血性ショックである。重要な出血部位としては，体外への外出血と，胸腔内，腹腔内，後腹膜腔，そのほか軟部組織などへの内出血がある。心・大血管損傷，肺の損傷，多発肋骨骨折に伴う肋間動静脈からの出血は胸腔内出血の原因となる。また，腹部臓器である肝や脾などの損傷は，大量の腹腔内出血を引き起こす。骨盤骨折や腎損傷，副腎損傷では，後腹膜出血をきたす。大腿骨の骨折や体幹の打撲部からの出血は，軟部組織に広がり，思わぬ大量出血となる。

(2) 心拍出量の減少

閉塞性ショック：緊張性気胸では，損傷側の胸腔内圧が上昇することに加え，縦隔が反対側に偏位することから，静脈還流が障害され閉塞性ショックに陥る。また，心損傷に伴う出血が心嚢内に貯留し心タンポナーデとなると，心臓の拡張障害から閉塞性ショックとなる。

心原性ショック：心筋の挫傷，冠動脈の損傷に伴う心筋梗塞，弁損傷や乳頭筋断裂は，心拍出量の低下や重篤な不整脈により心原性ショックを引き起こす。

(3) 血管抵抗の低下

神経原性ショック：高位脊髄損傷などにより血管運動性交感神経の緊張低下が起こることで神経原性ショックが生じる。血圧が低いにもかかわらず脈は正常か徐脈で，皮膚は温かく乾燥している。

敗血症性ショック：敗血症性ショックは感染により生じるもので，外傷の受傷直後に起こることはきわめてまれである。

4）中枢神経の障害

頭部外傷では，急性硬膜外血腫や急性硬膜下血腫，脳挫傷による脳ヘルニアが脳幹機能を障害し呼吸を抑制する。受傷時の外力による一次性脳損傷に加え，低血圧，低酸素血症，高二酸化炭素血症は二次性脳損傷を引き起こし，脳腫脹を増悪させる。頭蓋内出血や脳腫脹に伴う頭蓋内圧の上昇は，脳ヘルニアをきたし中枢神経に不可逆的な障害をもたらす。中枢神経の障害は，舌根沈下により気道を閉塞するとともに，呼吸中枢の障害により換気が抑制され酸素供給サイクルを中断する。

5）体温の障害

ショック，なかでも大量出血に伴う出血性ショックでは，末梢組織での熱産生の低下により体温低下が生じる。さらに出血に対する大量の輸液や輸血，全身の観察のための脱衣により外傷患者では体温が低下しやすい。低体温に加え，末梢組織での嫌気的解糖による代謝性アシドーシス，血液凝固障害が生じると，その後の止血処置がきわめて困難となり救命率を低下させる。低体温，代謝性アシドーシス，血液凝固障害は，外傷における死の三徴として知られる。

6）その他の障害

(1) 機能障害

重症外傷では，生命維持に必要な気道・呼吸・循環・中枢神経・体温といった急性期の生理学的機能障害に加え，日常生活を過ごすための機能障害が重篤化する。

(2) 整容の障害

顔面外傷や四肢開放骨折，広範囲の体表損傷は整容的な障害をもたらす。整容の障害は，機能的に異常がなくても，患者にとって大きな精神的負担となる。

(3) 臓器障害

外傷では，長期間の集中治療を必要とするため，急性期の後も複数の臓器障害に陥りやすい。臓器障害の発生には，集中治療管理中の感染症，栄養状態の悪化，外傷そのものによる凝固線溶異常，全身の炎症反応などが関与している。複数の臓器障害の合併は，外傷患者の急性期以降の主な死亡原因である。

2 JATECにおける初期診療アプローチ

外傷患者では，生理学的な徴候の異常から直ちに蘇生を開始し，状態の安定化を確認したうえで各部位の本格的な診断や治療に移行する。初期診療の手順は2つのステップからなり，それぞれの過程で行う観察と治療が「primary surveyと蘇生」および「secondary survey」である。それぞれの概要を図2，図3に示す（p.115～116参照）[1]。

Primary surveyでは，蘇生の必要性を判断する目的で生理学的な徴候を評価し蘇生する。その順序は，気道の開放（A），呼吸管理（B），循環管理（C）である。A・B・Cの安定に引き続き，致死的な中枢神経障害（D）を把握する。さらにA・B・C・Dの観察や蘇生を行う過程で，全身の露出と体温の評価と保温（E）に努める。

Secondary surveyでは見落としのない全身の損傷検索と，根本治療が必要か否かを判断するため，頭のてっぺんから足の爪先までの系統的な身体診察，諸検査，病

歴や受傷機転の詳細な聴取を行う。Secondary survey で状態の変化を少しでも認めた場合には，primary survey を繰り返し，蘇生の必要性を再評価する。

　Primary survey および secondary survey の各段階で，自施設の対応能力を超えるか否かを判断し，応援医師要請や転院搬送の判断を行う。自施設で対応できる場合は，根本治療を実施するなかで，見落とし回避の検索として tertiary survey を行う。

　以上の基本を踏まえたうえで，救急科専門医には JATEC の最新版（2023年時点で改訂第6版）にて詳細を確認することが求められる。

3　外傷初期診療のアプローチの特徴

1）原因として想起すべき疾患・病態が少ない

　外傷初期診療ではA・B・C・Dの異常をきたしている原因として想起すべき疾患・病態の数が少ない。そのため，「primary survey と蘇生」においては，原因疾患・病態を特定しながら原因に応じた処置を行うことが多い。一方で，疾病救急の場合には想起すべき原因疾患・病態が多岐にわたるため，原因に応じた処置というよりも，状態に応じた対症療法的な考え方に基づく処置が優先され得る。

2）身体所見の重要度が高い

　外傷は，機械的外力により身体組織が損傷されるため，身体所見の評価が情報収集の中心となる。このため外傷患者では，「primary survey と蘇生」において，身体所見から生理学的機能異常と異常病態を評価することが重視される。例えば，緊張性気胸は，ショック症状，片側呼吸音の消失と胸郭運動の左右差，皮下気腫などで診断すべきであり，骨盤骨折による出血性ショックは，ショックの身体所見と骨盤動揺，そして骨盤単純X線画像で診断される。また，外傷初期診療での病歴情報は，AMPLE（Allergy：アレルギー歴，Medication：服用中の治療薬，Past history & Pregnancy：既往歴・妊娠，Last meal：最終の食事，Events & Environment：受傷機転や受傷現場の状況）として「secondary survey」の最初に位置づけられており，病歴としての受傷機転はとくに注意して診察すべき身体部位・所見を確認するために役立てるものである。

▶文　献

1) 日本外傷学会, 他（監）：外傷初期診療ガイドライン JATEC™, 改訂第6版, へるす出版, 2021.
2) 大西弘高：The 臨床推論；研修医よ，診断のプロをめざそう！ 南山堂, 2012.
3) Driscoll PA, et al：Organizing an efficient trauma team. Injury 23：107-10, 1992.
4) Gerardo CJ, et al：The rapid impact on mortality rates of a dedicated care team including trauma and emergency physicians at an academic medical center. J Emerg Med 40：586-91, 2011.

第一印象→緊急度を大まかな全体像で把握

「わかりますか？ お名前は？」〔声かけしながら（AとDの確認）〕
- 前頸部や胸部に目をやり，息づかい（B）を観察し，前腕皮膚と脈拍を触れ，循環（C）と体温（E）を観察する
- 結果をチームで共有する

A：気道確保と頸椎保護→酸素化とモニタリングの開始，気道緊急か否か？

観察のポイント
- 「見て・聴いて・感じる」
- 陥没呼吸，シーソー呼吸，気管牽引
- 口鼻腔の挫創，出血，異物，分泌物
- 口腔内の異常音，喘鳴，嗄声

行うべき処置
- 高濃度酸素投与
- 吸引，異物除去
- 用手的気道確保/確実な気道確保
- 頸椎の保護

※陽圧換気を行う前には必ず身体所見・超音波などで気胸の有無をチェック

B：呼吸と致死的な胸部外傷の処置→呼吸数，身体所見，胸部X線，SpO_2

観察のポイント
- 視診：呼吸数，胸郭の動き，呼吸補助筋の使用，頸部/胸部の創傷・変形
- 聴診：左右差/異常音
- 打診：鼓音/濁音
- 触診：気管偏位/皮下気腫/圧痛/胸郭運動
- 検査：SpO_2/胸部X線

行うべき処置
- 低酸素血症・低換気→陽圧補助換気*
- フレイルチェスト→気道確保と陽圧補助換気
- 開放性気胸→胸腔ドレナージと閉創
- 緊張性気胸→胸腔穿刺・ドレナージ

*換気前に気胸の有無をチェック（EFAST）

C：循環と止血→外出血と内出血の検索「FAST＋胸部・骨盤X線撮影」

観察のポイント（ショックの早期認知）
- 皮膚所見：蒼白/冷感/冷汗
- 脈の強さ/速さ/不整
- 意識レベル：不穏/昏睡
  外出血の有無の観察
  モニタリング：血圧/心拍数・酸塩基平衡

行うべき処置
- 外出血→止血（圧迫/縫合）
- 末梢静脈路確保（18G以上を2本）→困難ならば骨髄内輸液考慮
- 初期輸液（温めた細胞外液補充液を成人1L，小児20 ml/kg）開始
- 循環破綻または初期輸液に反応しない場合
  →気管挿管，止血術（手術・IVR）・massive transfusion protocol 発動

観察のポイント（ショックの原因検索）
- 身体所見：緊張性気胸
- FAST：心タンポナーデ，腹腔内出血
- 胸部X線，FAST：大量血胸
- 骨盤X線：後腹膜血腫（不安定型骨盤骨折）

行うべき処置
- 緊張性気胸→胸腔穿刺・ドレナージ
- 心タンポナーデ→心嚢穿刺
- 大量血胸→胸腔ドレナージと開胸止血術
- 腹腔内出血→開腹止血術
- 不安定型骨盤骨折→簡易骨盤固定/TAE

D：中枢神経障害の評価→切迫するDの有無，二次性脳損傷回避

観察のポイント（切迫するD）
- GCS合計点 8以下
- GCSが急速に2点以上低下
- 脳ヘルニア徴候を伴う意識障害

行うべき処置（切迫するDの対処）
- A・B・Cの安定化/確実な気道確保
- CT撮影の準備（撮影はA・B・Cが安定した後，secondary surveyで）
- 脳神経外科医コール

E：脱衣と体温管理→体温測定と保温

観察のポイント
- 全身の衣服を取り活動性の外出血や開放創の有無を観察
- 体温測定

行うべき処置
- 体表保温・体表加温・深部加温

モニタリング・検査・処置

必要に応じてECGモニター，パルスオキシメーター，$EtCO_2$，血液ガス，血液検査，尿道カテーテル，胃管などを行う。

〔文献1）より引用〕

図2 外傷初期診療ガイドライン JATEC における「primary survey と蘇生」

PSと蘇生によりA・B・Cが安定するまでSSには移らない。意識・バイタルが変化したら再度A・B・C確認

切迫するDに対する頭部CTの優先
- A・B・Cが安定していることが必須条件
- 条件が整えば引き続き全身CTも考慮

病歴聴取：AMPLE
- アレルギー／服薬／既往歴・妊娠／最終飲食／受傷機転

全身観察：頭から爪先まで／前面・背面／すべての孔　「訴えを聞いて，見て，聴いて，触って」

頭部・顔面

検索する損傷
- 頭蓋骨骨折，頭蓋底骨折，顔面骨骨折
- 眼球・眼窩壁損傷
- 歯牙・舌・咽頭の損傷
- 鼓膜・耳道・耳介の損傷
- 顔面の神経，唾液腺，涙腺などの損傷

観察のポイント
- 訴え：頭痛，視力低下，複視，聴力障害，咬合障害など
- 視診：創傷，raccoon eye, Battle's sign
  眼瞼・眼球の創傷，眼球運動の異常
  口腔・鼻腔・外耳道・鼓膜などの創傷・血腫，髄液耳漏・鼻漏
- 触診：対称性・凹凸・段差，異常可動性，圧痛

頸部：介助者に頭部を正中中間位で保持させ，頸椎カラーを愛護的に外して診察

検索する損傷
- 前面：喉頭気管・血管・腕神経叢の損傷

観察のポイント
- 訴え：疼痛，頸部絞扼感，咽頭違和感，咳，血痰
- 視診：創傷，皮下出血，穿通創，腫脹
- 聴診：嗄声，頸動脈雑音，血管振動
- 触診：圧痛，皮下気腫，拍動する腫瘤，thrill

検索する損傷
- 後面：頸椎脱臼／骨折，頸椎捻挫など

観察のポイント
- 訴え：疼痛，運動痛，運動制限，四肢のしびれ，麻痺
- 触診：棘突起の圧痛

四肢

検索する損傷
- 骨折，脱臼，血管損傷，軟部組織損傷，筋区画症候群など

観察のポイント
- 訴え：疼痛，運動制限，しびれ，筋力の左右差
  激しい疼痛と局所の腫脹→筋区画症候群を疑う
- 視診：創傷，変形，腫脹，蒼白
- 触診：脈の触知／CRT
- 感覚・運動・循環の評価

胸部

検索する損傷
- 肺挫傷，大動脈損傷，気管・気管支損傷，鈍的心損傷，食道損傷，横隔膜損傷，血胸，気胸　PATBED2X

観察のポイント
- 訴え：呼吸困難，胸背部痛，血痰
- 視診：創傷，穿通創，呼吸様式，胸郭変形
- 触診：皮下気腫，胸骨・鎖骨・肋骨などの圧痛・変形
- 聴診：呼吸音異常および左右差
- 打診：鼓音，濁音
- FAST再検・EFAST

腹部

検索する損傷
- 実質臓器・管腔臓器・大血管の損傷

観察のポイント
- 訴え：疼痛，吐血，下血，悪心・嘔吐
- 視診：創傷，穿通創，膨隆など
- 触診：圧痛，反跳痛，筋性防御
- 聴打診：腸雑音の異常，叩打痛など

骨盤・会陰

検索する損傷
- 骨盤骨折と合併損傷（後腹膜出血，尿路・直腸損傷）

観察のポイント
- 骨盤骨折の診断はX線写真優先
- 訴え：腰殿部痛，股関節・大腿痛
- 視診：創傷，下肢長差，下肢の異常肢位，会陰・陰嚢の皮下血腫，外尿道口出血
- 直腸診：肛門括約筋の緊張，直腸壁の連続性，前立腺の位置異常，恥骨骨折の感触，血液の付着

神経所見：意識／瞳孔／四肢麻痺

検索する損傷
- 頭蓋内損傷，脊椎損傷

観察のポイント
- 意識レベル（GCS），瞳孔所見，麻痺，感覚異常
- 腹式呼吸，持続勃起

背面

観察のポイント
- Log rollかflat lift
- 実施前後でバイタルサイン確認

最後にFIXESを確認し，根本治療と転送の判断（または院内紹介）を行う。
感染予防対策として，破傷風トキソイド，抗破傷風ヒト免疫グロブリン，抗菌薬の適応と種類の判断を行う。

〔文献1〕より引用〕

図3 外傷初期診療ガイドラインJATECにおける「secondary survey」

2-1 院内トリアージ

池田 貴夫　渡瀬 剛人　岩田 充永

救急外来では，救急搬送のみならずwalk-inで受診する患者も多く，また必ずしも，救急搬送患者が重症で，walk-in患者が軽症とも限らない。そのため救急医には，多種多様な症状を抱えて来院する患者のなかから，緊急度・重症度の高い患者をピックアップしてタイムリーに診察を行い，緊急度が高ければ優先的に診療を開始し，急変を未然に防ぐことが求められる。

「緊急度」と「重症度」

一般に「重症度」とは，「病態が生命予後あるいは機能予後（時に整容の予後を含む）に及ぼす程度」と定義され，時間の因子は関与しない。一方で「緊急度」とは，重症化（死亡あるいは機能障害）する速度あるいは重症化を防ぐための「持ち時間あるいは時間的余裕」である（図1）[1]。例えば，窒息や心停止では「持ち時間あるいは時間的余裕」は秒〜分単位で，重症外傷や脳卒中では分〜時間単位である。緊急度の評価と判定は，救急外来の混雑状況にかかわらず，個々の患者に対して行う必要がある。

院内トリアージとは

「トリアージ」はフランス語の"trier（トリア）"を語源とし，分類や整理の過程を表す言葉として用いられる。医療現場では，患者を傷害の重さによって分類し，複数患者の診療の優先順位を決めることを指す。トリアージの普遍的な意義は，医療資源の使用量とタイミングを最適化し，患者に効果的かつ優先度の高い医療を届けることであり，一刻を争う治療から利益を得る患者，あるいは一刻を争う治療が提供されないと損害を被る患者をすべて特定することが理想的なトリアージといえる。また，トリアージとは機能・過程であり，場所ではないことを強調したい。たとえトリアージエリアが空いていなくとも，トリアージを行うことは可能である。

わが国の診療報酬上は，2010年に「院内トリアージ実施料」が設けられ，2023年現在300点が算定できる。「院内トリアージ実施料」の算定要件は以下のとおりである（一部省略）。

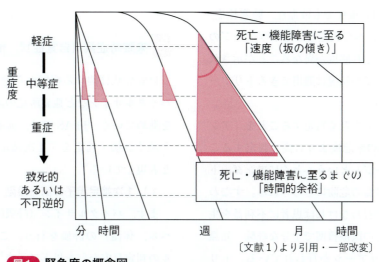

〔文献1）より引用・一部改変〕

図1　緊急度の概念図

2．救急初期診療の実際

1）院内トリアージ体制を整えている保険医療機関において，夜間・休日・深夜に受診した初診患者に対し，当該機関の院内トリアージ基準に基づいて専任の医師または看護師（救急医療に関する3年以上の経験あり）により来院後速やかに院内トリアージが行われ，診療録などにその旨を記載した場合に算定できる。ただし，「夜間休日救急搬送医学管理料」を算定した患者については算定できない。

2）院内トリアージを行う際には，患者またはその家族等に対して，十分にその趣旨を説明すること。

2012年の厚生労働省による調査では，三次救急医療機関の60.9％，二次救急医療機関の47.5％，初期救急医療機関の13.6％で院内トリアージが実施されていた[2]。わが国では，JTAS（Japan Triage and Acuity Scale）[3]がトリアージを支援するシステムとしてもっとも普及していると考えられ，上記調査でトリアージを実施していた三次・二次救急医療機関の約55％でJTASが採用されていた[2]。JTASは，CTAS（Canadian Triage and Acuity Scale）をもとにわが国の医療状況にあわせて改変・作成されたものであり，2012年より運用されている。また，世界的には上記のCTASのほか，ESI（Emergency Severity Index）やMTS（Manchester Triage System）などがよく知られている。

現状，上記のようなトリアージシステムのうち，いずれかがとくに優れているというエビデンスはない。Hinsonら[4]は，前述したCTAS, ESI, MTSは救急外来で死亡に至り得る患者を拾い上げる感度が90％以上と報告している。一方で，救急外来受診後数日以内に死亡・入院が必要となった重症患者を拾い上げる感度は80％未満であったとされ，また同じ重症でも敗血症，肺塞栓症，ST上昇型心筋梗塞，ICUへの入室などをトリアージのアウトカムとするとそれぞれ感度が異なることが示されている。すなわち，すべての状況に適用できるトリアージシステムは存在しない。

また，実際の緊急度よりも低く判定することを「アンダートリアージ」，実際の緊急度よりも高く判定することを「オーバートリアージ」という。とくにアンダートリアージになると患者は命の危険にさらされる。すなわち，トリアージは適切に行わなければ患者に不利益を生じ得るものであり，多くの医療機関で十分な経験・知識のある医療者によりトリアージが行われている。トリアージにより判定した緊急度が適切であったかどうかの事後検証を指導医を含めて行うことが望ましい[3]。

成人患者の院内トリアージ

『JTAS2023ガイドブック』では，院内トリアージによる緊急度判定の過程として，①感染管理，②患者到着，③重症感，④自覚症状の評価，⑤他覚所見の評価，⑥緊急度判定，⑦診察待ちの患者への対応，⑧待合室での再評価が示されている[3]。以下，大まかにこれに応じて，成人患者における院内トリアージの要点を述べる。

1 感染管理

基本的には自施設の基準に準拠して標準予防策のもとトリアージを行い，予測されるリスクによっては適切な感染経路別予防策をとる。例えば，麻疹，結核，水痘，風疹，流行性耳下腺炎，季節性インフルエンザ，感染性胃腸炎，流行性角結膜炎，新型コロナウイルス感染症（COVID-19）などを疑う症状がある場合には，十分な感染管理のもとで診療を進める。

2 重症感の評価

気道（A），呼吸（B），循環（C），意識（D），外観（E）の第一印象から，短時間で「見た目の重症感」を評価する。この時点でJTASレベル（表1）[3]のレベル1および2に該当するような明らかな重症患者と評価される場合には，迅速に処置・治療介入を行う。第一印象から緊急度・重症度が高いと判断すべき症状・状態などの例を表2[5]に示す。

3 来院時症候（自覚症状，他覚所見）の評価

自覚症状に関する病歴から聴取を開始すると同時に，バイタルサインなど他覚所見の評価を行い，緊急度判定を進めていく。JTASでは，前述した重症感の評価に引き続く評価・判定を「1次補足因子」「2次補足因子」と表現している[3]。

1）1次補足因子の第一段階

まず，バイタルサイン（呼吸障害，循環動態，意識レベル，体温）の評価を行う。これらによるJTASレベルの判定目安などを以下に示す[3]。

(1) 呼吸障害

レベル1：過度な呼吸努力のため疲労した状態。チア

表1 JTAS レベル

レベル1：蘇生	生命または四肢を失うおそれ（または差し迫った悪化の危険）があり，積極的な治療が直ちに必要な状態
レベル2：緊急	潜在的に生命や四肢の機能を失うおそれがあるため，医師による迅速な治療介入が必要な状態
レベル3：準緊急	重篤化し救急処置が必要になる潜在的な可能性がある状態。強い不快な症状を伴う場合があり，仕事を行ううえで支障がある，または日常生活にも支障がある状態
レベル4：低緊急	患者の年齢に関連した症状，苦痛や悪化の可能性がある症状で，1〜2時間以内の治療開始や再評価が望ましい状態
レベル5：非緊急	急性期の症状であるが緊急性のないもの，および増悪の有無にかかわらず慢性期症状の一部である場合

〔文献3）より引用して作成〕

表2 第一印象で緊急度・重症度が高いと判断すべき症状・状態の例（成人）

所見	JTAS レベル1	JTAS レベル2
気道（A）の異常	上気道閉塞	気道は保護されているが重度または増悪する吸気性喘鳴（stridor）を認める
呼吸（B）の異常	呼吸停止状態，単語のみ話せる状態，会話できない状態，チアノーゼ，過度の呼吸努力のため疲労した状態	文節単位の会話 とぎれとぎれの会話
循環（C）の異常	著明に蒼白で冷たい皮膚，発汗，弱いまたは微弱な脈，重度の頻脈または徐脈，敗血症性ショックの場合は紅潮・発熱	蒼白 原因不明の頻脈
意識（D）の異常	意識障害（GCS 合計点3〜9）けいれん持続状態	意識障害（GCS 合計点10〜13），言語刺激に対して不適切な反応を示す，行動の変容

〔文献5）より引用・一部改変〕

ノーゼ，単語のみ話せる状態，会話できない状態，上気道閉塞，無呼吸，挿管されている状態または補助呼吸が必要な状態。$SpO_2 < 90\%$。

レベル2：呼吸努力の増加。文節単位の会話，とぎれとぎれの会話。気道は保護されているが重度または増悪する吸気性喘鳴（stridor）を認める。$SpO_2 < 92\%$。

レベル3：呼吸苦，頻呼吸，労作時息切れ。呼吸努力の増加を認めない。文章単位で会話可能。吸気性喘鳴（stridor）はあっても，明らかな上気道閉塞を認めない。SpO_2 92〜94％。

レベル4もしくは5：呼吸障害なし，$SpO_2 > 94\%$。

(2) 循環動態

レベル1：重篤な臓器の低灌流を認めるもの。著明に蒼白で冷たい皮膚，発汗，弱いまたは微弱な脈，低血圧，起立性失神，著しい頻脈または徐脈。敗血症性ショックでは紅潮，発熱し，具合が悪そうにみえる場合もある。

レベル2：境界領域の循環不全を認めるもの。蒼白，病歴で確認された発汗，原因不明の頻脈，起立性低血圧（病歴で確認されたものを含む），坐位・立位での失神様症状，低血圧の疑い（正常血圧や患者の予想される血圧よりも低い場合）。

レベル3：来院時の症状に関連してバイタルサインが正常の上限または下限値である場合。とくにその患者の通常の値とは異なっている場合。

レベル4もしくは5：循環動態正常。

(3) 意識レベル

レベル1：気道の保護ができない。痛み刺激や大きな音にのみ目的のない反応を示す。けいれん持続，または意識レベルがしだいに増悪するもの。GCS 合計点3〜8，JCS 100，200，300。

レベル2：言語刺激に対し不適切な反応を示す。人・場所・時間に関する見当識障害がある。短期記憶の新たな障害，行動の変容がある。GCS 合計点9〜13，JCS 2，3，10，20，30。

レベル3〜5：意識清明。GCS 合計点14〜15，JCS 0，1。JTAS レベルの判定にはほかの補足因子を用いる。

(4) 体温

体温38℃以上の場合には発熱があると評価する。発熱のある患者では，敗血症の徴候を確認することが重要である。

2）1次補足因子の第二段階

第一段階の評価でJTASレベル1もしくは2でない場合には，1次補足因子の第二段階として，疼痛の強さ，出血性素因，受傷機転を評価する。

3）2次補足因子

特定の限られた症候に対しては2次補足因子を適応し，さらにJTASレベルを検討する。2次補足因子には脱水の程度，胸痛の性状，妊娠に関する症候，メンタルヘルスに関する症候などが含まれるが，詳細は『JTAS2023ガイドブック』[3]などを参照されたい。

4 緊急度判定と，診察・待機・再評価

前述した評価からJTASレベルによる緊急度判定を行い，各患者への対応あるいは患者の待機場所を決定する。JTASレベル1および2の患者は，トリアージ直後に蘇生処置・初期治療が可能な処置室などへ移動して，必要な治療介入を開始する。JTASレベル3～5の患者は待合室で待機とするが，身体的苦痛が強い場合には待機場所を検討する。

JTASレベル2～5の患者に対しては，レベル2は15分ごと，レベル3は30分ごと，レベル4は60分ごと，レベル5は120分ごとを目安に再評価を行う。症状やバイタルサインの変化がみられた場合には，再評価したレベルに応じて診察の順番を待てるかを評価する。

トリアージ後には患者・家族に現時点での緊急性の有無，待機場所，初期対応や検査の必要性の有無，診察を待つ間に注意すべき症状と変化，声をかけてもらうタイミングなどを説明し，了承を得ておく。救急外来に受診する患者は身体的・精神的症状を抱えるなかで長時間の待機を余儀なくされることもあり，不安や不満が募りやすい。トリアージは，緊急度判定により効率的な医療を提供するのみならず，待機中の患者・家族の心理的負担を和らげる意味も有する。

小児患者の院内トリアージ

小児患者においても基本的なトリアージの流れは成人患者と同様である[3]。一方で，例えば呼吸の予備能が低い，気道が狭い，体重当たりの不感蒸泄や尿量が多い，低血糖になりやすいといった小児の解剖・生理的特徴を考慮した評価や問診が求められる。

1 感染管理

小児は免疫獲得過程にあり，成人と比較して感染症に罹患しやすい。成人と同様に感染性疾患のスクリーニングと適切な感染対策を行う。

2 重症感の評価

小児ではPAT（pediatric assessment triangle），すなわち①外観・意識，②呼吸状態，③末梢（皮膚）循環から第一印象を評価する。小児において第一印象から緊急度・重症度が高いと判断すべき症状・状態などの例を表3[5]に示す。これらの所見を認めた場合には，すぐに処置が可能な場所へ患者を移動し，診療を開始する。

3 来院時症候（自覚症状，他覚所見）の評価

患児の年齢にもよるが，小児患者において病歴聴取は保護者からの聴取となることが多い。自身で症状を訴えられる場合には，児からも病歴を聴取する。バイタルサインによるJTASレベルの判定目安などを以下に示す[3]。

1）呼吸障害

レベル1：過度な呼吸努力のため疲労している状態。チアノーゼ，頻呼吸または徐呼吸，無呼吸，不規則な呼吸，大きな陥没呼吸，鼻翼呼吸，呻吟，呼吸音の消失または減弱，上気道閉塞（嚥下障害，流涎，弱々しい声，声の変調，努力性呼吸および吸気性喘鳴），気道が保護されていない状態（咳嗽反射・嘔吐反射の減弱または消失）。呼吸数が年齢別の正常範囲から2SD以上/以下逸脱している。$SpO_2<90\%$。

レベル2：呼吸努力の増加，頻呼吸，過呼吸，呼吸補助筋の使用増加，陥没呼吸，鼻翼呼吸，文節単位の会話，とぎれとぎれの会話，吸気性喘鳴（stridor）はあっても気道は保護された状態，呼気の延長。呼吸数が年齢別の正常範囲から1SD以上/以下逸脱している。$SpO_2<92\%$。

レベル3：呼吸苦，頻呼吸，労作時息切れ，明らかな呼吸努力の増加を認めない，文章単位で会話可能，吸気性喘鳴はあっても明らかな上気道閉塞は認めない，頻回

表3 第一印象で緊急度・重症度が高いと判断すべき症状・状態の例（小児）

所見	JTAS レベル 1	JTAS レベル 2
外観	・昏睡 ・痛み刺激に無反応 ・けいれん中	・傾眠，昏迷，混乱 ・けいれん頓挫後の意識障害残存 ・意識障害を疑う
呼吸	・呼吸停止/呼吸不全，高度の徐呼吸 ・発語，会話不能 ・アナフィラキシー（皮膚症状＋気道/循環/中枢神経症状） ・上気道閉塞（窒息，著明な流涎，著明な吸気時陥没呼吸・喘鳴） ・下気道閉塞（呼吸不全）	・呼吸窮迫症状が明らか（会話困難，多呼吸，著明な努力呼吸） ・上気道閉塞（聴診器なしで聞こえる安静時の吸気性喘鳴） ・下気道閉塞（著明な呼気性喘鳴）
循環	・心停止 ・重篤な臓器灌流障害，ショック所見 ・大量出血中	・末梢循環不全（末梢冷感，チアノーゼ） ・強度の痛み（苦悶様顔貌，発汗あり） ・大量出血（圧迫にて止血可能）

〔文献5）より引用・一部改変〕

の咳嗽。呼吸数は正常範囲内。SpO_2 92〜94%。

レベル4もしくは5：呼吸障害なし。呼吸数は正常範囲内。$SpO_2 > 94$%。

2）循環動態

レベル1：重度の臓器低灌流を認めるもの（ショック）。著明に蒼白で冷たい皮膚，発汗，弱いまたは微弱な脈，低血圧，起立性失神，著しい頻脈または徐脈。敗血症性ショックでは紅潮，発熱し，具合が悪そうにみえる場合もある。心拍数が年齢別の正常範囲から2SD以上/以下逸脱している。

レベル2：循環動態不安定。毛細血管再充満時間の遅延（＞4秒），頻脈，尿量減少および皮膚の変化は組織灌流の低下を示す。感染性胃腸炎による下痢・嘔吐が原因であることが多い。とくに年少児では脱水徴候は必ずしも信頼できる指標ではない。中等度の外傷による出血は血圧維持の代償能力より顕在化しない場合もある。心拍数が年齢別の正常範囲から1〜2SD逸脱している。

レベル3：バイタルサインの異常を伴う体液量減少，毛細血管再充満時間が＞2秒。心拍数が年齢別の正常範囲から1SD逸脱している。

レベル4もしくは5：循環動態正常，心拍数正常範囲内。

3）意識レベル

レベル1：痛み刺激や大きな音にのみ目的のない反応を示す。屈曲位または伸展位（回内位，回外位陽性）。けいれん持続，または意識レベルが次第に増悪するもの。気道を保護することができない状態。GCS合計点3〜8。

レベル2：患児の正常な意識レベルからの変化，傾眠傾向，閉眼状態，痛み刺激部位に手足を持ってくる，混乱状態，失見当識状態，不穏状態，易刺激的な状態，興奮状態または攻撃的な態度，あやしても落ち着かない状態，乳児の哺乳不良，意識ははっきりしているが正常時に比べて軽度の行動変化またはバイタルサインの変化を認める。GCS合計点9〜13。

レベル3〜5：認知ができる状態，人・場所・時に対する見当識障害を評価，年齢相当のやり取りができる，泣いてもあやしたら泣き止む。GCS合計点14〜15。

4）体　温

体温＞38℃で発熱ありと評価する。患児が0〜3カ月の場合は，発熱があればJTASレベル2と評価する。3カ月〜3歳の場合には，発熱があり免疫不全状態およびバイタルサイン異常があればJTASレベル2，発熱があるが外観は具合がよさそうであればJTASレベル3と評価する。3歳以上の場合には，発熱があり免疫不全状態であればJTASレベル2，発熱があり具合が悪そうな外観であればJTASレベル3，発熱があるが外観は具合がよさそうであればJTASレベル4と評価する。

一方，患児が0〜3カ月で＜36℃，3カ月以上で＜32℃の低体温の場合には，JTASレベル2と評価する。また，3カ月以上で体温32〜35℃であればJTASレベル3と評価する。

4 その他の小児補足因子

小児は疼痛を自身で言葉でうまく表現できないことも多い。疼痛フェイススケールやFLACCスケール[6]を用いて，できるかぎり客観的に評価する（p.819参照）。

院内トリアージの意義

院内トリアージは緊急度を判別して診療の優先度をつけるためのツールであり，救急外来の患者数を減らしたり，混雑を緩和できるものではない。近年の救急搬送件数の増加により救急外来が混雑している医療機関が多いと思われるが，救急外来の混雑は診療の質の低下にもつながる。具体的には，肺炎や敗血症患者への抗菌薬投与の遅れ，心筋梗塞患者への治療介入の遅れなどである[7]。待合室の患者数，救急外来のベッドが埋まっている割合，救急外来で入院を待っている患者数が多いほど，診療の質が落ちるという報告もある[8]。このようなことからも，救急医が複数の受け持ち患者の緊急度・重症度を適切に把握し，院内トリアージにより優先順位をつけて，ゴールデンタイムを意識した診療を行うことが重要である。

▶文献

1) 日本臨床救急医学会 緊急度判定体系のあり方に関する検討委員会：緊急度判定の体系化；発症から根本治療まで．日臨救急医会誌 19：60-5, 2016.
2) 平成24年度診療報酬改定結果検証に係る調査（平成24年度調査）：救急医療機関と後方病床との一層の連携推進など，小児救急や精神科救急を含む救急医療の評価についての影響調査．
3) 日本救急医学会，他（監）：緊急度判定支援システム JTAS2023ガイドブック，へるす出版，2023.
4) Hinson JS, et al：Triage performance in emergency medicine：A systematic review. Ann Emerg Med 74：140-52, 2019.
5) 日本救急看護学会（監）：トリアージナースガイドブック2020，へるす出版，2019.
6) Merkel SL, et al：The FLACC：A behavioral scale for scoring postoperative pain in young children. Paediatric Nursing 23：293-7, 1997.
7) Joseph JW, et al：Emergency department operations：An overview. Emerg Med Clin North Am 38：549-62, 2020.
8) Stang AS, et al：Crowding measures associated with the quality of emergency department care：A systematic review. Acad Emerg Med 22：643-56, 2015.

2-2 気道の評価と初期対応

砂 光司　七戸 康夫

気道の評価を行う際には，空気の通り道が開放されて十分な換気が行われていることを確認するとともに，換気の障害となる異物（固形物，液体）の存在や，狭窄部の有無を確認する。通常の会話が可能であれば，気道は十分に開放されていると判断してよい。

気道の開通性は，発語の有無や視診，聴診，触診で評価する。

表1　気道狭窄/閉塞をきたし得る原因

- 喉頭蓋炎
- 後咽頭膿瘍
- クループ
- アナフィラキシー
- 気道損傷
- 遺伝性血管性浮腫
- 異物（嘔吐物，血液，歯牙など）
- 頸部の血腫（外傷など）
- 気管腫瘍
- 喉頭けいれん
- 反回神経麻痺

気道狭窄/閉塞の原因

気道狭窄/閉塞をきたす疾患・病態を**表1**に示す。もっともよくみられる気道狭窄/閉塞の原因は，意識レベル低下に伴う舌根沈下である。中枢神経障害，鎮静薬などの影響により舌の筋緊張が低下し，舌根部が中咽頭腔に落ち込むことで上気道を閉塞する。不完全な閉塞の場合には，口蓋帆粘膜の振動などが「いびき」として聴取される。

気道確保法

気道確保法とは，上気道の狭窄/閉塞を人為的に開通させる方法である。

1 簡便な方法

吸引による血液や嘔吐物の除去，マギール鉗子などによる異物除去が，簡便な気道確保法に含まれる。舌根沈下に対しては，まず用手的気道確保（頭部後屈あご先挙上法，または下顎挙上法）を用いる。これらと同じ効果を得るための簡便なデバイスとして，鼻咽頭エアウエイ（nasopharyngeal airway；NPA）や口咽頭エアウエイ（oropharyngeal airway；OPA）がある。歯牙欠損や肥満などでマスク保持が困難な場合，二人法でマスク換気を行うことも考慮する。

外傷患者で頸椎損傷の可能性がある場合は，頸椎にかかるストレスを避けるため，頭部後屈法ではなく下顎挙上法を用いることが推奨されている[1]。頭蓋底骨折が疑われる場合は，NPA挿入は禁忌である。鼻腔周囲の顔面骨に損傷がある場合にも，NPAは相対的禁忌となる。OPAはその構造上，先端部が舌根部を直接刺激するために，NPAに比べて咽頭反射を強く惹起する。

2 声門上器具を用いる方法

後述する確実な気道確保との中間的な位置づけとして，ラリンゲアルマスク，ラリンゲアルチューブ，などの声門上器具を用いる方法がある。適応としては，①咽頭反射が減弱していること，②嘔吐のリスクが少ないこと，③咽喉頭の解剖学的構造に損傷や形態学的異常がないこと，などがあげられる。

外傷患者において，経口気管挿管が困難かつバッグ・バルブ・マスク換気ができない場合の緊急避難処置として，声門上器具を一時的に使用することは容認される。しかし，可及的速やかに確実な気道確保法に移行しなければならない。一方，咽喉頭部に損傷・変形がある場合の声門上器具の使用は，①咽頭部のシールドが不十分となりエアリークが増大することと，②器具の先端形状によっては粘膜下に迷入することがあることから，原則的に禁忌となる。

3 確実な気道確保法

気管挿管，（定型的）気管切開，および輪状甲状靱帯切開が含まれる。確実な気道確保法の第一選択は，チューブによる経口気管挿管である。経口気管挿管が可能な状況において，外科的気道確保（輪状甲状靱帯切開，気管切開）を行ってはならない。

確実な気道確保が必要となる状況

A・Bの異常に限らず，広義の蘇生（ABCDの安定化）が要求される状況すべてにおいて，確実な気道確保が考慮される。仮に現時点で気道に問題がなくとも，この先の臨床経過のなかで気道確保の必要性が出てくることが予測される場合には，気管挿管による確実な気道確保の準備をする。このような状況のうち，無呼吸，瀕死の呼吸状態，無反応（重篤な意識障害）など直ちに確実な気道確保が必要な状態を表2に示す。

気道確保の基本

視診・聴診・触診のいずれかにより気道開通性に問題があると判断した場合，直ちに気道確保を行う。通常は，最初に用手法で気道確保を行いつつ，同時にその後の確実な気道確保の必要性を判断する。咽頭腔に唾液や血液の貯留が疑われる場合は吸引操作を併用する。口腔内異物が容易に視認できれば，これを除去する。

用手的に気道確保している状態で，気道開通性の再評価を行う。用手法のみで気道開通性が十分に保たれ，かつ禁忌でない場合にはエアウエイ（NPA, OPA）の使用を考慮してよい。それでも気道確保が不十分な場合，確実な気道確保法の適応となる。表2に示したような病態では直ちに確実な方法で気道確保を実施する。ただし，後述するCICV（cannot intubate, cannot ventilate）の場合には外科的気道確保を含む戦略を検討する。

気道確保（気管挿管）後の確認事項

1 視診＋聴診による評価

換気に伴う胸郭の挙上を確認する。さらに，聴診器を用いて3点聴診（左右前胸部＋胃泡音）を行う。

表2 直ちに確実な気道確保が必要な病態

Aの異常	気道閉塞，用手法で気道が確保できない，誤嚥の可能性あり（吐物，血液を含む），気道狭窄の危険あり（血腫，損傷，気道損傷，熱傷など）
Bの異常	無呼吸，低換気，低酸素血症（高濃度酸素投与でも改善されない）
Cの異常	重篤なショック，心停止
Dの異常	重度の意識障害

2 器具を用いた客観的評価の併用

波形表示付き呼気CO_2モニターが，現時点ではもっとも信頼性が高い評価法である[2]。波形表示付き呼気CO_2モニターが使用できない状況においては，波形表示のないCO_2モニター，比色式CO_2検出器，食道挿管検知器で代用することも可能であるが，波形表示付き呼気CO_2モニターに比べて精度が下がることに留意する。近年では，前頸部の超音波検査で気管チューブの位置を確認する方法も提唱されている[3]。

3 最終確認

最終確認として胸部単純X線を撮影し，気管チューブ先端の位置を確認する。成人の場合，適切な気管チューブの固定位置は，チューブ先端が気管分岐部より2～3cm口側に位置する状態である。

DAおよびCICVへの対応

1 DA/CICVの評価

気管挿管の実施過程，すなわちマスク換気から喉頭展開，気管挿管に至るまでのいずれかの段階で困難が予測される，または予期せず困難に遭遇した状況のことを困難気道（difficult airway；DA）という。事前にDAを予測し，その対応策を準備しておくことが重要である。DAを予測する評価方法として，MOANS（表3）やmodified LEMON（表4）[4]などが提唱されている。また，マッキントッシュ型喉頭鏡に代表される直視型硬性喉頭鏡は，一定の確率で挿管困難症例が発生することが知られている。そのため，DAが予測される場合には，ビデ

表3 マスク換気困難の予測（MOANS）

Mask seal	マスク密着を妨げるひげ，外傷など
Obesity	肥満，妊婦
Obstruction	気道閉塞（血腫，外傷） 睡眠時無呼吸症候群
Age	高齢（55歳以上でリスク上昇）
No teeth	歯牙欠損
Stiff lungs	妊娠，喘息，COPDなど閉塞性肺障害

表4 modified LEMON法

下記のいずれか1項目でも満たせば挿管困難が予想される	
L（Look externally）	顔面外傷，大きな歯（切歯，門歯），あごひげ・口ひげ，巨舌
E（Evaluate the 3-3 rules）	開口幅が3横指以下，舌骨顎先間が3横指以下
O（airway Obstructions）	気道閉塞となるあらゆる原因
N（Neck mobility）	頸部の伸展困難，頸椎固定カラー装着

〔文献4）より引用・改変〕

オ喉頭鏡を最初から使用することも考慮すべきである。

DAのなかでも，気管挿管もマスク換気も不能な危機的状況のことをCICVという。この状況下では急速に低酸素血症が進行するため，緊急対処が必要である。①フェイスマスクでの換気，②声門上器具の使用，③喉頭展開による気管挿管のいずれも不成功であった場合，次にとるべき手段は外科的気道確保である。

2 DA/CICVへの対処

CICVを含めたDA症例への対処手順については，米国麻酔科学会（American Society of Anesthesiologists：ASA）[5]，英国のDifficult Airway Society（DAS）[6]，カナダのCanadian Airway Focus Group（CAFG）[7]，日本麻酔科学会[8]などがそれぞれ独自のガイドラインを発表している。図1[7]にCAFGのフローチャートを一例として示す。ただし，全身麻酔導入時のDAを念頭に作成されているものも多く，救急外来などにおいては「いったん患者を覚醒させる」という選択肢がとれない可能性があることに留意する。

DA症例への対処でもっとも重要なことは，低酸素血症を回避することである。たとえ気管挿管が不能でも，バッグ・バルブ・マスク換気などでSpO_2が維持できれば，致死的な事態に陥ることはない。気管挿管が不能の場合は，一つの方法に固執することなく，常にバックアッププランを準備しておくとともに，救急カートには外科的気道確保がいつでも実施できるよう，必要物品を常備しておくことが重要である。

特殊な状況への対応

まれなケースとして，甲状腺腫瘍などの前頸部病変，頸部放射線照射後の組織瘢痕などが存在すると，気管への外科的アプローチが難しい場合がある。また，声門から末梢側に狭窄や異物による閉塞があると，気管チューブの留置に成功しても換気が不能な場合がある。これらの場合には体外補助循環（ECMO）が選択されることもある[9,10]。

▶文献

1) 日本外傷学会，他（監）：外傷と気道・呼吸．外傷初期診療ガイドラインJATEC™，改訂第6版，へるす出版，2021, pp 27-42.
2) 日本蘇生協議会（監）：JRC蘇生ガイドライン2020，医学書院，2021.
3) Chou EH, et al：Ultrasonography for confirmation of endotracheal tube placement：A systematic review and meta-analysis. Resuscitation 90：97-103, 2015.

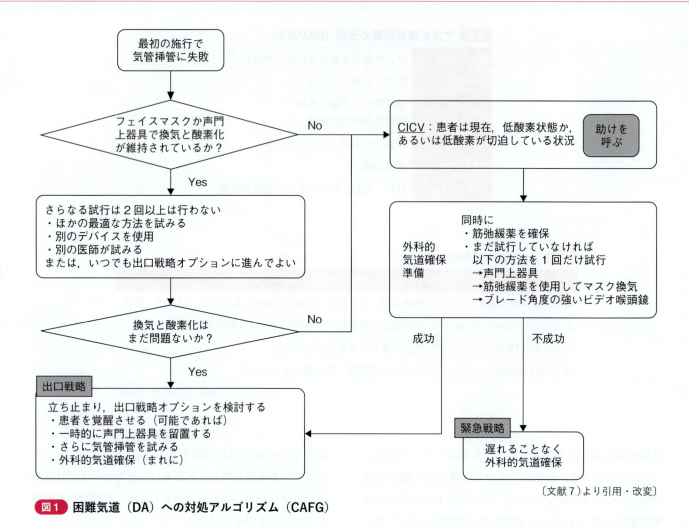

図1 困難気道（DA）への対処アルゴリズム（CAFG）

〔文献7）より引用・改変〕

4) Hagiwara Y, et al：Prospective validation of the modified LEMON criteria to predict difficult intubation in the ED. Am J Emerg Med 33：1492-6, 2015.
5) Apfelbaum JL, et al：Practice guidelines for management of the difficult airway：An updated report by the American Society of Anesthesiologists Task Force on Management of the Difficult Airway. Anesthesiology 118：251-70, 2013.
6) Difficult Airway Society：DAS guidelines for management of unanticipated difficult intubation in adults 2015.
https://das.uk.com/guidelines/das_intubation_guidelines
7) Law JA, et al：Canadian Airway Focus Group updated consensus-based recommendations for management of the difficult airway：Part 1：Difficult airway management encountered in an unconscious patient. Can J Anaesth 68：1373-404, 2021.
8) 日本麻酔科学会：日本麻酔科学会気道管理ガイドライン 2014（日本語訳），2015.
https://anesth.or.jp/files/pdf/20150427-2 guidelin.pdf
9) 中倉晴香，他：致死性窒息の小児症例に体外式膜型人工肺が有効であった1例．日救急医会誌 26：183-8, 2015.
10) 白倉真之，他：声門下狭窄症例の気道確保における体外循環ECMOの使用経験．日耳鼻会報 121：1395-400, 2018.

2-3 呼吸の評価と初期対応

岡本 博之

呼吸と組織低酸素

生物の正常な機能・生命の維持には酸素の供給が不可欠である。この酸素と，細胞のエネルギー代謝で生成される二酸化炭素の出入りが，呼吸である。呼吸に障害が生じると不十分な酸素供給により組織低酸素（tissue hypoxia）が生じる。組織低酸素を引き起こす原因として，①低酸素血症（hypoxemia），②組織低灌流，③組織酸素利用能の低下，④酸素需給バランスの失調などがあげられる（表1）[1]。

呼吸の性状の評価

1 呼吸数

呼吸数は1分間当たりの呼吸回数で表し，平常時は成人で14〜20回/min である。女性のほうが男性よりもやや多い。新生児では40〜60回/min であり，呼吸数は年齢とともに減少する。

頻呼吸は，肺炎，気管支喘息のほか，心不全，小児の発熱，恐怖や興奮などの精神的ストレスといったさまざまな要因により生じる。また，ショックでは合併する代謝性アシドーシスを検知した化学受容体が呼吸器系を刺激し，二酸化炭素を排出するために頻呼吸が起こる。

一方，徐呼吸は脳血管障害や脳腫瘍，頭部外傷などの中枢神経障害のほか，麻薬や睡眠薬などの呼吸抑制をきたす薬物の作用などが原因として考えられる。

2 呼吸の深さ

呼吸の深さは見た目で評価する。浅い場合は1回換気量が減少し，深い場合は増大している。

浅くて速い呼吸は浅表性呼吸と呼ばれ，血胸，気胸，多発肋骨骨折，肺線維症，肺切除後，胸郭形成術後など，肺活量が低下している状態でみられる。ほかに，過換気症候群，延髄にある呼吸中枢の異常（中枢性過換気）や発熱，肺炎，肺水腫などでもみられる。

深く大きい呼吸は深大性呼吸と呼ばれ，肺血栓塞栓症などでみられる。糖尿病ケトアシドーシスなど高度な代謝性アシドーシスや腎不全に伴う尿毒症などでは，持続的かつ規則的な深大性呼吸である Kussmaul 呼吸を認める。

表1 組織低酸素を呈する病態・疾患

組織低酸素の原因	病態・疾患		
1．低酸素血症 →呼吸不全（$PaO_2 \leq 60mmHg$） ・I型呼吸不全（$PaCO_2 \leq 45mmHg$） ・II型呼吸不全（$PaCO_2 > 45mmHg$） ・慢性呼吸不全（1カ月以上続く）	急性呼吸不全	呼吸器疾患	気道：気管支喘息発作，COPD増悪，無気肺，気道異物 肺実質：肺炎，肺臓炎，肺出血，誤嚥，刺激ガスの吸入 胸膜・胸郭系：気胸，胸水，胸膜炎，動揺胸郭
		神経・筋疾患	重症筋無力症，Guillain-Barré 症候群
		肺循環障害	血栓塞栓症，肺水腫
	慢性呼吸不全	COPD，肺結核後遺症，肺線維症，間質性肺炎，肺がん	
2．組織低灌流	循環血液量低下		
3．組織酸素利用能の低下	シアン中毒，硫化水素中毒など		
4．酸素需給バランスの失調	代謝亢進，貧血，一酸化炭素中毒，メトヘモグロビン血症		

〔文献1）を参考に作成〕

3 呼吸の型（胸腹式，胸式，腹式）

胸式呼吸は主に肋間筋による呼吸であり，腹式呼吸は横隔膜による呼吸である。通常は，肋間筋と横隔膜の双方で呼吸がなされる胸腹式呼吸である。新生児や乳児は肋骨の走行が水平に近く，かつ肋間筋が発達していないため，腹式呼吸が優勢となる。一方，成人女性では胸式呼吸が優勢である。高齢者になると肋軟骨が骨化して胸郭が拡張しにくくなり，腹式呼吸が目立つようになる。腸管ガスの増加や多量の腹水貯留などにより横隔膜の動きが制限されると，胸式呼吸が優勢となる。下部頸髄損傷では肋間筋が麻痺する一方で横隔膜の運動は残るため，腹式呼吸となる。

4 呼吸様式（口すぼめ呼吸，努力呼吸）

口すぼめ呼吸は，肺気腫や気管支喘息の傷病者に特徴的で，口すぼめにより呼気抵抗をつくることでcounter PEEP (positive end expiratory pressure) を人為的に作り出し，末梢気道を開いて気道抵抗を減らすために，口笛を吹くように少しずつ息を吐き出す呼吸である。

努力呼吸は，気管支喘息や慢性閉塞性肺疾患（chronic obstructive pulmonary disease；COPD）で多くみられ，換気量を維持するために，通常の呼吸では使用しない胸鎖乳突筋や腹筋群などの補助呼吸筋も使用される呼吸である。吸気時には胸鎖乳突筋，呼気時には腹筋群の収縮が観察できる。呼気時にも内肋間筋や腹筋群を使用することにより，呼気時の胸腔内圧は陽圧となる。

5 呼吸周期

前述したKussmaul呼吸のほか，異常な呼吸周期としていくつか特徴的なものがある。

呼吸中枢の異常や重度の心不全，脳の低酸素状態などで生じるCheyne-Stokes呼吸は，はじめに小さな呼吸が起こり，次第に深く大きな呼吸となった後，また徐々に小さな呼吸となり，数十秒程度の無呼吸が生じるのが特徴である。

呼吸運動がまったく不規則な失調性呼吸であるBiot呼吸は，脳幹の障害（損傷，梗塞，出血）などで延髄の呼吸中枢が高度に障害されると生じ，生命の危機が切迫していることを示唆する。

6 胸郭運動

正常の呼吸では胸郭は左右同時，かつ均等に動くため，胸郭運動の左右差は胸郭または胸腔内に異常があることを示している。①異物や喀痰により一側の気管が閉塞し無気肺になった場合や，②気胸や血胸，胸水の貯留など，③横隔神経麻痺，胸膜癒着，重篤な肺炎や肺腫瘍などでは，患側の胸郭運動が小さくなり左右差が生じる。正常な呼吸では胸壁と腹壁の運動は協調しており，吸気時には胸郭が広がるとともに腹部も膨らみ，呼気時には胸郭も腹部も縮む。

胸部・腹部の運動が協調せず，吸気時に胸部が下がって腹部が膨らみ，呼気時に胸部が上がって腹部が下がる状態はシーソー呼吸と呼ばれ，舌根沈下，喉頭浮腫，気道異物などによる上気道狭窄や閉塞が疑われる。鈍的胸部外傷で多発肋骨骨折や胸骨骨折が起こると，正常な胸壁運動が障害される。2本以上の連続する肋骨（または肋軟骨）の2カ所以上の骨折で起こり得るフレイルチェストでは胸郭が不安定となり，自発呼吸では吸気時に支持性を失った部分が陥凹し，呼気時に突出する奇異呼吸を呈する。緊張性気胸では，片側胸郭の緊満と運動制限，頸静脈の怒張を徴候として認める。

7 聴診，打診，触診

聴診にて，呼吸音減弱の有無や副雑音（ラ音）などを評価する（**表2**）。打診では通常，持続が長く低音の清音を認める。持続が短く高音の濁音は胸水貯留，胸膜炎，無気肺で認める。太鼓を叩いたような音の鼓音（過共鳴音）は気胸や肺気腫で認める。触診で，頸部や胸部の皮下気腫は，気胸や気管・気管支損傷でみられる。肋骨や胸郭の変形を認めれば，フレイルチェストや外傷性血気胸などの重篤な胸部外傷を疑う。

初期対応

初期ABCD評価で呼吸の異常が認められれば，速やかに酸素療法や人工呼吸，補助換気などを実施する。

1 酸素投与

呼吸障害に伴う不十分な酸素供給を改善するため，種々のデバイスを用いて酸素療法を実施する。経鼻高流

表2 呼吸音の分類

呼吸音の分類			疑われる疾患の例
肺胞呼吸音	減弱		無気肺，気胸，胸水，神経筋疾患など
	減弱＋気管支音（bronchial sounds）		肺炎など（air bronchogram を呈する病変）
副雑音（ラ音）	連続性ラ音	wheeze（笛声音）	喘息や気管支炎，慢性肺疾患，肺炎，心不全など
		rhonchi（類鼾音）	気管支拡張症，囊胞性線維症，誤嚥性肺炎など
		stridor	ウイルス性クループや喉頭蓋炎，外傷など
	断続性ラ音	coarse crackle（水泡音）	肺炎，うっ血性心不全や肺水腫など
		fine crackle（捻髪音）	間質性肺疾患
胸膜摩擦音			肺炎や胸膜炎，肺挫傷など

量酸素療法（high flow nasal cannula；HFNC）を含め，デバイスの種類や適応，手技の詳細については他項（p.933）を参照のこと。一般的な適応はSpO$_2$ 94%（≒PaO$_2$ 75mmHg）未満とされるが，重症の呼吸不全を示唆するショック徴候などを伴う呼吸の異常が認められた場合は，リザーバ付きマスクを用い，10L/minの流量で高濃度酸素投与を直ちに開始する。外傷患者ではJA-TEC^{TM}にのっとり，原則全例に酸素投与を行う[2]。高濃度酸素投与の問題点として，CO$_2$ナルコーシス誘発のほか，透過性亢進，肺血管内皮障害，線維化などの急性肺障害（Lorrain Smith効果），吸収性無気肺などがある。過剰な酸素投与を避けるため，適切にモニタリングをして管理を行う。

2 人工呼吸

非侵襲的陽圧換気（non-invasive positive pressure ventilation；NPPV）は，吸入酸素濃度の調節ができ，陽圧により強力な酸素化補助，換気補助が可能で，挿管に伴う合併症も回避できることから，酸素投与だけでは不十分な低酸素血症や積極的な換気補助を必要とする高二酸化炭素血症を伴う呼吸不全に用いられる。酸素投与やNPPVでも酸素化が改善できない，あるいは換気障害が改善せず呼吸性アシドーシスや呼吸筋疲労を認める場合などには，侵襲的陽圧換気（invasive positive pressure ventilation；IPPV）を検討する。NPPVおよびIPPVの適応や手技の詳細については他項（p.936，943）を参照のこと。

3 ECMO

重症呼吸不全に対しては，V-V ECMO（extra-corporeal membrane oxygenation）の導入を考慮する。ECMOの適応や手技の詳細については他項（p.991）を参照のこと。

4 胸腔穿刺，胸腔ドレナージ

緊張性気胸を認める場合は，直ちに胸腔穿刺，あるいは胸腔ドレナージを実施し緊急脱気を行う。胸腔ドレナージは大量血胸，開放性気胸，陽圧換気を要する気胸も適応となる。手技の詳細については他項（p.929）を参照のこと。

モニタリング・検査

1 SpO$_2$モニタリング

パルスオキシメータなどのSpO$_2$モニタリングは，プローブを手指や足趾，耳朶に装着して，迅速かつ間欠的に血中酸素濃度を見積もることができ，酸素投与前後の評価にも有用である。バイタルサインの評価として早期に装着する。正常のPaO$_2$は80〜100mmHgであり，SpO$_2$では95〜98%に換算される。呼吸不全の判断基準であるPaO$_2$ 60mmHgではSpO$_2$がおおよそ90%である。

喫煙者，マニキュア，染料，指の染み，冷感のある四肢や寒い環境，糖尿病やショックなどによる末梢循環障害，センサーと皮膚との接触不良，一酸化炭素（CO）中毒での血中COヘモグロビン増加などにより，SpO$_2$測定値の信頼性が低下し，正確な評価が困難となる。

2 動脈血ガス分析（ABG）

動脈を流れる血液に溶存する酸素（PaO_2）や二酸化炭素（$PaCO_2$），酸性とアルカリ性のバランス（pH）を測定することができる。侵襲を伴うが正確な測定ができ，呼吸不全の診断においてもっとも重要な検査である。低酸素血症の診断後，高二酸化炭素血症（$PaCO_2 > 45mmHg$）の有無，A-aDO_2の開大の有無，酸素投与によるPaO_2と$PaCO_2$の変化で呼吸不全の病態が鑑別できる。動脈血ガス値の異常を起こす機序として，①肺胞低換気，②換気血流比不均等，③肺拡散障害，④シャントがあるが，Ⅱ型呼吸不全は主として①が，Ⅰ型呼吸不全は②～④が原因である。

3 胸部単純X線検査

胸部単純X線は胸痛や呼吸困難を訴える患者において欠かせない検査であり，肺，心臓，胸壁，骨，横隔膜，軟部組織に関する多くの情報をもたらす。側面と後前（posterior-anterior；PA，患者がフィルムに正対）の2方向から撮影した画像が呼吸器疾患の診断には有用であるが，画質が劣り撮影技術の影響を受けやすいポータブル機を用いた前後（anterior-posterior；AP）像でも異常所見を特定することはできる。

4 超音波検査

呼吸異常の原因検索に有用な検査である。心不全などの心疾患では心エコー検査による心機能評価が重要である。D-shape（右室拡張と左室圧排）や三尖弁閉鎖不全，肺高血圧などの右心負荷所見は，肺血栓塞栓症を疑う所見であり，下肢静脈超音波検査での深部静脈血栓症の検索も重要となる。肺超音波検査は胸水（spine sig, curtain signの消失などの所見）のほか，気胸（A-line, lung sliding, lung pulseの消失），肺炎・無気肺（focal multiple B-lines）や肺水腫（diffuse multiple B-lines）などの診断にも有用である。片側胸部6カ所の観察で呼吸困難の原因探索を行うBLUE（Bedside Lung Ultrasound in Emergency）プロトコルの正診率が90％とされる[3]。

評価の再検討

呼吸の異常を認める患者の病態は刻々と変化する。それまでの経過も念頭に評価を繰り返し検討することで病態を明確にし，鑑別診断に基づき必要な処置を行うことが重要である。各論についてはⅣ章「救急症候」の各項を参照のこと。

▶文 献

1) 日本呼吸ケア・リハビリテーション学会酸素療法マニュアル作成委員会，他（編）：酸素療法マニュアル，メディカルレビュー社，2017．
2) 日本外傷学会，他（監）：外傷初期診療ガイドラインJATEC™，改訂第6版，へるす出版，2021．
3) Lichtenstein DA, et al：Relevance of lung ultrasound in the diagnosis of acute respiratory failure：The BLUE protocol. Chest 134：117-25, 2008.

2-4 循環の評価と初期対応

武田 聡

循環の評価にかかわる生理学的知識

1 Macrocirculation と microcirculation

人間が生命活動を行うために組織は酸素を必要とし、ミトコンドリアで好気代謝を行って細胞の生存・機能に必要なエネルギーを産生する。循環維持の目的は、組織に送られる酸素を十分に確保することである。循環は、大動脈・小動脈・細動脈の循環である macrocirculation と、終末細動静脈や毛細血管から構成される microcirculation に分けられる。Macrocirculation は血圧、血流、臓器灌流に関連し、動脈は平滑筋をもちカテコラミンや自律神経への反応で収縮・弛緩する。Microcirculation は実際に細胞に接し、組織への酸素や栄養素の供給と、老廃物の除去に関係する。

2 酸素運搬量（$\dot{D}O_2$）

組織に送られる酸素量は酸素運搬量（$\dot{D}O_2$）と呼ばれ、1分間に末梢組織全体に送られた酸素の総量として計算される。循環維持の目的は、組織への十分な $\dot{D}O_2$ を維持することと言い換えられる。

$\dot{D}O_2$ は、心拍出量（CO）と動脈血酸素含有量（CaO_2）で規定される。

【式1】
$$\dot{D}O_2 = CO \times CaO_2$$

CaO_2 はヘモグロビンに結合している酸素と血漿中に溶解している酸素から構成されるため、ヘモグロビン値を Hb とすると、以下の式で表される。

$$CaO_2 = 1.34 \times Hb \times SaO_2 + 0.003 \times PaO_2$$

※係数1.34は報告によりばらつきあり

これを上記の式1に代入すると、以下のようになる。

【式2】
$$\dot{D}O_2 = CO \times \{(1.34 \times Hb \times SaO_2) + (0.003 \times PaO_2)\}$$

この式2から、動脈血酸素分圧（PaO_2）の影響は非常に小さく、$\dot{D}O_2$ は主に心拍出量（CO）、ヘモグロビン値（Hb）、動脈血酸素飽和度（SaO_2）に影響を受けることがわかる（図1）。

3 酸素消費量（$\dot{V}O_2$）

全身の組織に送られる酸素運搬量（$\dot{D}O_2$）に対して、全身の組織の代謝に必要な酸素量（あるいは組織が取り込んだ酸素量）は酸素消費量（$\dot{V}O_2$）と呼ばれる。$\dot{D}O_2$

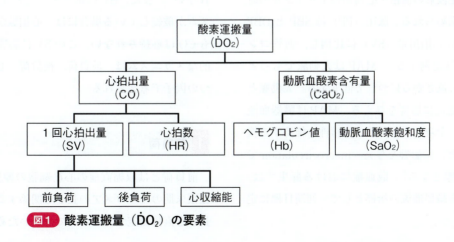

図1 酸素運搬量（$\dot{D}O_2$）の要素

に対する$\dot{V}O_2$の割合は酸素摂取率（O_2ER）と表現される。

【式3】

$O_2ER = \dot{V}O_2/\dot{D}O_2$

健常人では、$\dot{V}O_2$は$\dot{D}O_2$の1/5程度といわれており、O_2ERは0.2程度である[1]。すなわち、多少の$\dot{V}O_2$増加や$\dot{D}O_2$減少では、$\dot{V}O_2$が$\dot{D}O_2$を上回ることはなく、代償可能である。敗血症では$\dot{V}O_2$は30％程度上昇するといわれている[2]。$\dot{V}O_2$は、混合静脈血酸素飽和度（$S\bar{v}O_2$）を用いて以下のように示すこともできる。

【式4】

$\dot{V}O_2 = CO \times \{1.34 \times Hb \times (SaO_2 - S\bar{v}O_2)\}$

$S\bar{v}O_2$は全身循環後に右心系に戻ってきた血液の酸素飽和度で、全身の組織で酸素消費された後の酸素飽和度を表している。$S\bar{v}O_2$の正常値は65～70％であり、$S\bar{v}O_2$の低下は$\dot{D}O_2$の低下または$\dot{V}O_2$の上昇を意味する。一方で、循環不全が明らかにもかかわらず$S\bar{v}O_2$が正常あるいは高値の場合、末梢組織での酸素利用が障害されている結果の可能性があり、解釈に注意を要する。

4 血　圧

血圧は臓器や組織に流れる血流に影響を与える。収縮期血圧（SBP）は左室から拍出された血液が作り出す血圧のピークの値である。一方、拡張期血圧（DBP）は左室が収縮を開始し大動脈弁が開放する直前の血圧で、心周期のなかで最低値をとる。

平均血圧（MAP）は1回の心周期で動脈壁にかかる平均圧で、動脈圧波形の面積を心周期の1サイクルの時間で割ることで求められる。脈圧（PP）はSBPとDBPの差であり、1回心拍出量（SV）に比例し、血管コンプライアンスに反比例する[3]。MAPは大動脈でもっとも高く、心臓から遠ざかるにつれて低下する。大動脈と静脈の圧較差は血流に影響を与える。MAPは臓器血流の自動調整能や、全身の血行動態の恒常性を維持する機構（圧受容器など）に影響を与え、macrocirculationでは臓器灌流の指標となる[4]。敗血症における蘇生では、MAP 65mmHgを臓器灌流の指標として、初期目標に定めている[5]。

MAPはSBP、DBP、PPを用いて以下の式で推定することができる。

【式5】

$MAP = DBP + PP \times 1/3 = SBP \times 1/3 + DBP \times 2/3$

また、MAPは心拍出量（CO）、末梢血管抵抗（SVR）、中心静脈圧（CVP）に影響を受ける。これらの値を用いて、以下のように計算できる。

【式6】

$MAP = (CO \times SVR) + CVP$

この式6から、COまたはSVRが低下することで血圧が低下することがわかる。ショックが常に血圧低下を伴うわけではなく、また血圧低下が常にショックとも限らないが、ショックの原因によりCOまたはSVRの一方、あるいは両方が低下することで、血圧低下が表在化する。

心拍出量（CO）に影響を与える因子とその介入

心拍出量（CO）とは1分間に心臓から拍出される血液量を指し、1回心拍出量（SV）と心拍数から求められる。徐脈性不整脈がCO低下の原因の場合、心拍数を上昇させる薬剤の投与やペースメーカによる治療が適応となる。一方で、頻脈性不整脈が原因の場合、不整脈を止めるために抗不整脈薬の投与やカルディオバージョンが必要となる。

単純に心拍数が増加するだけでは心拍出量が増加しない場合もある。ペースメーカ刺激のみで心拍数を70回/minから140回/minに倍増させても、心室充満時間が短くなって心室充満が減少し、COは増えないかもしれない[6]。また、SVに影響を与える生理学的なメカニズムが破綻している場合には、心拍数が維持されていてもCOは維持されない。このSVに影響を与える生理学的なメカニズムは、前負荷、後負荷、心収縮能という3つの因子で考えられる。

1 前負荷

前負荷とは収縮直前の心筋細胞の伸展のことであり、拡張末期のサルコメアの長さと関係する。サルコメアの長さを直接測定することはできないため、間接的には左

室拡張末期圧（LVEDP）や左室拡張末期容積（LVEDV）が前負荷の指標として用いられる。

前負荷は心室のコンプライアンス，心筋の長さ・張力関係（length-tension relationship），静脈還流量により規定されるが，臨床的には主に静脈還流量を増やすこと，あるいは減らすことが前負荷への主な介入となる。静脈還流量の増減で前負荷に変化が起こり，SVに影響を与える（Frank-Starling曲線，図2）。前述の【式6】から，輸液により前負荷に介入した結果，Frank-Starling曲線上で右上に移動してCOが増加すれば血圧が上昇し，臓器灌流に影響を与えることがわかる。

2 後負荷

後負荷とは，心臓が血液を拍出する際に打ち勝つ必要のある負荷のことである。後負荷は，血管抵抗，大動脈弁狭窄，血液粘稠度，動脈の弾性，心室容積などで規定される。とくに末梢血管抵抗（SVR）は大動脈圧に影響を与え，左室の後負荷として重要な成分である。ショックの治療では，MAPは後負荷の指標と考えることができる。

COがFrank-Starling曲線のプラトーに達したものの血圧が低い場合には，前述の【式6】から，SVR低値がMAP低値の原因であることがわかる。小動脈や細動脈は抵抗血管として機能し，SVRの60～70％を構成し血圧を調整する役割をもつ。そのため，血管収縮薬を用いて血管を収縮させSVRを上昇させることで，血圧が上昇する。一方でSVRが高値の場合，COは低下する。心不全のように高いSVRがCOに影響を与えていると考える場合には，血管拡張薬や降圧薬を用いてSVRを低下させ，COを最適化する。

3 心収縮能

心収縮能は，ある前負荷に対して，心臓が生み出す力のことである。心収縮能の低下はSVの低下につながる。前負荷や後負荷が最適化されているにもかかわらず循環不全が改善せず，心収縮能の低下を認める場合には，強心薬を用いた心収縮能への介入を考慮する。ただし，SVやCOは年齢や体重などにより正常値が異なり，誰にでも当てはまる単一の正常値はない[7]。酸素運搬量（$\dot{D}O_2$）の最適化を目的として心収縮能に介入する場合はこの点に留意する。強心薬のみで循環動態が改善でき

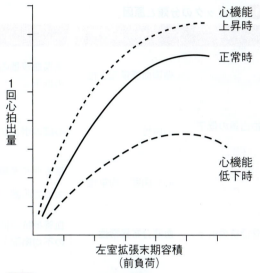

図2 Frank-Starling曲線

ない場合には，IABP（intra-aortic balloon pumping）やImpella®，ECMO（extracorporeal membrane oxygenation）などの循環補助が必要になることがある。

酸素含有量（CaO_2）に影響を与える因子とその介入

前述したとおり，ヘモグロビン値（Hb）と動脈血酸素飽和度（SaO_2）は酸素含有量（CaO_2）に影響を与える。どちらも計算上，高ければ高いほど$\dot{D}O_2$を上昇させるが，高値を目標とすると予後が悪化することがわかっており，最低限の値を目標として介入する。

重症患者でのSaO_2の目標値として，動脈血酸素分圧（PaO_2）が100mmHgを超えるような酸素の過剰投与は避ける。$SpO_2 \leq 96\%$を上限の目安とし，下限をPaO_2 60mmHgにすることを考慮する[8]。赤血球輸血はHbを改善させるが，ヘモグロビンの目標値は病態や疾患ごとに異なる。

ショックの概要と対応の基本

ショックとは，組織の酸素運搬量（$\dot{D}O_2$）と酸素消費量（$\dot{V}O_2$）の間に不均衡が生じる循環不全の状態であり，その結果，末端臓器の機能障害を引き起こす[9][10]。日本救急医学会では「生体に対する侵襲あるいは侵襲に対する生体反応の結果，重要臓器の血流が維持できなくなり，細胞の代謝障害や臓器障害が起こり，生命の危機に至る急性の症候群」と定義している[11]。すなわち，$\dot{V}O_2$が$\dot{D}O_2$を上回り，酸素摂取率（$O_2 ER$）が1を超える状態

表1　ショックの分類と原因

タイプ	臨床分類	病態	原因
心拍出量の低下	循環血液量減少性	循環血液量の減少による循環灌流の低下	血液の喪失（外傷，消化管出血など） 体外への体液喪失（嘔吐，下痢など） 血管外への体液の喪失（広範囲熱傷など）
	心原性	心臓のポンプ機能の不全	心筋性（心筋梗塞，心筋炎など） 不整脈性（心室頻拍，発作性心房細動など） 機械性（僧帽弁閉鎖不全，心室中隔穿孔など）
	心外閉塞・拘束性	拡張期充満障害（心外からの圧迫）	心タンポナーデ，緊張性気胸
		大血管閉塞・狭窄（心収縮障害）	肺血栓塞栓症
血管抵抗の低下	血液分布異常性	血管抵抗の低下・喪失による血液の不均衡配分	感染性（敗血症） アナフィラキシー（薬剤，ハチなど） 神経原性（頸髄損傷）

である．このとき，十分な酸素供給がなされない組織では，ミトコンドリアで好気代謝が行えず嫌気代謝が中心となる．その結果，産生されたピルビン酸は乳酸に代謝され，血中の乳酸値が上昇する．臨床的には，ショックは臓器灌流障害として認識され，脳や腎，皮膚にその所見が現れる．例えば，意識の混濁や意識障害，尿量減少，チアノーゼや皮膚の冷感として観察される．

1　ショックの分類

ショックはその原因や生理学的特徴から，循環血液量減少性ショック，血液分布異常性ショック，心原性ショック，心外閉塞・拘束性ショックの4つに分類される[11]．実際にはショックの原因により，4つの分類の特徴がオーバーラップすることもある（表1）．

循環血液量減少性ショックの原因は，血管内容量が減少することで前負荷が減少し，1回心拍出量（SV）の減少から心拍出量（CO）が減少することである．出血性ショックは循環血液量減少性ショックの原因の一つであるが，失血で心筋の酸素化が悪化し，さらにCOが悪化する可能性がある．循環血液量減少性ショックでは末梢血管抵抗（SVR）は上昇する．

血液分布異常性ショックでは，著明な血管拡張により血管内容量の減少が起こる．敗血症性ショックでもっともよくみられ，SVRの低下を代償するため，COは通常増加する．ただし，敗血症性ショックでは一過性の心筋症の合併から心収縮力が低下し，COが低下することもある．敗血症以外の血液分布異常性ショックの代表的な原因は，アナフィラキシー，副腎不全，神経原性ショックなどである．

心原性ショックは，心収縮力の低下や前負荷・後負荷の変化により，左室が酸素化した血液を末梢組織に十分に送り出すことができなくなり生じる．心原性ショックのもっとも一般的な原因は心筋梗塞である．心原性ショックではSVRは上昇する．

心外閉塞・拘束性ショックは，心臓以外の原因により心臓のポンプ機能が障害されて起こるショックである．右室の心拍出低下に起因することが多い．代表的な原因として，心タンポナーデや緊張性気胸，肺血栓塞栓症があげられる．

各ショックの頻度については，敗血症性の血液分布異常性ショックがもっとも多く62％，心原性ショックと循環血液量減少性ショックが16％，敗血症以外の血液分布異常性ショックが4％，そして心外閉塞・拘束性ショックが2％と報告されている[12)13)]．ただし，各ショックの頻度は施設の特徴や患者層により異なる．

2　ショックの初期評価

循環の初期評価のなかで，まず循環不全やショックを示唆する所見を確認する．単一の所見でショックかどうかを判断することはできないが，複数の所見の組み合わせが助けとなる．

1）バイタルサイン

ショックでは低血圧を伴うことが多く，血圧はショックの有無の指標の一つとなる．ただし，著明な低血圧を呈している場合には血圧計では測定できないこともあり，注意を要する．また，心拍出量（CO）の低下を末

梢血管抵抗（SVR）の上昇で代償している場合，血圧低下は顕在化しないことがある。

ショック時の脈拍の特徴として，低血圧の代償で頻脈となる。ただし，高齢者は若年者に比べて頻脈が顕在化しづらいため，心拍数の絶対値のみで判断するのは危険である。また，β遮断薬やカルシウム拮抗薬など陰性変時作用のある薬剤を内服している場合，頻脈にならないこともあり注意を要する。逆に徐脈を呈している場合には，その徐脈がショックの原因のこともある。

呼吸数はショックの早期認識に重要なバイタルサインである。ショックでは組織循環不全から代謝性アシドーシスを合併し，その代償のため頻呼吸を呈する。

2）症状，身体所見など

全身観察時に注意すべき循環の異常所見などを表2に示す。ショックの患者では症状が乏しいことがあり，例えば，患者の訴える症状が全身脱力だけということもある。脳への血流の低下から，意識障害や意識混濁，傾眠傾向，不穏などを呈する場合もある。

身体診察では，代償機構としての血管収縮により，末梢の冷感やチアノーゼ，網状皮斑（mottled skin, mottling），毛細血管再充満時間（capillary refill time；CRT）の延長を認める。ただし，血液分布異常性ショックでは末梢血管の拡張により末梢が温かいこともあるため，末梢が温かいことのみをもってショックを除外することはできない。尿量がモニタリングされている状況では，尿量の低下もショックの判断の参考になる。

3 ショック治療の基本

ショックの治療では，$\dot{V}O_2$を低下させ，$\dot{D}O_2$の最大化を目指す。発熱や疼痛，不穏，シバリング，呼吸筋の酸素消費などはすべて$\dot{V}O_2$を上昇させるが，とくに呼吸筋の酸素消費という点で人工呼吸管理が必要となることがある。一方で$\dot{D}O_2$を改善させるため，COやCaO$_2$に対して介入を行う。

モニタリング・検査と初期対応

1 モニター装着，酸素投与，静脈路確保

循環の異常が示唆される場合，モニターの装着はできるかぎり早期に行う。心電図モニターによるリズムと心拍数の評価（さらに，ST変化などの心筋虚血の有無の

表2 全身観察から判断できる主な循環異常所見

皮膚
- mottled skin（網状皮斑）
- 肢端・先端チアノーゼ
- central-to-toe temperature gradient
- CRT延長
- 温かい皮膚，紅潮：敗血症
- 蕁麻疹，紅潮，掻痒症：アナフィラキシー

腎
- 尿量の低下
    - 1 mL/kg/hr以上：正常
    - 0.5～1 mL/kg/hr：減少
    - 0.5 mL/kg/hr以下：高度な減少
- 尿比重の上昇
※尿量は腎血流（灌流）の指標

脳
- 不穏，多弁
- 混乱
- 昏迷，無欲様顔貌，昏睡
- 呼吸数減少，呼吸停止：呼吸中枢の異常，血流低下
※先行する意識障害がないことが前提

評価），血圧計による血圧と心拍数の評価，パルスオキシメータなどによる心拍数の評価などがある。また，呼吸の評価として測定される呼吸数，SpO$_2$，呼気終末二酸化炭素分圧（EtCO$_2$）も循環状態の評価の参考になる。SpO$_2$やEtCO$_2$の異常は，末梢循環不全や肺循環・体循環の異常を示している可能性がある。

初期対応で最優先することは，気道を安定化させ，必要であれば人工呼吸を行うことである。ショックの患者では速やかに酸素投与を行う。循環状態が不安定な場合は気管挿管，人工呼吸管理に移行する。酸素投与は呼吸・循環状態が不安定な患者に対して有益であると考えられているが，過度な酸素投与は逆に有害である可能性も指摘されているため注意を要する[8)14)15)]。

静脈路の確保は，輸液や輸血を可能にすることはもちろん，緊急投薬も可能にするため，早期に行わなければならない。重症患者において静脈路が確保できない場合には，骨髄路も選択肢の一つである。また，静脈穿刺の際に血液検査用の検体を採取することで，その後の血液検査による早期評価につながる。

2 POCT

POCT（point-of-care testing）とは，検査室に検体を提出することなく，現場で迅速に施行し結果を得ることができる検査のことである。循環の評価では血液ガス分析装置を用いた血液ガス，乳酸値，ヘモグロビン値の測定や迅速トロポニン検査などが有用である。

3 画像検査

ポータブル胸部X線検査は患者の移動を伴わずに実施できることから，ショックの原因精査によく用いられる。また，近年ではベッドサイドで迅速に実施する超音波検査，すなわちPOCUS（point-of-care ultrasound）が推奨されている。例えば，ショックや低血圧に対するRUSH（rapid ultrasound for shock and hypotension）は，血圧低下の病態を鑑別するための系統的な超音波検査であり，「Pump（心機能）」「Tank（循環血液量）」「Pipe（血管）」の3つの要因で評価する（p.176参照）[16]。CT検査はショックの原因の精査に有用であるが，血行動態の安定化が得られていない状況での撮影はリスクを伴う。

4 12誘導心電図

12誘導心電図はショックの原因の鑑別に重要で，急性冠症候群，心筋炎，不整脈の有無を確認することができる。心タンポナーデや緊張性気胸，肺血栓塞栓症などの心外閉塞・拘束性ショックの関与も12誘導心電図から推測できる場合がある。心電図波形が低電位であったり，軸偏位や脚ブロックを伴ったり，肺血栓塞栓症の場合には，典型的なSⅠQⅢTⅢパターンやV_1～V_3での陰性T波を認めることがあるため，これらを確認する。

5 原因の推定と安定化

低血圧あるいは循環不全の徴候を呈する患者では，初期治療として循環不全を改善させるために，細胞外液補充液の投与を開始する。病態に応じて輸液量を調整する。輸液のみで蘇生が困難な場合，必要に応じて血管収縮薬や強心薬の併用を考慮する。

初期評価・初期治療を行うと同時に，ショックの原因を推定し安定化を図る。アナフィラキシー，緊張性気胸，心タンポナーデ，出血，不整脈，敗血症性ショック，心筋梗塞，急性弁膜症，大動脈解離，肺血栓塞栓症などは初期評価で推定できる可能性がある。ショックの原因が判明したら，その原因に対して根本的な治療を行う。

必要に応じて情報収集を継続する。病歴は参考になるが，循環不全の患者から病歴を聴取することはままならない。その場合，家族や付き添い者，救急隊員の話が参考になる。身体診察で頸静脈の怒張があれば，心原性ショックあるいは心タンポナーデや緊張性気胸など心外閉塞・拘束性ショックの可能性がある。口腔粘膜や腋窩の乾燥，ツルゴールの低下は脱水による循環血液量減少性ショックを示唆する。皮膚の発赤や膨疹はアナフィラキシーを示唆するが，全身の発赤はトキシックショック症候群（toxic shock syndrome；TSS）の所見の可能性もある。

6 特定の病態への初期対応

1）高血圧緊急症，高血圧切迫症

高血圧緊急症とは，単に血圧が異常に高いだけの状態ではなく，血圧の高度上昇（多くは180/120mmHg以上）によって，脳や心臓，腎，大血管などの標的臓器に急性の障害が生じ進行する病態であり，迅速に診断して直ちに降圧治療を開始しなければならない[17]。

具体的には，高血圧性脳症，高度の高血圧を伴う脳出血，急性大動脈解離を合併した高血圧，重症高血圧による肺水腫を伴う急性心不全，高度の高血圧を伴う急性冠症候群，褐色細胞腫クリーゼなどがこれにあたる。また，妊婦における子癇や妊娠高血圧症候群にも注意が必要である。これらの高血圧緊急症では入院治療が原則であり，経静脈的に降圧薬を投与して降圧を図る。

一方，臓器障害の急速な進行がない場合は高血圧切迫症とされる。この場合，緊急な降圧による生命予後改善を証明した報告はなく，緊急降圧の対象とはならない。したがって，緊急症か切迫症かの判断が重要である（p.259参照）。

2）徐脈，頻脈

心電図モニターや12誘導心電図で徐脈・頻脈と判断したら，適切な薬剤治療を実施する（p.374参照）。適切な薬剤投与でも徐脈や頻脈が改善せず緊急性が高い場合には，徐脈であれば一時的な経皮ペーシングやその後の経静脈ペーシングなどを考慮する。一方，頻脈であれば薬剤によるレートコントロールと同時に，薬剤による洞調律化やさらに緊急性が高いときには同期電気ショックを

考慮する（リズムコントロール）。また，急性心筋梗塞や電解質異常に伴う徐脈の可能性もあり，脈拍の異常が認められた場合には，その原因の有無についても検討すべきである。

▶文　献

1) Vincent JL, et al eds：Textbook of Critical Care, 8th ed, Elsevier, 2022.
2) Kreymann G, et al：Oxygen consumption and resting metabolic rate in sepsis, sepsis syndrome, and septic shock. Crit Care Med 21：1012-9, 1993.
3) Hall JE, et al：Guyton and Hall Textbook of Medical Physiology, 14th ed, Elsevier, 2021.
4) Hernandez G, et al：Invasive arterial pressure monitoring：Much more than mean arterial pressure! Intensive Care Med 48：1495-97, 2022.
5) Evans L, et al：Surviving sepsis campaign：International guidelines for management of sepsis and septic shock 2021. Intensive Care Med 47：1181-247, 2021.
6) Klabunde RE：Cardiovascular Physiology Concepts, 3rd ed, Wolters Kluwer, 2022.
7) Cattermole GN, et al：The normal ranges of cardiovascular parameters measured using the ultrasonic cardiac output monitor. Physiol Rep 5：e13195, 2017.
8) Siemieniuk RAC, et al：Oxygen therapy for acutely ill medical patients：A clinical practice guideline. BMJ 363：k4169, 2018.
9) Tintinalli JE, et al：Tintinalli's Emergency Medicine：A Comprehensive Study Guide, 9th ed, McGraw-Hill Education, 2020.
10) Cecconi M, et al：Consensus on circulatory shock and hemodynamic monitoring：Task force of the European Society of Intensive Care Medicine. Intensive Care Med 40：1795-815, 2014.
11) 日本救急医学会医学用語解説集：ショック. https://www.jaam.jp/dictionary/dictionary/word/0823.html
12) Vincent JL, et al：Circulatory shock. N Engl J Med 369：1726-34, 2013.
13) De Backer D, et al：Comparison of dopamine and norepinephrine in the treatment of shock. N Engl J Med 362：779-89, 2010.
14) Stub D, et al：Air versus oxygen in ST-segment-elevation myocardial infarction. Circulation 131：2143-50, 2015.
15) Hofmann R, et al：Oxygen therapy in suspected acute myocardial infarction. N Engl J Med 377：1240-9, 2017.
16) Perera P, et al：The RUSH exam：Rapid Ultrasound in SHock in the evaluation of the critically Ill. Emerg Med Clin North Am 28：29-56, 2010.
17) 日本高血圧学会高血圧治療ガイドライン作成委員会（編）：高血圧治療ガイドライン2019, ライフサイエンス出版, 2019.

2-5 中枢神経の評価と初期対応

本多 満

目標と対象疾患

中枢神経の異常に対する診療の目標は，外傷や虚血などによる脳組織そのものの損傷である一次性脳損傷ではなく，二次性脳損傷を最小限にすることである（表1）。中枢神経の異常に対する診療においては，救急医療のABCDEアプローチにおけるA（気道）・B（呼吸）・C（循環）を省略して中枢神経系の評価や処置を優先しがちであるが，二次性脳損傷により頭蓋内環境を悪化させないように，まずABCの評価や処置を優先させることが必要である。ABCが不安定な状況でのD（中枢神経障害）の評価は正しいものとはいえないため，ABCの安定後にDの評価を行う。

中枢神経の異常を呈するものとして遭遇することが多いのは，①神経学的巣症状を呈する，あるいは突然発症の意識障害，頭痛，およびめまいなどを呈する脳卒中をはじめとする神経疾患と，②意識障害やけいれんを呈する神経疾患である。前者の巣症状を呈する場合は構音障害，失語症，片麻痺あるいは顔面神経麻痺などがみられ，脳卒中疑いとしてrt-PAの経静脈投与あるいは血管内治療が可能な病院に搬送されることが多い。一方，重症な意識障害を呈する場合は三次救急患者として搬送されることが多い。

ABCの評価・安定化における注意点

A・Bの評価における注意点として，中枢神経障害を呈している患者，とりわけ頭蓋内圧亢進による意識障害を呈する患者は，舌根沈下，反射低下による誤嚥，呼吸抑制などにより低酸素血症や高二酸化炭素血症をきたし，二次性脳損傷を起こす可能性がある。このため，必要に応じて気管挿管や人工呼吸など積極的な介入を行うべきである。頭蓋内圧亢進がない場合でも呼吸の安定化は当然必要であり，脳卒中急性期においてはSpO$_2$を94％以上に保つよう推奨されている[1]。

また，Cの評価において，頭蓋内の器質的異常による

表1 二次性脳損傷をきたす因子

頭蓋内因子
- 占拠性病変による圧迫，破壊
- 脳ヘルニアによる脳幹障害
- 脳虚血
- 脳浮腫
- けいれん
- 感染

頭蓋外因子
- 低酸素血症
- 低血圧
- 高/低二酸化炭素血症
- 貧血
- 高体温

表2 「切迫するD」の判断基準

以下のいずれかに該当する場合
1. GCS合計点が8以下
2. 経過中に，GCS合計点が2以上低下
3. 脳ヘルニア徴候と考えられる瞳孔不同，片麻痺，Cushing現象（徐脈と高血圧）を呈する意識障害（GCS合計点14以下）

〔文献4）より作成〕

意識障害患者が低血圧を呈することは少ないものの[2,3]，意識障害患者に低血圧を認めた場合には頭蓋内の器質的障害が存在する可能性を考慮する。二次性脳損傷を回避するために，神経系疾患以外の循環不全と同様に蘇生的輸液を開始し，循環不全から脱却するために必要に応じて昇圧薬を投与する。

Dの評価・介入の流れ

ABCの安定後にDの評価を行うが，とくに緊急性の高い病態である頭蓋内圧亢進による脳ヘルニアの徴候を迅速に察知して，これを回避することが重要である。頭部外傷と病態は異なるものの，内因性疾患においても脳ヘルニアを疑う基準として「切迫するD」を参考に判断することは理にかなっている（表2）[4]。しかし，脳梗塞では頭蓋内圧亢進をきたさず，意識障害もなく脳局所

症状として片麻痺を呈することもあるため，ほかの項目と併せて評価を行う必要がある。

Dの評価では詳細な神経症状ではなく，けいれんの有無の確認のほか，意識レベル，瞳孔，運動障害・異常肢位，呼吸パターンの異常，バイタルサイン（Cushing現象）を評価し，頭蓋内圧亢進による脳ヘルニアが疑われる場合には，早期の頭部CT検査を考慮する。けいれんがある場合には，二次性脳損傷を防止するためにけいれんの治療（ベンゾジアゼピン静注など）を行う。意識障害がある場合には，血糖の評価と必要な補正を行う。

CT施行前までに気管挿管していない場合には，気管挿管を行ってからCT検査を行うほうが安全である。

Dの評価の方法

1 意識レベル

意識レベルを直接モニターして数値化できるモニタリング機器は存在しないため，神経学的身体所見からスケール化して行う意識レベルの評価は重要である。緊急度・重症度を客観的に判定する指標として，後述するJCS，GCSなどを用いて評価を行う。比較的簡便な神経学的所見を組み合わせて評価するため，繰り返し行うことで経時的な評価が可能である。前述したとおり，意識レベルの評価において「切迫するD」がみられた場合には脳ヘルニアを疑って対応する。

2 瞳孔

頭蓋内圧亢進による瞳孔異常は，動眼神経の圧迫により起こる。動眼神経は中脳の腹側より出て，脳底槽を走行して海綿静脈洞に入る。その間，側頭葉の内側縁に沿って走行する。そのため，頭蓋内圧亢進による鉤回がテント切痕内に陥入すると動眼神経が圧迫され損傷し，一側瞳孔散大がみられることが多い。

一方，瞳孔が両側散瞳の場合には，脳ヘルニアによる重度の中脳損傷や脳幹出血の中脳への進展を示唆し，頭蓋内圧亢進を認めない場合には抗コリン薬中毒などの薬物中毒を疑う。両側縮瞳の場合には，橋出血，コリン作動性中毒やオピオイド中毒などを考慮する。

近年，定量的瞳孔計が普及しつつあり，従来主観的な評価であった瞳孔検査が客観的に行えるようになっている。

3 運動障害，異常肢位

頭蓋内圧亢進による大脳皮質から間脳の病変あるいは圧迫がある場合，反対側の不全片麻痺を呈する。運動機能の左右差は，器質的な局在性病変の存在を示唆する。さらに，圧の上昇による脳ヘルニアが進行して間脳から中脳が圧迫されると，上肢の屈曲と下肢の伸展を呈する除皮質硬直を認め，これはGCSのM3に相当する。また，脳ヘルニアが進行して中脳に進むにつれ，上下肢が伸展する除脳硬直を認め，これはGCSのM2に相当する。

4 呼吸パターンの異常

Bで評価を行う際に，呼吸パターンの異常に注意する。呼吸パターンの異常は脳幹障害の存在を示唆する。テント上占拠性病変が進行して脳ヘルニアが進行すると，間脳の障害により周期性呼吸パターン（Cheyne-Stokes呼吸），中脳から橋に及ぶと中枢性過呼吸，延髄で失調性呼吸がみられ，さらに延髄尾部の腹外側部を両側損傷すると無呼吸になる。無呼吸に至る前の呼吸パターン異常を見逃さず，その他の項目とあわせて頭蓋内圧亢進の評価を行う。当然，これらの異常呼吸パターンを認めない場合でも，頻呼吸や徐呼吸に対して頭蓋内環境を安定化させるために積極的な介入を行う。

5 Cushing現象

頭蓋内圧が亢進することにより脳灌流圧が低下して脳循環障害をきたす。この際に，交感神経を介して血圧を上昇させることにより，これを改善させようとする機序が起こることをCushing現象という。急激に頭蓋内圧が亢進する際には緊張の強い徐脈がみられるが，成人の後頭蓋窩病変以外では生じにくいとされており，実際の臨床例ではあまりみられない。

意識障害評価のスケール

1 JCS（Japan Coma Scale）

JCSは1974年に，急性期破裂脳動脈瘤患者の意識レベルの評価のためにわが国で作成された[5)6)]。当初は覚醒軸をもとに「自発的に覚醒している」「刺激を加え覚醒できる」「刺激を加えても覚醒されない」の大まかに3

表3 JCS（Japan Coma Scale）

I．刺激しないでも覚醒している状態（1桁で表現）	
0	意識清明
1	だいたい意識清明であるが，いまひとつはっきりしない
2	見当識障害がある
3	自分の名前，生年月日が言えない
II．刺激をすると覚醒する状態（2桁で表現）	
10	普通の呼びかけで容易に開眼する*¹
20	大きな声または体をゆさぶることで開眼する*²
30	痛み刺激を加えつつ，呼びかけを繰り返すとかろうじて開眼する
III．刺激しても覚醒しない状態（3桁で表現）	
100	痛み刺激に対し，払いのけるような動作をする
200	痛み刺激で少し手足を動かしたり，顔をしかめる
300	痛み刺激に反応しない

*¹ 開眼できない場合：合目的的な運動をするし言葉も出るが間違いが多い
*² 開眼できない場合：簡単な命令に応じる（例えば離握手）

表4 GCS（Glasgow Coma Scale）

E：開眼反応（Eye opening）	
自発的に	E4
言葉により	E3
痛み刺激により	E2
開眼しない	E1
V：言語反応（Verbal response）	
見当識あり	V5
錯乱状態	V4
不適当な言葉	V3
理解できない声	V2
発声がみられない	V1
M：最良運動反応（best Motor response）	
命令に従う	M6
痛み刺激部位に手をもってくる	M5
四肢を屈曲する	
逃避	M4
異常屈曲	M3
異常伸展	M2
まったく動かさない	M1

段階に分けられていたが，それぞれの段階がさらに3段階に分けられて，数字が大きくなるに従って意識レベルが悪いことを示すスケールとなっている**（表3）**。この大分類を使用したI桁，II桁，III桁という表現により大まかに患者重症度を評価することが可能であり，JCSは現在，病院前から院内まで広く使用され，わが国でもっとも定着している意識障害評価のスケールである。

2 GCS（Glasgow Coma Scale）

GCSも1974年に急性期頭部外傷の意識レベルの評価のために作成された[7)8)]。「E：開眼反応」「V：言語反応」「M：最良運動反応」の3項目を個々に，それぞれ4段階，5段階，6段階で判定し，その合計点で評価を行う。合計3～15点の13段階で評価され，合計点数が高いほど意識レベルがよいことを示す**（表4）**。3項目のうち，Mの要素がもっとも患者の意識レベルを鋭敏に反映すると

いわれている．GCS はわが国では JCS に次いで使用されているが，国際的には JCS よりも普及しており，APACHE スコアなど種々の病態の重症度評価にも用いられている．

▶文　献

1) Rajajee V, et al：Emergency neurological life support：Airway, ventilation, and sedation. Neurocrit Care 27（Suppl 1）：4-28，2017.
2) Ikeda M, et al：Using vital signs to diagnose impaired consciousness：Cross sectional observational study. BMJ 325：800，2002.
3) Posner JB, et al：Circulation：General physical examination. In：Plum and Posner's Diagnosis of Stupor and Coma, 4th ed, Oxford University Press，2007.
4) 日本外傷学会，他（監）：頭部外傷．外傷初期診療ガイドライン JATEC™，改訂第 6 版，へるす出版，2021，pp 129-46.
5) 太田富雄：意識障害の重症度基準．総合臨牀 34：477-82，1985.
6) Ohta T, et al：Nizofenone administration in the acute stage following subarachnoid hemorrhage：Results of a multi-center controlled double-blind clinical study. J Neurosurg 64：420-6，1986.
7) Teasdale G, et al：Assessment of coma and impaired consciousness：A practical scale. Lancet 2：81-4，1974.
8) Jennett B, et al：Aspects of coma after severe head injury. Lancet 1：878-81，1977.

2-6 体表・体温の評価と初期対応

土肥　謙二

　ABCDEアプローチにおける"E"とは Exposure and Environment（脱衣と体表・体温）を意味する。具体的には正確な脱衣と保温を行うとともに，正確な外表観察と適切な体温の維持を行うことを目的としている。これらは初療における正確な評価と蘇生のために必須であると同時に，"Eの異常"が病態を悪化させるのみならず，それ自体が病態自身あるいは重要な症候であることもしばしば認めるため，初療の現場において"Eの評価と管理"はきわめて重要である。

体温調節機構

　一般的に正常体温は37℃とされているが，決して一定ではなく，個人により異なる。さらに，測定部位，年齢，日内変動，性周期などによっても影響を受ける。例えば高齢者では若年者より約0.5℃低く，午前と午後では1℃以上の差があることが知られている。そのため，正常体温には一定の幅があると考えられているが，今のところ明確な定義はない。また，乳幼児や小児では体重当たりの体表面積が大きく，ほかの体温調節機構も未熟であるため，外部環境により体温変化をきたしやすい。さらに，30歳以降になると体温調節機能が年間約1％ずつ低下するとされ，一般的に高齢者では体温調節機能が大きく低下する。

　体温は体温調節中枢である視床下部と，前視床下部や視索前野における温度感受性ニューロンによる神経系調節機構により恒常性が維持されている。健常人では，このような神経調節機構を通じて中枢神経から指令が出され，体内における熱産生システムと熱喪失システムがバランスをとることにより平温を維持している（図1）。熱産生の体温調節システムには，不随意の自律性体温調節反応と随意の体温調節行動がある。自律性体温調節反応としては，延髄と脊髄を介した交感神経反応である皮膚血管収縮や，褐色脂肪組織熱産生（非ふるえ熱産生），発汗，運動神経を介した不随意のふるえ熱産生があげられる。一方で熱喪失は放射性熱放散（体表），伝導性熱放散（体表），蒸発性熱放散（発汗，呼吸）からなる。したがって，熱喪失の効果はとくに周囲の温度や湿度など環境因子に依存するところが大きい。

　身体深部の熱は動脈の血流を介して体表の毛細血管に運ばれて熱放散により体外に逃がされ，冷やされた血液は静脈を通じて深部へ運ばれる。このような熱放散を効果的に行うためには皮膚など体表の血流が十分に保たれ

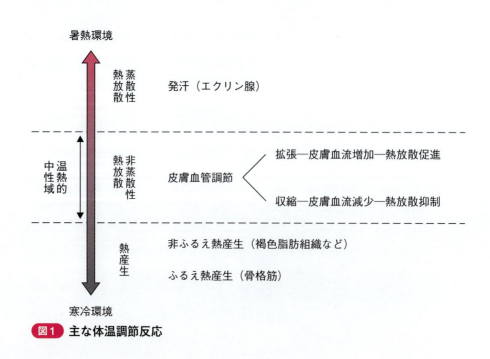

図1　主な体温調節反応

ている必要がある．したがって，脱水などで皮膚近くの血流が十分ではない患者ではより高体温になりやすくなる．また，低体温時は自律神経を介して体温が維持されるため末梢血管が収縮し，心拍数も低下して表在の血流が減少する．逆に，高体温時にはより多くの熱を逃がすため末梢血管は拡張し，心拍数も増加して表在の血流量は増加する．

　体温調節機構には直接的な血流調節と同様に呼吸も深く関与している．体温が上昇すると換気量や呼吸数が増加する．分時換気量の増加によって直接的に蒸発性熱放散が亢進するとともに，肺血管における対向流熱交換が促進されて体温を低下させるように働く．逆に，体温が低下した際には換気量や呼吸数は低下して熱の損失量を減らして体温を維持するように反応する．体温と代謝の関係については一般的に知られているように体温の上昇に伴い代謝は亢進し，体温の低下により代謝は低下する．

患者到着前の情報収集と準備

　救急医は，バイタルサインをはじめとする生理学的指標や現場の状況などの正確な情報収集，情報共有，アセスメントに努め，予測し得る状況に対して準備を行わなければならない．また"E"に対して適確な評価と判断を行えるように，その日の天候や気象状況などについても理解しておく．さらには，傷病者発生現場の状況や環境などについて，搬送前あるいは搬送後にも速やかに詳しく情報を収集することも"Eの異常"の早期発見や迅速な対応を行ううえで重要である．

　その情報をもとに初療室の室温や湿度などの環境をコントロールし，予測される必要な物品をあらかじめ準備しておく．とくに高度の高体温や低体温などのケースでは，引き起こされる重篤な合併症に迅速に対応できるように医療資器材や体温管理に用いる物品を事前に用意しておく必要がある．また，脱衣に関してもあらかじめ高度に汚染されている場合や，脱衣に特別な配慮が必要なことが予測される場合には初療室やスタッフへの汚染を予防するための準備を行う．事前に搬送患者が発熱している情報が入手できている場合には，感染対策に留意する．

脱　衣

　脱衣についてはABCDの評価・対応とほぼ並行して行われる．脱衣後は速やかに全身観察を行い，直ちにタオルケットなどの乾いた布で覆う．その際に患者の身体が濡れている場合にはタオルなどで全身を拭き乾かすことは，急激な体温低下を予防するうえで重要である．極度の体温異常を認める場合や熱中症や低体温症が疑われる場合には迅速かつ適切な体温管理を開始する．

体温測定

　バイタルサインの計測の一環として体温測定を行う．さまざまな体温測定機器が開発されており，現在は赤外線を用いた非接触式機器，あるいは接触式の電子体温計を用いるのが一般的である．

　外部から搬送されてきた患者の場合，露出している体表の温度は外部環境の影響を受けていることが多い．したがって，測定部位については腋窩や鼓膜などで測定するのが一般的である．腋窩については皮膚との接触の具合が影響するので注意を要する．鼓膜での測定は正しい挿入角度で行うこと，耳垢などの障害物がないことを確認することが重要である．明らかな体温異常が認められる場合や正確な体温管理が必要とされる場合には深部体温の持続計測を行う．初療時における深部温測定として食道温，膀胱温，直腸温の測定が行われる．また，体表温と深部温には差があり，深部温のほうが体表温より0.5〜1℃程度高い．

体温異常時の対応

　体温34℃以下あるいは41℃以上では，自己の体温調節機能が障害されているために迅速な体温管理が必要である．とくに体温30℃以下では心停止や致死性不整脈に至り，41℃以上では耐熱性の低い脳や脊髄を中心に不可逆的な障害を残す可能性が高いので可及的速やか，かつ積極的な体温管理を要する．低体温とは体温35℃未満とされ，低体温による症状は体温により異なる．一方，体温の上昇は体温調節機構による発熱と，熱産生・熱喪失バランスの破綻による高体温に分けられる．偶発性低体温症への対応についてはp.779を，発熱・高体温への対応についてはp.318を参照のこと．

　初療室における主な体温管理法を**表1**に示す．体温管理機器としては体表冷却デバイス，血管内デバイス，咽頭冷却デバイスなどがある．アセトアミノフェンやシクロオキシゲナーゼ拮抗薬である非ステロイド性抗炎症薬

表1　初療室における主な体温管理法

種別	高体温時	低体温時
体表面からの アプローチ	体表冷却（冷却タオルなど） アイスバス 医療用体表ブランケット 体表送風 室温と湿度管理（低温，低湿度）　など	体表加温（加温タオルなど） ホットバス 医療用体表ブランケット 室温と湿度管理（高温，高湿度）　など
深部からの アプローチ	胃内洗浄冷却 膀胱洗浄冷却　など	胸腔洗浄加温 腹腔洗浄加温 吸気加温　など
血液温からの アプローチ	冷却した補液 血管内冷却　など	加温した補液 体外循環　など

（NSAIDs）を用いたいわゆる解熱療法は，発熱に対する内因性発熱物質や炎症の制御を目的とした薬理学的温度管理のため，一般的な体温調節機構の破綻による高体温には無効なことが多い。一方で，中枢神経の障害によって引き起こされる中枢性の発熱に関しては，中枢のセットポイントの異常によって引き起こされる体温上昇であることから，NSAIDsが有効と考えられている[1]。ただし，NSAIDsは血管を拡張させるため脱水を伴う患者に使用するときは血圧の低下に注意する。とくに高齢者や脱水を伴う患者に投薬する際には注意を要する。また，アスピリンに対するアレルギー歴などの有無にも注意して使用する。

▶文　献

1) Dohi K, et al：Pharmacological brain cooling with indomethacin in acute hemorrhagic stroke：Antiinflammatory cytokines and antioxidative effects. Acta Neurochir Suppl 96：57-60，2006.

IV 初期診療と鑑別診断

3 電解質異常

石井　潤貴　志馬　伸朗

救急初期診療において，電解質異常を認知することは決してまれなことではない。電解質異常の原因は内因・外因を問わず多岐にわたり，救急外来でそのすべての鑑別診断を行うことは不可能であるが，代表的な電解質異常の基本的な評価と初期対応については理解しておく必要がある。ここでは，救急初期診療で求められる電解質異常の診断と治療について述べる。

低ナトリウム血症

1 症状と分類

48時間以内の発生を急性，それ以降もしくは不明の場合を慢性とする。この分類は血清ナトリウム濃度（[Na^+]）補正速度と浸透圧性脱髄症候群（osmotic demyelination syndrome；ODS）のリスク評価に役立つ。脳浮腫，けいれん，昏睡，脳ヘルニア，神経原性肺水腫を伴うものや，急速に[Na^+]＜125mEq/Lに至ったものは重症とし，原因検索と同時に治療を開始する。

2 診　断

診断アルゴリズムの一例を図1[1]に示す。血清浸透圧（serum osmolality；S_{osm}）と血清尿素窒素（BUN）から有効血清浸透圧（effective S_{osm}；eS_{osm}）を求める。

eS_{osm} [mOsm/kg H_2O]
＝ S_{osm} [mOsm/kg H_2O] － BUN [mg/dL]/2.8

1）正常浸透圧性低ナトリウム血症
　　（275 ≦ eS_{osm} ≦ 295）

偽性低ナトリウム血症が代表的で，間接法による生化学検査（血清中の蛋白，脂質などの量が正常の場合には正しい値になるよう設定されている）でみられる測定エラーである。高蛋白血症（＞15g/dL）や脂質異常症（トリグリセリド＞3,000mg/dL）では，直接法であるためエラーが生じにくい血ガス分析で再評価する。

2）高浸透圧性低ナトリウム血症
　　（eS_{osm} ＞295）

高血糖，マンニトールによる細胞外自由水増加に起因し，補正[Na^+]を計算し再評価する。血糖 ≦ 400mg/dLまでは100mg/dLごとに1.6mEq/L，血糖＞400mg/dLからは100mg/dLごとに2.4mEq/L低下する。

3）低浸透圧性低ナトリウム血症
　　（eS_{osm} ＜275）

尿浸透圧（U_{osm}）でさらに鑑別する。

(1) U_{osm} ＜100mOsm/kg H_2O

自由水摂取が腎排泄を相対的に上回る状況を示唆し，水中毒や溶質摂取不足（beer potomaniaや低塩分食）を疑う。

(2) U_{osm} ≧100mOsm/kg H_2O

バソプレシン作動による尿希釈障害が示唆され，体液量評価を行いさらに細分する。

体液量低下：消化液喪失，中枢性塩類喪失症候群（cerebral salt wasting syndrome；CSWS）などの体液量減少例では正常な反応としてバソプレシン分泌が増加し，低ナトリウム血症を生じる。医療関連低ナトリウム血症の40～75%は薬剤，疼痛，嘔気，臓器障害や周術期の自由水排泄障害に低張輸液の過剰投与が組み合わされて生じる[2]。

体液量増加：うっ血性心不全，肝硬変では，前者は循環不全に伴って，後者は血管内容量減少によってバソプレシン分泌が亢進する。

体液量正常：抗利尿ホルモン不適合分泌症候群（syndrome of inappropriate antidiuretic hormone secretion；SIADH）が主で，ほかの体液量正常低ナトリウム血症をきたす疾患の除外が必要である。

3 治　療

以下に治療例を示す[1]。実際には患者状態に応じて判断する。

1）非低浸透圧性低ナトリウム血症

正常浸透圧性低ナトリウム血症は測定エラーであるこ

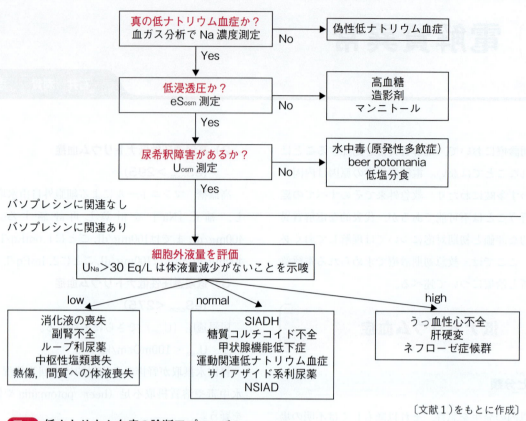

図1 低ナトリウム血症の診断アプローチ

SIADH：syndrome of inappropriate antidiuretic hormone secretion
NSIAD：nephrogenic syndrome of inappropriate antidiuresis
$U_{Na}>30mEq/L$ は体液量減少がないことを示唆するが，例外も多い．サイアザイド系利尿薬による低ナトリウム血症は体液量正常が多いが，減少していることもあり，U_{Na} はさまざまである

とが多く，上記の原因を中心に検索する．高浸透圧性低ナトリウム血症も同様に原因を同定し，とくに高血糖が原因である場合は補正する．

2）低浸透圧性低ナトリウム血症

(1) 重症低ナトリウム血症の場合

重篤な意識障害やけいれんを呈する場合，急速補正を行う．慢性の場合でも，重症低ナトリウム血症では4〜6mEq/Lを1〜2時間程度で補正し，けいれんの改善を狙う．

補正には高張食塩水（3％）を投与する．わが国には3％NaCl溶液が存在しないため，生理食塩液500mLのボトルから100mLを破棄し，10％NaCl溶液120mL（6アンプル）を添加して製成する．3％NaCl溶液を1mL/kg/hrで投与する場合，1mEq/L/hr程度の速度での補正が期待されるが，2〜4時間ごとのモニタリングを要する．

(2) 非重症低ナトリウム血症の場合

症状が軽微な低ナトリウム血症は慢性が多く，治療は背景疾患による．

水中毒では水分制限を行うが，急速補正に留意する．体液量減少性の低ナトリウム血症はリンゲル液などによる血管内容量是正で治療する．

体液量過剰性の低ナトリウム血症では自由水・塩類制限の効果は限定的であり，第一選択はループ利尿薬，第二選択はバソプレシンアンタゴニスト（トルバプタン）である．

体液量正常の低ナトリウム血症の大半を占めるSIADHの対応は原因の除去が中心であるが，しばしば困難である．水分制限と低張輸液を中止し，難治の場合は塩類投与を併用し，場合によりフロセミド，トルバプタンの投与を考慮する．

甲状腺機能低下症や副腎不全は，水分制限とホルモン補充により特異的に治療する．

3）補正速度

補正速度はODSのリスクとの対比で決定する（表1）[1]．ODSは低ナトリウム血症の治療でいったんその症状が改善した数日後に意識障害やけいれんで発症し，不可逆的である．急性低ナトリウム血症ではODSリス

表1 低浸透圧性低ナトリウム血症の治療方針の一例

症状の重症度	ODSリスク	[Na⁺]治療の目標	[Na⁺]上昇の上限
急性（48時間未満での発生が確定している）			
重症	無視できる	4〜6 mEq/L 急速に その後, 徐々に正常化	正常化
軽症・中等症	無視できる	正常化	正常化
慢性（48時間以上での発生, または時間経過が不明）			
重症・中等症・軽症	高い*	4〜6 mEq/L/day	8 mEq/L/day
重症・中等症・軽症	中等度	4〜8 mEq/L/day	10〜12 mEq/L/day かつ 18 mEq/L/2days
中等症・軽症	低い（[Na⁺]＞125mEq/L）	正常化	正常化

* 進行肝疾患, 低栄養, アルコール使用障害, 低カリウム血症
〔文献1）より引用・改変〕
ODSリスクがある症例, とくに初期[Na⁺]＜120mEq/Lでは, 上限を超える治療速度となった場合, 自由水投与などで再度[Na⁺]を下げる。体液量減少やサイアザイド系利尿薬による低ナトリウム血症例では尿量や浸透圧のフォローをとくに行う

クはかなり低く, 重症例では4〜6 mEq/Lを3％NaCl溶液を100 mL程度ずつ投与して急速に補正し, 続いて3％NaCl溶液を1 mL/kg/hrで投与し[Na⁺]を正常化させる。慢性低ナトリウム血症では重症度とODSリスクに応じて[Na⁺]補正速度を調整する。重症かつODSリスクが高い（進行肝疾患, 低栄養, アルコール使用障害, 低カリウム血症, [Na⁺]≦105mEq/L）場合は, 3％NaCl溶液を用いて2〜4時間ごとに[Na⁺]を評価して補正する。8 mEq/L/day以上の急速な補正はしない。ODSリスクが高くない場合でも12mEq/L/dayかつ2日で18mEq/L以下の補正にとどめる。[Na⁺]＞125mEq/LはODSを発症しにくい。

サイアザイド系利尿薬などによる体液量減少性の低ナトリウム血症は, 補液によりバソプレシン分泌が減少し過剰補正のリスクがある。水中毒は多量の希釈尿排泄により過剰補正となりやすい。過剰補正のモニタリングには以下の自由水喪失量の推定が参考になる。

尿量×｛1 −（U_{Na} + U_K）/[Na⁺]｝
U_{Na}：尿中Na濃度, U_K：尿中K濃度

過剰補正が生じた場合, 5％ブドウ糖液などで自由水補充を行う。3％NaCl溶液投与下のデスモプレシン投与（1〜2μg静注または皮下注を6時間ごと）で安全な補正に成功したとする報告もある[3]。

高ナトリウム血症

1 診 断

高ナトリウム血症は自由水の塩類に対する過剰喪失または過剰塩類摂取により生じるが, 前者が圧倒的に多い。eS_{osm}のわずかな上昇はバソプレシン分泌と口渇を促し, 腎自由水再吸収と飲水行動を惹起する。したがって, 高ナトリウム血症は自由水摂取へのアクセスが制限された症例（乳幼児や高齢者, 鎮静症例など）に生じる。そのほかには腎外低張液喪失（消化管からの喪失や発汗）, 尿濃縮障害（利尿薬, 高血糖やマンニトールによる浸透圧利尿, 尿崩症）, 過剰塩類摂取（高張輸液：重炭酸ナトリウムや高張食塩水）が原因となり, 入院中は医原性が多い。

2 治 療

まず原因を同定し, 介入して再発を防ぐ。[Na⁺]の補正速度に一定の見解はないが, 48時間以内に進行した高ナトリウム血症では24時間以内の是正を, 慢性経過では数日での是正を考慮する。自由水喪失量（L）の推定には以下の式を用いるが, 治療経過中も喪失があることに留意する。

$$0.6（女性は0.5）×体重×\{([Na^+]/140) − 1\}$$

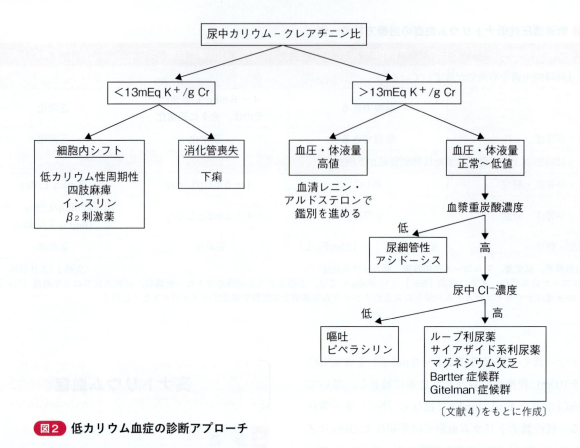

図2 低カリウム血症の診断アプローチ

血管内容量減少を伴う症例ではまず等張晶質液で血管内容量を適正化し，[Na^+]と血糖値をモニタリングしながら5％ブドウ糖液の点滴静注，自由水の経口・経腸投与を行う。

低カリウム血症

1 診断

血中カリウム濃度（[K^+]）＜3.5mEq/Lを低カリウム血症とする。低カリウム血症の症状として横紋筋筋力低下（呼吸筋麻痺を含む），平滑筋障害によるイレウス，横紋筋融解症，意識障害，上室・心室不整脈がある。心電図変化としてST低下，T波平定化，U波増高がある。

2 病態

細胞内シフト，摂取不足，過剰喪失に大別され，過剰喪失がもっとも多い。ほとんどが病歴，体液量，酸塩基平衡で鑑別できる。尿中カリウム-クレアチニン比は細胞シフトと過剰喪失経路の鑑別に用い得る（図2）[4]。

1）細胞内シフト

アルカローシス，インスリン，β_2刺激薬，同化，薬剤（バリウム，クロロキン，セシウム塩）がある。アルカローシスの効果は軽微である。

2）摂取不足

カリウム摂取制限下でも腎喪失は継続するため，神経性食思不振症やアルコール使用障害，吸収不良症候群は低カリウム血症のリスクである。

3）過剰喪失

多量の下痢や腸閉塞では低カリウム血症を呈する。上部消化管閉塞や嘔吐は代謝性アルカローシスをきたし，低カリウム血症を併発する。ループ利尿薬，サイアザイド系利尿薬の使用，そして多尿自体もずり応力により，カリウム排泄を促進する。その他の腎性喪失の鑑別には血清レニン・アルドステロン濃度が参考になり，腎臓内科へのコンサルテーションを考慮する。

3 治療

カリウムは細胞内に圧倒的に多く存在する。[K^+]が4 mEq/Lから3 mEq/Lに低下すると，体内総カリウム量は100〜200mEq 失われている。3 mEq/L から2

表2 高カリウム血症の危険因子

- 慢性腎臓病（GFR低下とともにリスク増大）
- 急性腎障害（とくに乏尿・無尿）
- 糖尿病
- うっ血性心不全
- 薬剤
  - レニン分泌抑制（NSAIDs，βブロッカー，Caブロッカー）
  - アルドステロン分泌抑制（ヘパリン，ケトコナゾール）
  - 鉱質コルチコイド受容体阻害（スピロノラクトン，エプレレノン，ドロスピレノン）
  - 腎集合管ナトリウムチャネル阻害（アミロライド，トリアムテレン，トリメトプリム）
- 腎障害患者のカリウムサプリや食餌

〔文献4）をもとに作成〕

mEq/Lに低下すると，400～600mEqが失われている。

背景疾患治療と並行して，カリウム製剤を投与する。経口摂取不能の場合や不整脈，呼吸筋麻痺，横紋筋融解症を伴う場合は経静脈投与を選択する。末梢静脈路からカリウム製剤を投与する場合，高浸透圧による血管障害を回避するため投与濃度は40mEq/L以下とする。また，急速投与による心停止の危険性があり，投与速度は20mEq/hr以下とする。

高血糖やアシデミアを伴う場合，その治療はカリウムの細胞内シフトを生じるため，同時にカリウムを補充する。甲状腺機能亢進症による低カリウム性周期性四肢麻痺は細胞内シフトが主体で，カリウム補充により高カリウム血症を誘発することがある[5]。30mEqずつ経口摂取，または10mEq/hr程度ずつ経静脈投与しつつ［K⁺］をモニタリングする。

低マグネシウムが低カリウム血症の原因となっている場合もあるため十分留意し，必要に応じてマグネシウムの補正を検討する。

高カリウム血症

1 診 断

高カリウム血症（［K⁺］＞5.5mEq/l）は心筋脱分極を促進し，心電図変化（T波増高，ST低下，PR間隔延長，QRS延長）と不整脈を生じる。心電図変化は［K⁺］の絶対値上昇がさほど高度でなくても（6～7mEq/L），急性であれば生じやすい。サインカーブ（QRS波が幅広く変形したもの）を呈すると即座に心室細動や心静止へ移行する。異常感覚，線維束攣縮，四肢麻痺も生じる。呼吸筋麻痺は通常生じない。

2 治 療

まず偽性高カリウム血症を除外する。これは検体採取時の細胞破壊などで生じる。ハイリスクの病態（表2）[4]があり，［K⁺］＞6～7mEq/Lにて心電図異常所見や徐脈，低血圧を認めたら，高カリウム緊急症として緊急治療を行う。

1）グルコン酸カルシウム
（カルチコール®注射液8.5%，10mL）

緩徐に静注し心筋細胞膜の安定化を図る。数分で効果が発現し，30～60分程度持続する。

2）グルコース・インスリン療法

ブドウ糖2.5gに対し速効型インスリン1単位（50%ブドウ糖液50mL＋速効型インスリン10単位）を静注し，カリウムの細胞内シフトを図る。投与後は血糖値をモニタリングする。10～20分で効果が発現し，4～6時間程度持続する。

3）重炭酸ナトリウム

代謝性アシドーシスが併存する場合には重炭酸ナトリウムの投与を考慮する。

4）β₂刺激薬吸入

サルブタモール10～20mgを適宜吸入させる。

5）カリウムの体外除去

腎機能保持例はフロセミドを静注し，体液量過剰でない場合は生理食塩液の投与を併用して体液量を維持する。腎代替療法の適応がある場合（末期腎不全やループ利尿薬に反応しない乏尿を伴う高カリウム血症，体液量過剰を伴う呼吸不全，代謝性アシドーシス，尿毒症）は血液透析を行う[4,6]。間欠血液透析は持続血液透析より素早く効果的に体内カリウムを除去でき，早期離床や治療介入の中断が少ないため，重症高カリウム血症では推

表3 低カルシウム血症の症状・症候

急性低カルシウム血症	
心血管	QT延長，2:1/Ⅱ度・Ⅲ度房室ブロック，低血圧，心筋症，心不全
呼吸器	喉頭けいれん，気管支攣縮
神経	けいれん，異常感覚（口唇周囲，四肢末端），テタニー，昏睡，（Chvostek徴候，Trousseau徴候）
腎	高カルシウム尿症
慢性低カルシウム血症	
眼	白内障，角膜石灰化，乳頭浮腫
歯	歯牙形態異常，エナメル質低形成
皮膚	脱毛症，皮膚乾燥

〔文献13）をもとに作成〕

奨される[7]。一方で間欠血液透析はより急峻な［K^+］の低下と再上昇が生じやすく，透析後の［K^+］の変動に留意する。末期腎不全患者では急速な［K^+］低下が心イベントや突然死と関連する[6]。

陽イオン吸着剤としてポリスチレンスルホン酸塩，ジルコニウムシクロケイ酸ナトリウム，patiromerが販売されている。ポリスチレンスルホン酸塩は腸管壊死との関連が指摘されている[8)9]。

低カルシウム血症

1 診 断

細胞外カルシウム（総体内カルシウムの1%）のうち45％がイオン化カルシウム（ionized Ca；iCa）として生体活性をもち，残りは非イオン化カルシウムとして蛋白質などに結合して存在する[10]。

血清総Ca濃度（total Ca；tCa）は8.6～10.4mg/dL，iCaは1.17～1.33mmol/Lが基準範囲である。tCaは低アルブミン血症がある場合，偽性低値を示し，補正Ca＝〔tCa＋（4－血清アルブミン［mg/dL］）〕を計算する必要がある。しかし，補正［Ca^{2+}］はiCaと良好な相関は得られないとする報告がある[11]。急性期患者では血清蛋白濃度や酸塩基平衡に左右されないiCaを評価する。

補正［Ca^{2+}］＜8.5mg/dL（2.12mmol/L）が低カルシウム血症とされるが，治療介入の判断は絶対値と症状の有無で決定する。低イオン化カルシウム血症に一様の定義はないが，1.15mmol/L未満は1.16～1.19mmol/Lと比較し心血管リスクが3倍とする報告がある[12]。

2 症状・症候

低カルシウム血症の症状・症候を**表3**[13]に示す。カルシウムは細胞シグナル制御，神経伝達，筋収縮や血液凝固に関与するため，多様な臓器症状を呈する。一般に急性低カルシウム血症は重篤な症状を呈し，慢性の場合には無症状のこともある。

急性低カルシウム血症では神経筋異常を生じる。小児の疫学研究では致死的中枢神経症状として，2％が昏睡，8％がけいれんを生じた[14]。心血管障害としてQT延長，torsade de pointes，心室頻拍，心室細動を生じる。救急外来を受診した低カルシウム血症患者の2.2％が致死的不整脈を呈した[15]。

低カルシウム血症の原因の鑑別のために，血清リン濃度，マグネシウム（Mg）濃度，副甲状腺ホルモン（parathyroid hormone；PTH），腎機能を評価する。マグネシウム異常ではPTH分泌が抑制されるため，カルシウムより先にマグネシウムを補正し，その原因を検索する。その後はPTHに応じて鑑別する。

3 治 療

有症状例やtCa＜7.6mg/dL，iCa＜1mmol/Lではカルシウム製剤投与で治療を開始する。投与に際してはiCaと症状をモニタリングする。

高カルシウム血症

1 診断

　高カルシウム血症は「3カ月間に少なくとも1週間に2回，健常人の正常補正［Ca^{2+}］の平均を2標準偏差上回る」ことと定義され，補正［Ca^{2+}］12.0～14.0mg/dL（iCa 1.35～1.58mmol/L）は中等度，これを超えれば重症とする[10]。血清蛋白やpHの変化が想定される場合はiCaで評価する。

　高カルシウム血症は無症状でみつかることが多い。有症状の場合，抑うつ，筋骨格系の疼痛，腹痛（便秘や消化管潰瘍による），多飲・多尿（腎性尿崩症による），意識障害が生じ得る。重症度が上がると，嘔気・嘔吐，QT短縮と随伴する心室細動，昏迷や昏睡に至る[16]。

　高カルシウム血症の原因病態のうち，悪性腫瘍と原発性副甲状腺機能亢進症が90％を占める[10]。ICU入室を要する重症高カルシウム血症の原因は血液悪性腫瘍が44％，固形悪性腫瘍が22％，内分泌異常が12％（ほとんどが原発性副甲状腺機能亢進症）であった[17]。温泉溺水に随伴して高カルシウム血症をきたすことがある[18][19]。

　悪性腫瘍による高カルシウム血症の機序にはPTH関連蛋白（PTH related protein；PTHrP）分泌，骨融解，活性型ビタミンD_3関連，転移性副甲状腺腫瘍があり，ほとんどがPTH低値を示す。

　原発性副甲状腺機能亢進症はPTH正常～上昇を伴う。リチウムはPTH分泌を亢進し，原発性副甲状腺機能亢進症と同じ機序で高カルシウム血症をきたす。

　上記を参考にして病歴聴取，薬剤を確認し，血液検査で腎機能・PTHを提出し，以下の初期治療を開始し，専門家へのコンサルテーションを行う。

2 治療

　有症状の症例や補正［Ca^{2+}］＞14.0mg/dL，iCa＞1.58mmol/Lではすぐ治療を開始する。

1）輸液

　高カルシウム血症は腎性尿崩症や摂取不足，背景疾患による脱水を伴うことが多く，体液量評価で血管内容量不足が疑われれば等張晶質液で補正する。合併症として肺水腫を8％に生じた報告がある[17]。過剰輸液を回避するため，循環血液量，心機能評価を並行して行う。ループ利尿薬が患者転帰を改善するとする質の高いエビデンスは存在せず，一様には推奨されない[20]。

2）薬物治療

　薬物治療としてはビスホスホネート投与とカルシトニン投与がある。

　ビスホスホネートは，PTH，PTHrP，ビタミンDによる骨吸収を抑制する。ゾレドロン酸がもっとも効果が高く，4mgを0.9％NaCl溶液100mLに溶解し15分程度かけて静注することで80～100％の症例で3日以内に補正［Ca^{2+}］が正常化する[10]。クレアチニンクリアランスに応じた減量が必要であり，30mL/min未満では投与が推奨されない。

　カルシトニン投与は骨吸収効果は数時間で発現するが，効果はビスホスホネートより低く，持続時間は短く，48時間で耐性を形成するため長期間投与は避ける。エルシトニン®注40単位を1日2回筋注または生理食塩液に溶解し点滴静注する。

3）血液透析

　血液透析は高カルシウム血症に非常に有効な治療法である。心室細動・昏睡など緊急性がある場合，腎不全または心不全のため水分補給を安全に実施できない場合においては適応となり得る。

4）原因薬剤の中止，その他

　薬剤性の場合，原因薬剤を中止する。ビタミンD中毒やビタミンD関連腫瘍が関与する場合は，ビタミンD代謝を狙った20～40mg/dayのプレドニゾロン経口投与が奏効する[10]。

　悪性腫瘍による場合については他項（p.875）を参照のこと。

低マグネシウム血症

1 診断

　血清マグネシウム濃度の基準値は1.8～2.3mg/dLである。マグネシウムは生体内分布が広く，血清マグネシウム濃度が基準値範囲内でも体内総マグネシウムが欠乏状態のことがある。カルシウムと同様低アルブミンで偽性低マグネシウム血症を示すが，適切な補正式はない。体内マグネシウム量の評価のため蓄尿を用いたMg tolerance test（24時間蓄尿後，マグネシウム 2.4mg/kgを4時間で経静脈投与し，同時に24時間蓄尿を再度行う。双方のマグネシウム量を測定して差を求め，投与したマ

グネシウムの20%以上が体内に保持されていればマグネシウム欠乏と判断する）が用いられることがある[21]。

救急患者において低マグネシウム血症の原因は消化管疾患と腎疾患に大別される。前者には吸収不良症候群，短腸症候群，下痢症など，後者には長期の経静脈栄養や低栄養，リフィーディング症候群，高カルシウム血症，アルコール使用障害などがある。薬剤性も多く，ループ利尿薬やサイアザイド系利尿薬，抗菌薬（アムホテリシンBやアミノグリコシド，ペンタミジン），化学療法（シスプラチン），免疫抑制薬（カルシニューリン阻害薬），上皮成長因子受容体（epidermal growth factor receptor；EGFR）阻害薬，プロトンポンプ阻害薬，ホスカルネット，心臓グリコシドがあげられる[22]。

低マグネシウム血症の症状として低カリウム血症，低カルシウム血症を生じる。神経筋症状（テタニー，けいれん，筋力低下，線維束攣縮，抑うつ），心血管異常（torsade de pointes，心室頻拍，心室細動，心房細動），心電図異常（QT延長，PR延長，wide QRS，T波増高やST低下）がみられる。喘息発作や子癇発作にも関連する[22]。

2 治　療

血清マグネシウム濃度<1.2mg/dLの場合や症状が重度の場合，病歴などから疑われる場合には，マグネシウム製剤で治療する[22)23]。沈殿を形成するためリン酸を含む製剤とは混合しない。腎障害患者では高マグネシウム血症のリスクが高いため血清値をモニタリングする。

高マグネシウム血症

1 診　断

高マグネシウム血症は腎機能障害や多量のマグネシウム投与（酸化マグネシウム内服，マグネシウム含有浣腸，妊娠高血圧腎症におけるマグネシウム静注療法，にがりの多量摂取），消化管粘膜障害によるマグネシウム吸収促進により生じる[24]。3.6mg/dLまでは無症状が多い。4.8〜7.2mg/dLは嘔気・嘔吐，頭痛，傾眠，腱反射の低下がみられる。7.2〜12mg/dLでは意識障害，低カルシウム血症，腱反射の消失，低血圧，徐脈，心電図異常を生じ，これ以上では四肢麻痺，呼吸筋麻痺に伴う呼吸不全，完全房室ブロックや心停止に至る。

2 治　療

有症状の場合，カルシウム製剤を緩徐に静注する。体液量評価により血管内容量不足を伴う場合は等張晶質液輸液を開始する。ループ利尿薬は過剰な体液量減少に留意しながら使用する。腎障害を伴う場合や，緊急性が高い場合は血液透析を行う。

低リン血症

1 診　断

リン欠乏を伴うのはリフィーディング症候群，飢餓，吸収不良，アルコール使用障害，糖尿病，hungry bone syndromeである[25]。これらでは，呼吸不全，心収縮能低下や不整脈とうっ血性心不全，溶血，インスリン抵抗性，筋力低下，横紋筋融解やけいれん，意識障害を生じ得る。

リン欠乏を伴わない細胞内シフトは呼吸性アルカローシス，インスリン投与，カテコラミン投与により生じ得る。この場合，無症候であることがほとんどであり，治療しても患者転帰に変化はない[26]。

2 治　療

緊急性がなく，経口摂取可能であれば内服薬での治療も可能である。一方で緊急性が高い，あるいは経口摂取不能な場合には，リン酸ナトリウム補正液での治療が必要であるが，急速補正にはリスクがあるため希釈や投与速度には注意が必要である。

高リン血症

1 診　断

救急外来では，高リン血症自体より原因疾患への対応が問題となる。

急性細胞破壊（腫瘍崩壊症候群，横紋筋融解症）により細胞外へ多量のリンが漏出すると高リン血症をきたす。また，ケトアシドーシスや乳酸アシドーシスでは大量の急性細胞外シフトによっても生じる。アシドーシスが改善すると急速に血清リン濃度が低下し，とくに前述のリン欠乏を伴う病態の多いケトアシドーシスでは遅れ

て低リン血症と随伴する呼吸・循環不全が問題となる。

急性・慢性腎障害では排出障害により高リン血症をきたす。リン再吸収の増加は，副甲状腺機能低下症，薬剤（ビスホスホネート，EGFR阻害薬，ビタミンD中毒）の影響でみられる。

2 治　療

背景にある疾患の治療や薬剤の中止で対応する。腎機能が正常であれば6～12時間でリン濃度は改善することが多い。

▶文　献

1) Seay NW, et al：Diagnosis and management of disorders of body tonicity-hyponatremia and hypernatremia：Core curriculum 2020. Am J Kidney Dis 75：272-86，2020.
2) Adrogué HJ, et al：Diagnosis and management of hyponatremia：A review. JAMA 328：280-91，2022.
3) Sood L, et al：Hypertonic saline and desmopressin：A simple strategy for safe correction of severe hyponatremia. Am J Kidney Dis 61：571-8，2013.
4) Palmer BF, et al：Physiology and pathophysiology of potassium homeostasis：Core curriculum 2019. Am J Kidney Dis 74：682-95，2019.
5) Lu KC, et al：Effects of potassium supplementation on the recovery of thyrotoxic periodic paralysis. Am J Emerg Med 22：544-7，2004.
6) Dépret F, et al：Management of hyperkalemia in the acutely ill patient. Ann Intensive Care 9：32，2019.
7) Valdenebro M, et al：Renal replacement therapy in critically ill patients with acute kidney injury：2020 nephrologist's perspective. Nefrologia (Engl Ed) 41：102-14，2021.
8) Noel JA, et al：Risk of hospitalization for serious adverse gastrointestinal events associated with sodium polystyrene sulfonate use in patients of advanced age. JAMA Intern Med 179：1025-33，2019.
9) Laureati P, et al：Initiation of sodium polystyrene sulphonate and the risk of gastrointestinal adverse events in advanced chronic kidney disease：A nationwide study. Nephrol Dial Transplant 35：1518-26，2020.
10) Minisola S, et al：The diagnosis and management of hypercalcaemia. BMJ 350：h2723，2015.
11) Steele T, et al：Assessment and clinical course of hypocalcemia in critical illness. Crit Care 17：R106，2013.
12) Underbjerg L, et al：Long-term complications in patients with hypoparathyroidism evaluated by biochemical findings：A case-control study. J Bone Miner Res 33：822-31，2018.
13) Pepe J, et al：Diagnosis and management of hypocalcemia. Endocrine 69：485-95，2020.
14) Aul AJ, et al：Population-based incidence of potentially life-threatening complications of hypocalcemia and the role of vitamin D deficiency. J Pediatr 211：98-104 e4，2019.
15) Duval M, et al：Is severe hypocalcemia immediately life-threatening? Endocr Connect 7：1067-74，2018.
16) Turner JJO：Hypercalcaemia - presentation and management. Clin Med (Lond) 17：270-3，2017.
17) Mousseaux C, et al：Epidemiology, clinical features, and management of severe hypercalcemia in critically ill patients. Ann Intensive Care 9：133，2019.
18) Machi T, et al：Severe hypercalcemia and polyuria in a near-drowning victim. Intern Med 34：868-71，1995.
19) Matsumoto R, et al：Hypercalcemic crisis resulting from near drowning in an indoor public bath. Am J Case Rep 14：210-2，2013.
20) LeGrand SB, et al：Narrative review：Furosemide for hypercalcemia：An unproven yet common practice. Ann Intern Med 149：259-63，2008.
21) Ryzen E, et al：FR, Parenteral magnesium tolerance testing in the evaluation of magnesium deficiency. Magnesium 4：137-47，1985.
22) Hansen BA, et al：Hypomagnesemia in critically ill patients. J Intensive Care 6：21，2018.
23) 日本循環器学会，他：2020年改訂版不整脈薬物治療ガイドライン，2020.
24) Nishikawa M, et al：The characteristics of patients with hypermagnesemia who underwent emergency hemodialysis. Acute Med Surg 5：222-9，2018.
25) Felsenfeld AJ, et al：Approach to treatment of hypophosphatemia. Am J Kidney Dis 60：655-61，2012.
26) Geerse DA, et al：Treatment of hypophosphatemia in the intensive care unit：A review. Crit Care 14：R147，2010.

IV 初期診療と鑑別診断

4 酸塩基平衡異常

高須 修

ヒトの細胞外液pHは7.40の弱アルカリ性に、細胞内液pHは7.00の中性に保たれている。内部環境の変化は細胞機能の障害、ひいては生命を脅かす臓器機能の障害に直結するため、生体内にはpHを厳密に調整、維持する複数のシステムが備わっている。臨床では血液ガス分析を通して酸塩基平衡の異常を評価するが、その究極の目的は細胞内のpHを保つことにある。救急患者や重症患者においては、酸塩基平衡の異常が原因と考えられる症状や所見を呈することも、逆に循環不全や消化液を含む体液バランスの異常の結果、重篤な酸塩基平衡障害をきたしていることもある。酸塩基平衡の異常を的確に評価し、適切に治療介入することが必要である。

生体におけるpH調整機構の意義

生体は糖や脂肪を燃焼しエネルギーを産生するが、この過程で常に大量の"酸"が発生する。生化学の分野では、"酸"の定義そのものに歴史的な変遷があり、「水に溶けたとき、H^+を増加させるもの」（Arrhenius定義）や「Cl^-やSO_4^{2-}などの陰イオン」（Van Slyke定義）、「電子対を受け取る物質」（Lewis定義）など、複数の定義が提唱されてきた。細胞内外のpHの調整を考えるうえでは、まず、Brønstedの定義に従って、「H^+を放出する物質」を"酸"と考えると理解しやすい。

正常なヒトの細胞外液のpHは7.40±0.05に保たれているが、これは[H^+]では40±2 nEq/Lに相当する。細胞外液の主なイオン濃度[Na^+]や[K^+]がmEq/Lのオーダーであることと比較すれば、[H^+]は100万分の1のレベルであり、[H^+]がいかに低いレベル、かつ狭い範囲に制御されているかが理解できる。生体内の分子を構成する蛋白は、酸[H^+]と容易に結合し構造的・機能的変化をきたすため、pHを狭い範囲に厳密に調整することで、構造的機能的変化が回避される。さらに細胞外が弱アルカリ性に保たれている（relative constant alkalinity）ことで、細胞内で産生される有害な代謝老廃物の細胞外への移動・排泄が行われやすくなる。

生体内における酸の産生と調整システム

代謝の過程で生じる"酸"には、揮発性酸と不揮発性酸の2種類がある。前者は糖や脂肪の酸化過程で生じるCO_2で、H_2Oと反応してH_2CO_3を産生し、これが酸[H^+]として作用する。一方、後者は糖、蛋白、脂質の代謝によって産生される乳酸やケトン体、硫酸やリン酸などで、それ自体が[H^+]をもつ酸である。量的には揮発性酸が圧倒的に多く、揮発性酸は最終的に肺から、不揮発性酸は最終的には腎から排泄される（**図1**）[1]。

生体内で発生する酸[H^+]を速やかに処理し、pHを調整するシステムとして、緩衝作用と代償反応がある。

1 緩衝作用

酸[H^+]の負荷に対して、pHの振れ幅が最小限になるよう瞬時に働くシステムで、細胞外液では秒単位、細胞内液では分単位で作用する。緩衝系として①炭酸-重炭酸系、②リン酸系、③ヘモグロビン（Hb）系、④蛋白系があるが、いずれも弱酸あるいは弱塩基で構成され、これらが同時に稼働して速やかに酸を中和処理する。

1）炭酸-重炭酸系

もっとも影響力が大きい緩衝系で、体内に酸[H^+]が負荷された場合、下記の反応が右に進行し、肺からCO_2が排泄される。

$$[H^+] + [HCO_3^-] \Leftrightarrow H_2CO_3 \Leftrightarrow H_2O + CO_2$$

2）リン酸系

酸[H^+]の負荷が生じると下記の反応が左へ進み酸を中和する。

$$H_2PO_4 \Leftrightarrow [H^+] + [HPO_4^-]$$

3）Hb系

赤血球は酸素だけでなくCO_2も運搬する臓器で、体内最大の緩衝臓器でもある。組織にO_2を渡したHbは、組織で発生したCO_2の大部分を赤血球内に取り込み、80％は赤血球内の炭酸脱水酵素（carbonic anhydrase）と反応し、瞬時に[H^+]と[HCO_3^-]に変換する。

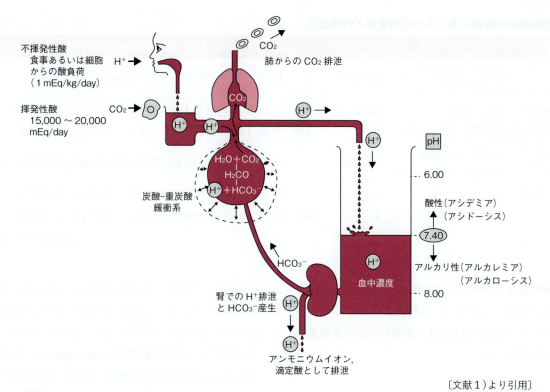

図1 体内での酸塩基平衡

〔文献1〕より引用〕

$$CO_2 + H_2O \rightarrow [H^+] + [HCO_3^-]$$

赤血球内の CO_2 分圧が低下することで赤血球内への CO_2 拡散はさらに促進される。産生された $[H^+]$ は還元 Hb と結合し中和され，$[HCO_3^-]$ は血中へ放出されて緩衝作用を示す。赤血球内に取り込まれた残りの5〜15%の CO_2 は Hb と結合し肺に運ばれる。

ATP産生のため代謝が亢進している状態，すなわち酸 $[H^+]$ が産生される状況は，酸素解離曲線が右に移動する条件（体温上昇，アシドーシス，$PaCO_2$ 上昇，2,3-DPG増加）そのもので，Hb が末梢組織でより多くの O_2 を放出することは，同時に多くの CO_2 を取り込むことであり，Hb の緩衝作用そのものである。

4）蛋白系

アミノ酸は，アミノ基（$-NH_2$）とカルボキシル基（$-COOH$）を有し，各々 $[H^+]$ と $[OH^-]$ を引きつける機能を有する。酸 $[H^+]$ の負荷が生じると，$-NH_2$ が $[H^+]$ を引きつけ $[-NH_3^+]$ となり（$-NH_2$ が塩基として機能），塩基 $[OH^-]$ が負荷されると $-COOH$ が $[COO^-]$ ＋$[H^+]$ となって（$-COOH$ が酸として機能）$[H^+]$ を産生する。

細胞外液中では主に重炭酸系が，細胞内では蛋白系とリン酸系が，また血液中ではHb系やその他の系が緩衝作用を発揮する。

2 酸の体外への排泄

CO_2 を結合した赤血球は，肺に到達すると，再び carbonic anhydrase 2（CAⅡ）の力で速やかに $[HCO_3^-]$ から CO_2 が産生され，肺胞から換気によって呼気中に排泄される（揮発性酸の排泄）。

CO_2 以外の不揮発性酸は，最終的には腎から排泄される。CAⅡによって産生された $[H^+]$ がH輸送体によって尿細管管腔に分泌され，$[HCO_3^-]$，$[HPO_4^{2-}]$，あるいは尿細管で産生された $[NH_4^+]$ と結合して尿中に排泄される。近位尿細管と遠位尿細管とでは $[H^+]$ 分泌機序が異なるが，近位尿細管では大量の $[H^+]$ 分泌が，遠位尿細管では微量調整のための $[H^+]$ 分泌が行われている。

腎は $[H^+]$ の排泄以外に，酸 $[H^+]$ の緩衝の過程で消費される $[HCO_3^-]$ を枯渇させない役割を有している。緩衝作用を維持するためには，消費された $[HCO_3^-]$ と等量の $[HCO_3^-]$ を補う必要がある。腎は，①糸球体で濾過された $[HCO_3^-]$ の近位尿細管における再吸収，②遠位尿細管，皮質集合管における $[H^+]$ の尿中排泄に伴う細胞内での $[HCO_3^-]$ 産生，③近位尿細管における $[NH_4^+]$ 産生に関連した代謝過程での $[HCO_3^-]$ 産生と複数のシステムで $[HCO_3^-]$ を体内に補う役割を果たしている。

表1 酸塩基平衡障害における一次性変化と代償反応

pH	一次性変化			期待される代償反応
低下 アシデミア	[HCO_3^-] が減少 代謝性アシドーシス	CO_2低下		$PaCO_2 = 1.5\,[HCO_3^-] + 8 \pm 2\,mmHg$
	CO_2が上昇 呼吸性アシドーシス	[HCO_3^-] 上昇	急性	PCO_2 10mmHgの上昇につき1 mEq/Lの [HCO_3^-] の上昇
			慢性	PCO_2 10mmHgの上昇につき3〜5 mEq/Lの [HCO_3^-] の上昇
上昇 アルカレミア	[HCO_3^-] が増加 代謝性アルカローシス	CO_2上昇		[HCO_3^-] 1 mEq/Lの上昇につき0.5mmHgの PCO_2 の上昇
	CO_2が減少 呼吸性アルカローシス	[HCO_3^-] 低下	急性	PCO_2 10mmHgの低下につき1〜2 mEq/Lの [HCO_3^-] の低下
			慢性	PCO_2 10mmHgの低下につき4〜5 mEq/Lの [HCO_3^-] の低下

〔文献2〕より引用・改変〕

腎の酸排泄量は肺のそれと比較するとわずかであるが、緩衝に重要な [HCO_3^-] を補充しつづける機能という点からも、腎は酸塩基平衡の調整にかかわる重要な臓器と位置づけられる。

3 代償反応

血液のpHが7.40±0.05を超え、酸性に傾いた状態 (pH<7.35) を「アシデミア」、アルカリ性に傾いた状態 (pH>7.45) を「アルカレミア」と呼ぶ。

アシデミアあるいはアルカレミアに陥ると、生体はpHを7.4に戻そうとする反応が生じる。これを代償反応という。

Henderson-Hasselbalch の式

$$pH = 6.1 + \log([HCO_3^-]/0.03 \times [PaCO_2])$$

に基づけば、pHを7.4に近づけるために、呼吸性因子 $PaCO_2$ の異常に対しては代謝性の、代謝性因子 [HCO_3^-] の異常に対しては呼吸性の代償反応が生じる。

酸塩基平衡障害における一次性変化とそれに対する代償反応を**表1**[2)]および**図2**に示す。呼吸性の代償反応は、通常、分〜時間単位で生じるが、代謝性の代償反応は尿の生成から排泄プロセスを経るため、日単位の時間を必要とする。

酸塩基平衡障害に対するアプローチ

酸塩基平衡障害の解釈には不確定要素が多く、根幹をなす考え方の相違によってアプローチ法が異なる。大きく3つのアプローチ法が知られている。① Henderson-Hasselbach の式を用いた古典的生理学的方法である Boston approach (physiological approach)、② base excess に主点を置いた Copenhagen approach (定性的)、③ strong ion gap (SIG) に主点を置いた Stewart approach (定量的) である。各々に長所・短所があるが、わが国でよく使用される Boston approach においては、重症救急患者の特徴を考慮した場合、酸塩基平衡の異常を見誤る可能性があるため注意が必要である。

1 Boston approach

Henderson-Hasselbach の式に基づいて、酸塩基平衡を [H^+] と [HCO_3^-]、$PaCO_2$ の関係としてとらえる生理学的アプローチで、"代償" によって酸塩基平衡を解釈するものである。

具体的な手順としては、① pHよりアシデミアかアルカレミアかを判断し、加えて② $PaCO_2$ と [HCO_3^-] より pH 変化の原因となった一次性変化（因子）を判断する。次に、③代償反応を評価する。代償反応は、ある程度、代償範囲と限界が予測される。代償反応の程度を評価することにより、酸塩基平衡障害の持続状態（急性か慢性か）や混合性酸塩基平衡異常の有無を検討する。④アニオンギャップ (anion gap; AG) の評価により、不揮発性酸の蓄積の有無やその他の原因を推定する。

AGとは、陽イオンと陰イオンの差で、下記の式で表される。

$$AG = [Na^+] - ([Cl^-] + [HCO_3^-])$$

一般的な検査で測定されない陰イオン（アルブミン、硫酸イオン、乳酸イオンなどの不揮発酸）に相当する（**図3a**）。体内に何らかの陰イオン物質（[H^+][X^-]⇔[H^+]+[X^-]）が増加すると、イオン化した [H^+] は [HCO_3^-] と反応することで減少し、[X^-] が増加する。このとき [Cl^-]+[HCO_3^-] が減少するため AG は増加する。

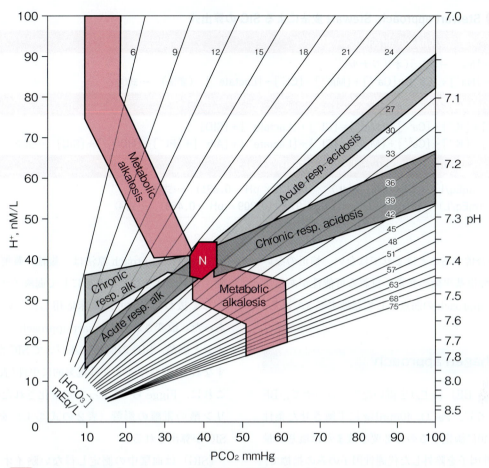

図2 酸塩基平衡障害における一次性変化と代償反応の例

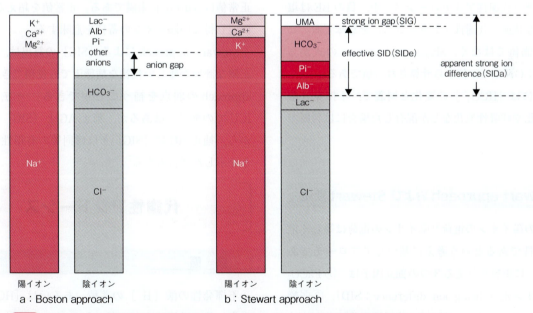

図3 Boston approch法とStewart approach法における陽陰イオンのとらえ方
UMA：unmeasured anion

すなわち，AGの開大は不揮発性酸の蓄積を意味する。

AGの構成は主に［Alb⁻］と［P⁻］で，わずかに［Lactate⁻］や硫酸イオンが含まれる。低アルブミン血症の際にはAGが低下するため，補正したうえでAGを評価する必要がある。Alb 1g/dLにつきAG 2.5mEq/L低下として補正すると，下記のとおりとなる。

補正AG＝実測AG＋2.5×（4.0－血清Alb）

集中治療を要する重篤な患者には，低アルブミン血症

表2 Stewart approach, Stewart変法によるSIGの算出式

強イオン差（strong ion difference；SID）

SID = [Na$^+$] − [Cl$^-$]（オリジナル）
SID = [Na$^+$] + [Ca$^+$] + [Ca^{2+}] + [Mg^{2+}] − [Cl$^-$] − [Lactate$^-$]　（変法）　…式①

血漿中のイオンの電気的中性

[Na$^+$] + [K$^+$] + [Ca^{2+}] + [Mg^{2+}] = [Cl$^-$] + [Lactate$^-$] + [SID]
[Na$^+$] + [K$^+$] + [Ca^{2+}] + [Mg^{2+}] = [Cl$^-$] + [Lactate$^-$] + [Alb$^-$] + [Pi$^-$] + [HCO$_3^-$] + [SIG]　…式②

アルブミンとリン酸の電離による影響（mEq/L）

[Alb$^-$] (mEq/L) = 10 × [Alb] (g/dL) × (0.123 × pH − 0.631)　…式③
[Pi$^-$] (mEq/L) = [Pi] (mg/dL) × 10/30.97 × (0.309 × pH − 0.469)　…式④

などの異常を合併することはまれではない。補正のないAG評価では酸塩基平衡の異常を見誤る可能性があることは, Boston approachの弱点として認識すべきである。

2 Copenhagen approach

base excess（BE）に主点を置いたアプローチで, BEは血液1Lを37℃, PaCO$_2$ 40mmHgに平衡させた条件下でpHを7.40に滴定するのに必要な酸または塩基の量を指す。呼吸性因子を除外した代謝性因子のみの指標で, 基準値は0±2mEq/Lである。正のBEは滴定に酸が必要な状態（代謝性アルカローシス）を, 負のBEは塩基が必要な状態（代謝性アシドーシス）を意味する。この値は実測値ではなく, Siggaard-Andersenの式からHbと[HCO$_3^-$], pH値から計算される値である。

臨床的には[HCO$_3^-$]の変化と同義で, 不揮発性酸による変化や呼吸性変化などが混合した場合には判断できない。

3 Stewart approachおよびStewart変法

血漿中の陽イオンの電荷と陰イオンの電荷は等しく電気的に中性であるという考えに基づくアプローチである。[H$^+$]に影響を与える3つの独立因子は, ①PaCO$_2$と②強イオン差（strong ion difference；SID）, ③弱酸の総和（total weak acid）で, 代謝性因子のなかではSIDと弱酸が重要視される。また, [HCO$_3^-$]は代謝性因子であっても独立した因子とはなり得ず, 従属因子と考えられている。

Stewart approachにおける基本的概念を図3bに示す。SIDは, 完全に電離する強陽イオンの総和と強陰イオンの総和のことで, 表2の式①で算出される。

Stewart approach原法は, 複雑・難解で, 分離した陰イオン濃度をひとまとめにして弱酸イオン濃度[A$^-$]として扱われており, 臨床応用しにくいという欠点があった。改変されたStewart approach[3)~5)]において強イオンと弱酸, SIDの関係に基づいてSIGが算出される。すなわち, 血漿中イオンは電気的に中性（表2の式②）で, これに, Figgeら[6)]によって定量化されたアルブミンとリン酸の電離の影響（表2の式③④）を加味すれば, SIGが算出される。

[SIG]は血漿中の測定し得ない陰イオンの電荷合計を反映しており, AGの考え方と同様に扱うことができ, 正常値は5mEq/L未満である。正常値を超える場合は, 測定し得ない陰イオンの蓄積を意味する。

Stewart approachによる[SIG]の算出は, AGでは正確な評価が難しい複雑な病態下でも使用でき, Boston approachの弱点を補うことができる。一方, 単施設ICUでの検討ではあるが, 補正AGと[SIG]との相関から, 補正AGに[SIG]とほぼ同等の有用性があることを示した報告もある[7)]。

代謝性アシドーシス

1 病態

不揮発性の酸[H$^+$]の蓄積, あるいは[HCO$_3^-$]の喪失, 酸の排泄障害が原因である。AGの開大の有無によって表3[8)]のように分類できる。

2 初期評価

AGの開大は不揮発性酸の蓄積を意味するが, 内因性の負荷としては, 乳酸とケト酸が重要である。とくに乳

表3 代謝性アシドーシスの原因別分類

アニオンギャップ開大性アシドーシス（不揮発性酸の蓄積）
- ケトアシドーシス：糖尿病性，アルコール性，飢餓性
- 乳酸アシドーシス
    - A型（低酸素による）：ショック，低酸素血症，一酸化炭素中毒
    - B型（低酸素によらない）：肝不全，ビタミンB_1欠乏，けいれん，過激な運動，薬剤・中毒*
- 尿毒症
- 横紋筋融解症
- ピログルタミン酸（5-オキソプロリン）
- D-乳酸アシドーシス（短腸症候群）

アニオンギャップ正常性アシドーシス（高クロール性）
- [HCO_3^-]の喪失：下痢（代謝性アルカローシスになることもある），消化液ドレナージ，近位尿細管性アシドーシス，アセタゾラミド
- [H^+]の排泄障害：遠位尿細管性アシドーシス，レニン・アンジオテンシン系阻害薬，アルドステロン拮抗薬（スピロノラクトンなど），初期の腎不全
- 酸の過剰投与：アミノ酸製剤，馬尿酸，トルエン

〔文献8）より引用・改変〕

* ビグアナイド薬，プロポフォール，イソニアジド，メタノール，エチレングリコール，サリチル酸，トルエンなど

表4 消化液中の電解質，[HCO_3^-]濃度

	[Na^+] mmol/L	[K^+] mmol/L	[Cl^-] mmol/L	[HCO_3^-] mmol/L
唾液	44	20	—	—
胃液	70～120	10	100	—
胆汁	140	5	100	40～60
膵液	140	5	75	70～120
小腸液	110～120	5～10	105	30
大腸・便汁	<30	55～75	<30	30

〔文献9）より作成〕

酸の上昇を認める場合には，末梢循環不全やショック，その他好気的な代謝を阻害する病態が隠れていないか，さらに乳酸の代謝を遅延させる肝機能障害などが合併していないかを検討する。

内因性の負荷が否定される場合，外因性の負荷も考慮し，中毒物質や薬剤の影響も検討する。

[HCO_3^-]の喪失は，腎以外に消化液からも生じる。とくに救急・集中治療を必要とする患者では，下痢や消化液のドレナージなどによって大量の腸液や胆汁，膵液などの消化液を喪失することもある。消化液には各種電解質とともに[HCO_3^-]も多く含まれており（表4）[9]，消化液の喪失に伴う[HCO_3^-]の減少は代謝性アシドーシスの原因の一つとして常に鑑別すべき病態である。

3 初期治療

重度のアシデミアにおいて，心筋抑制や血管拡張，カテコラミン反応性低下などが生じることはよく知られた事実である。これらに対し，アルカリ化剤によるアシドーシス補正の有用性に関しては，多くが否定的でエビデンスに乏しい。2018年に報告されたBICAR-ICU trial[10]（ICU入室重症代謝性アシドーシス患者に対する炭酸水素ナトリウムの投与効果の検討）においても，死亡率と臓器障害の発生に関して改善を認めていない。一方，急性腎障害を有するサブグループでは有効性が仮説される結果であったが，今後の検証が必要である。代謝性アシドーシスを形成する背景病態によっては，今後アルカリ化の有効性に関するエビデンスが示されるかもしれないが，現段階では，重度の代謝性アシドーシスに対する炭酸水素ナトリウム投与やアルカリ化の明確な治療効果は

表5 代謝性アルカローシスの惹起因子と維持因子

代謝性アルカローシスの惹起因子
- 酸（[H^+]）の喪失
  - 消化管からの排泄：嘔吐・胃液ドレナージ
  - 腎からの排泄：利尿薬投与，過剰な電解質コルチコイド作用，高カルシウム血症
- [HCO_3^-] の蓄積
  - 外因性：重炭酸ナトリウム投与，輸血（クエン酸投与）
  - 内因性：細胞外液量減少，呼吸性アシドーシスの急激な補正
- 細胞内へのシフト
  - 低カリウム血症

代謝性アルカローシスの維持因子（[HCO_3^-] の排泄障害因子と主たる機序）
- [Cl^-] 欠乏：皮質集合管β間在細胞での [HCO_3^-] 分泌低下
- 有効循環血液量減少：近位尿細管での [HCO_3^-] 再吸収増加，GFR低下による濾過 [HCO_3^-] 減少
- 低カリウム血症：アンモニア産生増加による [H^+] 排泄増加，[H^+] の細胞内移行
- ミネラルコルチコイド作用過剰：皮質集合管α間在細胞での [H^+] 排泄増加
- 腎機能低下：GFR低下，皮質集合管β間在細胞での [HCO_3^-] 分泌低下

〔文献11）より引用・改変〕

表6 代謝性アルカローシスの鑑別

[Cl^-] 反応性（尿中 [Cl^-] 濃度＜20mEq/L）
- 酸の喪失：嘔吐・胃液の吸引，Zollinger-Ellison 症候群，利尿薬使用，大量の発汗など
- 有機陰イオンからの [HCO_3^-] への変換
- 呼吸性アシドーシスの改善後（posthypercapnic alkalosis）
- クロール喪失性下痢　など

[Cl^-] 抵抗性（尿中 [Cl^-] 濃度＞20mEq/L）
- ミネラルコルチコイド過剰状態：Cushing 症候群，原発性アルドステロン症，甘草を含む漢方薬による偽性アルドステロン症，腎血管性高血圧など
- マグネシウム欠乏
- 利尿薬投与
- アルカリの負荷
- Bartter 症候群　など

〔文献11）より引用・改変〕

示されていない。治療オプションではあるが，使用時には CO_2 の蓄積や paradoxical intracellular acidosis，電解質異常などに注意が必要である。

代謝性アルカローシス

1 病態

[H^+] の喪失または [HCO_3^-] の蓄積が生じた状態である。前者は腎からの喪失と腎以外からの喪失の2つを考慮する。[HCO_3^-] の持続的な蓄積は，何らかの [HCO_3^-] 産生増加または排泄障害を生じる因子（惹起因子と維持因子）の存在を意味する（**表5**）[11]。アルカローシス自体で症状を呈することは少なく軽視されがちであるが，医原性に生じることも多い。

2 初期評価

治療を念頭に，塩化ナトリウム投与に反応するか否かで原因を分類すると便利である（**表6**）[11]。またその判別は，尿中 [Cl^-] 濃度の測定が有用である。尿中 [Cl^-] が低値である場合（＜20mEq/L），有効循環血液量の減少を伴った，Cl欠乏状態であることが多い。尿中 [Cl^-] 濃度が高値である場合（＞20mEq/L）は，高血圧の有無を判断する。

3 初期治療

誘因除去（回避）と維持因子の是正，輸液と電解質補正を行う．細胞外液量減少を伴うものでは，塩化ナトリウムや塩化カリウムによってクロール投与を行う．

呼吸性アシドーシス

1 病態

換気量低下に伴うCO_2の蓄積がその本態である．換気量低下の程度によっては同時に低酸素血症を伴う．

2 初期評価

患者の症状が，CO_2貯留に伴うものなのか，同時に存在する低酸素血症に伴うものかを判断する．

3 初期治療

換気不全を呈している原因を解除し，換気量を是正するとともに，低酸素状態が合併していれば酸素投与を行う．急激に換気量を補正した場合には，代償反応として増加した［HCO_3^-］が急激には低下しないため，pHが急激に上昇しアルカレミアをきたすことがあるので注意が必要である．また，通常，呼吸の調整は延髄にある中枢性化学受容器と末梢性化学受容器である頸動脈小体，大動脈小体を介して行われている．前者は$PaCO_2$を感知しているのに対して，後者はPaO_2を感知しているが，慢性呼吸性アシドーシスの状態では慢性的な$PaCO_2$の貯留により中枢性化学受容器の感度は低下し，PaO_2がドライブとなり換気が行われている．このような状態のところに高濃度酸素の投与が行われると，換気ドライブが抑制され，一段と換気不全が進行することになるため，酸素投与時には換気の抑制が生じていないか注意する．

呼吸性アルカローシス

1 病態

換気量の増加による$PaCO_2$減少が本態である．$PaCO_2$が低いにもかかわらず呼吸のネガティブフィードバックはかからない．

2 初期評価

低酸素血症に伴うものか，呼吸中枢刺激によるものかの鑑別が重要である．前者には，肺血栓塞栓症など緊急度が高く，重篤な全身性疾患を伴う場合も多い．後者では感染症やストレス，中枢性病変などの病態を見落とさないように注意する．さらに後者にはサリチル酸やニコチン酸など薬剤誘発性過換気が含まれ，医原性に生じていないか鑑別する．

3 初期治療

換気量の是正が基本であるが，背景にある原疾患に対する治療が重要である．呼吸性アルカローシスの是正は，代謝性アルカローシスの誘因となることに注意する．

▶ 文献

1) 飯野靖彦：酸塩基平衡．日腎会誌 43：621-30, 2001.
2) Seifter JL, et al：Disorders of acid-base balance：New perspectives. Kidney Dis (Basel) 2：170-86, 2017.
3) Jones NL：A quantitative physicochemical approach to acid-base physiology. Clin Biochem 23：189-95, 1990.
4) Figge J, et al：Serum proteins and acid-base equilibria：A follow-up. J Lab Clin Med 120：713-9, 1992.
5) Kellum JA, et al：Strong ion gap：A methodology for exploring unexplained anions. J Crit Care 10：51-5, 1995.
6) Figge J, et al：The role of serum proteins in acid-base equilibria. J Lab Clin Med 117：453-67, 1991.
7) Paliwal R, et al：Utility of Stewart's approach to diagnose missed complex acid-base disorders as compared to bicarbonate-anion gap-based methodology in critically ill patients：An observational study. Indian J Crit Care Med 26：23-32, 2022.
8) 要伸也：酸塩基平衡異常．日内会誌 104：938-47, 2015.
9) Do C, et al：Dysnatremia in gastrointestinal disorders. Front Med (Lausanne) 9：892265, 2022.
10) Jaber S, et al：Sodium bicarbonate therapy for patients with severe metabolic acidaemia in the intensive care unit (BICAR-ICU)：A multicentre, open-label, randomised controlled, phase 3 trial. Lancet 392：31-40, 2018.
11) 安田隆：「ここさえ分かれば」輸液・水・電解質 代謝性酸塩基平衡 代謝性アルカローシス．Medicina 55：992-6, 2018.

Ⅳ 初期診療と鑑別診断

5 心電図検査の基本

笠岡　俊志

心電図（electrocardiogram；ECG）は，心臓の電気的活動を体表面から記録するもので，オランダの医学者Einthovenによって発明された。非侵襲的に迅速な検査が可能であり，心疾患をはじめとするさまざまな救急患者の初期診療に不可欠な検査法である。

通常「心電図」とは「12誘導心電図」を指すが，救急外来では「モニター心電図」が頻用され，その適切な診断も重要である。救急初期診療では心電図による心筋虚血と不整脈の診断がとくに重要であり，救急科専門医にはこれらの心電図による診断を適切に行い，必要に応じて循環器専門医にコンサルトする能力が求められる。

心電図の正常波形

心臓の刺激伝導系は，洞結節，心房の前・中・後結節間路，房室結節，His束，右脚・左脚，およびPurkinje線維からなり，洞結節からの刺激はこれらの刺激伝導系線維を伝わって心室筋を収縮させる。心電図は，心筋細胞に生じる膜電位を心臓全体として心電計により体表面から記録したものである。得られる心電図波形は，P，QRS，Tの三棘波から構成され，P波は心房筋の興奮により生じ，QRS波は心室筋の興奮を，T波は心室筋興奮の回復過程を示す。各波の幅の正常範囲のなかで，QT間隔はRR間隔で補正した修正QT間隔（QTc）を用いて評価する。

$$QTc = 実測QT間隔 / \sqrt{RR間隔}$$

12誘導心電図

12誘導心電図は，標準肢誘導（Ⅰ，Ⅱ，Ⅲ誘導），単極肢誘導（aV_R, aV_L, aV_F誘導）および，胸部誘導（V_1〜V_6誘導）からなる。12誘導心電図を記録するために，両手・両足および胸部に合計10個の電極を置く。誘導法により反映する心臓の部位が異なり，心筋梗塞などの限局した心筋障害の部位を同定するのに有用である。12誘導心電図が診断に有用な疾患・病態は，不整脈，虚血性心疾患，電解質異常（高・低カリウム血症，高・低カルシウム血症），そのほか心外膜炎や心筋挫傷など多岐にわたる。

心電図を正しく判読するためには適切な心電図を記録することが前提条件であり，交流波や筋電図の混入を防ぐとともに，電極の接触不良によるアーチファクトを極力抑える細心の注意が必要である。また，12誘導心電図では診断が難しい右室梗塞などの右心室の病変を診断するためには，右側胸部誘導（V_{3R}, V_{4R}, V_{5R}）を追加する必要がある。さらに，心臓の右室側のみならず背面（後壁）側の病変の診断も困難であり，そのため12誘導心電図波形をもとに，右側誘導（V_{3R}, V_{4R}, V_{5R}）と背部誘導（V_7, V_8, V_9）の波形を演算処理して導出する心電計（導出18誘導心電図）も開発され臨床使用が可能である。

モニター心電図

モニター心電図の目的としては，心拍数の測定，不整脈の診断，ST変化による虚血性心疾患の診断などがあり，これらをリアルタイムに監視することにより患者の病態把握や予後予測を行うとともに，必要時に直ちに緊急処置を行うことが可能となる。ただし，モニター心電図の診断精度には限界があるため，必要に応じて12誘導心電図を記録する。

モニター心電図の標準的な誘導法は，電極装着部位を右鎖骨下窩（R），左鎖骨下窩（L），左前腋窩線上肋骨縁（F）とする3電極誘導法による近似肢誘導である（図1a）。本法では，Ⅰ，Ⅱ，Ⅲ誘導の切り替えが可能であり，患者ごとにもっとも適した誘導で検査を行うことができる。

一方，重症患者管理用のベッドサイドモニターでは，ST変化の監視強化のために多誘導の同時監視を行うことができる5電極誘導法も選択される（図1b）。電極装着部位を右鎖骨下窩（R），左鎖骨下窩（L），左前腋窩線上肋骨縁（F），右前腋窩線上肋骨縁（N），胸部電極V_1〜V_6（C）とする誘導法で，一般的にはⅡ誘導およびV_5誘導の近似誘導で同時モニターされる。

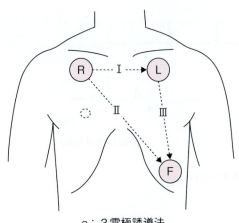
a：3電極誘導法

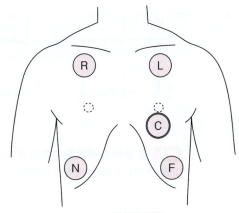
b：5電極誘導法

図1 モニター心電図の誘導法

モニター心電図開始後，心電図波形が目的にかなった形となっているかを評価し，必要に応じて誘導の変更やフィルターの使用などの対策を行う。

新たな心電図検査システム

不整脈を診断するために，新たな心電図記録装置やモニターの開発が進んでいる。不整脈が出現したときに心電図を記録するイベント心電図，スマートフォンやスマートウォッチを活用した心電図記録，人工知能（AI）による自動診断などである。ただし，これらの心電図システムは診断精度に関するエビデンスが必ずしも十分ではないため，利用する際にはその特徴をよく理解しておく。また，救急現場から12誘導心電図を伝送し，医療機関でそれを受け取った医師が心電図診断をすることで急性心筋梗塞などの治療開始時間短縮を目指す心電図伝送システムを導入している地域もある。

なお，日本循環器学会の『2022年改訂版 不整脈の診断とリスク評価に関するガイドライン』[1]には，心電図検査の不整脈診断とリスク評価における推奨とエビデンスレベルが示されている。

心電図に異常を認める主な救急疾患・病態

1 不整脈

1）洞頻脈

洞調律で，心拍数が100回/min以上の場合をいう。原因としては心不全，低酸素血症，ショック，甲状腺機能亢進症など多岐にわたる。一般的に頻脈に対する緊急処置よりも原因精査が優先されるが，虚血性心疾患や甲状腺機能亢進症ではβ遮断薬による頻脈の抑制が必要な場合もある。

2）洞徐脈

洞調律で，心拍数が60回/min未満の場合をいう。原因として迷走神経反射や薬剤の影響（β遮断薬，カルシウム拮抗薬），低体温症などがある。

3）洞不全症候群

洞結節の慢性的な機能不全により著しい洞徐脈，洞停止，洞房ブロックなどの徐脈性不整脈をきたす病態である。心拍数低下のためAdams-Stokes発作などの重篤な症状を伴う場合は一時ペーシングを考慮する。さらに恒久的ペースメーカ植込みが必要となる場合もある。

心電図からⅠ型，Ⅱ型，Ⅲ型に分類される。Ⅰ型は，高度な洞徐脈のため心不全の増悪やめまいを認めることがある。Ⅱ型は，洞結節と心房の間の伝導障害（洞房ブロック），または洞結節自動能低下による心房興奮の脱落（洞停止）のため数秒〜10秒以上に及ぶ心停止を起こし，補充調律を伴うことが多い。Ⅲ型は，発作性の頻脈性不整脈（発作性心房細動・粗動，発作性上室頻拍）の停止時に洞停止によって心停止を起こすもので，徐脈頻脈症候群とも呼ばれる。

4）上室期外収縮

心房または房室接合部から発生する刺激により，基本調律の心周期よりも早く興奮が生じるもので，心電図上，洞調律と同じQRS波形のままRR間隔が突然短縮する。刺激の発生源により，心房期外収縮と房室接合部期外収縮に分けられる。さまざまな基礎疾患に伴って発生し緊急度は高くないが，多発性の場合は心房細動に移行する可能性がある。

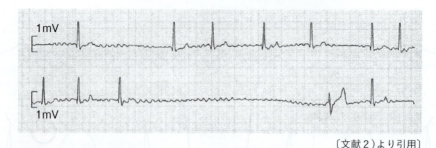

図2 徐脈性心房細動のモニター心電図
70歳，男性。失神発作を伴うため緊急ペーシングが実施された

〔文献2〕より引用〕

5）心房細動

心房の興奮が一定の秩序を失った状態で，心電図上，P波はなく不規則な基線の揺れとして認められ，f波（400〜700回/min）と呼ばれる。RR間隔は不規則で絶対不整脈となる。f波が細小のため12誘導心電図ではっきり認められない場合は，絶対不整脈の存在から診断する。通常は頻脈を伴うが，伝導障害を合併すると徐脈となり緊急ペーシングを要する場合もある（**図2**）[2]。

6）心房粗動

興奮が心房内を旋回することにより発生すると考えられ，心電図上基線が鋸の歯のようにギザギザしており，鋸歯状波（F波）と呼ばれる。F波とQRS波の関係において房室伝導比が一定の場合（2対1，3対1など）には脈は不整とならない。

7）発作性上室頻拍

房室結節または心房より生じる頻拍発作で，発生機序にはリエントリーと自動能亢進がある。心電図上，突然発生し突然停止することが特徴であり，通常は正常QRS波形を示す規則正しい頻拍（130〜250回/min）である。頻拍の機序の正確な診断には心臓電気生理学的検査が必要である。頻拍停止には迷走神経緊張手技（Valsalva法など）や種々の抗不整脈薬が用いられるが，循環動態が悪化している場合には同期電気ショック（カルディオバージョン）の適応となる。

8）房室ブロック

房室伝導系の機能障害のため，心房から心室への電気的興奮が遅延または途絶する状態である。伝導障害の程度によって，1度，2度，3度に分類される。1度房室ブロックは，心房から心室への興奮伝導時間が延長し，心電図上でPQ時間が0.21秒以上となる。2度房室ブロックでは，房室伝導の一時的な途絶のためP波に続くQRS波の脱落を認める。PQ間隔が徐々に延長してQRS波が脱落するタイプ（Wenckebach型）と，PQ間隔の延長を伴わずに突然QRS波が脱落するタイプ（MobitzⅡ型）に分けられる。3度房室ブロック（完全房室ブロック）では，房室伝導が完全に途絶し，心拍は補充調律により維持される。心電図上，P波とQRS波はまったく無関係に出現し，通常QRS波の頻度が低い。また，2つ以上連続してP波がQRS波（心室）に伝導しない場合を高度房室ブロックと呼ぶ（**図3**）[2]。MobitzⅡ型房室ブロックや完全房室ブロックではペースメーカ植込みが必要となることがある。

9）心室期外収縮

心室から発生する異所性興奮により基本調律の心周期よりも早く興奮が生じるもので，心電図上，先行するP波を伴わない幅広いQRS波形が，基本調律のRR間隔よりも早期に出現する。さまざまな心疾患に伴って発生し，その発生状況によって重症度の判定が行われ，多発性，多形性，連発，R on T（先行するT波上に心室期外収縮が発生）などが重症度の高い状態とされる（**表1**）。

10）心室頻拍

心室に発生したリエントリーまたは自動能亢進により発生する頻拍（100〜300回/min）で，心電図上，P波を伴わない幅広いQRS波が3心拍以上連続して出現するものを心室頻拍（ventricular tachycardia；VT）という。停止させるために何らかの処置が必要な持続性VTと，30秒程度で自然停止する非持続性VTに分類される。VTは心筋梗塞や心筋症などの重篤な心疾患に伴って出現し，循環動態の悪化を生じやすく，心室細動へ移行する危険性もあるため，緊急処置が必要な不整脈である。脈拍を触知しないVT（無脈性VT）では直ちに心肺蘇生を開始する。

11）心室細動

心室細動（ventricular fibrillation；VF）は心室筋が無秩序に電気的興奮を起こしている状態であり，調和のとれた心収縮を認めず心拍出量はほぼゼロとなる。心電

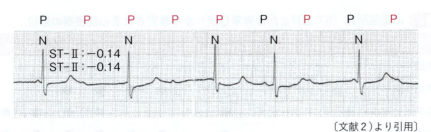

図3 高度房室ブロックのモニター心電図

88歳，女性。高度房室ブロックのためペースメーカの植込みが行われた。赤色のP波は心室（QRS波）に伝導していないと考えられる

表1 心室期外収縮の重症度分類（Lown分類）

Grade	定義
0	心室期外収縮なし
1	散発性（1個/minまたは30個/hr未満）
2	多発性（1個/minまたは30個/hr以上）
3	多形性
4a	2連発
4b	3連発以上
5	R on T

図上，基本波形の識別は困難で，基線が細かく不規則に揺れているだけの波形を示す。致死性不整脈の一つであり，電気ショックによる早期除細動が予後を左右する。

2 虚血性心疾患（急性冠症候群）

狭心症や心筋梗塞の診断において12誘導心電図は不可欠な検査であり，とくに急性心筋梗塞が疑われる場合には来院から10分以内に12誘導心電図を記録することが求められる。また，経時的に心電図所見が変化するため，繰り返し心電図を記録することも重要である。

1）狭心症

労作性狭心症では発作中にST低下（水平型または下向型）を認める一方，冠攣縮が原因の異型狭心症ではST上昇を認める。ST上昇は虚血部位に対応した誘導で起こり，責任冠動脈の推定に有用である。なお，一般的に非発作時の12誘導心電図には異常を認めないため注意が必要である。

2）急性心筋梗塞

発症から経時的に心電図所見が変化する（図4）。とくに重要な所見として，①ST上昇（上方に凸状のST上昇，心筋傷害を反映），②冠性T波（左右対称の尖っ

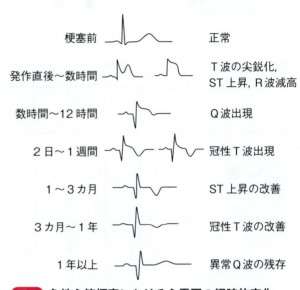

図4 急性心筋梗塞における心電図の経時的変化

た陰性T波，心筋虚血を反映），③異常Q波（R波の高さ1/4以上の深さで幅が0.04秒以上のQ波，心筋壊死を反映）の出現があげられる。ST上昇または異常Q波の出現する誘導から梗塞部位を推定することが可能である（表2）。一方，発症からごく早期ではT波の尖鋭化などの所見のみの場合もあり注意を要する（図5）[2]。また，ST上昇の定義は隣接する2誘導以上で1mm以上のST上昇を認める場合とされているが，ST上昇を伴わない急性心筋梗塞（非ST上昇型心筋梗塞）の発生もまれではなく，そのような場合に認められる心電図変化（ST低下など）から梗塞部位を判定することは適切ではない。救急初期診療においては胸痛出現からの時間経過も考慮して心電図を判読することが重要である。

3 肺血栓塞栓症

急性の呼吸・循環不全を呈する緊急度の高い疾患であり，早期診断には現病歴から肺血栓塞栓症を疑うことが

表2 心電図所見（ST上昇または異常Q波）から推定される心筋梗塞の部位

梗塞部位	I	II	III	aVR	aVL	aVF	V₁	V₂	V₃	V₄	V₅	V₆
前壁									●	●		
前壁中隔							●	●	●	●		
前壁側壁	●				●				●	●	●	●
広範囲前壁	●				●		●	●	●	●	●	●
高位側壁	●				●							
側壁	●				●						●	●
下壁側壁	●	●	●		●	●					●	●
下壁		●	●			●						

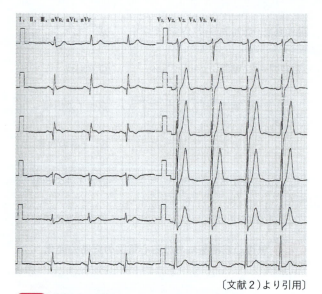

図5 急性心筋梗塞の超急性期先鋭化T波
79歳、男性。胸痛発症から25分後の12誘導心電図では、V₂〜V₅誘導にて増高し先鋭化したT波を認めた

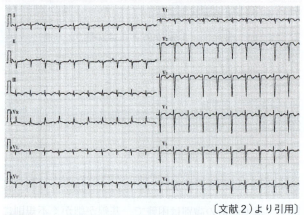

図6 肺血栓塞栓症の心電図所見
70歳、女性。主訴は呼吸困難。12誘導心電図では、洞頻脈とSIQⅢTⅢ所見（急性右心負荷）を認めた

重要である。12誘導心電図では、右室に対する圧負荷の結果、I誘導にS波、III誘導にQ波および陰性T波を認める（いわゆるSIQⅢTⅢ）ほか、右軸偏位、右脚ブロック、V₁〜V₃の陰性T波など急性の右室負荷に伴う心電図所見を認めることがある（図6）[2]。

4 急性心筋炎, 急性心膜炎

心筋炎の心電図所見には特異的なものはなく、心筋細胞の炎症に伴うST-T変化、QRS波の低電位差、異常Q波などを認めるとともに、房室ブロックや心室期外収縮などの不整脈がしばしば出現する。さらに、致死性不整脈（VFなど）による突然死の報告も散見される。一方、心膜炎では、心外膜と心筋の傷害により、aVRを除く広範な誘導で上向きに凹のST上昇を認めることが特徴であり、大量の心嚢液が貯留するとQRS波の低電位差や電気的交互脈を認める。

5 QT延長症候群

QT間隔はQRS波の始まりからT波が終了する時点までの時間間隔のことで、心室の脱分極の始まりから再分極が終了するまでにあたる。先天性または二次性（電解質異常や薬剤の影響など）の原因によってQT間隔が異常に延長し、多形性VTや心室細動による失神や突然死をきたす病態がQT延長症候群である。QT間隔は心拍数によって変化するため、心拍数で補正したQTcを用い、QTc＞0.44秒をQT延長と診断する。心電図にてQT間隔がRR間隔の半分以上を占める場合にはQT延長の可能性がある。QT延長に伴って出現しやすい多形性VTとしてtorsade de pointesがあり、QRS波形

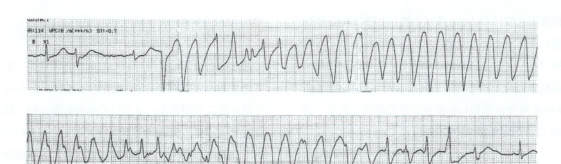

図7 QT延長に伴う多形性心室頻拍（torsade de pointes）

〔文献3）より引用〕

が1拍ごとに変化して心電図の基線を中心にねじれたようにみえる（図7）[3]。

6 Brugada症候群

特発性VFの一因として注目されている症候群で，安静時の12誘導心電図で右脚ブロック様波形とともに右側胸部誘導（$V_1 \sim V_3$）でcoved型（弓形）またはsaddle back型（馬鞍型）のST上昇を認める。ただし，Brugada症候群に伴うST変化は決して一定ではなく，一見正常化することもある。そのような場合には，通常より1肋間上の誘導での記録やⅠ群抗不整脈薬のピルシカイニドの静注により，ST上昇が顕在化することがある。VFによる心停止から蘇生した患者においては本症候群の鑑別が重要である。

7 電解質異常

カリウムおよびカルシウムの血清濃度の異常は，心電図波形に影響を及ぼす。特徴的な心電図の異常所見から電解質異常を疑うことも可能である。

1）高カリウム血症

血清カリウム濃度が5.0mEq/L以上になると，高く尖鋭化したT波（テント状T波）を認めるようになり，7.0mEq/Lを超えるとPQ間隔の延長やQRS幅の拡大など伝導障害を伴うことがある（図8）。さらに上昇すると，P波消失，VT，VFを認め，心停止に至る。緊急処置を要する病態であり，心電図において高カリウム血症を疑うことが早期診断につながる。

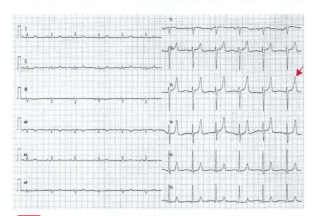

図8 高カリウム血症の心電図所見

慢性腎不全，血清カリウム7.3mEq/L，テント状T波（矢印）

2）低カリウム血症

血清カリウム濃度が3.0mEq/L以下に減少すると，U波の増高，ST低下，T波の平低化を認めることがある。T波と融合したU波のためにQT間隔（実はQU間隔）が延長してみえる場合もある。

3）高カルシウム血症

QT間隔の短縮，とくにST部分が短縮することがある。

4）低カルシウム血症

QT間隔の延長，とくにST部分が延長する。腎不全の患者では低カルシウム血症と高カリウム血症をしばしば合併し，延長したST部分に続いてテント状T波を認めることがある。

8 低体温症

深部体温に応じて種々の心電図異常が出現し，軽度低体温症では洞徐脈，PQ間隔・QT間隔の延長を認め，

中等度低体温症ではOsborn波（J波）と呼ばれるQRS波の直後に幅広い波形を認めるとともに，徐脈性心房細動，房室ブロック，心室期外収縮などの不整脈が出現する．重度低体温症では心筋の易刺激性が亢進し，VTやVF発生の危険性が増加し心静止に至る場合もある．詳細は他項（p.779）も参照のこと．

9 くも膜下出血

中枢神経疾患においてさまざまな心電図異常の発生が知られているが，とくにくも膜下出血では多彩な心電図波形や不整脈を認める頻度が高い．くも膜下出血に伴う心電図異常のうち，ST上昇，陰性T波，QT間隔延長は重篤な心筋傷害の合併を示唆し，心エコー検査による心機能の評価が必要である．

10 外　傷

鈍的心筋損傷は交通事故や高所からの墜落などによって発生し，心電図上，ST変化，不整脈，伝導障害などを認めることがある．さらに心囊液貯留を伴う例では低電位を認める．鈍的胸部外傷による心筋挫傷の診断において12誘導心電図は有用な検査であり，心電図異常を認める場合には，心筋トロポニンなどの心筋傷害マーカーを測定するとともに心エコー検査で心機能を評価し，モニター心電図を行いつつ厳重に経過を観察する．

▶文　献

1) 日本循環器学会，他：2022年改訂版 不整脈の診断とリスク評価に関するガイドライン．
https://www.j-circ.or.jp/cms/wp-content/uploads/2022/03/JCS2022_Takase.pdf
2) 大柳光正：循環器・救急医のための心電図の症例集．ベクトル・コア，2010．
3) 池田隆徳：Torsades de pointes. 救急医学 29：311-6, 2005.

Ⅳ 初期診療と鑑別診断

6 救急画像診断の基本

船曳 知弘

　救急初期診療における画像検査は，それまで鑑別にあげられた疾患を除外したり，確定診断に近づけたりするための非常に有用な検査の一つである。高い画像診断能力を常に発揮できれば，早期診断・早期治療に結びつけることができる。質の高い画像診断の基本は，①的確な画像検査の選択，②的確な撮像方法の選択，③的確な画像の評価である。ここでは，各画像検査の特徴や適応について述べる（表1）。

単純X線検査

1 特徴

　単純X線検査は画像検査の基本である。CTが全盛期にあっても，胸部や四肢においては今なお第一選択の画像検査である。解剖学的情報には乏しいが，容易に撮影することができ，被ばく量も少なく，また，以前の検査と比較することも容易であり，スクリーニングとして撮影することに適している。

2 適応と評価

1）胸部

（1）適応

　胸部における単純X線検査の適応は，内因性の救急患者では心臓を含めた縦隔病変の検出や肺野病変の検出の必要がある場合である。具体的な患者の訴えとしては，呼吸困難，発熱，胸痛・背部痛が代表的であるが，入院時にスクリーニング的に撮影されることも多い。外因性の救急患者では，ショックを呈している（もしくはショックに陥る可能性がある）場合や，胸部に外力が加わっている可能性がある場合が適応となる。ただし，胸部単純X線画像は解剖学的な情報量に乏しいので，異常所見がある場合には，さらに精査としてCT検査を施行する。

表1　各画像検査の特徴

	長所	短所
単純X線	・簡便である ・患者の移動なく検査可能（ポータブル撮影） ・経時的変化を確認しやすい	・被ばくを伴う ・空間分解能に劣る ・質的診断が困難である
超音波	・被ばくを伴わない ・ベッドサイドで可能 ・リアルタイムに病変を検出できる ・血流を評価できる	・術者の能力による検出能の違い ・客観性に乏しい ・患者条件（体格など）に左右されやすい
CT	・解剖学的情報に富む ・任意の断面像などの再構成画像で評価可能 ・造影剤を用いた血流の評価が可能	・被ばくを伴う ・検査室に移動が必要 ・造影剤使用時に副作用が起こり得る
MRI	・細胞特性により濃淡が生じるため，CTでわかりにくい部分を描出することが可能 ・任意の断面像での評価が可能 ・造影剤を使用せず血管の評価が可能	・検査室に金属を持ち込めない ・撮影に時間を要する ・閉所恐怖症患者では撮影できない ・急変時に対応しにくい
血管造影	・そのまま血管内治療に移行できる	・侵襲性が高い ・技術を要する ・被ばく量が多い ・造影剤使用時に副作用が起こり得る

表2 Primary survey で読影すべき胸部単純X線検査の項目

1. 大量血胸の有無
2. 多発肋骨骨折（フレイルチェストの原因となる）
3. 広範な肺挫傷（呼吸不全や気道出血の原因となる）
4. 気胸（陽圧喚起する際に増悪する可能性がある）
5. 挿入されたカテーテルやチューブの位置

〔文献1）より引用〕

表3 Secondary survey で読影すべき胸部単純X線検査の項目

1. 気管・気管支（気管・気管支損傷では縦隔気腫や気胸を生じる）
2. 胸腔と肺実質（気胸や肺挫傷の有無）
3. 縦隔（大動脈損傷では縦隔の拡大，血胸を生じる）
4. 横隔膜（横隔膜ヘルニアによる腹部内蔵臓器の脱出）
5. 骨性胸郭と鎖骨，肩甲骨（骨折の有無）
6. 軟部組織（皮下気腫や血腫による軟部腫瘤）
7. チューブと輸液ライン（チューブの逸脱や合併症）

〔文献1）より引用〕

撮像方法としては，可能なかぎり立位正面でPA像（後ろから前に照射）を選択する。これがもっとも情報量が多いからである。健康診断などでは側面像も撮像するが，正面像では見落としやすい胸骨背側や心陰影に隠れた病変を検出するためである。一方，救急診療の際には側面像を省略して，疑わしい場合は前述のとおりCT検査を追加する。また，とくに外傷患者では，循環状態が不安定なまま初療室から移動させることは危険を伴うため，ポータブル機器を用いて臥位で撮像（ポータブル撮影）を行うことで情報を得る[1]。

（2） 内因性救急患者の評価

内因性救急患者における評価は，胸郭陰影（肋骨，胸椎，鎖骨），縦隔陰影〔大動脈弓部の拡大や肺門，心陰影の形状・サイズ（心胸郭比）〕，肺野陰影（浸潤影や網状陰影）を観察する。さらに正常臓器の境界にも注意する。具体的には，気胸や胸水，胸部下行大動脈の左縁の陰影などである。また，軟部陰影も必ず確認し，側胸部や頸部の皮下気腫の有無も確認しておく。

検査方法（撮像条件）が異なれば正常像が異なるため，撮像条件による正常像の違いを理解しておかなければならない。ポータブル撮影では，臥位AP像（前から後ろに照射）を選択することになるため，立位PA像に比して，心陰影や縦隔影は拡大し，肺血管陰影は重力効果から上肺野でも目立つようになる。横隔膜は挙上し，肩甲骨は肺野に重なるため肺野の評価が困難になる。そのため，過去の画像と比較する場合は，撮像条件を把握しておかなければならない。

ポータブル撮影では，前述のような特徴があるため心不全があるようにみられやすい。また，ポータブル撮影では少量の気胸を見逃し得るため，超音波検査やCT検査での評価を追加する。胸水（血胸）の評価にも適していない。以上より画像を経時的に評価する場合には，撮影条件を考えながら比較すべきである。

（3） 外傷患者の評価

外傷患者の評価において，primary surveyのなかで撮影される場合は通常，ポータブル撮影であり，その評価項目は表2[1]に示すように，①大量血胸の有無，②多発肋骨骨折（フレイルチェストの原因となる），③広範な肺挫傷（呼吸不全や気道出血の原因となる）が代表的であり，そのほかに④気胸（陽圧喚起する際に増悪する可能性がある），⑤挿入されたカテーテルやチューブの位置も確認する。緊張性気胸に関しては，胸部単純X線検査の前に臨床所見から診断できることが望ましい。

secondary surveyで評価する項目（表3）[1]としては，①気管・気管支（気管・気管支損傷では縦隔気腫や気胸を生じる），②胸腔と肺実質（気胸や肺挫傷の有無），③縦隔（大動脈損傷では縦隔の拡大，血胸を生じる），④横隔膜（横隔膜ヘルニアによる腹部内臓器の脱出），⑤骨性胸郭と鎖骨，肩甲骨（骨折の有無），⑥軟部組織（皮下気腫や血腫による軟部腫瘤），⑦チューブと輸液ライン（チューブの逸脱や合併症）に関して解剖学的視点に沿って評価する。

2）腹 部

腹部においては，単純X線検査よりも超音波検査が優先される。腹部単純X線検査の適応を広く考えるのであれば，腹痛を訴える患者ということになるが，超音波検査のほうが解剖学的情報量に富んでいるからである。さらに，重症例（腹膜刺激徴候が存在する患者，腹痛で立位になれない患者）ではCTを選択する。基本は臥位での撮影であるが，立位の検査を行い，腹腔内遊離ガスや腸管内のニボーを検出する目的で行われていることも多い。治療までの時間短縮を考えると重症例ではCT検査も許容される。

外傷患者における腹部単純X線検査の適応は基本的にない。腹腔内臓器損傷を検出できるわけではないので，超音波検査で腹腔内出血などを検出する。

3）頭頸部

頭部における単純X線検査の適応は，内因性救急患者には乏しく，外傷が基本になる。しかし，外傷においても頭蓋内損傷を検出することはできないので，近年ではCTで代用される。受傷部位がフィルムに近くなるように撮影する（右側頭部の打撲であれば，左から右に照射されるように撮影）。また，頭蓋底の構造により，単純X線での重なりがあると不明瞭になるため，後頭部の打撲であればTowne像を追加し，顔面外傷ではWaters像を追加する。頭蓋底骨折の評価は困難であり，CT検査を選択する。

頸部における単純X線検査の適応は，内因性救急患者では，頸椎よりも頸部の軟部組織の異常，すなわち急性喉頭蓋炎や咽後膿瘍が疑われる患者であり，急性喉頭蓋炎ではポータブルで側面像を撮影する。CTを撮影するために臥位にすることで窒息する可能性を考慮しなければならない。外傷ではポータブルで頸椎側面像を撮影することにより，上位頸椎骨折による椎体前面の軟部陰影（血腫）で気道閉塞をきたす可能性を除外することはできるが，そのほかではCTで評価すべきである。頸椎正面像では，上位頸椎の正面像が顔面骨に重なりわかりにくいため，開口位撮影を選択することで評価可能になる。

4）四 肢

四肢における単純X線検査の内因性疾患に対する適応は，強い関節痛や触診での皮下気腫や高度の炎症で，壊死性筋膜などが疑われる場合があげられる。外傷における適応は，四肢に外力が加わり骨折が疑われる場合や，異物の混入が疑われる場合である。基本的に正面像と側面像を撮影する。側面像にした場合にほかの骨が重なってわかりにくい場合は，斜位像を選択する。また，手根骨や足根骨などの小さな骨が集まる部位に関しては，正面像と側面像以外に斜位像の撮影を選択する。

評価は，骨折の有無に関して骨皮質の連続性から確認する。また，骨以外に軟部組織の腫脹にも着目する。異常所見の検出自体は患側だけでも可能ではあるが，慣れない場合は健側の撮影を行って比較するのも有用である。手術を前提として健側の状態を評価しておくこともある。

超音波検査

1 特 徴

超音波検査の最大の長所は，①被ばくを伴わないことである。さらに，②携帯性に優れ，③リアルタイムに病変を検出でき，④血流を評価できる。一方で短所としては，①術者の能力による検出能に違いがあり，そのため②客観性に乏しい。また，③患者条件（体格など）に左右されやすいこともあげられる。

2 適応と評価

超音波検査はスクリーニング的に用いられ，救急外来を含めてベッドサイドで検査可能である。機器が小型化して解像度も向上していることがその利便性を高めている。内因性救急疾患における適応は，point-of-careとして，他項に詳細が記載されているので参照されたい（p.176参照）。

外因性救急患者（外傷患者）における適応は，ショック（もしくはショックに陥る可能性）の原因検索や，腹部に外力が加わった（可能性が否定できない）場合である。その評価方法は，焦点を絞って，短時間（1分程度）で液体貯留に着目して行うことが重要であり，FAST (focused assessment with sonography for trauma) と呼ばれている。外傷患者では，まずはベッドサイドで，腹腔内出血や胸腔内出血，心嚢液貯留に伴う心タンポナーデの可能性を検出する。とくに，循環状態が不安定な患者には有用であり，また，近年では気胸における超音波の高い検出能が報告され，FASTに加えて気胸の有無を評価するEFASTが施行されている。超音波での気胸の有無の確認は，基本的にはsecondary surveyで行うが，primary surveyであっても気管挿管して陽圧換気を行う場合は事前に気胸の有無を確認しておくことが勧められる。

CT検査

1 特 徴

CTの発展はめざましく，救急医療においても画像診断の要となっている。すでにわが国では多列検出器型

CT（multidetector-row CT；MDCT）が普及しており，三次元再構成（3D）画像や多断面再構成（multi-planar reconstruction；MPR）画像を利用することが可能になっている施設が多い。

CT 検査の長所は，①解剖学的情報に非常に富んでいることであり，②それらの情報を短時間に得ることができる。そして，③ MDCT を用いることで，横断面以外の断面像や立体構成画像での評価が可能である。また，④造影剤を使用することで，血流の評価を行うことも可能である。一方，短所としては，①被ばくを伴うこと，②検査室に移動しなければならないこと，③造影剤を使用する場合に副作用が起こり得ることがあげられる。このような短所はあるものの，長所を生かすために近年の撮影件数は非常に多くなっている。

被ばくによる発がんリスクや催奇形性を考えると，とくに小児や妊婦に対する撮影には配慮しなければならない。小児においては，頭部 CT を施行することが多いため注意を要する。妊婦においては，とくに器官形成期に注意し，腹部に関しては可能なかぎり超音波で代用することが求められる。

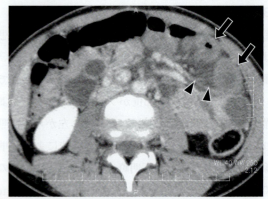

図1 絞扼性腸閉塞の CT 像
造影 CT を行うことで，粘膜に造影効果がみられない腸管（矢印）を検出し，その連続性や腸間膜の脂肪織濃度の上昇（矢頭）などから絞扼性腸閉塞の有無を診断することが可能である。造影効果が減弱する前に検出することで，腸管切除に至らずに絞扼を解除できる症例も増えている

2 適応と評価

1）頭部 CT

頭部 CT は，脳血管障害を含めた意識障害の鑑別に用いられ，外傷では頭蓋内損傷，頭蓋骨骨折（とくに頭蓋底骨折）の評価が必要な場合が適応となる。小児においては，CT 撮影による被ばくの影響が危惧されている。頭部外傷の頻度が高い小児においては，頭部 CT の必要性に関して多くの研究がなされており，PECARN の基準[2]や CATCH の基準[3]，CHALICE の基準[4]などを参考に各施設におけるプロトコルを作成して，被ばく軽減に努めるべきである。ただし，これらの研究におけるアウトカムは外科的手術介入の有無であり，観血的治療の対象にならないような軽微な損傷を見つけ出すことを目的としているわけではないことに注意する。

評価は横断像のみならず，冠状断や矢状断を用いて行う。骨折の有無に関して3D 画像を作成することも有用である。内因性疾患においては，脳梗塞超急性期では検出困難なことがあることも注意しておかなければならない。そのような場合は，MRI 検査を考慮する。また，くも膜下出血が認められた場合は，CTA（造影剤を急速注入して，動脈優位相で撮像することにより動脈解剖を明らかにする画像；CT アンギオグラフィ）を施行することで原因となる破裂脳動脈瘤を検出する。

2）顔面 CT

顔面 CT は，副鼻腔炎の評価や顔面骨折の評価として選択される。評価のためには横断像だけでなく，冠状断像や矢状断像が有用である。断面の厚みは 2 mm 以下で評価するとよい。

3）胸部 CT

胸部 CT は，大血管病変（急性大動脈解離や肺塞栓症）の評価が必要なときによい適応となる[5)6]。そのほかに，典型的な肺炎では CT を施行する必要はないものの，非典型的な陰影であったり，肺膿瘍・膿胸の可能性，原因不明の呼吸不全などでも適応となる。また，心電図同期で撮影することで，冠動脈の評価を行うことも可能である。大血管の評価には動脈優位相が必要であり，これを冠状断像などの MPR 画像を用いて評価するとよい。肺野の陰影に関しては単純 CT で評価可能であるが，膿瘍が疑われる症例に関しては造影 CT が必要である。

4）腹部 CT

腹部 CT は，消化管穿孔や絞扼性腸閉塞（図1）を中心とした急性腹症の精査が主な適応となり，造影剤を使用することでより多くの情報を得ることができる。とくに腸管の虚血の有無を評価する場合には造影は必須で，単純 CT との比較も重要である[7]。CT 画像は薄い厚みの画像（2〜5 mm 程度）で評価する。画像の濃淡（window width；WW，window level；WL）を調整して評価することも求められる。脊椎の評価では，単純 X 線検査では検出できないような骨折まで評価でき，矢状断像と冠状断像を用いて総合的に評価する。

5）外傷CT

外傷におけるCTは非常に多く施行されているが，被ばくを伴う検査であることを十分に考慮して，その適応に関しては慎重に判断しなければならない．とくに外傷患者は内因性疾患に比べ若年者が多いことも特徴であり，被ばくに伴う副作用も報告されている[8)9)]．

とはいえ，鈍的損傷が多いわが国においては，想定外の部分に損傷を伴っていることもあるため，撮影範囲は損傷部位を十分にカバーするように選択する．最終的に全身CTとなることも多い．全身CT（外傷パンスキャン）の際には，頭部をまず単純CTで撮影し，次いで体幹を造影CTで撮影するが，何をどのように評価したいかによってバリエーションが存在する．常にすべてをカバーしようとすると被ばく量は増加するため，単純CTを省略するなどの工夫も必要である．

外傷診療では，時間を短縮して，効率的に読影する必要がある．そのための一つの方法として，3段階読影が勧められている（**表4**）[1)10)]．

第1段階は撮影している最中から読影を行う．撮影終了後に患者を寝台に移乗させるまでの時間で読影を終了する．要点は喫緊の処置を要する損傷の有無を判定することであり，表4に示したように，決められたエリアでの損傷を評価する．この第1段階をFACT（focused assessment with CT for trauma）と呼んでおり，FACTが陽性であれば，CT室からそのまま手術室や血管造影室に移動することを考慮する．そして，その準備をしながら第2段階の読影を行う．またFACTが陰性であっても，初療室に帰室後に可及的速やかに第2段階の読影を行うように心がける．第1段階ですべての生命にかかわる損傷をできるわけではない．

第2段階の読影では，損傷部位から血腫の有無，そして血腫内に血管外漏出像がないか確認する．第1段階だけでは緊急処置を要する損傷すべてを判断することはできないため，第2段階は速やかに開始する必要がある．そのほか，第2段階では冠状断などを用いたり，造影動脈優位相と造影平衡相を比較して損傷の有無を確認する．腹腔内遊離ガスなどの腸管損傷の有無や矢状断像などを用いた脊椎損傷の有無も，この段階で確認する．

第3段階の読影では，救急の初期診療が終了した後に，放射線科など画像診断の専門家が細かな損傷がないかを確認する．

6）偶発所見への対応

外傷の読影に限らず，内因性疾患におけるCTにおいても，本来の目的とする疾患以外の異常所見をみつけることがある．この偶発所見のなかには，悪性腫瘍も含まれ，外傷にはかかわらなくてもその後の生活，予後に大きく関与してくるものも存在している．急性大動脈解離を疑っている症例での肺がん発見は典型例であり，注目領域以外の領域に偶発所見が存在している場合に見逃されやすい．このような偶発所見を必ず，その後の診療につなげていくようにしなければならない．急性期には原疾患の治療に専念するため，単にレポートに記載しているだけでは，フォローされてないことがある．そのため時間をおいてアラートが出るなどのシステムを構築することが望まれる．

表4 外傷パンスキャンにおける3段階読影

読影の第1段階（FACT）
1．頭部における緊急減圧開頭を要するような血腫の存在をチェック
2．大動脈弓部の損傷や縦隔の血腫をチェック
3．下肺野における肺挫傷，血気胸，心嚢血腫をチェック
4．骨盤底に貯留するほどの腹腔内の血腫をチェック
5．骨盤・椎体周囲など後腹膜の血腫をチェック
6．実質臓器損傷や腸間膜内血腫をチェック
読影の第2段階
・その他の部位の血腫と血管外漏出像をチェック
・多断面再構成画像による損傷のチェック
読影の第3段階
・生命予後にかかわらない細かな損傷のチェック

MRI検査

1 特徴

CTと異なり24時間稼働できない施設も多いが，中枢神経では撮影方法も多岐にわたり，必要な情報に応じた撮影法を選択するには専門医との相談が必要となる．

MRI検査の長所としては，①細胞特性により濃淡が生じるため，CTでわかりにくい部分を描出することが可能である．また，②任意の断面での評価が可能であり，③造影剤を使用しなくても血管の評価が可能である（MRアンギオグラフィ；MRA）．一方，短所として，①磁場を用いるため検査室に金属を持ち込めないことや，②撮影に時間を要することがあげられる．また，③閉所での撮影のため患者の協力が必要であり，④急変時に対応しにくいという点もあり，救急領域では，以前よ

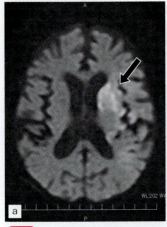 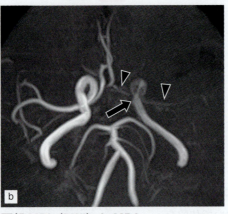

a：MRI（DWI）。FLAIR画像では超急性期の虚血部位を検出することはできないが，DWIでは高信号となって描出される（矢印）。DWIで高信号となっている部位がFLAIR画像でも高信号に変化していると，発症からの時間経過があると考えられる

b：MRA。造影剤を使用せずに動脈の閉塞を検出することができる。本症例では左内頸動脈遠位で閉塞しており（矢印），前交通動脈の交通を介して右側から少量の血流が中大脳動脈に流れている（矢頭）

図2 脳梗塞超急性期における頭部MRI（DWI）とMRA

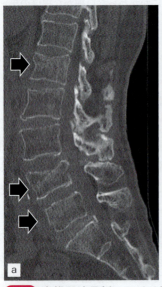 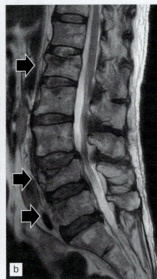 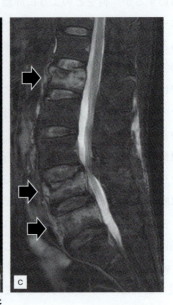

図3 脊椎圧迫骨折における腰椎CT矢状断とMRI矢状断

CTで，腰椎L1，L4，L5に圧迫骨折が疑われる（矢印）が，新鮮骨折かどうかわかりにくい（a）。T2強調画像（b）では，椎体内の血腫と骨髄（脂肪組織）はいずれも高信号に描出されるが，脂肪抑制画像（c）では，骨髄の脂肪組織の信号が抑制されるため，受傷した脊椎が明瞭に描出される（矢印）

りは改善しているものの，ハードルの高い検査である。もっとも，呼吸器やモニター，シリンジポンプなどMRI対応の医療機器も増えてきており，今後のさらなる拡充が期待される。

2 適応と評価

もっとも救急領域で撮影機会が多いのは，脳梗塞急性期である。拡散強調画像（diffusion weighted image；DWI）ではCTでの変化が現れる前に検出することができ，MRAでは造影剤を使用せずに脳動脈を検出することができるため脳梗塞急性期はよい適応となる（**図2**）。早期に血栓回収療法を行う必要があるが，MRIはその律速段階になる可能性もある。一方，脳灌流画像を撮影することで，虚血脳の灌流状態を評価することができるメリットもあるので，MRIを遅滞なく撮影できるような仕組みづくりが必要である。CTで脳灌流画像を撮影できれば，MRIの必要性は低下する。

脊椎や脊髄の評価においてもMRIは優れている。また，脊髄損傷ではT2強調画像で高信号を呈する。周囲の血腫や骨の変化を評価するためには，脂肪抑制のT2強調画像を撮影することで骨髄の脂肪信号が抑制されるので，評価が容易になる（**図3**）。このほか，救急領域では脊椎硬膜外血腫の評価にMRIは適している。

頭部・脊椎領域以外の利用では，MRCP（magnetic resonance cholangiopancreatography）があげられる。MRCPは非侵襲的で胆道系の評価が可能であり，総胆管結石の有無をみたい場合に適応となる。

血管造影検査

　CTの性能向上により，造影動脈優位相でCT撮影をすること（CTA）で動脈解剖を評価することが可能になったため，血管の評価のみを目的として血管造影検査が行われることは少なくなった。

　血管造影検査の長所は，①そのまま血管内治療に移行できることである。短所としては，①侵襲性が高く，②技術を要すること，③被ばく量が多いことから，その適応は限られている。適応としては，破裂脳動脈瘤へのコイル塞栓術，心筋梗塞に対する経皮的冠動脈インターベンション（percutaneous coronary intervention；PCI），急性大動脈解離や腹部大動脈瘤破裂などに対するステントグラフト留置術などの治療を兼ねた撮影があげられる。また，肺血栓塞栓症に対して血栓吸引，破砕，溶解術が行われることもある。

　外傷に対する適応としては，動脈性出血に対する経カテーテル動脈塞栓術（transcatheter arterial embolization；TAE）や末梢動脈損傷に対するステントグラフト留置術があげられる。近年では外傷治療においてIVR（interventional radiology）が盛んに行われているが，開腹止血術や開胸止血術などの外科的止血術のタイミングを逸すると，凝固異常が顕在化して止血が困難になることもあるため，注意しなければならない。

▶文　献

1) 日本外傷学会，他（監）：外傷初期診療ガイドラインJATEC™，第6版，へるす出版，2021.
2) Kuppermann N, et al：Identification of children at very low risk of clinically-important brain injuries after head trauma：A prospective cohort study. Lancet 374：1160-70，2009.
3) Osmond MH, et al：CATCH：A clinical decision rule for the use of computed tomography in children with minor head injury. CMAJ 182：341-8，2010.
4) Dunning J, et al：Derivation of the children's head injury algorithm for the prediction of important clinical events decision rule for head injury in children. Arch Dis Child 91：885-91，2006.
5) 日本循環器学会，他：2020年改訂版大動脈瘤・大動脈解離診療ガイドライン，2020.
https://www.j-circ.or.jp/cms/wp-content/uploads/2020/07/JCS2020_Ogino.pdf
6) 日本循環器学会，他：肺血栓塞栓症および深部静脈血栓症の診断，治療，予防に関するガイドライン（2017年改訂版），2018.
https://www.j-circ.or.jp/cms/wp-content/uploads/2017/09/JCS2017_ito_h.pdf
7) Chuong AM, et al：Assessment of bowel wall enhancement for the diagnosis of intestinal ischemia in patients with small bowel obstruction：Value of adding unenhanced CT to contrast-enhanced CT. Radiology 280：98-107，2016.
8) Berrington de González A, et al：Risk of cancer from diagnostic X-rays：Estimates for the UK and 14 other countries. Lancet 363：345-51，2004.
9) Brenner DJ, et al：Computed tomography：An increasing source of radiation exposure. N Engl J Med 357：2277-84，2007.
10) 一ノ瀬嘉明，他：時間を意識した外傷CT診断；Focused Assessment with CT for Trauma（FACT）からはじめる3段階読影．日外傷会誌 28：21-31，2014.

Ⅳ 初期診療と鑑別診断

7 超音波検査の基本

亀田 徹

　急性期にベッドサイドで直接診療を担当する臨床医が実施する超音波検査の有用性が明らかになり，point-of-care ultrasonography（POCUS）というコンセプトが共有されるようになった。POCUS は検査室で行われる従来の超音波検査と区別される。2022年に日本救急医学会の「救急 point-of-care 超音波診療指針」[1]が公開され，救急科専門医にとってのPOCUSの概要と方向性が示された。指針では必要時に実施できるPOCUSを主要項目，今後重要性が高まると想定されるものを付加項目として到達目標が示されている。ここでは主要項目のうち，超音波の基礎，ショック・呼吸困難の原因となり得る疾患・病態の評価，ガイド下血管穿刺，そして領域横断的なアプローチについて述べる。

超音波の基礎

　救急科専門医が超音波検査を適切に実施し，所見を正しく解釈して診療に役立てるためには，超音波や超音波検査全般にかかわる基本的な知識が不可欠である。

1 音響工学

　医療で用いられる超音波にはパルス波と連続波がある。Bモード像と呼ばれる白黒画像の作成にはパルス波が用いられる。プローブからパルス波が送信され，生体内部で反射して戻ってきたパルス波が受信される。その際「媒質（生体）の音速（約1,530m/secと仮定）×パルス波送信から受信までの時間の1/2」で，プローブから反射体までの距離（深さ）が算出される。反射の強さは輝点の明るさで表現される。そして，パルス波の受送信部位を少しずつ移動（走査）することで1枚の画像が作られる（図1）。なお超音波の反射と透過は，組織固有の音響インピーダンス（媒質の密度×媒質の音速）の違いの大きさで決まる。肺や骨の表面で超音波がほとんど反射するのは，接する他の組織との間で音響インピーダンスの違いが非常に大きいからである。

　画質に関しては空間分解能と減衰について理解しておく必要がある。空間分解能には，主に縦方向の距離分解能と横方向の方位分解能がある。距離分解能はパルス波の幅で規定される。周波数が高いほどパルス波の幅が短くなり，距離分解能が高くなる。方位分解能は主にパルス波の周波数と超音波のビーム幅で決まる。ビーム幅の絞り込み位置を変更する設定としてフォーカスがある。一方，超音波は体内を伝わる過程でエネルギーを失い，これは減衰と呼ばれる。周波数が高いほど減衰が大きくなる。

　以上をまとめると，周波数が高くなると空間分解能は高まるが，減衰は大きくなる。

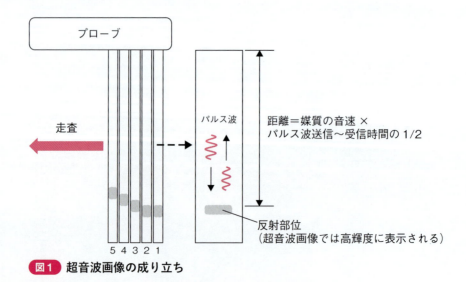

図1 超音波画像の成り立ち

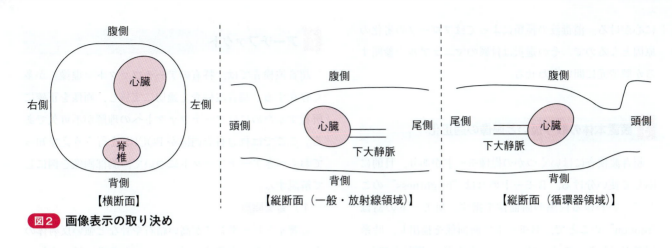

図2　画像表示の取り決め

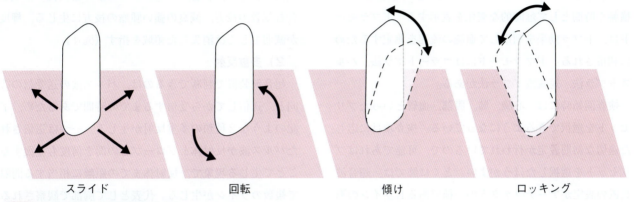

図3　主なプローブの動かし方

2 プローブの取り扱いと画像表示

　救急領域で利用されるプローブには，①セクタプローブ（主に心臓用），②コンベックスプローブ（主に腹部用），③リニアプローブ（主に表在用）がある。セクタプローブとコンベックスプローブでは低い周波数のパルス波が用いられ，深部の観察にも適している。一方，リニアプローブでは高い周波数のパルス波が用いられ，浅部を詳細に観察するのには適しているが，減衰の影響で深部の観察には向かない。パルス波にはさまざまな周波数が含まれ，その分布のもっとも高い部分の周波数は中心周波数と呼ばれる。プローブに表示されている周波数は一般に中心周波数を指す。装置によっては同じプローブでも周波数を変更できるものがある。

　超音波検査では適切に画像を記録するために，画面（スクリーン）と被検者との位置関係について取り決めがある。横断面を描出する場合は，CT検査と同様に被検者を尾側から眺めるように描出する。一方，縦断面は，一般・放射線領域では被検者の右側から眺めるように描出するのに対し，循環器領域では被検者の左側から眺めるように描出する（図2）。検査中はプローブの側面につ

いている印と画面の左右いずれかに表示される印を一致させ，オリエンテーションをつける。統一された呼称はないが，前者をプローブのオリエンテーションマーカー（プローブマーカー），後者をスクリーンのオリエンテーションマーカー（スクリーンマーカー）と呼ぶことにする。心臓ではスクリーンマーカーは画面の右側に表示することで統一されているが，腹部・表在では取り決めがされていない。

　主なプローブの動かし方としては，スライド（sliding），回転（rotating），傾け（tilting），ロッキング（rocking）がある。スライドは体表をすべらせる動作である。回転はプローブの軸を中心に回転させる動作である。傾けは接地部を固定してプローブを傾けながら連続的に異なった断面を描出する動作である。ロッキングは同じ断面をロッキングチェアのように動かす動作である（図3）。

　救急外来ではプローブの保守・管理はずさんになりやすく，損傷の原因となる。プローブの損傷でもっとも多いのは，カートの車輪でプローブのコードを轢くことで，コードが地面に垂れ下がらないように配慮する。またプローブを落下させないように取り扱い，検査終了後はエコージェルをしっかり拭き取り，所定の場所に戻すよう

3 装置本体の取り扱いと画像の適正化

　超音波検査にはいくつかの撮像モードがあり，目的に応じて使い分ける。BモードのBは"brightness"のことで，いわゆる白黒の断面像を指す。MモードのMは"motion"のことで，Bモードで断面像を描出し，時系列で表示したいラインにカーソルを設定し，縦軸を深さ，横軸を時間として経時的な変化を表示する。ドプラモードは，ドプラ効果を利用して血流の流速を測定するために利用される。ドプラモードにはカラードプラ法，パルスドプラ法，連続波ドプラ法がある。

　検査開始時には，心臓，肺，腹部，血管といったプリセットを選択できるようになっている。検査項目に応じた適切な初期設定が行われているので，可能であればプリセットを選択したほうがよい。とくに肺では，超音波装置の設定がアーチファクトの一種であるBラインの形態に大きく影響を及ぼすので，Bラインを診断に活用する際には肺の設定を選ぶよう心がける。もし肺のプリセットがなければ，空間コンパウンドイメージング（超音波ビームを双方向に送受信して重ね合わせる画像処理技術）をオフとし，フォーカスは胸膜の高さに近づけるようにする[2]。

　検査中は，関心領域が適度な大きさに表示されるように深度を調整する。ゲインは受信情報の増幅を調整する機能で，低すぎると画面が暗くなり，高すぎると白くなるので，ゲインで画面全体の輝度を調整する。フォーカスの位置は方位分解能がもっともよいため，可能であれば関心領域に合わせる。ただし，最近のポータブル装置にはフォーカスを調整する機能がない（必要がない）ものがある。

　至適な画像が取得できれば画面をフリーズし，必要に応じてフリーズ直前の動画を再生するシネ操作で最適な画面を選択し，静止画を保存する。ベッドサイドでは画像の記録はおろそかにされがちであるが，医療情報として必ず残すべきである。診療報酬の請求上も画像の保存は必須である。最近の超音波装置は静止画・動画の保存と管理は行いやすい。

4 アーチファクト

　超音波検査では，特有のアーチファクト（虚像）が多く存在する。超音波検査を適切に実施し，画像を正確に解釈するためにはアーチファクトへの理解が不可欠である。ここでは救急科専門医がPOCUSを行ううえで知っておくべきアーチファクトについて，胸部画像を例にして解説する。

1）音響陰影

　音響インピーダンスが高い結石や骨など強い反射体の表面の後方や，音響インピーダンスが非常に低い空気を含む気管の後方，減衰の強い腫瘤の後方に生じる，輝度が減弱もしくは消失した領域を指す（図4）。

2）多重反射

　超音波装置で判断できるのは，パルス波の送受信の方向と，送信してから受信するまでの時間であるため，下記のような2種類の多重反射が生じる。一つは送信されたパルス波が反射体とプローブとの間を何度も往復することで生じる現象で，反射体までの距離に相当する間隔で複数のラインが生じる。代表として胸部で観察されるAラインがある。もう一つは，体内の限られた空間でパルス波が反射を繰り返すことで生じる現象で，臓側胸膜直下の液体貯留や炎症性変化部で生じるBラインがある（図4）。

3）鏡面像（ミラーイメージ）

　鏡面像は多重反射と同様，パルス波の送受信方向と時間で判断する超音波装置が表示する虚像である。強い反射体の浅部にある像が，その反射体の深部に反転した形で表示される。代表的なものに，横隔膜の頭側にみられる肝の鏡面像がある（図5）。

5 医療安全

　一般的に超音波検査は安全性が非常に高く，臨床で利用される範囲では有害事象の報告はない。しかし，その強さによっては生体への影響が生じる可能性があることを念頭に置く。超音波には安全性の指標としてmechanical index（MI）とthermal index（TI）がある。MIは超音波が生体に及ぼす機械的作用，TIは熱的作用に関する値である。超音波検査の実施に際し，ALARA（as low as reasonably achievable）の原則があり，検査が十分に行える範囲の最小出力で，可能なかぎり短時間で行うことが推奨されている。なお，眼球ではほかよりも

7 超音波検査の基本

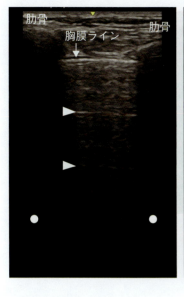
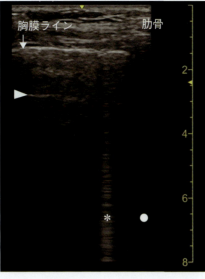
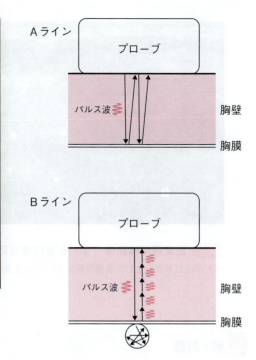

図4 胸部で観察されるアーチファクト（音響陰影と多重反射）
白丸印は音響陰影，矢頭はAライン，＊はBラインを示す。胸膜ラインでは壁側胸膜に対する臓側胸膜の動き（lung sliding）が観察される。模式図としてAラインとBライン発生のメカニズムを示す

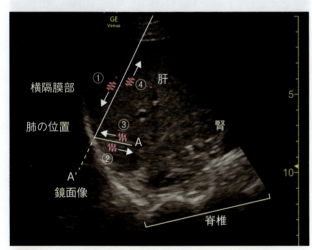

図5 胸部で観察されるアーチファクト（鏡面像）
鏡面像を直観的に理解するために簡略化して説明する。パルス波が①から④の順に進むと，Aの情報はA'から得られたと判断されるので，Aの鏡面像がA'として表示される。つまり肝の鏡面像が横隔膜の頭側に表示される

MIとTI値が厳しく規定され[3]，適応機種が限られることに留意すべきである。

感染対策として，検査終了後ごとにプローブに付着したエコージェルを拭き取り，血液が付着した場合の消毒は各施設の方針に沿って確実に実施する。前述したとおり，消毒液の選択に注意する。

領域別活用法

1 上気道

気管挿管の確認には，身体所見に加え，波形表示のある呼気CO_2モニターを用いることが推奨されているが，もし使用できない場合には上気道の超音波検査が代用となる[4]。気管と食道の観察にはリニアプローブが適している。気管チューブの位置確認は，頸切痕より少し頭側の横断面で評価する。プローブを正中から左側に少しスライドすると，通常は気管の左背側に食道の横断面が描出される。一般に気管挿管の確認は食道内にチューブがないことをもって判断するが，気管内のチューブの動きやカフで気管が広がる様子，チューブの二重線で確認する方法もある。一方，食道挿管の場合には，気管と同様に食道内に音響陰影が描出され，これをdouble tract signと呼ぶ（図6）[5,6]。

超音波検査では呼気CO_2モニターと違い，確認のために換気を必要としない。ただし，頸部に皮下気腫があれば描出は困難となる。前向き研究のメタ解析[7]によると，感度99％，特異度97％と高い精度が示されており，基本手技として習得する意義がある。

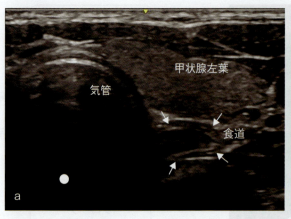 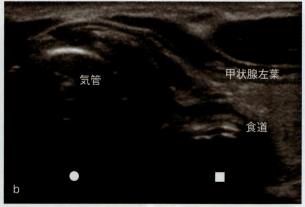

図6 正常頸部横断像（a）と食道挿管時のdouble tract sign（b）
白丸印は気管から生じた音響陰影，白四角は食道内のチューブから生じた音響陰影

〔bは文献6）より引用〕

2 肺・胸腔

　救急領域のPOCUSでは，主に気胸，肺水腫，肺炎，血胸・胸水の評価が行われ，病態や状況に合わせてプローブを使い分ける。鎖骨中線に沿って上位肋間にプローブを当て，まず頭側と尾側の肋骨（肋軟骨）を同定する。肋骨表面では超音波がほとんど反射し，後方に音響陰影が生じるが，肋軟骨では超音波は透過する。肋骨を同定後，そのやや深側に位置する壁側胸膜と臓側胸膜が接する高輝度線状像を同定する。この線状像は胸膜ラインと呼ばれる。胸膜ライン上では呼吸性に壁側胸膜に対する臓側胸膜の動き，つまり胸壁に対する肺の動きが観察され，lung slidingと呼ばれる（図4）。

1）気　胸

　気胸の評価ではリニアプローブかコンベックスプローブを用いる。気胸のある部位ではlung slidingが観察されない。ただし，lung slidingは胸膜の癒着，肺の気腫性変化，片肺挿管でも消失する。Lung slidingがあれば観察部位に気胸がないと断定できる。Lung slidingがない場合は，心拍動が肺の表面まで伝播するlung pulseと，臓側胸膜直下から生じるアーチファクトのBラインの有無をチェックする。いずれかの所見があれば，通常は肺が胸壁に接していると解釈できる。また，中等度以下の気胸では，臓側胸膜が壁側胸膜と接している部分と接していない部分の境界が呼吸性に動く様子が観察される。これはlung pointと呼ばれ，特異度の高い所見である[8]。メタ解析によると，超音波検査による外傷性気胸の診断精度は，感度81%，特異度98%であり，臥位X線よりも感度は高い[9]。

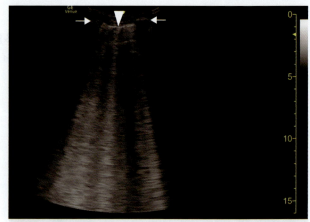

図7 心原性肺水腫で観察される多発Bライン
矢印は肋骨，矢頭は胸膜ライン

2）肺水腫

　肺水腫の評価では各種プローブが利用できる。臓側胸膜直下から生じるアーチファクトであるBラインの数を半定量化し，その分布を評価する。Bラインは健常者でも背側を中心に少し観察される。肺水腫におけるBライン発生の機序は，臓側胸膜直下の間質や実質に貯留した液体内で生じる多重反射に起因すると考えられている[10)11]。体幹の長軸方向にプローブを当て，1肋間に3本以上のBラインがあれば，多発Bラインと呼ばれる。心原性肺水腫では多発Bラインが両側で広範に観察される（図7）。なお，多発Bラインは肺水腫に特異的な所見ではなく，細菌性・ウイルス性肺炎，間質性肺炎や肺線維症でも観察されるので，ほかの臨床所見と併せて解釈する。

3）肺　炎

肺炎の評価ではリニアプローブかコンベックスプローブを用いる。細菌性肺炎では，胸膜直下に生じた consolidation をとらえることができる[12]。また，その周囲にBラインも観察できる。ウイルス性肺炎では多発Bラインが主な所見となるが，COIVD-19関連の肺炎では重症化すると consolidation も下葉中心に観察される[13]。

4）血胸・胸水

血胸や胸水の評価では，背側の肋間にプローブを当て，横隔膜の頭側を観察する。正常では，横隔膜の頭側に肝の鏡面像が描出される。血胸・胸水ではエコーフリースペースに加え，その深部で脊椎像が描出され，spine sign（図8）と呼ばれる[14]。

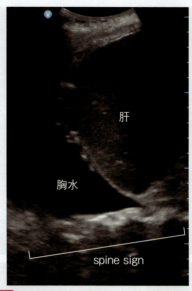

図8　右胸水の超音波像
胸水の深部にも脊椎像が描出される（spine sign）

3　心　臓

心エコー検査を専門にしない臨床医が行う focused cardiac ultrasound（FoCUS）が体系化されている[15)16)]。FoCUS ではセクタプローブを用いて，①傍胸骨左縁長軸断面，②傍胸骨左縁短軸断面（乳頭筋レベル），③心尖部四腔断面，④心窩部四腔断面，⑤心窩部下大静脈断面を観察する。心電図の併用やドプラ法は必須ではなく，主に目測で評価される。FoCUS では手法が簡便化されているが，ショックや呼吸困難の迅速評価として有用性が高い[16)17)]。以下，主要項目である左室収縮能，右室拡大，心嚢液・心タンポナーデ，循環血液量減少について概説する。

1）左室収縮能

左室収縮能は目測で評価される。一定のトレーニングを受ければ，カテゴリー別（過収縮，正常，軽度低下，高度低下）に判断できる[18]。複数の断面で心内膜の左室中心への移動と心筋壁厚の増加に着目する。また，傍胸骨左縁長軸断面で僧帽弁前尖と心室中隔の最短距離にも注目する。急性非代償性心不全は，慢性的な左室拡大を伴う収縮能低下例の急性増悪で生じる場合が多い。一方，ショックを呈する重症の急性心筋梗塞や急性心筋炎では，左室拡大を伴わない左室収縮能低下となる。循環血液量減少性ショックや敗血症性ショックの早期では，左室は過収縮となる。なお，急性僧帽弁閉鎖不全症でも過収縮になり得るので注意する。

2）右室拡大

正常では右室の大きさは左室の2/3程度であるが，拡張末期の右室の大きさが左室以上であれば，右室拡大と判断する。傍胸骨左縁短軸断面では中隔の形態を評価しやすく，右室の圧負荷が強くなると，心室中隔は左室側へ圧排され左室がD型になる。右室拡大をきたす急性疾患の代表には急性肺血栓塞栓症がある。必ずしも右室拡大を生じるとは限らないが，ショックを呈する急性肺血栓塞栓症では明らかな右室拡大が観察される。ショックで右室拡大がなければ，肺血栓塞栓症の可能性は非常に低い[19]。なお，右室梗塞，原発性肺高血圧症，容量負荷となる心房中隔欠損症でも右室は拡大することに留意する。

3）心嚢液・心タンポナーデ

急に心嚢液が貯留すると少量でも心タンポナーデになり得るため，超音波検査で少量の心嚢液を同定する技量が求められる。FAST（focused assessment with sonography for trauma）ではバイタルサインと身体所見を加味して心タンポナーデが判断される[20]。FoCUS では特異度の高い拡張期右室虚脱所見や，下大静脈の拡張と呼吸性変動低下を加えるとよい。

4）循環血液量減少

循環血液量減少は下大静脈径と左室収縮で判断する。循環血液量が減少すると下大静脈径は小さくなるが，下大静脈径を規定する因子はほかに心機能，呼吸，心拍，腹圧もあることを念頭に置く。慢性的な左室収縮能低下がなければ，循環血液量減少が高度であれば左室は過収縮となる。

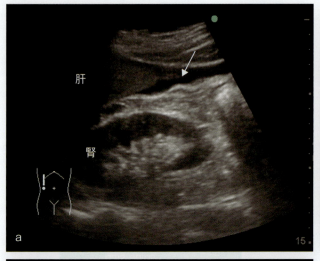
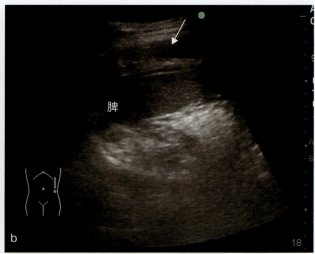
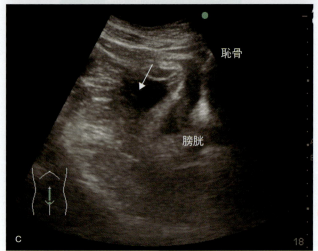

図9 脾破裂による腹腔内出血の超音波像
Morrison窩から肝下端（a），脾周囲（b），膀胱頭側（c）に液体貯留像（矢印）を認める

4 腹 部

1）腹腔内出血

腹腔内出血の場合，右上腹部ではMorrison窩，左上腹部では脾周囲，下腹部では膀胱周囲を観察し，エコーフリースペースの有無を確認する（図9）。左上腹部では脾と腎の間に加え，横隔膜と脾の間にも注目する。メタ解析によるとFASTは感度74%，特異度98%と特異度が高い[21]。内因性の腹腔内出血に関する検討は限られているが，異所性妊娠で有用性が示されている[22]。

2）腹部大動脈瘤（破裂）

腹部大動脈の観察は，横隔膜直下から総腸骨動脈分岐部まで，主に短軸断面で行う（図10）。POCUSによる腹部大動脈瘤（破裂）の診断精度は非常に高く，メタ解析によると感度99%，特異度98%と報告され[23]，迅速に存在診断を行う価値は高い。破裂の場合は必ずしも破裂部位や血管外の出血を特定する必要はなく，病歴と身体所見と併せて判断する。

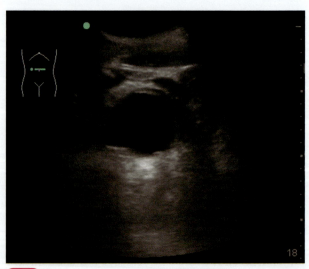

図10 腹部大動脈瘤切迫破裂の超音波像

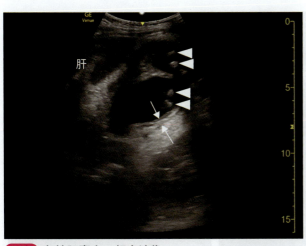

図11 急性胆嚢炎の超音波像
緊満した胆嚢腫大，浮腫性の壁肥厚（矢印），複数の胆石（矢頭）を認め，sonographic Murphy's sign も陽性であった

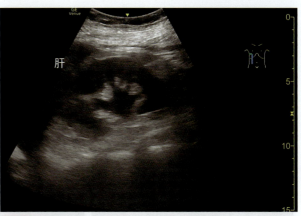

図12 尿管結石による右水腎症の超音波像
腎盂および腎杯の拡張を認める

3）急性胆嚢炎

胆嚢は右肋骨弓下と肋間から描出する。急性胆嚢炎の超音波所見には，胆嚢腫大，胆嚢壁肥厚，胆嚢周囲液体貯留がある（図11）。胆嚢を観察しながらプローブで圧迫すると痛みが誘発される sonographic Murphy's sign は特異度が高い[24]。救急医による急性胆嚢炎の診断精度は感度87％，特異度82％であり，画像診断の専門家と比較しても同等の精度であるという報告がある[25]。

4）尿管結石（水腎症）

水腎症の評価では，腎の長軸最大断面だけでなく，傾け操作で腎全体を観察する（図12）。また，患側と健側の比較で軽度の水腎症を認識しやすくなる。救急診療の場面では，水腎症の原因として尿管結石が多い。時に閉塞性水腎症が敗血症性ショックの原因になるため早期診断が求められる。救急部門における腎結石症（尿管結石症）の初期診断に関し，先行して救急医による POCUS，放射線科医による超音波検査，CT検査の3群に割り付けた検討では，POCUS，超音波検査を行った群ではリスクを上昇させることなく，被ばくを減じたと報告されている[26]。

5 下肢静脈

急性肺血栓塞栓症の約90％は下肢深部静脈血栓が原因といわれている。「救急 point-of-care 超音波診療指針」[1]では，迅速性と簡便性から総大腿静脈と膝窩静脈を観察する2 region US を推奨している。近位下肢の深部静脈血栓症は，一般に総大腿静脈と膝窩静脈のいずれかと連続するかたちで分布するからである。しかし，大腿静脈に血栓が孤発する症例も報告されているので留意する[27]。基本的にはプローブによる圧縮の有無で血栓の存在を確かめる（図13）。新しい血栓は過度の圧迫により血栓が遊離するリスクがあるので注意する。

下肢深部静脈血栓の検出は急性肺血栓塞栓症の診断に際しても有効であり，血栓が検出されれば肺血栓塞栓症の可能性が非常に高くなる[28]。

6 血管穿刺

中心静脈カテーテル挿入において，超音波ガイド下内頸静脈穿刺はランドマーク法と比較して，成功率の向上，穿刺回数の減少，手技時間の短縮，合併症の減少に寄与し，標準的な手法として確立している[29]。鎖骨下静脈（腋窩静脈）と大腿静脈穿刺においても超音波ガイド下による穿刺の安全性・有効性が示されている[30]。

末梢静脈からの中心静脈カテーテルの挿入に際しても，超音波ガイド下に実施すれば適切な静脈や穿刺位置を選定し，合併症の回避と患者の快適性の向上をもたらす。さらに，末梢静脈路の確保が困難な場合，超音波ガイド下に穿刺することで，穿刺回数と所要時間を減らすことができ，不要な中心静脈カテーテル挿入を回避することができる[31]。

必要に応じて動脈穿刺も超音波ガイド下で実施するとよい。橈骨動脈カテーテル挿入において，超音波ガイド下は触診と比較して初回成功率が高い[32]。REBOA やECMO の施行に際して，大腿動脈触知が困難な場合には超音波ガイド下穿刺が有効である。

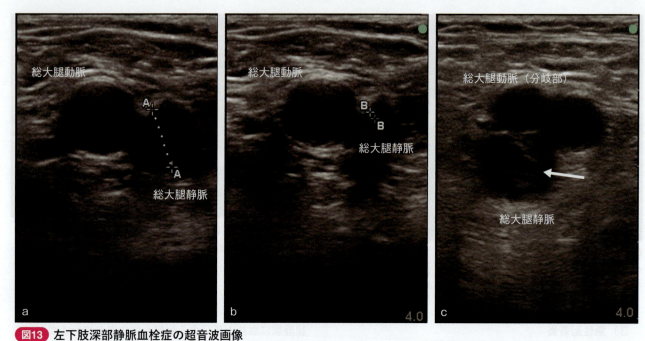

図13 左下肢深部静脈血栓症の超音波画像
右総大腿静脈は圧縮され（aは圧縮前，bは圧縮中），左総大腿静脈内に血栓像を認める（c，矢印）

領域横断的活用法

1 FAST・EFAST

　FAST は外傷初期診療における必須手技として確立し，心囊液（タンポナーデ），血胸，腹腔内出血の早期検出に利用される。FAST では後腹膜出血や実質臓器損傷は観察の対象とされない。近年は気胸の評価を加えた extended FAST（EFAST）が一般的になりつつある。FAST と EFAST の観察部位を図14に示す。FAST と EFAST では迅速性を優先してコンベックスプローブで全体の観察が行われることが多いが，時間的に猶予があり，プローブの切り替えに時間を要しなければ，必要に応じて心囊液の評価ではセクタプローブ，気胸の評価ではリニアプローブに切り替えてもよい。また，繰り返し行うことで診断精度を向上させ，モニタリングとしても有用である。

2 ショックと呼吸困難の評価

　ショックや呼吸困難の原因は多岐にわたり，POCUS を用いた領域横断的なアプローチが有効である。POCUS によるショックの分類に基づいた包括的評価法として RUSH（rapid ultrasound in shock）がある[33]。

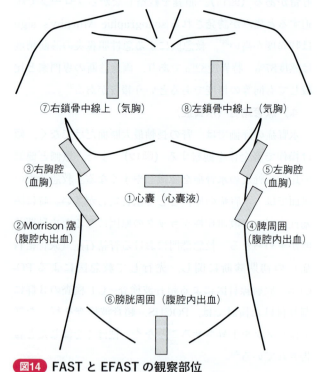

図14 FAST と EFAST の観察部位
FAST では①～⑥を，EFAST では①～⑧を観察する

RUSH は 3 つのパートで構成され，「ポンプ」は FoCUS のコンセプトで心臓を，「タンク」は循環血液量や血管からの漏れなどを，「パイプ」では大動脈と深部静脈を評価する（表1）。RUSH の要点は領域別 POCUS の所見を横断的に組み合わせて評価することにあり，従来の領域別系統的超音波検査にはなかったアプローチであ

表1 RUSH（rapid ultrasound in shock）における各種ショックの超音波所見

分類	循環血液量減少性	心原性	心外閉塞・拘束性	血液分布異常性
ポンプ	過収縮 内腔狭小化	低収縮 心拡大	過収縮 心嚢液貯留 心タンポナーデ 右室圧負荷 心内血栓	過収縮（早期敗血症） 低収縮（後期敗血症）
タンク	下大静脈（IVC）虚脱 内頸静脈虚脱 胸腔液体貯留（出血） 腹腔液体貯留（出血）	IVC拡張 内頸静脈拡張 多発Bライン（肺水腫） 胸腔液体貯留（胸水） 腹腔液体貯留（腹水）	IVC拡張 内頸静脈拡張 lung sliding なし（気胸）	IVC正常・縮小（早期敗血症） 胸腔液体貯留（膿胸） 腹腔液体貯留（腹膜炎）
パイプ	腹部大動脈瘤 大動脈解離		深部静脈血栓	

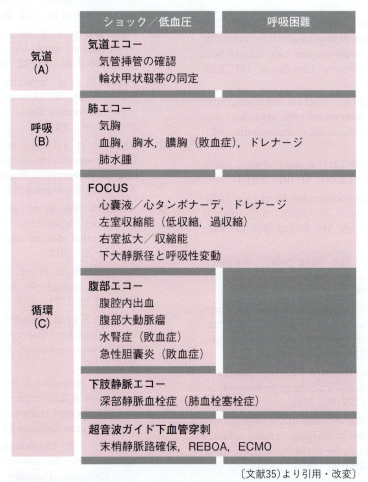

〔文献35）より引用・改変〕

図15 ABCアプローチに基づいたフレームワーク

る。領域横断的POCUSによるショックの分類や診断は，最終診断と一致率が高いことが示されている[34]。一方，呼吸困難で領域横断的POCUSを用いれば，診断精度を低下させずに診断に至る時間を大幅に短縮でき，とくに心原性肺水腫で有用性が高いと報告されている[17]。

実際にPOCUSを用いてショックや呼吸困難の診療を行うに際し，ABCアプローチに基づいたフレームワークを意識するとよい（図15）[35]。POCUSで評価できる気胸，血胸，心タンポナーデ，急性左心不全，急性肺血栓塞栓症などは，ショックと呼吸困難双方の原因になることから，POCUSもABCアプローチに沿った活用が実践的である。ABCアプローチに基づいたフレームワー

クは，診断推論に基づいて使い分けるとよい．可能性の高い疾患や鑑別疾患が事前にあがれば，必要な領域のPOCUSを選択する．疾患の絞り込みが難しければ，ABCの順にプロトコルとして活用する．

▶文 献

1) 日本救急医学会 Point-of-Care 超音波推進委員会：日本救急医学会 救急 point-of-care 超音波診療指針．日救急医会誌 33：338-83，2022．
2) Kameda T, et al：The mechanisms underlying vertical artifacts in lung ultrasound and their proper utilization for the evaluation of cardiogenic pulmonary edema. Diagnostics（Basel）12：252，2022．
3) 日本超音波医学会機器及び安全に関する委員会（訳）：診断用超音波の安全な使用．公益社団法人日本超音波医学会，2016．
4) Berg KM, et al：Adult advanced life support：2020 International consensus on cardiopulmonary resuscitation and emergency cardiovascular care science with treatment recommendations. Circulation 142：S92-S139，2020．
5) Chou HC, et al：Real-time tracheal ultrasonography for confirmation of endotracheal tube placement during cardiopulmonary resuscitation. Resuscitation 84：1708-12，2013．
6) 亀田徹，他：急性期診療における point-of-care ultrasonography．日救急医会誌 26：91-104，2015．
7) Gottlieb M, et al：Ultrasonography for the confirmation of endotracheal tube intubation：A systematic review and meta-analysis. Ann Emerg Med 72：627-36，2018．
8) Lichtenstein D, et al：The "lung point"：An ultrasound sign specific to pneumothorax. Intensive Care Med 26：1434-40，2000．
9) Staub LJ, et al：Chest ultrasonography for the emergency diagnosis of traumatic pneumothorax and haemothorax：A systematic review and meta-analysis. Injury 49：457-66，2018．
10) Volpicelli G, et al：International evidence-based recommendations for point-of-care lung ultrasound. Intensive Care Med 38：577-91，2012．
11) Kameda T, et al：Simple experimental models for elucidating the mechanism underlying vertical artifacts in lung ultrasound：Tools for revisiting B-lines. Ultrasound Med Biol. 47：3543-55，2021．
12) Kameda T, et al：Point-of-care lung ultrasound for the assessment of pneumonia：A narrative review in the COVID-19 era. J Med Ultrason 48：31-43，2021．
13) Soldati G, et al：Is there a role for lung ultrasound during the COVID-19 pandemic? J Ultrasound Med 39：1459-62，2020．
14) Dickman E, et al：Extension of the thoracic spine sign：A new sonographic marker of pleural effusion. J Ultrasound Med 34：1555-61，2015．
15) Spencer KT, et al：Focused cardiac ultrasound：Recommendations from the American Society of Echocardiography. J Am Soc Echocardiogr 26：567-81，2013．
16) Via G, et al：International evidence-based recommendations for focused cardiac ultrasound. J Am Soc Echocardiogr 27：683. e1-33，2014．
17) Zanobetti M, et al：Point-of-care ultrasonography for evaluation of acute dyspnea in the ED. Chest 151：1295-301，2017．
18) Moore CL, et al：Determination of left ventricular function by emergency physician echocardiography of hypotensive patients. Acad Emerg Med 9：186-93，2002．
19) Konstantinides SV, et al：2019 ESC Guidelines for the diagnosis and management of acute pulmonary embolism developed in collaboration with the European Respiratory Society. Eur Heart J 41：543-603，2020．
20) 日本外傷学会，他（監）：外傷初期診療ガイドライン JATEC™．改訂第6版，へるす出版，2021．
21) Netherton S, et al：Diagnostic accuracy of eFAST in the trauma patient：A systematic review and meta-analysis. CJEM 21：727-38，2019．
22) Stone BS, et al：Impact of point-of-care ultrasound on treatment time for ectopic pregnancy. Am J Emerg Med 49：226-32，2021．
23) Rubano E, et al：Systematic review：Emergency department bedside ultrasonography for diagnosing suspected abdominal aortic aneurysm. Acad Emerg Med 20：128-38，2013．
24) Soyer P, et al：Color velocity imaging and power Doppler sonography of the gallbladder wall：A new look at sonographic diagnosis of acute cholecystitis. AJR Am J Roentgenol 171：183-8，1998．
25) Summers SM, et al：A prospective evaluation of emergency department bedside ultrasonography for the detection of acute cholecystitis. Ann Emerg Med 56：114-22，2010．
26) Smith-Bindman R, et al：Ultrasonography versus computed tomography for suspected nephrolithiasis. N Engl J Med 371：1100-10，2014．
27) Adhikari S, et al：Isolated deep venous thrombosis：Implications for 2-point compression ultrasonography of the lower extremity. Ann Emerg Med 66：262-6，2015．
28) Da Costa Rodrigues J, et al：Diagnostic characteristics of lower limb venous compression ultrasonography in suspected pulmonary embolism：A meta-analysis. J Thromb Haemost 14：1765-72，2016．
29) Brass P, et al：Ultrasound guidance versus anatomical landmarks for internal jugular vein catheterization. Cochrane Database Syst Rev 1：CD006962，2015．
30) Brass P, et al：Ultrasound guidance versus anatomical landmarks for subclavian or femoral vein catheterization. Cochrane Database Syst Rev 1：CD011447，2015．
31) Blanco P：Ultrasound-guided peripheral venous cannulation in critically ill patients：A practical guideline. Ultrasound J 11：27，2019．
32) Pacha MH, et al：Ultrasound-guided versus palpation-guided radial artery catheterization in adult population：A systematic review and meta-analysis of

randomized controlled trials. Am Heart J 204：1-8, 2018.
33) Perera P, et al：The RUSH exam：Rapid Ultrasound in SHock in the evaluation of the critically Ill. Emerg Med Clin North Am 28：29-56, 2010.
34) Shokoohi H, et al：Bedside ultrasound reduces diagnostic uncertainty and guides resuscitation in patients with undifferentiated hypotension. Crit Care Med 43：2562-9, 2015.
35) Kameda T, et al：Basic point-of-care ultrasound framework based on the airway, breathing, and circulation approach for the initial management of shock and dyspnea. Acute Med Surg 7：e481, 2020.

IV 初期診療と鑑別診断

8 救急薬剤使用の基本

髙橋 仁

薬理学の基本的知識

薬理学とは，薬物が投与された後に吸収などを経て作用部位に到達し，作用部位で生体の機能に反応（薬理作用）を起こしたのち，代謝・排泄される，その過程を取り扱う学問である[1]。薬理学は主に，薬力学（pharmacodynamics；PD）と薬物動態学（pharmacokinetics；PK）に分けられる。

1 薬力学

薬力学とは，作用部位に達した薬物がどのように生体に薬理作用を発現するかを扱う学問である。薬物は，作用部位に到達したのち，薬物受容体に結合し受容体を活性化させ，受容体から情報伝達因子が発生し，生体に薬理作用を及ぼす。生体の反応（薬理作用）は，作用部位での薬物濃度に大きく左右され，その関係は用量（濃度）-反応曲線で表される（図1）。

用量は現れる薬理作用により，無効量，有効量，中毒量，致死量に分類され，集団の半分に主作用が現れる用量を「50％有効量（50％ effective dose；ED_{50}）」，集団の半分に致死作用が現れる用量を「50％致死量（50％ lethal dose；LD_{50}）」という。LD_{50}/ED_{50}を安全域（治療係数）といい，安全域が大きければLD_{50}とED_{50}の差が大きいことを示しており，安全性が高いといえる。

薬物のなかで，生理活性物質（内因性リガンド）と同様に，薬物受容体に結合し受容体を活性化させ情報伝達因子を発生させるものを「作動薬（アゴニスト）」といい，生理活性物質と同等の効果がある「完全作動薬」と，活性化させるものの生理活性物質と比較し弱い効果がある「部分作動薬」がある（図2）。逆に薬物受容体に結合して不活性化し，情報伝達因子の発生を低下させるものを「逆作動薬（インバースアゴニスト，逆アゴニスト）」という。さらに，薬物受容体に結合し，生理活性物質や作動薬の受容体への結合を阻害する薬剤を「拮抗薬（アンタゴニスト）」といい，可逆的な結合である「競合的拮抗薬」と，不可逆的な結合である「非競合的拮抗薬」がある。

競合的拮抗薬の存在下では，作動薬の用量を上げていくと作動薬と拮抗薬が競合し，拮抗薬が受容体から追い出され，作動薬が十分な用量に達すると作動薬がほぼすべての受容体に結合する。そのため，競合的拮抗薬の存在は作動薬の用量-反応曲線を右側（薬物の高濃度側）

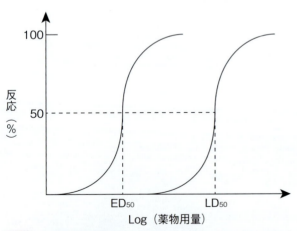

図1 用量-反応曲線と，50％有効量（ED_{50}）および50％致死量（LD_{50}）

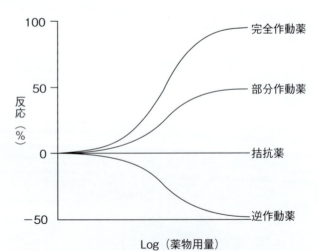

図2 作動薬，逆作動薬，拮抗薬の用量-反応曲線

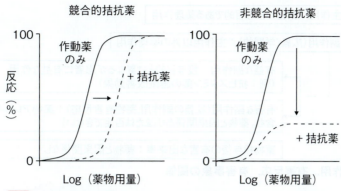

図3 競合的拮抗薬と非競合的拮抗薬の存在下の作動薬の用量-反応曲線

へ並行移動させるが，最大反応の大きさには影響はない（図3）。一方，非競合拮抗薬の存在下では，作動薬の用量を増やしても競合は起こらないため，作動薬の結合できる受容体は限られ，用量が十分でも作動薬がすべての受容体に結合できない。そのため作動薬の用量-反応曲線は最大反応が低下する。

2 薬物動態学

投与された薬物は血管外から全身循環に移行（吸収）し，全身循環から全身の組織へ移行（分布）して生体内で代謝され，体外に排泄される。この過程を薬物動態という。

1）吸 収

血管外に投与された薬物が全身循環に移行する過程を吸収という。投与経路により投与後の血中薬物濃度の推移が異なる。経口はもっとも自然な投与方法で，簡便，自己管理が可能，安全，感染リスクが低いなどの利点があるが，消化管の環境要因（胃内pH，胃内容排出速度や小腸停滞時間など）や，初回通過効果の影響を受ける。経口投与された薬物は，消化管で吸収され門脈に入り，その一部は肝で代謝・排泄される。この薬物が吸収されてから全身循環血中に移行する前に肝を通過することで起こる一部の薬物の消失を初回通過効果という。

静脈内投与は，直接血管内に投与され，吸収の過程がないため，速やかに効果発現が得られ，もっとも確実な投与方法である。一方で急速な濃度上昇からの副作用のリスク，疼痛，感染のリスク，自己管理困難などの欠点がある。筋肉・皮下への注射は近接する血管から吸収され全身への血流に移行し，初回通過効果の影響を受けない。

直腸からの投与は，門脈系を経由しないため初回通過効果の影響を受けにくいことが特徴であり，経口摂取が困難な乳幼児などに利用できる。血管外投与された薬物のうち，全身循環血中に入る割合をbioavailabilityという。

2）分 布

薬物が全身循環血中から体内の組織へ移行する過程を分布という。薬物の分布にもっとも影響する因子は，血漿蛋白質との結合である。血漿中の薬物は蛋白質と結合している結合型と，結合していない非結合型（もしくは遊離型）がある。血管外に移動し組織に移行できるのは非結合型のみであるため，薬物の血漿蛋白質との結合性や血漿蛋白濃度は分布の重要な要素である。そのほかに影響する因子は，毛細血管壁の構造（透過しにくい連続内皮構造，中間の有窓内皮構造，透過しやすい不連続内皮構造がある），組織への血流量，薬物の物理性化学的な性質（分子量，脂溶性）などがある。

3）代 謝

代謝とは，薬物が薬物代謝酵素により体外に排泄されやすい化合物に変化することである。全身のほとんどの組織で行われるが，主に行われるのは肝であり，主な代謝酵素はシトクロムP450である。代謝能に影響する因子として，薬物投与（同じ酵素により代謝される薬物同士の競合的代謝阻害など），遺伝子要因，人種，年齢（新生児・乳児は代謝能が未発達，高齢者は低下），疾患（肝障害など），生活習慣，食事などがある。

4）排 泄

薬物が体外に排出されることを排泄といい，主な排泄経路は腎排泄，胆汁排泄である。薬物の腎排泄は，腎糸球体濾過，尿細管分泌，尿細管再吸収という3つの経過を経て尿中に排泄される。

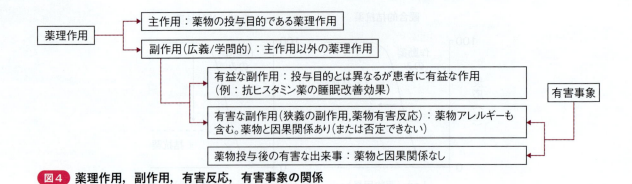

図4 薬理作用，副作用，有害反応，有害事象の関係

3 副作用，有害反応，有害事象

　薬物の投与目的である薬理作用を主作用，主作用以外の薬理作用を副作用という。副作用は主に，薬物が主作用とは異なる薬物受容体に結合することにより起こる。この副作用の定義は薬理学的なものであり，薬事法で定められた患者にとっての有害な副作用（薬物有害反応，狭義の副作用）とは異なる。実際の臨床では，薬物によって起こったものかどうか因果関係が不明であることも多いため，薬物との因果関係は問わず薬物投与後にみられたすべての有害な事象は有害事象とされる（図4）。

4 薬物相互作用

　薬物相互作用とは，併用薬や食事，生活習慣（喫煙，飲酒など）により，薬物動態や薬物の効果・副作用に影響が及ぶことである。発現機序により薬力学的相互作用と薬物動態学的相互作用に分けられる。

1) 薬力学的相互作用

　薬力学的相互作用は，血中薬物濃度は変化しないが，併用薬が作用部位で作用の協力（協力作用）や拮抗（拮抗作用）を起こし，薬効が増強もしくは減弱することである。協力作用には2種類あり，①併用効果が併用薬をそれぞれ単独投与した場合の効果の和として現れる相加作用（薬理反応＝A薬の薬理反応＋B薬の薬理反応）と，②併用効果が併用薬をそれぞれ単独投与した場合の効果の和よりも強く現れる相乗作用（薬理反応＞A薬の薬理反応＋B薬の薬理反応）がある。協力作用の例としては，アルコールとベンゾジアゼピン系薬剤を併用した薬物中毒の際に，GABA受容体への結合促進から中枢神経抑制作用の増強が現れる。また，拮抗作用の例としては，μ受容体に対するモルヒネ系薬剤とペンタゾシンの併用によりモルヒネ系薬物の作用減弱が起こる。

表1 薬物動態学的相互作用における薬物動態の各過程の変化

吸収	胃内容排出速度の上昇・低下，胃内pHの上昇・低下，吸着，キレート形成，腸内細菌叢の変化
分布	血漿蛋白質との結合の変動による結合型・非結合型（遊離型）の割合の変化
代謝	シトクロムP450を含む代謝酵素の阻害と誘導
排泄	糸球体濾過量の低下，尿細管分泌の亢進・低下，尿細管再吸収の亢進・低下

2) 薬物動態学的相互作用

　薬物動態学的相互作用とは，ある薬物がほかの薬物の薬物動態の過程に影響を与え，血中濃度が変化することでもたらされる相互作用である。薬物動態学的相互作用における各過程での変化を表1に示す。もっとも頻度が高いのは代謝の過程とされる。

　吸収での相互作用の例として，メトクロプラミドなどの胃腸機能調整薬による胃内容排出速度の上昇から小腸での吸収速度の上昇，制酸薬によるpH上昇から酸性物質の吸収量の減少，イオン交換樹脂や活性炭による薬物の吸着による吸収量の減少，抗菌薬による腸内細菌叢の変化から吸収量の減少，などがある。

　分布の過程での相互作用の機序は，ほかの薬物により血漿蛋白質との結合が変化し，薬物の結合型と非結合型（遊離型）の割合が変化することにより起こる。とくに蛋白結合率が高い薬物は，ほかの薬物が血漿蛋白に結合することにより，組織に移行しやすい非結合型（遊離型）が増え，相互作用が出現しやすい。代表的な薬物として，ワルファリン（蛋白結合率97％）やスルホニル尿素薬（蛋白結合率94〜99％）などがある。

　代謝の過程の相互作用は，代謝酵素（主にシトクロムP450）の阻害と誘導がある。酵素阻害の例として，グレープフルーツに含まれるフラノクマリン類がシトクロム

P450・3A4を阻害するため，シトクロム P450・3A4に代謝される薬物の代謝速度が落ち，それら薬物の血中濃度が上昇する．酵素誘導の例としては，フェニトイン，フェノバルビタールはさまざまな種類のシトクロム P450を誘導することにより代謝を促進し，血中濃度を低下させることが知られている．

排泄の過程での相互作用の機序は，主に糸球体濾過量の低下，尿細管分泌の亢進・低下，尿細管再吸収の亢進・低下である．具体的な例として，NSAIDsがプロスタグランジンの合成阻害をすることにより腎血管が収縮し，糸球体濾過量が低下して，薬物の尿中排泄量が低下する．尿のpHは尿細管での再吸収に影響を与える．急性薬物中毒でサリチル酸中毒の治療として尿のアルカリ化があるが，これは尿をアルカリ化することにより酸性薬物のサリチル酸のイオン化が進み，尿再吸収が抑制され尿中排泄度が上昇する．

表2	小児の薬物動態の特徴
吸収	胃内 pH 上昇，胃内容排出速度の低下などから吸収の遅延が起こる．皮膚はより多くの水分を含み角質層が薄いため，吸収量が多い
分布	新生児と乳児で体内の水分率が高く，水溶性の薬剤は分布容積が大きくなるため体重当たりの1回投与量が多い．体脂肪率が低く脂溶性の薬剤は分布容積が小さいため，効きやすい．血中アルブミン濃度が低いため，遊離型薬剤の割合が増加する
代謝	新生児と乳児で薬剤代謝酵素の活性が未熟のため代謝は低下している．一方で幼児から薬剤代謝が増加するため，体重当たりの投与量が成人よりも多い
排泄	新生児と乳児で，糸球体濾過量と尿管分泌能が低く，生後約12カ月で成人の値に近づく．腎排泄の薬剤は投与量や投与間隔の調整が必要

薬剤投与の基本

1 患者情報の収集

薬剤投与の前に，患者の既往歴，内服薬，アレルギー歴を聴取する．患者の内服歴や既往歴の把握にお薬手帳が役立つことがある．

2 投与経路の検討，投与時間

薬剤の投与経路は，経口，静脈内注射，筋肉・皮下注射，その他（直腸，気管支・肺，皮膚など）があり，前述したとおりそれぞれ長所・短所がある．救急診療では一般的に患者は重篤であり，しばしば経口摂取が困難であるため，また即時の薬効を確実に得るために，静脈内投与が行われることが多い．

一部の薬剤では，静脈内への急速投与により副作用が発現する場合があり注意が必要である．具体例として，カリウム製剤（急速投与で高カリウム血症により心停止のおそれ），バンコマイシン（急速投与でレッドマン症候群のおそれ），エリスロマイシン（急速投与で心室頻拍のおそれ）などがある．また昇圧薬，降圧薬などは，一定時間での投与が定められている．投与速度を遵守するため輸液ポンプやシリンジポンプを用いる．

3 投与後の副作用への対応

薬剤投与後は副作用の有無を慎重に観察する．副作用が疑われる症状が起こった場合は，点滴投与中であれば投与を中止する．バイタルサイン，身体所見を確認し，必要によりアナフィラキシーの対応を行う．

特定の背景を有する患者に対する薬剤使用

1 小児

小児は発育段階により薬物動態・薬力学や身体的特徴などが変化し，投与量・投与経路も変化する．そのため小児の薬剤投与では，小児を新生児，乳児，幼児，学童期・思春期と細かく分類し検討する．投与量は添付文書から決定するが，ガイドラインや文献などと投与量が異なる場合や，添付文書に小児の投与量が記載されていないこともある．そのような場合はガイドラインや文献などを吟味し，投与量を検討するとともに，事前に協議し施設の許可を得ておくことが望ましい．

小児の薬物動態の特徴を表2に示す．小児の薬物動態は年齢により異なるが，出生後に徐々に発達し幼児期以降に成人レベルに達するため，とくに新生児・乳児で注意が必要である．例として，新生児の薬剤代謝酵素の活性が未熟のため代謝が低下しており，注射薬の添加物であるベンジルアルコールが蓄積し，あえぎ症候群（呼吸促迫，代謝性アシドーシスなど）を起こすため注意が必

表3 妊娠週数ごとの医薬品使用による胎児への影響

妊娠週数	胎児への影響
受精前あるいは受精から2週間（妊娠3週末）まで	ごく少数の医薬品を除き，先天異常出現率は増加しない。妊娠3週末までに胎芽に与えられたダメージは胎芽死亡（流産）を引き起こす可能性はあるが，死亡しなければダメージは修復され先天異常は起こらない
妊娠4週以降7週末まで	主要な器官の形成期で，胎児は医薬品に対して感受性が高く，催奇形性が理論的には問題になり得る時期であるが，催奇形性が証明された医薬品は少ない
妊娠8週以降12週末まで	主要な器官の形成は終わるが，口蓋や性器などの形成はまだ続いており，先天異常を起こし得る医薬品がごく少数ある
妊娠13週以降出生まで	形態異常は引き起こさないが，胎児毒性（医薬品が経胎盤的に胎児に移行し，その体内での作用により生じる胎児機能障害）を引き起こす可能性のある医薬品がわずかにある。胎児毒性は主に妊娠後期での医薬品使用で起こる

〔文献3）を参考に作成〕

要である[2]。一方で代謝機能は幼児から増加するため，体重当たりの投与量が成人よりも多いことがある。

2 妊産婦

胎児の先天的な形態異常の発生は出生全体の2～3％で，そのうち薬剤が原因と推定されているのは2％以下といわれている[1]。一方，流産の自然発生率は約15％である。そのため，妊婦への薬剤投与の説明は，流産や形態異常の自然発生率を含めて行う。大原則として，母体の健康が胎児の健康に直結するため，母体の健康の維持のため薬剤投与のベネフィットがリスクを上回る場合，薬剤投与を行う。胎児への薬剤の影響として催奇形性と胎児毒性があり，妊娠の時期が重要である（表3）[3]。ヒトで催奇形性と胎児毒性が報告されている代表的な薬剤を表4[3]に示す。

わが国の添付文書では，いわゆる「有益性投与」（治療上の有益性が危険を上回ると判断される場合にのみ投与すること）が半数を占めるといわれている[4]。同じ有益性投与に分類される薬剤のなかに，催奇形性や胎児毒性が否定的な薬剤と，少なからず催奇形性や胎児毒性が存在する薬剤が混在するため，必要により成書やガイドラインを調べたり，専門科の医師，薬剤師と相談する必要がある。薬剤師では，日本病院薬剤師会が認定する妊婦・授乳婦専門薬剤師／妊婦・授乳婦薬物療法認定薬剤師という資格制度がある[5]。また，妊娠中や妊娠を希望する女性が妊娠・授乳中の薬剤治療に関して相談する手段として，厚生労働省事業の「妊娠と薬情報センター」がある[6]。

妊婦の薬物動態の変化として，循環血液血漿量が増加

表4 ヒトで催奇形性・胎児毒性が報告されている主な薬剤

- カルバマゼピン
- バルプロ酸ナトリウム
- フェニトイン
- フェノバルビタール
- ワルファリン
- アミノグリコシド系抗結核薬
- アンジオテンシン変換酵素阻害薬（ACE阻害薬）
- アンジオテンシンⅡ受容体拮抗薬（ARB）
- テトラサイクリン系抗菌薬
- NSAIDs

〔文献3）を参考に作成〕

し，血中蛋白濃度は低下する。そのため薬剤の全血中濃度がみかけ上は低下するが，薬剤が組織で作用する蛋白非結合型（遊離型）は低下しない。腎血流量が増加し，糸球体濾過量が上昇するため，腎排泄型の薬剤はクリアランスが増大するが，臨床上このために増量を検討する必要はない[4]。

3 授乳婦

母乳栄養には，感染症予防効果，認知能力発達効果，免疫修飾効果（インスリン依存性糖尿病，炎症性腸疾患，自己免疫性疾患の発生率が低い）などの利点があり，各国の小児科学会でも生後6カ月まで（できれば12カ月まで）は完全母乳栄養が推奨されている。また，ほとんどの薬剤で母乳栄養と薬剤加療が安全に継続できるため，母乳栄養や薬剤治療の中止を選択すべきではない。使用中は授乳の中止を検討する薬剤，あるいは授乳中の使用を慎重に検討すべき薬剤を表5[3]に示す。

表5 使用中は授乳中止を検討，あるいは授乳中の使用に際して慎重に検討すべき薬剤

使用中は授乳中止を検討
- 抗悪性腫瘍薬
- 放射性ヨードなど，治療目的の放射性物質
- アミオダロン（抗不整脈薬）

授乳中の使用に際して慎重に検討
- 抗てんかん薬（フェノバルビタール，エトスクシミド，プリミドン）
- 抗うつ薬（三環系抗うつ薬，選択的セロトニン再取り込み阻害薬）
- 炭酸リチウム
- 抗不安薬，鎮静薬（ジアゼパムなどベンゾジアゼピン系）
- 鎮痛薬（オピオイド，ペチジン）
- 抗甲状腺薬（チアマゾール，プロピルチオウラシル）
- 無機ヨード

〔文献3）を参考に作成〕

表6 高齢者の薬物動態・薬力学的特徴

薬物動態

吸収	胃内pH上昇，胃内容排出速度の低下，腸の蠕動運動低下などから吸収の遅延が起こる
分布	体内の脂肪量が増加するため，脂溶性の薬剤は蓄積され持続時間が長くなる。体内の水分は減少するため，水溶性薬剤は血中により多く分布し，血中濃度が上昇しやすい
代謝	肝血流低下などから代謝は低下する。肝代謝の薬剤は血中濃度が上昇しやすい
排泄	腎機能低下により腎排泄型の薬剤は血中濃度が上昇する

薬力学

加齢に伴い同じ血中濃度でも反応性が変化する
（例：β刺激薬やβ遮断薬は感受性低下，ベンゾジアゼピンなどの中枢神経抑制薬・抗コリン薬は感受性亢進）

4 高齢者

加齢により薬物動態と薬力学が変化するため，薬剤の副作用や相互作用が起こりやすい。実際に，急性期病院の入院症例では，高齢者の6〜15%に薬剤有害事象を認めたとのデータがある[7]。

高齢者の薬物動態と薬力学の変化を表6に示す。高齢者では吸収が遅延するため，救急外来などで迅速で予測可能な効果を得たいときは，静脈内投与が推奨される。代謝・排泄は加齢により低下し，血中濃度が上昇しやすいため，一般的には投与量の減量や投与間隔の延長が必要である。しかし救急外来では，低用量による治療の失敗を避けるため，治療域が十分な薬剤では，十分な量を投与する。

薬剤に関する法律・制度の基本的知識

1 救急初期診療で使用する薬剤の保管・管理などに関する法律

救急外来で使用する薬剤のうち，麻薬および向精神薬，筋弛緩薬，特定生物由来製品は，各法律により保管・管理方法が定められている。

1）麻薬および向精神薬

麻薬および向精神薬の施用・保管は，「麻薬及び向精神薬取締法」に基づく。麻薬の施用には麻薬施用者免許が必要である。麻薬の保管・管理は，麻薬管理者が行い，保管は「鍵をかけた堅固な設備内〔麻薬専用の固定した金庫又は容易に移動できない金庫（重量金庫）で，施錠設備のあるもの〕」と決められている[8]。麻薬の滅失，盗取，破損，流失などの事故が生じたときは，麻薬管理者が「麻薬事故届」により都道府県知事に届け出なければならない。また，麻薬を破棄する場合には，諸手続きの必要があり注意が必要である。

向精神薬の保管は，鍵をかけた設備内で行う[9]。滅失，盗取，破損，流失などの事故が生じたときは，「向精神薬事故届」により都道府県知事に届け出る。

2）筋弛緩薬

筋弛緩薬は毒薬に分類され，保管・管理は「医薬品，医療機器等の品質，有効性及び安全性の確保等に関する法律」（医薬品医療機器等法）に基づき，ほかのものと区別して施錠の保管・管理を行い，受払い簿などを作成し，帳簿と在庫現品を定期的に点検することが求められる[10]。

3）特定生物由来製品

特定生物由来製品とは，主にヒトの血液や組織に由来する原料を用いた製品で，具体的には輸血用血液やヒト血液凝固因子，ヒト免疫グロブリン，ヒト血清アルブミンなどの血液製剤などがある。その取り扱いは，医薬品医療機器等法に基づき，その使用に際しては，リスクとベネフィットを患者（またはその家族）に書類などを用いて説明し，理解を得るようにしなければならない。使

用後は製品名，製造番号（ロット番号），患者の氏名，住所，投与日などを記録したものを少なくとも20年間保管することが義務づけられている[11]。

2 医薬品添付文書

医薬品添付文書とは，効能または効果，組成・性状，用法および用量，警告，禁忌，特定の背景を有する患者に関する注意などが記載された，医薬品医療機器等法により定められた公的文書で，製造販売業者が作成する。ただし，医薬品添付文書での用法および用量，効能または効果などは，ガイドラインで推奨されているものと異なることがあり注意を要する。2019年4月から記載要領が改定され，「原則禁忌」「慎重投与」の廃止，「特定の背景を有する患者に関する注意」の新設（高齢者，小児，妊産婦・授乳婦がこの項に含まれる），項目の通し番号の設定などが行われ，2024年3月末までにすべての医薬品添付文書は新規要項に基づくものになる[12]。

3 副作用に関する制度

1）医薬品・医療機器等安全性情報報告制度

医薬品医療機器等法に基づき，医療品などの使用により副作用，感染症または不具合が発生した場合，厚生労働大臣〔報告窓口は医薬品医療機器総合機構（Pharmaceuticals and Medical Devices Agency；PMDA）〕に報告する制度であり，医薬関係者は報告を義務づけられている[13]。

2）医薬品副作用被害救済制度

医薬品副作用被害救済制度とは，医薬品を正しく使用したにもかかわらず，副作用により，入院が必要なほどの重い健康被害が起こった場合，日常生活が著しく制限される障害が残ったりした場合，死亡した場合に，医療費，障害年金や遺族年金などの給付を行う公的制度である[14]。医薬品は，病院・診療所から処方された医療用医薬品と，薬局などで購入した一般用医薬品も対象となる。健康被害を受けた本人（または遺族）などが，救済給付の請求をPMDAに行う。

同様に，生物由来製品感染等被害救済制度とは，輸血用血液製剤やワクチンなど生物由来製品を介した感染などにより，同様の被害が出た場合の制度である[15]。

▶文　献

1) 日本臨床薬理学会（編）：臨床薬理学，第4版，医学書院，2017．
2) Mazer-Amirshashi M, et al：Drug therapy for the pediatric patient. In：Rosen's Emergency Medicine：Concept and Clinical Practice, 9th ed, Elsevier, 2017, pp2218-23.
3) 日本産科婦人科学会，他（監）：産婦人科診療ガイドライン 産科編2023，日本産科婦人科学会，2023．
4) 伊藤真也，他（編）：薬物治療コンサルテーション；妊娠と授乳，改訂3版，南山堂，2020．
5) 日本病院薬剤師会：妊婦・授乳婦専門薬剤師部門/妊婦・授乳婦専門薬剤師の理念と目的．
https://www.jshp.or.jp/certified/nimpu.html
6) 国立成育医療研究センター：妊娠と薬情報センター．
https://www.ncchd.go.jp/kusuri/index.html
7) 日本老年医学会（編）：高齢者の安全な薬物療法ガイドライン2015．
https://minds.jcqhc.or.jp/docs/minds/drug-therapy-for-the-elderly/drug-therapy-for-the-elderly.pdf#view=FitV
8) 厚生労働省：病院・診療所における麻薬管理マニュアル，2011．
https://www.mhlw.go.jp/bunya/iyakuhin/yakubuturanyou/kanren-tuchi/mayaku/dl/H23-3.pdf
9) 厚生労働省：病院・診療所における向精神薬取り扱いの手引，2012．
https://www.mhlw.go.jp/bunya/iyakuhin/yakubuturanyou/dl/kouseishinyaku_01.pdf
10) 厚生労働省：毒物等の適正な保管管理等の徹底について（医薬発第418号，平成13年4月23日）．
https://www.mhlw.go.jp/houdou/0104/h0423-1.html
11) 厚生労働省：特定生物由来製品に係る使用の対象者への説明並びに特定生物由来製品に関する記録及び保存について（医薬発第0515012号，平成15年5月15日）．
12) 厚生労働省医薬・生活衛生局：医薬品・医療機器等安全性情報（No.344）；医療用医薬品の添付文書記載要領の改定について，2017．
https://www.pmda.go.jp/safety/info-services/drugs/calling-attention/safety-info/0157.html
13) 医薬品医療機器総合機構：医薬品医療機器法に基づく副作用・感染症・不具合報告（医療従事者向け）．
https://www.pmda.go.jp/safety/reports/hcp/pmd-act/0003.html
14) 医薬品医療機器総合機構：医薬品副作用被害救済制度に関する業務．
https://www.pmda.go.jp/relief-services/adr-sufferers/0001.html
15) 医薬品医療機器総合機構：生物由来製品感染等被害救済制度に関する業務．
https://www.pmda.go.jp/relief-services/infections/0001.html

Ⅳ 初期診療と鑑別診断

9 輸液療法の基本

須原　誠

　一般的な輸液療法の目的は，主に以下の3つである。
①体液管理：循環血液量の維持，水・電解質および酸・塩基平衡異常の是正
②栄養管理：エネルギー源，体構成成分（糖類・アミノ酸・脂質），ビタミン・微量元素などの補給
③血管確保，薬剤投与

　救急診療においては，さまざまな病態の患者において輸液の必要性を速やかに評価し，輸液療法を適切に行う必要があるが，この場合「体液管理」が主な目的となる。とくに循環動態などが不安定な患者に対しては早期に循環血漿の補充を行い，重要臓器や組織の循環を確保することが重要であり，これが救急初期輸液療法の基本概念である。

体液の組成と分布

1 細胞外液と細胞内液

　健常成人男性においては体重の60％が水分であり，細胞内液はおよそ40％，細胞外液はおよそ20％である。それらは半透膜である細胞膜によって仕切られており，浸透圧勾配によって移動することにより細胞膜内外の浸透圧を等しく保つようになっている。細胞外液は栄養素や酸素を細胞へ運搬し，老廃物や二酸化炭素を排出する役割を担っているが，細胞内液は細胞外液が減少したときに細胞外へ移動し，一種のリザーバとしての役割も考えられる。細胞外液は毛細血管を中心とした血管壁を介して血管内に存在する血漿（plasma）と血管外の間質液（interstitial fluid）に分類され，それぞれ体重の5％，15％という分布である。血漿と間質液の成分はほぼ同様であるが，唯一異なる点は血漿には蛋白質が存在するが，間質液にはほとんどないということである。血漿と間質液の間にある血管壁は，水や電解質を通すが，蛋白質（アルブミン）のような大きな分子を通しにくい性質をもっている。この結果，膠質浸透圧により血管内に水を引き込む圧が生じる。

　新生児・乳児では体重に占める水分量が多く，細胞内

表1　年齢ごとの体液分布の目安（体重比％）

区分	細胞内液	細胞外液	総水分量
新生児	40	40	80
乳児	40	30	70
小児	35	30	65
成人男子	40	20	60
成人女子	30	25	55
高齢者	30	25	55
肥満者	25	25	50

新生児，乳児は体重に占める水分量が多く，高齢者は少ない。脂肪組織の多い女性，肥満者は体重に占める水分量が少ない

液と細胞外液の比率を成人と比べると，細胞外液の比率が高い。さらに，低体重であることから，下痢や嘔吐などによる少量の水分喪失で容易に脱水に陥るおそれがあるため，注意が必要である。また，筋肉には多くの水分が含まれているが，高齢者においては筋肉量が少なく，体重に対する総水分量の比率は55％程度と少ない。高齢者が脱水に陥りやすい一因と考えられる（表1）。

2 グリコカリックス（glycocalyx）

　近年，血管内皮上層に存在するゲル状のグリコカリックス層は水や高分子が血管壁を透過する際の最初のバリアーであると認識され，血管透過性や循環血液量の保持に重要な役割を果たしていることがわかってきた。グリコカリックスは敗血症などの炎症，多発外傷，重症熱傷などさまざまなストレスによって障害され，血管内皮障害を生じるため，重症急性疾患におけるバイオマーカーとしても注目されている。重症患者の輸液管理においては，血管透過性亢進をできるだけ抑制することが重要であり，グリコカリックスの保護という観点からも輸液量，輸液製剤の種類などが検討される必要があるが，今のところ十分に解明されていない部分もあり，臨床への応用が今後の課題である。

表2 等張液と低張液

区分	種類	備考
等張電解質輸液 （細胞外液補充液）	生理食塩液	血漿と等張で，ナトリウム，クロールを含む
	リンゲル液	カルシウム，カリウムが加わる
	乳酸リンゲル液 （糖加乳酸リンゲル液）	アルカリ化剤として乳酸ナトリウムを配合
	酢酸リンゲル液 （糖加酢酸リンゲル液）	アルカリ化剤として酢酸ナトリウムを配合
	重炭酸リンゲル液	アルカリ化剤として炭酸水素ナトリウムを配合
低張電解質輸液 （維持液類）	開始液（1号液）	カリウムを含まない 等張液の1/2～2/3量のナトリウム，クロールを含む
	脱水補給液（2号液）	ナトリウム，クロール，Lactate⁻に加え，カルシウム，マグネシウムを配合
	維持液（3号液）	健常人の水分・電解質の平均的な1日必要量を目安にした組成
	術後回復液（4号液）	電解質濃度が低く，自由水が多い 術後，高齢者，乳幼児，小児に適している

体液量の調節機構

　体液量は主に浸透圧調節系（osmoregulation）と容量調節系（volume regulation）によって調節されている。

　浸透圧調節系として血漿浸透圧が280mOsm/L以上に上昇すると直線的に抗利尿ホルモン（antidiuretic hormone；ADH）分泌が増加し，腎での水再吸収が亢進する。その結果，細胞外液量（循環血液量）が増加する。

　容量調節系は主にレニン・アンジオテンシン・アルドステロン（RAA）系により調節される。細胞外液量減少による血圧低下は腎灌流圧低下，交感神経系などを介して傍糸球体装置におけるレニン分泌を増加させ，RAA系を賦活する。その結果，尿細管・集合管でのナトリウム再吸収を増加させる。RAA系以外にも容量負荷による心房・心室の伸展刺激はナトリウム利尿ペプチド分泌を亢進させ，体液容量調節に関与する。

救急初期診療で使用される輸液製剤

　電解質輸液は晶質浸透圧の違いにより細胞外液の浸透圧と同等（約285mOsm/L）の等張液，それより低い低張液，およびそれより高い高張液に分類されるが，臨床で主に使用されるのは等張液または低張液である（表2）。低張液は大きく分けて4種類あり，患者の病態がある程度把握できた（予測できた）時点で，それぞれの病態に応じて使い分ける必要がある。したがって，患者にファーストタッチした時点から病態を把握するまでの救急初期輸液として主に投与される輸液は，循環血液量を確保することを目的とした等張液（細胞外液補充液）が基本になる。また，膠質浸透圧により血管内にとどまる効果（循環血液量増量効果）が大きいと考えられている膠質液の投与が行われることもある。

1 細胞外液補充液

　出血や脱水などにより，体液のなかでもっとも喪失しやすいのが細胞外液である。その補充に用いられる輸液が生理食塩液，リンゲル液，乳酸リンゲル液や酢酸リンゲル液，さらに近年では重炭酸リンゲル液などの細胞外液補充液（等張液）である。細胞外液補充液は，組成が血漿の電解質に類似するように作られており，しかも血漿浸透圧と等張という特徴がある。歴史的には生理食塩液からリンゲル液へ，さらに乳酸リンゲル液へと改良されてきた。

1）生理食塩液

　血漿の電解質をすべて塩化ナトリウムで置き換えた0.9％濃度のもっとも単純な組成の輸液である。

2）リンゲル液

　より血漿組成に近づけるためにナトリウム，クロールのほかに，カリウムやカルシウムを配合した製剤である。しかし，クロールが高い組成となっている。

3）乳酸リンゲル液

生理食塩液やリンゲル液は，アルカリ成分を配合していないため，多量に投与した場合は血漿の重炭酸イオン濃度が低下し希釈性アシドーシスをきたすおそれがある。それを改良するため，重炭酸イオンの代わりに体内の水素イオンを中和する乳酸ナトリウムを配合したのが，Hartmann液，すなわち乳酸リンゲル液である。ナトリウム濃度が130mEq/Lとやや低い点を除いて，血漿の電解質組成に近い細胞外液補充液であり，もっとも汎用されている輸液の一つである。

4）酢酸リンゲル液

乳酸は肝が主要な代謝臓器であるため，肝機能障害を有する患者に対しては注意が必要である。アルカリ化剤として乳酸ナトリウムの代わりに酢酸ナトリウムを配合した製剤が酢酸リンゲル液である。酢酸は筋肉など全身で代謝される。

5）重炭酸リンゲル液

近年，製剤化の難しかった重炭酸イオン配合製剤が発売されている。乳酸イオンと酢酸イオンは代謝を介して重炭酸イオンを産生し，アルカリ化作用を示すが，重炭酸は代謝を介さずに直接アルカリ化作用を示すため，代謝性アシドーシスに対して早期の効果が期待できる。

2 膠質液

循環血液量が不足している患者に対し，膠質浸透圧によって晶質液より効果的に循環血液量を確保できるという考えに基づいて，膠質液が使用されてきた。

1）アルブミン

アルブミンの臨床使用は1941年から始まり，循環血液量減少性ショックや高度の浮腫をきたした患者に用いられてきた。しかし，原料であるヒト血液の供給不足やウイルス感染の潜在的リスクや価格，保険適用上の制限の問題がある。病態によっては必ずしも有益でないこともあり，安易な使用は控えるべきである。アルブミン製剤の使用ガイドラインには病態ごとの適正な使用指針が提示されており参考になる[1]。

2）人工膠質液

アルブミンに代わる膠質成分を配合した人工膠質液として，デキストラン製剤やヒドロキシエチルデンプン（hydroxyethyl starch；HES）製剤があり，これらの輸液は膠質浸透圧を有しており血漿増量剤あるいは代用血漿剤ともいわれる。

(1) デキストラン製剤

デキストラン製剤は平均分子量が4万のデキストラン40（低分子デキストラン）が使用されており，血中半減期は4〜5時間で，血漿増量効果のほかに末梢循環血流改善作用や血栓予防効果も有している。

(2) HES製剤

HES製剤は，デンプンが酵素により分解されないようにヒドロキシエチル化したものである。古くは，平均分子量が7万の第2世代HES製剤が発売されていたが，近年では，血液凝固因子への影響や組織残存性による腎機能への影響などは同程度ながら，循環血流量維持効果が改善された製剤である。平均分子量13万の第3世代HES製剤が開発・使用されている。ただし，死亡リスクや腎機能・血液凝固能への影響に関してさまざまな報告があり，重症敗血症患者に対する酢酸リンゲル液との比較において，死亡率・腎代替療法が必要な患者の割合が有意に高かったという報告もある[2)3)]。したがって投与にあたってはアルブミンと同様，慎重に判断しなければならない。なお，わが国では2023年1月にHES製剤の添付文書が改訂され，禁忌の項に「重症の敗血症の患者」，慎重投与の項に「敗血症の患者」が追加されている。

輸液の指標・モニタリング

救急初期輸液の目的は，有効循環血漿の補充を行い重要臓器・組織の循環を確保することであり，輸液による前負荷（有効循環血漿）の上昇，1回拍出量の増加，さらには心拍出量の増加につながることを期待するものである。そのため大量の細胞外液輸液が必要になることが多いが，過剰輸液の弊害も考慮する必要がある。

輸液負荷（前負荷）と心拍出量の関係を示すFrank-Starling曲線はよく知られているが，傾きが大きく前負荷に対する1回拍出量の増加が大きい部分では輸液が有効と考えられる。しかし，前負荷が増えるにしたがって曲線の傾きが小さくなり，輸液の効果が不良となる。この状態でさらに輸液負荷を継続しても心拍出量増加は期待できず，むしろ過剰輸液の弊害だけが大きくなってくる（図1）。過剰輸液は心機能障害，肺水腫，浮腫などさまざまな臓器障害を引き起こし，その結果，患者予後を増悪させることがある。そのため患者の状態によっては，輸液負荷よりも昇圧薬あるいは利尿薬などの投与が優先される場合がある。

体液量の評価としては皮膚・粘膜所見，毛細血管再充

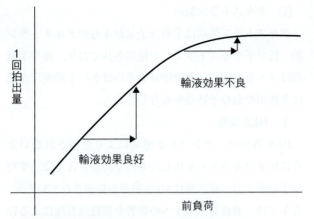

図1 輸液負荷（前負荷）と心拍出量の関係（Frank-Starling曲線）

満時間（capillary refill time；CRT）など種々の身体所見が参考になるが，評価者により判断のばらつきが生じやすく，また量的な評価が難しい。血圧・脈拍・尿量などのバイタルサインや血液・尿検査などの一般検査所見なども参考になるが特異性が低く，迅速性に欠けるものも多い。輸液負荷を行った場合に心拍出量が適切に増加するかどうかの輸液反応性の指標として従来，中心静脈圧（central venous pressure；CVP）や肺動脈楔入圧（pulmonary artery wedge pressure；PAWP）といった静的指標が用いられてきたが，最近では輸液反応性の指標としては信頼性が低いことがわかってきた[4]。

近年，volume負荷に対する心拍出量の変化を考慮した動的指標の有用性が指摘されている[5)6)]が，そのうち簡便性・迅速性などの観点から救急初期診療において主に用いられる指標は，下大静脈（IVC）径の呼吸性変動，fluid challenge test（FCT）などである。

1 下大静脈（IVC）径の呼吸性変動

IVC径の呼吸性変動は超音波検査により簡便，迅速かつ非侵襲的に評価可能な指標である。測定部位は，一般的には肝静脈流入部からおよそ5～15mm遠位の位置とされる。正常時では呼気時のIVC径は12～21mmで，40～50％の呼吸性変動がみられる。IVC径が21mm以下で呼吸性変動が50％以上の場合は循環血液量が不足している可能性があり，積極的な輸液負荷が考慮される。一方，IVC径が22mm以上で呼吸性変動が50％以下の場合は，過剰輸液に注意する。

2 FCT（fluid challenge test）

前述のFrank-Starling曲線の傾き，つまりは輸液負荷（前負荷）に対する循環状態の変化を実際の輸液投与により評価する方法である。投与輸液，投与量や投与時間についてははっきりと標準化されてはいないが，一般的には250～500mLの細胞外液補充液を10～20分以内に急速投与し，心拍出量が10～15％上昇した場合に輸液反応性ありと判断される。実臨床の場では心拍出量の代わりに動脈血圧の変動（上昇）により輸液反応性の評価を行うことがある[7]。FCTは，実際に輸液を負荷することにより効果を評価する方法であるため，過剰輸液のリスクを伴っていることを認識したうえで施行しなければならない。

実際の臨床においては評価可能なさまざまな指標を用い，患者の状態を総合的に判断することが必要であるが，救急初期診療においては迅速性，簡便性が不可欠である。治療と評価を同時に行いながら，施行した輸液に対する評価をさらに継続的に行い，引き続き行う輸液療法の具体的な内容を決定することが重要である。

輸液経路

1 末梢静脈路

一般診療においても輸液経路として末梢静脈路が選択されるが，救急初期診療においても迅速性・簡便性に優れ低侵襲である末梢静脈路が第一選択となる。大量輸液や輸血が考慮される場合は太めの留置針を用い，2ルート以上の静脈路をなるべく上肢に確保する。一般診療では関節を避け前腕部に静脈路確保を行うことが一般的であるが，緊急性があり前腕部での確保が困難な場合は肘正中皮静脈が選択されることがある。

神経障害を発生しやすい部位，透析用シャント，乳がんリンパ節郭清側の上肢など基本的に穿刺を避けたほうがよい状況には注意が必要である。麻痺を伴っている患者における麻痺側の末梢静脈路確保は，輸液漏れなどの合併症が見逃されやすいなどの理由から避けるべきとされるが，患者の緊急度・重症度によっては容認される。骨盤や下大静脈の損傷が疑われる場合は，下肢からの末梢静脈路は避けることが望ましい。

2 骨髄路

　緊急性があるにもかかわらず末梢静脈確保が困難な場合は，年齢を問わず骨髄路確保が第二選択となる．骨髄は多数の微細静脈で血液循環に接続しており，末梢静脈路から投与可能なすべての輸液・薬剤・輸血が投与可能であり，骨髄投与された薬物は，静脈内投与とほぼ同程度の速度で全身循環に入る[8]．したがって，薬物の投与量は経静脈投与と同量でよい．穿刺部位は，脛骨近位部がもっとも一般的で穿刺しやすいが，脛骨遠位部，大腿骨遠位部，上腕骨頭なども使用可能である．普段から救急初療室に穿刺用デバイスを準備しておくことや，手技の確認・習熟が必要である．留置針は長時間の留置には適しておらず，24時間以内に抜去すべきである．

3 中心静脈路

　大腿静脈，内頸静脈，鎖骨下静脈などの中心静脈路は一般診療においてはよく使用されている．救急の場でも持続薬剤投与や引き続き行われるインターベンションなどに関連して使用されることは多いが，迅速性や合併症などの点から，緊急性の高い状況では優先度が低い．また内径が同じであっても，留置カテーテルが長いほどカテーテル抵抗が上がるため，急速輸液や輸血が必要な状況では注意が必要である．

▶文　献

1) 安村敏，他：科学的根拠に基づいたアルブミン製剤の使用ガイドライン（第2版）．日輸血細胞治療会誌 64：700-17, 2018.
2) Perner A, et al：Hydroxyethyl starch 130/0.42 versus Ringer's acetate in severe sepsis. N Engl J Med 367：124-34, 2012.
3) 日本版敗血症診療ガイドライン2020特別委員会（編）：日本版敗血症診療ガイドライン2020．日集中医誌 28：s129, 2021.
4) Marik PE, et al：Does central venous pressure predict fluid responsiveness? A systematic review of the literature and the tale of seven mares. Chest 134：172-8, 2008.
5) Carsetti A, et al：Fluid bolus therapy：Monitoring and predicting fluid responsiveness. Curr Opin Crit Care 21：388-94, 2015.
6) Bentzer P, et al：Will this hemodynamically unstable patient respond to a bolus of intravenous fluids? JAMA 27：1298-309, 2016.
7) Messina A, et al：Fluid challenge in critically ill patients receiving haemodynamic monitoring：A systematic review and comparison of two decades. Crit Care 26：186, 2022.
8) Anson JA：Vascular access in resuscitation：Is there a role for the intraosseous route? Anesthesiology 120：1015-31, 2014.

IV 初期診療と鑑別診断

10 輸血療法の基本

堀江　勝博

輸血療法とは，血液成分の欠乏や機能不全により臨床的に問題となる症状が出現した場合に，その成分を補充して症状の軽減を図る補充療法である．輸血療法の効果は一時的であるため，輸血療法単独では根本的治療とはならず，輸血療法を行う目標と有効性の評価が必要である．輸血用血液製剤には主に赤血球製剤，新鮮凍結血漿，血小板製剤があり，そのほかに血漿分画製剤としてアルブミン製剤や免疫グロブリン製剤，血液凝固因子製剤などがある．

輸血に必要な検査

1 血液型検査

血液型は赤血球だけでなく，そのほかの血液細胞にも広く存在するものであるが，ここでは赤血球の血液型について述べる．国際輸血学会（International Society of Blood Transfusion；ISBT）によると2023年7月の時点で，赤血球の血液型として45種類の血液型抗原システムと360抗原が同定されている[1]．そのうち，輸血療法を行ううえで重要な抗原系はABO血液型とRh血液型である．

1）ABO血液型

A，B，O，ABの4つの基本型があり，これらは赤血球上の抗原と血清中の規則抗体（自然抗体）の有無で分類される．A抗原を有するものをA型，B抗原を有するものをB型，A抗原・B抗原のいずれも有するものをAB型，A抗原・B抗原ともに有していないものをO型とする．

2）Rh血液型

Rh血液型抗原は現在56種類が同定されているが，臨床的に重要な抗原はD，C，c，E，eの5つである．通常，Rh陽性はRh（D）抗原陽性，Rh陰性はRh（D）抗原陰性のことを示す．

2 不規則抗体スクリーニング

不規則抗体とは，ABO血液型以外の血液型の血液抗原に対する抗体をいう．不規則抗体スクリーニングが陽性の場合には，不規則抗体の同定検査を行う．

3 交差適合試験

交差適合試験とは，輸血用血液製剤と患者血液の間に血液型抗体に起因する抗原抗体反応が起こるかをあらかじめ試験管内で検査する試験で，血液型不適合による輸血副作用を未然に防止することを目的とする．検体誤認によるABO不適合輸血を防止するため，交差適合試験には血液型検査とは別の時点で採血された検体を用いる．原則として，輸血予定日に先立つ3日以内（72時間以内）に新たに採取された検体で実施する．交差適合試験には，患者の血清と供血者の血球を組み合わせる主試験と，患者の血球と供血者の血清を組み合わせる副試験がある．交差適合試験において凝結あるいは溶血が認められた場合には，患者血清中に不規則抗体が存在することを意味する．

輸血用血液製剤

以下，血液製剤ごとの目的や適応について述べるが，詳細は厚生労働省の「血液製剤の使用指針」なども参照されたい[2,3]．

1 赤血球製剤（RBC）

赤血球製剤（red blood cells；RBC）には，赤血球液-LR，洗浄赤血球液-LR，解凍赤血球液-LR，合成血液-LRの4種類がある（表1）．LRとはleukocytes reducedのことで，発熱反応などの輸血関連副作用の予防のために白血球除去処理が行われていることを示す．

1）目　的

急性あるいは慢性の出血に対して赤血球輸血を行い，

表1　赤血球製剤の種類

赤血球液-LR	
概要	血液保存液を混合したヒト血液から白血球および血漿の大部分を除去した赤血球層に，赤血球保存用添加液を混合したもの
適応	一般的な輸血
有効期間	採血後28日間

洗浄赤血球液-LR	
概要	ヒト血液から白血球および血漿の大部分を除去した後，生理食塩液で洗浄した赤血球層に，生理食塩液を加えたもの
適応	重度アレルギー患者，発作性夜間ヘモグロビン尿症
有効期間	製造後48時間

解凍赤血球液-LR	
概要	ヒト血液から白血球および血漿の大部分を除去した赤血球層に凍害保護液を加えて凍結保存し，解凍後に凍害保護液を洗浄除去して，赤血球保存用添加液を混和したもの
適応	まれな血液型の患者
有効期間	製造後4日間

合成血液-LR	
概要	ヒト血液から白血球および血漿の大部分を除去し，洗浄したO型の赤血球層に，白血球の大部分を除去したAB型のヒト血漿を加えたもの
適応	ABO血液型不適合による新生児溶血性疾患
有効期間	製造後48時間

表2　赤血球製剤投与時の予測上昇Hb値（g/dL）

(Ir-) RBC-LR-1 投与本数	体重（kg）													
	5	10	15	20	25	30	35	40	45	50	60	70	80	90	100
1	7.6	3.8	2.5	1.9	1.5	1.3	1.1	0.9	0.8	0.8	0.6	0.5	0.5	0.4	0.4
2		7.6	5.0	3.8	3.0	2.5	2.2	1.9	1.7	1.5	1.3	1.1	0.9	0.8	0.8
3			7.6	5.7	4.5	3.8	3.2	2.8	2.5	2.3	1.9	1.6	1.4	1.3	1.1
4				7.6	6.1	5.0	4.3	3.8	3.4	3.0	2.5	2.2	1.9	1.7	1.5
6					9.1	7.6	6.5	5.7	5.0	4.5	3.8	3.2	2.8	2.5	2.3
8							8.7	7.6	6.7	6.1	5.0	4.3	3.8	3.4	3.0
10								9.5	8.4	7.6	6.3	5.4	4.7	4.2	3.8

RCC-LR-1のHb量＝26.5g/1本で計算　　　　〔文献5）より引用〕

身体内の組織や臓器へ十分な酸素を供給すること，および循環血液量を維持することを目的として使用する。

2）適応

白血病などによる慢性的な貧血患者の赤血球輸血のトリガー値は，疾患によって若干数値が異なるものの，概ねHb 7g/dLが目安とされている。また心疾患，とくに虚血性心疾患の非手術における貧血に対しては，Hb 8～10g/dLが目安とされている[4]。また，「予測上昇Hb[g/dL]＝投与Hb[g]÷循環血液量[dL]」といった計算式や，赤血球製剤の投与本数と体重に基づく予測上昇Hbの簡易表（表2）[5]で予測上昇Hbを算出することができる。

一方，外傷や内科的疾患による消化管出血，腹腔内出血，気管内出血などの急性出血の場合，血液検査上はHbが正常なこともあるため，血圧，心拍数，脈圧，呼吸数，尿量，中枢神経，精神障害などの臨床症状や身体

表3 急性出血における臨床症状や身体所見と推定出血量の関係

パラメータ	クラスⅠ	クラスⅡ	クラスⅢ	クラスⅣ
推定出血量	＜15％	15～30％	31～40％	＞40％
心拍数	不変	不変/上昇	上昇	上昇/著明上昇
血圧	不変	不変	不変/低下	低下
脈圧	不変	低下	低下	低下
呼吸数	不変	不変	不変/上昇	上昇
尿量	不変	不変	低下	著明低下
GCS	不変	不変	低下	低下
Base excess	0～2 mEq/L	－2～－6 mEq/L	－6～－10 mEq/L	－10 mEq/L 以下
輸血要否	モニタリング	必要な可能性あり	必要	MTP

MTP：massive transfusion protocol　　　　　　　　　　　〔文献6）より引用・改変〕

所見から推定される出血量も参考に，赤血球輸血の適応を検討する（表3）[6]。

2 新鮮凍結血漿（FFP）

新鮮凍結血漿（fresh frozen plasma；FFP）とは，血液から白血球除去フィルターなどを使用して白血球を分離し，－20℃以下で凍結したものである。－20℃以下で1年間保存することができる。使用する場合には30～37℃の温湯中で撹拌しながら融解する。融解後は第Ⅴ因子と第Ⅷ因子活性が急速に低下するため直ちに使用し，3時間以内に使用しない場合は2～6℃で保存して，24時間以内に使用する。一度融解したものを再度凍結して使用することはできない。

1）目 的
主に凝固障害において血液凝固因子を補充し，出血の予防や止血の促進効果をもたらす目的で使用する。

2）適 応
血液凝固因子の補充，血液凝固阻害因子・線溶因子の補充，血漿因子の補充として適応となる。血液凝固因子の補充については，そのトリガーとしてPT延長（INR 2.0以上，または30％以下）および/またはAPTT延長（各施設の基準値上限の2倍以上，または25％以下）が参考になる。具体的には，①複合凝固障害（肝障害，L-アスパラギナーゼ投与関連，DIC，大量出血），②濃縮製剤のない血液凝固因子の欠乏症，③ワルファリンなどクマリン系薬剤の効果の緊急補正，④低フィブリノゲン血症（フィブリノゲン値 150mg/dL 以下，またはこれ以下に進展する危険性がある場合）があげられる[2]。

3 血小板製剤（PC）

血小板製剤（platelet concentrate；PC）は，輸血するまで室温（20～24℃）で水平振盪しながら保存し，有効期間は採血後4日間である。赤血球輸血と同様，「予測血小板増加数[/μL]＝（輸血血小板総数/循環血液量[mL]×10^3）×2/3」といった計算式や，簡易表（表4）[7]で血小板増加数を予測することができる。

1）目 的
血小板の減少や機能異常により重篤な出血ないし出血が予測される場合に，血小板成分を補充することによる止血あるいは出血予防を目的として使用する。

2）適 応
血小板数や出血傾向を示す臨床所見を確認し，血小板輸血を行うかを検討する。対象となる疾患や処置によって血小板値の目標は異なる（表5）[8]。ヘパリン起因性血小板減少症（heparin-induced thrombocytopenia；HIT）や血栓性血小板減少性紫斑病（thrombotic thrombocytopenic purpura；TTP）においては，予防的血小板輸血は避けるべきである。

4 クリオプレシピテート製剤

クリオプレシピテートとは，新鮮凍結血漿を1～6℃で緩徐に融解し，遠心分離にて上清部分を取り除いた沈殿分画で，フィブリノゲン，凝固第Ⅷ因子，von Willebrand因子，凝固第ⅩⅢ因子などを含有する。外傷や産科疾患などの大量出血による希釈性凝固障害や低フィブリノゲン血症に対して投与する。ただし，日本赤十字社の

表4 血小板製剤投与時の予測血小板増加数（万/μL）

(Ir-) PC-LR 投与単位数	体重（kg）													
	5	10	15	20	25	30	35	40	45	50	60	70	80	90	100
1	3.8	1.9	1.3	1.0	0.8	0.6	0.5	0.5	0.4	0.4	0.3	0.3	0.2	0.2	0.2
2	7.6	3.8	2.5	1.9	1.5	1.3	1.1	1.0	0.8	0.8	0.6	0.5	0.5	0.4	0.4
5	19.0	9.5	6.3	4.8	3.8	3.2	2.7	2.4	2.1	1.9	1.6	1.4	1.2	1.1	1.0
10		19.0	12.7	9.5	7.6	6.3	5.4	4.8	4.2	3.8	3.2	2.7	2.4	2.1	1.9
15			19.0	14.3	11.4	9.5	8.2	7.1	6.3	5.7	4.8	4.1	3.6	3.2	2.9
20				19.0	15.2	12.7	10.9	9.5	8.5	7.6	6.3	5.4	4.8	4.2	3.8

照射血小板濃厚液1単位：含有血小板数0.2×10^{11}個以上　　〔文献7〕より引用〕

表5 疾患・処置ごとの血小板目標値

血小板目標値	疾患・処置
>10万/μL	外傷性頭蓋内出血
>5万/μL	腰椎穿刺，重篤な活動性出血（肺，消化器，中枢神経，網膜），外科手術
>2万/μL	中心静脈カテーテル挿入
>1万/μL	がん・造血器悪性腫瘍の化学療法，自家造血幹細胞移植，同種造血幹細胞移植
>0.5万/μL	造血不全（再生不良性貧血，骨髄異形成症候群）

〔文献8〕を参考に作成〕

血液センターから供給されるものではないため，各施設で新鮮凍結血漿から精製する必要がある。

血漿分画製剤

血漿分画製剤とは，ヒトの血漿中に含まれるアルブミン，免疫グロブリン，血液凝固因子などの蛋白質を抽出・精製したものである。

1 アルブミン製剤

アルブミン製剤には，人血清アルブミンと加熱人血漿蛋白がある。また，人血清アルブミン製剤には，5％の等張アルブミン製剤と，20％および25％の高張アルブミン製剤がある。加熱人血漿蛋白はアルブミン濃度が4.4％以上で，含有蛋白質の80％以上がアルブミンの等張製剤である。一般的に等張アルブミン製剤は循環血液量の増加目的に用いられ，高張アルブミン製剤は低蛋白血症に伴う難治性腹水や胸水の治療に用いられる。

2 免疫グロブリン製剤

免疫グロブリン製剤は，ヒト血清中のγグロブリン分画を分離・精製した製剤で，さまざまな抗体を幅広く有する免疫グロブリン製剤と，特定の抗体を多く含む特殊免疫グロブリン製剤がある。免疫グロブリン製剤には，筋注用，静注用，皮下注用があるが，もっとも頻用されるのは静注用である。特発性血小板減少性紫斑病（idiopathic thrombocytopenic purpura；ITP），慢性炎症性脱髄性多発神経炎（chronic inflammatory demyelinating polyneuropathy；CIDP），Guillain-Barré症候群，重症筋無力症などに適応がある。一方，特殊免疫グロブリン製剤としては，①抗HBs人免疫グロブリン製剤（B型肝炎発症予防などに使用），②抗破傷風人免疫グロブリン製剤（破傷風予防・治療に使用），③抗D人免疫グロブリン製剤（Rh血液型不適合妊娠による新生児溶血性黄疸の予防に使用）が使用されている。

3 血液凝固因子製剤

血液凝固因子製剤とは，先天的もしくは後天的な血液凝固因子の欠乏や機能異常による出血症状・血栓症状の改善を目的に使用するものである。血友病などの血液凝固因子欠乏患者に対する第Ⅶ因子製剤や第Ⅷ因子製剤，ビタミンK拮抗薬（ワルファリンなど）使用時の出血を抑えるプロトロンビン複合体製剤（ケイセントラ®），アンチトロンビン製剤などがある。

4 その他

血管内溶血によるヘモグロビン尿に対してのハプトグロビン製剤や，遺伝性血管性浮腫に対してのC1インヒビター製剤などがある。

救急診療における輸血療法の要点

1 緊急輸血

初診の患者で，超緊急で輸血が必要であれば，血液型不明の状態で輸血を開始しなければならない。そのような場合には前述した血液型検査や交差適合試験の結果にこだわらず，O型の赤血球製剤，AB型の新鮮凍結血漿，血小板製剤を投与し，その間に血液型検査と不規則抗体スクリーニング検査を行い，血液型が判明したら適宜それと同型の製剤に切り替えていく（**表6**）。

2 大量輸血プロトコル（MTP）

大量輸血は，古典的には24時間以内に10単位以上の赤血球製剤が必要になった場合と定義されていたが，近年は6時間以内に10単位以上必要な場合とする報告もある[9]。現在は，大量出血時には，臨床的出血傾向や明らかな凝固線溶系異常がなくとも急性消費性凝固障害が，また大量輸液の際にはそれに伴う希釈性凝固障害が起こることがあるため，赤血球輸血のみに頼らず，早期から新鮮凍結血漿や血小板製剤の投与を開始するために大量輸血プロトコル（massive transfusion protocol；MTP）を使用することが推奨されている。MTPでは一般的に，各製剤の投与単位比として「新鮮凍結血漿：血小板製剤：赤血球製剤＝1：1：1」の比率を目標に投与する[10]。

表6 緊急時の輸血用血液製剤選択（患者血液型確定時）

血液型	RBC	FFP	PC
A	A＞O	A＞AB＞B	A＞AB＞B
B	B＞O	B＞AB＞A	B＞AB＞A
AB	AB＞A＝B＞O	AB＞A＝B	AB＞A＝B
O	Oのみ	全型	全型

3 輸血拒否への対処

救命のために輸血が不可欠な状況であるにもかかわらず，自身の宗教・信仰などにより輸血を拒否する患者に遭遇することがある。

宗教的理由による輸血拒否への医療機関の対応としては，いわゆる「絶対的無輸血」と「相対的無輸血」の立場がある。絶対的無輸血とは，患者が命の危機に陥り，輸血で救命することができる場合でも輸血を行わないことである。一方，相対的無輸血とは，命の危機や重篤な障害・合併症に陥る危険がない範囲で輸血を行わないことである。無輸血治療を希望する患者が求めるのは絶対的無輸血であることが多いが，救急医療の現場では相対的無輸血としての対応が限界であることが多い。実際の対応については，2008年に日本輸血・細胞治療学会など関連5学会の合同委員会から発表された『宗教的輸血拒否に関するガイドライン』[11]を参考に各施設で方針が定められている。同ガイドラインにおける基本方針を**表7**[11]に示す。

宗教的輸血拒否に関する法的な側面については他項（p.1383）を参照のこと。

輸血の副作用

輸血の副作用は，溶血性副作用と非溶血性副作用に大別される（**表8**）。

溶血性副作用は，輸血後24時間以内に発生する急性溶血性副作用と，24時間以降に発生する遅延性溶血性副作用に分けられる。急性溶血性副作用は患者血液中の規則抗体によって引き起こされ，大部分はABO血液型不適合輸血である。一方，遅延性溶血反応は血液中の不規則抗体が原因で引き起こされる。

非溶血性副作用は，輸血用血液製剤に残存した献血者由来のリンパ球や血漿成分により引き起こされる免疫学的副作用と，それ以外の非免疫学的副作用に分けられる。

表7　患者が輸血を拒否する場合の輸血実施に関する基本方針（宗教的輸血拒否に関するガイドライン）

1．当事者が18歳以上で医療に関する判断能力がある場合
- 医療側が無輸血治療を最後まで貫く場合
  →当事者は，医療側に本人署名の免責証明書を提出する
- 医療側は無輸血治療が難しいと判断した場合
  →医療側は，当事者に早めに転院を勧告する

2．当事者が18歳未満，または医療に関する判断能力がないと判断される場合

2-1．当事者が15歳以上で医療に関する判断能力がある場合
- 親権者は輸血を拒否するが，当事者が輸血を希望する場合
  →当事者は輸血同意書を提出する
- 親権者は輸血を希望するが，当事者が輸血を拒否する場合
  →医療側はなるべく無輸血治療を行うが，最終的に必要な場合には輸血を行う。親権者から輸血同意書を提出してもらう
- 親権者と当事者の両者が輸血拒否する場合
  →18歳以上の場合に準ずる

2-2．親権者が拒否するが，当事者が15歳未満または医療に関する判断能力がない場合
- 親権者の双方が拒否する場合
  →医療側は，親権者の理解を得られるように努力し，なるべく無輸血治療を行うが，最終的に輸血が必要になれば輸血を行う。親権者の同意がまったく得られず，むしろ治療行為が阻害されるような状況においては，児童相談所に虐待通告し，児童相談所で一時保護のうえ，児童相談所から親権喪失を申し立て，あわせて親権者の職務停止の処分を受け，親権代行者の同意により輸血を行う
- 親権者の一方が輸血に同意し，他方が拒否する場合
  →親権者双方の同意を得るよう努力するが，緊急を要する場合などには輸血を希望する親権者の同意に基づき輸血を行う

〔文献11）より作成〕

表8　主な輸血副作用とその分類

溶血性副作用
- 急性溶血性副作用：ABO型不適合輸血など
- 遷延性溶血性副作用：不規則抗体による溶血など

非溶血性副作用
- 免疫学的副作用
  　発熱性非溶血性副作用：発熱，悪寒，戦慄
  　アレルギー反応（アナフィラキシー）：掻痒感，発赤，皮疹，蕁麻疹
  　輸血後移植片対宿主病（PT-GVHD）
  　輸血関連急性肺障害（TRALI）
  　輸血後紫斑病（PTP）
- 非免疫学的副作用
  　輸血後感染症：ウイルス感染，細菌感染症など
  　輸血関連循環過負荷（TACO）
  　低カルシウム血症
  　高カリウム血症

輸血による副作用・感染症の疑いで2022年に日本赤十字の血液センターに報告された例のうち97％を非溶血性副作用が占め，そのなかでも68％がアレルギーであったと報告されている[12]。

以下，主な免疫学的副作用および非免疫学的副作用について述べる。

1 免疫学的副作用

1）発熱性非溶血性副作用

輸血中〜輸血後数時間以内に体温38℃以上または輸血前より1℃以上の体温上昇がある場合や，悪寒・戦慄のいずれかあるいは両者を認める場合をいう。輸血用血液

表9 日本赤十字社におけるTRALI，TACOなどの分類

輸血関連急性肺障害（TRALI）	TRALI TypeⅠ	a. ⅰ. 急性発症 　　ⅱ. 低酸素血症：P/F≦300またはSpO$_2$<90%（room air） 　　ⅲ. 画像上，両側肺水腫の明らかな証拠（胸部X線，胸部CT，超音波） 　　ⅳ. 左心房高血圧の証拠がない，または左心房高血圧があるが低酸素血症の主な原因ではないと判断される b. 輸血中または6時間以内に発症 c. ARDSの危険因子との時間的関係なし
	TRALI TypeⅡ	a. TRALI TypeⅠのカテゴリaおよびbの所見 b. 輸血前12時間の安定した呼吸状態
TRALI/TACO		TRALIとTACOが両方関与している，またはTRALIとTACOの区別ができない
輸血関連循環過負荷（TACO）		※aまたは/およびbを満たし，c〜eを含む3つ以上に当てはまる a. 急性または悪化している呼吸窮迫の証拠 b. 急性または悪化した肺水腫の証拠 c. 心血管系の変化を示す証拠 d. 体液過剰の証拠 e. BNP（NT-proBNP）の上昇
急性呼吸促迫症候群（ARDS）		輸血前からあったARDSの悪化
輸血関連呼吸困難（TAD）		主に輸血後6時間を超えて発症した肺水腫など
その他		上記以外

TAD：transfusion associated dyspnea　　　　　　〔文献14）より引用・一部改変〕

製剤中の残存白血球と患者血液の抗白血球抗体の抗原抗体反応などで起こると考えられている。

2）アレルギー反応

皮膚や粘膜に限局した蕁麻疹などの症状が輸血中〜輸血終了後4時間以内に出現する。それに加えて気道狭窄症状や血圧低下などの全身症状を伴うとアナフィラキシーとなる。

3）輸血後移植片対宿主病（PT-GVHD）

輸血用血液製剤に含まれるリンパ球が患者の生体組織を攻撃する病態を，輸血後移植片対宿主病（post-transfusion graft-versus-host disease；PT-GVHD）という。輸血から1〜2週間後に発熱，紅斑，肝機能障害，消化器症状，汎血球減少を起こす重篤な副作用である。日本赤十字社の血液センターではGVHDの予防を目的として，15〜50Gyの範囲で放射線照射を行った輸血用血液製剤（新鮮凍結血漿を除く）を供給している。一方，放射線未照射の輸血用血液製剤（新鮮凍結血漿を除く）についても，添付文書上に「警告」として使用対象を限定せず，あらかじめ放射線を照射して使用することと明記されている。

4）輸血関連急性肺障害（TRALI）

輸血中または輸血後6時間以内に急性呼吸困難で発症する非心原性肺水腫を輸血関連急性肺障害（transfusion-related acute lung injury；TRALI）といい，低酸素血症と胸部X線上の両肺野浸潤影を特徴とする。輸血関連循環過負荷（transfusion-associated circulatory overload；TACO）やその他の原因を除外する必要がある。輸血用血液製剤中の抗白血球抗体と患者の白血球の抗原抗体反応により補体が活性化され，好中球の凝集および肺毛細血管の透過性が亢進して発症するといわれている。2019年にはTRALIの新しい定義と診断基準が発表され[13]，TRALI TypeⅠとTRALI TypeⅡに分類された（表9）[14]。TRALIを疑った場合は輸血を中止し，酸素化の障害に対し酸素投与を行い，必要に応じて非侵襲性陽圧換気や気管挿管，人工呼吸管理を実施する。

5）輸血後紫斑病（PTP）

輸血後紫斑病（post-transfusion purpura；PTP）は，血小板輸血を行った約1週間後に血小板減少を起こすものである。ただし，わが国では報告されていない。

2 非免疫学的副作用

1）輸血後感染症

ウイルス感染症として，B型肝炎ウイルス（HBV），C型肝炎ウイルス（HCV），ヒト免疫不全ウイルス（HIV），ヒトTリンパ向性ウイルス1型（HTLV-1），

ヒトパルボウイルス B19（PVB19），梅毒などに注意し，必要に応じてスクリーニング検査を行う。細菌感染症として，とくに赤血球製剤では *Yersinia* が問題となる。

2）輸血関連循環過負荷（TACO）

TACO は輸血に伴って起こる循環負荷による心不全で，輸血後 6 時間以内に呼吸困難を主訴として発症する。TACO が疑われた場合は直ちに輸血を中止し，重症度に応じて酸素投与，呼吸管理を行うとともに，利尿薬投与など心不全に準じた治療を行う。

3）低カルシウム血症

輸血用血液製剤の抗凝固保存液として CPD（citrate-phosphate-dextrose solution）液が使用されており，その成分の一つであるクエン酸ナトリウムが，カルシウムイオンをキレートすることで凝固を阻害している。輸血用血液製剤を大量に投与した際に，負荷されたクエン酸が血中カルシウムと結合した結果，低カルシウム血症をきたす場合がある。

4）高カリウム血症

赤血球製剤の上清中のカリウム値は保存期間に伴って上昇し，とくに放射線照射後はより速く上昇する。例えば，日本赤十字社の照射赤血球液（Ir-RBC-LR-2）では，採血後 14 日の上清中のカリウム総量は 6 mEq 程度とされている。通常はほとんど問題にならないが，急速大量輸血時や腎不全患者，小児，新生児などでは高カリウム血症に注意が必要である。

▶文　献

1) International Society of Blood Transfusion：Red Cell Immunogenetics and Blood Group Terminology. https://www.isbtweb.org/isbt-working-parties/rcibgt.html
2) 厚生労働省医薬・生活衛生局：血液製剤の使用指針（平成31年3月）. http://yuketsu.jstmct.or.jp/wp-content/uploads/2019/03/4753ef28a62e4485cb6b44f92ebad741.pdf
3) 厚生労働省医薬・生活衛生局血液対策課：輸血療法の実施に関する指針（令和2年3月一部改正）. http://yuketsu.jstmct.or.jp/wp-content/uploads/2022/06/073bdbb3a84b80b0c05e0b53f57cb409.pdf
4) 米村雄士，他：科学的根拠に基づいた赤血球製剤の使用ガイドライン（改訂第2版）. 日輸血細胞治療会誌 64：688-99，2018.
5) 日本赤十字社ホームページ：赤血球製剤. https://www.jrc.or.jp/mr/blood_product/about/red_blood_cell/
6) American College of Surgeons：Advanced Trauma Life Support Student Course Manual, 10th ed, 2018.
7) 日本赤十字社ホームページ：血小板製剤. https://www.jrc.or.jp/mr/blood_product/about/platelet/
8) 高見昭良，他：科学的根拠に基づいた血小板製剤の使用ガイドライン；2019年改訂版. 日輸血細胞治療会誌 65：544-61，2019.
9) Cantle PM, et al：Prediction of massive transfusion in trauma. Crit Care Clin 33：71-84，2017.
10) 宮田茂樹，他：大量出血症例に対する血液製剤の適正な使用のガイドライン. 日輸血細胞治療会誌 65：21-92，2019.
11) 宗教的輸血拒否に関する合同委員会：宗教的輸血拒否に関するガイドライン，2008. http://yuketsu.jstmct.or.jp/wp-content/themes/jstmct/images/medical/file/guidelines/Ref13-1.pdf
12) 日本赤十字社：赤十字血液センターに報告された非溶血性輸血副作用（2022年），2023. https://www.jrc.or.jp/mr/news/pdf/yuketsuj_2308_181.pdf
13) Vlaar APJ, et al：A consensus redefinition of transfusion-related acute lung injury. Transfusion 59：2465-76，2019.
14) 日本赤十字社：日本赤十字社における TRALI および TACO の評価基準変更のお知らせ，2021. https://www.jrc.or.jp/mr/news/pdf/info_202103.pdf

11-1 意識障害

本多 英喜

意識障害は救急患者のありふれた症候であり，「意識がない」以外にも，「いつもと様子や反応が違う」「ボーっとしている」などの訴えで受診する。意識に影響し得る要因は多岐にわたるが，救急医は二次的な損傷の進行を抑えることを念頭に置くことが重要である。

病　態

意識の「覚醒」には，脳幹に存在する上行性網様体賦活系（ascending reticular activating system）と視床下部調節系（hypothalamic controlling system）が関与する（図1）。橋中部にある脳幹網様体から背側の脳幹被蓋部を上行する神経線維には，視床を介して大脳皮質へ投射する賦活系と，視床下部後部から視床下部前部に接する前脳基底部（Meynert基底核）を介して辺縁系に作用する視床下部調節系があり，この2つの系による二重支配で意識がある状態（覚醒状態）を維持している[1]。また，意識の「内容・認識作用」にかかわる神経機能は，優位半球を中心とした広範な大脳皮質が担う。

意識障害には，「覚醒」の障害（脳幹から大脳皮質への神経投射経路あるいは広範囲大脳皮質の障害）と，「内容・認識作用」の障害（大脳皮質の病変に起因する障害）の2つに大別され，両者が複雑に混在した状態もみられる。内因性・外因性を問わず，広範に大脳皮質へ投射する覚醒系あるいは大脳皮質が障害された結果，昏睡となり得る。昏睡の原因となる部位は，①両側大脳半球の広範な領域の損傷あるいは機能不全，②両側間脳を含む上行性覚醒系の損傷もしくは圧迫，③上位脳幹の傍正中領域（呼吸中枢：両側延髄内側部）の損傷もしくは圧迫などである。

占拠性病変により意識障害をきたす場合は，脳ヘルニアの病態を理解しておくことが重要である。脳ヘルニアとは，脳実質が本来あるべき部位から隣接した部位へ脱出した病態をいう。頭蓋内は大脳鎌と小脳テントなどの硬膜により，左右の大脳半球とテント下の脳幹・小脳の3つの分画に分けられるが，この分画に占拠性病変が生じた際に，それぞれの分画に圧差が生じて脳実質が移動

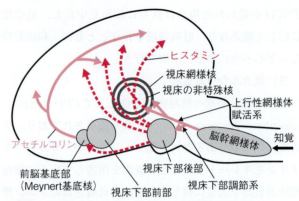

図1　上行性網様体賦活系と視床下部調節系のイメージ

することで脳ヘルニアが生じる。ヘルニアを起こした組織が脳神経や脳幹を圧迫するのみならず，循環障害による虚血や浮腫が生じ，進行性の意識障害をはじめとした種々の神経症状を呈する。図2に代表的な脳ヘルニアの種類を示す。

初期診療の基本

脳機能を維持するためには，呼吸・循環にかかわる生理的機能が正常に機能しなければならず，肺で十分に酸素化された血液が心臓から拍出され，脳血管を介して脳神経細胞へ到達することが前提となるため，まずはABCの安定化を図る。また，比較的容易に介入が可能な低血糖やオピオイド中毒，Wernicke脳症などに対しては，ブドウ糖やナロキソン，ビタミンB_1を投与する。急性の意識障害患者では頭部CT検査を急がなければならない病態か否かを判断することがポイントとなる。意識障害の原因は頭蓋内のみならず頭蓋外，あるいは全身疾患まで多岐にわたるため，原因検索と介入を同時並行で行いながら，さらなる神経障害の悪化を予防するよう努めることが重要である。

意識レベルの評価

意識レベルは，意識の覚醒度と内容（量的・質的な変化）を評価することが重要であり，意識の覚醒度や精神

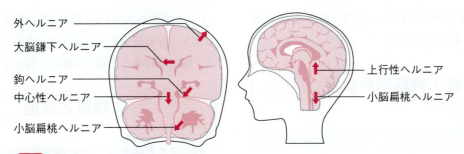

図2 脳ヘルニアの種類

- 大脳鎌下ヘルニア：一側大脳半球の占拠性病変が大脳鎌側へ大脳半球を圧迫し，大脳鎌下部を越えて体側へ嵌入する
- 鉤ヘルニア（テント切痕ヘルニア）：一側大脳半球の占拠性病変が拡大し，側頭葉内側を小脳テント側へ押し下げてテント切痕内へ嵌入する
- 中心性ヘルニア：大脳半球の占拠性病変が間脳を圧迫し，間脳が側方（中心部）へ偏移して血流障害が生じる
- 上行性ヘルニア：後頭蓋窩内で急速に増大する占拠性病変により，小脳テントの切痕部で中脳が背側から圧迫されて生じる。中脳水道の閉塞により急性水頭症が生じて，小脳扁桃ヘルニアを起こすこともある
- 小脳扁桃ヘルニア：容積が小さい後頭蓋窩内圧が上がり，小脳扁桃が大孔に落ち込み発生する。第四脳室閉塞で急性水頭症をきたし，小脳扁桃ヘルニアが延髄呼吸中枢を圧迫して，突然，呼吸停止をきたす

表1 意識障害を表現する主な用語

用語	状態
傾眠（somnolence）	外からの刺激がなければ閉眼して眠り込んでしまうが，呼びかけなど軽い刺激で容易に覚醒する
昏迷（stupor）	強い疼痛刺激によりかろうじて開眼する，あるいは手で払いのけるなどの反応を示すが，十分には覚醒させることができない
半昏睡（semicoma）	ときどき自動的な体動や開眼がみられる以外は睡眠状態にあり，刺激などへの反応・応答はない
昏睡（coma）	自動的な体動がなくなり，疼痛刺激に対して除脳硬直の姿勢をとるなど反射的な動きはあっても，手で払いのけるような動作はみられない。深昏睡になると強い疼痛刺激を与えてもまったく覚醒しない

〔文献3)を参考に作成〕

状態を含んだ医学用語で表現する場合や，評価スケールを用いて定量的に表現する場合がある。

覚醒度の障害（意識混濁）を表す用語としては「傾眠」「昏迷」「半昏睡」「昏睡」などが用いられ（表1）[2)3)]，意識の狭窄や変容を示す用語としては「もうろう状態」「せん妄」「錯乱」などが用いられる。これらを用いる際には，一方で患者の発語や反応の様子などをそのまま診療録に記載することも評価や情報共有の一助となる。

また，わが国で普及している Japan Coma Scale（JCS）や国際的に普及している Glasgow Coma Scale（GCS），世界的に普及しつつある Full Outline of UnResponsiveness（FOUR）score などの評価スケールでは，意識状態を経時的かつ客観的に評価することができ，緊急度や重症度の推定に有用である。スケールの詳細については他項（p.138）を参照のこと。

病歴聴取

意識障害患者では，とくに「受診理由」と，意識障害の「程度」と「質」，そして「症状の経過」について十分に病歴聴取を行うことが求められる．ただし，緊急度が高いと判断している場合には，発症前の状態や発症時刻など必要最小限の情報収集を行ったうえで，検査の実施や治療介入を考慮する必要がある。また，患者本人から病歴を聴取できない場合や，意識障害発症時の目撃がない場合などには，周囲にいた人や家族，救急隊などから，現場の状況や既往歴・通院歴，飲酒歴，薬物乱用歴，服薬中の薬剤などを可能なかぎり聴取する。

けいれんを伴ってんかん発作などが疑われる場合や，病院到着時に意識が回復（一過性意識消失）しており失

神が疑われる場合の対応については，それぞれ他項（p.226, 237）を参照のこと．

身体・神経学的診察

1 身体診察

頭頸部，胸部，腹部，四肢などの一般的な身体診察を行う．外因による意識障害が否定できない場合は，脱衣させて全身を観察する．

2 神経学的診察

可能であれば覚醒患者に行うのと同様に系統的な診察を行うが，指示に従えない意識障害患者では以下のようなポイントについて診察する．

1）意識レベル

前述したとおり，定量的なスコアとしてJCSやGCSを用いて意識レベルを評価する．

2）呼吸パターン

呼吸の回数や深さ，リズムを評価する．Cheyne-Stokes呼吸は脳幹の呼吸中枢への圧迫を，失調性呼吸は脳幹病変を，中枢性過換気は肝性脳症や糖尿病性昏睡などを示唆する．

3）瞳 孔

左右の瞳孔径や対光反射の有無を必ず確認する．瞳孔径が2 mm以下の場合を縮瞳，5 mm以上の場合を散瞳といい，左右の瞳孔径の差が0.5mm以上ある場合を瞳孔不同という．瞳孔は交感神経と副交感神経により調節され，交感神経が障害されると縮瞳し，副交感神経が障害されると散瞳する．pinpoint pupilを呈する著しい縮瞳の場合は，橋出血やモルヒネなどのオピオイド中毒，有機リン中毒を鑑別にあげる．

4）眼球運動

眼位，眼球の動き，不随意な眼球運動を評価する．眼球頭反射（oculocephalic reflex；OCR）の欠如は全脳機能障害でみられるが，代謝性疾患では保たれる．代謝性疾患などでは水平方向の不規則で緩慢な動き（roving eye movement, ocular bobbing）が観察される．

5）運動・肢位

自発的な動きの左右差や筋トーヌスの左右差などが障害部位の同定の参考となる．それらが乏しい場合は疼痛刺激を加えた際の四肢の動きが有用である．鉤ヘルニア（テント切痕ヘルニア）では，進行するに従って除皮質肢位から除脳肢位を呈するようになる．一側の運動麻痺は，脳血管障害など器質的病変の存在を示唆する．

検査と鑑別

内因性疾患による二次性（脳実質の障害に由来しない）の意識障害の可能性も念頭に置き，頭蓋内病変や神経疾患はもちろんのこと，呼吸・循環器系疾患，代謝性疾患，膠原病，血液疾患，敗血症を含む感染症なども考慮して検査と鑑別を進める．

1 各種検査

まず，簡易血糖検査を行うことを忘れず，血液検査（血算，生化学，凝固）や動脈血ガス分析を行う．必要に応じてエタノール濃度や尿中薬物スクリーニング検査，各種ビタミンやホルモン検査，脳波検査などを考慮する．髄膜炎や脳炎などの中枢神経感染症などを疑う際は，髄液検査を行う．原因不明の場合は検体保存（血清，尿，髄液）を検討する．

画像検査では，迅速性と簡便性から頭部単純CTが第一選択として多用される．くも膜下出血における動脈瘤検索や脳梗塞における主幹動脈閉塞を評価する場合は，造影剤を用いた3D-CTアンギオグラフィが有用である．MRI検査はペースメーカなど体内金属がある患者では禁忌であり，撮影に時間もかかることから，CT検査よりも適応が制限されるが，MRI検査による診断が優れる疾患もあることから安全性を確保したうえで実施する．

2 鑑別診断

意識障害では，「AIUEOTIPS」の語呂合わせが鑑別診断の参考になる（表2）．ただし，「AIUEOTIPS」はチェックリストとして"A"から順に鑑別疾患を除外していくものではなく，患者状態に応じて優先順位を判断し，不可逆的な脳障害をきたす前に原因を特定することが望ましい[4]．また，失語や閉じ込め症候群（locked-in syndrome）などの意思の表出が障害されている病態が紛れている可能性もあるため，慎重に鑑別を行う．

表2 AIUEOTIPS

	項目	疾患・病態
A	Alcoholism	急性アルコール中毒
I	Insulin	糖尿病性昏睡（糖尿病ケトアシドーシス，高浸透圧非ケトン性昏睡），低血糖
U	Uremia	尿毒症
E	Encephalopathy	高血圧性脳症，肝性脳症，Wernicke脳症
	Endocrinology	甲状腺クリーゼ，副腎クリーゼ
	Electrolytes	低ナトリウム血症，高ナトリウム血症，高カルシウム血症
O	Overdose	睡眠導入剤，鎮静薬，麻薬
	Oxygen	呼吸不全，低酸素血症，CO_2ナルコーシス，一酸化炭素中毒
T	Trauma	頭部外傷（脳震盪，脳挫傷，びまん性軸索損傷，急性硬膜下血腫，慢性硬膜下血腫，急性硬膜外血腫など）
	Temperature	偶発性低体温症，熱中症
I	Infection	髄膜炎，脳炎，脳膿瘍，敗血症，結核，梅毒，高齢者の肺炎，脳症（インフルエンザ脳症など）
P	Psychiatric	解離性障害，うつ状態，統合失調症
	Porphyria	急性間欠性ポルフィリア症
S	Stroke	虚血性脳血管障害，脳出血，くも膜下出血，（急性水頭症）
	Shock	ショック
	Seizure	てんかん，けいれん重積，非けいれん性重積
	Syncope	洞不全症候群，不整脈，血管迷走神経反射

高齢患者における注意点

1 認知機能・身体機能の変化

高齢者は認知機能の低下をきたしやすく，「反応がにぶい」「無関心」「知的な言動や行動がみられない」という訴えで受診した場合は，認知症との区別が難しい。また，本人からの病歴聴取に難渋することが多く，そのような場合には，頻回に自宅などに訪問している家族やケアマネジャーなどから情報を集めるほか，救急隊からの自宅状況に関する情報も役立つ。

2 薬剤の影響

高齢者では薬剤の管理がうまくいかない場合もあり，処方されている薬剤の過量服用に注意する。内服薬だけでなく貼付薬にも注意が必要であり，指示以上のフェンタニル系貼付薬を使用したことで意識障害をきたし救急搬送された，といった例もある。また，複数の医療機関で治療薬を処方された結果，予期しない薬物間相互作用が生じている場合もあり，注意を要する。糖尿病治療のため高齢者が服用する経口血糖降下薬はインスリンと同等以上の血糖降下作用をもち，低血糖発作が遷延することも少なくない。また，高齢者は加齢に伴う腎機能・肝機能の低下により，薬物代謝能の低下や薬物の排泄遅延が生じ得る。そのため，薬効の遷延により意識障害をきたすことがあり，注意を要する。

3 身体疾患に伴う高齢者の意識障害

高齢患者では脳の器質的疾患以外にも，発熱や脱水，感染症などの全身疾患に伴うせん妄を呈しやすい。肺炎や尿路感染症，胆道感染症などの感染症から敗血症や敗血症性ショックに至っている場合には，原疾患の治療を行いながら全身状態の安定化を図ったうえで，意識障害についても経時的に評価していく。

▶文献

1) 時実利彦：意識．時実利彦（編），脳の生理学，朝倉書店，1966，p375-93．
2) 太田富雄：意識障害．松谷雅生，他（編），脳神経外科学，第13版，金芳堂，2021，p 213-73．
3) 水野美邦：意識障害．水野美邦（編），神経内科ハンドブック，第5版，医学書院，2016．
4) Edlow JA, et al：Diagnosis of reversible causes of coma. Lancet 384：2064-76, 2014.

11-2 めまい

志賀 隆　中森 知毅

「めまい」という訴えは主観的であり、さまざまな異常感覚を含むが、あえて大まかに分類すると、①「気が遠くなって意識を失いそうだ」という失神性のめまい、②「ふらついて歩けない」という浮動性のめまい、③「周りが回って見える」という回転性のめまい、に分けられる（表1）。めまいを訴える患者に対応する際には、これら3つのいずれに相当するのかを判断することが、原因と治療を考えるうえで重要である。

表1　「めまい」という主訴に含まれる要素

主訴		医療的な判断
black out	眼前暗黒感	失神性めまい
faintness	気が遠くなる	失神性めまい
lightheadedness	頭が（ふわふわっと）軽くなる	失神性めまい
dizziness	ふらつく（身体が揺れている）	浮動性めまい
vertigo	周りが回って見える	回転性めまい

症候の概要

1 病態

めまいの主な原因を表2[1]に示す。失神性めまいでは、心臓のポンプ機能の低下や心臓から中枢神経系に至る比較的太い血管の障害を考える。浮動性めまいでは、末梢神経から脊髄を経て大脳に至る経路の障害による体性感覚障害に起因するものを想起する。一方、回転性めまいでは、末梢前庭から脳幹小脳に至る神経路の障害を考える。ただし、小脳・脳幹病変（小脳・脳幹を栄養する血管性病変を含む）では、いずれのタイプのめまいも訴えることがある。

2 疫学

前述したとおり、「めまい」という主訴は多分に主観的であり、そのなかにさまざまな原因が含まれるうえ、一般外来を受診したか、救急外来を受診したか、あるいは脳卒中専門病院へ搬送されたかなど、どのような疾患を疑われて医療機関を受診したかといった要素も加わる。そのため、めまいを起こす原因疾患の頻度などを正確に把握するのは困難である。脳卒中専門病院の救急外来では、めまいを主訴に救急搬送された例の20～30％に脳血管障害が含まれていたという報告もあれば、めまいを主訴に来院した患者のなかで片麻痺などめまい以外の主訴が含まれていたものを除くと、脳血管障害を含む中枢性めまいは2～3％程度とする報告もある[2)～4)]。

診断のアプローチ

急性のめまいの原因には脳血管障害や心大血管疾患も含まれることから、診察手順や診察手技そのものにも注意を払う必要がある。例えば、歩行や立位保持の程度はめまいの鑑別に有用であるが、心血管系疾患や脳血管障害による脳主幹動脈の狭窄・解離の可能性がある患者を診察のために歩かせたり、頭位を大きく動かすことは非常に危険である。

1 意識、バイタルサイン、症状種別などの確認

急性発症のめまいで意識障害や神経失調を伴っている場合には、急性脳血管障害などの中枢性めまいの可能性が高く、全身状態の安定化を図るとともに、速やかな頭部CT検査を考慮する。血圧や脈拍の異常に注意し、著明な低血圧があれば心血管系疾患の可能性を、著明な高血圧と繰り返す嘔吐・激しい頭痛があれば脳出血などの可能性を疑う。

患者が訴える「めまい」の症状がどのようなタイプ（失神性、浮動性、回転性）に近いのかを簡単に確認し、それに応じて原因を想起する。とくに、「目の前が真っ暗になる」「しゃがみたくなる」「頭から血の気が引く」ようなめまいを訴える場合、全脳の一過性還流低下による症状、いわゆる前失神であり、失神の扱いとして対応を

表2 めまいの主な原因

末梢前庭（神経）障害によるめまい	前庭機能障害	メニエール病，良性発作性頭位めまい症（BPPV），前庭神経炎，突発性難聴
	腫瘍	小脳橋角部腫瘍
	薬剤	アミノグリコシド，シスプラチン
	血管障害	前前庭動脈の障害
中枢神経系の障害によるめまい	炎症性疾患	多発性硬化症
	変性疾患	多系統萎縮症，脊髄小脳変性症
	薬剤	アルコール，フェニトイン，カルバマゼピン
	血管障害	脳梗塞，脳出血，脳血管奇形，脳主幹動脈の閉塞・狭窄，血管解離
	その他	てんかん，片頭痛
失神性めまい	起立性低血圧	脱水，自律神経障害
	心血管疾患	心不全，急性冠症候群，不整脈発作，心弁膜症
体性感覚障害によるめまい	末梢神経障害	糖尿病性末梢神経障害，アミロイドーシス
	脊髄障害	脊髄症，多発性硬化症
内分泌・代謝疾患によるめまい		低血糖，甲状腺機能障害
心因性		パニック症，解離性障害

〔文献1〕より引用・改変〕

進める（p.237参照）。

薬剤性のめまいを考慮して，服薬歴の聴取も忘れてはならない。

2 身体・神経学的診察

診察時の原則として，脳血管障害による中枢性めまいの可能性を否定できるまでは仰臥位を保つ。また，聴診で頸部血管雑音が聴取される場合には，頭位を回旋させるような診察は控えるべきである。めまいの診察法として，HINTS，Dix-Hallpike法，Supine Roll法が知られている。

1）HINTS

急性発症のめまいについて，身体所見から中枢性・末梢性を鑑別する方法である。HIT（Head impulse test），眼振（Nystagmus），斜偏倚（Test of skew）の3つの組み合わせから"HINTS"と呼ばれる。各項目のうち1つでも中枢性めまいを疑う所見がみられれば，MRI検査を行う。中枢性を疑う所見がある場合，脳卒中の陽性的中率は18.39（6.08～55.64），陰性的中率は0.16（0.11～0.23）と報告されている[5)6)]。ただし，意識障害や悪心・嘔吐があるなど患者の協力が得られない状態では実施が困難となる。なお，上記の3項目に聴力障害の評価を加えて"HINTS plus"と呼ぶこともある。

(1) HIT（head impulse test）

検者が両手で患者の頭部を保持し，軽度屈曲位とする。患者に検者の鼻先を注視させたまま，頭部を20°ほど回旋させる（図1）[7)]。患者の視線が鼻先に固定されたまま（HIT陰性）であれば，前庭機能の低下がみられない中枢性めまいを疑う。一方，視線が鼻先からいったん離れた後に戻そうとする眼球運動がみられる場合（HIT陽性）には，前庭機能障害がある末梢性めまいを疑う。

(2) 眼振（nystagmus）

眼振は時々刻々と変化することがあるため，可能なかぎり早期に評価し，その後も繰り返し観察する。まず，物体を注視したときのみ出現する注視眼振の有無をみる。続いて，Frenzel眼鏡下で自発眼振，頭位眼振の有無をみる。注視眼振，頭位変換眼振，頭位眼振の記録法を図2に，注視眼振の記録例を図3に示す[8)]。

両眼球が交互に上下する振子眼振（シーソー眼振），両眼球の律動的な内転と後退運動が生じる眼振（輻輳後退眼振），両眼球の運動の方向，振幅や周期性が異なる眼振（解離眼振），方向交代性の注視眼振（Bruns眼振），垂直方向の注視眼振を観察した場合には，中枢性めまいと判断する。一方，**表3**に示すような眼振がみられる場合，末梢前庭性めまいでもっとも多いとされる良性発作性頭位めまい症（benign paroxysmal positional vertigo；BPPV）を疑う[9)]。

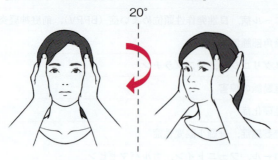

図1 HIT（head impulse test）

〔文献7）より引用〕

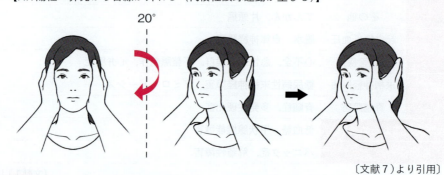

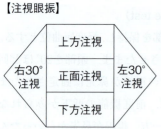

図2 眼振の記録法

(3) 斜偏倚（test of skew）

核上性上下斜視を評価する。患者に正面を注視させ，片側の眼を覆い，素早く覆いを外した際の眼球運動の有無を確認する。下方偏倚している側の脳幹障害が示唆される。

2) Dix Hallpike 法, Supine Roll 法

いずれも頭位変換性のめまいがみられる場合の診察法である。

Dix Hallpike 法は，後半規管の結石を重力により移動させることで眼振を誘発し，後半規管型 BPPV を診断するものである。手順は，まず被験者を坐位とし，頭部を45°まで回旋させ，そのままの姿勢で一気に上半身を倒し，懸垂頭位とする（図4)[7]。数秒〜数十秒の潜時を伴い患側方向への回旋性眼振がみられれば，後半規管型 BPPV と診断できる。めまいの原因として急性脳血管障害を強く疑う場合には行ってはならない。

Supine Roll 法は，眼振の誘発により外側（水平）半規管型 BPPV を診断するものである。患者を仰臥位にし，

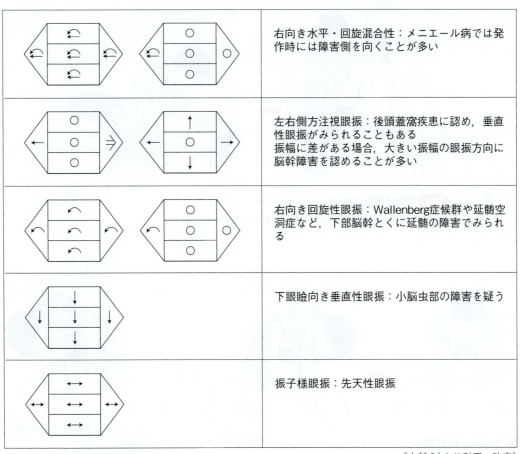

図3 注視眼振の記録例

〔文献8〕より引用・改変〕

> **表3 良性発作性頭位めまい症（BPPV）の特徴**
>
> ・特定の頭位をとることによって誘発される回転性めまい
> ・頭位変換から眼振出現まで数秒間の潜時がある
> ・眼振の持続時間は短い（数十秒以内が多い）
> ・引き続き同じ頭位をとることを繰り返すと眼振は減衰する
> ・耳鳴り，難聴を伴わない
> ・患側へ45°頭部を捻転させ，さらに懸垂頭位をとると眼振が誘発されるが，この捻転頭位を保ったまま坐位にすると眼振の向きが変わる*

*後半規管型 BPPV の特徴

頭部を左右に向けて眼振を観察する（**図5**）[7]。床向きの眼振が出現すれば外側半規管型 BPPV と診断できる。

3）その他の診察

蝸牛症状（耳鳴りや難聴）の有無を問診し，音叉を使った簡易聴力検査（Rinne 法，Weber 法）を行う。また，瞳孔不同や眼球運動障害，顔面神経麻痺，構音障害，四肢の麻痺や失調，Babinski 徴候の有無など，仰臥位を保った状態で可能なかぎりの神経学的診察を行う。

めまいを発症してから一度も神経学的異常を疑わせる症状がなく，ほかの診察・検査で原因がはっきりしない場合には，①Romberg 徴候（閉足立位時に閉眼すると身体が動揺して著しく不安定になる）の有無，継ぎ足歩行や Mann 肢位保持の可否といった立位での体幹失調や平衡機能障害の有無の確認，②姿勢変換による血圧変化などによる小脳下面や小脳虫部の障害の評価を追加する。

11. 救急症候

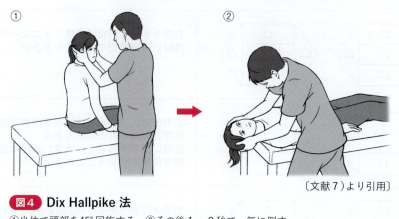

図4 Dix Hallpike法
①坐位で頭部を45°回旋する，②その後1〜2秒で一気に倒す
〔文献7）より引用〕

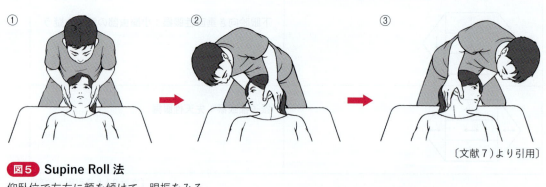

図5 Supine Roll法
仰臥位で左右に顔を傾けて，眼振をみる
〔文献7）より引用〕

3 各種検査

　一般血液検査を行い，貧血や電解質異常，低血糖，脱水所見の有無などを確認する。

　極端な高血圧で，反復性の嘔吐がある場合には，出血性脳卒中などの可能性を考慮して頭部CT検査を行う。また，超急性期の虚血性脳卒中をとらえる必要がある場合には，頭部MRI検査および頭頸部MRA検査を行う。患者が立位保持・自律歩行できない状態の場合には，中枢性を疑ってMRI検査を考慮する[10]。MRI DWIで中枢性病変が陽性になるまで24時間程度を要する場合もあるため，症状が持続していれば再検査を検討する[11]。

4 評価と鑑別

　めまいの鑑別フローを図6[7]に示す。前述した診察・検査などにより原因を除外・鑑別しながら対応を進めるが，多様な原因のなかでもとくに緊急度が高いのは心血管系疾患と脳血管障害である。

1）心血管系疾患の鑑別

　心血管系疾患については前述したとおり，血圧などのバイタルサインから疑うほか，失神性めまいの症状（いわゆる前失神）を訴える場合には心血管原性，起立性低血圧，神経調整性を念頭に，心電図検査や心エコー検査，起立負荷試験などを考慮する。

2）脳血管障害の鑑別

　脳血管障害の評価には，①急性発症のめまいかどうか，②めまいの誘因や前駆症状，随伴症状があるか，が重要である。

　①については，急性発症で，頭位変換がなくてもめまいや悪心・嘔吐が続く場合には，脳血管障害を考慮する。ただし，末梢性のめまいであっても頭位変換によらず症状が持続することはあるため，前述したHINTSなどで鑑別を行う。

　②については，血管障害によるめまいでは糖尿病や高血圧，心房細動といった既往があることが多い。突然の頭痛や頸部痛，半身の感覚障害を伴って発症しためまいでは，出血性脳卒中のほか，内頸動脈や椎骨脳底動脈の血管解離によるめまいの可能性がある。

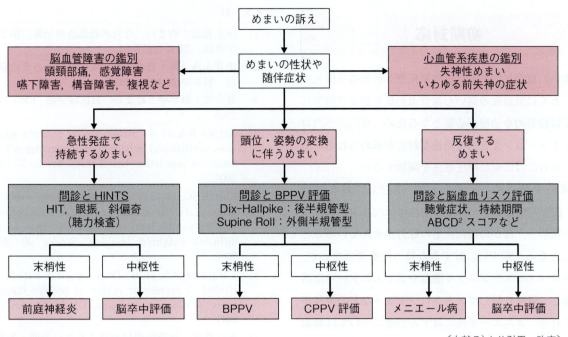

図6 めまいの鑑別フロー
BPPV：benign paroxysmal positional vertigo, CPPV：central paroxysmal positional vertigo

また，たとえ一過性であっても中枢神経系の異常を疑わせる症状（視野欠損，複視，構音障害，四肢の脱力感や使いづらさ）があった場合には，脳血管障害の可能性を考える。

3）頭位や姿勢の変換に伴う場合

頭位や姿勢の変換に伴って回転性のめまいが生じた場合には，BPPV を含む末梢前庭の障害によるめまいを疑い，前述した Dix Hallpike 法や Supine Roll 法で診断を行うが，起立性低血圧や，前庭神経核やその入出力系を含む中枢性疾患によるめまい，すなわち中枢性発作性頭位めまい症（central paroxysmal positional vertigo；CPPV）との鑑別が重要である（**表4**）[7]。CPPV は後頭蓋窩とくに第Ⅳ脳室に問題があることが多く，脳血管病変，悪性腫瘍，多発性硬化症などが原因と考えられている。

4）反復するめまいの場合

反復するめまいの原因としてはメニエール病が多く，耳鳴り，耳閉感，難聴などの聴覚症状を伴う。めまいは誘因なく発症し，悪心・嘔吐を伴うことが多く，持続時間は10分～数時間程度とされる。メニエール病についての詳細は他項（p.560）を参照のこと。

また，反復するめまいが主訴となり得る病態でとくに緊急性が高いものとして，椎骨動脈解離による一過性脳虚血発作があり注意を要する。椎骨動脈解離の診断には，頭部 MRI や頭頸部 MRA による脳内異常信号の検出と椎骨動脈の壁内血腫の確認が必要であるが，読影難易度が高いため，脳卒中の専門家や放射線読影医との連携が求められる。

表4 中枢性発作性頭位めまい症（CPPV）が疑われる所見

BPPV にはみられない所見がある
・頭痛
・複視
・脳神経／小脳障害

非典型的な眼振がみられる
・垂直方向性眼振
・瞬時に始まる眼振，90秒以上持続する眼振，強弱がない眼振
・軽度のめまいか，めまいがないにもかかわらず，眼振が目立つ

治療的手技に反応性が乏しい
・体位変換ごとに嘔吐をする
・Epley 法などで改善しない
・症状が頻繁に再発する

〔文献7）より引用〕

初期対応

めまいの原因に応じて，その原疾患への治療を優先させる．とくに緊急度の高い心血管系疾患や脳血管障害に対しては特異的な治療が必要となるため，専門医へのコンサルテーションを含めて迅速な対応が求められる．脳出血の場合には即座に降圧療法を開始する．

めまいで特異的な治療として，BPPV に対しては Epley 法が有効であるが，その実施には内耳前庭器についての理解と，ほかの原因疾患の除外がすんでいることが前提となる．BPPV に対する直接の治療薬はないが，対症的にベタヒスチンメシル酸塩やジフェニドール塩酸塩，悪心・嘔吐に対してメトクロプラミドなどの投与が検討される．メニエール病に対する治療については他項（p.560）を参照されたい．

患者処遇の判断（disposition）

基本的には原疾患に準じるが，救急外来での初療後も症状改善なく中枢病変が否定しきれない場合は，無理に帰宅とせず入院経過観察とし，改めて精査を企画する．

末梢性めまいと診断され，症状が自制内である場合は，症状増悪時の再診について説明したうえで，帰宅経過観察が可能である．症状が強く日常生活の維持が困難である場合には入院を検討する．

▶文　献

1) 中森知毅：めまい．今日の救急治療指針，第2版，医学書院，2011，pp78-81．
2) 出井ふみ，他：横浜労災病院におけるめまい症例の検討．脳卒中 27：254，2005．
3) 城倉健：脳卒中とめまい．日医師会誌 134：1485-90，2005．
4) Kerber KA, et al：Stroke among patients with dizziness, vertigo, and imbalance in the emergency department：A population-based study. Stroke 37：2484-7, 2006.
5) Kattah JC, et al：HINTS to diagnose stroke in the acute vestibular syndrome：Three-step bedside oculomotor examination more sensitive than early MRI diffusion-weighted imaging. Stroke 40：3504-10, 2009.
6) Tarnutzer AA, et al：Does my dizzy patient have a stroke? A systematic review of bedside diagnosis in acute vestibular syndrome. CMAJ 83：E571-E592, 2011.
7) 堀江勝博：救急医療におけるめまい診断・初期対応．救急医学 46：591-7，2022．
8) 切替一郎：平衡機能検査．野村恭也（監），新耳鼻咽喉科学，第11版，南山堂，2015，pp92-115．
9) 日本めまい平衡医学会診断基準化委員会（編）：良性発作性頭位めまい症ガイドライン（医師用）．Equilibrium Res 68：218-25，2009．
10) Vanni S, et al：Differential diagnosis of vertigo in the emergency department：A prospective validation study of the STANDING algorithm. Front Neurol 8：590, 2017.
11) Allen LM, et al：Sequence-specific MR imaging findings that are useful in dating ischemic stroke. Radiographics 32：1285-97；discussion 1297-9, 2012.

11-3 頭痛

仁平　敬士　山上　浩

症候の概要

頭痛にはくも膜下出血（subarachnoid hemorrhage；SAH）など重篤な疾患が多く含まれており，それらの除外が優先となってしまいがちであるが，その他の頭痛が軽んじられる理由にはならない。一次性頭痛も患者にとってはまぎれもない苦痛であり，片頭痛に至っては障害生存年数（YLDs）の上位5疾患に入っている[1]。

1 疫学・病態

頭痛を主訴とする患者は，救急外来受診者全体の0.6～4.5％を占めているとされる[2)～7)]。すべての患者で精査を実施することは医療経済や被ばくの観点から望ましくないが，精査を必要とする患者を適切に選択することが重要である。頭痛の多くは良性の疾患であるが，頭痛を訴えて救急外来を受診した患者の2～18.8％が二次性頭痛と診断されたという報告や，突然の激しい頭痛を訴えて受診した患者の30％が二次性頭痛と診断されたという報告がある[2)5)7)8)]。とくに後述する雷鳴様頭痛（thunderclap headache；TCH）のような急激に出現した強い頭痛の場合，SAHを含めた重篤な疾患が想起されるため，迅速な診療が求められる。

二次性頭痛をきたす疾患は，①頭蓋内疾患，②頭蓋外の頭頸部疾患，③その他，に大きく分けることができる。脳出血やSAHなどの多くの致死的疾患は①に含まれるが，②に該当する急性閉塞隅角緑内障や顔面帯状疱疹，眼窩蜂窩織炎なども機能障害や死亡のリスクが高いことに注意が必要である。また，③には急性心筋梗塞や急性大動脈解離が含まれており，頭痛という主訴であったとしても全身の診察を怠ってはならない。

2 雷鳴様頭痛（TCH）とは

TCHは，1分以内に疼痛がピークに達する頭痛である[9]。突然とも評される発症様式と疼痛の強さから，ほかの頭痛のタイプと区別して扱われ，多くの致死的疾患がTCHで来院し得る。先進国における18歳以上のTCH年間発生率は43/10万人と推定されている[10]。

TCHの病因は多岐にわたり，比較的よく報告されているものだけでも，SAH，可逆性脳血管攣縮症候群（reversible cerebral vasoconstriction syndrome；RCVS），脳動脈解離，脳静脈血栓症，脳梗塞，脳内出血，髄膜炎，特発性低髄液圧症候群，急性高血圧発作，下垂体卒中，第三脳室コロイド囊胞などがある。考えられるすべての原因を除外した後，TCHは一次性とみなされることがあるが，救急外来においてはあくまで二次性と考えて診療を行う。

とくにわが国におけるSAHの罹患率は諸外国に比べて高く，フィンランドと並んでSAHのリスクが高いとされる[11]。また，わが国の三次救急医療機関を受診した頭痛患者の17.7％がSAHであったとする報告[12]もあり，救命救急センターではよりいっそうSAHに注意を払うべきである。

診断のアプローチ

1 病歴聴取・身体診察

精査を必要とする患者を抽出するにあたり，いくつかの指標となる情報が存在する。精査を促すような情報を整理するものとしてSNNOOP10がある（表1）[13]。また，古典的ではあるが疼痛のOPQRSTも病態を推測するのに有用な情報を提供してくれる。

1）発熱などの全身症状

頭痛以外の随伴症状は診断の大きな手がかりとなる場合がある。後頸部痛は頭痛に合併した場合，髄膜刺激徴候の可能性を考える。とくにSAHが懸念される患者では自覚症状としての後頸部痛の時点で尤度比（LR）4.12，診察での項部硬直であればLR 6.59となり確率が高くなることに留意する[14]。発熱を伴っている場合は，積極的に髄膜炎の可能性を検索すべきであるが，古典的三徴とされる「項部硬直，発熱，意識障害」がすべて出現する

表1 SNNOOP10

	症状・徴候	懸念される疾患
Systemic symptom including fever	発熱などの全身症状	感染もしくは非血管性の頭蓋内疾患，神経内分泌腫瘍，褐色細胞腫
Neoplasm in history	悪性腫瘍の既往	脳腫瘍および転移
Neurologic deficit or dysfunction (including decreased consciousness)	意識障害と神経学的異常	血管性，感染性疾患（脳膿瘍など）
Onset of headache is sudden or abrupt	突然発症	くも膜下出血，その他の頭蓋内および頸部の血管性疾患
Older age (≧50years)	高齢（50歳以上）	巨細胞性動脈炎，頭蓋内および頸部の血管性疾患，悪性腫瘍などの非血管性頭蓋内疾患
Pattern change or recent onset of headache	頭痛パターンの変化 最近発症した新しい頭痛	悪性腫瘍，血管性・非血管性頭蓋内疾患
Positional headache	姿勢によって変化する頭痛	頭蓋内圧亢進，低髄圧症候群
Precipitated by sneezing, coughing, or exercise	くしゃみ，咳嗽，運動によって誘発される頭痛	キアリ奇形などの後頭蓋窩奇形
Papilledema	乳頭浮腫	悪性腫瘍，非血管性頭蓋内疾患による頭蓋内圧亢進
Progressive headache and atypical presentations	増悪傾向の頭痛 非典型的頭痛	悪性腫瘍，非血管性頭蓋内疾患
Pregnancy or puerperium	妊娠中もしくは産褥期	頭蓋内および頸部の血管性疾患，硬膜穿刺後頭痛，子癇などの高血圧関連疾患，脳静脈洞血栓症，甲状腺機能低下症，貧血，糖尿病
Painful eye with autonomic features	自律神経症状を伴う眼痛	後頭蓋窩・下垂体・海綿静脈洞病変（Tolosa-Hunt症候群など）
Posttraumatic onset of headache	外傷後に発症した頭痛	硬膜下血腫やその他の血管性疾患
Pathology of the immune system such as HIV	HIV などの免疫異常	日和見感染
Painkiller overuse or new drug at onset of headache	鎮痛薬の過剰使用に伴う頭痛 新規の薬剤使用に伴う頭痛	薬剤乱用頭痛，薬剤誘発性頭痛

〔文献13）を参考に作成〕

のは細菌性髄膜炎の一部であり「頭痛，発熱，項部硬直，意識障害のどれか2つ」であれば95％となる[15]。Kernig徴候や Brudzinski 徴候も特異度が95％と高いものの，感度はわずか9〜11％であり，除外に使用できる所見ではない[16]。

2）悪性腫瘍の既往

悪性腫瘍を指摘されている患者が新規に頭痛を発症した場合，32〜54％に脳転移がみつかるという報告があり，担がん患者が新規の頭痛で来院した場合は精査が必要である[17)18]。いかなる悪性腫瘍の既往もない頭痛患者に脳腫瘍がみつかるリスクは低く，0.1％未満の確率である[19]。原発性脳腫瘍は年齢とともに罹患率が徐々に上昇するが，一部は10歳未満の小児に発生のピークが存在する[20]。肺がん，乳がん，悪性黒色腫，腎細胞がんは，頭蓋内転移のリスクが高いため，とくに注意が必要である。

3）意識障害と神経学的異常

明らかな意識障害や麻痺などの神経学的異常があれば，頭蓋内疾患を想起する。脳神経所見や四肢麻痺，眼位，瞳孔径や対光反射，失語の有無，小脳失調や体幹失調，病的反射を可能なかぎり評価する。意識障害があっても筋緊張や眼裂の左右差，眼位，瞳孔径，眼球頭反射，roving eye movement（眼球がゆっくり左右に動く様），睫毛反射は観察可能である。診察によって障害されている脳の部位を推定することが重要である。

虚血性脳血管疾患における頭痛のレビューでは，一過性脳虚血発作（transient ischemic attack；TIA）と脳

梗塞患者の16〜38%，出血性梗塞患者の64.5%に頭痛がみられている[21)〜24)]。脳卒中発症時の頭痛に関する研究では，脳梗塞またはTIA患者の27%が頭痛を呈していたとされ[25)]，頭痛と神経学的異常の両方が存在している場合には頭蓋内の出血性病変だけでなく，虚血性病変も十分に視野に入れて精査を行う必要がある。

4）突然発症

TCH，もしくはそれに準じるような急性発症は，血管性を想起すべきである。とくにTCHの多くを占めるとされるSAHに関しては十分な評価が必要である。逆にピークまで1時間を超えるような緩徐な経過の場合はSAHである確率は大きく下がるといえるため，発症様式の聴取は重要である。

5）高 齢

65歳以上で二次性頭痛の頻度が高い傾向であったという報告があり，もっとも多い二次性頭痛の原因は感染症で，29.4%を占めていたとされる[26)]。重篤な二次的原因（脳卒中，側頭動脈炎など）が，65歳未満の患者群の1.6%に対し，高齢患者は15%と10倍近くの割合で確認されたという報告もあり[27)]，高齢者の頭痛に関して慎重な対応が求められる。

6）頭痛パターンの変化，最近発症した新しい頭痛

過去に同様の頭痛があったかどうかを確認する。同様の症状があった場合も，どの時期にあったのか，精査がされているかを確認し，十分な精査がされていない場合は未診断の重篤な疾患が存在すると想定して対応する。10週間以内に発症した新規の頭痛は，腫瘍患者における頭蓋内転移の独立した予測因子である。また，平均頭痛期間は二次性頭痛群のほうが短いとされるが，頭痛のパターン変化がどれくらいの頻度で起こるかは不明であり，慢性的な症状（3カ月以上）の患者と比較して，パターン変化または最近の発症（＜3カ月）の患者では，二次的な病因の可能性が高くなると推測される[13)]。

7）姿勢によって変化する頭痛

臥位-立位の体位変換で明らかな誘発がある場合は低髄圧を示唆する場合がある。典型的には立位後15分以内に頭痛が出現するとされるが，その限りではない。立位や坐位をとってすぐ，もしくは数秒以内に生じる頭痛で，横になると楽になる病歴は低髄圧を想起する。腰椎穿刺や脳外科手術を直近に受けた患者でしばしば認められる。

8）くしゃみ，咳嗽，運動によって誘発される頭痛

二次性咳嗽性頭痛は，65%がキアリ奇形1型（小脳扁桃のヘルニア）と関連しているとされる[28)]。キアリ奇形以外では，後頭蓋窩病変が二次性咳嗽性頭痛の約15%を占める[28)]。

9）乳頭浮腫

乳頭浮腫は頭蓋内異常の予測因子とされているが，近年は現場で用いられることは少ない。

10）増悪傾向の頭痛や非典型な頭痛

新たに生じた頭痛が継続し，痛みや関連する症状が増悪傾向である場合は注意すべきである。頭痛を唯一の症状とする脳静脈血栓症の64.7%において，頭痛が進行性の経過をたどっていたという報告がある[29)]。

11）妊娠中もしくは産褥期

妊娠中や産褥期には，生理的変化（凝固の過活性化，ホルモンの変化，硬膜外麻酔など）により，二次性頭痛のリスクが高くなる。急性頭痛を呈した妊婦のうち，35%で二次性頭痛がみつかり，そのうちの51%が妊娠高血圧症候群で，多くは前子癇であり，ほかに可逆性後白質脳症症候群（posterior reversible encephalopathy syndrome；PRES），子癇，HELLP症候群，RCVS，急性高血圧が多かったと報告されている[30)]。

12）自律神経症状を伴う眼痛

疼痛の部位があまりに限局している，圧痛があるなどの場合には頭蓋内疾患だけでなく頭蓋外疾患も十分に検討すべきである。とくに急性閉塞隅角緑内障は治療の遅延により大きな機能障害を残すため，眼窩周囲の疼痛を訴えた場合には必ず鑑別にあげる。また，巨細胞性動脈炎（側頭動脈炎）も失明に至る症例があるため，高齢者が側頭部痛を訴えた場合には側頭動脈の圧痛にも留意して診察を行う。疼痛部位の皮疹を伴っている場合は帯状疱疹の可能性があり，三叉神経第1枝領域はヘルペス角膜炎のリスクであるため，罹患部位の同定とともに眼病変の評価を行う。

眼窩隔壁より後方の感染症である眼窩蜂窩織炎は，隔壁のために内圧が上昇しやすく，10%以上が失明するとされる[31)]。また，髄膜炎や脳膿瘍を合併し死亡することもあるため，眼窩周囲蜂窩織炎と区別すべきである。隔壁より前の感染では基本的に結膜浮腫，眼球突出，眼球運動障害，RAPD（relative afferent pupillary defect）陽性，視力低下などの眼球診察における異常は認めないはずであり，確認が望ましい。

三叉神経・自律神経性頭痛（trigeminal autonomic cephalalgias；TACs），とくにその代表的疾患である群発頭痛では強い頭痛が生じ，眼の充血など自律神経症状

を伴うことがある．しかし，TACsおよび類似する症状が二次性に生じていることもあり，画像による精査が望ましい．

13）外傷後に発症した頭痛

外傷後に発症した頭痛では外傷性脳損傷が生じていないかどうかを確認する．とくに超高齢社会を迎えているわが国においては抗血小板薬や抗凝固薬を使用している患者も多く，硬膜下血腫などの出血性疾患を除外しなければならない．ただし，外傷後に内因性の頭痛を発症した可能性もあるため，外傷性変化が認められない場合においては，介入が必要な疾患がないかをもう一度見直す．

14）HIVなどの免疫異常

頭痛はHIV患者にもっともよくみられる痛みの問題で，進行したHIVにおける中枢神経病変の一般的な病因は，脳性トキソプラズマ症，原発性中枢神経リンパ腫，および進行性多巣性白質脳症である．そのほか，基礎疾患のために免疫抑制薬を使用している，化学療法を行っているなどで免疫不全となっている可能性が高い場合も，髄膜炎などの感染症に伴う頭痛や基礎疾患の進行による頭痛の可能性を十分に勘案すべきである．

15）鎮痛薬の過剰使用もしくは新規の薬剤使用に伴う頭痛

薬剤乱用による頭痛（medication overuse headache；MOH）は成人に多い二次性頭痛で，適切な休薬や漸減が推奨されている．MOHは，頭痛の経過は比較的無害であっても，治療可能な二次性頭痛であるため，スクリーニングを行うことが重要である．一方，新規薬剤と時期を同じくする頭痛の発症では，薬剤の有害事象としての頭痛を考える．原因となり得る薬剤は硝酸薬などの降圧薬はもとより，抗不整脈薬や抗菌薬，向精神薬など非常に多岐にわたる．

2 検査・評価

頭痛の診療においては病歴，身体診察，画像検査が大きな役割を果たすが，全身症状がある場合や高齢者においては血液検査や髄液検査が決め手となる場合もある．加えて，緊急の介入を要する疾患が懸念される場合には診断後，速やかな治療に進めるように画像検査前に血液検査を提出しておくことは合理的である．髄液検査は髄膜炎/脳炎もしくはSAHが疑われる場合に選択肢となる．

画像検査は撮像時間の短さからCTが最初に選択されることが多い．単純CTでは頭蓋内出血，一定の時間が経過した脳梗塞，腫瘍，膿瘍，病歴聴取では明らかにならなかった外傷性変化などを指摘できる．造影CTおよびCTアンギオグラフィ（CTA）/CTベノグラフィ（CTV）は膿瘍や動脈の解離・閉塞，静脈洞血栓，動静脈奇形の診断に有用である．MRI/MRアンギオグラフィ（MRA）/MRベノグラフィ（MRV）が救急外来から利用可能な施設は限られるため，各施設においてどの画像検査が施行可能なのかを確認しておくべきである．

1）くも膜下出血を疑う場合

動脈瘤性SAH患者の12.4％は動脈瘤破裂時に死亡し，院内死亡率は21.5～41.2％に及ぶ[32)～34)]．一方で，神経学的異常のない患者の約3人に1人が初診時に誤診されているという報告[35)]もあるとおり，その診断は容易ではない．診断に至らなかった最大の要因は「CTを撮影しなかったこと」とされており，頭痛診療においては「頭部CTを撮影しなくてよい理由は十分にあるか」についてよく検討しなければならない．

(1) CT検査

発症6時間以内に撮影された頭部単純CTの感度は100％であったとの報告[36)]があるため，SAHが疑われる患者において発症早期に検査を施行するメリットは大きい．ただし，第三世代以降のCTで撮影し，放射線科専門医による読影が行われるのが条件であり，夜間などで非放射線科専門医が判断する場合は感度が低下する可能性がある[36)]．また，高い感度のためには高い空間分解能が必要であるとされ，SAHを疑う場合は可能なかぎりthin sliceでの画像評価を心がけるべきである．時間とともにCTの感度は徐々に低下することが知られており，発症6時間以降に撮影した場合，SAHを積極的に疑っている患者ではCTでSAHを除外することができないと考えるべきである．

(2) MRI/MRA，CTA検査

MRIではFLAIR/$T2^*$によりSAHが生じていたかについての情報が得られ，SAHからの時間経過によりそれぞれの感度が異なる．FLAIR/$T2^*$ともに発症4日以内は感度100％とはならないこと，FLAIRは6日目以降の感度が非常に低い可能性があること，$T2^*$は6日目以降も長期にわたって高い感度が保たれることがポイントとなる[37)38)]．MRAは>3 mmの動脈瘤に対して感度95％，特異度89％であるため[39)]，MRI/MRAではSAHと動脈瘤両者の評価ができるメリットが存在する．CTAはすべての動脈瘤に対して感度・特異度が高く，

動脈瘤性SAHの重要性を鑑みると，動脈瘤の存在が否定できるだけでも臨床的意義は大きい。ただし，CTAではSAHがあったかどうかに関して判断ができず，動脈瘤以外の要因によってSAHが生じていた可能性が残ってしまうことに注意が必要である。

(3) 腰椎穿刺

CT検査およびMRI検査などでSAHの診断がつかない場合には，腰椎穿刺を考慮する。ただし，traumatic tapや穿刺による疼痛，硬膜穿刺後頭痛，手技に要する時間と人手などの問題がある。

2) 髄膜炎を疑う場合

腰椎穿刺の前に頭部の画像検査が必要かどうかは議論があるところである。頭蓋内に圧排性病変が存在する場合，腰椎穿刺により脳ヘルニアを悪化させる可能性が懸念される。しかし，細菌性髄膜炎は高い死亡率を示す緊急疾患であり，わが国のガイドラインにおいても血液検査開始から1時間以内に抗菌薬投与へ至るよう推奨されている[40]。

60歳以上，免疫抑制，神経疾患の既往，直近のけいれん，神経学的異常などを認める場合，画像的な異常が見つかる可能性が高いが，該当しなければほとんどは正常であり，異常を認めた患者でも腰椎穿刺による有害事象は報告されていない。わが国におけるCTのアクセスのよさからは，諸外国で議論の原因となっている「CT撮影による診断・治療の遅れ」は生じにくいと推測されるが，治療の遅れは死亡率の上昇につながるため，画像検査後に治療を行うのであれば可能なかぎり急いでの撮影が望ましい。待ち時間が長くなるようであれば，十分な説明とリスク因子を評価したうえで頭部CT前に腰椎穿刺を行うことも可能である。

抗菌薬の先行投与によって髄液培養による病原体同定率は低下するとされるが，血液培養だけでもインフルエンザ桿菌（25〜90％），肺炎球菌（60〜90％），髄膜炎菌（40〜60％）と比較的陽性率が高いため，状況が切迫しているのであれば髄液検体にこだわらず治療を開始する[41]。

3 鑑別診断

頭蓋内出血，脳梗塞，髄膜炎は生命にかかわる可能性があり，最初に検討する。まれではあるが急性心筋梗塞と急性大動脈解離は致死的となるため，非典型な頭痛では必ず鑑別にあげるようにする。急性閉塞隅角緑内障，眼窩蜂窩織炎，顔面帯状疱疹は局所の所見から鑑別が可能であり，将来の機能障害につながるため見落とさないようにする。TCHで神経学的異常所見がなく，頭部単純CTでも異常がない場合には，頭頸部の動脈解離やRCVSの可能性を検討する。

初期対応

walk-in患者において，適切なトリアージがなされていても，待ち時間の間に状態が変化している場合があり，トリアージ時のバイタルサインを過度に信用してはならない。気道・呼吸・循環が担保されていることを確認することから診療を開始する。疼痛に対して可能なかぎり早期からの鎮痛を検討し，患者の苦痛緩和に努力すべきである。また，高血圧性脳出血およびSAHにおいては，診断後迅速な降圧を行う。脳出血では収縮期血圧140mmHg，SAHでは160mmHg以下が目安となるが，専門診療科と事前に共通見解を得ておくことが大切である[42]。

患者処遇の判断（disposition）

二次性頭痛と診断した場合には，原因疾患に応じた治療を行う。ここでは，片頭痛，群発頭痛，緊張型頭痛などの慢性反復性頭痛，すなわち帰宅の判断も可能な一時性頭痛について補足する。一次性頭痛の診断にあたってはそれぞれの典型像を知ることが参考になるが，最終的な診断は国際頭痛分類の診断基準（日本頭痛学会ホームページより入手可能）に基づいて行う。

1 片頭痛

片頭痛には閃輝暗点，失語，片麻痺などの前兆を伴う場合と伴わない場合とがある。片頭痛の原因はセロトニン（5HT）の低下であり，トリプタン系のセロトニン作動薬が治療に用いられる。

2 緊張型頭痛

精神的ストレスと筋性ストレスが脳内のストレス応答系，筋収縮抑制系，痛み調節系などを障害して頭痛を起こす。抗不安薬（ベンゾジアゼピン系薬），抗うつ薬，筋弛緩薬，鎮痛薬を組み合わせて使用する。

3 群発頭痛

　発症機序として，内頸動脈が硬膜を貫通し脳内に入り脳血管となるあたりの血管が拡張し，血管周囲の炎症を伴って痛むとされている．部位は眼窩の奥に相当し，眼の奥の痛みと感じる．内頸動脈周囲には交感神経・副交感神経が密に分布しており，これらの神経の刺激あるいは抑制により流涙，部分的Horner症候群などの多彩な随伴症状が生じる．反復性頭痛のなかでもっとも激しい頭痛といわれ，男女比10：1で男性に多い．スマトリプタン，エルゴタミンの投与，100％酸素投与などの治療を行う．

▶文 献

1) GBD 2016 Disease and Injury Incidence and Prevalence Collaborators：Global, regional, and national incidence, prevalence, and years lived with disability for 328 diseases and injuries for 195 countries, 1990-2016：A systematic analysis for the Global Burden of Disease Study 2016. Lancet 390：1211-59, 2017.
2) Ramirez-Lassepas M, et al：Predictors of intracranial pathologic findings in patients who seek emergency care because of headache. Arch Neurol 54：1506-9, 1997.
3) Morgenstern LB, et al：Headache in the emergency department. Headache 41：537-41, 2001.
4) Stevenson RJ, et al：The management of acute headache in adults in an acute admissions unit. Scott Med J 43：173-6, 1998.
5) Locker T, et al：Headache management--are we doing enough? An observational study of patients presenting with headache to the emergency department. Emerg Med J 21：327-32, 2004.
6) Grimaldi D, et al：Risk stratification of non-traumatic headache in the emergency department. J Neurol 256：51-7, 2009.
7) Goldstein JN, et al：Headache in United States emergency departments：Demographics, work-up and frequency of pathological diagnoses. Cephalalgia 26：684-90, 2006.
8) Linn FH, et al：Prospective study of sentinel headache in aneurysmal subarachnoid haemorrhage. Lancet 344：590-3, 1994.
9) Headache Classification Committee of the International Headache Society (IHS)：The International Classification of Headache Disorders, 3rd edition (beta version). Cephalalgia 33：629-808, 2013.
10) Landtblom AM, et al：Sudden onset headache：A prospective study of features, incidence and causes. Cephalalgia 22：354-60, 2002.
11) de Rooij NK, et al：Incidence of subarachnoid haemorrhage：A systematic review with emphasis on region, age, gender and time trends. J Neurol Neurosurg Psychiatry 78：1365-72, 2007.
12) Kimura A, et al：New clinical decision rule to exclude subarachnoid haemorrhage for acute headache：A prospective multicentre observational study. BMJ Open 6：e010999, 2016.
13) Do TP, et al：Red and orange flags for secondary headaches in clinical practice：SNNOOP10 list. Neurology 92：134-44, 2019.
14) Carpenter CR, et al：Spontaneous subarachnoid hemorrhage：A systematic review and meta-analysis describing the diagnostic accuracy of history, physical examination, imaging, and lumbar puncture with an exploration of test thresholds. Acad Emerg Med 23：963-1003, 2016.
15) van de Beek D, et al：Clinical features and prognostic factors in adults with bacterial meningitis. N Engl J Med 351：1849-59, 2004.
16) Brouwer MC, et al：Dilemmas in the diagnosis of acute community-acquired bacterial meningitis. Lancet 380：1684-92, 2012.
17) Christiaans MH, et al：Prediction of intracranial metastases in cancer patients with headache. Cancer 94：2063-8, 2002.
18) Argyriou AA, et al：Headache characteristics and brain metastases prediction in cancer patients. Eur J Cancer Care (Engl) 15：90-5, 2006.
19) Clarke CE, et al：Imaging results in a consecutive series of 530 new patients in the Birmingham Headache Service. J Neurol 257：1274-8, 2010.
20) Ostrom QT, et al：Risk factors for childhood and adult primary brain tumors. Neuro Oncol 21：1357-75, 2019.
21) Grindal AB, et al：Headache and transient ischemic attacks. Stroke 5：603-6, 1974.
22) Medina JL, et al：Headaches in patients with transient ischemic attacks. Headache 15：194-7, 1975.
23) Koudstaal PJ, et al：Headache in transient or permanent cerebral ischemia：Dutch TIA Study Group. Stroke 22：754-9, 1991.
24) Arboix A, et al：Headache in acute cerebrovascular disease：A prospective clinical study in 240 patients. Cephalalgia 14：37-40, 1994.
25) Tentschert S, et al：Headache at stroke onset in 2196 patients with ischemic stroke or transient ischemic attack. Stroke 36：e1-3, 2005.
26) Song TJ, et al：Characteristics of elderly-onset (≥65 years) headache diagnosed using the International Classification of Headache Disorders, third edition beta version. J Clin Neurol 2：419-25, 2016.
27) Pascual J, et al：Experience in the diagnosis of headaches that start in elderly people. J Neurol Neurosurg Psychiatry 57：1255-7, 1994.
28) Cordenier A, et al：Headache associated with cough：A review. J Headache Pain 14：42, 2013.
29) Cumurciuc R, et al：Headache as the only neurological sign of cerebral venous thrombosis：A series of 17 cases. J Neurol Neurosurg Psychiatry 76：1084-7, 2005.
30) Robbins MS, et al：Acute headache diagnosis in pregnant women：A hospital-based study. Neurology

85：1024-30, 2015.
31) Hamed-Azzam S, et al：Common orbital infections ~ state of the art ~ partⅠ. J Ophthalmic Vis Res 13：175-82, 2018.
32) Huang J, et al：The probability of sudden death from rupture of intracranial aneurysms：A meta-analysis. Neurosurgery 51：1101-5, 2002.
33) Chan V, et al：Declining admission and mortality rates for subarachnoid hemorrhage in Canada between 2004 and 2015. Stroke 50：181-4, 2019.
34) Mukhtar TK, et al：The falling rates of hospital admission, case fatality, and population-based mortality for subarachnoid hemorrhage in England, 1999-2010. J Neurosurg 125：698-704, 2016.
35) Edlow JA, et al：Avoiding pitfalls in the diagnosis of subarachnoid hemorrhage. N Engl J Med 342：29-36, 2000.
36) Perry JJ, et al：Sensitivity of computed tomography performed within six hours of onset of headache for diagnosis of subarachnoid haemorrhage：Prospective cohort study. BMJ 343：d4277, 2011.
37) Yuan MK, et al：Detection of subarachnoid hemorrhage at acute and subacute/chronic stages：Comparison of four magnetic resonance imaging pulse sequences and computed tomography. J Chin Med Assoc 68：131-7, 2005.
38) Mitchell P, et al：Detection of subarachnoid haemorrhage with magnetic resonance imaging. J Neurol Neurosurg Psychiatry 70：205-11, 2001.
39) Westerlaan HE, et al：Intracranial aneurysms in patients with subarachnoid hemorrhage：CT angiography as a primary examination tool for diagnosis--systematic review and meta-analysis. Radiology 258：134-45, 2011.
40) 日本神経学会, 他（監）：細菌性髄膜炎診療ガイドライン2014, 南江堂, 2015.
41) Brouwer MC, et al：Epidemiology, diagnosis, and antimicrobial treatment of acute bacterial meningitis. Clin Microbiol Rev 23：467-92, 2010.
42) 日本脳卒中学会脳卒中ガイドライン委員会（編）：脳卒中治療ガイドライン2021, 協和企画, 2021.

11-4 けいれん

赤坂 理

症候の概要

1 病態

けいれんとは，全身または一部の骨格筋群が不随意かつ発作的に収縮する症候である。病変部位としては，脳から脊髄，末梢神経，筋肉に至るどの部位の異常でも起こり得るため，いわゆる「けいれん」を呈する疾患は多岐にわたるが，ここでは脳における過剰または同期性の異常なニューロン活動による「けいれん発作（convulsive seizure）」を主に扱う。

けいれん発作は通常1～2分で停止することが多いが，発作停止機構の破綻あるいは異常に遷延する発作を引き起こす機構が惹起された重積状態では，やがて神経細胞死や神経細胞障害，神経ネットワークの変化を含む長期的な後遺症が生じ得る[1]。

国際抗てんかん連盟（International League Against Epilepsy；ILAE）による定義[2]では，発作が自然停止しがたく遷延し持続発作に移行するとみなされる時間が「time point 1（t1）」，持続発作により後遺症を生じ得る時間が「time point 2（t2）」とされ，臨床的には，t1は治療を開始すべき時間，t2は後遺症を防ぐために積極的な治療を行うべき時間とされる。けいれん発作の場合，5分（t1）を超えると重積状態と判断され，30分（t2）を超えると長期的な後遺症を残す可能性があるとされているため，持続するけいれんに対しては迅速な対処が必要である。

けいれん発作の原因は，明らかな誘因がない慢性疾患（てんかん）としての非誘発性発作と，誘発性発作（急性症候性発作）に大別される[1]。

2 疫学

米国の報告[3]では，生まれてから80歳までに何らかの急性症候性発作（熱性けいれんを除く）を起こすリスクは3.6％（男性5.0％，女性2.7％）とされ，原因として頭部外傷，脳血管障害，中枢神経感染症，薬物離脱，代謝性障害，脳腫瘍，中毒などが多くを占めている。とくに65歳以上では脳血管障害が半数を占め，高齢化が進むわが国ではけいれんを発症する高齢者の増加が見込まれる。

診断のアプローチ

救急外来におけるけいれんに対するアプローチの要点は，けいれんと紛らわしい病態との鑑別と，けいれんの契機となり得る急性症候性発作の原因（表1）[1]を検索することである。

1 診察

1）病歴聴取

（1）発症状況，発症様式，持続時間

けいれんの発症状況や発症様式，持続時間を聴取する。発症時の状況を本人や目撃者が覚えているか確認し，けいれんの出現部位，強直または間代性，局所から全身への波及の有無，持続時間，反復の有無，発作間の意識レベル，開閉眼の状況や眼球上転，口腔からの泡沫，チアノーゼなどの情報を得る。現場の状況から一酸化炭素中毒や薬物中毒の可能性がないかなども確認する。

（2）前駆症状，随伴症状

発熱，頭痛，悪心・嘔吐，めまい，運動麻痺などの局所神経症状，胸痛，呼吸困難，動悸，眼前暗黒感，立ちくらみ，発汗，顔面蒼白などが，けいれん症状に前駆または随伴しているかを確認する。睡眠不足や月経，妊娠，ストレスなどはけいれん発作の閾値を低下させることがある。

（3）既往歴，現病歴，家族歴など

既往歴として，てんかん，脳血管障害，頭部外傷，中枢神経感染症，先天性疾患，変性疾患，心疾患，不整脈，糖尿病・内分泌疾患，腎疾患，肝疾患，悪性腫瘍，精神疾患などを確認する。また，過去にけいれんを経験して

表1 急性症候性発作の主な原因

脳血管障害	脳血管障害から7日以内に起こる
中枢神経感染症	中枢神経感染症の活動期に起こる
急性自己免疫性脳炎	抗NMDA受容体抗体脳炎など
頭部外傷	頭部外傷から7日以内に起こる
代謝性疾患 全身性疾患	・電解質異常：低・高ナトリウム血症，低・高カルシウム血症，低マグネシウム血症 ・内分泌疾患：甲状腺機能亢進・低下症，副甲状腺機能低下症 ・低血糖，非ケトン性高血糖 ・尿毒症 ・低酸素性脳症，肝性脳症，高血圧性脳症，可逆性後頭葉白質脳症，ミトコンドリア脳症 ・子癇 ・全身性エリテマトーデス　など
中毒	・麻薬，鎮痛薬：コカイン，フェンタニル ・気管支拡張薬：アミノフィリン，テオフィリン ・抗うつ薬：イミプラミン，アミトリプチリン，SSRI ・抗精神病薬：クロルプロマジン，チオリダジン ・抗菌薬：カルバペネム系，抗菌薬とNSAIDsの組み合わせ投与 ・抗がん剤：ビンクリスチン，メトトレキサート ・抗ヒスタミン薬の一部 ・危険ドラッグ，薬剤過剰摂取 ・環境からの曝露：一酸化炭素，鉛，樟脳，有機リンなど ・アルコール（急性アルコール中毒など）
離脱	アルコールや薬剤（バルビツール酸系薬，ベンゾジアゼピン系薬など）の依存があり，その中止後1〜3日以内に起こる
頭蓋内手術後	頭蓋内脳外科手術の直後に起こる
脱髄性疾患	急性散在性脳脊髄炎，多発性硬化症の急性期に起こる
放射線治療後	被ばく後24時間以内に起こる
重複要因	同時に起こったいくつかの状況と関連した発作

〔文献1〕より引用・改変〕

いればその際の発症様式のほか，現在の治療薬・服薬アドヒアランス・変更歴，飲酒歴，妊娠の有無，てんかんの家族歴，職業歴なども必要に応じて聴取する。

2）身体所見

(1) バイタルサイン

呼吸数，血圧，脈拍数，体温などのバイタルサインを経時的に確認する。異常な高血圧では頭蓋内疾患や高血圧緊急症などを考慮する。

(2) 視診，触診，打診，聴診

急性症候性発作の原因にみられ得る所見を観察するために一般的な身体診察を行う。また，けいれんの目撃がなく倒れていた場合や，患者自身が症状を訴えられない場合には，けいれんに伴って負傷している可能性を考慮して検索を行う[4)5)]。舌咬傷や尿失禁はけいれんに伴う徴候として有名であるが，これらを認めないからといってけいれんが否定できるわけではない。

(3) 神経学的所見

意識レベル，意識変容，異常行動の有無，眼位や眼振，瞳孔径，瞳孔不同，対光反射の有無，運動麻痺など局所神経徴候の有無を確認する。けいれん発作では，けいれん停止後に意識レベルが改善していく過程で不穏や錯乱がみられることがあり，これを発作後状態（postictal state）と呼ぶ。失神であれば速やかに意識が回復することが多い。

2 検　査

1）血液検査

簡易血糖測定をはじめとして，血算，凝固，Na，K，Ca，Mg，NH_3，CK，CRPなどを含めた生化学検査を行う。また，血液ガス分析では，pH，酸素・二酸化炭素分圧，重炭酸イオン濃度，乳酸値などを確認する。け

いれん発作では乳酸値の上昇や NH₃ の上昇が特徴的であり，CK は急性期には上昇していないことも多い[6]。また，抗けいれん薬を服用中の場合は薬物血中濃度の測定を考慮する。

2）心電図検査

12誘導心電図や心電図モニタリングを行い，不整脈や急性冠症候群，電解質異常や中毒に伴う波形異常の有無などを確認する。

3）胸部X線検査

必要に応じて，大動脈解離を疑うような上縦隔拡大や心拡大，うっ血，誤嚥などを検索する。

4）CT・MRI検査

初発のけいれん発作では頭部単純 CT 検査を行い，脳血管障害や頭蓋内占拠性病変の有無を確認すべきである。MRI 検査のほうがけいれんの原因を検出する感度は優れているため，患者の意識がベースラインまで回復しており，神経学的異常も認めない場合は必要に応じて待機的な MRI 検査を実施する。

5）脳脊髄液検査

主に髄膜炎や脳炎・脳症などの中枢神経疾患や，画像検査では検出が困難なくも膜下出血を疑う場合に実施する。けいれんが重積するだけで髄液の一過性の白血球増多をきたすこともあるため，結果の解釈には注意する[7]。

6）脳波検査

けいれん発作を経験した患者では，個々のタイミングで脳波検査を実施する。1回の脳波検査では正常所見しか得られないこともあり，必要に応じて複数回実施する。けいれん発作後に非けいれん性てんかん重積状態（non-convulsive status epilepticus；NCSE）を疑われる場合は，持続脳波モニタリングが有用である[1]。

3 評価

てんかん（epilepsy）とは慢性の脳疾患で，大脳の神経細胞が過剰に興奮するために，脳の発作性の症状が反復性に起こるものである[8]。そのため，初発のけいれん発作の救急患者では，そのけいれん発作の原因がてんかんであると判断することは基本的にできない。また，てんかんの患者がけいれん発作を起こしたからといって，急性症候性発作を否定してよいわけではない。救急医には，適切な診察や検査を行い，けいれんの原因や重症度を評価する能力が求められる。

表2 心因性非てんかん発作をけいれん発作と区別するための徴候

- 発作持続時間が長い
- 発作症状が変動する
- 左右で同期しない身体の動き
- 下腹部を激しく動かす
- 頭や身体を左右に揺らす
- 発作中に閉眼している
- 発作中に泣く
- 発作中の出来事を覚えている
- 発作後の錯乱がない
- 睡眠時に生じた発作にみえるが，脳波所見では覚醒状態であったことが確認される

〔文献9）より引用・改変〕

4 鑑別診断

ここでは，とくに鑑別に注意を要するものをあげる。

1）失　神

失神では脳全体の一過性低灌流に伴いけいれん様運動を示すことがあるため，けいれんを呈する患者を安易にけいれん発作であると判断することは慎まなければならない。とくにショックを伴う失神（心筋梗塞，肺血栓塞栓症，大動脈解離，出血などによる）は致死的となり得るため注意が必要である。失神の鑑別の詳細は他項（p.237）を参照のこと。

2）不随意運動

不随意運動は，その発症様式や動きの特徴・出現部位などを詳細に観察することが重要である。悪性症候群やセロトニン症候群など，緊急性の高い不随意運動を呈し得る病態も考慮する（p.857参照）。

3）心因性非てんかん発作

心因性非てんかん発作（psychogenic non-epileptic seizure；PNES）は，突発的に生じるけいれん発作に似た精神身体症状で，身体的・生理的な発症機序をもたないものをいう。PNES と診断できる単独の徴候・病歴は存在しないが，PNES をけいれん発作と区別するための徴候として，表2[9] に示すようなものがあげられる。PNES は必ずしも意図して生じているものではない点に留意する。PNES 診断の確度には，疑診から確診までの4段階があり（表3）[10]，必要時は発作時のビデオ脳波の同時記録が可能な専門施設への受診を考慮する。

表3 心因性非てんかん発作診断の確度

診断の確度	情報源	脳波
疑診（possible）	発作の目撃者あるいは本人の陳述	ルーチン脳波あるいは断眠脳波で，発作間欠期にてんかん異常波がない
ほぼ確実（probable）	医師が発作を目撃または発作時に撮影されたビデオを見て，PNESに典型的な症状を確認	同上
臨床的に確実（clinically established）	てんかん発作診断の経験のある医師が発作を目撃または発作時に撮影されたビデオを見て，PNESに典型的な症状を確認したが，発作時脳波はない	ルーチンあるいは携帯型脳波計で，真のてんかん発作であればてんかん性異常波を伴う発作症状でありながら，典型的な発作時記録でてんかん異常波がない
確定診断（documented）	てんかん発作診断の経験のある医師が発作時のビデオ脳波を確認	典型的なPNES発作の直前，発作中，発作直後のビデオ脳波記録で，てんかん異常波がない

〔文献10〕より作成〕

初期対応

基本的に，救急外来における初期対応としてはけいれん発作の停止と全身管理が優先され，はじめに気道確保や酸素投与，静脈路確保，各種モニター装着を行う。

けいれんが自然に停止しない場合，まずジアゼパムやロラゼパム，ミダゾラムなどのベンゾジアゼピン系薬の投与が推奨されている[1]。けいれん発作が5分以上持続する場合を「早期てんかん重積状態（early status epilepticus）」，ベンゾジアゼピン系薬による治療で頓挫せず30分以上持続する場合を「確定したてんかん重積状態（established status epilepticus）」，抗けいれん薬の点滴・静注などで頓挫せず60～120分以上持続する場合を「難治てんかん重積状態（refractory status epilepticus）」と呼び，各々のステージに応じて図1[1]に示すような治療を行う[11〜15]。

また，けいれんの原因検索を並行して行うなかで，表1[1]に示したような原因が想定された場合には，原疾患に応じた治療も優先して行う。とくに低血糖は見逃してはならない。低栄養状態やアルコール多飲が疑われる場合は，ブドウ糖代謝の補酵素であるビタミンB_1がすでに少なくなっており，ブドウ糖を投与するとさらにビタミンB_1が枯渇してしまいWernicke脳症を発症しやすくなるため，ビタミンB_1の静注を行ってからブドウ糖を投与する。

けいれんに伴い誤嚥性肺炎や神経原性肺水腫，たこつぼ心筋症，呼吸性・代謝性アシドーシス，外傷，横紋筋融解症などの合併症を認めることもあり，けいれん停止後のバイタルサインや症候にも注意を払う。けいれんが停止している場合は，個々のけいれん再発のリスクを考慮して，抗けいれん薬の開始または追加を判断する。外傷性てんかんの予防については他項（p.634）を参照のこと。

患者処遇の判断（disposition）

原因が明らかでない初発のけいれん発作患者で，意識を含めて発作前の健常な状態に戻っていれば，適切なフォローアップを企画したうえで帰宅も検討される[16]。急性症候性発作を引き起こした原疾患の治療が必要な場合や，発作後の意識障害が遷延する場合，Todd麻痺をきたしている場合などには入院加療を行う。

▶文献

1) 日本神経学会（監）：てんかん診療ガイドライン2018, 医学書院, 2018.
2) Trinka E, et al：A definition and classification of status epilepticus：Report of the ILAE Task Force on Classification of Status Epilepticus. Epilepsia 56：1515-23, 2015.
3) Annegers JF, et al：Incidence of acute symptomatic seizures in Rochester, Minnesota, 1935-1984. Epilepsia 36：327-33, 1995.
4) Mehlhorn AT, et al：Seizure-induced muscle force can caused lumbar spine fracture. Acta Chir Orthop Traumatol Cech 74：202-5, 2007.
5) Langenbruch L, et al：Seizure-induced shoulder dislocations：Case series and review of the literature. Seizure 70：38-42, 2019.
6) Libman MD, et al：Seizure vs. syncope：Measuring serum creatine kinase in the emergency department.

11. 救急症候

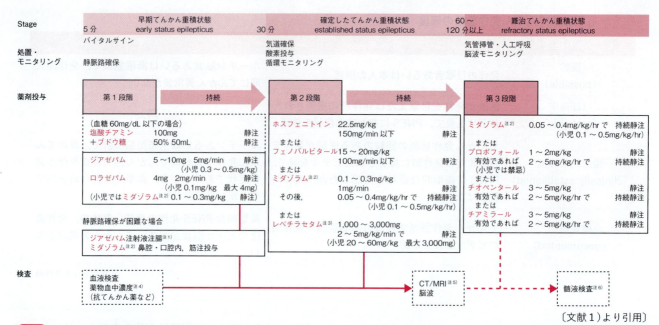

図1 てんかん重積状態の治療フローチャート

注1) ジアゼパム注射液注腸の用量は10〜30mg（小児では0.2〜0.5mg/kg）（保険適用外）
注2) ミダゾラムを鼻腔・口腔内，筋注投与する場合は0.5％注射液を10mg（小児では0.3mg/kg）使用する（保険適用外）。静注・持続静注する場合は0.1％注射製剤が保険適用である。ミダゾラム0.1％注射製剤の添付文書での投与量は，静脈投与0.15mg/kg，持続投与0.1〜0.4mg/kg/hrとなっている。全身麻酔療法では適宜増減する
注3) 小児についてはてんかん重積状態には保険適用外である
注4) てんかん治療中であれば服用中の抗てんかん薬の血中濃度を確認する。また，けいれん誘発性薬物（テオフィリンなど）の過量が疑われる場合は可能であれば血中濃度を確認する
注5) 必要に応じて頭部MRIまたはCTを行い原因を検索する。必要があれば急性症候性発作に準じて治療を開始する。心因性発作の鑑別や治療効果の判定のために持続脳波モニタリングができれば理想的であるが，困難であっても，治療後にてんかん重積状態が終息しているか脳波で確認することが望ましい
注6) 髄膜炎・脳炎などが疑われる症例は髄液検査を行う。髄液一般，培養，鏡検などのほかに，後に抗神経抗体などの検索ができるように一部を冷凍保存することが望ましい

J Gen Intern Med 6：408-12，1991.
7) Aminoff MJ, et al：Status epilepticus：Causes, clinical features and consequences in 98 patients. Am J Med 69：657-66，1980.
8) Fisher RS, et al：ILAE official report：A practical clinical definition of epilepsy. Epilepsia 55：475-82, 2014.
9) Avbersek A, et al：Does the primary literature provide support for clinical signs used to distinguish psychogenic nonepileptic seizures from epileptic seizures? J Neurol Neurosurg Psychiatry 81：719-25，2010.
10) LaFrance WC Jr, et al：Minimum requirements for the diagnosis of psychogenic nonepileptic seizures：A staged approach：A report from the International League Against Epilepsy Nonepileptic Seizures Task Force. Epilepsia 54：2005-18，2013.
11) Shorvon S, et al：The treatment of super-refractory status epilepticus：A critical review of available therapies and a clinical treatment protocol. Brain 134 (Pt 10)：2802-18，2011.
12) Betjemann JP, et al：Status epilepticus in adults. Lancet Neurol 14：615-24，2015.
13) Brophy GM, et al：Guidelines for the evaluation and management of status epilepticus. Neurocrit Care 17：3-23，2012.
14) Mazurkiewicz-Bełdzińska M, et al：Current treatment of convulsive status epilepticus：A therapeutic protocol and review. Anaesthesiol Intensive Ther 46：293-300，2014.
15) 大澤真木子：けいれん重積の治療. 脳と発達 39：185-92，2007.
16) ACEP Clinical Policies Committee：Clinical policy：Critical issues in the evaluation and management of adult patients presenting to the emergency department with seizures. Ann Emerg Med 43：605-25, 2004.

11-5 運動麻痺，感覚障害

稲田　眞治

症候の概要

運動麻痺や感覚障害がみられる場合に，神経路の障害部位を評価することは，鑑別診断上重要である．一方，速やかに治療を開始することで良好な予後を得られる場面も多いため，気道・呼吸・循環の異常がないことを確認したうえで，運動麻痺・感覚障害以外の神経症状などについても評価し，とくに脳卒中を疑う場合には麻痺などの局所診断に先んじて画像検査を実施することが重要である．

1 運動麻痺

運動麻痺は，大脳から筋肉までの神経路のいずれかの障害で随意運動が妨げられることで発生する．筋力が完全に失われ随意運動ができない場合を完全麻痺，筋力が低下して随意運動に支障がある場合を不全麻痺という．また，麻痺の分布により，単麻痺（四肢のうち1肢の麻痺），片麻痺（一側半身の麻痺），対麻痺（両側下肢の麻痺），四肢麻痺（両側四肢すべての麻痺），交叉性（交代性）片麻痺（一側の脳神経麻痺とその逆側の上下肢麻痺）に分類される．

病態としては，上位運動ニューロンの障害による中枢性麻痺と，下位運動ニューロンの障害による末梢性麻痺に大別される．中枢性麻痺は脳〜脊髄の障害によるもので，片麻痺や対麻痺など広い範囲に痙性の麻痺がみられる．急性期には腱反射や病的反射が亢進するが，筋萎縮はみられない．一方，末梢性麻痺は神経根〜神経筋接合部，または筋の障害によるもので，麻痺は障害神経が支配する筋群で著明にみられる．弛緩性の麻痺で，腱反射・病的反射はみられず，筋萎縮を伴う．

2 感覚障害

感覚障害は，感覚受容器から大脳までの神経路のいずれかの障害により体性感覚が阻害されて生じる感覚の異常である．体性感覚は，皮膚・粘膜の受容器による表在感覚（触覚，温度覚，痛覚），腱・靱帯などの受容器による深部感覚（位置覚，運動覚，振動覚など），複合性の立体感覚や二点識別覚などに大別される．

感覚によって受容器から中枢へ伝導される経路が異なるため，障害のパターンなどから原因を類推することが重要である．病態としては，一定領域の表在・深部感覚すべてが障害される全感覚障害や，温痛覚と触覚のいずれか一方が障害される解離性感覚障害などがある．また，精神疾患によって，器質的疾患がないにもかかわらず感覚障害が起きる場合もある．

診断のアプローチ

1 診察・検査・評価

基本的には，問診，身体診察，血液検査，心電図検査など一般的な診察・検査に加え，必要に応じて責任病変の診断のための画像検査，髄液検査，脳波検査，体性感覚誘発電位検査，神経伝導速度検査などを考慮する．診断のアプローチとしては，急性発症した運動麻痺・感覚障害の原因が大脳・小脳・脳幹にあるのか，脊髄にあるのか，末梢神経にあるのかを大まかにとらえたうえで緊急性を判断する．とくに脳卒中を疑う場合にはいち早く画像検査に進むことが重要である．

1）問　診

運動麻痺の有無は，患者に意識があれば問診によりある程度把握することができる．遺伝性疾患などを考慮して，家族歴や既往歴にも注意する．感覚障害の訴えとしては，感覚の鈍麻・消失・過敏・異常（しびれ）などがあるが，その自覚症状が実際にどのような体性感覚の異常なのかを客観的に評価することが重要である．また，単一の病変により運動麻痺とほぼ一致した範囲に感覚障害がみられることも多く，感覚障害に気づかない場合もあるため注意を要する．

2）身体診察

(1) 顔面の麻痺

視診として，顔面の左右差（眼瞼裂，鼻唇溝，口角，頬など）に加え，上下差をみる。顔面の上半分（前頭筋，眼輪筋）は左右とも両側大脳に支配されているため（眼輪筋の両側大脳による支配は部分的），一側の大脳障害では麻痺が生じない。一方で，顔面の下半分（口輪筋）は対側大脳に支配されているため，一側の大脳障害でも麻痺が生じる。

患者に意識障害がある場合には，他動的な刺激による評価として，患者の両瞼を検者の両母指で持ち上げてから離すと，麻痺側では健側に比べて眼瞼がゆっくり下降し，完全には閉じない。痛覚刺激を加えた際の表情の左右差を観察する方法もあるが，頭蓋内圧や血圧の上昇が疑われる場合には刺激の強さを加減するなど注意を要する。

(2) 四肢の麻痺

救急診療では詳細な麻痺や筋力の評価を行うのは困難であることが多いため，患者の歩き方や脱衣の様子などを観察するとともに，筋力・麻痺の状態を大まかに評価して，前述した単麻痺，片麻痺，対麻痺，四肢麻痺，交代性片麻痺に分けて考えるとよい。麻痺の分布ごとの主な障害部位を表1に示す。

患者の協力を得て麻痺を検出する方法として，徒手筋力テスト（manual muscle test；MMT）が代表的である。MMTでは，検者が手で加えた力への抵抗によって，各部位の筋力を0〜5の6段階で評価する。また，Barré徴候は上肢・下肢の片麻痺を評価するものである。上肢では，患者に閉眼させ，両上肢を水平に挙上させると，麻痺側は保持できず回内・落下する。下肢では，患者を腹臥位にさせ，膝から垂直に両下肢を立てると，麻痺側は保持できず落下する。

患者に意識障害があり上記のような診察が困難な場合，一側の手足はよく動かしているのに他側は動かさない，または動きが少なければ片麻痺を疑うことができる。麻痺のある下肢は，健側に比べて外旋位をとる。次に，痛み刺激による払いのけ動作の左右差をみるが，反応がない場合には筋緊張の低下を評価する。また，検者が患者の四肢を持ち上げてから落下させ，その左右差をみる方法もある。下肢の場合，患者の膝下に手を入れて両下肢を持ち上げてから離すと，健側に比べて麻痺側のほうが早く落ちる傾向がある。

表1 四肢麻痺の分布ごとの主な障害部位

分布	主な障害部位
単麻痺	末梢神経，神経根，神経叢
片麻痺（顔面含む）	大脳半球
片麻痺（顔面含まない）	頸髄
対麻痺	脊髄（胸髄，腰髄）
四肢麻痺	脳幹，頸髄，末梢神経，神経筋接合部
交叉性片麻痺	脳幹

(3) 感覚障害

感覚障害の評価においては，表在感覚，深部感覚，複合感覚についてそれぞれ評価し局在診断を行うが，救急診療においては感覚障害の有無や程度，分布を大まかに評価し，必要に応じ焦点を絞って詳細に検討するとよい。感覚障害の症状は常に患者の主観で表現されるため，その詳細かつ正確な評価には時間がかかるためである。なお，高齢患者や末梢循環不全のある患者の場合，明らかな器質的障害がなくても温度覚が鈍麻したり，下肢の振動覚が鈍麻することがあるため注意する。

3）脳卒中を疑う場合

運動麻痺・感覚障害のほか，意識障害や神経症状などから脳卒中が疑われる場合には，迅速な診断と治療を最優先とし，上記のような局所診断に先立って可及的速やかにCT検査，MRI検査，脳血管造影検査などを行う。とくに，顔面麻痺，上肢麻痺，構音障害の3つは脳卒中を早期に疑うべき重要な徴候である。各疾患における検査・診断の各論については他項（p.344）を参照されたい。

とくに脳梗塞では，静注血栓溶解療法や機械的血栓回収療法の適応決定，治療後の予後評価のためにNIHSS（National Institutes of Health Stroke Scale）による評価が有用である[1]。NIHSSは脳卒中の重症度を客観的に表現するスケールであり，早期治療につなげるためにも，救急初期診療においても迅速・適切に評価することが重要である。NIHSSの各項目の評価点の概要を表2[2]に示すが，詳細は日本脳卒中学会の「静注血栓溶解（rt-PA）療法適正治療指針」[1]なども参照されたい。

なお，同指針では，NIHSS評価時の一般的注意事項として，①リストの順を遵守し，定められた方法で施行すること，②評価済みの項目に戻って評点を変更しないこと，③実際に患者が行ったことを評点に反映させる（評価者の推測で評価しない）こと，④評価結果は遅滞なく

表2 NIHSS (National Institute of Health Stroke Scale)

	項目	スコア	
1a	意識レベル	0＝覚醒 1＝軽い刺激で覚醒	2＝繰り返しの刺激，強い刺激で覚醒 3＝反射による動き以外は無反応
1b	意識レベル 質問（今の月，年齢）	0＝両方に正答 1＝1つに正答	2＝両方とも正答できない
1c	意識レベル 命令（眼：開閉，手：握る・開く）	0＝両方とも正確に行う 1＝片方のみ正確に行う	2＝両方とも正確に行えない
2	最良の注視	0＝正常 1＝部分的注視麻痺	2＝完全注視麻痺
3	視野	0＝視野欠損なし 1＝部分的半盲	2＝完全半盲 3＝両側性半盲（皮質盲含む全盲）
4	顔面麻痺	0＝正常 1＝軽度の麻痺	2＝部分的麻痺 3＝完全麻痺
5a	運動 左上肢	0＝10秒間保持可能 1＝10秒以内に下垂 2＝10秒以内に落下	3＝重力に抗する動きがない 4＝まったく動かない UN＝検査不能
5b	運動 右上肢	0＝10秒間保持可能 1＝10秒以内に下垂 2＝10秒以内に落下	3＝重力に抗する動きがない 4＝まったく動かない UN＝検査不能
6a	運動 左下肢	0＝5秒間保持可能 1＝5秒以内に下垂 2＝5秒以内に落下	3＝重力に抗する動きがない 4＝まったく動かない UN＝検査不能
6b	運動 右下肢	0＝5秒間保持可能 1＝5秒以内に下垂 2＝5秒以内に落下	3＝重力に抗する動きがない 4＝まったく動かない UN＝検査不能
7	四肢失調	0＝なし 1＝1肢のみ存在	2＝2肢に存在 UN＝検査不能
8	感覚	0＝正常 1＝軽度から中等度の障害	2＝重度の障害，完全脱失
9	最良の言語	0＝正常 1＝軽度から中等度の失語	2＝重度の失語 3＝無言，全失語
10	構音障害	0＝正常 1＝軽度から中等度	2＝重度 UN＝検査不能
11	消去現象と注意障害	0＝異常なし 1＝軽度から中等度，あるいは1つの感覚に関する消去現象	2＝著しい半側注意障害，あるいは2つ以上の感覚に関する消去現象

〔文献2）より引用・一部改変〕

記録すること，⑤評価中に何度も命令を繰り返すなど誘導をしないこと（許容が明記されている場合を除く）があげられている[1]。

2 運動麻痺の鑑別診断

運動麻痺をきたし得る主な原因疾患を**表3**に示す。前述した麻痺の分布などを参考に障害部位を推測し，原因疾患を絞り込んで対応する。中枢神経系疾患，末梢神経系疾患，神経筋接合部疾患，代謝・内分泌系疾患，筋・

表3 運動麻痺をきたし得る主な原因疾患

障害部位	原因疾患
大脳 脳幹	脳血管障害（脳卒中，一過性脳虚血発作） 脳炎，髄膜炎 脳腫瘍 多発性硬化症，急性散在性脳脊髄炎 低血糖 Todd麻痺 急性大動脈解離 外傷
脊髄	横断性脊髄炎 脊髄硬膜外血腫・膿瘍 転移性悪性腫瘍 多発性硬化症，急性散在性脳脊髄炎 急性大動脈解離 外傷
末梢神経	代謝・内分泌系疾患（糖尿病など） Guillain-Barré症候群 外傷
神経筋 接合部	フグ中毒 ボツリヌス症 有機リン中毒
筋	周期性四肢麻痺 中毒性ミオパチー

骨格系疾患の詳細については，V章の疾患別各論を参照されたい（p.344, 362, 468, 497）。

前述したとおり，鑑別においてはとくに脳卒中の早期診断が重要であり，半側の急激な運動麻痺・感覚障害のほか，頭痛，嘔吐，失語，めまい，意識障害などがみられる場合には積極的に疑い，迅速な画像検査を考慮する。また，横断性脊髄炎や脊髄硬膜外血腫・膿瘍などは急性の対麻痺をきたし，重大な機能予後不良につながり得る。頸髄以上のレベルが障害されると，原因不明の四肢麻痺として発症し診断に苦慮するばかりか，呼吸異常をきたすリスクもある。そのため，急性発症の対麻痺があれば脊髄MRI検査を考慮する。さらに，悪性腫瘍の既往がある患者で数時間〜数日で進行する対麻痺，およびそれに先立つ直腸膀胱障害を認める場合，脊髄病変の存在を疑う。一方，胸髄以下のレベルが障害された場合，対麻痺が観察されるよりも高い脊髄レベルで観察される感覚障害が特徴的である。

ここでは以下，とくに脳卒中との鑑別が重要となる低血糖，Guillain-Barré症候群，Todd麻痺，急性大動脈解離について述べる。

1）低血糖

低血糖では，しばしば神経学的異常を呈する。とくに片麻痺を呈する場合があることが知られており，脳卒中診療においては常に鑑別の一つにあげる必要がある。血糖値は，来院時採血の際に血糖値簡易測定を併用することで簡便に測定可能であり，運動麻痺を主訴とする救急患者の受け入れ時には，ルーチンに血糖測定を実施することが望ましい。低血糖症の詳細については他項（p.468）も参照のこと。

2）Guillain-Barré症候群

急性免疫性神経障害であるGuillain-Barré症候群の典型例では，胃腸炎などの先立つ感染症症状の後に進行する運動麻痺や感覚障害，および急速進行する四肢筋力低下，深部腱反射の消失がみられる。脳脊髄液検査における蛋白細胞解離が特徴的な所見とされるが，急性期には必ずしも認められないことに注意する。神経伝導速度検査などの電気生理学的検査は感度・特異度が高く，入院後の積極的な実施を考慮する。詳細は他項（p.362）も参照のこと。

3）Todd麻痺

Todd麻痺とは，運動野を含む大脳皮質に起因するてんかん発作（けいれん）後にみられる可逆性の運動麻痺である。来院時にはすでにけいれんが治まっており，意識障害を生じている患者も多いため，発症時に目撃者がいなければ診断に苦慮することもある。しばしば共同偏視が同時にみられ，臨床的に脳卒中の様相を呈するが，その際の共同偏視はけいれんfocusの存在する大脳半球の反対側，すなわちTodd麻痺による麻痺側を注視することが多く，一般的に脳卒中に合併する共同偏視とは逆となるため，鑑別の一助となる。

4）急性大動脈解離

急性大動脈解離で麻痺が発生する機序は，弓部大動脈分岐の解離腔による閉塞で生じる総頸動脈の血流障害であり，脳卒中とほぼ同様の脳循環障害が生じているため，麻痺症状のみから鑑別することは困難である。胸痛・背部痛など急性大動脈解離で典型的とされる症状がみられないこともあり，とくに神経症状のある例で訴えないことが多いとされている[1]。また，胸部X線検査によるスクリーニングで急性大動脈解離を除外することも困難であり[3]，現在は急性大動脈解離を除外するための検査としては胸部造影CT検査がスタンダードといえる。ただし，脳卒中疑い全例に胸部造影CT検査を実施することは現実的でないため，経胸壁心エコー検査で上行大動

表4 主な障害部位ごとの感覚障害分布の特徴など

障害部位	分布・特徴など
単一末梢神経	その支配領域の感覚障害および運動麻痺が多い（外傷など）
多発末梢神経	両手足末端からの感覚障害がみられ、「手袋靴下型」と呼ばれる。上肢よりも下肢の症状が先行し、程度も強い傾向がある（糖尿病、膠原病、中毒など）
脊髄後根	デルマトーム（皮膚分節）に一致した特有の痛み（神経根性疼痛）があり、感覚鈍麻や異常感覚を認める。感覚解離を生じることもある
脊髄	障害部位・範囲により感覚障害の出現様式が異なる
脳幹〜大脳	延髄・橋下部の限局性障害では感覚解離がみられ、それより中枢では障害部位の反対側の感覚が障害される。
視床	すべての感覚が侵され、とくに深部感覚が強く障害される。一側の手掌と口周辺の感覚障害（手掌・口症候群）を生じ得る
頭頂葉	複合感覚の障害が生じる

や弓部大動脈を確認すること、片麻痺対側の総頸動脈エコーで血管内フラップがないことを確認すること、来院時採血でD-dimerを測定することなどを考慮する[4]。

また、急性大動脈解離の鑑別において、初療時の血圧が参考になる可能性があるとされている。しかし、虚血性脳卒中でも出血性脳卒中でも代償機転として血圧上昇を認めることが多く、逆に心タンポナーデや急性大動脈弁閉鎖不全などを伴う急性大動脈解離では循環不全を呈することが珍しくない。実際に、脳血管障害例に比べて急性大動脈解離合併例では血圧が低かったとする報告も散見される[4)5)]。そのため、運動麻痺を呈している患者の鑑別疾患から血圧のみを指標に急性大動脈解離を除外することは控えたほうがよい。

3 感覚障害の鑑別診断

感覚障害をきたし得る原因疾患も多岐にわたるが、大まかには中枢神経系の障害（脳血管障害、脳腫瘍、脳膿瘍、感染症、外傷など）と末梢神経系の障害（代謝・内分泌系疾患、ビタミン欠乏、膠原病、サルコイドーシス、血管炎、中毒、外傷など）に分けられる。障害部位ごとの感覚障害の分布などを**表4**に示す。また、機能性神経症状症（変換症/転換性障害）など精神疾患により感覚障害をきたしている場合もあり、①感覚障害の範囲が解剖学的神経分布に一致しない、②とくに痛覚消失が強く、正常部位との境界が明瞭、③著しい感覚障害にもかかわらず運動能力は維持されている、④暗示による症状変動などの影響が大きい、⑤刺激の有無にかかわらず感覚消失を訴える、といった特徴があれば考慮する。

初期対応

基本的には、バイタルの安定化を行いつつ緊急性を要する病態をもれなく認知し、早期治療に結びつけることを優先する。なかでも脳卒中の診断・治療は、"Time is brain"といわれるように迅速性が求められる。また、診療の過程においては神経症状の経時的変化および進行・増悪の有無に十分注意を払う。短時間に症状の進行が認められる場合は緊急性が高いものと判断し、安易に経過観察とせず、積極的に精査を進めることが重要である。各原因疾患の治療などについては、前述したV章の疾患各論を参照されたい。

脳卒中を疑う場合には迅速な画像検査を優先し、虚血性・出血性を問わず早期治療につなげることが重要である。脳梗塞に対しては急性期の血栓溶解療法の効果が期待されるが、その適応は発症・発見後4.5時間であり、その時間内でも治療開始が早いほど良好な転帰が期待できるとされている[1]。また、日本脳卒中学会などの「経皮経管的脳血栓回収用機器適正使用指針」[6]では、①前方循環系主幹脳動脈閉塞、②発症前mRS（modified Rankin Scale）が0〜1、③ASPECTS（Alberta Stroke Program Early CT Score）が6点以上、④NIHSSが6点以上、⑤18歳以上の場合、発症から6時間以内に、血栓溶解療法に加えて機械的血栓回収療法を行うことが推奨されている（一定の条件で16時間以内、24時間以内の推奨もあり）。いずれにせよ早期治療が求められるため、救急外来での早期診断、あるいは病院前での評価により、専門治療が可能な施設へ転送・搬送す

る体制の構築も重要である。

　なお，厚生労働科学研究「脳卒中の急性期診療提供体制の変革に係る実態把握及び有効性等の検証のための研究」では，救急隊が脳卒中疑いの傷病者搬送時に観察すべき項目として，①脈不整，②共同偏倚，③半側空間無視，④失語，⑤顔面麻痺，⑥上肢麻痺を血栓回収療法適応の指標とすることが提案され[7]，2023年には消防庁からそれに関する通知も出されている（消防救第86号，令和5年3月31日）。これらの症状は，救急初療においても判断・初期対応の参考になる可能性がある。

　また，末梢神経系を障害するGuillain-Barré症候群は，死亡率は高くないものの，回復後に機能障害などが残り得る。運動麻痺・感覚障害などの症状は数週間で進行していくが，重度になると四肢の完全麻痺から呼吸筋麻痺などに至り，気管挿管・人工呼吸管理を要する。治療としては，血漿交換療法や経静脈的免疫グロブリン療法がある。

患者処遇の判断（disposition）

　一般的な運動麻痺・感覚障害の診療においては前述した診察・検査を適切に行い，緊急性のある原因疾患を確実に診断し，速やかに治療につなげることが重要である。意識障害を伴うもの，症状に左右差があるもの，症状が進行性に増悪するものではとくに注意を要する。脳卒中のほか，末梢神経などを障害する重篤な疾患を疑えば，入院加療として管理・専門治療につなげるか，自施設での治療が困難な場合には迅速な転院搬送を考慮する。慢性経過で増悪傾向がない運動麻痺・感覚障害であれば，経過観察のうえ後日精査の方針で問題ない場合が多い。

▶文　献

1) 日本脳卒中学会脳卒中医療向上・社会保険委員会静注血栓溶解療法指針改訂部会：静注血栓溶解（rt-PA）療法適正治療指針 第三版. 脳卒中 41：205-46, 2019.
2) 日本救急医学会, 他（監）：ISLSガイドブック2018；脳卒中の初期診療の標準化, へるす出版, 2018.
3) Klompas M：Does this patient have an acute thoracic aortic dissection? JAMA 287：2262-72, 2002.
4) 古賀政利, 他：急性大動脈解離に合併する脳梗塞診療指針の提案. 脳卒中 40：432-7, 2018.
5) 上野達哉, 他：急性期脳梗塞と急性期胸部大動脈解離の臨床像の鑑別点. 脳卒中 36：414-8, 2008.
6) 日本脳卒中学会, 他：経皮経管的脳血栓回収用機器適正使用指針 第4版. 脳卒中 42：281-313, 2020.
7) 坂井信幸, 他：令和3年度 厚生労働科学研究費補助金（循環器疾患・糖尿病等生活習慣病対策総合研究事業）総括研究報告書；脳卒中の急性期診療提供体制の変革に係る実態把握及び有効性等の検証のための研究, 2023. https://mhlw-grants.niph.go.jp/system/files/report_pdf/202109027A-sokatsu_0.pdf

11-6 失神

西内　辰也

症候の概要

1 失神の定義と特徴

失神（syncope）とは，全般性脳血流低下により一過性意識消失（transient loss of consciousness；TLOC）をきたし，短時間で自然かつ完全に意識の回復がみられるものをいう[1]。通常，失神発作中は筋緊張低下により姿勢保持ができなくなる。

頭部外傷（脳振盪）やてんかん発作，心因性疾患（心因性偽失神，心因性非てんかん発作）などもTLOCを呈するが，失神は全般性脳血流低下が主病態である点で区別される（図1）[1]。

前失神（presyncope）は文字どおり失神の前段階の状態を意味し，脳血流低下に伴い立ちくらみや視野狭窄などの症状を自覚するものの，TLOCは認めない。前失神の原因となる疾患や病態は失神と共通しており，救急外来では失神と同様の診療アプローチが求められる。

失神の原因疾患・緊急度・重症度は多様である（表1）[2]。失神の原因疾患そのものは良性であっても，失神に伴う転倒・転落・墜落では自らが，乗用車の運転中であれば他者までもが，致死的外傷を負う危険性がある。生命に危険が及ばずとも，高齢者の骨折は生活の質の悪化や医療・介護費用の増加の一因となり得る。繰り返す失神は患者の不安感を増し，学業や就業，その他の社会参加にも影響を及ぼすため，原因と病態に応じた予防や治療，患者指導が望まれる。

2 疫　学

Framingham研究によると，男性3,563人，女性4,251人（平均年齢51歳）を平均17年間追跡した結果，男性の9.8％（348人），女性の11.2％（474人），合計822人（10.5％）が失神を経験し，発症率は6.2/1,000人年であった[3]。失神の生涯罹患率は35％との報告もあり[4]，救急外来を受診する患者のうち北米では0.6～1.0％，欧州では0.9～1.7％を失神が占めるという[5]。Framingham研究では70歳以上で発症率が急激に上昇しており[3]，高齢化率が世界でもっとも高い水準にあるわが国において，救急医が失神患者を診療する機会は少なくない。

3 病態と病型分類

健常人の脳血流は，平均動脈圧が50～150mmHgの範囲では自動調節能により一定に保たれ，理論上，50mmHg以下に低下すると脳血流量が低下し意識消失をきたし得る。実際には，立位で収縮期血圧が50～

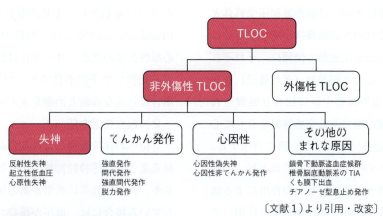

図1　一過性意識消失を伴う病態
TLOC：transient loss of consciousness
TIA：transient ischemic attack

〔文献1）より引用・改変〕

表1　失神の病型分類と主な原因

心原性失神（心血管性失神）
- 不整脈
  徐脈：洞機能不全（徐脈頻脈症候群を含む），房室伝導系障害，ペースメーカなどの植込み機器機能不全
  頻脈：上室性（心房細動を含む），心室性（特発性，器質的心疾患あるいはchannelopathy）
- 器質的疾患
  心疾患：大動脈弁狭窄症，急性心筋梗塞，肥大型心筋症，心房粘液腫などの心臓腫瘍，心膜疾患・心タンポナーデ，先天性冠動脈疾患，人工弁機能不全
- その他
  肺塞栓，肺高血圧，急性大動脈解離，腹部大動脈瘤破裂

起立性低血圧による失神
- 循環血液量減少
  水分摂取不足，発汗，嘔吐，下痢，出血（例：消化管出血，異所性妊娠など）
- 薬剤性起立性低血圧
  アルコール，血管拡張薬，利尿薬，向精神薬，抗パーキンソン薬，オピオイド
- 原発性自律神経障害
  純粋自律神経不全症，多系統萎縮症，パーキンソン病，レビー小体型認知症
- 続発性自律神経障害
  糖尿病，アミロイドーシス，脊髄損傷，腎不全，ビタミンB_{12}欠乏，自己免疫性自律神経節障害

反射性失神（神経調節性失神）
- 血管迷走神経性失神
  精神的苦痛・ストレス，疼痛刺激，起立負荷
- 状況失神
  呼吸器系：咳嗽，くしゃみ，笑う，金管楽器の吹奏，重量挙げ
  消化器系：嚥下，排便
  泌尿器系：排尿
- 頸動脈洞症候群

〔文献2）より引用・改変〕

60mmHgに低下，あるいは心拍動停止により脳血流が突然に立位で4〜8秒，臥位で12〜15秒程度途絶した場合に意識を消失する[6]。

血圧は心拍出量（1回拍出量と心拍数の積）と末梢血管抵抗の積で規定され，各因子の変動に応じて血圧も変化する。血圧は神経性・内分泌性・局所性因子などにより調節されるが，急な血圧変動には頸動脈洞圧受容体と大動脈圧受容体を介した反射性調節機構が関与する。これらの受容体で感知された血圧変動の情報は，それぞれ第Ⅸ脳神経（舌咽神経）と第Ⅹ脳神経（迷走神経）を介して延髄孤束核を経て血管運動中枢に伝わり処理される。処理された情報は遠心路である交感神経を介して心臓と末梢血管に，副交感神経を介して心臓に到達する。交感神経亢進は洞結節への作用による心拍数上昇，心筋への作用による心収縮増加，末梢血管への作用による血管収縮を生じさせ，副交感神経亢進は洞結節に作用して心拍数を低下させる。

失神の3つの病型（心原性失神，起立性低血圧，反射性失神）と脳血流低下の主要因（心拍出量低下あるいは末梢血管抵抗低下）の関係を図2[1]に示す。実際には，心拍出量低下と末梢血管抵抗低下の双方がさまざまな程度で関与し失神が生じる。

1）心原性失神（心血管性失神）

心原性失神の原因は不整脈，器質的心疾患，その他，の3つに分類され，心拍出量低下により失神をきたす。Framingham研究では，失神の既往がない人に対する心原性失神の死亡ハザード比は2.01で，その他の失神患者と比較して予後不良であった[3]。心原性失神を疑った場合は迅速な診断と治療介入が必要となる。

2）起立性低血圧

立位への体位変換により前負荷が減少しても，交感神経亢進と副交感神経抑制により反射性に血圧が維持されるが，自律神経系に異常がある場合や循環血液量が減少している場合には，血圧が維持できずに脳血流低下から失神をきたす。

仰臥位または坐位から立位への体位変換後か60°以上

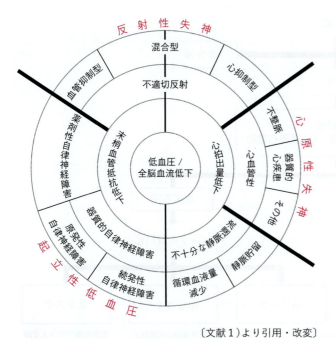

図2 病態に基づく失神の病型分類 〔文献1）より引用・改変〕

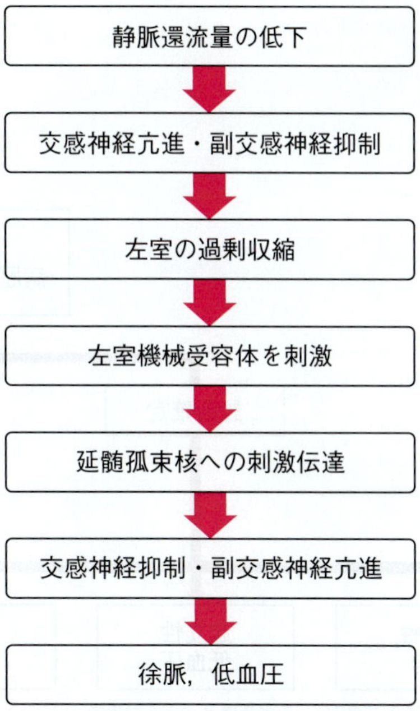

図3 血管迷走神経性失神の発症機序

の head-up tilt 試験に伴い，3分以内に収縮期血圧が20mmHg以上低下するか90mmHg未満に低下する場合，あるいは拡張期血圧が10mmHg以上低下する場合，起立性低血圧と判断する（classical orthostatic hypotension；古典的起立性低血圧）[7]。自律神経障害が原因の起立性低血圧では反射性の心拍数増加は通常みられない。

3分以上経過して血圧低下が観察される場合は，遷延性起立性低血圧（delayed orthostatic hypotension）と呼ばれる。血管迷走神経性失神とは徐脈がみられない点で異なり，約半数が古典的起立性低血圧に進展するという[8]。

立位後15秒以内の短時間に収縮期血圧40mmHg あるいは拡張期血圧15mmHg以上低下し，1分以内に改善する場合は初期起立性低血圧（initial orthostatic hypotension）と呼ばれ，若年者に多く予後良好である。

起立性低血圧の原因には，循環血液量減少，薬剤性，原発性および続発性自律神経障害が含まれる。

3）反射性失神（神経調節性失神）

反射性失神（神経調節性失神）には血管迷走神経性失神，状況失神，頸動脈洞症候群が含まれる。脳血流低下の主要因が血管拡張の場合は血管抑制型，心拍数低下の場合は心抑制型，双方の病態が関与している場合は混合型と分類される。

(1) 血管迷走神経性失神

血管迷走神経性失神は疼痛，恐怖感や不安感，人混みや閉鎖空間での滞在，不快な場面の遭遇などの感情要因や長時間の立位などが誘因となり生じる。

病態については不明な点も多く議論のあるところであるが，以下のような機序が考えられている。立位になると重力の影響により500～1,000mL 程度の血液が腹部臓器および下肢に移動し，静脈還流量が減少する。静脈還流量の減少は低圧系の心肺圧受容体および高圧系の頸動脈洞圧受容体と大動脈圧受容体を介した反射により，交感神経亢進と副交感神経抑制を惹起する。この代償機転により左室収縮力は増加するが，静脈還流量減少に伴う左室容積が減少した状態での過剰収縮は左室機械受容体を刺激し，無髄性迷走神経（C線維）を求心路として延髄孤束核に刺激が伝わる。結果として交感神経抑制による心拍数減少と副交感神経刺激による血管拡張が生じ，失神するとされる（図3）。

(2) 状況失神

状況失神はある特定の身体活動に伴って生じる。誘因となる身体活動や増悪因子（排尿失神における飲酒，咳嗽失神における喫煙など）の回避が発症予防につながるが，器質的疾患が発症に関与している例（嚥下性失神に食道疾患が合併など）がある点に注意が必要である。

(3) 頸動脈洞症候群

頸動脈洞症候群は頸動脈洞を10秒間圧迫することにより生じる失神と定義され，心抑制型（3秒以上の心停止），血管抑制型（50mmHg以上の収縮期血圧低下），両者を

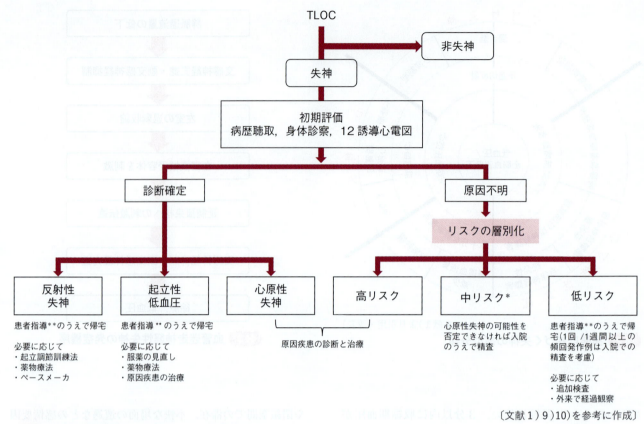

図4 失神の診療アルゴリズム
* 表6の低リスクおよび高リスクの因子を認めないもの
** 患者指導には病状説明による不安の除去，考えられる誘因・増悪因子の回避，前駆症状出現時の対処法の指導を含む

合併する混合型に分類される．頸部回旋やネクタイによる頸部圧迫が発症の引き金となるため，発症時の状況を確認することが診断に有用である．

診断のアプローチと初期対応

1 診療の原則

失神様の症状で救急外来を受診した患者の病型別頻度は，反射性失神35〜48％，起立性低血圧4〜24％，心原性失神5〜21％，失神以外のTLOC 8〜20％，不明17〜37％と，原因が特定できないことも珍しくない[1]．救急外来で原因疾患を特定することは容易ではないため確定診断に拘泥せず，患者の生命予後に悪影響を及ぼす可能性が高い心拍出量低下による失神，すなわち心原性失神，心抑制型の反射性失神，循環血液量減少による起立性低血圧の把握と除外に重点を置く．

2 診療の手順

失神を疑う患者の診療は，①意識消失の有無の確認，②失神・非失神の鑑別，③失神の初期評価，④リスクの層別化による患者処遇の決定，の手順により行う（図4）[1)9)10)．

1）意識消失の有無の確認

発作時の反応および健忘の有無，姿勢保持の可否を患者本人と目撃者から聴取し，意識消失の有無を確認する．頭部外傷合併例や日常から意思疎通が困難な患者では本人からの病歴聴取が困難であるため，目撃者の情報が有力な手がかりとなる．携帯電話や防犯カメラで撮影された動画も参考となる．前失神では意識消失がみられないものの，原因疾患は共通しているため，失神と同様のアプローチで診療を進める．

2）失神・非失神の鑑別

意識消失した可能性が高ければ，失神あるいは失神以外の病態かを鑑別する．

失神による意識消失の時間は長くても数分程度である．救急搬送される大多数の失神患者は病院到着時には

意識を回復しているはずであり，病院到着後も意識が回復していない場合は失神以外の病態を考慮する。

また，失神では筋緊張低下により姿勢保持が困難となるため，支えを必要とせずに立位あるいは坐位の状態で意識消失している場合は失神の可能性は低くなる。

てんかん発作は失神との鑑別に時に難渋する。けいれん様の体動を伴う失神（convulsive syncope；けいれん性失神）は4～40％にみられ，てんかん発作と誤診され得る[11]。また，てんかんが既往にある患者が失神すると，てんかん発作と誤診される可能性がある。

意識消失したくも膜下出血の38％で意識消失時間が10分未満であったとの報告があり[12]，頭痛などの症状があれば画像検査を行う。

3）失神の初期評価

失神と判断したら，**表2**[13]に示す項目に留意しつつ病歴聴取，臥位・立位での血圧・心拍数測定を含む身体診察，12誘導心電図検査からなる初期評価を行う。

(1) 病歴聴取

患者本人と目撃者から失神が起こった場所や周囲の状況，身体活動や精神状態について聴取する。発症時の状況から考えられる病態を**表3**[1]に示す。

次いで，前駆症状について聴取する（**表4**）[6]。失神では脳血流低下と自律神経系の関与する症状がさまざまな程度で認められるが，心原性失神や心抑制型の反射性失神など脳血流低下の開始から意識消失をきたすまでの時間が短い場合には前駆症状を自覚しない，あるいはTLOCからの回復後に想起できないことがある。血管迷走神経性失神では脳血流低下と自律神経系の関与する症状の双方がみられることが多い一方，起立性低血圧のうち自律神経障害が原因の例では自律神経症状を欠くことが多い。

後頭部から肩の筋肉の虚血が原因と考えられる同部位の疼痛はcoat-hanger painと呼ばれ，自律神経不全症と多系統萎縮症を対象とした研究では65％がcoat-hanger painを自覚したという[14]。動悸，胸痛，背部痛，腹痛，呼吸困難は心原性失神を示唆する。

既往歴では不整脈，器質的心疾患，自律神経障害に関連する疾患の有無は必須である。服薬歴は失神の原因や増悪因子となり得るため，お薬手帳やかかりつけ医療機関に照会するなどして把握に努める。家族歴ではBrugada症候群，早期再分極症候群，先天性QT延長症候群，不整脈源性右室心筋症，肥大型心筋症や原因不明の突然死の血縁者の有無について聴取する。

表2 失神の初期診療における留意点

病歴聴取

患者本人と目撃者から以下の病歴を聴取
- 発症時の状況
- 前駆症状
- 発作後の症状
- 既往症，併存疾患，服薬歴
- 家族歴：失神，若年血縁者の突然死の有無

身体診察

- バイタルサイン
- 臥位・立位での血圧・心拍数測定（安静臥位，起立直後，起立後3分の3点で測定）
- 器質的心疾患の有無の評価のための胸部診察（必要に応じてPOCUSにより評価）
- 神経診察

12誘導心電図

- 心拍数
- リズム不整の有無
- 伝導障害
- 器質的心疾患（心筋梗塞，肥大型心筋症など）を示唆する所見の有無
- 遺伝性不整脈（Brugada症候群，先天性QT延長症候群）を示唆する所見の有無

POCUS：point-of-care ultrasound 〔文献13〕より引用・改変〕

(2) 身体診察

失神の原因となり得る疾患・病態を念頭に系統的身体診察を行う。口腔内乾燥，眼瞼結膜蒼白，下血，性器出血などは循環血液量減少による起立性低血圧を疑う根拠なる。低血圧・頻脈・頻呼吸（肺塞栓症），心収縮期雑音（大動脈弁狭窄症や閉塞性肥大型心筋症）などの心原性失神を示唆する所見にも注意を払う。新たな局所神経症状を認めた場合は，失神以外の病態の鑑別も必要となる。

①安静臥位，②起立直後，③起立後3分の3点で血圧と心拍数を測定し，起立性低血圧の可能性を評価する。心拍数と血圧の変化に基づく起立性低血圧の鑑別を**図5**[15)16]に示す。

(3) 12誘導心電図

心原性失神を示唆する心電図所見を**表5**[7]に示す。過去に心電図検査が実施されている場合は経時的変化の有無を評価する。不整脈による失神と診断された例のうち，救急外来での初期評価で診断し得た例は65％との報告もあり[17]，初回心電図に異常を認めなくても心原性失神を除外できないことに留意する。

11. 救急症候

表3 一過性意識消失（TLOC）発症時の状況と可能性のある病態

発症時の状況	可能性のある病態
仰臥位（覚醒時）	疼痛や恐怖感による心抑制型血管迷走神経性失神，不整脈，心因性偽失神，心因性非てんかん発作
睡眠中	てんかん発作，不整脈，sleep syncope
坐位	すべての病型の失神
一定時間の立位姿勢	すべての病型の失神 立位時のみ生じるTLOC（起立性低血圧あるいは血管迷走神経性失神）
前屈あるいは蹲踞の姿勢から直立あるいは立位への体位変換	起立性低血圧
排尿，排便，咳嗽，嚥下	状況失神
声を出しての大笑い，冗談を言う，知人との予期せぬ再会などの感情の高ぶり	カタプレキシー
食事中，食後	すべての病型の失神 食事中あるいは食後のみに生じるTLOC（食事性低血圧） 食事中に優位に生じるTLOC（不整脈，Brugada症候群）
頭位変換，頸部圧迫，ひげ剃り	頸動脈洞症候群
恐怖感，疼痛，楽器吹奏	血管迷走神経性失神
運動中	心原性失神，自律神経障害，若年者における血管迷走神経性失神
運動後	自律神経障害，若年者における血管迷走神経性失神
上肢の運動中	鎖骨下動脈盗血症候群
動悸	心原性失神（頻脈性不整脈），血管迷走神経性失神，体位性頻脈症候群
恐怖以外の激しい感情	カタプレキシー，不整脈（カテコラミン誘発多形性心室頻拍）
驚愕（例：突然に鳴り出した時計の目覚まし音による）	先天性QT延長症候群2型，驚愕てんかん
発熱	血管迷走神経性失神，Brugada症候群
点滅する光	光感受性てんかん
睡眠不足	てんかん，血管迷走神経性失神
熱感，ほてり感，入浴	血管迷走神経性失神，起立性低血圧

〔文献1〕より引用・改変〕

表4 失神の前駆症状

脳血流の急速な低下による症状	
脳血流低下後約6秒	眼前暗黒，凝視
脳血流低下後7〜13秒	眼球正中固定あるいは上転，脱力，意識消失
脳血流低下後約14秒	ミオクローヌス様筋収縮
緩徐発症に伴う自律神経系および脳血流低下による症状	
自律神経系に関与	発汗，顔面蒼白，嘔気，瞳孔散大，動悸，欠神，過換気
脳血流低下に関与	立ちくらみ，霧視や色感覚消失，眼前暗黒などの視覚異常，coat-hanger pain，狭心痛

〔文献6〕より引用・改変〕

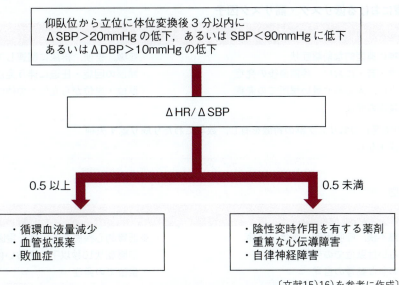

図5 心拍数と血圧変化に基づく起立性低血圧の鑑別

ΔHR/ΔSBP のカットオフ値を0.492としたときの感度は91.3%，特異度88.4%
体位変換により SBP と HR がそれぞれ，120mmHg から90mmHg，80回/min から100回/min に変化すると，「ΔHR/ΔSBP ＝（100－80）/（120－90）＝0.67」より，0.5以上となる

表5 心原性失神を疑う心電図所見

- 二束ブロック（左脚ブロック，右脚ブロック＋左脚前枝ブロックあるいは左脚後枝ブロック）
- その他の心室内伝導障害（QRS 間隔＞＝0.12秒）
- Mobitz Ⅰ型＋著明な PR 間隔延長を示す1度房室ブロック
- 陰性変時作用のある薬剤を服用せずに，無症状の洞性徐脈（心拍数40〜50回/min）や心房細動（心拍数40〜50回/min）
- 非持続性心室頻拍
- Wolff-Parkinson-White 症候群などの早期興奮症候群
- QT 間隔の延長あるいは短縮
- 早期脱分極症候群
- タイプ1の Brugada パターンの心電図
- 不整脈源性右室心筋症を示唆するイプシロン波形，右前胸部誘導における陰性 T 波
- 肥大型心筋症を示唆する左室肥大
- 虚血性失神を示唆する ST 上昇・低下，T 波の陰転化，異常 Q 波
- 心囊液貯留を示唆する電気的交互脈や低電位

〔文献7）より引用・改変〕

(4) 検体検査，画像検査

TLOC を呈した患者全例に血液検査（心筋トロポニン，BNP，D-dimer を含む）や頭部 CT・MRI 検査を実施することは推奨されず，初期評価の結果から原因疾患・病態の事前確率を推定したうえで必要な症例に実施する。大動脈弁狭窄症などの器質的心疾患や肺塞栓，急性大動脈解離，腹部大動脈瘤破裂を疑う場合には超音波検査が診断の一助になり得る。

患者処遇の判断（disposition）

初期評価により TLOC の原因が明確となれば原因疾患・病態に応じて対応する。反射性失神の多くは予後良好であり，表6[1]に示す高リスクの因子がなければ，発症の誘因や増悪因子の回避，前駆症状出現時の対処法（坐位・臥位への体位変換，leg crossing や arm tensing などの physical counterpressure maneuvers）を含む患者指導を行い，帰宅としてよい。ただし，反射性失神のうち心抑制型や頻回の失神例では，薬物療法やペースメーカ治療の適応について循環器科にコンサルトする。起立性低血圧も反射性失神同様に患者指導のうえ帰宅可能であるが，循環血液量減少による場合は原因疾患の原因検索と治療を要する。また，服用中の薬剤あるいは自律神経障害が原因と考えられる場合は処方医や脳神経内科へのコンサルトを考慮する。心原性失神では迅速な診断と治療が必要であり，循環器科にコンサルトする。

原因が不明の場合はリスク評価の結果をもとに患者処遇を決定する。高リスクの因子があれば，循環血液量減少による起立性低血圧あるいは心原性失神の可能性が高

表6 失神の初期診療における低リスク・高リスク因子

低リスク因子

発症時の状況	・反射性失神に典型的な前駆症状 ・不快な光景・音・におい，疼痛直後の発症 ・長時間の立位，人込みや暑い場所での発症 ・食事中，食後の発症	・咳嗽，排便，排尿に関連して発症 ・頸部の回旋・圧迫に伴う発症 ・臥位・坐位から立位への体位変換時に発症
既往歴	・「発症時の状況」の低リスク群の特徴を有し，数年にわたり繰り返す失神 ・器質的心疾患なし	
身体所見	・異常なし	
心電図	・正常心電図	

高リスク因子

発症時の状況	・新規の胸部不快，呼吸困難，腹痛，頭痛 ・運動中あるいは臥位での発症 ・発症直前の急な動悸の自覚	※器質的心疾患あるいは心電図異常がある場合 ・前駆症状10秒以下，あるいは前駆症状なし ・坐位での発症
既往歴	・重篤な器質的心疾患（心不全，左室駆出率低下，陳旧性心筋梗塞）	
身体所見	・救急外来で測定した原因不明の低血圧（90mmHg未満） ・消化管出血を示唆する所見	・覚醒下で心拍数40回/min未満の徐脈 ・診断されていない収縮期雑音
心電図	・虚血性心疾患を示唆する心電図変化 ・Mobitz II型2度房室ブロック，3度房室ブロック ・徐脈性心房細動（40回/min未満） ・持続性洞徐脈（40回/min未満），反復性洞房ブロック，3秒を超える洞停止 ・脚ブロック，心室内伝導障害，心室肥大，虚血性心疾患や心筋症を示唆するQ波 ・持続性あるいは非持続性心室頻拍 ・ペースメーカや植込み型除細動器などの植込み型機器機能不全 ・タイプ1のBrugadaパターンの心電図所見 ・V_1〜V_3でタイプ1のBrugadaパターンのST上昇 ・繰り返し実施された心電図検査でQT延長症候群を示唆するQTc >460msec	※病歴で不整脈による失神で矛盾しない場合 ・Mobitz I型2度房室ブロック，顕著なPR間隔延長を伴う1度房室ブロック ・無症状の洞徐脈（40〜50回/min），あるいは徐脈性心房細動（40〜50回/min） ・発作性上室頻拍あるいは発作性心房細動 ・早期興奮症候群（Wolff-Parkinson-White症候群） ・QTc間隔が340msec以下 ・不整脈源性右室心筋症を示唆するイプシロン波形，右前胸部誘導における陰性T波

〔文献1〕より引用・改変〕

く，原因疾患の診断と治療介入を速やかに行う。低リスクのみであれば原則として帰宅可能であるが，頻回に失神発作を繰り返す例では原因精査が必要となる。中リスク（高リスクと低リスクのいずれにも該当しない例）では患者処遇を即断できず，救急外来でバイタルサインと心電図をモニターしつつ，必要に応じて輸液，追加検査を行って循環器科などにコンサルトし，心原性失神の可能性を否定できなければ入院を原則とする。

▶文献

1) 2018 ESC Guidelines for the diagnosis and management of syncope. Rev Esp Cardiol (Engl Ed) 71：837, 2018.
2) Puppala VK, et al：Syncope：Classification and risk stratification. J Cardiol 63：171-7, 2014.
3) Soteriades ES, et al：Incidence and prognosis of syncope. N Engl J Med 347：878-85, 2002.
4) Ganzeboom KS, et al：Lifetime cumulative incidence of syncope in the general population：A study of 549 Dutch subjects aged 35-60 years. J Cardiovasc Electrophysiol 17：1172-6, 2006.
5) Sandhu RK, et al：Syncope in the emergency department. Front Cardiovasc Med 6：180, 2019.
6) Wieling W, et al：Symptoms and signs of syncope：A review of the link between physiology and clinical clues. Brain 132：2630-42, 2009.
7) Brignole M, et al：Practical Instructions for the 2018 ESC Guidelines for the diagnosis and management of syncope. Eur Heart J 39：e43-e80, 2018.
8) Gibbons CH, et al：Clinical implications of delayed orthostatic hypotension：A 10-year follow-up study. Neurology 85：1362-7, 2015.
9) Shen WK, et al：2017 ACC/AHA/HRS guideline for the evaluation and management of patients with syn-

10) Runser LA, et al：Syncope：Evaluation and differential diagnosis. Am Fam Physician 95：303-12, 2017.
11) Sheldon R：How to differentiate syncope from seizure. Cardiol Clin 33：377-85, 2015.
12) Suwatcharangkoon S, et al：Loss of consciousness at onset of subarachnoid hemorrhage as an important marker of early brain injury. JAMA Neurol 73：28-35, 2016.
13) Martow E, et al：When is syncope arrhythmic? Med Clin North Am 103：793-807, 2019.
14) Mathias CJ, et al：Symptoms associated with orthostatic hypotension in pure autonomic failure and multiple system atrophy. J Neurol 246：893-8, 1999.
15) Norcliffe-Kaufmann L, et al：Orthostatic heart rate changes in patients with autonomic failure caused by neurodegenerative synucleinopathies. Ann Neurol 83：522-31, 2018.
16) Peixoto AJ：Evaluation and management of orthostatic hypotension：Limited data, limitless opportunity. Cleve Clin J Med 89：36-45, 2022.
17) Nishijima DK, et al：ECG predictors of cardiac arrhythmias in older adults with syncope. Ann Emerg Med 71：452-61.e3, 2018.

11-7 胸　痛

池上　徹則

症候の概要

1 疫　学

東京消防庁によると，2022年の救急相談センター（#7119）への問い合わせのうち，「胸痛」による相談は8,598件（3.3％）で，「胸痛」による救急搬送人員数は15,137人であった[1]。胸痛のなかでも致死的な急性心筋梗塞，急性大動脈解離，急性肺塞栓症のそれぞれの発症率は，急性心筋梗塞が国内の複数の定点疫学調査で，年間10万人当たり10〜100人と推定され[2]，欧米諸国と比較して少ない。急性大動脈解離は年間10万人当たり10人[3]，急性肺塞栓症は年間10万人当たり6.2人と報告されている[4]。

2 痛みの性状による分類

心筋梗塞などの内臓痛は，侵害受容性の求心性神経線維が皮膚のように高密度で分布していないため，局在がはっきりしない漠然とした痛みを訴えることが多い。一方で体性痛は，皮膚には痛みの受容体が細かく分布しているため，痛みの局在が明確で，鋭い痛みとして表現される。これら以外にも，体位や呼吸によって増強することが特徴の，胸膜・心膜由来の痛みがある（表1）。

3 胸痛を呈する疾患

胸痛を呈する主な疾患を表2に示す。とくに急性心筋梗塞，急性大動脈解離，急性肺塞栓症，緊張性気胸，食道破裂の5疾患を，診断の遅れが生命に直結するものとして，5 killer chest painと呼ぶことがある。胸痛患者に対峙する際は，これらを念頭に置きながら診療を進める。

診断のアプローチ

1 病院前診療

救急隊員は，生命に直結する胸痛が疑われる傷病者に対しては，直ちにストレッチャーに案内して，モニター装着のうえでバイタルサインを測定する。救急車内に12誘導心電計が搭載されている場合は速やかに施行し，その結果を搬送先医療機関に伝える。救急隊による12誘導心電図は，患者が病院到着する前に，カテーテル室の準備やカテーテルチームの早期招集，再灌流までの時間短縮を可能にし，予後を改善させることが期待される[2]。また，急性冠症候群（acute coronary syndrome；ACS）や急性大動脈解離が疑われる場合は，経皮的冠動脈インターベンション（percutaneous coronary intervention；PCI）や心臓血管外科治療が速やかに施行できる施設を搬送先に選定する。

表1 痛みの性状による分類

内臓痛	体性痛	胸膜・心膜由来
・急性冠症候群	・帯状疱疹	・急性肺塞栓症
・急性大動脈解離	・肋軟骨炎	・気胸
・食道破裂	・肋骨骨折	・肺炎
・逆流性食道炎		・胸膜炎
		・心膜炎

表2 胸痛を呈する主な疾患

疾患名	急性発症	胸痛の性状	持続時間	その他
急性心筋梗塞	○	圧迫感，刺すような痛みなど	30分以上	
不安定狭心症	○	圧迫感	30分以下	
労作性狭心症	○	非特異的	15分以下	運動時
心膜疾患（急性心膜炎）	△	非特異的	30分以上	呼吸や体動で増悪
心筋疾患（心筋炎，心筋症）	△	非特異的		
急性大動脈解離	○	裂くような痛み		移動痛，間欠痛であることがある
弁膜疾患（大動脈弁狭窄症）	×	圧迫感	15分以下	重症例に認める
肺疾患（肺血栓塞栓症，肺炎，気胸，胸膜炎）	○	非特異的	30分以上	呼吸や体動で増悪
消化器疾患（急性膵炎，胆石症，胃潰瘍・十二指腸潰瘍穿孔など）	△	上腹部痛	30分以上	腹部に所見あり
消化器疾患（食道破裂）	○	激しい胸部痛	30分以上	嘔吐を契機に発症
皮膚骨格疾患（帯状疱疹，肋間神経痛，肋骨骨折）	×	体表痛	帯状疱疹は持続的，肋骨骨折は呼吸や体動時	
心因性（心臓神経症，パニック障害など）	×	体表痛が多い 非特異的	不定	

2 トリアージ

　胸痛を主訴とする患者は優先度を高くしてトリアージする。とくに心原性の胸痛を疑う場合は，トリアージナースの判断で12誘導心電図を施行し，結果を医師に報告する体制が望ましい。

3 初期評価

　心原性の胸痛を疑う場合は，即座に心電図モニターを装着し，末梢静脈ラインの確保と酸素投与を行いながら心電図検査を施行する。バイタルサインの評価は，患者の病態が判明するまでは繰り返し行い，ABCに異常があれば遅滞なく介入する。既往歴の聴取もまずは心血管系のリスクに注力して行う。初期評価でABCに異常がなく，心電図でも明らかなST変化や新規の左脚ブロックを認めないことを確認した後に，より詳細な病歴聴取と身体診察に取りかかる。

4 病歴聴取

　発症の様式，痛みの部位と種類，痛みの強さや性状，放散の有無，増悪・寛解因子の有無などを，ポイントを絞って聴取する。痛みの強さは，NRS（Numerical Rating Scale）やVAS（Visual Analogue Scale）などを用いて客観的に評価する。OPQRSTなどを用いた系統的な評価が有用である。5 killer chest painと症状の関連を表3に示す。

1）Onset（発症様式）

　突然発症の強い痛みは，急性大動脈解離，急性肺塞栓症，気胸などが鑑別にあがる。また，嘔吐に伴う突然発症の痛みでは食道破裂が，運動時などに比較的緩徐に発症し経時的に増悪する場合は急性心筋梗塞などの冠動脈疾患を疑う。

2）Palliative/Provocative factor（増悪・緩解因子）

　呼吸性に増悪・寛解を繰り返す場合は，肺炎や胸膜炎，肋骨骨折や肋軟骨炎などが鑑別にあがる。労作時に症状が誘発され，安静で軽快する場合は狭心症が，同様の症状でも安静で症状が軽快しない場合は急性心筋梗塞を疑

表3　5 killer chest pain と症状の関連

疾患	痛みの部位	痛みの性状	放散の有無	随伴症状
急性心筋梗塞	胸骨周囲から心窩部	絞扼感，重苦しい	肩，喉，顎，腕に放散	悪心・嘔吐　呼吸困難，発汗
急性大動脈解離	胸骨周囲から背部	裂けるよう	肩甲骨周囲から背部にかけて	部位によって麻痺，失神
急性肺塞栓症	胸部全体	痛みよりも息苦しさが主体のことがある	なし	呼吸困難，血圧低下
緊張性気胸	患側の胸部	呼吸によって増悪・寛解を繰り返す	肩から背部	呼吸困難，血圧低下
食道破裂	胸骨周囲から心窩部	嘔吐後に突然発症	背部	呼吸困難，発熱　血圧低下

う．大動脈解離や肺塞栓症では一般的に増悪・寛解因子は認めない．

3）Quality（痛みの質）

限局した鋭い痛みは体性痛の可能性が高い．一方で，漠然とした圧迫感，喉頭の閉塞感や違和感，呼吸困難感を伴う場合は内臓痛を疑う．急性心筋梗塞は，絞扼感を伴った痛みや重苦しい痛みと表現されることが多い．急性大動脈解離は，裂けるような痛みで，解離の進展に伴って痛みが強くなり，進展が止まると痛みが和らぐ．肺塞栓症，気胸，心膜炎では呼吸に伴って増悪する鋭い痛みがある．ただし，肺塞栓症では痛みの訴えがなく，主訴が呼吸困難だけのこともあるので注意を要する．胸部から心窩部にかけての焼けるような痛みは消化管由来の可能性があり，なかでも食道破裂は胸部，腹部いずれの痛みも生じ得る．

4）Radiation（放散）

肩，顎，首，心窩部などに放散する痛みではACSを疑う．また，肩甲骨周囲から背部にかけて放散する痛みでは急性大動脈解離を疑う．そのほか，緊張性気胸や食道破裂でも背部に放散する痛みを訴えることがある．

5）Site（部位）

指一本で指し示すことができるような限局した痛みは体性痛を疑う．一方，局所を示すことができない漠然とした痛みは内臓痛を疑う．背部痛を伴う場合は大動脈解離や一部の心筋梗塞を疑う．心筋梗塞のなかでも下壁梗塞は，梗塞部位が横隔膜直上にあるために心窩部の痛みを訴えることがあり，迷走神経トーヌスの過剰亢進により消化管の蠕動運動が亢進して，悪心・嘔吐，下痢などの症状を呈することがある（Bezold-Jarisch反射）．

6）Timing（時間経過）

労作により増大し，労作の中止により症状が消退する場合は狭心症を，労作を中止しても症状の寛解がない場合は心筋梗塞を疑う．

5　身体所見

1）急性冠症候群（ACS）

特徴的な身体所見に乏しく，身体診察のみではほかの胸痛との鑑別が困難なことが多い．重篤な状態になれば，血圧低下や徐脈または頻脈が出現し，顔面は苦悶様で蒼白，皮膚は冷たく湿潤し，口唇や爪床にチアノーゼを認める．右心不全や心タンポナーデを合併する場合は頸静脈の怒張を認め，肺水腫の合併例では呼吸困難や起坐呼吸，湿性ラ音，Ⅲ音を聴取する．心拍出量低下に伴う脳循環不全では，不穏で落ち着きがなく錯乱状態になるなどの意識障害を引き起こすことがある．

2）急性大動脈解離

解離のタイプや裂ける位置によって，心筋梗塞，脳梗塞，腸管虚血などさまざまな臓器障害を合併する．身体診察では，血圧の左右差，異常な血圧上昇，大動脈弁領域の拡張期雑音に留意する．心タンポナーデを合併する場合は，心音自体の減弱や頸静脈怒張を認める．腸管虚血を合併する場合は腹膜刺激徴候を認めることがある．大動脈弓部解離の場合は左片麻痺を合併することがある．また，受診時は痛みの訴えに乏しく，胸痛後の意識消失を主訴に来院することがあるので注意を要する．

3）急性肺塞栓症

吸気時に痛みを伴い，頻呼吸と頻脈が高率に認められる．ショックで発症することもある．右心不全をきたす

と，頸静脈の怒張や吸気時に増強する右心性Ⅲ音，Ⅳ音を聴取する。胸水貯留をきたすと患側の呼吸音の低下と打診にて濁音を認め，声音振盪が低下する。深部静脈血栓症の所見としては下腿浮腫，Homans徴候（足首を背屈させると下腿後面に疼痛を生じる）などがある。

4）気　胸
突然発症の鋭い痛みで，痛みは吸気で増悪する。患側の呼吸音減弱または無音を呈し，打診では鼓音である。とくに気胸の増大に伴って，急速に頻呼吸と頻脈，血圧低下を呈するものを緊張性気胸という。皮下気腫は必ずしもみられない。

5）食道破裂
嘔吐後に突然発症する胸骨部の鋭い痛みを特徴とする。第一印象として非常に重篤で，顔面蒼白，呼吸困難，冷汗を伴うことが多い。特徴的な身体所見に乏しいが，気胸または，頸部から鎖骨上窩，胸骨上縁に皮下気腫を認めることがある。

6）胸膜炎
胸膜への炎症の波及で引き起こされる痛みで，体位変化や呼吸により痛みが増強する。発熱，咳嗽，呼吸困難を伴うことが多い。

7）心膜炎
左肩などに放散する痛みが特徴的で，発熱を伴う。臥位になると痛みが増強するので，坐位を好むことが多い。嚥下や咳嗽，深呼吸でも痛みが増強する。

8）帯状疱疹，肋軟骨炎，肋骨骨折などの体性痛
痛みの局在がはっきりしており，患部の圧迫や伸展刺激により痛みが増強する。帯状疱疹の初期は皮膚症状が明らかでないことが多く，注意を要する。

6　検　査

1）12誘導心電図
ACSを疑った場合は，10分以内に12誘導心電図を評価することが推奨されている[2]。心電図で，解剖学的に隣り合った2つ以上の誘導（V_1〜V_4またはⅡ/Ⅲ/aVF）のST上昇を認める場合，または新規の左脚ブロックを認める場合は，ST上昇型心筋梗塞（ST-segment elevation myocardial infarction；STEMI）を疑い，直ちに再灌流療法の適応を検討する。ST低下または陰性T波を認める場合には，非ST上昇型心筋梗塞（NSTEMI）の可能性があるので，心筋バイオマーカーの測定を行う。ST低下を認めた場合には，対側の誘導でST上昇がな

いかを確認する。ただし，初回心電図に異常が認められないという理由でACSを除外することはできない。非発作時には心電図が正常な場合があり，発症早期には心電図変化が明らかでないこともある。このような場合でも，以前の心電図や時間をあけて記録した心電図と比べることで，ACSの診断に至ることがある。

そのほか，Stanford A型急性大動脈解離の5％では冠動脈が閉塞し，ST上昇を認める。また，肺塞栓症では肺高血圧症の進展に伴い，右軸偏位や肺性P波，V_1〜V_3にかけての陰性T波が出現することがある。心膜炎ではaVR以外の誘導でST上昇を認める。

2）胸部X線検査
循環動態が不安定な胸痛患者では，積極的にポータブル胸部X線検査を行い，心陰影拡大，肺うっ血，上縦隔拡大，気胸，肺炎，胸水の有無を評価する。心陰影の拡大は，心筋梗塞既往，急性左心不全，心囊液貯留，大動脈弁または僧帽弁逆流に伴う左室容量負荷を示唆する。上縦隔拡大や大動脈壁の内膜石灰化の内側偏位は，大動脈解離を示唆する。肺動脈の途絶像や，呼吸困難や低酸素血症を認めるにもかかわらず，X線検査で異常所見がない場合は肺塞栓症を疑う。嘔吐後の縦隔気腫と胸水貯留は食道破裂を示唆する。肺炎や気胸は胸部X線検査で診断がつくことが多い。一方，X線検査で異常所見を認めない胸痛も多数存在するので，疑わしい場合は超音波検査やCT撮像をためらわない。

3）血液検査
(1) 心筋バイオマーカー

ACSを疑った場合は心筋バイオマーカー検査を行う。なかでも，心筋トロポニンの上昇は健常人の99パーセンタイル値を超える場合と定義され，クレアチンキナーゼが上昇しない程度の微小心筋傷害も確実に検出できる。さらに，高感度心筋トロポニンは従来のトロポニンに比べて測定精度が高く，発症後2時間以内の超急性期の診断にも有用である[2]。

(2) D-dimer

D-dimerは急性大動脈解離の多くの症例で上昇しており，$0.5\mu g/mL$をカットオフ値とすると特異度46.6％，感度96.6％と感度が高く，除外診断に有用である[3]。ただし，偽腔閉塞型や若年者の場合は，D-dimerの上昇がみられないことがあり，注意を要する。欧米のガイドラインでは，大動脈解離診断リスクスコア（aortic dissection detection risk score；ADD-RS）が0または1点で，かつD-dimerが$<0.5\mu g/mL$であれば，急性

表4 大動脈解離診断リスクスコア（ADD-RS）

患者背景
- Marfan症候群
- 大動脈疾患の家族歴
- 大動脈弁疾患の既往
- 最近の大動脈に対する処置歴
- 胸部大動脈瘤の既往

痛みの特徴（胸痛，背部痛，腹痛が以下の性状を満たす）
- 突然発症
- 重度の疼痛
- 引き裂かれるような痛み

身体所見
- 脈拍左右差もしくは脈拍の欠損
- 神経学的局所症状（痛みを伴う）
- 大動脈弁逆流に伴う新規の拡張期雑音（痛みを伴う）
- 低血圧もしくはショック

〔文献5〕より引用・改変〕
カテゴリーごとに1つでも該当すれば1点とし，0〜3点で評価する

大動脈解離の除外診断が可能で，CT検査を省略できるとしている（**表4**）[5]。一方で，ADD-RSが2または3点の場合はD-dimerの値に関係なくCTアンギオグラフィを施行すべきである[6]。

急性肺塞栓症に対するD-dimerの位置づけも，急性大動脈解離と同様，感度は高いが特異度が低いため，除外診断に用いられる。Wellsスコアやジュネーブスコアを用いて，検査前確率が低い，あるいは中等度と判断される場合は，D-dimerが陰性であれば疾患を除外できる。一方で，可能性が高い（検査前確率が高い）場合はD-dimerの検査結果にかかわらず造影CTを施行する必要がある[4]。

4）超音波検査

ACSを疑う場合は，心機能の評価，虚血部の壁運動異常，心タンポナーデ，乳頭筋閉鎖不全による僧帽弁逆流など，機械的合併症の有無を評価する。急性大動脈解離を疑う場合は，上行大動脈の剥離内膜，大動脈弁逆流，心囊液貯留の観察を行い，急性肺塞栓症では，右房および右室の拡大，左室の圧排像などが有用な所見となる。急性心膜炎では局所壁運動異常のない心囊液貯留を認める。また，気胸の際にみられるlung slidingの消失は，ベッドサイドで簡便に鑑別を進めるうえで有用である。

5）CT検査

急性大動脈解離では，単純および造影早期相の撮像が必須であり，必要に応じて造影後期相を追加する。単純CTは，壁の石灰化の程度，内側偏位の有無に加えて，偽腔閉塞型解離における偽腔内血腫の認識，瘤の切迫破裂を疑わせる壁在血栓内の高濃度域などの評価に有用である。

急性肺塞栓症では，血栓塞栓子を肺動脈内の造影欠損として確認できる。食道破裂の診断にもCT検査は有用で，食道破裂に付随する左側胸水および縦隔気腫を認めた場合は，穿孔部位の位置の確認，胸腔内への穿破の有無の確認のために食道造影を行う。

初期対応

1 急性冠症候群（ACS）

ACSの診断・治療のカスケードを**図1**[7]に示す。
初療時に不安定狭心症とNSTEMIを区別することは困難なことが多いので，両者を合わせて非ST上昇型急性冠症候群（NSTE-ACS）として取り扱う。STEMIでPCIを選択した場合は，医療従事者の接触（救急隊を含む）から90分以内に初回バルーンを拡張することが目標とされる[2]。NSTE-ACSでは，TIMIスコアやGRACEスコアを用いて，中等度〜高リスク症例に侵襲的治療を行うことが推奨されている。

低酸素血症や心不全，ショック徴候がある場合には酸素投与を開始するが，ルーチンの投与は推奨されない[2]。高度の低酸素血症がある場合には，気管挿管下に人工呼吸管理とする。ニトログリセリンの舌下またはスプレータイプの口腔内噴霧を行い，症状の軽減と12誘導心電図のST変化の改善から効果を判定する。収縮期血圧90mmHg未満，または通常の血圧に比べて30mmHg以上の血圧低下，高度徐脈（＜50回/min），頻脈（＞100回/min）が認められる場合，急性下壁梗塞で右室梗塞の合併が疑われる場合には投与を避ける。また，高齢者や脱水を伴っている場合にも，過度の血圧低下をきたすことがあるため注意を要する。

アスピリンは急性心筋梗塞の予後改善に有効で，早期に投与するほど死亡率が改善することから，アスピリンアレルギーや消化管出血のない患者には，できるだけ早期に投与する[2]。

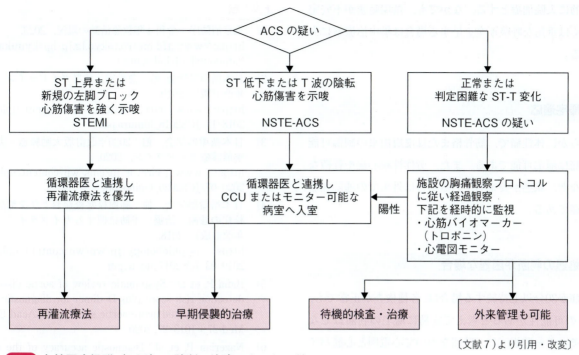

図1 急性冠症候群（ACS）の診断・治療のカスケード

〔文献7）より引用・改変〕

2 急性大動脈解離

　Stanford A型急性大動脈解離はきわめて予後不良で，発症後に致死率が1時間当たり1～2％上昇し，侵襲的治療〔外科手術やTEVAR（thoracic endovascular aortic repair）〕を行わなければ48時間以内の致死率が約50％とされる。

　血圧が高く疼痛が強い場合は，禁忌がないかぎり早期にβ遮断薬の静注にて収縮期血圧≦120mmHg，心拍数60回/min未満にコントロールする[3]。痛みに対してはオピオイドを静注する。オピオイドは，心拍数や血圧のコントロールにも寄与する。

3 急性肺塞栓症

　Ⅰ型呼吸不全を呈し，低酸素があれば酸素投与する。HFNC（high flow nasal cannula）は，F_IO_2を100％まで上げることが可能でよい適応となる。酸素吸入でも酸素化を安定して維持できなければ，気管挿管による人工呼吸管理が必要となるが，過度に呼気終末陽圧（positive end expiratory pressure；PEEP）をかけると胸腔内圧の上昇により静脈還流が減少し，右心不全を悪化させる。低血圧のない右心不全例にはドパミン，ドブタミンを，低血圧（ショック）を伴った右心不全例にはドブタミン，ノルアドレナリンを使用する。これらの治療にもかかわらず，低酸素血症や低血圧が進行し呼吸・循環不全を安定化できない場合は，V-A ECMOを導入する。抗凝固療法は急性肺塞栓症の死亡率および再発率を減少させることが明らかにされており，診断が確定したら未分画ヘパリンをまずは80単位/kg，あるいは5,000単位を単回静脈投与する。

4 食道破裂

　基本的には外科治療の適応であるが，全身状態が安定しており，造影剤の漏出が縦隔内に限局して，持続的な液体流失がない場合は保存治療の選択肢もある。

5 緊張性気胸

　診断したら即座に脱気を行う。胸部X線の確認などで治療介入が遅れてはならない。

患者処遇の判断（disposition）

1 入院適応

　心臓，大血管，肺などの実質臓器に原因がある疾患は

基本的に入院加療とする．なかでも，循環動態が不安定もしくは重篤な呼吸不全を呈する場合は集中治療室に入室する．

2 帰宅適応

明らかに体性痛で，筋骨格または皮膚由来の制御可能な胸痛は帰宅可能である．また，労作性狭心症や軽微な気胸など，状態が安定している場合は外来での通院加療が可能である．

3 処遇の判断が困難な場合

胸痛が30分以上持続する場合は，各種検査が正常でも，ACSの可能性があると考えて安易に帰宅の判断はしない．モニター監視下に，時間をおいて心電図と心筋バイオマーカーの再測定を行う．そのほか，処遇の判断が困難な原因として医療者の思い込みがないか，病歴や既往歴は正しく聴取できているか，身体診察に見逃しはないか，正しく検査が選択されているか，異常所見の見逃しがないかなどに注意しながら再評価を繰り返す．

▶文　献

1) 東京消防庁：令和4年救急活動の現況，2023.
 https://www.tfd.metro.tokyo.lg.jp/hp-kyuukanka/katudojitai/r4/index.html
2) 日本循環器学会，他：急性冠症候群ガイドライン（2018年改訂版），2019.
 https://www.j-circ.or.jp/cms/wp-content/uploads/2018/11/JCS2018_kimura.pdf
3) 日本循環器学会，他：2020年改訂版大動脈瘤・大動脈解離診療ガイドライン，2020.
 https://www.j-circ.or.jp/cms/wp-content/uploads/2020/07/JCS2020_Ogino.pdf
4) 日本循環器学会，他：肺血栓塞栓症および深部静脈血栓症の診断，治療，予防に関するガイドライン（2017年改訂版），2018.
 https://js-phlebology.jp/wp/wp-content/uploads/2019/03/JCS2017_ito_h.pdf
5) Bima P, et al：Systematic review of aortic dissection detection risk score plus D-dimer for diagnostic rule-out of suspected acute aortic syndromes. Acad Emerg Med 27：1013-27, 2020.
6) Nazerian P, et al：Diagnostic accuracy of the aortic dissection detection risk score plus D-dimer for acute aortic syndromes：The ADvISED prospective multicenter study. Circulation 137：250-8, 2018.
7) 日本蘇生協議会（監）：JRC蘇生ガイドライン2020，医学書院，2021.

11-8 動 悸

太田 凡

症候の概要

動悸は，心臓の鼓動を普段とは違うと感じる自覚症状で，①鼓動を普段より速く感じる，②鼓動のリズムが乱れていると感じる，③鼓動を強く感じる，のいずれかとされる[1]。しかし，患者によっては急性心筋梗塞の際に感じる「胸部圧迫感」や，慢性心不全患者が労作時に感じる「息切れ」を「動悸」と表現することもあるため，患者の訴える「動悸」がどのような症状であるかを確認する必要がある。

動悸を訴える疾患は心疾患に限らず，血管疾患，呼吸器疾患，内分泌疾患，全身性疾患，心因性・精神疾患，薬物・嗜好品の影響など多岐にわたる（表1）。

1 疫 学

動悸は患者の受診先により病態の割合が異なる。2001年から10年間にわたる全米救急外来部門における大規模な調査では，動悸を主訴とする割合は総受診の0.58％で，そのうち心疾患に由来すると診断されたのは34％であり，24.6％が入院となっていた[1]。

米国の単施設からの報告[2]では，動悸を主訴とする190例において，心疾患が43.2％（心房細動10.0％，上室頻拍9.5％，心室期外収縮7.9％，心房粗動5.8％，心房期外収縮3.2％，心室頻拍2.1％），精神疾患が30.5％（パニック症，パニック発作，不安神経症，身体症状症），その他が10.0％（薬物2.6％，甲状腺機能亢進2.6％，カフェイン1.6％，コカイン1.1％，貧血1.1％，アンフェタミン0.5％），原因不明が16％であった。

わが国の単施設からの報告[3]では，12年間の急病の全救急搬送患者のうち，2.1％が動悸を主訴とし，そのうち心疾患は31.6％であり，内訳は発作性上室頻拍14.7％，心房細動・心房粗動10.7％，期外収縮2.4％，虚血性心疾患2.0％，心室頻拍0.9％であった。65歳以上の高齢者では45％が心疾患で，そのうち心房細動・心房粗動が23.8％と多かった。

一方，フランスにおける心臓専門の救急部門単施設からは，動悸を主訴として受診した連続688例の81％において不整脈（心房不整脈77％，接合部頻拍15％，心室不整脈8％）が診断されたと報告されており[4]，専門性の高い施設においては心疾患の比率が高いと考えられる。

2 病 態

患者の自覚する症状で病態を分類すると表2のとおりとなる。

鼓動を速く感じる病態は，頻拍発作と洞頻脈に大別される。頻拍発作には，発作性上室頻拍，発作性心房細動，頻脈性心房粗動，心房頻拍（多源性含む），接合部頻拍，心室頻拍（単形性または多形性），ペースメーカ起因頻拍などがある。慢性心房細動患者が何らかの要因で頻脈性心房細動となっている場合は，洞頻脈と同様に，その要因を検討する必要がある。

鼓動のリズムが乱れると感じる病態としては，発作性心房細動，伝導比率の変化する心房粗動，期外収縮（心房性，心室性），洞停止，洞房ブロック，2度房室ブロックがあげられる。

頻拍もリズムの乱れもないにもかかわらず鼓動を強く感じる病態としては，心因的な要因（不安症，身体症状症，パニック発作，パニック症など），薬物，違法薬物，アルコールの影響であることが多いが，完全房室ブロックでは，脈拍数が一定でも1回拍出量が変化することにより鼓動を強く感じることがある。

胸部圧迫感を動悸と感じる病態としては，狭心症（労作性，冠攣縮，不安定），急性心筋梗塞があげられ，「息切れ」を動悸と感じる病態としては，急性心不全，慢性心不全の増悪（心臓弁膜症，心筋症，心筋炎など），心タンポナーデ，心房粘液腫，肺塞栓，呼吸器疾患による低酸素血症，貧血があげられる。

表1 動悸の原因

心疾患	不整脈	頻拍発作	発作性上室頻拍（房室回帰性，房室結節リエントリー性） 発作性心房細動，頻脈性心房粗動，心房頻拍（多源性含む） 接合部頻拍，心室頻拍（単形性または多形性），ペースメーカ起因頻拍
		徐脈性不整脈	洞停止，洞房ブロック，2度房室ブロック，完全房室ブロック
		期外収縮	心房期外収縮，心室期外収縮
	急性心不全，慢性心不全の急性増悪		心臓弁膜症，心筋症，心筋炎など
	心タンポナーデ		急性心膜炎，がん心膜転移など
	虚血性心疾患		狭心症（労作性，冠攣縮，不安定），急性心筋梗塞
	腫瘍性疾患		心房粘液腫
血管疾患			肺塞栓，急性大動脈解離
呼吸器疾患			感染症，悪性腫瘍，自己免疫疾患など
内分泌疾患			インスリノーマ，甲状腺機能亢進症，褐色細胞腫
全身性疾患			発熱，脱水，貧血，ショック，アナフィラキシー，更年期障害，妊娠など
心因性・精神疾患			不安症，身体症状症，パニック発作，パニック症など
薬物	治療薬		抗不整脈薬，抗精神病薬，降圧薬，抗コリン薬，キサンチン製剤，インスリンなど
	違法薬物		覚醒剤，大麻，コカインなど
嗜好品			飲酒，カフェイン，喫煙，サプリメントなど

表2 動悸の症候と病態

鼓動を速く感じる	頻拍発作	発作性上室頻拍，発作性心房細動，頻脈性心房粗動，心房頻拍（多源性含む） 接合部頻拍，心室頻拍（単形性または多形性），ペースメーカ起因頻拍
	洞頻脈 （慢性心房細動患者の 頻脈性心房細動）	発熱，脱水，貧血，ショック，アナフィラキシー，更年期障害，妊娠 急性心不全，慢性心不全の増悪（心臓弁膜症，心筋症，心筋炎など） 心タンポナーデ，心房粘液腫，肺塞栓 呼吸器疾患による低酸素血症 低血糖 内分泌異常（甲状腺機能亢進症，褐色細胞腫） 薬剤，違法薬物，カフェイン，飲酒，喫煙，離脱症状（アルコール，βブロッカー） 心因性・精神疾患（不安症，身体症状症，パニック発作，パニック症など）
鼓動のリズムが乱れていると感じる		発作性心房細動，伝導比率の変化する心房粗動，多源性心房頻拍 期外収縮（心房性，心室性） 洞停止，洞房ブロック，2度房室ブロック
鼓動を強く感じる		薬物，違法薬物，カフェイン，飲酒，喫煙，離脱症状（アルコール，βブロッカー） 心因性・精神疾患（不安症，身体症状症，パニック発作，パニック症など） 完全房室ブロック
胸部圧迫感を動悸と感じる		狭心症（労作性，冠攣縮，不安定），急性心筋梗塞
「息切れ」を動悸と感じる		急性心不全，慢性心不全の増悪（心臓弁膜症，心筋症，心筋炎など） 心タンポナーデ，心房粘液腫，肺塞栓 呼吸器疾患による低酸素血症 貧血

表3 頻脈の心電図診断の目安

	整（regular）	不整（irregular）
narrow QRS	・洞頻脈 ・心房粗動（伝導比一定） ・発作性上室頻拍 ・心房頻拍 ・接合部頻拍	・頻脈性心房細動 ・頻脈性心房粗動（伝導比不定） ・多源性心房頻拍
wide QRS	・単形性心室頻拍 ・ペースメーカ起因頻拍 ・脚ブロックを伴う洞頻脈 ・脚ブロックを伴う心房粗動（伝導比一定） ・脚ブロックを伴う発作性上室頻拍 ・変行伝導を伴う発作性上室頻拍（逆方向性房室回帰頻拍） ・脚ブロックを伴う接合部頻拍	・多形性心室頻拍 ・偽性心室頻拍（副伝導路を伴う頻脈性心房細動） ・脚ブロックを伴う頻脈性心房細動 ・変行伝導を伴う頻脈性心房細動 ・脚ブロックを伴う頻脈性心房粗動（伝導比不定） ・変行伝導を伴う頻脈性心房粗動（伝導比不定）

診断のアプローチ

速やかに12誘導心電図を記録する。動悸の自覚が継続している際の12誘導心電図が記録できれば，頻脈性不整脈，徐脈性不整脈，期外収縮などの不整脈診断が可能である。また，狭心症，急性心筋梗塞などの虚血性心疾患が診断される確率も高くなる。

洞頻脈および慢性心房細動患者の頻脈性心房細動は，何らかの要因により頻脈となっており，これらの病態を鑑別するためには，焦点を絞った病歴聴取，バイタルサイン，身体所見が重要であり，必要に応じ，血液検査（血算，電解質，血糖，BNP，凝固系，血液ガス分析など），心エコー検査，胸部単純X線検査，体幹部CT検査などを行う。12誘導心電図で頻拍発作などの不整脈診断が確定した場合でも，心不全，電解質異常，心筋虚血など，複数の病態がオーバーラップしていることがある。したがって，このような場合でも，焦点を絞った病歴聴取，バイタルサイン，身体所見の評価は重要であり，必要に応じ，血液検査，心エコー検査，胸部単純X線検査，体幹部CT検査などを行う。

頻脈性不整脈の心電図診断の目安を表3に示す。このうち心房粗動は，鋸歯状波といわれる250〜320/minの心房興奮波が特徴的で，心房興奮2サイクルに1回の心室伝導（2：1伝導）の場合，発作性上室頻拍と鑑別が困難な場合がある。また，頻度は低いものの，1：1伝導の場合，変行伝導により幅広いQRS波形となり単形性心室頻拍との鑑別が困難になることがある。また，伝導比率が変化したり，心房細動に移行したりすることで，脈拍不整を訴える場合もある。

すでに動悸が消失している場合でも，QT延長，PQ短縮，δ波が認められれば，頻拍発作との関連が示唆される。また，Brugada症候群を示唆するST上昇が認められる場合は，心室細動に至らずとも多形性心室頻拍の原因となる可能性がある。

12誘導心電図で異常が認めず，動悸の自覚が持続していれば不整脈発作は否定され，心因性に脈拍を強く感じていることが多いが，心筋梗塞の超急性期や肺塞栓などの可能性は残る。胸部圧迫感を動悸と訴える場合には，初回の12誘導心電図が正常であっても経時的に心電図をフォローし，血液検査での心筋マーカー確認を行うことで急性心筋梗塞の可能性を検討し，息切れを動悸と訴える場合には肺塞栓を含め鑑別診断を進める。

心電図異常が認められず，診察の時点で動悸が完全に消失している場合は，診断が確定しないことも多い。その場合は動悸の性状や特徴から，どのような病態が想定されるかを推定することが重要である。

初期対応

図1に動悸に対する初期対応の概要を示す。心室頻拍や急性心筋梗塞など動悸の自覚で発症し，受診時すでに心停止となっている場合には適切な二次救命処置を行う。また，心停止に至らずとも呼吸・循環が不安定な場合もある。気道，呼吸，循環，意識と評価を進め，必要であれば，気道確保，酸素投与，静脈路確保など呼吸・循環管理を開始する。

焦点を絞った病歴聴取と身体診察を行い，可能なかぎ

11. 救急症候

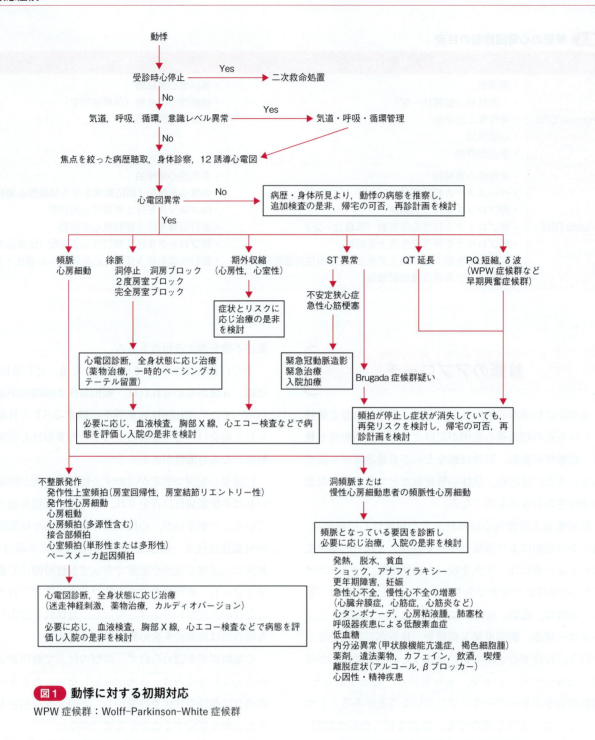

図1 動悸に対する初期対応
WPW症候群：Wolff-Parkinson-White症候群

り速やかに12誘導心電図を記録する。何らかの心電図異常が判明すれば，動悸の訴えを説明するものであるかを確認する。例えば，12誘導心電図で心房期外収縮を認めたとしても，動悸の訴えが「脈拍が飛ぶ」でなく，息切れや胸部圧迫感である場合は，それらの原因となる病態を評価し治療しなければならない。心電図異常が動悸の訴えに一致するのであれば，必要に応じて治療を行う。

主たる病態に対する緊急対応は以下のとおりである[5]。

1 洞頻脈，慢性心房細動患者の頻脈性心房細動

貧血や甲状腺機能亢進など誘因となる病態に応じて，必要な治療，入院の是非を検討する。

2 期外収縮

他疾患の合併がなく，呼吸・循環が安定していれば緊急の介入は不要で，多くの症例において心配の不要な病態であることを説明し，経過観察とすることが可能であ

る。しかし，運動に伴い増悪する場合や，心筋虚血など心疾患合併が疑われる場合は，循環器内科外来でのフォローや入院での経過観察を検討する。期外収縮の頻度が著しく高い場合は，電解質異常など誘因の有無を確認のうえ，抗不整脈薬投与，入院の是非を検討する。

3 発作性上室頻拍

循環動態が安定していれば，必須ではないが迷走神経刺激が第一選択となる。迷走神経刺激手技としては，眼球圧迫法は推奨されておらず，Valsalva法と頸動脈洞マッサージ法が用いられる。Valsalva法は10〜30秒の息こらえを患者に指示し，解放時に下肢挙上を行うと効果が高まるとされる。頸動脈洞マッサージは頸動脈に血管雑音がないことを確認後に右頸動脈部に圧を加えて，5〜10秒のマッサージを行う。無効であれば左側を試みる。ただし，高齢者は血管雑音が聴取されなくとも潜在的に動脈プラークの存在する可能性があり，頸動脈洞マッサージは推奨されない。

迷走神経刺激が無効または施行しない場合は，アデノシン三リン酸（ATP）の急速静注（5〜20mg）を行う。なお，ATPは気管支収縮作用があり気管支喘息患者では使用しない。ATPが使用できない場合や頻拍が停止しても再発する場合には，カルシウム拮抗薬（ベラパミル5mgまたはジルチアゼム10mg）を5分で静注する。ただし，カルシウム拮抗薬は，循環動態を悪化させる可能性があり，心不全症例では投与を避ける。薬物治療でも頻拍が停止しない場合は，鎮静下に同期電気ショック（カルディオバージョン）を行う。

wide QRSを示す発作性上室頻拍の場合は，逆方向性房室回帰頻拍の可能性があり，房室伝導を抑制するATP，カルシウム拮抗薬の使用は避け，プロカインアミド，フレカイニドなどのVaughan Williams分類によるI群抗不整脈薬の投与を行う。なお，ATP急速静注やカルシウム拮抗薬静注により，発作性上室頻拍ではなく心房粗動であることが判明した場合は，心房粗動として治療を続行する。

4 発作性心房細動

まず脱水やうっ血など誘因の除去を検討する。誘因がないか，誘因を除去しても心房細動が持続する場合は，薬物治療またはカルディオバージョンで洞調律復帰を図るか，心拍数コントロール（レートコントロール）にとどめるかで判断が分かれる。

洞調律復帰を目的とする薬剤としては，I群抗不整脈薬（ピルシカイニド，フレカイニド，プロパフェノン，シベンゾリン）が用いられ，心拍数コントロールを図る薬剤としては，カルシウムチャネル遮断薬（ベラパミル，ジルチアゼム），β遮断薬（ビソプロロール，ランジオロールなど）が用いられる。洞調律化に際しては塞栓症予防のため，あらかじめ経食道エコーで心房内血栓を否定するか，適切な抗凝固療法が行われていることが必要である。

心房細動が48時間以上持続していることを否定できない場合は，原則として洞調律復帰の適応とはならない。発作性心房細動が原因で循環動態不良（ショック，心不全，冠動脈虚血）に陥っている場合は，鎮静下にカルディオバージョン（100J〜）の適応となる。抗凝固薬の服用がない患者の場合は，DOAC（直接作用型経口抗凝固薬）またはワルファリンの開始を検討する。

5 心房粗動

循環動態が安定していれば，I群抗不整脈薬（プロパフェノン，プロカインアミド，フレカイニド），Ⅲ群抗不整脈薬（アミオダロン：保険適用外）による洞調律復帰が考慮される。薬物治療抵抗例や，循環動態不良の場合は，カルディオバージョン（50〜100J）の適応となる。

6 単形性心室頻拍

循環動態が安定していれば，アミオダロン，ニフェカラント，プロカインアミドによる洞調律復帰が考慮される。右脚ブロック＋左軸偏位を示す特発性心室頻拍（ベラパミル感受性心室頻拍）の場合は，ベラパミル投与を考慮する。薬物治療抵抗例や，循環動態不良の場合は，カルディオバージョン（100J〜）を行う。

7 多形性心室頻拍

無脈性となるため二次救命処置が必要となり，二相性非同期で150J以上の電気ショックを行う。ショック抵抗性の場合は，アミオダロン，ニフェカラントなどの抗不整脈薬を投与しショックを行う。それでも心拍再開が得られなければV-A ECMOの装着を考慮する。急性冠

症候群亜急性期に繰り返す多形性心室頻拍ではβ遮断薬が有効な場合がある．torsade de pointes の場合は，硫酸マグネシウム静注，β遮断薬（プロプラノロール，ランジオロール），抗不整脈薬（リドカイン，メキシレチン），カルシウム拮抗薬（ベラパミル）も考慮される．洞調律復帰時に徐脈となる場合は，QT 延長を増悪させるため一時的ペーシングを考慮する．低カリウム血症があれば，血清カリウム値≧4.0mEq/L を目標に是正する．

8 洞不全症候群，房室ブロックなど徐脈性不整脈

薬剤の副作用や高カリウム血症など増悪因子の有無を確認のうえ，症候性であれば一時的ペーシングカテーテル留置が原則となる．一時的ペーシングの開始まで薬物投与も考慮される．迷走神経依存性の徐脈を疑う場合にはアトロピン 0.5mg の静注（反復投与可能）が適応となるが，wide QRS を呈する His 束下の房室ブロックでは，さらに心拍数が低下するおそれがあり，ドパミン，アドレナリン，イソプロテレノールの持続静注を選択する．より緊急の場合は経皮ペーシングも考慮される．

9 その他

息切れを伴う場合には，うっ血性心不全，肺塞栓，呼吸器疾患など病態を評価し，治療方針を検討する．胸部圧迫感があれば急性心筋梗塞を念頭に精査を進める．

患者処遇の判断（disposition）

洞頻脈，慢性心房細動患者の頻脈性心房細動では，原因疾患に応じ，入院の是非，フォローアップの必要性について検討する．

発作性上室頻拍，発作性心房細動，心房粗動では，洞調律復帰または心拍数コントロールでバイタルサインが安定し，誘因となる病態が認められず短時間での発作再発のおそれがなければ，外来でのフォローアップ計画を検討のうえ帰宅とする．そうでない場合は，心電図モニター下に入院加療とし治療を継続する．

期外収縮の場合は，頻度，基礎疾患，合併症に応じて，入院の是非，フォローアップの必要性について検討する．

症候性の徐脈性不整脈，心室頻拍の場合は，心電図モニター下に入院加療とし治療を継続する．

パニック発作など心因性に心臓の鼓動を強く感じる場合や洞頻脈となっている場合は，器質的疾患が否定的であることを評価し帰宅可能と判断するが，予期不安を伴いパニック症が疑われる場合などでは精神科受診が望ましい．

受診時に動悸が消失しており，意識レベル，バイタルサイン，12誘導心電図にも異常所見が認められない場合は，患者の訴えから病態を推測する．ホルター心電図検査，ループレコーダー検査などさらなる不整脈精査が望ましいと判断される場合は，帰宅としてフォローアップ計画を立てる．ただし，不安定狭心症が疑われる場合，動悸出現時に失神を伴っている場合は心電図モニター下に入院加療とする．QT 延長を認める場合は，薬剤の副作用や電解質異常の有無を評価し入院を検討する．

息切れ，胸部圧迫感を動悸として受診した場合は，判明した病態に応じて，入院の是非，フォローアップの必要性について検討する．

▶文 献

1) Probst MA, et al：Analysis of emergency department visits for palpitations (from the National Hospital Ambulatory Medical Care Survey). Am J Cardiol 113：1685-90, 2014.
2) Weber BE, et al：Evaluation and outcomes of patients with palpitations. Am J Med 100：138-48, 1996.
3) 鈴木昌，他：東京都内の救急部における循環器救急疾患の疫学的検討．日救急医会誌 15：169-74, 2004.
4) Clementy N, et al：Benefits of an early management of palpitations. Medicine (Baltimore) 97：e11466, 2018.
5) 日本循環器学会/日本不整脈心電学会合同ガイドライン：2020年改訂版不整脈薬物治療ガイドライン, 2020. http://www.j-circ.or.jp/cms/wp-content/uploads/2020/01/JCS2020_Ono.pdf

11-9 高血圧切迫症・緊急症

郷内 志朗　田熊 清継

症候の概要

高血圧緊急症は「血圧の高度の上昇（多くは180/120mmHg以上）によって，脳，心臓，腎，大血管などの標的臓器に急性の障害が生じ進行する病態」と定義され，緊急で降圧治療を行う必要がある[1]。

疫学的には，有病率は15.5〜760人/10万人であり，救急外来で診る割合は1％以下であるが，重症度の高い疾患が多く含まれる[2〜8]。高血圧緊急症の原因となり得る疾患を表1[1]に示す。高血圧緊急症に占める疾患の割合については種々の報告があり，比較的頻度が高い順に，脳梗塞22.9〜39.3％，急性心不全17.9〜37.5％，急性心筋梗塞および急性冠症候群12〜25.6％，脳出血6.6〜19％，高血圧性脳症0.6〜16.3％，急性大動脈解離0.5〜7.9％，急性または急速進行性の腎不全0.4〜5.9％，子癇4〜4.5％，くも膜下出血2〜3.5％，加速型-悪性高血圧1.3％となっている[1〜4)6〜9]。

初期対応の基本

高度の高血圧の患者について，急速あるいは進行性の臓器障害が認められない場合は，高血圧切迫症として扱い緊急降圧治療の対象にはならない。一方，急速に血圧が上昇した高血圧性脳症や子癇，大動脈解離については，血圧が異常高値を示さなくとも緊急降圧治療の対象となる。

高度の高血圧の患者や急速に血圧が上昇した患者を診察する場合は，高血圧緊急症の原因となり得る疾患を念頭に，表2[1]に示した項目を参考に診療を進め，高血圧緊急症か高血圧切迫症かを診断し，疾患に応じて使用薬剤，降圧目標と達成までの時間を決定する。評価に時間をかけすぎて緊急症の治療開始が遅れないよう努める。

表1　高血圧緊急症の原因となり得る疾患・病態

内因性疾患
- 加速型-悪性高血圧（網膜出血や乳頭浮腫を伴う）＊
- 高血圧性脳症
- 急性の臓器障害を伴う重症高血圧
    脳出血
    くも膜下出血
    脳梗塞
    急性大動脈解離
    急性心不全
    急性心筋梗塞および急性冠症候群
    急性または急速進行性の腎不全
- 脳梗塞血栓溶解療法後の重症高血圧＊
- カテコラミンの過剰
    褐色細胞腫クリーゼ
    降圧薬中止による反跳性高血圧＊
    脊髄損傷後の自動性反射亢進
- 重症鼻出血＊

外因性疾患
- 頭部外傷
- 重症熱傷＊
- モノアミン酸化酵素阻害薬と食品・薬物との相互作用
- 交感神経作動薬の使用

周術期に関連した疾患
- 緊急手術が必要な患者の重症高血圧
- 術後の高血圧
- 高血圧を伴う血管縫合部からの出血
- 冠動脈バイパス術後高血圧

周産期に関連した疾患
- 収縮期血圧≧180mmHgあるいは拡張期血圧≧120mmHgの妊婦
- 子癇

＊重症でなければ切迫症の範疇に入り得る
〔日本高血圧学会高血圧治療ガイドライン作成委員会（編）：「高血圧治療ガイドライン2019」ライフサイエンス出版，p168，表12-1より引用・改変〕

表2 高血圧緊急症を疑った場合の病態把握のために必要なチェック項目

病歴, 症状

高血圧の診断・治療歴, 交感神経作動薬ほかの服薬, 頭痛, 視力障害, 神経症状, 悪心・嘔吐, 胸・背部痛, 心・呼吸器症状, 乏尿, 体重の変化など

身体所見

- 血圧：測定を繰り返す（拡張期血圧は120mmHg以上のことが多い）, 左右差
- 脈拍, 呼吸, 体温
- 体液量の評価：頻脈, 脱水, 浮腫, 立位血圧測定など
- 中枢神経系：意識障害, けいれん, 片麻痺など
- 眼底：線状・火炎状出血, 軟性白斑, 網膜浮腫, 乳頭浮腫など
- 頸部：頸静脈怒張, 血管雑音など
- 胸部：心拡大, 心雑音, III音, IV音, 肺野湿性ラ音など
- 腹部：肝腫大, 血管雑音, （拍動性）腫瘤など
- 四肢：浮腫, 動脈拍動など

緊急検査

- 尿, 末梢血（スメアを含む）
- 血液生化学（BUN, クレアチニン, 電解質, 糖, LDH, CKなど）
- 心電図, 胸部X線（2方向）, 必要に応じ動脈血ガス分析
- 必要に応じ, 心・腹部エコー, 頭部CTまたはMRI, 胸部・腹部CT
- 必要に応じ, 血漿レニン活性, アルドステロン, カテコラミン, BNP濃度測定のための採血

〔日本高血圧学会高血圧治療ガイドライン作成委員会（編）：「高血圧治療ガイドライン2019」ライフサイエンス出版, p169, 表12-2より引用〕

1 高血圧緊急症における治療の原則

高血圧緊急症と診断したら原則として, 集中治療室もしくはそれに準ずる病棟に入院とする。経静脈的な降圧薬を使用し, 動脈ラインで血圧モニタリングを行うことが望ましい。使用する経静脈的降圧薬を**表3**[1]に示す。過剰もしくは急速すぎる降圧は, 臓器灌流圧の低下から虚血性臓器障害（脳梗塞, 心筋梗塞, 腎障害の進行など）につながる可能性が高い。そのため, 降圧の速度や程度を予測しやすく調節も容易な薬物を経静脈的に使用することが望ましい。

ニトロプルシドは速やかに作用が発現し, 持続も短いため降圧の速度・レベルを調節しやすい。2μg/kg/minまでであれば, 代謝産物による合併症であるシアン中毒は生じにくい。ただし, 国内ではニトロプルシドの使用経験が少ないこと, 添付文書上の適応疾患の制限や副作用に関する懸念のため, カルシウム拮抗薬の使用が多い。積極的適応薬のない疾患の場合は, ニカルジピンが使用しやすい。ただし, 現在国内で利用可能なカルシウム拮抗薬は作用発現までやや時間を要し, 作用持続時間が比較的長いため用量調節に留意が必要である。

一般的な緊急症の降圧目標値について, はじめの1時間以内は平均血圧で25%未満の降圧にとどめ, 次の2～6時間では160/100mmHg程度まで降圧し, その後24～48時間かけ140/90mmHg未満まで細心の注意を払い降圧する[1)10)]。ただし, 大動脈解離, 急性冠症候群, 血圧の急激に上昇した高血圧性脳症（急性糸球体腎炎や子癇など）などでは, 治療を開始する血圧水準や降圧目標値は低くなる。初期の降圧目標値に達した時点で内服薬を開始し, 注射薬は漸減・中止していく。

2 高血圧切迫症における治療の原則

高血圧切迫症は診断後数時間以内に内服治療を開始し, その後, 24～48時間かけて比較的緩徐に160/100mmHg程度までの降圧を図る[1]。切迫症の治療は基本的に外来で可能とされるが, 投与開始後5～6時間は施設内で, その後2～3日は外来で注意深い観察と薬剤調整を行うことが必要である。

治療薬について, カルシウム拮抗薬のニフェジピンカプセルの投与やニカルジピン注射薬のワンショット静注は, 過度の降圧や反射性頻脈をきたし得るため行わない。作用発現が比較的速いカルシウム拮抗薬（中間型作用薬）, アンジオテンシン変換酵素阻害薬（ACE阻害薬）, アンジオテンシンII受容体拮抗薬（ARB）, ラベタロール, β遮断薬の内服, また, 病態によりループ利尿薬の

表3 高血圧緊急症に用いられる注射薬

	薬剤	用法・用量	効果発現	作用持続	副作用・注意点	主な適応
血管拡張薬	ニカルジピン	持続静注 0.5〜6μg/kg/min	5〜10分	60分	頻脈，頭痛，顔面紅潮，局所の静脈炎など	ほとんどの緊急症。頭蓋内圧亢進や急性冠症候群では要注意
	ジルチアゼム	持続静注 5〜15μg/kg/min	5分以内	30分	徐脈，房室ブロック，洞停止など	左室駆出率の低下した心不全（HFrEF）を除くほとんどの緊急症
	ニトログリセリン	持続静注 5〜100μg/min	2〜5分	5〜10分	頭痛，嘔吐，頻脈，メトヘモグロビン血症，耐性が生じやすいなど。遮光が必要	急性冠症候群
	ニトロプルシドナトリウム	持続静注 0.25〜2μg/kg/min	速やか	1〜2分	悪心・嘔吐，頻脈，高濃度・長時間でのシアン中毒など。遮光が必要	ほとんどの緊急症。頭蓋内圧亢進や腎障害例では要注意
	ヒドララジン	静注10〜20mg	10〜20分	3〜6時間	頻脈，顔面紅潮，頭痛，狭心症の増悪，持続性の低血圧など	子癇（第一選択薬ではない）
交感神経抑制薬	フェントラミン	静注1〜10mg，初回静注後0.5〜2mg/minで持続投与可	1〜2分	3〜10分	頻脈，頭痛など	褐色細胞腫，カテコラミン過剰
	プロプラノロール	静注2〜10mg（1mg/min）→2〜4mg/4〜6hrごと			徐脈，房室ブロック，心不全など	他薬による頻脈抑制

〔日本高血圧学会高血圧治療ガイドライン作成委員会（編）：「高血圧治療ガイドライン2019」ライフサイエンス出版，p170，表12-3より引用・改変〕

併用なども行う。カプトプリルは作用の発現が比較的速く，持続時間も短いので投与量を調節しやすいが，レニン-アンジオテンシン系が亢進している悪性高血圧や脱水状態では過度の降圧をきたす可能性があり，少量（6.25〜12.5mg）から投与を始める。

腎機能障害患者では，ACE阻害薬やARB投与の1〜2日後より，高カリウム血症をきたしやすく注意が必要である。両側性や単腎性の腎血管性高血圧例では腎不全が生じ得るため，疑わしい症例においてはACE阻害薬やARBの投与を控えるか，投与時も血清クレアチニン値や血清カリウム値の監視を行う。

主な鑑別疾患に応じた初期治療

原因疾患ごとの血圧降下の目標値と到達時間の目安を表4[1)10)〜19)]に示す（p.264参照）。以下，主な疾患の初期治療について概説する。

1 高血圧性脳症

高血圧性脳症は，急激または著しい血圧上昇により血液脳関門が破綻し血管原性脳浮腫を生じた状態であり，頭痛，けいれん，意識障害などの症状が引き起こされる。降圧治療に際して脳梗塞の除外が重要である。MRIでは頭頂-後頭葉の白質を中心に血管原性浮腫を呈する可逆性後頭葉白質脳症（posterior reversible encephalopathy syndrome；PRES）の所見がみられる場合が多い。脳組織酸素供給を減少させないとされるニカルジピンの持続静注を行い，最初の2〜3時間で25%程度の降圧を目指す。ジルチアゼムやニトロプルシドの使用も可能である。

2 急性の臓器障害を伴う重症高血圧

1）脳血管障害

再出血や血腫拡大を防ぐために，脳出血ではできるだけ早期に収縮期血圧140mmHg未満かつ110mmHg超と

なるよう降圧を行う[11]。くも膜下出血では収縮期血圧を160mmHg未満にすることを考慮するが，重症例で頭蓋内圧が亢進している場合には，不用意な降圧で脳灌流圧が低下し脳虚血を増悪させる場合があるため，降圧薬投与は慎重に行うべきである[11)12]。

急性期脳梗塞の高血圧において降圧は勧められないが，収縮期血圧220mmHg超または拡張期血圧120mmHg超の高血圧が持続する場合や，大動脈解離，急性心筋梗塞，心不全，腎不全などを合併している場合に限り，慎重な降圧療法を行うことを考慮してもよいとされる[11]。血栓溶解療法を予定する患者では収縮期血圧185mmHg以上または拡張期血圧110mmHg以上の場合に，血栓溶解療法施行後24時間以内の患者では収縮期血圧180mmHgまたは拡張期血圧105mmHgを超える場合に，降圧療法が勧められる[11]。脳血管障害の降圧治療では，ニカルジピン持続静注が行われることが多い。

2）高血圧性急性左心不全

急性左心不全による肺水腫に対しては直ちに，非侵襲的陽圧換気（non-invasive positive pressure ventilation；NPPV）や硝酸薬の舌下投与，口腔内噴霧を行い，その後，経静脈的な血管拡張薬などでの治療を開始する。降圧目標は明確に定められていないが，症状の改善も確認しながら10～15%程度の収縮期血圧の低下を目指す。ニトログリセリンや硝酸イソソルビドなどは肺うっ血の軽減にも有効である。ニコランジルやカルペリチドの持続静注も用いられる。体液量が多い場合にはフロセミドを併用する。治療中に急激な血圧低下や低心拍出に陥ることがあり注意する。一定の降圧が得られた後は内服の降圧薬での治療に移行する。

3）急性冠症候群（急性心筋梗塞，不安定狭心症）に合併する重症高血圧

血圧上昇を伴った狭心症発作には，最初に硝酸薬の舌下投与や口腔内噴霧を行う。高血圧が合併した急性冠症候群では，収縮期血圧140mmHg未満を目標にニトログリセリン持続静注を行い，降圧と同時に心筋酸素需要量の減少や冠血流量の増加も図る。なお，下壁梗塞例で右室梗塞の合併が疑われる場合，ニトログリセリンで前負荷が低下することによる循環破綻のリスクがあるため投与は避ける。著明な徐脈などの禁忌がなければβ遮断薬を併用し，β遮断薬が使用できない場合や降圧が不十分な場合はジルチアゼムを用いる。

4）急性大動脈解離

絶対安静，迅速な降圧，心拍数コントロール，鎮痛を必要とする。カルシウム拮抗薬（ニカルジピン，ジルチアゼム），ニトログリセリン，ニトロプルシドとβ遮断薬を組み合わせて持続静注し，20分以内に収縮期血圧を120mmHg以下まで降圧し，100～120mmHgとする[1)10]。心拍数は可能であれば60回/min未満とするが，ジルチアゼムとβ遮断薬の併用時には過度の徐脈に注意する。

3 カテコラミン過剰

1）褐色細胞腫クリーゼ

初期目標は発作性血圧上昇のコントロールである。『高血圧治療ガイドライン2019』では，治療開始から1時間以内に収縮期血圧140mmHg未満まで降圧するとされている[1]。一方，『褐色細胞腫・パラガングリオーマ診療ガイドライン2018』では，初期治療の目標を拡張期血圧110mmHg以下の維持とし，その後，2～6時間で160/100mmHg程度に降下させるとしている[17]。

降圧治療はまず，α遮断薬であるフェントラミンを血圧の反応をみながら2～5mgを1mg/minの速度で3～5分ごとに静注し，その後に持続静注を行う[1]。頻脈があればβ遮断薬を原則として経口で投与する。β遮断薬の単独投与はα受容体を介した血管収縮を亢進させ，かえって血圧上昇を引き起こすため，十分量のα遮断薬を投与した後に用いる。国内ではα遮断薬のフェントラミンが常備されていない施設も多いが，血圧コントロールにはニカルジピンやニトログリセリンも使用可能である。

2）交感神経作動薬の使用，モノアミン酸化酵素阻害薬と食品・薬物の相互作用

コカイン中毒，アンフェタミン中毒や，モノアミン酸化酵素（monoamine oxidase；MAO）阻害薬内服中のチラミン含有食品の摂取などによる高血圧緊急症に対しては，まずベンゾジアゼピン系薬の静注を行う[15)20]。改善がない場合にニトログリセリンを使用する。そのほか，フェントラミンやニトロプルシドなども使用される。

4 加速型-悪性高血圧

加速型-悪性高血圧は拡張期血圧が120～130mmHg以上であり，腎機能障害が急速に進行し，心不全，高血圧性脳症，脳出血などを発症する予後不良の病態である。

切迫症として扱われているが，その病態からは緊急症に準じた対応をすべきである．急速な降圧は重要臓器の虚血をきたす危険を伴うため，最初の24時間の降圧は拡張期血圧100〜110mmHgまでにとどめる[1]．通常は経口降圧薬で治療を行う．

患者処遇の判断（disposition）

高血圧緊急症は原則として入院とし，各疾患に応じて経静脈的に降圧治療を行う．高血圧切迫症では内服加療を基本とし，外来での経過観察で改善すれば帰宅可能である．ただし，切迫症でも脳心血管病の既往などの高リスク因子をもつ場合は，入院加療が望ましい．二次性高血圧についても精査が必要である．臓器障害を有する例や治療抵抗性を示す症例が多いため，高血圧専門医に相談や紹介することが望ましい．

▶文　献

1) 日本高血圧学会高血圧治療ガイドライン作成委員会（編）：高血圧治療ガイドライン2019，ライフサイエンス出版，2019．
2) Vilela-Martin JF, et al：Hypertensive crisis：Clinical-epidemiological profile. Hypertens Res 34：367-71, 2011.
3) Zampaglione B, et al：Hypertensive urgencies and emergencies：Prevalence and clinical presentation. Hypertension 27：144-7, 1996.
4) Pinna G, et al：Hospital admissions for hypertensive crisis in the emergency departments：A large multicenter Italian study. PLoS One 9：e93542, 2014.
5) Paini A, et al：Definitions and epidemiological aspects of hypertensive urgencies and emergencies. High Blood Press Cardiovasc Prev 25：241-4, 2018.
6) Vilela-Martin JF, et al：Hypertensive crisis profile：Prevalence and clinical presentation. Arq Bras Cardiol 83：131-6；125-30, 2004.
7) Salvetti M, et al：Hypertensive emergencies and urgencies：A single-centre experience in Northern Italy 2008-2015. J Hypertens 38：52-8, 2020.
8) Kotruchin P, et al：Hypertensive urgency treatment and outcomes in a Northeast Thai population：The results from the hypertension registry program. High Blood Press Cardiovasc Prev 25：309-15, 2018.
9) Guiga H, et al：Hospital and out-of-hospital mortality in 670 hypertensive emergencies and urgencies. J Clin Hypertens (Greenwich) 19：1137-42, 2017.
10) Whelton PK, et al：2017 ACC/AHA/AAPA/ABC/ACPM/AGS/APhA/ASH/ASPC/NMA/PCNA Guideline for the prevention, detection, evaluation, and management of high blood pressure in adults：A report of the American College of Cardiology/American Heart Association Task Force on Clinical Practice Guidelines. Hypertension 71：e13-e115, 2018.
11) 日本脳卒中学会脳卒中ガイドライン委員会（編）：脳卒中治療ガイドライン2021，協和企画，2021．
12) Schmidt JM, et al：Cerebral perfusion pressure thresholds for brain tissue hypoxia and metabolic crisis after poor-grade subarachnoid hemorrhage. Stroke 42：1351-6, 2011.
13) 日本循環器学会，他（監）：急性・慢性心不全診療ガイドライン（2017年改訂版），2018．
https://www.j-circ.or.jp/cms/wp-content/uploads/2017/06/JCS2017_tsutsui_h.pdf
14) Ince H, et al：Diagnosis and management of patients with aortic dissection. Heart 93：266-70, 2005.
15) Tintinalli JE, et al：Tintinalli's Emergency Medicine：A Comprehensive Study Guide. 9th ed, McGraw-Hill, 2020.
16) Perez MI, et al：Pharmacological interventions for hypertensive emergencies. Cochrane Database Syst Rev 1：CD003653, 2008.
17) 日本内分泌学会（監），日本内分泌学会「悪性褐色細胞腫の実態調査と診療指針の作成」委員会（編）：褐色細胞腫・パラガングリオーマ診療ガイドライン2018，診断と治療社，2018．
18) 日本産科婦人科学会，他（編・監）：産婦人科診療ガイドライン 産科編2020，2020．
19) Williams B, et al：2018 ESC/ESH Guidelines for the management of arterial hypertension. Eur Heart J 39：3021-104, 2018.
20) McCord J, et al：Management of cocaine-associated chest pain and myocardial infarction. Circulation 117：1897-907, 2008.

11. 救急症候

表4 高血圧緊急症における原因疾患別の治療薬剤

疾患	薬剤	治療到達目標	注意点・補足事項
高血圧性脳症	ニカルジピン	血圧値と神経症状を監視しながら、降圧速度を調整する。最初の2〜3時間で約25%の降圧	・高血圧性脳症は長期の高血圧患者では220/110mmHg以上、正常血圧者では160/100mmHg以上で発症しやすい ・治療前に脳梗塞を除外する必要あり
脳出血	ニカルジピン	SBPが140mmHg未満110mmHg超となるよう、できるだけ早期に降圧	・心腎関連の臓器障害、脳虚血、神経学的症候増悪に注意 ・急性腎障害を避けるためSBP降下幅が90mmHg以上の降圧は行わない
くも膜下出血	ニカルジピン	軽症・中等症ではSBP160mmHg未満を目標に迅速に降圧	・重症例で頭蓋内圧亢進時は不用意な降圧により、脳灌流圧低下から脳虚血が増悪し得るため、降圧薬投与については慎重に行う
脳梗塞	ニカルジピン	SBP220mmHg超またはDBP120mmHg超が持続するときや、大動脈解離、急性心筋梗塞、心不全、腎不全などの合併時に限り、慎重に降圧治療を行うことを考慮してもよい 血栓溶解療法を予定する患者でSBP185mmHg以上、またはDBP110mmHg以上、血栓溶解療法施行後24時間以内の患者でSBP180mmHgまたはDBP105mmHgを超えた場合、降圧療法が勧められる	・基本的に脳梗塞急性期での高血圧は降圧しないことが勧められる
急性大動脈解離	ニカルジピン、ジルチアゼム、ニトログリセリン、ニトロプルシド、β遮断薬	20分以内にSBP120mmHg以下まで降圧し、100〜120mmHgとする	・絶対安静、迅速な降圧、心拍数コントロール、鎮痛を行う。心拍数は可能であれば60回/min未満とする ・ジルチアゼムとβ遮断薬の併用時には過度の徐脈に注意
重症高血圧による肺水腫を生じた急性心不全	ニトログリセリン、硝酸イソソルビド、ニコランジル、カルペリチド、フロセミドなど	症状の改善も確認しつつSBPの10〜15%の低下を目指す	・降圧治療時の急激な血圧低下に注意 ・治療経過中に低心拍出になるリスクあり
急性冠症候群（急性心筋梗塞、不安定狭心症）に重症高血圧が合併する場合	ニトログリセリン	SBP140mmHg未満を目標とする	・治療開始の血圧レベルおよび降圧目標値は他の高血圧緊急症よりも低くなる ・下壁梗塞で右室梗塞の合併が疑われる場合、ニトログリセリンで前負荷が低下するため投与は避ける
褐色細胞腫クリーゼ	フェントラミン ニカルジピン ニトログリセリン	1時間以内にSBP140mmHg未満まで降圧 または 初期はDBP110mmHg以下の維持、その後の2〜6時間で160/100mmHg程度まで降下させる	・急激なβ遮断による致死的不整脈に注意する ・頻脈を合併した際は緊急時を除き、経口β遮断薬を使用する ・施設内にフェントラミンがない場合にはニカルジピンやニトログリセリンなどの使用も可能である
網膜出血や乳頭浮腫を伴う加速型-悪性高血圧	まず経口薬を使用するカルシウム拮抗薬（中間型作用薬）、ACE阻害薬、ARB、ラベタロール、β遮断薬の内服、ループ利尿薬の併用	最初の24時間の降圧はDBP100〜110mmHgまでとする	・多くは浸透圧利尿によって体液が減少状態にあり、またレニン-アンジオテンシン系の亢進した病態では、ACE阻害薬やARBの効果により過度の降圧が生じ得る ・適宜体液減少時は補液を、ナトリウム・水貯留を伴う場合はループ利尿薬を併用する
SBP180mmHg以上またはDBP120mmHg以上の妊婦	硫酸マグネシウム ニカルジピン ヒドララジン	直ちに降圧を開始し、SBP140〜159mmHgかつDBP90〜109mmHgまで降圧を行う （けいれんの有無によらず治療を直ちに開始する）	・分娩時高血圧緊急症は硫酸マグネシウムを最初に投与 ・ヒドララジンは脳出血未止血時の使用は控える ・SBP160mmHg以上またはDBP110mmHg以上の妊婦も速やかに降圧治療を開始する

〔文献1）10）〜19）を参考に作成〕

Ⅳ 初期診療と鑑別診断　11. 救急症候

11-10　呼吸困難

清水　裕章　髙岡　諒

症候の概要

1　病態，特徴

　呼吸困難とは，呼吸時に不快さを自覚する状態を指す症候である。あくまで自覚症状を指すものであり，呼吸不全と同義ではない。患者の訴えとしては「息がしにくい」「息が切れる」「息が苦しい」「胸が苦しい」「空気が足りない」などさまざまに表現される。一方，客観的に「呼吸が苦しそうな状態」を示すさまざまな身体徴候の表現として「呼吸困難」が用いられる場合もある。

　呼吸困難の原因疾患は呼吸器系疾患，循環器系疾患，神経筋疾患，外傷や異物，心因性など非常に多岐にわたるが，とくに急性発症の呼吸困難は緊急度が高いことも多く，症候自体が独立した死亡予測因子ともされる[1]。呼吸困難は，簡潔にいえば呼吸調節系における換気要求，呼吸筋への出力，実際の活動（呼吸仕事量）の不均衡により生じる。また，運動による呼吸刺激や外気温の上昇なども換気要求を増大させ，時に呼吸困難の原因となる。さらに，大脳皮質・視床下部・辺縁系からの出力は脳幹による呼吸調節を上書きできるため，呼吸困難を示す過換気症候群のような病態が生じる。

　一般的に呼吸困難の初期段階には，頻呼吸と呼吸（補助）筋の賦活による呼吸仕事量の増加を反映し，発汗や頻脈，高血圧がみられる。進行速度は原因疾患や患者の身体能力によって異なるが，病状が進行すると会話が途切れがちになり，呼吸を維持するために起坐呼吸や三脚位をとる場合もある。低酸素血症や高二酸化炭素血症の増悪は意識障害を招き，最終的には組織低酸素とアシデミアによる徐脈・低血圧から，非可逆的な低酸素脳症や死亡に至る。

　なお，救急初期診療における気道・呼吸の評価や初期対応に関する一般的事項については他項（p.123, 127）も参照されたい。

2　分類

　呼吸困難は，どの呼吸相で発生しているかによって吸気性呼吸困難，呼気性呼吸困難，混合性呼吸困難に分類できる。吸気性呼吸困難は胸郭外（上気道〜頸部気管）での気道狭窄を原因とするもので，喉頭蓋炎や喉頭浮腫，クループ，異物でみられることが多い。呼気性呼吸困難は上昇した胸腔内圧によって胸郭内の末梢気道が圧迫・狭窄されることでみられ，気管支喘息や慢性閉塞性肺疾患（chronic obstructive pulmonary disease；COPD）で生じることが多い。吸気時・呼気時ともに訴える混合性呼吸困難を呈するものとしては心不全による肺うっ血が代表的であるが，原因は多岐にわたり，肺疾患，胸膜疾患，横隔膜挙上時，貧血などでも起こり得る。

　発症様式や程度によっても分類され，安静時には症状がないが体動によって誘発されるものを労作性呼吸困難，病状進行などにより安静時にも発生するものを安静時呼吸困難という。また，臥位による循環血液量の増加などにより就寝数時間後に突然発症するものを発作性夜間呼吸困難という。労作性呼吸困難や発作性夜間呼吸困難は，心不全患者の自覚症状として代表的なものである。

診断のアプローチ

　呼吸困難を呈する患者は基本的に緊急病態と考えて，バイタルサインや身体所見の迅速な確認を行い，SpO_2 が90％未満であるなど重篤な呼吸状態と判断される場合や，緊急度の高い上気道狭窄・閉塞が疑われる場合には，気道確保，酸素投与，モニター装着，静脈路確保，換気療法など救命のために必要な処置を最優先とする。その後，患者状態に応じて診察・検査などを追加して原因の精査・対応を進める。

1　問診，身体診察

　問診が可能であれば，呼吸困難の発症様式（突発，緩徐，反復，労作性など）や誘因，既往歴，内服歴，家族

11. 救急症候

表1 呼吸困難の主な随伴症状

随伴症状	主な原因疾患・病態
意識障害	脳血管障害，敗血症，アシドーシス，中毒
発熱	呼吸器感染症
胸痛	急性心筋梗塞，肺血栓塞栓症
喘鳴	気管支喘息発作，上気道狭窄
陥没呼吸	気管支喘息発作，重症肺炎，間質性肺炎，肺水腫，上気道狭窄
起坐呼吸	心不全，気管支喘息発作，COPD，上気道狭窄
膿性痰，血痰	COPD，細菌性肺炎，気管支炎，気管支拡張症，肺血栓塞栓症
中枢性チアノーゼ	心不全，先天性心疾患，COPD，肺炎
頸静脈怒張	心不全，肺血栓塞栓症，緊張性気胸，COPD
下腿浮腫	心不全，肺血栓塞栓症（深部静脈血栓症），腎障害，肝障害
ばち指	肺がん，気管支拡張症，先天性心疾患

歴，喫煙歴，曝露歴などを確認することで，急性病態による新規発症か，慢性病態の増悪かの判断の参考となる。意識がない場合や会話が困難で問診ができない場合には，緊急に必要な処置を優先しつつ，家族などから可能な範囲で病歴を聴取する。

視診・聴診・触診により，呼吸音，呼吸様式，心音，随伴症状などを評価する。呼吸音や呼吸様式の分類については他項（p.127）を参照されたいが，とくに stridor は気道が著しく狭窄していることを示す所見であり，上気道狭窄・閉塞を示唆するため注意を要する。一方，wheeze は下気道の狭窄を示唆する。心音の聴取でⅢ音や奔馬調を認める場合には心不全を疑う。呼吸困難の主な随伴症状とその原因疾患・病態を表1に示す。

2 動脈血ガス分析

低酸素血症，高二酸化炭素血症，アシデミアに注目し，呼吸不全の状態にないかを評価する。呼吸不全とは室内気呼吸時の PaO_2 が60mmHg 以下になることと定義される。検体採取時には酸素投与が行われていることが多いため，呼吸状態は PaO_2/F_IO_2 比（P/F 比）で評価するとよい。P/F 比＜200では人工呼吸管理を要することが多い。乳酸値の上昇や BE（base excess）の低下は組織低酸素を示唆する。Ⅰ型呼吸不全（$PaCO_2 \leq 45$mmHg）は，肺炎や肺水腫などによる肺胞・間質レベルの換気・拡散障害や，換気血流比不均衡が主な原因と考えられる。一方，Ⅱ型呼吸不全（$PaCO_2 > 45$mmHg）は，肺胞レベルで二酸化炭素の排出を減少させる低換気によって生じる。

3 画像検査

肺エコー検査は主に気胸，肺水腫，肺炎などの評価に有用である。肺エコー検査による呼吸困難の鑑別診断に関するプロトコルとして，BLUE（Bedside Lung Ultrasound in Emergencies）プロトコルが知られている[2)3)]。呼吸困難の鑑別に重要な肺エコー検査所見を表2に示す。また，超音波検査によるショックの鑑別手法として知られる RUSH（Rapid Ultrasound for Shock and Hypotension）[4)] は，ポンプ（心機能），タンク（循環血液量），パイプ（大動脈，深部静脈）に分けて評価するものであるが，呼吸困難においても心血管疾患などの評価に有用である。

胸部単純X線検査では，心拡大，肺うっ血，肺水腫，肺気腫，浸潤影，気胸，外傷所見（肋骨骨折，皮下気腫）などを中心に評価する。原因精査を進めるなかで，肺野・縦隔・気道の器質的評価のための胸部CT検査は非常に有用であるが，検査中に患者を仰臥位とする必要があるため，呼吸状態の安定化が優先される。

4 その他

急性冠症候群，心不全，肺血栓塞栓症など各種心血管系疾患・病態の鑑別のために心電図検査を行うほか，BNP（NT-proBNP），D-dimer，心筋マーカーなどもこれらの鑑別に有用である。そのほか，必要に応じて喀痰検査や気管支肺胞洗浄検査を考慮する。

表2　呼吸困難の鑑別で重要な肺エコー検査所見

lung sliding	呼吸に伴って胸膜が滑って見える所見 これが認められない場合は気胸や無気肺，肺炎，胸膜癒着が疑われる
A-line	多重の水平な線として見える，肺内の空気によるアーチファクト 正常所見であるが，気胸でもみられることがある 空気を反映するため肺水腫などでは見えづらくなるが，肺血栓塞栓症や喘息では認められる
B-line	胸膜下から縦方向に見える，肺内の水分によるアーチファクト 正常肺でも認められることがあるが，複数本みられる場合はとくに肺水腫や間質性肺炎が示唆される 気胸では観察されないことが多い
lung pulse	呼吸の合間に心拍動と同期して胸膜が振動する所見 肺が胸膜に接していることを示すため，その観察部位での気胸が否定できる
lung point	lung sliding が見える部分と見えない部分の境界があることで，通常は側胸部で描出される 気胸に特異的な所見であるが，肺が完全に虚脱していると認められない
PLAPS	横隔膜直上付近の胸腔内における胸水および consolidation の有無 consolidation は，肺組織がつぶれて密度が高くなり含気が少ないと認められる，高輝度で不均一な陰影 consolidation の存在は，肺炎のほか，無気肺，腫瘍，肺胞出血を示唆する

PLAPS：posterolateral alveolar and/or pleural syndrome

鑑別診断と初期対応

1　緊急病態の判断と対応

　前述したとおり，呼吸困難を呈する患者の初期診療においてはその原因にかかわらず，緊急度の高い気道・呼吸状態を判断し迅速に介入することが重要である。

1）上気道狭窄・閉塞

　上気道狭窄・閉塞の主な徴候として，こもった声，痛みや腫脹による嚥下困難，吸気時喘鳴（stridor）がある。これらの徴候や患者状態から上気道狭窄・閉塞と判断したら，酸素投与，用手的補助換気，気道確保（気管挿管，外科的気道確保），可能な場合の原因の除去など緊急処置を最優先に行う。呼吸困難患者は落ち着きなく不穏を呈していることも多いが，気管挿管にあたって不用意に鎮静・筋弛緩を行うと上気道の筋緊張低下による完全閉塞から CICV（cannot intubate, cannot ventilate）の状態にもつながり得るため，外科的気道確保の準備と必要時の迅速な決断が重要である。

　上気道狭窄・閉塞の原因としては，気道異物，アナフィラキシー，血管性浮腫，急性喉頭蓋炎，クループ，熱傷，顔面〜頸部の外傷などがあげられる。症状・身体所見などからこれらを疑ったら，必要な緊急処置や精査のための検査につなげる。

　気道異物は発生時・搬送時に原因が明らかである場合も多いが，とくに完全閉塞時には発声不能となり，特徴的なチョークサイン（両手で喉の辺りをつかむような仕草）がみられることが多い。異物除去など対応の詳細については他項（p.801）を参照のこと。

　アナフィラキシーや血管性浮腫の徴候としては，皮膚の潮紅，ショック症状，顔面・口唇・舌などの浮腫が特徴的で，アナフィラキシーの原因となる薬剤，食物，虫刺しなどアレルゲンへの曝露を問診で確認することも重要である。初期治療はアドレナリン筋注が第一選択となるが，補体C1インヒビターの欠損による遺伝性血管性浮腫ではC1インヒビター補充療法など特異的な治療を要するため，アドレナリンの効果が乏しい場合などには注意を要する（p.482参照）[5]。

　急性喉頭蓋炎やクループでは咽頭痛，嚥下時痛，嗄声が特徴的である。急性喉頭蓋炎は頸部単純X線検査や内視鏡検査で診断し，抗菌薬治療を行う。クループはとくに乳幼児で多く，犬吠様咳嗽も特徴的な徴候である。治療として，経口ステロイド（デキサメタゾン）投与と，経口投与困難な場合にはアドレナリン吸入を併用する。

　熱傷や外傷は主に病歴・受傷機転から判断する。熱傷による気道損傷は気管支鏡検査で診断し，気道確保のほか，気道吸引，呼吸管理，輸液療法などを実施する。外傷例では，とくに損傷部が喉仏より尾側で喉頭損傷がある場合，筋弛緩による気道閉塞が懸念されるため，意識下での気管挿管が安全である。

表3 呼吸困難をきたし得る主な原因疾患・病態

上気道狭窄・閉塞	気道異物，アナフィラキシー，血管性浮腫，急性喉頭蓋炎，クループ，気道損傷，顔面～頸部外傷
心血管	心不全，心筋梗塞，肺血栓塞栓症，心筋炎，心タンポナーデ
呼吸器	気胸，気管支喘息，慢性閉塞性肺疾患（COPD），肺炎，非心原性肺水腫，胸膜炎，無気肺，肺がん
神経・筋	Guillain-Barré症候群，重症筋無力症，ボツリヌス症，多発性硬化症，筋萎縮性側索硬化症
代謝・内分泌	代謝性アシドーシス（糖尿病，腎不全，尿毒症など），甲状腺機能亢進症
中毒	フグ毒，貝毒，有機リン化合物，一酸化炭素，シアン化合物，サリチル酸
その他	破傷風，胸部外傷（血胸），心因性（過換気症候群，パニック症など），薬剤性

2）呼吸不全，急性呼吸促迫症候群（ARDS）

前述したとおり，呼吸不全とは一般に，室内気呼吸時のPaO$_2$が60mmHg以下の低酸素血症状態と定義され，高二酸化炭素血症を伴うかどうか，すなわちPaCO$_2$が45mmHg以下のⅠ型呼吸不全と，PaCO$_2$が45mmHgを超えるⅡ型呼吸不全に分けられる。一方，急性呼吸促迫症候群（acute respiratory distress syndrome；ARDS）は種々の原因に起因する肺胞上皮傷害と血管透過性亢進を本態とする重度の呼吸不全である（p.1131参照）。

呼吸不全・ARDSの原因疾患や対応は多岐にわたるため詳細は呼吸器系や呼吸管理に関する項に譲るが，このような重篤な呼吸状態にある場合には，適切な呼吸モニタリングに加え，マスクやカニューレによる酸素投与，HFNC（high flow nasal cannula），非侵襲的陽圧換気（noninvasive positive pressure ventilation；NPPV），侵襲的陽圧換気（invasive positive pressure ventilation；IPPV）などによる呼吸管理が欠かせない。なお，CO$_2$ナルコーシスを危惧するあまり増悪する呼吸不全（低酸素血症）に対する酸素投与を躊躇するべきではない。まず，低酸素の回避を優先する。CO$_2$ナルコーシスは細胞内アシドーシス，心機能低下，不整脈，頭蓋内圧亢進などを引き起こすが，低酸素や脳合併損傷がなければ可逆的であることが多い[6]。

2 原因疾患の鑑別と対応

呼吸困難をきたし得る主な原因疾患・病態を表3に示す。ここでは，前述した上気道狭窄・閉塞の原因を除き，とくに緊急度の高いもの，注意を要するものについて述べる。なお，各疾患の詳細についてはⅤ章の領域別各論を参照のこと。

1）心不全

呼吸困難（とくに労作性呼吸困難，発作性夜間呼吸困難）は急性心不全患者の自覚症状として代表的なもので，その主な原因は左室充満圧の急上昇による心原性肺水腫である。特徴的な随伴症状・徴候としては，起坐呼吸，心音聴診でのⅢ音・奔馬調，頸静脈怒張などがあげられる。画像検査では，肺エコー検査におけるB-line所見の評価が肺水腫診断に有用であり，B-lineを多く認めるほど肺水腫が強く疑われる[7]。また，胸部単純X線検査では，cephalization（肺尖部への血流再分布を反映した，上肺野の血管陰影増強）やKerley's B line（肺小葉間浮腫を反映した，肺野外套部の胸膜直下の垂直線状陰影）に注意する。BNPおよびNT-proBNPの測定は心不全診断において重要で，日本循環器学会のガイドライン[8]でも急性心不全の鑑別診断目的の来院時測定が推奨されている。BNP≦100pg/mLまたはNT-proBNP≦400pg/mLでは急性心不全は否定的とされるが，これだけで完全に除外はできない。初期治療としては，呼吸不全があれば酸素投与，NPPV，気管挿管など必要な呼吸管理を行うとともに，血管拡張薬や利尿薬を投与する。詳細は他項（p.1146）を参照のこと。

2）肺血栓塞栓症

肺血栓塞栓症の症状としては呼吸困難，胸痛，意識消失が代表的であるが，なかでも呼吸困難がもっとも多くみられる。バイタルサイン・身体所見の異常としては頻呼吸や頻拍が多くみられるが特異的ではなく，原因不明で身体所見に乏しい呼吸・循環不全の徴候があれば肺血栓塞栓症を念頭に置くべきである。心電図検査における右室障害所見（右側胸部誘導の陰性T波，ＳⅠＱⅢＴⅢパターン，右脚ブロックなど）や，心エコー検査における右室拡大所見，下肢静脈エコー検査における残存血栓所見，D-dimer高値などで疑い，確定診断はCT検査で行う。ただし，CT検査中の急変リスクも考慮し，確定診断に固執せず治療を行うことも考慮する。なお，D-dimer測定や画像検査前に臨床的確率を評価するス

コアとして，Wellsスコア[9]やジュネーブスコア[10)11)]がある。治療としては，適切な呼吸・循環管理とともに，血栓溶解療法，抗凝固療法（未分画ヘパリン，経口抗凝固薬），血栓除去術などを行う[12]。

3）気 胸

気胸では呼吸困難のほか，胸痛や胸部圧迫感などを認める。外因や基礎疾患によらず発生したものを自然気胸，基礎疾患が原因となり発生したものを続発性気胸，外傷によるものを外傷性気胸という。続発性気胸の原因疾患としてはCOPDが多い。治療は胸腔ドレナージが基本であるが，とくに緊張性気胸では一刻も早い介入を要する。人工呼吸導入後や外傷後，気胸の病状進行などにより発生する緊張性気胸では，胸腔内圧が著しく上昇し，心臓拡張障害や静脈還流障害からショックに至る。強い症状や，聴診での患側の呼吸音減弱・消失，打診での患側鼓音，頸静脈怒張，気管偏位などの身体所見から緊張性気胸を疑う場合には，画像診断を待たず，直ちに胸腔ドレナージを実施する。

4）気管支喘息

気管支喘息発作では典型的に，呼吸困難のほか咳嗽や呼気時喘鳴（wheeze）を認めるが，進行すると発語が困難になり，努力呼吸，三脚位，奇脈などがみられる。緊急度の高い所見として，意識レベルの低下，silent chest（気道狭窄音の減弱・消失），最大呼気流量（PEF）の低下，チアノーゼがみられる場合には迅速な介入を要する。また，病歴上での気管挿管歴，人工呼吸管理歴，直近の受診・入院歴，薬剤の過剰使用などは重症化のリスクファクターとされ，注意を要する。診断歴や既往歴，典型的な症状から気管支喘息発作と判断できれば検査は必須ではないが，初診時や他疾患との鑑別を要するときには血液検査，画像検査，心電図検査などを考慮する。初期治療としては短時間作用性の吸入β_2刺激薬が第一選択であり，効果不十分であればステロイド点滴静注（ベタメタゾン，デキサメタゾンなど），呼吸機能悪化時には気管挿管や人工呼吸管理を考慮する。

5）慢性閉塞性肺疾患（COPD）

COPDの慢性的な症状としては呼吸困難のほか咳嗽や痰があげられるが，それらの悪化・増加により治療の追加を要する状態をCOPD増悪としてとらえる。増悪の誘因としては，気道感染，環境因子（粒子や冷気の吸入），血栓イベントのほか，内服薬の変更・中断もリスクとなり得る。増悪時の治療としては，気管支喘息発作と同様に気管支拡張薬（短時間作用性吸入β_2刺激薬）およびステロイド（プレドニゾロン，メチルプレドニゾロン）を使用するほか，痰の膿性化・増加などがみられれば抗菌薬を投与する。呼吸不全状態にある場合はNPPV，挿管人工呼吸管理を考慮するが，NPPVに忍容性がない場合などにはHFNCも有効である[13]。

患者処遇の判断（disposition）

呼吸困難を呈する患者の初期診療においては，上気道閉塞・狭窄，呼吸不全，ARDSなど緊急介入を要する病態を迅速に判断し，対応することがもっとも重要である。このような例では人工呼吸管理を要する場合も多いため，原則入院加療が望ましい。また，原因疾患は多岐にわたるが，例えば心不全や気管支喘息発作，COPD増悪の病状改善時には，帰宅・退院後の適切な専門科受診につなげることも重要である。

▶文 献

1) Pesola GR, et al：Dyspnea as an independent predictor of mortality. Clin Respir J 10：142-52，2016.
2) Lichtenstein DA, et al：Relevance of lung ultrasound in the diagnosis of acute respiratory failure：The BLUE protocol. Chest 134：117-25，2008.
3) Bekgoz B, et al：BLUE protocol ultrasonography in emergency department patients presenting with acute dyspnea. Am J Emerg Med 37：2020-7，2019.
4) Perera P, et al：The RUSH exam：Rapid Ultrasound in SHock in the evaluation of the critically Ill. Emerg Med Clin North Am 28：29-56，2010.
5) 日本補体学会HAE ガイドライン作成委員会：遺伝性血管性浮腫（HAE）ガイドライン改訂2014年版，2014.
https://square.umin.ac.jp/compl/HAE/HAEGuideline2014.html
6) Tiruvoipati R, et al：Association of hypercapnia and hypercapnic acidosis with clinical outcomes in mechanically ventilated patients with cerebral injury. JAMA Neurol 75：818-26，2018.
7) Al Deeb M, et al：Point-of-care ultrasonography for the diagnosis of acute cardiogenic pulmonary edema in patients presenting with acute dyspnea：A systematic review and meta-analysis. Acad Emerg Med 21：843-52，2014.
8) 日本循環器学会，他：急性・慢性心不全診療ガイドライン（2017年改訂版），2018.
https://www.j-circ.or.jp/cms/wp-content/uploads/2017/06/JCS2017_tsutsui_h.pdf
9) Wells PS, et al：Derivation of a simple clinical model to categorize patients probability of pulmonary embolism：Increasing the models utility with the SimpliRED D-dimer. Thromb Haemost 83：416-20，2000.

10) Wicki J, et al：Assessing clinical probability of pulmonary embolism in the emergency ward：A simple score. Arch Intern Med 161：92-7, 2001.
11) Le Gal G, et al：Prediction of pulmonary embolism in the emergency department：The revised Geneva score. Ann Intern Med 144：165-71, 2006.
12) 日本循環器学会, 他：肺血栓塞栓症および深部静脈血栓症の診断, 治療, 予防に関するガイドライン（2017年改訂版）, 2018.
https://www.j-circ.or.jp/cms/wp-content/uploads/2017/09/JCS2017_ito_h.pdf
13) Bräunlich J, et al：Nasal high-flow in acute hypercapnic exacerbation of COPD. Int J Chron Obstruct Pulmon Dis 13：3895-7, 2018.

11-11 咳，痰

高平 修二

症候の概要

1 定　義

咳とは，気道内に貯留した分泌物や異物を気管外に排除するための生体防御反応である．生理学的咳嗽反射は気道壁表面の咳受容体の刺激が迷走神経を介して延髄咳中枢に伝達され，咳嗽が発生する．病的咳嗽反射の経路は咳受容体の感受性亢進を介する経路と気道平滑筋収縮を介する経路がある．中枢神経の関与も想定されている．

痰とは，下気道から気道外に喀出された気道分泌物の総称である．痰が生じる機序は下気道分泌の異常な増加が線毛輸送の処理能力を上回り，気道内に貯留した分泌物が咳により気道外に排除される生体防御反応である．

生理学的痰は気道上皮細胞を通過した水分と，粘膜下腺と気道表面の杯細胞から産生されたムチンが主成分となり，これに少量の蛋白質，脂質，電解質，および漏出した血清成分が取り込まれて，1日に約50～100mL産生される．病的痰は分泌細胞からのムチンおよびその他の成分の過剰分泌，血漿成分の滲出・漏出，上皮からの水・電解質の分泌異常により，物理・化学的性状が変化した分泌物が増加する．

痰は，ほとんどの呼吸器疾患に随伴する症状で，喀痰中に含有される細胞成分，微生物，吸入異物の解析は疾患の診断に有用である．

2 咳の分類

咳は持続期間によって，①3週間未満の急性咳嗽，②3～8週間未満の遷延性咳嗽，③8週間以上の慢性咳嗽に分類される[1]．急性咳嗽は原因として感染症が多く，経時的に感染症の比率は低下する[2]．また，喀痰の有無により，痰を伴う湿性咳嗽と伴わない乾性咳嗽に区別され，咳の原因により感染性と非感染性に大別される．

表1 Miller & Jones 分類

M1	唾液，完全な粘液痰
M2	粘性痰であるが少量の膿性痰が含まれる
P1	膿性痰が1/3以下
P2	膿性痰が1/3～2/3
P3	膿性痰が2/3以上

〔文献3）より引用・改変〕
Mは mucous（粘液），P は purulent（化膿）

表2 Geckler 分類

G	細胞数/視野（100倍）		判定
	扁平上皮細胞	好中球	
1	>25	<10	−
2	>25	10～25	−
3	>25	>25	−
4	10～25	>25	＋
5	<10	>25	＋＋
6	<25	<25	−～＋＋

〔文献4）より引用・改変〕
＋：培養の意義あり，−：培養の意義なし

3 痰の分類

痰は外観から粘液性，漿液性，膿性に分類する．喀痰中の炎症細胞は原因疾患の推定に役立つ．痰を検査するための分類には，肉眼的および顕微鏡的分類がある．Miller & Jones 分類（表1）[3]は痰の膿性度から細菌検査の適否を判断するためのものである．一方，Geckler 分類（表2）[4]は，グラム染色標本を100倍の顕微鏡下で観察し，白血球数と，唾液に多い口腔粘膜由来の扁平上皮細胞数をカウントして6段階に分類するものである．

診断のアプローチ

1 病歴聴取

　原因疾患の推定のため，前述した①3週間未満の急性咳嗽，②3～8週間未満の遷延性咳嗽，③8週間以上の慢性咳嗽に分類し，以下を確認する。

- 発症の様子（突然発症，通常の咳嗽から増悪）と好発時間帯（就寝時，早朝，食後など）および持続期間。
- 痰の有無（乾性咳嗽／湿性咳嗽）と性状（粘液性，膿性，血痰）**（表3）**[2]。
- 発熱，胸痛，下肢の浮腫などの随伴症状。
- 既往歴，服薬歴，職歴，喫煙歴，反復する喘鳴の既往やアトピー素因，アレルギー歴，虫刺痕，海外渡航歴，動物飼育歴，ワクチン接種歴。

2 身体所見

　咳嗽に伴って，呼吸困難とともに吸気時の狭窄音（stridor）を聴取する場合や，発声困難を認める場合は気道閉塞による窒息の危険が迫っている。SpO_2を測定しても末梢の血流が悪いと正確な測定値を得られないことがあり，このような場合には口唇や四肢末梢のチアノーゼにより低酸素血症を判断する。4歳以下や高齢の患者で嗄声，呼吸音の左右差，吸気性喘鳴がある場合は気道異物を念頭に鑑別する。4歳以下での嗄声や犬吼え様咳嗽はクループの可能性を考える。急性喉頭蓋炎は成人でも発症することがあり，咽頭痛，嗄声，呼吸困難，流涎を呈する。百日咳はレプリーゼ（短い咳が連続的に起こり，続いて，息を吸うときに笛音が出るような咳嗽発作を繰り返す）が特徴的である。

3 画像検査

　バイタルサインが不安定な重症例の場合は，緊急での胸部X線検査，可能であれば肺および心エコー検査を施行する。胸部X線での肺野の透過性低下や縦隔陰影拡大など，さまざまな情報を得ることができる。心エコー検査での心室拡大や壁運動の所見，下大静脈の虚脱や拡張，呼吸性変動などから循環器疾患の鑑別につなげる。肺エコーは肺炎，肺水腫，胸水，気胸の診断に有用であり，胸膜の観察にはリニア型プローブが推奨される[5]。

表3　喀痰の性状から疑われる原因疾患

性状・色調	原因疾患
粘液性	気管支炎，COPD，気管支喘息
漿液性	ARDS，肺水腫（ピンク色の泡沫状）
膿性	気道感染症，肺炎，COPD増悪，気管支喘息発作
緑色	緑膿菌
オレンジ色	レジオネラ
鉄さび色	肺炎球菌感染症，肺吸虫症
苺ゼリー状	クレブシエラ肺炎
黒色・褐色	真菌
鮮紅色・黒褐色	血痰・喀血

〔文献1）を参考に作成〕

　胸部異常陰影がある場合の精査や肺血栓塞栓症を疑う場合，胸部CT検査（単純・造影）を行う。結核を否定できない患者のCT撮影時には，患者にサージカルマスクを装着させ，医療スタッフはN95マスクを装着する。また，検査の終了後，一定時間のCT室の換気にも配慮する。

4 喀痰検査

　喀痰検査が微生物学的検査に適しているかの判断として，前述したMiller & Jones分類とGeckler分類を用いる。微生物検査に適したものは，Miller & Jones分類のP2およびP3，Geckler分類の4，5である。グラム染色による塗抹検鏡では肺炎球菌，レンサ球菌，黄色ブドウ球菌，インフルエンザ菌，肺炎桿菌，緑膿菌，真菌などの同定が可能であり，白血球の貪食像がみられれば起炎菌の可能性が高い。

　検体採取時には，上気道由来の検体は常在菌の混入で評価不能となるため，唾液による汚染を排除して塗抹検鏡・培養に適したよい痰を採取するよう努め，患者が自ら喀出できない場合は気管内吸引により採痰する。痰の採取に関しては，抗菌薬投与前に検体を採取し速やかに検体の処理を行うことと，検査手技が難しいため熟練した者が行うことが重要である。良質な喀痰が採取された場合は，高い診断精度をもつ可能性がある。感染予防のため，採痰は採痰ブースや陰圧室において個人防護具の使用下に施行することが望ましい。

　市中肺炎に関して，実際の臨床では経験的抗菌薬治療で効果が期待できるものの，市中肺炎での喀痰のグラム

染色に関するメタ解析では，肺炎球菌の感度は59％，特異度は87％，インフルエンザ菌の感度は78％，特異度は96％，黄色ブドウ球菌の感度は72％，特異度は97％，グラム陰性菌の感度は64％，特異度は99％であったとされている[6]。

また，院内肺炎および人工呼吸器関連肺炎の診断における喀痰検査の有用性について検討されたメタ解析では，感度79％，特異度75％であった[7]。気管内吸引痰のグラム染色は感度が高く，陰性であれば肺炎の可能性は低いと判断することができる。しかし，グラム染色陽性は培養された細菌との相関が低く，培養結果が出るまで広域スペクトルの抗菌薬を狭めるべきではない。

抗酸菌感染症が疑われる場合は，蛍光染色やZiehl-Neelsen染色などの抗酸菌染色を行う。3日間の連続痰（3回のうち1回は早朝喀痰）を検査すると陽性率が上昇する。塗抹検査が陽性の場合は抗酸菌であることを意味するが，結核菌であるか，*Mycobacterium avium*などの非結核性抗酸菌であるかは菌の形態からは区別できず，その検体を用いたPCR法で確認される。さらに，LAMP法は約1時間で結核菌群を検出可能で，感度89.6％，特異度94.0％と報告されている[8]。

いずれの喀痰検査においても，結果が陰性であることは排菌していないことを示すだけであり，結核感染自体を否定するものではない。喀痰培養は抗酸菌検出感度が高く，非結核性抗酸菌症の鑑別や薬剤感受性検査にも重要であるが，抗酸菌の成長速度が遅いため3～8週間を要する。

初期対応

1 対応の基本

激しい咳を主訴に救急外来を受診し，新型コロナウイルス感染症（COVID-19）や肺結核，インフルエンザなど呼吸器感染症の可能性がある患者の場合は，速やかに感染予防策をとる。トリアージやバイタルサイン測定とともに，咳嗽により喋れない場合には持続期間や誤嚥の有無などをclosed questionで聴取する（「咳が3週間以上続いていますか？」など）。

バイタルサインが不安定な場合や呼吸困難や胸痛を伴う場合は，診断とともに全身状態の安定化を優先する。気道異物やアナフィラキシーによる気道狭窄・閉塞は放置すると窒息に至るため見逃してはならない。肺動脈血栓塞栓症，心不全，気管支喘息重積発作も緊急性が高い病態である。

遷延性咳嗽・慢性咳嗽の原因となる疾患の特徴的な病歴として，咳喘息では夜間～早朝の悪化（とくに眠れないほどの咳や起坐呼吸），症状の季節性・変動制があり，アトピー咳嗽も症状の季節性や咽頭のイガイガ感・搔痒感，副鼻腔気管支症候群では慢性副鼻腔炎の既往・症状，膿性痰の症状がある。逆流性食道炎では胸やけなどの食道症状，会話時・食後・起床直後・就寝直後・上半身屈曲時の悪化，体重増加に伴う悪化がみられることがある。

感染後咳嗽は先行する上気道炎があり自然軽快傾向をたどることが多く，慢性閉塞性肺疾患（chronic obstructive pulmonary disease；COPD）・慢性気管支炎は喫煙と関係がある。アンジオテンシン変換酵素（ACE）阻害薬内服後の薬剤性の咳嗽にも留意する。

なお，咳は本来，痰の排出に必要な生理的反応であるため，バイタルサインが安定していれば，咳による体力消耗が強い場合や咳が安静や睡眠を妨げる場合，咳が唯一の症状である場合などを除いて鎮咳薬は投与しない。

2 痰による緊急性の高い病態への対応

痰による病態のうち，とくに緊急性が高いのは窒息であり，気道感染や気管支喘息，閉塞性肺疾患による喀痰の性状・産生量の変化，あるいは長期臥床，脳卒中などによる呼吸筋力の低下などが原因となり，喀痰が中枢気道を閉塞して生じる。

痰による無気肺は急激な呼吸状態の悪化を呈することがある。適時，気道吸引を行い，必要に応じて気管挿管を行う。気管挿管後や気管切開術後も痰により窒息を起こす可能性があるため，加湿や気管内の吸引を適時行う。咳や痰によりCOPD増悪や小児の気管支喘息重積発作も致死的となり得るため，厳重な管理が必要となる。

鑑別診断

咳・痰の鑑別診断フローを**図1**に示す。ここではとくに，急性咳嗽を呈する主な疾患について概説する。各種の呼吸器系疾患や感染症については，他項（p.408, 617）も参照されたい。

11. 救急症候

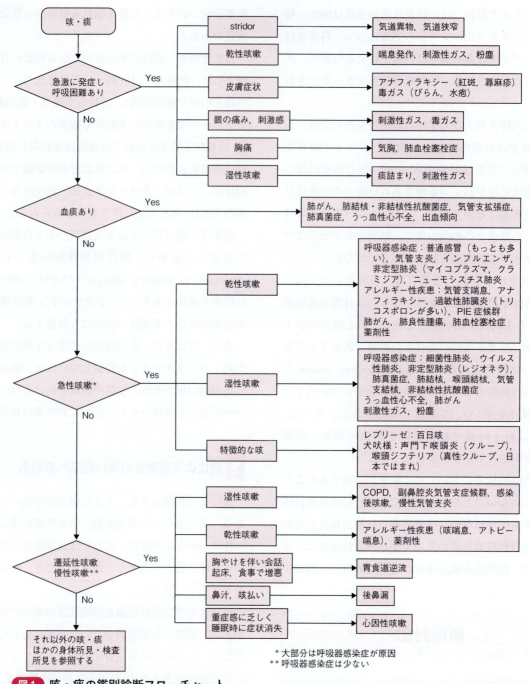

図1 咳・痰の鑑別診断フローチャート

* 大部分は呼吸器感染症が原因
** 呼吸器感染症は少ない

1 呼吸器感染症

咳嗽以外に発熱，鼻汁，くしゃみ，鼻閉，咽頭痛，嗄声，頭痛，耳痛，全身倦怠感などの症状を伴う。周囲に同様の症状の人がいることや，咳嗽に好発時間がないことも特徴である。原因微生物はウイルスが多く，咳嗽は自然消退することが多い。普通感冒がもっとも一般的であるが，とくに抗菌薬治療の対象となるものとして，マイコプラズマ肺炎，クラミジア肺炎，百日咳があげられる。

1）肺 炎

市中肺炎における細菌性肺炎と非定型肺炎（マイコプラズマ肺炎，クラミジア肺炎）の鑑別を**表4**[9]に示す。細菌性肺炎を含む肺炎の検査・診断・治療など詳細については他項（p.408）を参照されたい。

（1）マイコプラズマ肺炎

小児の肺炎の原因として比較的多く，1年を通じてみられるが，冬季にやや増加する傾向がある。発熱や全身倦怠感，頭痛，空咳がみられる。咳は熱が下がった後も長期にわたって（3〜4週間）続くのが特徴である。一

表4 市中肺炎における細菌性肺炎と非定型肺炎の鑑別項目

1. 年齢60歳未満
2. 基礎疾患がない，あるいは軽微
3. 頑固な咳がある
4. 胸部聴診上の所見が乏しい
5. 痰がない，あるいは迅速診断法で原因菌が証明されない
6. 末梢血白血球が10,000/μL未満である

1～5の3項目以上，もしくは1～6の4項目以上に該当すれば非定型肺炎を疑う（鑑別が難しい場合もある）

〔文献9）より引用〕

般的に小児のほうが軽くすむとされる。粒子凝集反応（particle agglutination；PA）による抗体価測定法での診断が主流であったが，2013年以降は迅速抗原検出法が開発され，臨床現場で使用されている。15分以内に判定可能であり，抗菌薬の適正使用にも有用である。

　(2) クラミジア肺炎

Chlamydophila pneumoniae により肺炎のほか，急性上気道炎，急性副鼻腔炎，急性気管支炎，COPDを主とする慢性呼吸器疾患の増悪などが発生する。*Chlamydophila pneumoniae* は市中肺炎の約1割に関与するとされるが，発症年齢がマイコプラズマ肺炎とは異なり高齢者にも多く，やや男性に多い。ほかの細菌との重複感染も少なくない。家族内感染や集団内流行もしばしばみられる。抗体保有率は小児期に急増し，成人で50～60％と高くなるが，抗体に感染防御機能はなく，抗体保有者も繰り返し感染する。

2）百日咳

百日咳菌（*Bordetella pertussis*）によって起こる急性の気道感染症である。潜伏期は通常5～10日（最大3週間程度）で，かぜ様症状で始まるが，しだいに咳が著しくなり，百日咳特有の咳（レプリーゼ）が出はじめる。ただし，乳児（とくに新生児や乳児早期）ではまれに咳が先行しないこともある。血液所見として白血球数増多が認められることがある。乳児では重症になりやすく，肺炎や脳症を合併し，まれに致死的となる。ワクチン既接種の小児や成人では典型的な症状がみられず，持続する咳がみられることも多い。

3）結　核

2020年度の結核罹患率（人口10万人対）は10.1と減少傾向であるものの[10]，慢性咳嗽を主訴に来院する高齢者および入国5年以内の若年外国人においては，とくに結核を念頭に置かなければならない。

主に気道を介した飛沫核感染で，感染源の大半は喀痰塗抹陽性の肺結核患者であるが，培養のみ陽性の患者や，菌陰性の患者，肺外結核患者が感染源になることもある。感染後数週間から一生涯にわたり臨床的に発病する可能性があるが，発病リスクは感染後間もない時期（とくに1年以内）で高い。とくに，糖尿病，慢性腎不全，HIV感染，じん肺，胃切除の既往，免疫抑制薬（副腎皮質ステロイド，TNFα阻害薬など）治療中の場合には，発症リスクが高くなる。

肺結核の症状は，咳（78％），体重減少（74％），倦怠感（68％），発熱（60％），盗汗（55％），血痰（28％）とされ[11]，これらの症状に留意して疑わしければ積極的に結核菌同定のための検査を考慮する。

4）新型コロナウイルス感染症（COVID-19）

COVID-19患者のうち，咳嗽は68.6％，喀痰は28.2％にみられるとされる[12]。COVID-19による死亡率は減少傾向にあるが，とくに救急外来では今後の感染状況や変異株の特徴を考慮した柔軟な対応が望まれる。

2 胸部腫瘍

咳嗽を契機に発見された肺がんは進行例が多く，無症状で検診により発見された例に比べて予後が悪い[13]。気管および中枢気管支を狭窄するような悪性腫瘍では，聴診で片側性にrhonchiやwheezeが聴取されることがあり，喘息などの閉塞性肺疾患との鑑別を要する。

3 薬剤性

ACE阻害薬による乾性咳嗽が有名である。発生機序として，ACEにより分解される咳嗽誘発前駆物質であるブラジキニンやサブスタンスPなどが肺や上気道に蓄積し，咳嗽が誘発されると考えられている。原因薬剤の中止により正常化する。

4 その他

気管支拡張症や真菌関連咳嗽，心因性咳嗽などに注意を要するほか，臓器特異的自己免疫性疾患や心室期外収縮，外耳異物も咳の原因となる。

患者処遇の判断（disposition）

　救急外来での経過観察でバイタルサインが安定しており，致死的疾患が疑われなければ帰宅は可能であるが，原因が不明な場合は専門医へ紹介し，引き続き原因検索を行う。各医療機関により疾患の守備範囲に違いはあるが，喘息やCOPD，アトピー咳嗽などは呼吸器専門医やアレルギー専門外来へ相談し，鼻炎や副鼻腔気管支症候群が疑われる場合は耳鼻咽喉科へ紹介する。胃食道逆流症が疑わしければ消化器科へコンサルトする。

▶文　献

1) Irwin RS, et al：Classification of cough as a symptom in adults and management algorithms：CHEST guideline and expert panel report. Chest 153：196-209, 2018.
2) 日本呼吸器学会咳嗽・喀痰の診療ガイドライン2019作成委員会（編）：咳嗽・喀痰の診療ガイドライン2019，メディカルレビュー，2019.
3) Miller, DL：A study of techniques for the examination of sputum in a field survey of chronic bronchitis. Am Rev Respir Dis 88：473-83, 1963.
4) Geckler RW, et al：Microscopic and bacteriological comparison of paired sputa and transtracheal aspirates. J Clin Microbiol 6：396-99, 1977.
5) Hendin A, et al：Better with ultrasound：Thoracic ultrasound. Chest 158：2082-9, 2020.
6) Del Rio-Pertuz G, et al：Usefulness of sputum gram stain for etiologic diagnosis in community-acquired pneumonia：A systematic review and meta-analysis. BMC Infect Dis 199：403, 2019.
7) O'Horo JC, et al：Is the gram stain useful in the microbiologic diagnosis of VAP？：A meta-analysis. Clin Infect Dis 55：551-61, 2012.
8) Nagai K, et al：Diagnostic test accuracy of loop-mediated isothermal amplification assay for Mycobacterium tuberculosis：Systematic review and meta-analysis. Sci Rep 6：39090, 2016.
9) 日本呼吸器学会成人肺炎診療ガイドライン2017作成委員会：成人肺炎診療ガイドライン2017, 2017.
10) 厚生労働省：2020年結核登録者情報調査年報集計結果について.
https://www.mhlw.go.jp/stf/seisakunitsuite/bunya/0000175095_00004.html
11) Barnes PF, et al：Chest roentgenogram in pulmonary tuberculosis：New data on an old test. Chest 94：316-20, 1998.
12) Li LQ, et al：COVID-19 patients' clinical characteristics, discharge rate, and fatality rate of meta-analysis. J Med Virol 92：577-83, 2020.
13) Shimizu N, et al：Outcome of patients with lung cancer detected via mass screening as compared to those presenting with symptoms. J Surg Oncol 50：7-11, 1992.

11-12 喀血

廣瀬 保夫

症候の概要

1 特徴，疫学

喀血とは，咽頭よりも下位の気道，肺実質からの出血と定義され，とくに大量の喀血では気道・呼吸・循環に重大な影響を及ぼすことがある。

救急外来で遭遇する喀血は，喀痰に血が混じる程度の血痰から比較的少量の血液喀出にとどまる例が多いが，生命にかかわり得る大量喀血（massive hemoptysis）も4.8〜14％程度に認める[1]。massive hemoptysisの基準は一定していないが，24時間で100〜1,000mL以上の喀血をそのように呼ぶことが多い[1]。しかし，喀血の量を正確に測定することはそもそも困難であり，出血した血液がすべて喀出されるわけではない。そのため臨床現場では喀血量よりも，出血が呼吸・循環動態にどれほどの影響を与えているかによって，生命に危険のある喀血（life-threatening hemoptysis）であるかを判断する。具体的には，誤嚥や気道閉塞のリスクがあるか，低酸素血症を認めるか，気管挿管を要するか，循環動態が不安定か，生理学的余力があるか，再出血のリスクはどうかなどにより，治療方針を決定していく。

2 病態

肺は肺動脈系と気管支動脈系の二重血行支配となっている。肺動脈系は肺の血流のほとんどを占め肺胞におけるガス交換を担っているが，低圧系であり大量の喀血の原因となることは少ない。大量喀血の約90％は気管支動脈系に由来する出血とされる[1)2)]。

喀血の原因となる病態は多岐にわたり，気管支拡張症，急性・慢性の感染症，肺がんなどの腫瘍性疾患，大動脈瘤などの心血管疾患，心不全，肺胞出血，外傷，抗凝固療法による出血傾向などが鑑別にあがる（表1）[3]。肺の慢性炎症が背景にある場合が多いが，原疾患により肺動脈系由来の血流が妨げられると代償的に気管支動脈系の血流が増大し，その血流の不均衡により肺胞壁の破綻が生じることが喀血の主な機序と考えられている。

診断のアプローチ

喀血では気道・呼吸に急激に異常をきたして，生命を脅かすリスクがあることを常に念頭に置く。ABCを適切に評価し，必要に応じて酸素投与，気道確保，体位管理などを行いながら初期評価を進める。

喀血は咳とともに血液を喀出するため，エアロゾル感染のリスクが高い。結核が原疾患であることもまれではなく，診察に際しては標準予防策の遵守に加えて，N95マスクを装着することが推奨される。患者側には，呼吸状態が許せばサージカルマスクを装着させることが望ましい。

1 診察

喀血診療でまず問題となるのは，本当に喀血なのか，ということである。鼻出血，口腔内出血，咽頭由来の出血，消化管出血（吐血）などが喀血と区別がつきにくい場合があり，偽性喀血（pseudohemoptysis）と呼ばれる。喀血と偽性喀血の鑑別のポイントを表2[4]に示す。病歴聴取の際には，呼吸器疾患のみならず，消化器疾患，鼻出血，口腔内出血の病歴，外傷歴などについても情報収集を行う。

喀血の患者の訴えとしては，「痰に血が混じる」「赤色，茶褐色，黒っぽい痰が出る」「血を吐いた」「息が苦しい」などであることが多い。血痰の場合，新鮮な鮮紅色の血液が混入していることが多いが，出血から時間が経っていると茶褐色から黒色の喀痰を認める場合もある。出血に泡沫状・膿性成分を伴う場合も喀血を示唆する所見である。喀血は多くの場合は咳とともに喀出され，悪心・嘔吐に合併することは少ない。とくに鼻出血や消化管出血が気道に流入して咳とともに喀出する場合や，逆に喀血を嚥下して嘔吐しながら吐血する場合は鑑別が難しく，注意を要する。

表1 喀血の原因となる病態

気道・気管支疾患	・気管支炎（急性，慢性） ・気管支拡張症 ・悪性腫瘍（原発性，転移性）
肺実質疾患	・結核 ・非結核性抗酸菌症 ・肺炎，肺膿瘍 ・真菌感染症（とくに肺アスペルギルス症） ・悪性腫瘍（原発性，転移性）
血管疾患	・肺塞栓症 ・動静脈奇形 ・大動脈瘤 ・大動脈-気管瘻 ・肺高血圧症 ・血管炎症候群（抗糸球体基底膜抗体病，ANCA関連血管炎，多発血管炎性肉芽腫症，Behçet病，全身性エリテマトーデスなど）
心疾患	・先天性心疾患 ・弁膜症 ・心内膜炎
血液疾患	・凝固異常（ワルファリン過量，肝硬変など） ・DIC ・血小板減少症，血小板機能異常
その他	・異所性子宮内膜症 ・寄生虫症 ・コカイン中毒 ・外傷，気道異物

〔文献3）より引用・改変〕

表2 喀血と偽性喀血の鑑別

	喀血	偽性喀血	
	呼吸・循環系	消化管出血	鼻・口腔・咽頭出血
随伴症状	・咳嗽，呼吸困難 ・胸痛	・悪心，嘔吐 ・腹痛	・鼻出血 ・歯肉，咽頭出血
血液性状	・鮮紅色，泡沫状 ・膿性成分 ・アルカリ性	・暗赤色，褐色/黒色 ・コーヒー残渣様 ・酸性	・鮮紅色 ・気道への流入が比較的多い

〔文献4）より引用・改変〕

2 検査

喀血の原因検索と治療を念頭に検査を進める。血算，生化学，動脈血ガス分析，血液凝固系検査を行う。びまん性肺胞出血で腎機能の悪化を伴う場合は，Goodpasture症候群などの抗糸球体基底膜抗体病やMPO-ANCA関連血管炎などが鑑別にあがる。近年は抗凝固療法が行われている例も多く，介入すべき凝固異常がないかも確認する。

喀血の増悪には急性・慢性の気道感染症が影響していることが多く，喀痰の培養を行う。結核，非結核性抗酸菌症などの関与が疑われる場合には，抗酸菌塗抹・PCR・培養検査を行う。肺がんなどの悪性腫瘍の関与が疑われる場合は喀痰の細胞診を行う。真菌感染を疑う場合はグロコット染色が有用な場合がある。

喀血の原因疾患，出血部位の検索のため画像検査を行う。胸部X線は大量喀血やバイタルサインが不安定な症例でも移動せずに実施可能で，まず考慮すべき検査であ

る。血液の吸い込みによる肺野のすりガラス影などにより、左右どちらからの出血であるか見当をつけることができる。また、結節影、腫瘤影、浸潤影などを認めれば原疾患の鑑別にも有用である。

CTは喀血の部位、原因疾患の診断にきわめて有用である。単純CTでも肺野病変などで重要な所見が得られるが、動静脈瘻、大血管病変、肺がんの血管浸潤、肺塞栓などの原因疾患の検索のためには造影CTであることが望ましい。また、CTアンギオグラフィも施行しておくと、後述する気管支動脈塞栓術（bronchial arterial embolization；BAE）の術前検査としても有用な情報が得られる。CTは血液の吸い込みを反映した気道散布性のすりガラス影、浸潤影、気道内の凝血塊、気管支の拡張性変化、空洞性病変、結節性病変、腫瘤性病変、血管性病変などに留意して読影し、出血の部位や原因について判断する。

気管支鏡検査は、出血部位の同定や原疾患の診断に有用である。ただし、気管支鏡検査は出血を助長したり、気道・呼吸状態を悪化させる可能性があり確実な気道確保のもとで行う。喀血の急性期においては、後述する気道確保の手技や出血部位への止血操作を前提に行われることが多い。

3 鑑別診断

喀血の原因となる病態は多岐にわたり、救急現場では系統的に判断する必要がある。わが国の近年の多数例の報告によれば、気管支拡張症、非結核性好酸菌症、肺アスペルギルス症、特発性喀血が多く、原因の8～9割を占める[5]。以下、頻度の高い病態、見逃さないように注意すべき病態を中心に述べる。

1）気管支拡張症

気管支拡張症はさまざまな原因により気管支が不可逆的に拡張してしまう症候群で、喀血症例で高頻度に認められる病態である。多くの例で慢性的な感染症、炎症を繰り返しており、その結果として気管支動脈系の異常血管が発達し、喀血をきたすとされる。診断にはCTでの気管支の拡張所見が有用である。

2）抗酸菌感染症

世界的には肺結核が喀血の最多の原因とされ、わが国でも一定数の症例の発生が続いている。結核は空気感染で感染対策上も重要であり、喀血を診療する際には常に念頭に置く。発熱、体重減少、全身倦怠感などの症状が続いていて、胸部X線・CTで上肺野に空洞性病変を認める場合は、とくに結核を疑うべきである。

わが国では非結核性抗酸菌感染症と診断される例が増加している。とくに中下肺野に粒状影、結節影、浸潤影を認めた場合は、非結核性抗酸菌症（とくに*Mycobacterium* avium complex、肺MAC症）を疑う。気管支拡張症を合併していることも多い。血痰、喀血を伴う本症は化学療法の適応になる例も多い。

3）肺アスペルギルス症

真菌感染症に関しては、とくに肺アスペルギルス症を念頭に置く。血痰、喀血で問題になるのは慢性肺アスペルギルス症であることが多い。慢性肺アスペルギルス症は陳旧性肺結核、非結核性抗酸菌症、慢性閉塞性肺疾患などの基礎疾患をもつ患者に発症し、CTにて囊胞性変、空洞性病変を認め、空洞内に菌球様陰影、周囲の浸潤影を伴うことが特徴的である。喀痰の真菌培養、細胞診、アスペルギルス抗体検査などから総合的に診断する。抗真菌薬治療、場合によっては外科的治療が必要になることもある。

4）特発性喀血症

胸部CTや気管支鏡検査などの精査を行っても原因疾患が特定できない例を特発性喀血症と呼び、喀血の約20～30％を占める[6]。喫煙者に多い。胸部CTでは肺野の異常を認めないが、造影CTや血管造影では気管支動脈の拡張を認めることが多く、BAEが有効であることが多い。

5）肺がん

肺がんが喀血の原因である例は一定数認められるため、見逃さないように留意する。CTで腫瘤性病変を認める例が多いが、早期の扁平上皮がんなどでは異常を指摘できない場合もある。血痰・喀血を繰り返す場合、CTで異常を認めなくても気管支鏡検査を考慮する。

6）心血管疾患

心不全においても、肺動脈圧の上昇で肺胞毛細血管の破綻をきたすことにより、血痰、喀血を認めることがある。泡沫状ピンク色の痰であることが多いが、鮮紅色の血痰を呈することがある。肺塞栓症も血痰の原因として有名であるが、実臨床上での頻度は多くはない。そのほか、大動脈瘤の肺内穿破などが大量喀血の原因となることがある。

7）その他

血液凝固異常、血液疾患などによる出血傾向が喀血の原因となることがある。びまん性肺胞出血の場合は、

Goodpasture症候群などの抗糸球体基底膜抗体病，ANCA関連血管炎，多発血管炎性肉芽腫症，全身性エリテマトーデスなどの自己免疫疾患が原因の場合がある。また，胸部外傷により気管・気管支損傷，肺損傷などが喀血の原因となっている例もある。このような例では原病態，原疾患への治療が必要である。

初期対応

大量の喀血で急性期に死亡する場合のほとんどが気道の異常による窒息であり，初期対応の3つの柱は，蘇生（ABCの管理），健側肺の保護を含めた呼吸の確保，出血源の検索とコントロールである。喀血の初期診療の手順を図1に示す。

大量喀血下での気道管理は決して容易ではない。後述する特殊な気道確保を要する場合もあり，気道管理に熟練したスタッフを招集する。

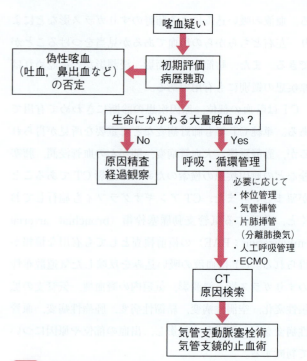

図1 喀血の初期対応手順

1 呼吸・循環動態の管理

心電図，SpO_2モニターを装着し，呼吸様式に十分に注意しながら対応を進める。喀血が続いていれば，可能であれば起坐位で自力排痰を促す。臥位にする際には，病歴や胸部X線で出血側が推測できれば，健側への血液の流入を避けるために患側を下にした側臥位とする。酸素投与，体位管理で呼吸状態が安定せず，自力での痰の喀出が困難であれば，機を失せずに気道を確保する。

1）気管挿管

大量喀血下の気管挿管は決して容易ではなく，熟練した上級医を招集して行うことが望ましい。気管吸引や気管支鏡を実施することを考慮したチューブ径を選択する。出血により視野が確保できず気管挿管が困難な場合は，外科的気道確保（輪状甲状靱帯切開）の実施を考慮する。

2）分離肺換気

大量喀血で出血が持続する場合，通常の挿管管理では換気が困難となる場合がある。そのような際には健側肺と出血側を分離して健側肺への血液の流入を防ぎ，換気を確保するために「分離肺換気」を考慮する。もっとも簡便で迅速な方法は，通常の挿管チューブを健常側に選択的に挿入する片肺挿管である。健常側の主気管支に挿管チューブを挿入してカフを膨らませて出血肺と分離する。右側には盲目的にも挿入可能であるが，左側へ挿入する際には気管支鏡やガムエラスティックブジーなどを使用して誘導する必要がある。

そのほかの方法として，分離肺換気用のダブルルーメンチューブを使用する方法がある。ダブルルーメンチューブは分離肺換気の方法として肺の手術などの際によく用いられる。しかし，ダブルルーメンチューブは麻酔科医以外の使用頻度が低く，挿入の難易度も高い。また，チューブの内腔が狭く気管吸引がしにくいこと，凝血塊でチューブ閉塞のリスクが高まること，広径の気管支鏡が使用できないことなどのデメリットもある。窒息が切迫し時間的猶予が少ない場面での初回の気道確保としては選択しにくく，まずは通常の気管チューブで挿管した後に実施が考慮されることが多い。

また，気管支ブロッカーを使用する方法もある。通常のシングルルーメンチューブで挿管した後に，気管支ブロッカーを出血側の気管支に挿入してバルーンを膨らませてブロックする。ダブルルーメンチューブが挿入困難な例や挿管チューブの入れ替えに危険を伴う症例などでも有効である。

3）ECMO

近年は重症喀血症例に対してECMOを導入して救命した報告が散見される[7]。ECMOは抗凝固療法が必要で出血を助長するリスクがあり喀血には使用しにくい面があるが，近年のデバイスと管理技術の進歩により人工呼

吸器で管理しきれない喀血症例において呼吸補助の有力な選択肢となっている。

2 出血のコントロール

喀血症例の約90％は比較的軽症で、保存的治療によって軽快することが多い[4]。喀血が大量で持続する場合や、呼吸・循環動態に影響を与えている場合は止血を行うことを検討する必要がある。

1）気管支動脈塞栓術（BAE）

喀血の出血源の90％以上が気管支動脈系に由来することから、現在、BAEは喀血の出血コントロールの第一選択となっている[1,2]。血管造影では、気管支動脈の拡張像、新生血管増生像、気管支動脈瘤、気管支動脈から肺動脈へのシャントなどが特徴的な所見であり、これらの所見から責任血管を同定し、ゼラチンスポンジや金属コイルなどで塞栓する。気管支動脈の分岐には変異が多く、また肋間動脈、内胸動脈、横隔膜下動脈などの気管支動脈以外の血管が出血に関与していることがある。BAEの術前に行うCTアンギオグラフィは責任血管の同定、手技の実施に有用な情報が得られるため、患者の状況が許せば可能なかぎり実施する。報告によって異なるがBAEの手技的成功率、術後約1カ月の喀血制御の成功率は約90％と良好であり、きわめて有効な止血手段である[5,8]。

2）気管支鏡的止血術

気管支鏡下の止血術としては、アドレナリンやトロンビンなどの薬剤散布や、アルゴンプラズマ凝固、Nd:YAGレーザーなどの血液凝固手技、シリコン製の充填物などにより出血した気管支を閉塞する気道内塞栓手技などがある。大量喀血の最中での気管支鏡は呼吸状態を悪化させるリスクもあり、最近では急性期はBAEを優先して行うことが多い。

3）外科的手術

出血源となっている病変を含む肺葉切除、部分切除が基本的な術式であるが、喀血の急性期に行う場合は侵襲が大きく、緊急手術例は近年では減少している。限局した腫瘍、空洞、血管奇形、気管支拡張性病変が適応となり得るが、BAEや気管支鏡的止血などで出血が制御できない場合に適応は限定される。胸部外傷や大動脈瘤破裂などが喀血の原因の場合は手術が考慮される。

3 そのほか薬物治療など

ワルファリンの過剰状態など補正可能な凝固異常があれば補正する。また、出血の状況に応じて適切に輸血、新鮮凍結血漿の投与を行う。近年、外傷などで有効性が報告されているトラネキサム酸の投与が有意に入院死亡率を下げ、入院期間を短縮したとの報告があり、実施を考慮する[9]。

患者処遇の判断（disposition）

生命にかかわる大量喀血の可能性があると判断される場合は、呼吸・循環動態のモニタリング下に入院管理とする。急変に対処が可能なICUなどが望ましい。呼吸・循環に影響する喀血が持続する場合は、緊急のBAEを考慮する。自施設で対応が困難である場合、高次医療機関に転送する。喀血量が少なく呼吸状態に影響が認められない場合、慢性の経過で増悪のリスクが低い場合には帰宅可能と判断されるが、原因検索が重要であり、呼吸器科専門医などの外来受診を勧める。

▶文　献

1) Atchinson PRA, et al：The emergency department evaluation and management of massive hemoptysis. Am J Emerg Med 50：148-55, 2021.
2) Yoon W, et al：Bronchial and nonbronchial systemic artery embolization for life-threatening hemoptysis：A comprehensive review. Radiographics 22：1395-409, 2002.
3) Brown III CA：Hemoptysis. In：Walls RM, eds, Rosen's Emergency Medicine Concepts and Clinical Practice. 10th ed, Elsevier, 2022, pp189-93.
4) O'Gurek D, et al：Hemoptysis：Evaluation and management. Am Fam Physician 105：144-51, 2022.
5) Ishikawa H, et al：Efficacy and safety of super selective bronchial artery coil embolisation for haemoptysis：A singlecentre retrospective observational study. BMJ Open 7：e014805, 2017.
6) Ando T, et al：Clinical and angiographic characteristics of 35 patients with cryptogenic hemoptysis. Chest 152：1008-14, 2017.
7) Zhang L, et al：Early initiation of extracorporeal membrane oxygenation（ECMO）in emergency department to rescue severe diffuse alveolar hemorrhage. Am J Emerg Med 39：250, e1-3, 2021.
8) 早川克己，他：喀血に対するIVR. IVR会誌 29：121-6, 2014.
9) Kinoshita T, et al：Effect of tranexamic acid on mortality in patients with haemoptysis：A nationwide study. Critical Care 23：347, 2019.

11-13 吐血，下血

伊藤　敏孝

症候の概要

　吐血とは，鮮血またはコーヒー残渣様の内容物を嘔吐する症状であり，Treitz靱帯より上部の食道，胃，十二指腸など上部消化管からの出血を原因とすることが多い。腹痛は伴う場合も，伴わない場合もある。胃潰瘍や十二指腸潰瘍，急性胃粘膜病変などが上部消化管出血の原因となるが，まれに胆道経由での出血や大動脈瘤の消化管への穿破による出血もある。また，大量の鼻出血や気道からの出血を飲み込み，それを嘔吐すると吐血として認識され得る。コーヒー残渣様の吐血を認めるときは，胃内で血液が胃酸によりヘマチン化され変化した結果であり，胃内である程度の時間が経過していることを示唆する。出血が多くなると鮮紅色を呈する。また，食道静脈瘤やMallory-Weiss症候群などは胃液に接触しにくい病態であり，鮮紅色の吐血を呈することが多い。

　一方，下血とは，血液成分が肛門から排出されることを意味し，口腔から肛門までの消化管や気道，ならびに胆管などが出血源となる。下血には血便やタール便などが含まれる。血便とは，赤色あるいは暗赤色の便であり，形状のある便に血液が混じった状態を指すが，判断が難しい場合もある。タール便は，血管外へ流出したヘモグロビンがヘマチン化した血液臭があるタール状の便である。タール便は通常，Treitz靱帯より口側からの出血で発生するといわれるが，これは血液の胃酸や腸液による変化であり，小腸や右側結腸でも消化管内の停滞時間が長ければタール便になることがある。

　上部消化管出血の頻度は近年減少傾向にあるが，人口10万人当たり80人程度，死亡率は5.7％と報告されている[1)2)]。下部消化管出血の頻度は10万人当たり20人，死亡率は3％程度とされている[2)]。わが国からの報告では，成人・小児を含めて救急患者の約0.7％に吐血・下血を認めたとされている[3)]。

診断のアプローチ

1 病歴聴取

　出血の時期や量・色調・誘因，発熱，腹痛・下痢の有無，消化管出血の既往，激しい嘔吐の有無，服用薬の聴取（ステロイド，NSAIDs，抗凝固薬，抗血小板薬，抗菌薬など），アルコール摂取量，出血傾向の有無，黄疸の有無，家族歴，併存疾患（心臓，肺，肝，腎，婦人科疾患），外傷の既往，手術歴，輸血歴などにとくに注意して病歴を聴取する。

2 身体所見

　吐血・下血が主訴であったとしても，原因が消化器由来とは限らないため，頭から四肢まで観察を行う。全身の所見をとるなかで，眼瞼結膜の貧血，眼球結膜の黄染の有無を確認する。胸腹部の診察では，腹部の圧痛，腹部膨満，腹膜刺激徴候，腹部の拍動触知，肝の腫大，腹壁静脈怒張の有無，手術痕を確認する。直腸診を実施するときに下着やおむつに付着した便があれば，その性状も参考になる。四肢の確認では，手掌紅斑（手掌，とくに母指球，小指球および指の基節部に認める紅斑であり，圧迫すると消失し，圧迫を解除するとすぐに赤くなる）の有無を確認する。

　消化管出血の臨床症状として消化器症状があるが，めまいや失神を主訴に来院する場合もあるので注意が必要である。この場合，臥位ではめまいや意識消失が生じないが，坐位や立位では循環血液量が少ないために血圧が低下して，ふらつきやめまいが生じることがある。

3 血液検査

　急性発症の場合，ヘモグロビン値やヘマトクリット値のみで出血量を判断すべきではない。BUNの上昇は消化管出血を示唆する所見となる。消化管内に出血した血

表1 上部消化管出血の診断における主な臨床所見の感度・特異度など

臨床所見など	感度（%）	特異度（%）	陽性尤度比	陰性尤度比
上部消化管出血の既往	22	96	6.2	0.81
50歳以下	27	92	3.5	0.8
肝硬変	5	99	3.1	0.97
ワルファリン服用	12	95	2.3	0.93
鉄剤使用	6	98	2.2	0.97
下部消化管出血の既往	6	64	0.17	1.5
黒色便主訴	77〜95	81〜87	5.1〜5.9	0.06〜0.27
黒色便あり	49	98	25	0.52
胃管から血液またはコーヒー残渣	44	95	9.6	0.58
便中に凝血塊	15	99	0.05	1.2
BUN/Cre 比＞30	51	93	7.5	0.53

〔文献4）より引用・改変〕

液内に含まれる蛋白質が腸内で分解されアンモニアとなり，そのアンモニアが肝で尿素に変換されるためBUNが上昇する。そのため，下部消化管出血と比較して上部消化管出血ではBUNの上昇が高値となる傾向がある。BUN/Cre比が30以上の場合には上部消化管出血の可能性が高い。凝固障害や血小板減少は補正が必要なことに留意する。

4 画像検査

画像検査では，可能であれば造影CT検査を実施したほうが情報量が多くなる。造影CT検査で出血が腹部大動脈瘤の消化管への穿破と確認されれば緊急開腹が必要となり，胆管出血であれば動脈塞栓術の適応となる。下部消化管出血であれば，造影CT検査で出血部位を同定できる場合もある。

5 鑑別診断

上部消化管出血の診断における主な臨床所見の感度・特異度などを**表1**[4)]に示す。肝硬変がある場合や鉄剤を使用している場合，便中に凝塊血がみられる場合などは，上部消化管出血は否定的と考えられる。

成人で吐血の原因となる疾患を**表2**に示す。食道静脈瘤，胃潰瘍，十二指腸潰瘍，Mallory-Weiss症候群，結腸憩室出血，直腸静脈瘤，大動脈瘤の消化管などへの穿破など，緊急処置が必要になる可能性が高い疾患もある。

表2 吐血・下血をきたす主な疾患

吐血	下血
・胃・十二指腸潰瘍	・上部消化管出血
・食道・胃静脈瘤	・腸炎
・急性胃粘膜病変	・大腸憩室症
・逆流性食道炎	・悪性腫瘍，ポリープ
・Mallory-Weiss症候群	・炎症性腸疾患
・悪性腫瘍	・ポリペクトミー後
・吻合部潰瘍	・動静脈奇形
・食道潰瘍	・痔核，裂肛
・消化管以外の病変 （鼻出血，肺結核など）	

逆流性食道炎，消化器がん，急性胃粘膜病変，大腸ポリープ，虚血性腸炎，非特異性腸疾患などは準緊急処置を要する疾患となる。ほかに吐血・下血の原因となるものとしては，急性腸炎，肛門疾患，喀血，鼻出血がある。

乳児および幼児における上部消化管出血と下部消化管出血の原因を**表3，4**に示す。

出血源の同定と初期対応

まず，出血源がTreitz靱帯より近位か遠位かを判断する。嘔吐がある場合は吐物を，ない場合は経鼻胃管を挿入し胃内容物を検査する。食道静脈瘤例でも経鼻胃管はゆっくり挿入すれば問題ない。

内容物が血性であれば，胃洗浄または胃内容物を十分に吸引した後，上部消化管に対する内視鏡検査を施行す

表3 乳児・小児の上部消化管出血の原因	
乳児	小児
・新生児メレナ ・胃炎 ・潰瘍 ・出血性素因 ・幽門狭窄 ・異物 ・動静脈奇形 ・消化管重複症	・食道炎 ・胃炎 ・潰瘍 ・食道静脈瘤 ・Mallory-Weiss 症候群 ・動静脈奇形 ・炎症性腸疾患

表4 乳児・小児の下部消化管出血の原因	
乳児	小児
・新生児メレナ ・感染性腸炎 ・ミルクアレルギー ・出血性素因 ・腸重積 ・腸回転異常症 ・Meckel 憩室炎 ・壊死性腸炎	・裂肛 ・感染性腸炎 ・炎症性腸疾患 ・ポリープ ・腸重積 ・Meckel 憩室炎 ・IgA 血管炎 　（Henoch-Schönlein 紫斑病） ・溶血性尿毒症症候群

る。まれに十二指腸球後部潰瘍や乳頭腫からの出血もあるため，Vater 乳頭まで観察すべきである。活動性出血がみられない場合には，保存的治療を行う（プロトンポンプ阻害薬投与，H_2受容体拮抗薬投与，輸液・輸血など）。活動性出血が潰瘍による場合，多くは内視鏡的に止血できるが，無効例では緊急手術が必要となる。

食道静脈瘤に対しては内視鏡的静脈瘤結紮術（endoscopic variceal ligation；EVL）や内視鏡的静脈瘤硬化療法（endoscopic injection sclerotherapy；EIS）などを行う。すぐに内視鏡が施行できない場合はSBチューブを挿入してバルーンにより一時的な圧迫止血を試みることもある。胃静脈瘤から出血する頻度は低いが，いったん出血すると大量出血となり対処困難となることが多い。この場合，バルーン閉塞下逆行性経静脈的塞栓術（balloon-occluded retrograde transvenous obliteration；B-RTO）が有効である。Mallory-Weiss 症候群では，多くの症例で自然止血が期待できるが，活動性出血が続く場合には内視鏡的止血法で対処する。

タール便がみられる場合には，まず内視鏡検査で上部消化管出血を除外する。次いで，下部消化管の検査に移るが，活動性の下血が続く場合には肛門鏡で痔核や裂肛を除外診断した後，大腸内視鏡検査を施行する。S状結腸までであれば，前処置なしでも多くの場合は検査可能である。出血が持続し，これらの検査でも出血部位が不明であれば血管造影を行う。血管造影で原因疾患がわかることは少ないが，出血部位の特定には有用であり，引き続いてバソプレシン動注や塞栓療法を行うこともできる。大量の下血が続き血管造影でも止血できない場合は，緊急手術が必要となる。術中に内視鏡検査を施行することもある。

小腸からの出血は頻度としては低く，また大量出血はまれであるが，診断に難渋することが多い。動静脈奇形，小腸腫瘍，Crohn 病，Meckel 憩室などが出血原因となる。小腸出血を疑う場合には，上部消化管および全大腸を内視鏡で精査し，これらの部位からの出血を除外した後，血管造影，核医学検査，小腸造影，カプセル内視鏡などを行う。

なお，消化管内視鏡検査については他項（p.1042）も参照のこと。

患者処遇の判断（disposition）

消化管出血を認める患者に対しては，緊急で内視鏡や動脈塞栓術を行う場合，待機的にそれらを施行する場合，経過観察とする場合，いずれにおいても入院加療が必要となる可能性が高い。

▶文　献

1) Fujimoto S, et al：Decline incidence in upper gastrointestinal bleeding in several recent year：Data of the Japan claims database of 13 million accumulated patients. J Clin Biochem Nutr 68：95-100, 2021.
2) Matsuhashi T, et al：Effects of anti-thrombotic drugs on all-cause mortality after uppper gastrointestinal bleeding in Japan：A multicenter study with 2205 cases. Dig Endosc 34：113-22, 2022.
3) 山下雅知：吐血・下血. 救急・集中治療　19：649-53, 2007.
4) Srygley FD, et al：Dose this patient have a severe upper gastrointestinal bleed？ JAMA 307：1072-9, 2012.

11-14 腹痛

不動寺 純明

症候の概要

1 特徴

救急外来を受診する患者の5〜10％が腹痛を訴えて来院し，そのうちの約10％が重症で，緊急の処置を要するといわれる[1]。腹痛を呈する疾患は多く，自然に軽快する病態から生命を脅かす病態まで重症度もさまざまである。典型的な症状や経過をとるものもあるが，なかには特異性を欠く症状や非典型的な経過をとることも多い。とくに高齢者やステロイド使用者などの免疫不全者は若年者に比べて死亡率が高い反面，訴えが漠然としたり，症状が乏しかったりすることが多く，そのため，診断に苦慮し，消化管穿孔などの重篤な病態を見落とすことも少なくない。

2 分類

腹痛は大きく，内臓痛，体性痛，関連痛の3つに分けられる。腹痛の病態を理解するためには内臓痛の特徴を知ることが重要である。

内臓痛を感知する神経終末は管腔臓器（消化管，尿管，子宮など）の壁内および実質臓器の臓側腹膜や腸間膜に存在し，虚血，炎症，伸展にて疼痛を発生する。その刺激は伝導の遅い無髄性のC線維で伝達され，脊髄には両側性に刺激を伝える。

内臓痛の特徴は鈍い痛みで局在がはっきりしない漠然とした疼痛である。加えて，前腸由来の臓器（胃十二指腸，肝，胆嚢，膵）の内臓痛は心窩部に，中腸由来の臓器（小腸，上行結腸から横行結腸近位2/3）の内臓痛は臍周囲に，後腸由来の臓器（横行結腸遠位1/3から直腸，膀胱，子宮，卵管）の内臓痛は恥骨上部の痛みとして感じることが多い。

また，内臓痛は管腔臓器（腸管，尿管など）が閉塞した際に，閉塞の近位部の平滑筋が収縮することによっても起こることがある。これは鋭く，局在がはっきりした腹痛で，蠕動に伴い周期的・間欠的に差し込むような痛みで疝痛といわれる。

一方，体性痛は壁側腹膜にある神経終末が炎症などで刺激され伝導速度が速いAδ線維を伝わり，片側の脊髄に伝達される。内臓痛とは異なり，体性痛の性状は局在が明確な，持続的で，鋭く刺すような痛みとして表現される。

関連痛は原因臓器から離れた部位に感じる疼痛である。胆嚢炎の際の肩甲骨部の痛みや十二指腸潰瘍穿孔の際の肩の痛み，尿管結石の際の会陰部の痛みなどである。

診断のアプローチ

腹痛の原因は腹腔内蔵器である血管，消化管，肝，胆嚢，膵，腎泌尿器，子宮・卵巣が原因であるだけでなく，心臓や肺または中毒や代謝内分泌疾患など多岐にわたる。患者が重篤でショックを呈している場合などは血管性病変や腹膜炎などを中心に考えアプローチするが，一般的には病歴や身体所見で鑑別診断を絞り込むことから始める。その際に検体検査や超音波検査を含めることが一般的である。そして，絞り込んだ鑑別疾患を確定するための画像検査などを行う。

1 病歴聴取

代表的な原因疾患の臨床的特徴を**表1**[2]に示す。
1）痛みの発症様式と経過

まず，痛みがいつから発症したのか，そのピークはいつなのかを聴取する。発症からピークまでの時間によって突然発症（数分〜数十分以内），急性発症（数十分〜数時間），緩徐発症（数時間〜数日）に区別することで，およその病態を類推できる。

突然発症の腹痛の原因は血管の破綻や閉塞（大動脈解離，腹部大動脈瘤破裂，上腸間膜動脈塞栓症，異所性妊娠，急性心筋梗塞など），結石などによる閉塞（尿管結石，胆嚢結石），捻転（精巣捻転，卵巣茎捻転，絞扼性腸閉塞，S状結腸捻転），穿孔（消化管穿孔など）を考える。

11. 救急症候

表1 腹痛の主な原因疾患の特徴

疾患	発症様式	痛みの場所	痛みの性状	痛みの訴え	放散痛	痛みの強さ
虫垂炎	緩徐	臍周囲（初期） 右下腹部	びまん性（初期） 局所性	ズキズキする痛み	なし	中等度
胆嚢炎	急性	右上腹部	局所性	収縮するような痛み	肩甲骨	中等度
膵炎	急性	心窩部，背部	局所性	鈍い痛み	背部	中等度から重度
憩室炎	緩徐	左下腹部	局所性	ズキズキする痛み	なし	
消化性潰瘍穿孔	突然	心窩部	局所性（初期） びまん性	灼熱感	なし	重度
小腸閉塞	緩徐	臍周囲	びまん性	疝痛	なし	中等度
腹部大動脈瘤破裂	突然	腹部全体 背部，側腹部	びまん性	裂けるような痛み	なし	重度
腸管虚血・壊死	突然	臍周囲	びまん性	鋭い痛み	なし	重度
胃腸炎	緩徐	臍周囲	びまん性	けいれん性の痛み	なし	軽度から中等度
骨盤内感染症	緩徐	下腹部	局所性	鈍い痛み	大腿上部	中等度
異所性妊娠	突然	下腹部	局所性	鋭い痛み	なし	中等度

〔文献2）より引用・改変〕

痛みがしだいに増悪する場合は上記疾患の悪化による腹膜炎，腸管および臓器虚血を考える。

数時間から数日にかけての緩徐発症の腹痛は，感染症，炎症などを中心に考える。しかし，発症からの時間が経過するにつれ，さまざまな要因が絡むため単純に病態を推定できないことも多い。

2）痛みの部位と放散痛

突然発症でなければ，腹痛の鑑別は痛みの部位から考えるとよい。局在がはっきりしている場合は疼痛がある部位の臓器が原因であると考える。さらに，身体所見でも圧痛の部位が限局していれば腹痛の原因臓器を絞り込むことは容易である。

痛みの部位が正中の場合は，心窩部であれば前腸由来の臓器を，臍周囲であれば中腸由来の臓器を，恥骨上であれば後腸由来の臓器を考える。

腹部全体であれば臓器を絞ることは困難であり，さらに中毒，代謝内分泌疾患など腹部臓器以外の原因も考える。とくに上腹部痛の場合は原因が腹腔内臓器とは限らず，心臓，肺など胸腔内臓器が原因のこともあるため注意を要する。

また，痛みの原因が皮膚や筋骨格系の場合もあり，さらに，痛みが原因臓器とは離れた部位の関連痛，放散痛であることもある。とくに，疼痛部位と圧痛部位が異なる場合は関連痛，放散痛を考える。

3）痛みの性状・強さ

周期的な間欠痛は管腔臓器の閉塞や炎症によって起こる内臓痛であることが多い。また，痛みが時間とともに増強し，持続痛となった場合は臓器の虚血や腹膜炎を考える。

4）随伴症状と増悪・寛解因子

急性虫垂炎の場合は食欲低下や悪心を伴うことが多い。咳や歩行で響く腹痛は腹膜炎を考える。消化性潰瘍の腹痛は食事で増悪または軽減する。急性膵炎では背中を丸めると疼痛が軽減するなど，各疾患に特徴的な随伴症状や増悪・寛解因子がある。

5）妊娠

妊娠可能年齢の女性を診察するときは必ず妊娠を考慮する。月経歴を聴取する際は前回の出血が不正性器出血の場合もあるため注意する。また，未成年者の性交歴を聴取するときは，保護者でも席を外してもらうなど本人と単独で話すことができるようプライバシーに配慮する必要がある。過去の骨盤内感染症や性行為感染症の有無の聴取も必要である。

6）既往歴，内服歴，社会歴

腹部手術歴，既往歴（糖尿病，高カルシウム血症，ポルフィリン症など），内服薬（ステロイド，NSAIDs，抗がん剤，免疫抑制薬など），アルコールや喫煙歴などは必ず確認する。また，腸閉塞，胆嚢結石，尿管結石などは繰り返すことが多く，既往歴の確認を要する。

2 身体所見

1）全身状態

　全身状態が悪い患者は敗血症やショックなど重篤であることが多く，緊急に介入が必要である。ただし，高齢者などは重篤感に乏しく，全身状態が悪くなくても重症な疾患が隠れていることもあるので注意が必要である。また，体位で疾患を予測することも可能である。腹膜炎の患者は軽い振動でも疼痛が強いためじっとしていることが多い。一方，尿管結石の患者は痛みのためじっとしていられないことが多い。

2）バイタルサイン

　発熱は感染症や炎症性疾患であることが多い。しかし，高齢者や免疫不全者では発熱がない敗血症もよくみられる。低血圧は敗血症性ショック，出血性ショック，重症な脱水などを考える。頻脈も敗血症性ショック，出血性ショック，重症な脱水を考えるが，β遮断薬を服用している場合は頻脈にならないことがあるので注意が必要である。呼吸数の増加は呼吸の異常だけではなく，代謝性アシドーシスのこともあり，敗血症の早期に出現するサインでもある。このように，バイタルサインに異常があるときは，より重篤な疾患を考えることはもちろんであるが，バイタルサインが正常であっても緊急性がある疾患は除外できない。

3）視診，聴診，触診，打診

　まずは視診で膨隆や手術痕を確認する。膨隆がある場合は腸閉塞の可能性を示唆し，それ以外にも腹水や腹腔内出血を考える。

　聴診では，高調な金属音があれば早期の腸閉塞を，腸雑音が減弱していれば時間が経った腸閉塞や腹膜炎など麻痺性イレウスを示唆する。

　触診は腹痛診療においてもっとも重要で，圧痛が限局していれば原因臓器の同定に有用である。ただし，びまん性の圧痛は鑑別を絞り込むには有用ではない。

　腹膜に炎症が波及したときは腹膜刺激徴候として反跳痛，筋性防御や筋強直がみられることがある。反跳痛は疼痛部位の腹膜を押し下げるように押しつづけ，痛みに順応した頃に急激に圧迫を離して痛みが増強されるかを確認するものであるが，軽い打診で疼痛が誘発される打診痛と有用性はほぼ同等である。

　直腸診や内診はルーチンに行う必要はないが，下腹部痛の場合は行ったほうが有用な情報が得られることがある。直腸診では腹痛の原因となる便塊や腫瘤のほか，黒色便や鮮血を確認できる。骨盤内感染症や異所性妊娠では子宮頸部移動痛（cervical motion tenderness）が有用である。

3 一般検体検査

　一般的な血液検査として，血算，電解質（Na，K，Cl，Ca），腎機能（BUN，Cre），肝酵素（T-Bil，D-Bil，AST，ALT，LDH，ALP），CRP，血糖，乳酸，アミラーゼ・リパーゼ，凝固機能（PT・APTT，D-dimer），動脈血ガス分析などを提出する。必要に応じ，心筋逸脱酵素，感染症検査（HBs抗原，HBs抗体，HCV抗体，梅毒検査，HIV検査など），血液型，不規則抗体，尿検査，尿中ケトン，尿中hCG（ヒト絨毛性ゴナドトロピン）などを追加する。一般検査のうち単独で診断に有用なものは少なく，また偽陽性・偽陰性もあり，病歴や身体所見などを組み合わせて判断すべきである。また，妊娠可能な女性で急性腹症を呈する場合やCT検査が必要な場合には，妊娠反応検査を行う。一般的な妊娠検査キット（25～50U/L hCG）では妊娠4週には陽性となる。

4 画像検査

1）腹部単純X線検査

　腹部単純X線検査は低侵襲・低コストであり，腸閉塞，消化管穿孔，尿路結石，異物などの診断に有用といわれる。しかし，急性腹症患者に対して行った腹部単純X線検査で異常がみられたのは約10%に過ぎず，ルーチンの撮影は推奨されない[3]。

2）超音波検査

　腹痛の診断に関して超音波検査は53～83%に寄与するとされ，病歴および身体所見と組み合わせることで緊急性がある病態を70%診断できるともいわれる[4]。超音波検査がとくに有用な代表的な疾患として急性虫垂炎，憩室炎，腸閉塞，急性膵炎，胆石・急性胆嚢炎などの胆道疾患，水腎症や腎結石などの急性尿路疾患，大動脈瘤破裂，卵巣出血・卵巣茎捻転，異所性妊娠などの産婦人科系疾患などがある[3]。

　突然発症の腹痛や腰痛の場合，ショックの場合は迅速に大動脈を検索する。また，右上腹部痛では超音波検査の有用性が高く，急性胆嚢炎に対する超音波検査は感度81%，特異度83%と報告され，CT検査と比較しても遜色ないとされる[5]。右下腹部に限局した痛みでは，急性

表2　右上腹部痛で鑑別すべき代表的疾患

心臓	急性冠症候群，心筋炎，心膜炎
呼吸器	肺炎，肺血栓塞栓症，膿胸，気胸
肝	肝膿瘍，急性肝炎，肝腫瘍，肝周囲炎（Fitz-Hugh-Curtis症候群）
胆道	胆嚢炎，胆嚢結石，胆管炎，総胆管結石
膵	急性膵炎，膵腫瘍
消化管	消化性潰瘍，大腸憩室炎，大腸炎，虫垂炎
腎泌尿器	尿管結石，腎盂腎炎，腎梗塞，副腎梗塞

〔文献3）を参考に作成〕

表3　心窩部痛で鑑別すべき代表的疾患

心臓	急性冠症候群，心筋炎，心膜炎，うっ血性心不全
血管	大動脈解離，腸間膜動脈解離，腸間膜動脈閉塞，腸間膜静脈閉塞，腸管虚血
消化管	食道炎，胃炎，消化性潰瘍
胆道	胆嚢炎，胆嚢結石，胆管炎，総胆管結石
膵	急性膵炎，膵腫瘍

〔文献3）を参考に作成〕

表4　左上腹部痛で鑑別すべき代表的疾患

心臓	急性冠症候群，心筋炎，心膜炎
血管	大動脈解離，腸管虚血
呼吸器	肺炎，肺血栓塞栓症，膿胸，気胸
脾	脾梗塞，脾腫，脾破裂，脾捻転，脾動脈瘤破裂
膵	膵炎，膵腫瘍
消化管	食道破裂，食道炎，食道けいれん，消化性潰瘍，大腸憩室炎，大腸炎，虚血性腸炎
腎泌尿器	尿管結石，腎盂腎炎，腎梗塞，副腎梗塞

〔文献3）を参考に作成〕

表5　臍周囲部痛で鑑別すべき代表的疾患

消化管	胃炎，消化性潰瘍，小腸閉塞，虫垂炎（初期）
血管	大動脈解離，腸管虚血
その他	腹膜炎，特発性腹膜炎，腹膜垂炎，腹膜脂肪織炎

〔文献3）を参考に作成〕

虫垂炎，大腸憩室炎などを検索する．女性の下腹部痛では，妊娠反応とあわせて，骨盤内の腹腔内液体貯留および子宮内に胎嚢を確認できない場合には異所性妊娠を強く疑う．また，茎捻転を起こし得るような卵巣嚢腫の検出も容易である．びまん性の腹痛を認めたときは腹部全体を走査し，小腸閉塞を検索する．

3）CT検査

CT検査は腹痛の診療において，診断や治療方針の決定のために頻用される．病歴および身体所見と組み合わせることで61.6〜96％正確な診断ができると報告されている[4]．

5　鑑別診断

1）急激発症または激しく増悪する腹痛を考える

突然発症した腹痛の原因として前述した疾患のほか，腸管および臓器虚血，腹膜炎を考える

2）腹痛の部位により鑑別疾患を考える

腹痛および圧痛が限局していれば臓器別に鑑別疾患を考える（表2〜7）[3]．

3）腹痛の特徴により鑑別疾患を考える

随伴症状，増悪・寛解因子，既往歴，内服歴，社会歴より鑑別疾患を考える．食欲不振，悪心，心窩部痛から始まり，右下腹部に移動する腹痛は虫垂炎の可能性が高い．下痢を伴うときは腸炎が多い．腹部に水疱を伴う発疹を伴うときは帯状疱疹の可能性がある．アルコール多飲者の突然の心窩部痛は膵炎の可能性がある．腹部手術歴があり，腸閉塞を繰り返している患者の間欠的腹痛は腸閉塞を疑うなどである．

4）腹腔内や胸腔内臓器以外の腹痛の原因を考える

腹痛が臍周囲のびまん性の場合や画像検査で原因臓器

表6　右下腹部痛で鑑別すべき代表的疾患

消化管	虫垂炎，大腸炎，大腸憩室炎，炎症性腸疾患，過敏性腸症候群，鼠径ヘルニア
腎泌尿器	尿管結石，腎盂腎炎，膀胱炎
精巣	精巣捻転，精巣上体炎
子宮卵巣	異所性妊娠，子宮内膜症，子宮筋腫，骨盤内感染症，卵巣出血，卵巣嚢胞破裂，卵巣茎捻転，付属器炎・膿瘍
血管	腸骨動脈瘤破裂，腸管虚血
その他	腸間膜リンパ節炎，後腹膜出血

〔文献3）を参考に作成〕

を特定できないときは，代謝内分泌疾患やアレルギー・膠原病などの全身疾患，または薬物や中毒などの原因を考える（表8）[3]．

表7　左下腹部痛で鑑別すべき代表的疾患

消化管	便秘，大腸憩室炎，虚血性腸炎，大腸閉塞，大腸がん，炎症性腸疾患，過敏性腸症候群，鼠径ヘルニア
腎泌尿器	尿管結石，腎盂腎炎，膀胱炎
精巣	精巣捻転，精巣上体炎
子宮卵巣	異所性妊娠，子宮内膜症，子宮筋腫，骨盤内感染症，卵巣出血，卵巣囊胞破裂，卵巣茎捻転，付属器炎・膿瘍
血管	動脈解離，動脈瘤破裂
その他	後腹膜出血

〔文献3）を参考に作成〕

表8　腹腔内・胸腔内臓器以外の腹痛の原因

内分泌代謝疾患	糖尿病ケトアシドーシス，アルコール性ケトアシドーシス，高カルシウム血症，甲状腺機能亢進症，急性ポルフィリン症，尿毒症
血液系アレルギー膠原病	急性白血病，鎌状赤血球症，悪性リンパ腫，全身性エリテマトーデス，皮膚筋炎，結節性多発動脈炎，IgA血管炎（Henoch-Schölein紫斑病），アナフィラキシー，遺伝性血管浮腫，好酸球性胃腸炎
中毒	中毒（鉛，ヒ素など），クモ咬傷（セアカゴケグモなど），キノコ中毒（ツキヨタケ，クサウラベニタケなど）
薬物	NSAIDs，ステロイド，コカイン
感染症	帯状疱疹，レンサ球菌性咽頭炎，チフス熱，結核など
筋骨格系	脊椎圧迫骨折，神経根症，脊髄腫瘍，椎間板炎，腸腰筋膿瘍など
その他	腹部片頭痛，腹部てんかん，心因反応（somatization）など

〔文献3）を参考に作成〕

初期対応

1 病歴，身体所見

　重症であれば緊急に治療介入が必要な急性疾患を念頭に置きながら，簡潔に痛みの部位，発症様式，痛みの性状・強さ，経過，随伴症状などの病歴を聴取する（図1）[6]。時間の余裕があれば既往歴，内服歴，社会歴なども十分に聴取し，診断のための糸口とする。身体所見で最強圧痛点と圧痛の強さを評価する。打診痛，筋強直などの腹膜刺激徴候を検索する。超音波検査で腹痛の原因疾患を調べる。緊急性が高い患者には時間をかけないように注意する。一般検体検査（血算，生化学，必要であれば心筋マーカー，クロスマッチなど）や検尿（必要であれば妊娠反応検査）を行う。

2 画像検査

　緊急性が高い患者はCT検査を優先する。血管性病変，腸管壊死，炎症性疾患などを疑う場合は造影CTを行う。時間的余裕がある場合や妊娠の可能性がある場合は超音波検査で十分に検索する。

3 全身疾患による腹痛の検索

　臨床症状や画像検査で診断できない腹痛は全身疾患による腹痛の可能性があるため，病歴聴取に戻り，既往歴，内服歴，社会歴などを中心に腹痛をきたす全身疾患を検討する。

4 鎮痛

　以前は診断を遅らせるとの理由で鎮痛薬の投与が控えられていたが，近年は鎮痛薬の使用と診断の遅れに関連はなく，むしろ患者も診療に協力的になるため早期の鎮痛薬の使用が推奨されている[7,8]。鎮痛薬を使用する場合は消化管からの吸収や緊急手術を考え，経静脈的投与が望ましい。

患者処遇の判断（disposition）

　緊急性がある疾患と診断された場合には，診断に基づいて適切な治療を開始する。緊急性があると判断するが診断がつかない場合には，専門医へのコンサルトを躊躇しない。それでも診断がつかない場合は安易に帰宅とすることなく，入院として経過観察を行う。緊急性はないと判断しても診断がつかない場合は，翌日に再診させることが望ましい。

11. 救急症候

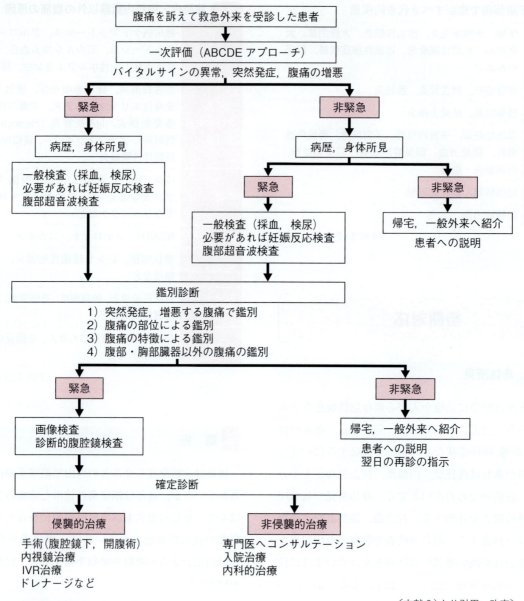

図1 腹痛患者の初期対応フロー

〔文献6）より引用・改変〕

▶文献

1) Kamin RA, et al：Pearls and pitfalls in the emergency department evaluation of abdominal pain. Emerg Med Clin North Am 21：61-72, 2003.
2) Abdullah M, et al：Diagnostic approach and management of acute abdominal pain. Acta Medica Indonesiana 44：344-50, 2012.
3) 急性腹症診療ガイドライン出版委員会（編）：急性腹症診療ガイドライン2015, 医学書院, 2015.
4) Lameris W, et al：Imaging strategies for detection of urgent conditions in patients with acute abdominal pain：Diagnostic accuracy study. BMJ 338：b2431, 2009.
5) Gallaher JR, et al：Acute cholecystitis a review. JAMA 327：965-75, 2022.
6) Sarah LG, et al：Guideline for the diagnostic pathway in patients with acute abdominal pain. Dig Surg 32：23-31, 2015.
7) Ranji SR, et al：Do opiates affect the clinical evaluation of patients with acute abdominal pain? JAMA 296：1764-74, 2006.
8) Gallagher EJ, et al：Randomized clinical trial of morphine in acute abdominal pain. Ann Emer Med 48：150-60, 2006.

11-15 悪心，嘔吐

髙階　謙一郎

症候の概要

1 定　義

嘔吐（vomiting）とは，何らかの原因により腸および胸腹壁筋の収縮によって生じる上部消化管内容物の経口排出である。胃の幽門が閉じると同時に，食道括約筋が弛緩し，胃に逆流運動が生じて横隔膜や腹筋の収縮により胃内圧が上昇する結果，内容物が排出される。内容物がない場合はから吐き（retching）という。

悪心（nausea）は嘔吐と同様の機序で起こるが，嘔吐に至らない主観的なものであり，嘔吐に先行して悪心を感じ，唾液分泌亢進や冷汗などの自律神経症状を伴うことがある。

逆流（regurgitation）は食道・胃内容物がゆっくり口に逆流することで，反芻（rumination）は胃内容物が随意的・自発的に腹圧をかけることにより口に移動することである。

2 病　態

嘔吐の刺激はいくつかのメカニズムによって引き起こされ，複雑に作用する。入力された刺激は孤束核，迷走神経背側核，疑核，唾液核を介して嘔吐運動を起こす。この部位は血液脳関門に覆われているため，直接催吐性の物質が刺激するのではなく，神経を介した入力となる。神経伝達に関与する受容体としてヒスタミンH_1受容体，セロトニン5-HT_2受容体，セロトニン5-HT_3受容体，ドパミンD_2受容体，ムスカリン受容体，ニューロキニン1（NK_1）受容体などがある。

1）大脳皮質からの入力

頭蓋内圧亢進や腫瘍，血管内病変などが直接または間接的に嘔吐中枢を刺激する。頭蓋内圧が高くなくても脳室の拡大・伸展があると機械的受容体が刺激され，嘔吐中枢への入力となる。不快な考えやにおいによって誘発される嘔吐は大脳皮質に由来する。

2）CTZからの入力

第4脳室底にある最後野（area postrema）は血液脳関門がないため，血液・髄液中の代謝物，ホルモン，薬物，細菌の毒素など，さまざまな催吐刺激を受けるためCTZ（chemoreceptor trigger zone）と呼ばれる。神経伝達物質では，ドパミン，セロトニン，サブスタンスPなどが，薬物ではモルヒネ，ジギタリスなどが刺激となることが知られている。一方，最後野へは神経性の入力もある。消化管からのセロトニン5-HT_3受容体が関与する迷走神経による刺激や，前庭からの刺激がこの部分を介して嘔吐中枢に伝えられる。

3）前庭器からの入力

前庭の刺激によりムスカリン受容体やヒスタミンH_1受容体の関与するコリン作動性ニューロン，ヒスタミン作動性ニューロンにより，直接または最後野を介して嘔吐中枢が刺激される。乗り物酔いや内耳障害では，内耳の三半規管など前庭系からの求心性刺激を受ける。

4）末梢からの入力

咽頭，心臓，肝，消化管，腹膜，腹部・骨盤臓器の機械的受容体あるいは消化管の化学受容体が刺激されると，迷走神経，交感神経，舌咽神経を介して嘔吐中枢が刺激される。消化管の伸展は嘔吐刺激となり得る。消化管の伸展により機械受容体が刺激され，迷走神経，内臓神経を介して嘔吐刺激が伝えられる。化学療法や放射線治療などで消化管の粘膜障害が起こるとセロトニンが腸管クロム親和性細胞より放出され，求心性の迷走神経を介して刺激が嘔吐中枢に伝えられる。

診断のアプローチ

嘔吐を主訴とする患者を診察する際には，突然の嘔吐にも対応できるように感染防護衣を確実に装着する。気道，呼吸，循環，意識の評価を行い，ショック症状，腹膜刺激徴候，髄膜刺激徴候の有無を判断する。バイタルサインが不安定な場合はすぐに輸液・酸素投与などを行って安定化を図る。患者が嘔吐した場合には，側臥位にするなど気道閉塞をきたさないように留意する。

11. 救急症候

表1 悪心・嘔吐をきたす主な疾患

臓器系	緊急性あり	緊急性なし	臓器系	緊急性あり	緊急性なし
神経系	脳出血 くも膜下出血 脳梗塞 髄膜炎 急性脳症	片頭痛 脳腫瘍	泌尿 生殖器系	精索捻転 卵巣嚢腫茎捻転 急性腎盂腎炎 骨盤内感染症	尿管結石
呼吸器系		インフルエンザ 百日咳	代謝 内分泌系	糖尿病ケトアシドーシス 高浸透圧性高血糖状態 アルコール性ケトアシドーシス 甲状腺クリーゼ 副腎不全	慢性副腎皮質不全 尿毒症 高カルシウム血症
循環器系	急性心筋梗塞 （とくに下壁梗塞） 急性大動脈解離 大動脈瘤破裂 高血圧性脳症		薬物 中毒	アセトアミノフェン中毒 テオフィリン中毒 一酸化炭素中毒 有機リン中毒 その他の急性中毒	抗悪性腫瘍薬 NSAIDs エタノール
消化器系	腸閉塞 腸間膜動脈閉塞症 虫垂炎 急性膵炎 急性胆嚢炎 急性胆管炎 急性肝不全 腹膜炎	急性胃腸炎 急性胃炎 消化性潰瘍 胃がん 胃アニサキス症 その他の消化管の炎症 急性肝炎 胆石発作	その他	急性緑内障発作 頭部外傷 敗血症 HELLP症候群 急性放射線障害 種々のショック	つわり，妊娠悪阻 末梢性めまい 動揺病 神経性過食症 急性高山病

嘔吐のみでは緊急度・重症度は高くないが，嘔吐の原因となる疾患や嘔吐の合併症により重症化する場合があるので，合併症の有無も確認する．注意すべき主な合併症としては，誤嚥，脱水，低カリウム血症，低クロール血症，代謝性アルカローシス，Mallory-Weiss症候群，Boerhaave症候群などがあげられる．

悪心・嘔吐を主訴とする疾患は多岐にわたる（**表1**）．とくに急性嘔吐のなかには緊急対応を要するものもあり，慢性嘔吐と鑑別すべき疾患が異なるため，嘔吐の発症の経過や性状を含めた病歴聴取が重要である．吐物の性状では，内容（異物，薬物，血液の混入），臭気（酸臭，糞臭の有無），色調（透明水様，黄色胆汁様）などを観察する．また，既往歴とともに薬剤歴，食事歴も併せて聴取する．

緊急性の高い原因疾患を念頭に置きながら，随伴症状を参考に絞り込む．神経学的診察を行って，とくに精神状態，眼振，髄膜刺激徴候（項部硬直，Kernig徴候またはBrudzinski徴候など），および頭蓋内圧亢進に注意する．症状に応じて，血液検査，動脈血ガス分析，心電図，X線検査（胸部・腹部）などの諸検査，超音波検査（心臓，腹部），CT検査（頭部，胸部，腹部）を実施する．血液の混じった嘔吐を認めた場合には内視鏡検査を検討する（p.282参照）．

鑑別診断

救急外来で嘔吐を主訴に来院する患者は，胃腸炎，高血糖，アルコール多飲，胃炎，腸閉塞，胆嚢炎，膵炎，腎疝痛などが多いが，鑑別疾患は多岐にわたる．とくに注意すべき悪心・嘔吐の原因疾患と診断のポイントを**表2**に示す．

丁寧な病歴聴取と身体診察で診断に至ることが多く，とくに病歴聴取で症状の出たタイミング，嘔吐の性状，随伴症状を確認することが重要である．随伴症状としては，腹痛（消化器疾患），頭痛（頭頸部疾患），胸痛（心臓・呼吸器疾患），多飲・多尿・痩せ・発汗・低血糖症状（代謝性疾患），月経・性器出血（妊娠と婦人科疾患）などがある．

表2　救急外来で遭遇する頻度が高い悪心・嘔吐の原因疾患と診断のポイント

疾患	診断のポイント
頭部外傷	受傷機転
脳出血，脳梗塞（小脳出血・梗塞を含む）	突然の頭痛・めまい，片麻痺，意識障害，高血圧
片頭痛	数時間続く拍動性の強い頭痛，しばしば両側性，光・聴覚過敏，時に前兆
末梢性めまい	突然の激しい回転性めまい，頭位や体動により悪化，眼振，頭痛や意識障害を欠く
急性心筋梗塞	胸骨裏面痛，放散痛，冷汗，呼吸困難
急性大動脈解離	突然の激烈な前胸部痛または背部痛，痛みの部位の移動，高血圧，ほかに説明のつかない失神や運動麻痺
急性胃腸炎	発熱，悪心・嘔吐後の下痢を反復，間欠性腹痛，腹部に軽い圧痛
胃炎	薬剤服用歴，心窩部痛，噯気（げっぷ），胸やけ，心窩部に軽い圧痛
消化性潰瘍	食事で軽減する空腹時右季肋部痛（十二指腸潰瘍），食事で悪化する心窩部痛（胃潰瘍），軽い圧痛
腸閉塞	腹部手術歴または嵌頓ヘルニア，間欠性腹痛，排便・排ガスの停止，腹部膨満，腸音亢進
虫垂炎	心窩部痛，その後に右下腹部痛，右下腹部の圧痛と腹膜刺激徴候
胆石発作，胆嚢炎	心窩部痛ないし右季肋部痛，背部への放散痛，発熱（胆嚢炎），Murphy徴候陽性（胆嚢炎）
尿管結石	青壮年男子に好発，夜間または早朝の突然の側腹部疝痛，陰部への放散痛
精巣捻転	思春期の睡眠中に好発，突然の精巣の痛み，下腹部への放散痛，陰嚢腫大，精巣の硬化と圧痛
つわり，妊娠悪阻	月経の遅れ，朝の悪心・嘔吐
糖尿病ケトアシドーシス	若年者に好発，1型糖尿病の既往，多飲・多尿，意識障害，過換気，高血糖，尿ケトン体陽性，代謝性アシドーシス
急性緑内障発作	眼痛，頭痛，視力低下，散瞳，毛様充血
熱中症	周囲の環境

　一方で，典型的な胸痛や背部痛がみられず，悪心・嘔吐を呈する急性心筋梗塞や急性大動脈解離など，見逃しやすくかつ重大な結果を招く疾患もあるため，注意が必要である。また，小児患者の場合はとくに，ウイルス性胃腸炎，食中毒，ミルクアレルギー，乗り物酔い，食べすぎ・食べさせすぎ，咳，腸閉塞，高熱を伴う病気などで嘔吐することが多い（表3）。このような種々の原因疾患の可能性を考慮しながら，丁寧な診察を心がける。

表3　小児でみられる悪心・嘔吐の原因

分類	主な疾患
消化管疾患	急性胃腸炎，食中毒，胃食道逆流症，幽門狭窄症，先天性閉鎖または狭窄症，腸重積症，Hirschsprung病，腸回転異常，腸捻転症，虫垂炎，Meckel憩室炎，胆道拡張症，誤飲
感染症	ウイルス性腸炎，細菌性腸炎，敗血症，肺炎
食物不耐症	乳糖不耐症
代謝性疾患	糖尿病ケトアシドーシス
周期性嘔吐	自家中毒症，アセトン血性嘔吐症
泌尿器疾患	尿路感染症
中枢性疾患	片頭痛，髄膜炎，脳炎，脳腫瘍
心因性	うつ，ストレス
その他	車酔い，食べすぎ，食べさせすぎ（虐待含む）

1 発症のタイミングによる鑑別

　腹痛発症のタイミングが鑑別の参考になる場合もある[1]。
　アニサキスによるものは，サバやサンマ，カツオなどアニサキスが寄生した魚介類などを摂取してから数時間〜十数時間後にみぞおちの激しい痛みや悪心・嘔吐が生じる。
　黄色ブドウ球菌による感染症は高温多湿の夏季に発生

することが多く，原因となる食品を摂取して30分～6時間以内に，激しい嘔吐，腹痛，下痢などが現れる。

サルモネラによる感染症は，鶏卵とその加工品を加熱が不十分な状態で食べた12～48時間後に腹痛，下痢，嘔吐の症状が現れ，高熱も併発する。

ロタウイルス感染症は二枚貝（カキなど）や魚介類を食べた1～2日後に嘔吐の症状が出現し，下痢や発熱を伴う。

カンピロバクターによる感染症は，十分に加熱されていない鶏肉を食べた2～7日後に症状がみられることが多い。

ウイルス性胃腸炎では悪心が随伴症状である下痢に先行するのに対し，虫垂炎では腹痛が悪心に先行することが多い。

とくに頭蓋内圧亢進による嘔吐は悪心を伴わないことがある。下痢などの随伴症状や食事摂取歴，家族内発生の有無を聴取する。

2 緊急度・重症度が高い鑑別疾患

1) 急性心筋梗塞

胸痛の有無を必ず確認する。悪心・嘔吐のほか，息切れ，倦怠感など非典型的な訴えのみで胸痛を伴わないこともある。嘔吐は梗塞の範囲や貫壁性梗塞と関連するという報告もある[2]。心筋梗塞以外にも狭心症や心筋炎などでも悪心・嘔吐をきたすことがあり，心電図検査，心エコー検査，CK-MB，トロポニンTなどを含めた生化学検査を行う。

2) 急性大動脈解離

突然の胸背部痛，痛みの移動を呈することがある。

3) 膵・胆道系疾患

腹痛を主訴に受診することが多いが，膵・胆道閉塞による胆道内圧上昇により嘔吐を認める。一般的に，胆囊炎よりも胆管炎のほうが悪心を起こしやすい。腹部所見を観察するとともに血液生化学検査，腹部超音波検査，腹部CT検査を施行する。

4) 卵巣茎捻転

卵巣内圧が上昇することで，迷走神経刺激により悪心が出現する。下腹部痛を訴えることが多い。

5) 脳梗塞

CTZが影響を受けると難治性の悪心と嘔吐，しゃっくりを引き起こす。脳梗塞の22％で発症後12時間以内に悪心・嘔吐を認め，頸動脈領域の脳梗塞（10％）よりも，小脳に血液を供給する椎骨脳底領域の脳梗塞（45％）で多くみられる[3]。また，小脳梗塞は神経所見がとれれば診断は難しくないが，突然発症のめまいに伴って頭痛や悪心が発生して救急搬送された場合には診断が困難となり見逃しやすいため，注意を要する。

6) くも膜下出血

突然の激しい頭痛が特徴であるが，頭痛とともに悪心を認めることがある。頭痛より嘔吐の症状が強い場合，胃腸炎と誤診されることがあり，注意を要する。

7) 高血圧緊急症

高血圧により悪心・嘔吐を催す。悪心・嘔吐以外には，頭痛，意識障害，けいれん，視力・視野障害をきたす。

8) 急性緑内障発作

眼痛のほか患側散瞳，対光反射減弱，角膜浮腫，眼球結膜充血といった所見を見逃さないようにする。

9) 腸閉塞

腹部手術歴，腹部膨満感，排ガスの欠如などがあれば腹部単純X線検査を行う。その際，可能であれば患者に立位をとらせることが望ましい。腹部超音波検査での keyboard sign や to-and-fro movement 所見も有用である。CT検査は虚血の有無を判断するため，造影CTが望ましい。

3 その他の注意すべき鑑別疾患

1) 前庭神経由来

前庭神経由来で悪心を誘発するものとしては，良性発作性頭位めまい症（benign paroxysmal positional vertigo；BPPV），前庭神経炎，突発性難聴，メニエール病などがある。

BPPVでは，頭を特定の位置に動かしたときに回転性めまいや動揺性めまいが生じる。めまいは数分で治まることが多いが，頭を動かすと繰り返し起こる。悪心や嘔吐を伴うが，耳鳴りや難聴などの耳の症状は認めない。

激しい回転性めまいと悪心・嘔吐を突然認めた場合には，前庭神経炎を疑う。めまいの改善後もふらつきなどが長期間続く場合があるが，耳鳴りや難聴などの症状は認めない。

突発性難聴は突然起こる難聴や耳鳴りで，めまいや悪心などを伴う場合もある。メニエール病は突然激しい回転性のめまいを生じる内耳疾患で，めまいとともに，耳鳴りや難聴，耳閉塞感などの症状が生じるのが特徴で，悪心や嘔吐，冷汗，頻脈などを伴うことも多い。

2）薬剤性

種々の薬剤（NSAIDs，エリスロマイシン，抗不整脈薬，降圧薬，利尿薬，経口血糖降下薬，経口避妊薬，スルファサラジン，オピオイド，アルコール，ビタミンAなど）の服用により嘔吐をきたす場合がある。処方薬とDI（drug information）の確認が参考になる。

とくに抗がん剤の副作用による悪心・嘔吐は，post-chemotherapy nausea and vomiting（PCNV）と呼ばれる。抗がん剤の種類によって悪心・嘔吐の頻度が異なるため，投与中の抗がん剤の種類を必ず確認する。発現の状態により投与後24時間以内に出現する急性の悪心・嘔吐（acute emesis），24時間後から約1週間程度持続する遅発性の悪心・嘔吐（delayed emesis），制吐薬の予防的投与にもかかわらず発現する突出性悪心・嘔吐（breakthrough nausea and vomiting），抗がん剤のことを考えただけで誘発される予期性悪心・嘔吐（anticipatory nausea and vomiting）に分類され，機序や背景による対応が必要となる[4]。

3）腎盂腎炎

腎盂腎炎では，腎周囲へ炎症が波及し，Gerota筋膜への圧が高まることにより迷走神経が刺激され，悪心が誘発される。悪寒，高熱，側背部痛を伴うことが多く，尿検査，細菌培養，腹部超音波・CT検査を行う。

4）周期性嘔吐症候群（CVS）

周期性嘔吐症候群（cyclic vomiting syndrome；CVS）は，重度の不連続な嘔吐発作，または悪心のみがさまざまな間隔で起こるまれな症候群である。発作間の健康状態は正常であり，明らかな構造的異常は認めない。小児期（平均発症年齢は5歳）にもっとも多く，成人するとともに軽快する傾向がある[5]。成人の周期性嘔吐症はマリファナ（大麻）の長期使用でみられることがある（cannabis hyperemesis syndrome）が，マリファナの使用中止や温浴により軽減することがある。

5）低ナトリウム血症

低ナトリウム血症でも嘔吐を認めるが，慢性に経過している場合は120mEq/Lを下回らないと症状が出ないことが多く，嘔吐の結果で低ナトリウム血症になっている場合もあるため，嘔吐の原因を安易に低ナトリウム血症とすべきではない。

6）不均衡症候群

不均衡症候群は，透析導入後間もない時期の透析中や透析後に出現する。血管内外の浸透圧に一時的な濃度差ができることによるもので，浸透圧の低下した血管内から浸透圧の高い間質や細胞内へ水が流れ込み，浮腫が発生する。これにより頭蓋内圧が亢進し，頭痛や悪心・嘔吐といった中枢神経系の症状が出現する。

7）心因性

心因性嘔吐は，器質的な原因と消化器の運動障害が除外された場合に考慮する。解離性障害やうつ病，神経性無食欲症，過食症，パニック症，心気症などがある。転換性障害では持続性の嘔吐がみられる。神経性無食欲症では歯のエナメル質の浸食，耳下腺腫脹，手背に吐きだこなどを認めることがあり，病歴や体重減少などの全身評価が重要となる。

8）その他

熱中症でも悪心・嘔吐を生じる場合があり，環境の聴取が重要である。また，女性患者で，食後早期の腹部膨満，嘔吐がみられる場合は機能性ディスペプシアを疑う。

表4 嘔吐の原因と制吐薬

嘔吐の原因	制吐薬
一般	メトクロプラミド，ドンペリドン，プロクロルペラジン
オピオイド	プロクロルペラジン
内耳性めまい	ジフェンヒドラミン・ジプロフィリン配合薬
抗がん剤（早期性）	アプレピタント，オンダンセトロン，グラニセトロン（放射線照射に伴う消化器症状に対しても可），デキサメタゾン
抗がん剤（遅発性）	メトクロプラミド
妊娠	メトクロプラミド，ビタミンB_6
慢性悪心 周期性嘔吐症	三環系抗うつ薬，オランザピン

初期対応

原因疾患を予想しながら，輸液と制吐薬投与を行う。とくに頻回の嘔吐と水分・食事摂取困難による脱水を認める場合には，細胞外液補充液を急速輸液する。

制吐薬は悪心・嘔吐が持続して苦痛がある場合に用いる（表4）。メトクロプラミドが各種原因による悪心・嘔吐に対して広く使用しやすい。めまいに伴う悪心・嘔吐には，抗コリン作用，抗ヒスタミン作用のあるジフェンヒドラミンも有用である。メトクロプラミドとジフェンヒドラミンは妊婦にも投与が可能である。ただし，原

因疾患がコントロールできない場合には制吐薬も効果がないことがある。また，腸閉塞や消化管穿孔による悪心・嘔吐には制吐薬は禁忌である。抗がん剤の投与に伴う消化器症状には，5-HT_3受容体拮抗薬であるオンダンセトロンやグラニセトロンなどが投与される。とくに両者は最近，術後の悪心・嘔吐に適応が拡大している。グラニセトロンは放射線照射による悪心・嘔吐にも適応がある。

患者処遇の判断（disposition）

原因疾患により入院の適応を判断する。とくに胸痛，強い腹痛，中枢神経系の症状，発熱，免疫不全の病歴，低血圧，重度の脱水，高齢者などにおいて，制吐薬投与後も悪心・嘔吐の症状に改善がみられない場合，または悪心・嘔吐により経口摂取が困難な場合には，入院を考慮する。

▶文　献

1) 農林水産省：食中毒の原因と種類．
https://www.maff.go.jp/j/syokuiku/kodomo_navi/featured/afp1.html
2) Fuller EE, et al：Relation of nausea and vomiting in acute myocardial infarction to location of the infarct. Am J Cardiol 104：1638-40，2009.
3) Canhao P, et al：Nausea and vomiting in acute ischemic stroke. Cerebrovasc Dis 7：220-5，1997.
4) 日本緩和医療学会ガイドライン統括委員会（編）：がん患者の消化器症状の緩和に関するガイドライン2017版，金原出版，2017.
5) Li BU, et al：Cyclic vomiting syndrome：A brain-gut disorder. Gastroenterol Clin North Am 32：997-1019，2003.

11-16 下痢，便秘

坂本 壮

下痢

下痢は，救急外来で出会う頻度の比較的高い症候である．消化管からの水分の喪失が主病態であり，原因は多岐にわたる．バイタルサインの異常や高度の脱水，電解質，酸塩基平衡に異常をきたす場合には直ちに介入が必要である．軟便から水様便まで広く下痢と訴えることが多く，性状は可能なかぎり正確に把握する努力をする．下痢ではなく下血のこともある．水様便は尿のような，蛇口をひねったときのように勢いよく排便されたか否かを確認するとよい．

1 症候の概要

下痢は，便中の水分の増加，便の量・回数の増加が生じるもので，通常24時間で3回以上，量にして200～250g/day以上の軟便，水様便が生じるものと定義される．発症から2週間以内のものを急性下痢，2週間～1カ月のものを持続性，1カ月を超えて持続する場合を慢性下痢と分類する[1)2)]．救急外来では発症から2週間以内の急性の下痢を主訴に来院することが多く，その大半は感染性下痢である．

下痢をきたす原因は多岐にわたる（表1）[3)]．発生機序から，①浸透圧性下痢症，②分泌性下痢症，③滲出性下痢症，④吸収不良，腸管閉塞・狭窄，運動異常の4つに分類される（表2）[4)]．頻度が高い感染性下痢症の多くは分泌性下痢症に分類される．感染性下痢症だけでなく，非感染性の原因も存在するほか，4分類の複数に重複することもあり，発生機序とともに具体的な原因，感染性であれば起炎菌を意識して対応することが重要である．

腸閉塞は便秘のイメージが強いかもしれないが，小腸閉塞が部分的であれば下痢を認めることもあり，また，便秘解除後に貯留していた便が下痢様になる場合もある．

感染性下痢症においては，大腸型，小腸型を区別することは抗菌薬の必要性を判断するために重要であるが，区別が難しいことも少なくなく，重症度で判断するのが現実的である．

症状出現から数週間以内の海外渡航歴がある場合には，旅行者下痢症を考慮し，渡航地域に応じた起炎菌の推定ならびに治療が必要となる．

2 診断のアプローチ

急性下痢症に対するアプローチを図1[5)]に示す．意識を含むバイタルサインにまずは注目して対応する．ショック徴候を認める場合には，ショックへの対応を優先する．バイタルサインが概ね安定している場合には，

表1 下痢をきたし得る主な原因

感染症	ウイルス性胃腸炎，細菌性胃腸炎，旅行者下痢症，レジオネラ症，真菌，原虫，寄生虫など
機能性腸疾患	過敏性腸症候群，腸閉塞，便秘
炎症性	炎症性腸疾患（Crohn病，潰瘍性大腸炎を含む），虫垂炎など
血管	虚血性腸疾患
吸収不良	セリアック病，乳糖不耐症
薬剤性	抗菌薬，降圧薬，抗がん剤，漢方薬など
毒物	ヒ素，キノコ中毒など
その他	食物アレルギー，大腸がん，甲状腺機能亢進症，アナフィラキシー，放射線性腸炎など

〔文献3）を参考に作成〕

11. 救急症候

表2　発生機序による下痢の分類

浸透圧性下痢症

糖や塩により腸管内の浸透圧が上がることで生じる
例：乳糖（チョコレート，ヨーグルト，乳糖不耐症），甘味料（キシリトール，ソルビトール，フルクトース），下剤，制酸薬（マグネシウムなど），経管栄養

分泌性下痢症

腸管からの分泌が何らかの原因で増加し，吸収が追いつかないことで生じる（感染性下痢症の多くがこのタイプ）
例：コレラ感染→毒素産生→腸管の分泌増加→下痢

滲出性下痢症（粘膜異常・障害）

粘膜の障害・破壊により血漿成分，血液，粘膜などが分泌され，便の回数・量が増える
例：細菌性赤痢，サルモネラ感染症，Crohn病，潰瘍性大腸炎，腸結核，腸リンパ腫，大腸がんなど

吸収不良，腸管閉塞・狭窄，運動異常

下剤の使用，手術による迷走神経の切除，消化酵素の不足・欠乏
糖尿病や強皮症による腸管運動異常・細菌異常増殖
腸管悪性腫瘍などによる腸管閉塞・狭窄
過敏性大腸症候群，特殊な消化管ホルモン産生腫瘍による機能的腸管運動異常，甲状腺機能亢進症

〔文献4）を参考に作成〕

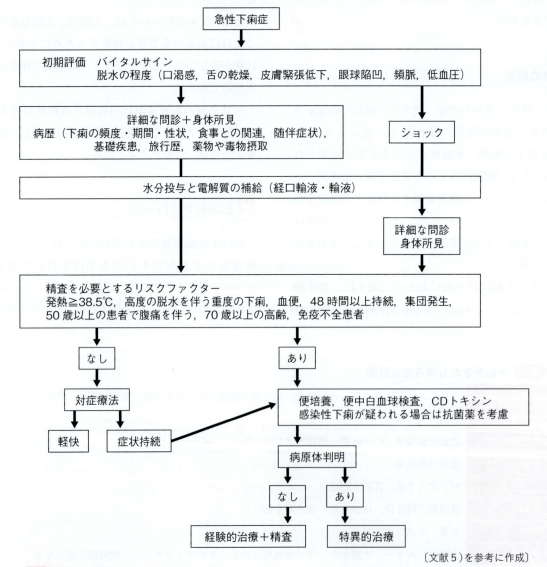

図1　急性下痢症に対するアプローチ

〔文献5）を参考に作成〕

表3 感染性下痢症の分類と起炎菌など

急性大腸型：少量，頻回，粘血便，しぶり腹，発熱・腹痛，便中白血球あり

Shigella 属，*Salmonella* 属，enteroinvasive *Escherichia coli*（EIEC），*Clostridioides difficile*，*Entamoeba histolytica*
※男性同性愛患者の場合
単純ヘルペスウイルス，*Chlamydia trachomatis*，*Neisseria gonorrhoeae*，*Mycobacterium avium-intracellulare* complex

急性小腸型：大量，水様便，発熱・腹痛は軽度，便中白血球なし

Vibrio cholerae，enterotoxigenic *Escherichia coli*（ETEC），*Clostridium perfringens*，原虫疾患（*Giardia*，*Cryptosporidium*）

混合型：上記の特徴で分類しにくいもの

Vibrio parahaemolyticus：毒素も粘膜障害もある
Campylobacter 属：大腸病変が多いが，水様便も多く，便中白血球あり
Yersinia enterocolitica：下痢，回腸末端の潰瘍，リンパ節炎など
Aeromonas 属：粘血便も水様便もある
Plesiomonas 属：粘血便も水様便もある

急性胃腸炎型：急性小腸型の臨床像に加え，悪心・嘔吐が強い

ウイルス性胃腸炎，*Staphylococcus aureus*，*Bacillus cereus*

消化器症状以外が目立つ型：下痢よりも発熱・腹痛などの全身症状が強い

Salmonella Typhi，*Campylobacter fetus*，*Vibrio vulnificus*，*Vibrio alginolyticus*，*Yersinia enterocolitica*

〔文献4）を参考に作成〕

経過や随伴症状を意識しながら身体所見を評価する。この際，胃腸炎と矛盾する所見を認める場合には，その他の原因を考える。

感染性下痢症の可能性が高いと判断した場合には，大腸型か小腸型かを症状や重症度から大まかに判断し，起炎菌を意識して対応する（表3）[4]。一般的には，急性大腸型では，血便，しぶり腹（テネスムス），発熱，比較的強い腹痛を認めることが多く，小腸型では下痢は水様で大量であるものの，症状は大腸型と比較すると軽い。

画像検査は軽症患者では不要であるが，バイタルサインの異常や血便や比較的強い腹痛を伴う場合には実施する。ベッドサイドで施行可能な超音波検査を行い，鑑別疾患を絞ったうえでX線や単純/造影腹部CT検査を検討する。画像において広範囲にわたり腸管浮腫を認める場合には胃腸炎の可能性は高くなるが，絞扼性腸閉塞などのうっ血，上腸間膜動脈塞栓症などの再灌流異常，さらには寄生虫などによるアレルギー反応でも腸管浮腫は認められるため，画像単一で判断してはならない。

Clostridioides difficile（偽膜性大腸炎）は，数カ月内の抗菌薬使用患者では必ず疑い，被疑薬を中止しトキシン検査を提出する。プロトンポンプ阻害薬などその他の薬剤も偽膜性腸炎や薬剤に起因する下痢と関連があり，内服薬は必ず確認する。

3 初期対応

急性下痢の治療の本幹は，下痢によって喪失した体液・電解質の補充である。原因によって多少の対応の違いはあるものの，まず行うべきことはABCの安定化である。アナフィラキシーの場合にはアドレナリンの筋注を速やかに行う必要があるが，それ以外の場合には細胞外液補充液投与などをショックの対応に準じて行う。

感染性下痢症に対する抗菌薬投与は，一部適応となるものも存在するが，急を要するものではなく，軽症例では原則として不要である。抗菌薬を投与する場合には，起炎菌を具体的に想起し，根拠として便培養や血液培養を採取する。

偽膜性大腸炎は重症度によって対応が異なるが，可能なかぎり原因となり得る薬剤を中止する。

4 患者処遇の判断（disposition）

軽症かつ経口摂取が可能であれば入院は不要である。基礎疾患によっては，体液や電解質，さらには内服薬の調整を行う必要があり，入院管理が望ましい場合がある。

便 秘

1 症候の概要

便秘とは，本来体外に排出すべき糞便を十分量かつ快適に排出できない状態を指す。疾患名ではないため，便秘を診た際には原因を意識して対応することが重要である。便秘の一般人口における有病率は約20％と高く，年齢とともに増加する。救急患者の大半は高齢者であることを考えると，救急外来で便秘に悩む患者に出会う頻度は今後ますます増加することが予想される。

便秘の原因として，器質性（閉塞性，非閉塞性）・機能性という分類のほか，大腸通過時間から①大腸通過正常型便秘（normal transit constipation；NTC），②大腸通過遅延型便秘（slow-transit constipation；STC），③便排出障害（outlet delay/outlet obstruction；OD）の3型などに分類される（①〜③は重複することが珍しくない）。機能性便秘は，排便回数が週に3回未満で，排便の25％に硬便がみられることなどが診断基準に含まれる[6]。

大腸がんや腸閉塞などの閉塞性の疾患は必ず意識する。その他，STCの原因として，非消化器疾患では**表4**[7]に示すものが代表的である。高齢者の多い救急外来では，パーキンソン病やレビー小体型認知症などの神経疾患による便秘（偽性腸閉塞/麻痺性イレウス）に出会う頻度も高いと考えられる。

救急外来では便秘そのものを主訴に来院する患者が一定数いるものの，それ以外に腹痛を伴い便が出ないことを理由に受診する患者も多い。前者のうち慢性的な便秘であれば，腹満感は認めることがあってもバイタルサインの異常は認めず，非消化器疾患の関連因子を想起し対応する。大腸がんや骨盤内腫瘍など悪性腫瘍の可能性も考慮するが，腸管虚血など急を要する病態でなければ精査は後日の外来で構わない。

腹痛を伴う場合，とくに急性経過の便秘の場合には消化器疾患であれば絞扼性腸閉塞など絞扼，虚血性の病変のほか，血管病変（腹部大動脈瘤破裂など）も消化器疾患にとらわれることなく意識することが重要である。ある程度の腹痛を伴う場合には腹痛が主な訴えで来院することが多いが，典型的な便秘による腹痛は間欠的で，自発痛は下腹部正中，圧痛は左下腹部（肛門に近づくにつれ大腸の内容物は固形化するため）である。また，腹痛

表4 消化器以外の便秘関連因子

内分泌・代謝異常	・糖尿病 ・甲状腺機能低下症 ・副甲状腺機能亢進症 ・慢性腎臓病
電解質異常	・高カルシウム血症 ・低カリウム血症 ・高マグネシウム血症
神経疾患	・パーキンソン病，レビー小体型認知症 ・多発性硬化症 ・自律神経失調症 ・脊髄病変 ・認知症
薬剤	・鎮痛薬 ・抗コリン薬 ・カルシウム拮抗薬 ・三環系抗うつ薬 ・抗パーキンソン薬（ドパミン作動薬） ・制酸薬 ・サプリメント（カルシウム，鉄） ・胆汁酸結合剤 ・抗ヒスタミン薬 ・利尿薬（フロセミド，ヒドロクロロチアジド） ・抗精神病薬（フェノチアジン誘導体） ・抗けいれん薬 ・バリウム製剤
その他	・アミロイドーシス，強皮症，うつ病など

〔文献7）より引用・改変〕

発作時には腸蠕動音は亢進している。これらの原則を常に意識し，矛盾する場合には安易に便秘症と判断しないことは重要である。

2 診断のアプローチ

前述したとおり，患者の訴えが"便秘"であっても，それが急性発症の排便習慣の変化であれば，安易に便秘と判断せず，腸管閉塞を念頭に急を要する病態か否かを見極める必要がある。

まず，バイタルサインを確認する。高齢患者が多いため，正常値との比較も重要であるが，普段のバイタルサインとの比較に重きを置いて対応する。とくに軽度の意識障害や呼吸数の上昇は軽視されがちであるため注意する。

身体診察では，視診として皮膚色，腹部の膨隆，手術痕，皮疹の有無を確認する。腹部膨満を認める場合には，

腸閉塞，麻痺性イレウスを考えるが，麻痺性イレウスは原因を意識することが重要であり，腸管虚血，下部消化管穿孔は常に意識する。明らかな腹部膨満の場合にはS状結腸捻転など大腸の拡張を疑う。この場合には，皮膚が緊張し皮膚に艶が認められることもある。聴診では，腸音の亢進がないかを確認する。蠕動音が低下している場合には，虫垂炎や膵炎など腸管以外の臓器の炎症によって運動が低下していると考え，安易に腸管病変と決めつけない。打診では鼓音（ガスの存在），濁音（液体成分）の有無，触診では圧痛の有無や腹膜刺激徴候，腫瘤の有無を鼠径部も含め評価する。

便秘の判断・治療の選択のうえで，直腸診は重要な所見である。直腸診で便塊が触れない状態で浣腸をしても効果は乏しい。

検査は血液検査，画像（腹部超音波，X線，CT）が主なものである。血液検査は，血算や電解質，腎機能に加え，患者背景や随伴症状から原因を想起して実施する。画像検査は，腸管閉塞の有無を確認する点に重きを置き，ベッドサイドで施行可能な腹部超音波検査をまずは行う。腸閉塞を疑う腸管拡張や蠕動低下を中心に確認するが，腹部大動脈や心嚢液なども併せて短時間で確認するとよい。超音波検査は疼痛部位などを確認しながら同部位の所見を評価できる。閉塞など通過障害を示唆する所見，腹水などを伴う場合には，造影CT検査を行う。

また，虫垂炎や悪性腫瘍など手術歴の有無は，器質性疾患の鑑別に重要である。手術歴がないにもかかわらず腸閉塞所見を認める場合には，大腿ヘルニアや閉鎖孔ヘルニアなどの存在に留意して診察する。

3 初期対応

器質的疾患を除外し，初めて機能性便秘と診断できる。急性発症の便秘や新規の便秘症状は腹痛などの随伴症状や非消化器疾患関連因子を意識して対応する。とくに高齢初発の便秘では，まずは通過障害からの便秘を考える。慢性経過かつ直腸診で便塊が触れる場合には浣腸の選択肢もあるが，浣腸で症状が改善したからといって安堵してはならない。

4 患者処遇の判断（disposition）

器質的疾患を根拠をもって除外することができれば，浣腸や下剤の処方で帰宅可能である。器質的疾患に伴う便秘であれば，疾患ごとの基準に準ずる。

▶ 文 献

1) Guerrant RL, et al：Practice guidelines for the management of infectious diarrhea. Clin Infect Dis 32：331-51，2001.
2) DuPont HL：Acute infectious diarrhea in immunocompetent adults. N Engl J Med 370：1532-40，2014.
3) Burg MD, et al：Diarrhea：Identifying serious illness and providing relief. Emergency Medicine Practice, 2004.
https://www.ebmedicine.net/topics/gastrointestinal/diarrhea-emergency
4) 青木眞：レジデントのための感染症診療マニュアル，第4版，医学書院，2020.
5) Camilleri M, et al：Diarrhea and Constipation. In：Winner C, et al eds, Harrison's Principles of Internal Medicine. 19th ed, McGraw-Hill, 2017，pp264-74.
6) Mearin F, et al：Bowel disorders. Gastroenterology 150：1393-407，2016.
7) Vazquez Roque M, et al：Epidemiology and management of chronic constipation in elderly patients. Clin Interv Aging 10：919-30，2015.

11-17 腰痛，背部痛

内藤 博司

症候の概要

腰部とは体幹後面に存在し，第12肋骨と殿溝下端の間にある。背部とは，頸部よりは下で，腰部より上の部分を指す。ただし，腰背部を示す部位には個人差が大きい。ここでは，これらの部位の痛みを腰痛・背部痛とし，腰部と背部の両方を含む場合を腰背部痛として扱う。

腰背部痛は救急外来でよく遭遇する症候である。急性腰痛の原因を表1 [1)2)] に示す。背部痛に関しては，原因疾患の分布や疾患との関連を示唆する症状・徴候などについての定量的検討はなされていない。

腰背部痛は，脊椎由来，神経由来，内臓由来，血管由来，心因性，その他に分類される。椎間板，椎間関節，神経根，椎骨骨膜，筋・筋膜，靱帯，血管，腹腔内臓器，後腹膜臓器などがさまざまな疾患や外傷によって障害されて痛みを発する。背部痛はさらに胸腔内臓器，肋骨の障害により発生する。

痛みの原因（疾患）は以下のように分類される。
- 悪性腫瘍：原発性，転移性脊椎・脊髄腫瘍など
- 感染：化膿性椎間板炎・脊椎炎，脊椎カリエスなど
- 骨折：椎体骨折など
- 重篤な神経症状を伴う脊椎疾患：下肢麻痺，膀胱直腸障害などを伴う場合など
- 内臓疾患
- 筋骨格系

腰背部痛を呈する疾患のなかには生命に危険を及ぼすものや，早急に治療介入しなければ後遺障害をきたすものも含まれる。救急外来における腰背部痛診療のゴールは早期介入が必要な疾患を見つけ出し，早期に治療開始することである。

診断のアプローチ

見逃してはならない重篤な脊椎疾患としては，緊急に脊髄の減圧などの処置が必要な硬膜外血腫，硬膜外膿瘍，脊椎腫瘍，馬尾症候群，骨折があげられる。内臓疾患で

表1 急性腰痛の原因と頻度

機械的腰痛（筋・骨格系の痛み）（97％）
- 腰椎捻挫，筋緊張（70％）
- 変性疾患：椎間板，椎間関節（10％）
- 椎間板ヘルニア（4％）
- 脊柱管狭窄症（3％）
- 骨粗鬆症による圧迫骨折（4％）
- 脊椎分離すべり症（2％）
- 外傷性骨折（＜1％）
- 先天性疾患（＜1％）

非機械的脊椎由来の腰痛（～1％）
- 脊椎腫瘍：原発性・転移性腫瘍など（0.7％）
- 脊椎感染症：化膿性椎間板炎・脊椎炎，硬膜外膿瘍，脊椎カリエスなど（0.01％）
- 炎症性関節炎（0.3％）

内臓疾患による腰痛（2％）
- 骨盤内臓器由来
- 腎・泌尿器系由来
- 大動脈瘤
- 消化器由来

その他（～1％）
- うつ病，解離性障害，詐病など
- 帯状疱疹

〔文献1）2）を参考に作成〕

は，急性大動脈解離，腹部大動脈瘤破裂/切迫破裂（腰痛），後腹膜出血，急性心筋梗塞（背部痛）がとくに緊急性が高い（表2）。まずはこれらの疾患を除外していくことを念頭に診療を行う。

1 病歴聴取と red flags の評価

痛みが始まった状況を知っておくことは，どのような重大な原因疾患が隠れているかを考えるうえで重要である。一般的な内科診療と同様に，既往歴，生活歴，内服歴，家族歴を聴取し，内科的疾患の危険因子や重要な脊椎疾患の危険信号（red flags；RFs）がないかどうか聴取する。高齢者では外傷のエピソードがはっきりしないことがある。

表2 とくに注意すべき腰背部痛の原因
・急性大動脈解離（大動脈弁逆流症，心タンポナーデ） ・急性心筋梗塞 ・腹部大動脈瘤破裂/切迫破裂 ・肺血栓塞栓症 ・敗血症 ・急性膵炎 ・食道破裂 ・後腹膜出血 ・硬膜外血腫/膿瘍 ・骨髄炎 ・髄膜炎　など

表3 重篤な脊椎疾患（腫瘍，感染，骨折など）の合併を疑うべき red flags（危険信号）
・発症年齢＜20歳または＞55歳 ・時間や活動性に関係のない腰痛 ・胸部痛 ・癌，ステロイド治療，HIV感染の既往 ・栄養不良 ・体重減少 ・広範囲に及ぶ神経症状 ・構築性脊柱変形 ・発熱

HIV：human immunodeficiency virus
〔「日本整形外科学会，他（監）：腰痛診療ガイドライン2019，改訂第2版，p23，2019，南江堂」より許諾を得て転載〕

RFsとは，進行性，悪性，広範囲，慢性化，長期治癒過程などに関連した症状・所見の総称である．複数のガイドライン[1)3)]で重篤な要因がRFsとして示されており，内容に多少の差異はあるが基本的には同様である．『腰痛診療ガイドライン2019』におけるRFsを表3[1)]に示す．緊急性のある脊椎疾患を診断するうえで参考になるが，脊椎骨折，悪性腫瘍ともに診断にあたっては一つのRFsだけでなく，複数のRFsを重視することが推奨されている．

1）年　齢

若年者の急性腰痛では外傷の有無にかかわらず，脊椎分離症などの先天疾患を考慮する．夜間の痛み，体重減少を伴えば悪性腫瘍を考慮する．55歳以上で初発の急性腰痛では腫瘍，感染，腹部大動脈瘤などの腹腔内疾患を考慮する．高齢者で初発の尿管結石はまれである．骨粗鬆症を合併している高齢者の場合，軽微な外傷や受傷機転がなくても脊椎圧迫骨折は発生する．

時間や活動性に関係のない進行性の腰背部痛，担がん状態，栄養不良，体重減少，広範囲に及ぶ神経症状は脊椎の悪性腫瘍を疑うきっかけとなる．転移性腫瘍としては前立腺がん，肺がん，乳がんが多い．

2）発　熱

骨髄炎・脊髄硬膜外膿瘍の3徴候は発熱，背部痛，神経脱落症状であるが，これらがすべて揃うことは10〜15％にすぎない[4)]．インフルエンザ，腎盂腎炎などの感染症自体で腰背部痛をきたすこともある．

3）抗凝固薬，抗血小板薬

詳細な服薬歴の聴取が必要である．自発的な脊髄硬膜外血腫の発生頻度は低いが，抗凝固薬・抗血小板薬の内服中や血小板減少を認める場合には高リスクである．外傷，最近の手術，脊柱近傍への注射は，硬膜外血腫や脊椎感染症の危険因子である．

4）免疫不全状態

アルコール濫用，低栄養状態，糖尿病，ステロイド長期使用は免疫不全状態をきたし，感染リスクが上昇するとともに起炎菌が異なる．ステロイド使用患者では発熱をきたさない可能性があり，発見が遅れる場合がある．

5）その他

透析患者，血管留置カテーテルの長期留置状態，感染性心内膜炎の既往，針治療や神経ブロック注射の既往などがある場合は，脊椎感染症（化膿性脊椎炎など）の危険因子である．

2 身体所見

まず，脊髄圧迫症状の有無が重要である．歩行を観察し，中枢および末梢神経障害を評価する．直腸膀胱障害，会陰部の感覚障害の有無は必ず確認する．

1）痛　み

痛みが脊椎由来（筋・骨格系）か内臓由来かを鑑別する．バイタルサインに重大な異常がなければ，歩行状態の診察，可動痛の有無，下肢伸展挙上（straight leg raising；SLR）テスト，大腿神経伸展テスト（femoral nerve stretch test；FNST）などを行う．

筋骨格系の痛みは中等度であることが多く，まれに発汗や嘔気を伴い，患者は安静を好む．じっとしていられないような激しい痛みの場合は緊急疾患の可能性が高い．直ちにバイタルサインを測定し，心音・呼吸音を聴取して腹部所見をとる．その際，ベッドサイドでの超音波検査が有用である．

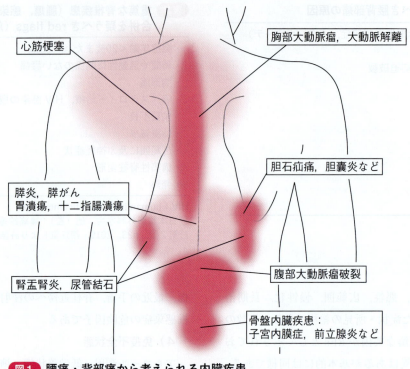

図1 腰痛・背部痛から考えられる内臓疾患

脊椎由来の痛みであれば，脊柱を構成するいずれの組織から生じる腰痛であるかを検討する．すなわち，椎間板性，椎間関節性，筋・筋膜性，神経根性，靱帯性腰痛などである．脊椎の前屈で痛みが出る場合は椎体・椎間板由来の痛み，後屈で痛みが出る場合は椎間関節由来の痛みを示唆する．

また，内臓疾患によって腰背部に関連痛，放散痛が出現することがある（図1）．体幹に存在する臓器の内科的疾患は腰背部痛を伴う可能性があると考えて診察する必要がある．

2）腰背部

患者の腰背部はすべて露出し，外傷，感染徴候，発赤，発疹の有無のほか，棘突起の発赤，変形を観察する．腰背部の圧痛・叩打痛は重要で，椎体棘突起，脊柱起立筋，肋骨，仙骨・骨盤部にかけて評価する．痛みの部位に一致した筋骨格系病変の存在を疑い，画像検査を行う．

3）下　肢

下肢の神経学的所見をとり，部位診断を行う．神経支配に留意し，筋力，皮膚感覚を調べる．多くの腰痛患者は下肢痛を伴うが，急性・進行性の場合は脊髄圧迫症状に注意が必要である．

4）直腸診

直腸診では肛門括約筋の緊張と収縮性を診る．馬尾症候群では殿部，陰部，膀胱，直腸の感覚が鈍麻する．これをサドル型感覚脱失（saddle anesthesia）と呼ぶ．腰痛患者では必ず会陰部の感覚異常，膀胱直腸障害の有無を調べる．急性前立腺炎，骨盤内炎症性疾患，急性虫垂炎など骨盤内の炎症では臓器の圧痛を認める．

5）運動・感覚・反射

腱反射亢進は上位ニューロン，腱反射低下は下位ニューロンの障害を示唆する．腰仙髄の髄節は椎体レベルTh12～L1に相当する．脊椎の病変部位（脊椎高位）と脊髄の病変部位（脊髄高位），デルマトームにずれが生じることに注意する．神経根と運動・感覚・反射の対応関係を表4[5]に示す．

3　画像検査

1）X線検査

腰痛患者に対するX線撮影は，腰痛の原因の初期診断に意義がある．正面・側面像を撮影する．椎体骨折を評価するうえで腰椎X線撮影が推奨されている[6]．背部痛を訴える場合は胸部X線撮影を行う．椎弓根破壊により脊椎単純X線で椎弓根が消失する所見はpedicle signと呼ばれ，骨転移がその原因として有名である．

2）CT検査

内臓疾患や出血が疑われる場合は，可能なかぎり造影CT検査を行う．移動が危険な場合はベッドサイドで超

表4　神経根と運動・感覚・反射の対応関係

神経根	運動	感覚	反射
L2	股関節屈曲・大腿内転	大腿近位	—
L3	下腿伸展・大腿内転	大腿前外側	膝蓋腱反射
L4	下腿伸展	下腿前内側	膝蓋腱反射
L5	足・足趾背屈	下腿前外側，足背	—
S1, 2	足・足趾底屈	足底，下腿・大腿後面	アキレス腱反射
S2, 3	肛門括約筋	会陰部	肛門括約筋反射
S4, 5	尿道括約筋	—	—

〔文献5）より引用・改変〕

音波検査を行う．骨格系に関しては　棘突起骨折，横突起骨折，肋骨骨折を同定できる．3D 画像が得られると，より詳細な評価が可能となる．

3）MRI 検査

神経症状を呈する患者では，X 線撮影に引き続いて MRI 撮像が推奨される[1]．複数の部位に病変が存在する場合があるため，全脊椎を評価することが望ましい[7]．椎間板，椎体終板，傍脊柱筋などの脊柱構成体を評価・精査するうえで MRI は有用である．椎間板造影，椎間関節造影はそれぞれの腰痛診断に有用である可能性はあるが，必要に応じて複数の画像診断を組み合わせる．

4　血液検査

内臓疾患に関しては血液検査が診断に有用であるが，脊椎疾患に関して疾患に特異的な検査項目は少ない．発熱時は血液培養検査を行う．

鑑別診断に基づく初期対応と患者処遇の判断

腰痛・背部痛が主訴となり得る緊急疾患・病態の鑑別と初期対応のポイントなどをまとめる．

1　急性大動脈解離（破裂を含む）

突然発症で，嘔気・嘔吐，不安感，失神，胸痛，発汗などを認める．意識障害や片麻痺を伴うこともある．総頸動脈に解離が及ぶと脳血流が減少し，意識障害や片麻痺をきたすことがある．痛みが消失したからといって否定できないことに留意する．見逃せば致死的な疾患のため，安易に除外してはならない．

バイタルサインの異常，血圧の左右差（とくに 20mmHg 以上）[8]，新規の大動脈弁逆流が重要な所見である．循環状態が許せば造影 CT を撮影するとともに，治療法の選択の材料となる Stanford 分類，分枝血管の状態を評価する．超音波検査で心囊液貯留や大動脈弁逆流の程度を評価する．画像所見とともに脳，脊髄，腹腔内臓器，四肢など臓器の虚血を評価する．

2　腹部大動脈瘤（破裂，切迫破裂）

背部の広範な部位や陰部に広がる痛みを認める．ただし，失神で発症した場合や，血圧低下により意識レベルが低下している場合には痛みを訴えないことがある．高齢者の（前）失神患者では腰痛の有無にかかわらず積極的に疑い，検査を施行することが重要である．腹部に拍動性の腫瘤を触れる場合や，血管雑音，低血圧の所見を認める場合に考慮する．ベッドサイド超音波検査が診断に有用である．循環状態が許せば造影 CT を撮影する．

3　急性冠症候群

典型的な症状は冷汗を伴う胸部圧迫感であるが，背部痛を伴うことがある．12誘導心電図，血液検査，心エコー検査を行う．

4　脊髄圧迫症候群（馬尾症候群，腫瘍，血腫，膿瘍などによる圧迫）

予後改善のため，24〜48時間以内に除圧，固定，放射線照射などの処置が必要となる．腰痛，下肢痛，下肢の感覚鈍麻・脱力，尿閉，尿便失禁，性機能障害を認める．脊椎 MRI 検査で診断する．

1）脊椎硬膜外膿瘍

糖尿病，慢性腎不全，静注薬の使用，多量飲酒，担がん患者などの免疫不全状態，最近の脊椎手術，外傷・細菌感染症などの感染の機会が危険因子である。古典的3徴は，発熱（50％），背部痛（75％），神経脱落症状（＜50％）であるが，これらがすべて揃うことは10〜15％とされる[9]。起炎菌は *Staphylococcus aureus* が2/3である[10]。緊急減圧術を考慮する。

2）転移性脊髄圧迫

転移性脊髄圧迫（metastatic spinal cord compression；MSCC）では，腰背部痛が先行した後，下肢のしびれ，脱力，直腸膀胱障害が急速に進行する。神経障害の進行を回避するために，ステロイド投与，放射線治療，外科治療の適応を検討する。

3）馬尾症候群

何らかの原因（巨大椎間板ヘルニア，腫瘍，血腫，膿瘍，骨折など）によって馬尾神経が圧迫されて発生する。サドル型感覚脱失，直腸膀胱障害の有無を確認する。ステロイド，外科治療の適応を検討する。

4）硬膜外血腫

凝固異常（先天的・後天的），硬膜外麻酔後，ブロック注射後，動静脈奇形が危険因子となる。造影CTか脊椎MRI撮影で診断し，外科治療の適応を検討する。

5）骨折

脊椎破裂骨折で，椎体損傷が後方1/3に達して脊柱管に及ぶ場合には，脊髄圧迫症状の有無に注意する。

5 化膿性脊椎炎，椎間板炎

高齢，ステロイド使用，骨粗鬆症が危険因子となる。緩徐発症，筋肉の凝り，比較的広範囲な背部圧痛・叩打痛，発熱を認める。起炎菌は，血行性であれば単独菌で，*Staphylococcus aureus* が半数近くを占める[11]。診断はMRI検査の感度が高く有用であるが，初期では発現が遅れる場合がある。

血液培養や，可能であれば病変部位から穿刺などで検体を採取し，組織培養を行う。米国感染症学会のガイドラインでは，経験的な抗菌薬投与は避け，生検による培養検体の培養感受性により抗菌薬の開始を判断することが推奨されている[12]。

6 非特異的腰痛

診断・治療のいずれも不十分な手法しかない，あるいは医療者の誰もが納得する共通の診断・治療法がない腰痛の総称であり，筋・筋膜性や椎間板性，椎間関節性，心因性などが当てはまる[1]。非特異的腰痛と判断した場合でも診断が確定したわけではないため，4〜6週間の保存的治療で改善が認められない場合は再評価を行う。

▶文 献

1) 日本整形外科学会，他（監）：腰痛診療ガイドライン2019，改訂第2版，南江堂，2019．
2) Fatoye F, et al：Real-world incidence and prevalence of low back pain using routinely collected data. Rheumatol Int 39：619-29, 2019.
3) Kneiner DS, et al：Guideline summary review：An evidence based clinical guideline for the diagnosis and treatment of low back pain. Spine J 20：998-1024, 2020.
4) Edlow JA：Managing non traumatic acute back pain. Ann Emerg Med 66：148-53, 2015.
5) Corwell BN, et al：The emergent evaluation and treatment of neck and back pain. Emerg Med N Am 38：167-91, 2020.
6) Chou R, et al：Diagnosis and treatment of low back pain：A joint clinical practice guideline from the American College of Physicians and the American Pain Society. Ann Intern Med 147：478-91, 2007.
7) 日本臨床腫瘍学会（編）：骨転移診療ガイドライン（改訂第2版），南江堂，2022．
8) Klompas M：Does this patient have an acute thoracic aortic dissection? JAMA 287：2262-72, 2002.
9) Darouiche RO, et al：Spinal epidural abscess. N Engl J Med 355：2012-20, 2006.
10) Tetsuka S, et al：Spinal epidural abscess：A review highlighting early diagnosis and management. JMA J 3：29-40, 2020.
11) Crone CG, et al：Clinical characteristics of pyogenic vertebral osteomyelitis and factors associated with inadequate treatment response. Int J Infect Dis 108：487-93, 2021.
12) Berbari EF, et al：2015 Infectious Diseases Society of America（IDSA）Clinical Practice Guidelines for the diagnosis and treatment of native vertebral osteomyelitis in adults. Clin Infect Dis 61：e26-46, 2015.

11-18 尿閉，乏尿，無尿

有吉 孝一

「尿が出ない」という主訴に直面した場合には「尿閉」と「乏尿・無尿」を迅速に鑑別する必要がある。そのうち，「尿閉」については，病歴，身体所見，超音波検査（point of care ultrasound；POCUS）で迅速に診断が可能である場合が多いため，まずは「尿閉」を診断し，除外できた場合には「乏尿・無尿」の診断と対応に移ることとなる。

尿 閉

尿閉とは，基本的には尿産生能が保たれているにもかかわらず，尿排泄ができない状態を指す。

1 疫 学

急性尿閉は男性によくみられる。発症率は年齢とともに増加し，70歳代の男性は5年間で約10％が尿閉を経験すると推定されている[1]。対照的に，女性では急性尿閉はまれである。女性10万人当たり年間3例の尿閉患者がいると推定されている[2]。男女比は13：1である。

2 病 態

尿閉の原因には，尿路閉塞，神経因性膀胱，膀胱収縮機能低下，薬剤性，感染，外傷などがある。女性の場合は腫瘍性病変，子宮脱などの婦人科疾患も考慮される。

1）尿路閉塞
尿路閉塞の原因となる疾患には，男性では前立腺肥大症，便秘，前立腺あるいは膀胱の腫瘍，外尿道口閉塞，結石，包茎などが考えられる。女性では，男性よりも頻度が低いが，骨盤臓器脱（膀胱瘤や直腸瘤など），骨盤内腫瘤，尿道憩室などが原因となる。

2）神経因性膀胱
神経因性膀胱は，感覚神経または運動神経の供給が遮断されることによって二次的に発症し得る。尿道括約筋機構の不完全な弛緩もまた，排尿圧および排尿後残尿量の上昇をもたらす可能性がある。外傷，梗塞，変性による脊髄損傷，硬膜外膿瘍などの脊髄圧迫症候群，Guillain-Barré症候群，糖尿病性神経障害，脳卒中，髄膜炎などが原因となり得る。また，帯状疱疹においても尿閉を呈することがあり，仙髄領域の帯状疱疹ではとくに注意が必要である。

3）膀胱収縮機能低下
急性膀胱拡張（一時的な膀胱留置カテーテル閉塞や，硬膜外鎮痛後など）の後に発生することがある。また，既往歴として閉塞性排尿症状を有する患者にも続発性に起こり得る。

4）薬剤性
尿閉の原因として，複数の薬物が関与していることが示されている（表1）[3]。これらのうちもっとも一般的なものは，抗コリン薬である。抗コリン薬は膀胱のムスカリン受容体に結合して，膀胱を弛緩させ尿閉を起こし得る。

5）感 染
感染症は，炎症により尿閉を引き起こすことがある。急性前立腺炎では，とくに前立腺肥大症をすでに発症している男性において尿閉を引き起こし得る。尿道炎では尿道浮腫を引き起こし，同じく尿閉を引き起こし得る。性器ヘルペスにおいても，局所炎症と仙骨神経病変の両方から尿閉を引き起こすことがある。

6）外 傷
骨盤，尿道，陰茎に外傷がある患者は，尿閉を呈することがある。

7）その他
術後あるいは産褥期には尿閉を認めることがあるが，多くの場合に自然回復する。

3 診断のアプローチ

1）病 歴
前立腺肥大症などによる尿閉は飲酒などを契機に発症することが多いため，繰り返すことも多い。そのため，以前の尿閉の既往を確認することは診療の一助となる。下部尿路症状，前立腺疾患，骨盤または前立腺の手術，

11. 救急症候

表1 添付文書に尿閉が記載されている主な薬剤

薬効	成分名
バルビツール酸系全身麻酔薬	チアミラールナトリウム，チオペンタールナトリウム，ペントバルビタール
α_2作動性鎮静薬	デクスメデトミジン塩酸塩
ベンゾジアゼピン系睡眠障害改善薬	クアゼパム，トリアゾラム
抗てんかん薬	クロバザム，カルバマゼピン
非ステロイド性抗炎症薬	ロルノキシカム，セレコキシブ，メロキシカム
抗パーキンソン薬	ドロキシドパ，トリヘキシフェニジル塩酸塩，ビペリデン，プロフェナミン，ペルゴリドメシル酸塩，マザチコール塩酸塩水和物，メチキセン塩酸塩
抗精神病薬	アリピプラゾール，オランザピン，クエチアピンフマル酸塩，クロルプロマジン，ネモナプリド，プロクロルペラジン，プロペリシアジン，モサプラミン塩酸塩，リスペリドン，レボメプロマジン，クロルプロマジン・プロメタジン
アルツハイマー型認知症治療薬	ドネペジル塩酸塩
抗うつ薬	アミトリプチリン塩酸塩，マプロチリン塩酸塩，イミプラミン塩酸塩，ロフェプラミン塩酸塩，クロミプラミン塩酸塩，ミルナシプラン塩酸塩，パロキセチン塩酸塩水和物，フルボキサミンマレイン酸塩，塩酸セルトラリン
局所麻酔薬	ブピバカイン塩酸塩水和物，ロピバカイン塩酸塩水和物
筋緊張緩和薬	エペリゾン塩酸塩，チザニジン塩酸塩，バクロフェン
抗ウイルス薬	アシクロビル
α遮断薬，β遮断薬	エスモロール塩酸塩，ラベタロール塩酸塩
不整脈治療薬	メキシレチン塩酸塩，ジソピラミド，シベンゾリンコハク酸塩，ピルメノール塩酸塩水和物
抗コリン性気管支収縮抑制薬	イプラトロピウム臭化物水和物，チオトロピウム臭化物水和物
消化器官用薬	塩酸ロペラミド，トリメブチンマレイン酸塩
副腎皮質ホルモン配合薬	ベタメタゾン・d-クロルフェニラミンマレイン酸塩
痔核局所注射薬	硫酸アルミニウムカリウム水和物・タンニン酸
過活動膀胱治療薬	イミダフェナシン，コハク酸ソリフェナシン，酒石酸トルテロジン
頻尿治療薬	フラボキサート塩酸塩，プロピベリン塩酸塩，オキシブチニン塩酸塩
抗血小板薬	硫酸クロピドグレル
免疫抑制薬	ミコフェノール酸モフェチル
抗悪性腫瘍薬	パクリタキセル，ビンクリスチン硫酸塩，ビンデシン硫酸塩
抗アレルギー薬	クロルフェニラミンマレイン酸塩，エピナスチン塩酸塩，ヒドロキシジンパモ酸塩，ヒドロキシジン塩酸塩
抗ウイルス・HIV逆転写酵素阻害薬	ザルシタビン
オピオイド薬	オキシコドン塩酸塩水和物，モルヒネ塩酸塩水和物，フェンタニル，フェンタニルクエン酸塩，ブプレノルフィン塩酸塩，ペンタゾシン

〔文献3）より引用〕

放射線治療，外傷の既往歴も重要である．また，血尿，排尿困難，発熱，腰痛，神経症状，発疹（帯状疱疹）の有無についても確認する．前述したように，尿閉を起こし得る薬剤は多いため市販薬を含む服用薬を確認する．

2）身体所見

下腹部（膀胱）の緊満を確認することが重要である．中枢神経疾患を疑う症状がある場合，外傷の既往がある場合，背部痛や神経症状を認める場合には，脳卒中や脊髄圧迫症候群などの可能性があるため，神経学的診察を

行う。また，前立腺肥大，骨盤内臓器の腫瘍性病変の可能性があるため，直腸診が必要である。

3）検査

膀胱が緊満している場合，尿閉の診断自体は容易であるが，超音波検査により膀胱内尿量，膀胱内血腫，腫瘍，結石の確認ができるため有用である。また，排尿処置後にも超音波検査を行うことで残尿の評価が可能である。尿閉の原因がはっきりしない場合には，骨盤内の解剖学的異常の確認のための腹部・骨盤部CTを検討する。採血では，腎機能障害，電解質異常を，血尿を認める場合はその検査を行う（p.312参照）。

4）評価

排尿処置後の残尿が多い場合には，再発のリスクが高いため注意を要する。腎機能障害，電解質異常を認める場合，感染症が原因であることがあるため，それぞれの重症度評価を行う。

4 初期対応

鑑別診断のうち，外傷，中枢神経疾患を含む緊急度の高い疾患を除外した後に，尿排泄を行う。この場合，尿道カテーテルによる導尿が第一選択である。尿道カテーテル挿入が禁忌あるいは不可能な場合には膀胱瘻造設により尿排泄を図る。主に重度の血尿により血塊を形成し，尿閉を呈している状態を膀胱タンポナーデといい，悪性腫瘍や放射線治療の合併症としてみられることが多い。この場合には，凝血塊の除去と生理食塩液による膀胱内持続洗浄を検討する。

尿排泄処置の合併症として，以下に注意する。

血尿：尿閉後の導尿により，一定の頻度で血尿を呈するが，一過性で自然治癒する場合が多い。一方で，血尿により尿閉を呈している場合もあるため，血尿が改善しない場合には出血源の検索および原因の精査，腎機能の評価が必要である。

一過性低血圧：緊満した膀胱が急激に減圧されることにより，一過性に低血圧を呈することがある。ほとんどの場合で自然回復し，介入不要であるが，回復が悪い場合にはショックをきたす他疾患の鑑別を行い対応する。

閉塞後利尿（post obstructive diuresis）：尿閉の解除後，一過性に利尿を認める場合がある。多くの場合，経口水分摂取量を増やすことで尿量の増加に対処できる。十分な水分補充を行えない患者では，尿量を測定し，電解質補正を含めた対応が必要となる場合がある。

5 患者処遇の判断（disposition）

導尿後，全身状態が安定し，大量の血尿を認めず，腎機能・電解質異常などの懸念がなければ，帰宅可能である。状況により膀胱留置カテーテルを留置したまま帰宅とし，外来診療につなげることも選択肢となる。

乏尿，無尿

乏尿，無尿とは，何らかの原因により尿量が異常に減少した状態である。厳密な定義はないが，乏尿は，成人では24時間尿量が400mL未満，または時間尿量が0.5mL/kg以下の場合，3歳以上の小児では時間尿量0.5mL/kg以下の場合，2歳以下の小児では時間尿量1.0mL/kg以下の場合とされることが多い。無尿は，成人で24時間尿量100mL未満とされることが多い。

1 病態

急性の乏尿・無尿は腎機能低下によるものであり，その原因により腎前性，腎性（腎実質性），腎後性に分類される。乏尿・無尿をきたし得る原因を表2に示す。

1）腎前性

腎前性は，絶対的・相対的な循環血液量減少やその他の原因による腎血流の低下によって生じるもので，敗血症や急性膵炎，ショック，腹部コンパートメント症候群など重篤な全身疾患・病態が原因になっていることも少なくない。原因を取り除き，腎性に移行させないことが重要である。

2）腎性（腎実質性）

腎性の原因としては，虚血や腎毒性物質による急性尿細管壊死によるものが多い。腎毒性物質のうち，アミノグリコシド，アムホテリシン，シクロスポリンなどは尿細管を直接傷害する。そのほかの原因として，血管病変，糸球体病変，間質性腎炎がある。

3）腎後性

腎後性は，尿路の物理的な閉塞によって排尿が障害されるものである。結石や腫瘍などによる両側性尿管閉塞や，膀胱頸部・尿道閉塞によるものが多い。長時間の閉塞は腎不全につながるが，閉塞解除により腎機能を回復できる場合が多い。

表2　乏尿・無尿の病態別の主な原因

腎前性	
循環血液量不足	体液大量喪失（利尿薬，多尿，嘔吐，下痢，広範囲熱傷），大量出血，広範な浮腫（膵炎など）
心拍出量低下	心不全，肺血栓塞栓症，急性心筋梗塞，腹腔内圧上昇（腹部コンパートメント症候群）
全身血管拡張	敗血症，アナフィラキシー，麻酔薬，薬物中毒
腎灌流圧低下	腎輸入細動脈収縮，高カルシウム血症，肝腎症候群 薬剤：非ステロイド性抗炎症薬，アムホテリシンB，ノルアドレナリン，造影剤，カルシニューリン阻害薬
腎輸出細動脈拡張	アンジオテンシン変換酵素（ACE）阻害薬，アンジオテンシンⅡ受容体拮抗薬（ARB）

腎性（腎実質性）	
尿細管壊死	虚血（腎前性の要因から進行） 薬剤：アミノグリコシド，リチウム，アムホテリシンB，ペンタミジン，シスプラチン，イホスファミド，造影剤 内因性物質：ヘモグロビン，ミオグロビン，腫瘍崩壊物質，尿酸
血管病変	腎動脈閉塞：動脈硬化性病変，塞栓，解離，血管内手技後 腎静脈閉塞：血栓，血管外からの圧排
糸球体病変	炎症：急性糸球体腎炎，急速進行性糸球体腎炎，移植拒絶反応，放射線照射，血管炎 血管攣縮：悪性高血圧，子癇，強皮症，高カルシウム血症，造影剤 血液疾患：血栓性血小板減少性紫斑病，溶血性尿毒症症候群，DIC，過粘稠度症候群
間質性腎炎	薬剤：ペニシリン，セファロスポリン，NSAIDs，プロトンポンプ阻害薬，アロプリノール，リファンピシン，インジナビル，メサラミン，スルホンアミド 感染：腎盂腎炎，ウイルス性腎炎，真菌感染症 全身疾患：自己免疫疾患，サルコイドーシス，白血病

腎後性	
両側性尿管閉塞	尿路結石，子宮がん，後腹膜線維症，骨盤内手術中の尿管結紮，尿細管内結晶形成（アシクロビル，メトトレキサート，ビタミンC大量摂取時，エチレングリコール中毒など）
膀胱頸部閉塞	前立腺肥大，前立腺がん，神経因性膀胱，三環系抗うつ薬，抗コリン薬，交感神経刺激薬，膀胱腫瘍，結石，出血
尿道閉塞	狭窄，腫瘍，包茎，尿道カテーテル閉塞

2　診断のアプローチ

病歴聴取，身体所見，各種検査により原因を検索する。まず，腎前性を考慮して，循環動態のモニタリングや腹部超音波検査による出血の検索，下大静脈径の測定などにより循環血液量減少，すなわち腎血流低下を評価する。病歴聴取ではとくに既往歴・処方薬に注意し，腎毒性のある薬剤などを使用していないかなど，腎性の可能性を評価する。超音波検査やCT検査で閉塞部位近位の腎盂や膀胱の拡張を認めれば，尿路閉塞すなわち腎後性と判断できる。

3　初期対応

腎前性で，単純な循環血液量低下によるものであれば，適切な補液などで改善が期待できる。一方，全身疾患・病態による場合には，原因に応じた治療，循環動態の安定化，合併症治療などが必要となる。例えば，循環血流量減少性ショックに対しては急速輸液を，敗血症性ショックやアナフィラキシーショックなど血液分布異常性ショックに対しては昇圧薬・強心薬の投与などを行い，適切な血圧，心拍出量が得られるようにする。腎性を疑えば，まず腎毒性物質を回避する。腎後性であれば，尿道カテーテル挿入，膀胱穿刺，尿管ステント挿入などを行い，貯留した尿を速やかにドレナージする。

初期治療を行っても乏尿・無尿が持続し，クレアチニンの上昇がみられる場合には，急性腎障害（acute kidney injury；AKI）への対応が必要となる。AKIの治療・管理などについては他項（p.1155）を参照のこと。

4 患者処遇の判断 (disposition)

腎後性の場合は，基本的に前述した尿閉に準じる．多くの場合，一時的な水分補充や電解質補正で状態は改善するが，腎機能が回復しない例もあるため注意が必要である．腎前性・腎性の場合は原因によるが，多くは入院を要し，腎代替療法を含めた対応が必要となる場合がある．腎代替療法については他項（p.1102, 1155）を参照のこと．適切に disposition を判断するためにも，腎前性，腎性，腎後性の病態判断とその重症度，原因疾患の鑑別が重要である．

▶文 献

1) Jacobsen SJ, et al：Natural history of prostatism：Risk factors for acute urinary retention. J Urol 158：481-7, 1997.
2) Ramsey S, et al：The management of female urinary retention. Int Urol Nephrol 38：533-5, 2006.
3) 厚生労働省：重篤副作用疾患別対応マニュアル；尿閉・排尿困難, 2009.
https://www.mhlw.go.jp/topics/2006/11/dl/tp1122-1n01.pdf

11-19 血尿

福田 靖

症候の概要

血尿の原因疾患となるものは多岐にわたり，とくに救急外来ではまず緊急性のある疾患を念頭に診察を行う必要がある。血尿として他院から紹介を受けても，高齢者では性器出血や下血，痔からの出血であることもあり，注意が必要である。疫学的に，出血部位は腎25%，尿管12%，膀胱53%，前立腺2%，外性器1%，その他7%である[1]。外傷においても尿道・膀胱損傷の頻度は1%であり，多くの場合に血尿を認める[2]。ここでは主に，救急外来で扱うことが多い肉眼的血尿について記載する。

1 血尿と鑑別すべき褐色尿

試験紙による尿潜血検査が陽性であっても，尿沈渣で赤血球が陰性の場合は，ミオグロビン尿やヘモグロビン尿，低張尿，細菌尿，アルカリ尿などを疑う。潜血検査が陰性で，尿沈渣で赤血球が陽性の場合は，高度の蛋白尿，アスコルビン酸の大量摂取や試験紙の劣化を疑い，顕微鏡的血尿として診断を進める（表1）[3]。

1）ヘモグロビン尿（血色素尿）

発作性夜間ヘモグロビン尿症（paroxysmal nocturnal hemoglobinuria；PNH）や発作性寒冷ヘモグロビン尿症（paroxysmal cold hemoglobinuria；PCH）などがある。輸血後や重症熱傷，開心術など体外循環時にもヘモグロビン尿を認めることがある。特殊な例として，マラソンなどの激しい運動後にみられることもある。

2）ミオグロビン尿

横紋筋融解により生じるもので，骨格筋細胞に融解や壊死が起こり，筋肉の成分が血液中に流出した病態である。外傷により広範囲の筋組織が障害を受けたときや，きわめて激しい長時間の運動後，重症熱中症，薬剤投与による合併症などで引き起こされることがある。重症の場合には急性腎不全を合併することがある。

2 血尿の分類

1）肉眼的血尿と顕微鏡的血尿

血尿は肉眼的血尿と顕微鏡的血尿に分類される。肉眼的血尿は肉眼的に判別のつくものであり，1Lの尿に約1mL以上の血液が混入すると視認できるようになる。顕微鏡的血尿は，尿中に赤血球が5個/HPF（400倍強拡大1視野）以上確認できるものとされる。

2）症候性血尿と無症候性血尿

血尿は症候として，症候性血尿と無症候性血尿に分類される。尿路結石による疼痛，膀胱炎による膀胱刺激症状，急性前立腺炎による排尿困難や発熱など，何らかの症状を伴った血尿を症候性血尿という。一方，無症候性血尿とは一切の症状を伴わない血尿のことであり，尿路悪性腫瘍や腎動静脈奇形などで生じる。

3 病 態

血尿は腎から尿道に至る尿路系のどこかで血液が混入した病態であり，出血をきたす疾患があれば血尿を生じる。出血部位により，腎前性，腎性，腎後性に分類され

表1 尿潜血・尿沈渣検査による血尿などの鑑別

潜血反応（−），沈渣RBC（−）	血尿なし
潜血反応（−），沈渣RBC（＋）	高度の蛋白尿，高比重尿，アスコルビン酸尿，試験紙の劣化
潜血反応（＋），沈渣RBC（−）	ミオグロビン尿，ヘモグロビン尿（溶血），低張尿，白血球尿/細菌尿，アルカリ尿
潜血反応（＋），沈渣RBC（＋）	血尿

〔文献3）を参考に作成〕

るが，救急外来で診察することが多いのは腎性，腎後性である。腎性は糸球体腎炎や腎盂腎炎，腎外傷，腎腫瘍などにより生じ，腎後性は外傷，尿路結石，尿路感染症，前立腺肥大症，尿路上皮腫瘍などで生じる。肉眼的血尿の原因となる代表的な疾患を**表2**に示す。

診断のアプローチ

1 診察

症候性肉眼的血尿の場合は，血尿以外の症状に注目し，精査を行うことで診断可能となる。緊急性の高い疾患による血尿は，多くの場合で症候性肉眼的血尿を呈するため，ここでは症候性肉眼的血尿に対する診断アプローチを記載する。

1）問診

現病歴聴取の際には，血尿がとくに誘因なく発症したのか，激しい運動や外傷後に発症したのかを聴取する。排尿時痛，膀胱刺激症状，頻尿，排尿困難の有無を確認する。最近発熱があったかどうかも確認する。疼痛を伴うものであれば，OPQRSTに沿って聴取する。

また，血尿が外傷性か非外傷性かを確認する。交通事故などの場合は多臓器を損傷している可能性もあり，尿路も複数の損傷を認めることがある。このため受傷機転を詳細に聞くことが必要である。

既往歴（過去に血尿があったか，どの程度か，どのくらいの頻度か），服用歴，家族歴を確認する。無症候性肉眼的血尿は抗血栓薬（抗凝固薬，抗血小板薬，血管拡張薬，脳循環改善薬），抗がん剤などで治療をしている患者で認めることがあるので，既往歴・服用歴をよく確認する。抗凝固薬使用中の血尿の頻度はコントロール群と変わらないと報告されており，抗凝固薬による治療を受けている患者も通常の肉眼的血尿の精査が必要である[4)5)]。

2）身体診察

まず，バイタルサインの確認を行い，ショックを呈しているようであればABCDの安定化を優先する。次に，尿道，腟，肛門のどこから出血を認めているのか，出血部位の確認を行う。患者の訴えに沿って疼痛部位を確認し，範囲，叩打痛の有無を確認する。

外傷後の血尿の場合は，JATEC™における初期診療の手順に従って診察を進める[6)]。尿道カテーテルの挿入を必要とする状況は，尿量のモニタリングが必要な場合や，血尿から尿路損傷を疑う場合などである。挿入前の直腸診で前立腺の高位浮動を認めた際には，後部尿道損傷を疑い逆行性尿道造影を行うことが重要である。

表2　肉眼的血尿の主な原因

- 外傷：腎損傷，膀胱損傷，尿道損傷
- 急性大動脈解離：解離腔が腎動脈に及ぶことによる腎虚血
- 尿路感染症：膀胱炎，前立腺炎，腎盂腎炎
- 尿路結石：腎結石，尿管結石，膀胱結石
- 腫瘍性病変：膀胱がん，腎盂尿管がん，腎細胞がん
- 前立腺肥大症：前立腺肥大
- 腎梗塞：腎動脈塞栓，腎動脈血栓症
- 糸球体疾患：IgA腎症，溶連菌感染後急性糸球体腎炎
- 特発性腎出血：ナットクラッカー症候群など
- その他：DIC，血液疾患，抗凝固療法など

2 検査

1）尿検査

尿検査は試験紙による尿潜血の検査に加え，尿沈渣を確認する。尿検査は通常，出はじめと排尿終末の尿は採取せず，中間尿を採取する。

(1) 排尿時の血尿出現時期

血尿の出現時期により出血部位を推測することができる。古典的な方法ではあるが，排尿前半と後半の尿を別々に採尿する「Thompsonの2杯分尿法」を行う。これにより排尿の初期から前半に血尿が生じるようであれば，前部尿道からの出血を疑う。逆に排尿後期のみ血尿を認める場合は膀胱頸部からの出血あるいは後部尿道，前立腺からの出血を考える。排尿全体をとおして血尿がみられれば，膀胱頸部以外の膀胱より上部，腎，尿管からの出血を考える。

(2) 一般尿検査

通常は試験紙法により行う。pH，比重，糖，蛋白，潜血，ウロビリノーゲン，ケトン体，白血球，細菌などの検査を一度に行える自動分析装置が普及している。

(3) 尿沈渣

通常，尿沈渣は尿を遠心分離機にかけて遠心し，その沈渣を検鏡する。細菌の確認には染色することもある。赤血球が糸球体を通過すると赤血球の大小不同や変形がみられ，糸球体腎炎など糸球体の病変の存在が疑われる。腎杯，腎盂，尿管，膀胱などの尿路の病変による血尿の場合は通常変形がみられない。

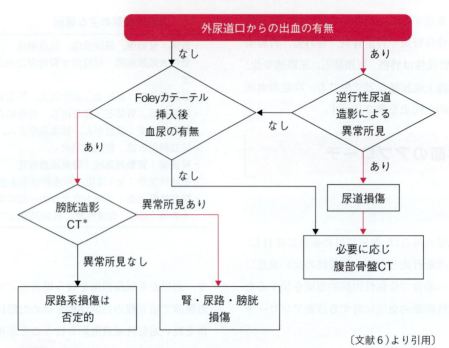

図1 外傷における血尿に対する画像診断フローチャート
* 2%希釈ウログラフイン® 300mLをFoleyカテーテルより注入しクランプ後，腹部骨盤CT検査を行い，5分後に排泄相の撮影を行う

〔文献6）より引用〕

2）腹部超音波検査

腹部超音波検査は非侵襲的であり，スクリーニング検査としても有用である。専門科の行う系統的超音波検査とは異なり，ベッドサイドで短時間に定性的・半定量的評価が可能となるPOCUS（point of care ultrasound）を実施し，尿路結石，尿管拡張，水腎症の有無，膀胱壁や前立腺，腹腔内の評価を行う。超音波ドプラ検査により腎血流の評価も可能であり，腎梗塞や外傷による腎動脈損傷などの診断の補助となる。

3）血液検査

主に貧血の有無，血清BUN，クレアチニン値，血液凝固検査，および炎症の有無を確認する。無症候性顕微鏡的血尿の場合は，糸球体腎炎などを考えて精査を進める。

4）造影CT検査

外傷の場合，腎実質の損傷程度，血管損傷の有無，出血部位と広がり，尿瘻などの評価が可能である。もちろん腹腔内臓器の合併損傷も診断できる。マルチスライスCT（MDCT）による三次元構成を用いたCTアンギオグラフィ（CTA）では主に血管解剖情報を，CTウログラフィ（CTU）では腎盂尿管像を得ることができる。撮影の時期により動脈相（造影剤注入開始後30秒），実質相，排泄相，遅延相の詳細な画像情報が得られる。とくに造影剤注入後5～10分後の排泄相では溢尿の検出が可能であるが，膀胱損傷の診断率が低い。そのため膀胱損傷が疑われる場合には，希釈した非イオン性水溶性ヨード造影剤300mL程度を尿道カテーテルから注入し，膀胱を充満させた状態でカテーテルをクランプして膀胱造影CT検査を行う方法が有用とされている（**図1**）[6]。

5）逆行性尿道造影

外傷性尿路損傷の診断に有用である。

6）腎尿管膀胱単純撮影

造影CT後の腎尿管膀胱単純撮影が尿瘻の診断には有用である。

7）その他

必要に応じて，尿細胞診などを行う。

3 評価

まず緊急性のある疾患かどうかを評価し，緊急性が高くないことを確認できれば，血尿の鑑別診断のフローチャートを参考に鑑別疾患を考える（**図2**）[3]。なお，図2では，尿中赤血球の変形を認めたものを糸球体性血尿と分類し，その他を非糸球体性（尿路性）血尿としている。

尿中赤血球の変形を認めなければ，超音波検査，尿細

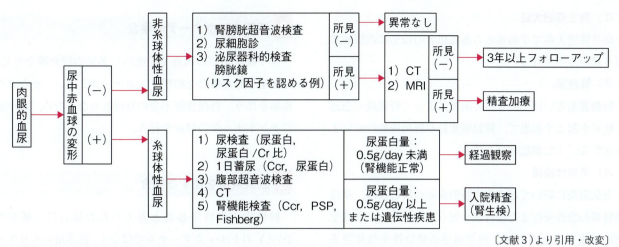

図2 肉眼的血尿の鑑別診断の進め方

〔文献3）より引用・改変〕

胞診，膀胱鏡などの泌尿器科的検査を行い，所見があればCT検査，MRI検査などの画像検査で精査を進める。血尿に尿中赤血球の変形を認め，尿蛋白を認める場合は腎実質性疾患（IgA腎症，糸球体腎炎など）を想定し，尿蛋白定量検査，血液検査などを実施する。

4 鑑別診断

1）外傷による尿路系の損傷

腎損傷，膀胱損傷，尿道損傷により血尿をきたすことがあるが，血尿の程度と損傷の程度は必ずしも相関しないため注意が必要である。恥骨骨折で外尿道口からの出血を認める場合は尿道損傷（断裂）を考えて慎重に対応する。前述したように直腸診を実施し，盲目的に尿道カテーテルを挿入しないように注意する。

造影CT検査で上部尿路外傷（尿路の損傷，尿路外溢流，腎血管損傷）などが疑われれば，外科的処置あるいはIVRによる処置が必要となる。尿管損傷を認めた場合は泌尿器科にコンサルトし，損傷が小範囲である場合は尿管ステント留置，大きな場合は尿管損傷の程度・部位・損傷部の長さにより修復方法を検討する。

腎損傷は交通事故を主因とする鈍的外傷が圧倒的に多いが，その多くはIVRの進歩により緊急手術を要さなくなった。腎外傷では単独損傷よりも他臓器の合併損傷を有することが多い。腎は後腹膜に位置し，Gerota筋膜で周囲を囲まれており，鈍的外傷でも大出血をきたすことは少ない。

下腹部を打撲し，受傷後に尿意がなくなった，排尿できなくなったといった場合は膀胱破裂を疑う。

2）急性大動脈解離

大動脈解離により大動脈分枝に狭窄や閉塞が発生した場合は，その分枝から血液供給を受けている臓器のmalperfusion（灌流障害）が生じ，多様な症状を呈する。腹部大動脈分枝のmalperfusionによる腎血流障害は約7％に発症し，乏尿や血尿を呈する[7]。腎動脈狭窄により高血圧を合併することもある。左右差については一定の見解はない。下肢への放散痛やショックを伴うこともあり，血液検査では凝固異常を認めることが多い。造影CT検査で診断できる。

3）尿路感染症

血尿に加え，排尿時痛と膿尿を認めれば尿路感染症を疑う。膀胱炎による血尿は抗菌薬の投与により数日で改善するが，体温38℃以上の発熱を伴う場合は急性腎盂腎炎，急性前立腺炎，急性精巣上体炎を疑う。

4）尿路結石

側腹部から下腹部への放散痛を訴え，背部の叩打痛があり，腹部超音波検査で疼痛を訴える側の水腎症を認めれば，尿路結石を考える。ほとんどの例で血尿を認める。腎結石では無症候性の血尿となることがある。肉眼的血尿が唯一の主訴であることもある。

5）腫瘍性病変

血尿に加え，尿沈渣で尿中の異型細胞の有無をチェックする。通常，悪性腫瘍からの血尿は疼痛はなく，無症候性血尿である。膀胱がんの80％，腎盂・尿管がんの60％で肉眼的血尿を認める[8)9)]。50歳以上の男性では，もっとも多い血尿の原因は膀胱がんで，受診数カ月前から断続的な無症候性肉眼的血尿を自覚していることがある。

6）前立腺肥大症

前立腺肥大症で手術適応のある患者の12%に肉眼的血尿を認めるとされる[10]。

7）腎梗塞

腎動脈あるいはその分枝の閉塞によって腎組織の急速な壊死を起こす疾患で，腎動脈塞栓や腎動脈血栓症により起こる。主に側腹部痛を伴う。

8）糸球体疾患

上気道炎に続いて起こる肉眼的血尿の場合には，糸球体腎炎の急性発症または再燃を疑う。変形した赤血球を認める場合はIgA腎症，溶連菌感染後急性糸球体腎炎などの糸球体疾患を疑い，内科的精査を依頼する。

9）特発性腎出血

通常の泌尿器科的検査を行ってもその原因がつかめないものを総称して特発性腎出血と呼ぶ。現在は，腎盂静脈洞の血管破綻など尿路の微小血管の破綻や血管腫など血管病変が主な原因で発生すると考えられている。左腎静脈が腹部大動脈と上腸間膜動脈で挟まれ，左腎静脈の灌流障害により左腎静脈圧の上昇に伴い，左腎盂から出血し血尿をきたすナットクラッカー症候群などがある。

10）その他

凝固能異常（DICなど），血液疾患，抗凝固薬の内服でも血尿をきたすことがあるため，血液・凝固系検査のチェック，服薬歴の確認を行う。

初期対応

1 自排尿が困難な場合

外傷の場合は診療初期から尿道カテーテルを留置していることが多いが，当初出血を認めてもその後に無尿が続く場合は超音波検査を実施し，血腫による尿閉，膀胱タンポナーデを認めた際は膀胱洗浄や膀胱瘻造設を検討する。

尿道損傷が疑われる場合は，逆行性尿道造影を施行して尿道カテーテル挿入が可能であるかどうかを確かめる。不完全断裂例では尿道カテーテルが無理なく挿入できれば留置する。尿道カテーテルの経尿道的操作が尿道断裂を引き起こす可能性がある場合や完全断裂例では泌尿器科にコンサルトし，急性期は経皮的膀胱瘻造設で対応し，二期的に修復手術を行うことが多い。

2 膀胱タンポナーデの場合

腎や膀胱からの出血で膀胱内に多量の凝血塊を生じ，尿閉を生じた場合を膀胱タンポナーデといい，かなりの疼痛を伴う。腎後性腎不全の原因ともなるため，速やかにタンポナーデの解除を行う。

3 膀胱洗浄を要する場合

膀胱内の洗浄が必要と考えられた場合は，通常の2WAYのFoleyカテーテルではなく，洗浄用のイリゲーションルーメンがある口径の大きい3WAYの尿道カテーテル（20～22Fr）を留置する。これにより膀胱への灌流と排液が同時に行える。洗浄には，尿道カテーテル留置キット，洗浄用滅菌注射器50mL（カテーテルチップ），滅菌カップ，生理食塩液を準備し，膀胱洗浄を行い凝血塊を除去する。洗浄液の1回注入量は50mL程度とし，膀胱の過膨張をきたさないように注意する。また，注入量と同量の排液が回収できているかの確認が必要となるが，強い陰圧をかけて回収してはならない。3WAYカテーテルの場合は持続膀胱洗浄も可能である。

尿道カテーテルを用いた膀胱洗浄が無効な場合は，膀胱鏡による洗浄が必要となるので泌尿器科にコンサルトする。出血部位が同定できれば電気凝固も可能となる。膀胱破裂で腹膜外への破裂を認める場合は外科的手術が必要となる。

患者処遇の判断（disposition）

外傷では尿路損傷が直接の死因となることは少なく，出血と尿の溢流への対応が主となる。合併する腹腔内臓器損傷や骨折への対応が必要であり，出血に対する止血，手術，IVRなど，緊急で処置を要するものに関しては必要に応じて泌尿器科，外科，放射線科など専門科とともに治療を行う。

糸球体性血尿（糸球体腎炎など）を疑う場合は蛋白尿，腎機能などをチェックして腎臓内科にコンサルトする。いずれにせよ，緊急度・重症度に応じた処遇が必要となる。反復する肉眼的血尿は10%以上でその後，泌尿器がんと診断されており，厳重な経過観察が必要である[11]。

▶文 献

1) 日本救急医学会（監）：泌尿器系救急疾患．標準救急医学，第4版，医学書院，2009，pp598-604.
2) 日本外傷診療研究機構：日本外傷データバンク報告2019，2019．
https://www.jtcr-jatec.org/traumabank/dataroom/data/JTDB2019.pdf
3) 日本臨床検査医学会ガイドライン作成委員会（編）：蛋白尿・血尿．臨床検査のガイドライン2018；検査値アプローチ/症候/疾患，ライフサイエンス出版，2018，pp208-213.
4) Avidor Y, et al：Clinical significance of gross hematuria and its evaluation in patients receiving anticoagulant and aspirin treatment. Urology 55：22-4, 2000.
5) Van Savage JG, et al：Anticoagulant associated hematuria：A prospective study. J Urol 153：1594-6, 1995.
6) 日本外傷学会，他（監）：外傷初期診療ガイドラインJATEC™，改訂第6版，へるす出版，2021
7) Zull DN, et al：Acute paraplegia：A presenting manifestation of aortic dissection. Am J Med 84：765-70, 1988.
8) 日本泌尿器学会：全国膀胱癌患者登録調査報告 第17号（平成10年症例），2002.
9) Murphy DM, et al：Management of high grade transitional cell cancer of the upper urinary tract. J Urol 125：25-9, 1981.
10) Mebust WK, et al：Transurethral prostatectomy：Immediate and postoperative complications：A cooperative study of 13 participating institutions evaluating 3885 patients. J Urol 141：243-7, 1989.
11) Mishriki SF, et al：Half of visible and half of recurrent visible hematuria cases have underlying pathology：Prospective large cohort study with long-term follow up. J Urol 187：1561-5, 2012.

11-20 発熱，高体温

鈴木　昌

症候の概要

体温はバイタルサインの一つである。正常体温の定義は容易でないが，健常者の99パーセンタイルは35.3～37.7℃とされ，その平均は36.7℃と報告されている[1]。高齢者やBMI（body mass index）の低い成人ではこの温度が低い傾向にあり，女性は男性より高いとされる。

小児において正常とされる体温の範囲は早朝に37.2℃まで，全体として37.7℃までとされる[2]。乳児では一般にこれより高く，38℃を正常上限とするとされる[3]。日内変動はおおよそ0.5℃である。なお，3カ月までの乳児の場合には，直腸温38℃以上，3歳までの幼児では直腸温39℃以上の場合に有意な感染症を疑う閾値とすることが多い。

1 体温測定

さまざまな方法が行われているが，体表温測定は中心部体温の測定より不確実である。とくに微熱といわれるような段階では，感染症初期の体表温による診断感度は著しく低い。確実な体温測定を要する場合は，中心部体温を測定する必要がある。血液・膀胱・食道・直腸温度は中心部体温をよく反映する。一方，鼓膜・腋窩・末梢血管温度（末梢動脈カテーテルで測定される血液温度）の信頼性は低いとされる[4]。病態にあわせて測定方法を選択することが現実的である。直腸温は口腔内温より0.6℃高く，腋窩温は0.8℃低いとされる[5]。経時的観察を行う場合には同じ部位と同じ測定方法で計測を行って記録する。

2 疫　学

体温にかかわる症候のうち，高体温や発熱は全年齢層で救急受診理由の上位を占める。これらは何らかの傷病の徴候であって，必ず出現するものではない。死亡率は年齢が大きく関与しており，健常若年成人で致死的となることはまれであるが，高齢者や基礎疾患がある場合には合併する傷病のために致死的となることが少なくない。

集中治療室（ICU）では，その半数以上の患者に発熱を含めた体温異常がみられ，感染症やほかの重篤な病態に合併して観察される[6]。ICU滞在期間の延長や医療費増加の原因ともなる。とくに体温39.5℃以上では死亡率が高く予後不良とされる[7][8]。

3 病　態

1）体温の産生と調節

人体は，生体活動としてエネルギー消費を行っており，成人では基礎代謝として，およそ60～70kcal/hrを消費する。これによって体温は1.1℃上昇する。また，身体活動に伴って，およそ900kcal/hr程度までエネルギー消費が増加するので，その消費エネルギーに伴って生体に熱量としての負荷が加わる。一方で，産生された熱はそのまま体内に蓄熱されず，放射，伝導，蒸散によって放熱して恒常性が維持されている。これらの放熱の割合はそれぞれ65％，10％，25％といわれる。体温異常がある場合には，エネルギー消費の増加や放熱の制限のバランスを考慮する必要がある。体温を維持する機構として，視床下部に体温調節中枢があり，体温セットポイントが設定されている。その調節によって体温の恒常性が維持される。なお，体温の1℃上昇は酸素需要の13％の増大をきたすとされる。

2）体温の日内・日差変動

体温は日内・日差変動，季節性変動がある。通常，日内変動は体温評価において考慮しなければならない。また，女性の場合には日差変動を考慮する必要がある。日内変動で，もっとも体温が上昇しているのは夕刻で，もっとも下降しているのは早朝である。その差は約0.5℃とされる。したがって，早朝の体温が37.2℃を超える場合や夕刻の体温が37.7℃を超える場合には発熱を考慮する。発熱性疾患に罹患している場合，この日内変動は維持されるか，あるいは変動幅が増大することが多いとされる。

3）体温調節と体温異常

体温異常のうち，通常の体温よりも上昇している状態は，発熱（fever），高体温症（hyperthermia，熱中症を意味する場合もあるので注意），異常高体温（hyperpyrexia）に分けられる。

(1) 発 熱

体温が日内変動範囲を超えて上昇している状態を指し，統一的な基準はないが，体温38.0℃以上を発熱ととらえるのが一般的である。ただし，体温の正常範囲には個人差があることから，これ以下であったとしても発熱や発熱性疾患の否定をする根拠にはなり得ない。

発熱は，視床下部にある体温調節中枢におけるセットポイントの上昇によって体温が上昇した状態である。このセットポイントの上昇には，プロスタグランジンE_2の増加が関与しており，プロスタグランジンE_2増加の誘因は内因性発熱物質であるIL-1, IL-6, TNF，インターフェロンをはじめとしたサイトカイン，外因性発熱物質である病原体由来毒素（エンドトキシン）などがある。このため，発熱は生体防衛にとって重要な役割を果たしている。

(2) 高体温症

発熱とは異なり，体温調節中枢の体温セットポイントが上昇していないものを指す。すなわち，代謝性熱産生の亢進や体外からの熱曝露，あるいは放熱機序の破綻によって体温が上昇している状態で，環境障害や代謝性疾患，薬剤熱（drug fever）が含まれる。体温セットポイントは上昇していないため，いわゆる解熱薬は無効である。主に放熱を促進することで体温を正常化するように対処する。高体温症は短時間で異常高体温に移行し，致死的状態に陥る。

(3) 異常高体温

視床下部や脳幹に及ぶ中枢神経障害によって体温調節中枢が破綻し，41.5℃を超える高体温となっている状態を指す。原因として，脳出血，頭蓋内損傷，重度の熱中症，重症感染症などがある。異常高体温の持続は不可逆的な中枢神経障害をきたすため，緊急状態である。

4）その他のバイタルサインとの関係

発熱や高体温がある場合，ほかのバイタルサインも連動する。体温の1℃上昇は脈拍数の10回/minの増加や呼吸数の増加をきたし得る。また，敗血症性ショックのように血圧の低下を伴うこともある。

表1 体温異常における問診上のポイント

症状
・悪寒や戦慄のような全身随伴症状の有無と程度
・咳嗽や喀痰，疼痛のような局所症状や臓器症状の有無と程度

経過
・いつからか
・発症様式は急激か，あるいは徐々にか
・熱型

誘因
・感染症に関する接触歴
・ペットの有無
・海外渡航歴
・薬物服用歴
・周辺環境

既往歴
・内服薬情報と服用状況
・免疫系に影響する疾患の有無
・がんの有無
・化学療法の有無
・各種薬物乱用の有無

診断のアプローチ

1 診 察

1）問 診

患者の訴えは，「熱っぽい」「悪寒がする」など多様で，必ずしも「発熱」が主訴とならない。軽度意識障害，倦怠感，食思不振，悪寒・戦慄，あるいは関節痛が主訴になることも多い。高齢者や意識障害のある患者では訴えそのものがない。問診では，体温異常以外の随伴症状に着目し，全身症状と局所症状，すなわち局所痛や感染にかかわる臓器症状についての問診を進める（表1）。海外渡航歴や感染症の罹患機会，ペット飼育や薬物使用歴も重要な問診項目である。熱型，すなわち発熱のパターンは変動パターンによって分類されてきた（表2）。診断技術の向上により必ずしも診断に寄与しないが，Pel-Ebstein熱のように熱型から診断に至ることもある。

2）身体診察

身体診察のポイントを表3に示す。鑑別診断を念頭に身体診察を行うが，体温の上昇が発熱を反映するのか，高体温症を反映するのかを判断する必要がある。この鑑

表2 代表的な熱型とその鑑別

分類	特徴	代表的な鑑別
稽留熱 (continuous fever)	日内変動≦1.0℃	大葉性肺炎 感染性心内膜炎
弛張熱 (remittent fever)	日内変動≧1.0℃ 体温が37℃以下に下がらない	化膿性疾患 悪性腫瘍 膠原病
間欠熱 (intermittent fever)	日内変動≧1.0℃ 体温が37℃以下に下がる	悪性腫瘍 尿路感染
波状熱 (undulant fever)	発熱時期と発熱しない時期を不規則に繰り返す	Hodgkin病のPel-Ebstein熱
周期熱 (periodic fever)	発熱時期と発熱しない時期を周期的に繰り返す	マラリア Felty症候群

表3 発熱・高体温における身体診察のポイント

バイタルサインの評価	頭頸部観察
・頻呼吸の有無 ・頻脈の有無 ・血圧低下の有無 ・意識レベル	・項部硬直の有無 ・眼球，眼瞼結膜の状態 ・咽喉頭の発赤，腫脹や白苔の有無 ・う歯の有無 ・側頭動脈の圧痛の有無 ・甲状腺腫大の有無
全身観察	胸部
・顔貌 ・栄養状態 ・ツルゴール ・発汗の有無 ・皮膚の色調，黄疸の有無 ・発疹の有無，Osler結節やJaneway病変の有無 ・虫刺痕 ・出血斑の有無 ・表在リンパ節腫大の有無	・肺野聴診 ・心音聴診
	腹部
	・触診で圧痛，反跳痛の有無 ・肝脾腫の有無
	四肢
	・関節痛の有無 ・関節腫大の有無 ・四肢の発赤や腫脹の有無 ・筋緊張の状態

別には問診内容が必須となるが，鑑別診断に基づいた身体診察により陽性所見と陰性所見を組み合わせて判断することが求められる．ABCDの評価の後，発疹や黄疸，発汗の有無を含めた皮膚所見，表在リンパ節腫脹の有無の確認，胸部聴診や腹部触診，関節の腫脹や疼痛の有無の確認をはじめとした全身ならびに局所の所見，とくに感染巣にかかわる所見の有無を確認する．悪性症候群やセロトニン症候群では，筋のrigidityやclonusの評価が診断に役立つ．

2 検査

問診と身体診察を統合し，鑑別診断を絞って必要な検査を行う．

1）主なスクリーニング検査

血液学的検査（末梢血検査で白血球数とその分画，凝固機能），血液生化学検査（肝機能，腎機能，電解質，CRP）を含めて行うことが一般的である．また，尿検査は尿路系感染において必須の検査である．そのほか，必要な細菌学的検査（血液培養，喀痰培養，尿培養，創部培養）や画像検査を行う．

2）血液培養検査

菌血症の診断に必要となる。一般に抗菌薬治療の前に施行することが求められるので，発熱患者の診療では早期に施行する。一方，すべての発熱患者に施行することは費用対効果の観点から勧められないとも考えられているので，治療を必要とするような病態で，とくに菌血症を疑う場合に施行すべきである。強い悪寒がある場合，さらに戦慄がある場合には陽性率が高いとされる[9]。血液培養検査を施行する場合には，検体汚染がないように2セット以上の検体採取を行う。検体採取のセット数が増えるほど精度が高くなる。感染性心内膜炎を疑う場合には3セットの採取を要する。なお，血液培養検査を要するような重症度の高い患者において，培養検査のために抗菌薬投与を遅らせてはならない。

3）ICU など入院患者の場合

気管挿管，血管内留置カテーテル，膀胱留置カテーテル，その他のドレーンチューブ，あるいは創部が感染源となっていることを想定した観察と検査を行う。刺入部分とカテーテル部分，あるいはカテーテル内容物の培養を必要に応じて行う。人工呼吸器を使用する患者では副鼻腔炎もよくみられる感染である。先行して抗菌薬治療が行われ，下痢がみられれば，偽膜性腸炎を考慮した評価を要する。そのほか，輸血や薬物による体温上昇も常に念頭に置く。

3 評 価

臨床的重症度と疾患頻度を考慮した鑑別診断に従って対応を行うことが原則である。鑑別診断を行う途上において，患者の安定化を図ることはいうまでもない。体温異常のほかにバイタルサインの変動がある場合には，いわゆる ABCD の評価と対応を行う。

1）呼 吸

一般に呼吸数が増加する。ただし，これが代謝性アシドーシスの呼吸性代償であるか否かは動脈血ガス分析を行って評価をしなければならない。一方，酸素化については，発熱に伴うシャント増大で低酸素血症が観察される。呼吸の観察では，呼吸数や $PaCO_2$ の評価と酸素化能とを考慮して，呼吸器系疾患やほかの代謝性疾患の合併を考慮する。

2）循 環

一般に体温上昇に伴って頻脈を呈する。発熱物質が心血管系に影響して頻脈をきたす。また，全身血管抵抗の低下や，循環血液量の減少があると，反応性に心拍数が増加する。血圧は，抵抗血管の拡張や相対的あるいは絶対的な循環血液量減少によって低下する。患者の血行動態を評価するために，心拍数と血圧を経時的に観察するとともに，心機能や血管の状態を超音波で観察し，必要な対応を早期に開始する。

3）意 識

体温上昇に伴うせん妄や軽度の意識障害はしばしばみられるが，意識レベルの顕著な低下は中枢神経系疾患を疑う根拠となる。中枢神経系疾患の鑑別や体温調節機能の破綻を疑う根拠となる。

4 鑑別診断

鑑別診断は多岐にわたり，感染性のもののほか，**表4**に示すような非感染性のものにも注意する。病歴や随伴症状，既往歴や生活歴，そして身体診察から，陽性所見と陰性所見を統合して各種検査で確定診断を行う。除外診断が求められる場合にもこれに従って，重要な陰性所見を積み重ねる。夏季には，体温異常がみられると熱中症が想起されやすいが，必要に応じて発熱を疑い，感染症やその他の鑑別を行うことが妥当である。

表4 発熱・高体温における非感染性の主な原因

- 急性心筋梗塞
- 肺塞栓症
- 頭蓋内出血/損傷
- 脳血管障害
- 悪性症候群
- セロトニン症候群
- 甲状腺クリーゼ
- 急性副腎不全
- 輸血後反応
- 熱中症，環境障害
- 悪性高熱
- 脱水症
- けいれん後
- 急性膵炎
- 深部静脈血栓症
- 薬剤熱
- 悪性腫瘍
- 痛風，偽痛風
- サルコイドーシス

11. 救急症候

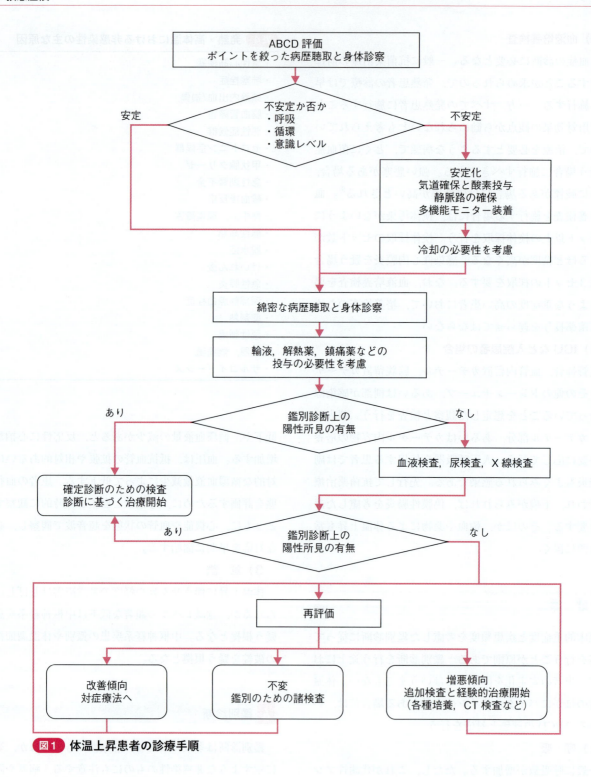

図1 体温上昇患者の診療手順

初期対応

緊急度・重症度を考慮して，ほかのバイタルサインの安定化を図り，鑑別診断とその診断に基づく治療を開始する（図1）。

体温41℃に至るほどの体温上昇と異常高体温が疑われる場合，体温調節機能の破綻が強く疑われるので，速やかに冷却（クーリング）を行う。41℃を超える高体温は脳を含めた臓器細胞の不可逆的障害をきたすと考えられている。

1 解熱薬

体温調節中枢におけるセットポイント上昇にはプロスタグランジンE_2の産生に依存するのでシクロオキシゲ

ナーゼが関与する。このためシクロオキシゲナーゼ阻害薬（COX-1やCOX-2阻害薬）が解熱薬となる。解熱薬の使用は予後に影響するとは考えられていないが、患者の苦痛軽減に有用である。敗血症患者ではガイドライン[10]上、解熱薬の使用が推奨されていないため、必要性に応じた使用が求められる。

高体温症においてはセットポイントは上昇していないため、原則として解熱薬は無効である。ただし、高体温症においても免疫学的機序が進行すると考えられるので、部分的な有効性があると考えられている。

1）アセトアミノフェン

末梢組織でのシクロオキシゲナーゼ阻害効果は乏しく、抗炎症作用はないが、脳内のシトクロムP450系によって酸化されシクロオキシゲナーゼ阻害効果を発揮する。投与例は、アセトアミノフェン1回300〜500mgを経口投与、投与間隔は4〜6時間以上とする。

2）アスピリン，NSAIDs

解熱作用についてアセトアミノフェンとの差はないが、アスピリンやNSAIDsには抗炎症作用がある。これらは慢性疾患に長期服用されるが、その際にはセットポイントには影響せず、体温に影響しない。

2 発熱における冷却

発熱はセットポイント上昇が原因で、これにより悪寒・戦慄が発生して体温が上昇する。体温が上昇してから冷却（クーリング）を行うと、体温低下により患者の苦痛は一見、軽減されるが、セットポイントは上昇しているので、再び悪寒・戦慄を伴って体温が上昇する。したがって、発熱患者においてクーリングを行う場合には、解熱薬を使用してセットポイントを低下させてから行うことが原則である。冷却方法には、体表クーリングや氷嚢を体幹部に当てる表面冷却が使用される。集中治療を行っている患者では、鎮静中は寒冷反応（シバリング、立毛筋収縮）が抑制されており、効果的な体温低下をもたらす。鎮静されていない場合には、寒冷反応を惹起して、酸素消費量や分時換気量が増加するので、表面冷却は行わない。

患者処遇の判断（disposition）

患者処遇は鑑別診断と基礎疾患や全身状態、さらに社会的環境や生活環境を考慮することによって決定する。

例えば、限局した細菌感染のほとんどは抗菌薬内服投与で外来通院加療が可能である。ウイルス感染で発熱がある場合には全身の感染症状をきたしていることになるが、多くは外来通院として帰宅が可能である。しかし、悪心・嘔吐の合併で飲食が困難な場合には、救急外来で解熱薬や制吐薬の投与と補液を行って、外来通院加療が可能になるかどうかを判断する必要がある。

高齢者では、たとえ感染が明確でなくとも基礎疾患が多く、体温異常の原因を明らかにするためにしばしば入院を要する。好中球減少をはじめとした基礎疾患のため、免疫機能不全がある場合や、意識障害や血圧低下がある場合には各種培養検査を速やかに行って、速やかな治療を開始し、ICUをはじめとした病床での治療を行うように手配する。体温調節機能の破綻した患者では、体温管理を行う必要があり、集中治療が必要となる。

▶文献

1) Obermeyer Z, et al：Individual differences in normal body temperature：Longitudinal big data analysis of patient records. BMJ 359：j5468, 2017.
2) Mackowiak PA, et al：A critical appraisal of 98.6 degrees F, the upper limit of the normal body temperature, and other legacies of Carl Reinhold August Wunderlich. JAMA 268：1578-80, 1992.
3) Herzog LW, et al：What is fever? Normal temperature in infants less than 3 months old. Clin Pediatr (Phila) 32：142-6, 1993.
4) O'Grady NP, et al：Guidelines for evaluation of new fever in critically ill adult patients：2008 update from the American College of Critical Care Medicine and the Infectious Diseases Society of America. Crit Care Med 36：1330-49, 2008.
5) Niven DJ, et al：Accuracy of peripheral thermometers for estimating temperature：A systematic review and meta-analysis. Ann Intern Med 163：768-77, 2015.
6) Laupland KB, et al：Occurrence and outcome of fever in critically ill adults. Crit Care Med 36：1531-5, 2008.
7) Circiumaru B, et al：A prospective study of fever in the intensive care unit. Intensive Care Med 25：668-73, 1999.
8) Reaven NL, et al：Brain injury and fever：Hospital length of stay and cost outcomes. J Intensive Care Med 24：131-9, 2009.
9) Tokuda Y, et al：The degree of chills for risk of bacteremia in acute febrile illness. Am J Med 118：1417, 2005.
10) Egi M, et al：The Japanese Clinical Practice Guidelines for Management of Sepsis and Septic Shock 2020 (J-SSCG 2020). Acute Med Surg 8：e659, 2021.

11-21 咽頭痛，嚥下時痛

豊里 尚己

症候の概要

咽頭痛，嚥下時痛は救急外来で高頻度にみられる症状である。上気道の感染性炎症によるものから外傷や異物，腫瘍性疾患などさまざまな要因で引き起こされ，なかには診断や処置の遅れで致死的な経過をたどる疾患もあり，緊急度・重症度の高い原因疾患とその対処法は常に念頭に置かなければならない。

1 咽喉頭の基本構造と神経支配

咽頭は上咽頭，中咽頭，下咽頭に分けられ，上方は頭蓋底から下方は輪状軟骨下縁までの部位に相当する。鼻腔，耳管，口腔，喉頭，食道と連続しており，解剖学的にも機能的にもこれらの周囲組織と臓器と密接に関係する。咽頭の知覚神経は，上咽頭では三叉神経第2枝と舌咽神経が，中・下咽頭は舌咽神経・迷走神経よりなる咽頭神経叢や上喉頭神経が支配する。咽頭痛は舌咽神経に炎症が及ぶ際に発生する。嚥下時痛は物体が口腔から咽頭を通過する時期に関係することが多いとされ，舌咽神経や上喉頭神経が関連している。

2 原因疾患

咽頭痛，嚥下時痛をきたす原因疾患は感染症，炎症性疾患，外傷，腫瘍性疾患，神経疾患，関連痛など多岐にわたる（表1）[1]。急激な気道狭窄をきたし得る疾患の存在，比較的慢性的な経過の悪性腫瘍の有無，自己免疫疾患，致死的となる心血管系疾患関連痛，心因性疾患などを丁寧に検索する。

1）感染症

ウイルス感染に伴う上気道炎から，細菌感染など局所所見が強く急速な進行で致死的な病態を引き起こす疾患まで，さまざまである。深頸部感染症は頸部筋膜間隙に生じた感染症の総称で，リンパ節炎，蜂窩織炎，膿瘍などが含まれるが，炎症や浮腫，膿瘍の増大，持続的菌

表1 咽頭痛，嚥下時痛をきたす疾患

感染症
咽頭炎，喉頭炎，扁桃炎，<u>急性喉頭蓋炎，扁桃周囲膿瘍，咽後膿瘍，Ludwig's angina，Lemierre症候群，口蓋垂炎</u>，亜急性甲状腺炎，急性HIV感染症，インフルエンザ，COVID-19，EBウイルス感染症，サイトメガロウイルス感染症，咽頭放線菌症，レプトスピラ症，咽頭クラミジア，咽喉頭真菌症，咽喉頭結核，咽頭梅毒，破傷風，ボツリヌス感染症

炎症性疾患
多発血管炎性肉芽腫症，Behçet病，天疱瘡，類天疱瘡，扁平苔癬，難治性咽頭潰瘍，IgG4関連咽頭炎，自己免疫性疾患（成人Still病，巨細胞性動脈炎，川崎病など）

外傷，異物
咽喉頭外傷，咽喉頭熱傷，化学物質や有毒ガスの誤飲・誤吸入，咽喉頭異物（魚骨，義歯など）

腫瘍性疾患
中咽頭がん，下咽頭がん，喉頭がん

神経痛
舌咽神経痛，三叉神経痛

その他
狭心症・心筋梗塞・大動脈解離の関連咽頭痛，<u>アナフィラキシー，血管浮腫，特発性食道破裂，特発性縦隔気腫</u>，内頸動脈痛，胃食道逆流症（咽喉頭逆流症），形態異常（茎状突起過長症），心因性などの精神科疾患など

〔文献1）より引用・改変〕
下線は緊急気道処置が必要となり得る疾患

血症，菌塊などから遊離された塞栓子や隣接する血管・臓器への直接浸潤により，気道狭窄，縦隔炎，敗血症性塞栓症，大血管破裂などの重篤な合併症を引き起こすことがあり，致死性を有する。

2）炎症性疾患

肉芽腫症（多発血管炎性肉芽腫症），Behçet病，天疱瘡，類天疱瘡などがあげられ，その多くは口腔・咽喉頭領域の痛みで受診する。それぞれ特異的な検査が必要である。急性に病状が進む場合，緊急気道管理を要することもある。

3）外傷，異物

外傷，熱傷，化学物質の誤飲・誤嚥，有毒ガス吸入，咽喉頭異物によって，咽頭痛，嚥下時痛，呼吸困難などの症状が引き起こされる。曝露情報や経過などの問診から，診断は比較的容易である。症状が急激に進行することもあり，その場合，迅速な気道の評価と気道管理が必要である。

4）腫瘍性疾患

咽喉頭部の腫瘍性疾患の痛みは，大きさ，浸潤度，炎症度から程度もさまざまであり，単回の診察では明確にできないこともある。症状経過が長い，痛みに対する治療経過が長く反応も悪い，ほかの症状が併発するといった場合は腫瘍性疾患も念頭に置き，専門科へのコンサルトを考慮する。

5）神経痛

三叉神経痛，舌咽神経痛は数秒から2分程度続く片側性・一側性で激烈な，刺すような痛みなどを起こす。洗顔，ひげ剃り，歯磨き，会話，食事，咳嗽など些細な刺激により誘発され，寛解と再発を繰り返す。治療はカルバマゼピンの内服や神経ブロック，神経血管減圧術などがある。

6）その他

心血管系・消化器系病変の関連痛，形態異常，心因性による痛みがある。とくに早急な対応が必要で致死的になり得る急性冠症候群，急性大動脈解離の関連咽頭痛を常に鑑別にあげることが肝要である。

診断のアプローチ

咽頭痛，嚥下時痛には口腔，上・中・下咽頭，喉頭など多くの部位が関与し得るため，痛みの局在を詳しく聞き，発症様式や経過，随伴する症状を詳細に聴取する。痛みが他臓器疾患の関連症状である可能性も忘れてはならない。

急性発症で発熱，倦怠感，咳嗽，鼻汁など全身症状を有する場合は何らかのウイルス感染が疑われるため，患者周囲の感染および曝露状況や地域流行疾患（COVID-19，インフルエンザ，咽頭結膜熱，手足口病，溶連菌感染症など）の情報を確認する。経過が慢性で緩徐な進行の場合は悪性腫瘍など器質的疾患が疑われる。

問診を行いながら外観で重症感をみる。顔色，声の変化や発声の仕方，会話時の呼吸困難の有無や嚥下時の表情，流涎，患者の体位（sniffing positionやtripod position），全体の印象（不穏，落ち着きのなさ），意識状態などで気道緊急となり得る疾患に留意する。

診察は，口腔内，咽頭部の観察，頸部，舌骨部を体表から指などで丁寧に圧迫しながら痛みの部位を確認し，聴診で頸部にstridorがないか気道の評価を行う。喉頭蓋炎など緊急度の高い疾患が疑われる場合，可能であれば早急に喉頭内視鏡を用いての観察が望ましい。

画像検査は，咽喉頭部や下顎部の炎症，膿瘍，軟部組織の腫脹，静脈内血栓をみるために頸部造影CT検査が有用である。しかし，仰臥位など体位変換を行うことで気道狭窄が強くなることもあり，検査前の気道の評価を慎重に行う。ほかに単純X線で喉頭蓋の腫脹や椎体全面の軟部組織の厚みなどを評価する目的で頸部側面軟線撮影がある。

気道緊急性の疑いがなければ，図1に示すような診断アプローチに沿って診療を進めていく。各種ウイルスや細菌迅速検査キットを用いることで診断・治療，disposition決定の一助となる。

鑑別診断

ここでは鑑別すべき口腔・咽喉頭部感染症について概説する。各疾患の詳細は他項（p.560）も参照のこと。

1 咽頭炎，扁桃炎

急性の咽頭炎，扁桃炎は外来診療でよく遭遇する疾患の一つである。ほとんどは呼吸器系ウイルスによって引き起こされ，抗菌薬投与は不要で，self-limitedな疾患が多い。症状は嚥下時に増悪する咽頭痛，発熱，頭痛，疲労，倦怠感，頸部痛や局所リンパ節腫脹などを伴うことが多い。検出されるウイルスとしては，アデノウイルス，ヒトメタニューモウイルス，RSウイルス，インフルエンザウイルス，SARS-CoV-2があるが，細菌感染ではA群溶連菌が原因として最多である[2]。微生物学的原因は臨床的特徴だけではほとんど識別できないが，A群溶連菌による咽頭炎の予測スコアとしてmodified Centorスコアがある（表2）。また，A群β溶連菌迅速抗原検出キット，アデノウイルス，インフルエンザウイルス，ヒトメタニューモウイルス，RSウイルス，SARS-CoV-2など抗原検出用キットがある。

治療は，ウイルス感染が疑われる場合はNSAIDsや鎮痛薬などの対症療法，細菌感染が疑われる場合はペニ

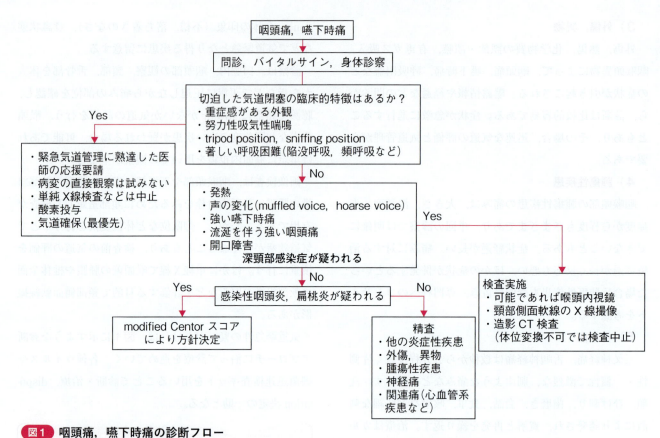

図1 咽頭痛，嚥下時痛の診断フロー

表2 modified Centor スコア

項目	スコア
体温38℃以上の発熱	1点
圧痛を伴う前頸部リンパ節腫脹	1点
白苔を伴う扁桃の発赤	1点
咳嗽なし	1点
年齢15歳未満	1点
年齢45歳以上	−1点
治療方針	
合計4点以上：抗菌薬治療を実施	
合計2～3点：溶連菌迅速検査陽性であれば抗菌薬治療	
合計0～1点：抗菌薬不要	

シリン系やセフェム系の抗菌薬を投与する。ただし，抗菌薬を使用するにあたり，Epstein-Barr ウイルスによる伝染性単核球症で高率に皮疹や粘膜疹を起こす可能性があり，注意が必要である。経口摂取が困難な場合は入院し，抗菌薬投与，輸液治療を行う。

2 急性喉頭蓋炎

急性喉頭蓋炎は声門上構造物（喉頭蓋および声門上組織）の蜂窩織炎で，急速に進行すると気道閉塞を起こし得る疾患である。細菌感染が主で，インフルエンザ菌，肺炎球菌，黄色ブドウ球菌，β溶血性レンサ球菌，*Moraxella catarrhalis*，および単純ヘルペスウイルス（HSV-1）などもみられる。症状は発熱，咽頭痛，嚥下時痛，吸気性喘鳴，呼吸困難，含み声（muffled voice），流涎などがある。呼吸器症状の重症化に伴い，sniffing position，tripod position をとることもある。

3 扁桃周囲膿瘍

口蓋扁桃被膜と咽頭収縮筋および頰咽頭筋膜との間にある扁桃周囲隙に生じる膿瘍で，扁桃炎や咽頭炎が先行し蜂窩織炎や膿瘍へと進行する。*Streptococcus* 属，*Staphylococcus* 属，*Bacteroides* 属が主な病原菌である。症状は発熱，咽頭痛，嚥下時痛，流涎，呼気の悪臭，開口障害，含み声を呈することが多い。典型例では扁桃周囲の発赤と腫脹，口蓋垂の健側偏位を認めるが，両側に膿瘍が生じる場合は偏位がみられないこともある。

4 咽後膿瘍

咽後膿瘍は，咽頭後壁の頸椎前筋膜と咽頭収縮筋の間に生じる膿瘍である。一般的に小児に多い疾患であるが成人例もあり，その多くは HIV 感染症や糖尿病，結核，二次的低栄養状態など免疫能の低下した患者にみられる。また，魚骨や鶏骨といった外傷性のものや内視鏡など器具操作後の感染で生じることもある。症状は，発熱，咽頭痛，嚥下時痛，流涎，頸部痛，吸気性喘鳴，呼吸困難などがあるが，漠然として非特異的であり，とくに小児では診断に苦慮することが多い。身体所見としては咽頭後壁の発赤と膨隆，浮腫状変化や頸部リンパ節腫大，項部硬直，頸部可動域制限などがある。

5 Ludwig's angina（口腔底蜂窩織炎）

Ludwig's angina は，口腔底にある顎下間隙から頸部に進展する軟部組織感染症である。20〜40歳代に好発し，男性に多い[3]。一般的には，下顎の第二大臼歯または第三大臼歯の感染から発生する。口腔底の裂創や感染，唾石によっても生じる。危険因子としては糖尿病や HIV 感染症など免疫不全，高血圧，歯の処置や口腔内ピアス，アルコール常飲などがある。症状は発熱，悪寒，倦怠感，咽頭痛，開口障害，下顎部の腫脹と疼痛，頸部硬直，流涎，嚥下困難があり，気道径を最大にするために前傾姿勢をとることがある。身体所見では，顎下部の圧痛に伴う対称性の腫大と硬結，口は舌の腫脹により開口する。通常，リンパ節腫脹はない。口腔底は通常，発赤を伴う隆起があり，触診で圧痛を感じる。

6 Lemierre 症候群

Lemierre 症候群は，口腔・咽喉頭領域の先行感染後，急激に炎症が咽頭外側隙に浸潤し，内頸静脈の化膿性血栓性静脈炎から持続的な菌血症，および肺をはじめとした全身の敗血症性塞栓をきたす致死的な感染症である。先行感染から血栓性静脈炎発症までの間隔は，通常1〜3週間である[4]。

症状には，発熱，咽頭痛，嚥下困難，開口障害，片側性頸部痛や圧痛などがある。呼吸器症状（敗血症性肺塞栓の合併を反映）には，呼吸困難，胸膜炎症状，喀血などがある。内頸静脈血栓性静脈炎の徴候には，頸部，顎角部，または胸鎖乳突筋に沿った圧痛，腫脹，硬結がある。起因菌は嫌気性菌である *Fusobacterium necrophorum*（*F. necrophorum*）がもっとも多い。

診断は，先行する上気道感染，少なくとも1回の血液培養陽性が認められる（*F. necrophorum* または他の関与する病原体），内頸静脈の感染性血栓症，1カ所以上の遠隔感染巣などがあげられる[5]。造影CT検査が有用で，内頸静脈腔内の造影欠損で血栓を評価することができ，肺塞栓や膿瘍などの肺病変の評価も可能である。

治療は，原疾患の治療，抗菌薬投与のほか，臨床的な状況によって膿瘍ドレナージや壊死組織がある場合はデブリドマンなどが選択される。

初期対応

咽頭痛，嚥下時痛はウイルス感染によるものが大半で，NSAIDs や鎮痛薬などの対症療法で抗菌薬は不要であることが多い。細菌感染が疑われる場合には想定される起因菌に対する抗菌薬（ペニシリン系，セフェム系，免疫不全の患者では広域スペクトラム抗菌薬など）が選択される。感染性疾患や外傷，異物，腫瘍など非感染性疾患で切迫した気道閉塞の臨床的特徴を認める場合は，各種検査前に気道確保を最優先とする。

患者処遇の判断（disposition）

緊急気道管理を行った場合や，気道狭窄が進行する可能性のある場合は入院とし，厳格な経過観察，治療が望ましい。

▶文献

1) 内藤健晴：咽喉頭領域の痛み．日耳鼻会報 117：1317-20，2014．
2) Alcaide ML, et al：Pharyngitis and epiglottitis. Infect Dis Clin North Am 21：449-69, 2007.
3) Bertossi D, et al：Odontogenic orofacial infections. J Craniofac Surg 28：197-202, 2017.
4) Kuppalli K, et al：Lemierre's syndrome due to Fusobacterium necrophorum. Lancet Infect Dis 12：808-15, 2012.
5) Sinave CP, et al：The Lemierre syndrome：Suppurative thrombophlebitis of the internal juglar vein secondary to oropharyngeal infection. Medicine (Baltimore) 68：85-94, 1989.

11-22 倦怠感，脱力感

症候の概要

　倦怠感とは，身体的・精神的活力の減弱あるいは喪失を反映したいわゆる「だるい」と感じる主観的な自覚症状である．易疲労感，脱力感などとほぼ同義的に用いられる．外来受診患者の5〜10％が倦怠感を訴えるという報告もあり[1]，「倦怠感，脱力感」は日常診療において遭遇する頻度の高い症候であるといえる．しかし，主観的要素の強い自覚症状であるため，自律神経，免疫・代謝などにかかわるさまざまな指標が倦怠感のバイオマーカーとして検討はされているものの，救急外来において客観的に評価する手段はいまだ確立されておらず，その原因疾患の診断は容易ではない．

　倦怠感の原因は，生命を脅かす器質的疾患，精神疾患，薬物の副作用，睡眠不足や過労，妊娠などの生理的なもの，それらの複合要因など多岐にわたる．とくに急性発症の倦怠感はしばしば重篤な疾患のサインであることもあり，見逃しがないよう注意が必要である．

診断のアプローチ

1 病歴聴取

　病歴を注意深く聴取する．症状出現の状況・時間経過を確認し，「急性」か「慢性」かを評価する．「急性」は数時間〜数日単位，「慢性」は数カ月〜数年単位とし，数週単位の場合はボーダーラインとして両方の可能性を考慮する．倦怠感・脱力感という訴えは広義で漠然としており，患者の症状を正確に反映していないこともあるので，わかりやすい言葉に置き換えて患者に問診を行い，症状を把握することも必要である．休息により回復する「生理的疲労」を見極めるため，生活歴・睡眠リズムも詳細に聴取する．

　不安神経症，うつ病，不眠症などに対する薬剤，および薬剤の過量内服により倦怠感を引き起こす可能性もあり，問診の際には既往を含めた薬剤歴も詳細に聴取する．精神疾患を示唆する症状や環境の有無を必ず確認することが重要である．うつ病が疑われる場合の希死念慮にはとくに注意が必要である．

　具体的には，以下の点について情報収集を行う．

1) 患者が訴える脱力感（倦怠感）は具体的にどのような症状か．
2) 特定の動作ができなくなった，あるいは特定の部位の運動障害があるか，全身の症状か（症状の左右差・局在性を明確にすることは，全身性疾患と神経系・筋骨格系疾患の鑑別に有用）．
3) 症状はどのようなスピードでどの程度増悪しているか（発症前には遂行できて，発症後に遂行できなくなったことは何か）．
4) 随伴症状（食欲低下，睡眠障害，体重変化，発熱，胸痛，咳など臓器特異的な症状）は合併しているか．
5) 内服薬剤の内容と最近の変化があるか．

2 身体診察・各種検査と鑑別診断

　病歴聴取に基づいて原因疾患を想起して，身体診察，各種検査（心電図，血液検査，尿検査，画像検査）を施行する．とくに救急診療で見逃したくない原因疾患・病態を表1に示す．

　まず，一般的な血液検査（血算・生化学・凝固，血液ガス，簡易血糖）と尿検査を実施する．さらに，倦怠感に随伴する症状の有無を確認すること，および患者の訴える倦怠感がどのような事項を意味するのか表現を掘り下げて吟味し，追加検査を検討して診断の一助とすることが重要である．

　とくに倦怠感の訴えが多い心血管疾患では，sudden onsetの訴えが多い．このような疾患では，緊急を要するため早期に上記の検査を施行する．冠動脈疾患が想起されれば，上記の検査に加え，心筋逸脱酵素の確認，心エコー検査などを実施する．心電図でST変化，採血で心筋逸脱酵素の上昇，心エコー検査で心室壁運動障害などが確認されれば診断に至る．

　敗血症でも倦怠感を呈するケースがある．倦怠感以外

表1 救急診療で見逃したくない倦怠感・脱力感の原因疾患・病態

神経系・筋骨格系の異常	鑑別のポイント
脳梗塞	神経脱落症状を伴う場合は頭部CT検査や頭部MRI検査を実施
慢性硬膜下血腫	半数の症例は外傷の既往がはっきりしない。意識障害，認知機能障害を合併する場合は頭部CT検査を実施
Guillain-Barré症候群	先行するウイルス感染症を確認。疑う場合は髄液検査，深部腱反射も確認する
重症筋無力症	休息で改善する筋力低下
脊髄病変*	対麻痺，尿閉など
心血管系の異常	**鑑別のポイント**
急性心筋梗塞	倦怠感・脱力感が唯一の症状の場合あり。心電図，心エコー，心筋トロポニンの測定が有用
臓器不全	**鑑別のポイント**
慢性心不全の増悪	体重増加や睡眠状態（発作性夜間呼吸困難を不眠と訴える場合もある）を確認。胸部X線，BNP値測定，心エコーが有用
慢性呼吸不全の増悪	慢性閉塞性肺疾患など慢性呼吸不全の原因となる既往がないか確認
慢性腎不全の増悪	アシドーシス，高カリウム血症などがないかを確認
肝不全，肝硬変	肝性昏睡の可能性を検討。血液検査で肝機能・凝固能を確認
代謝・内分泌系の異常	**鑑別のポイント**
電解質異常	カリウム，ナトリウム，カルシウム，マグネシウムの異常がないかを確認
脱水，低栄養	腋窩の乾燥，体位変換での血圧・脈拍の変化に注目する
血糖値の異常	血糖値のみならず，あわせて酸塩基平衡異常を確認
甲状腺機能低下症	疑う場合は甲状腺刺激ホルモン測定が有用
急性副腎不全	電解質異常，低血糖，発熱を合併する脱力感・倦怠感では考慮
その他	**鑑別のポイント**
感染症	易感染性宿主（心不全，慢性呼吸不全，糖尿病，ステロイド使用，咽頭反射低下などあり）では積極的に感染源を検索
貧血症	急速に進行する貧血では出血性疾患や悪性腫瘍の検索を行う
一酸化炭素中毒	閉鎖空間での発症の場合は考慮。COHbを確認
薬剤の副作用・相互作用	降圧薬，利尿薬，糖尿病治療薬，睡眠導入薬，抗うつ薬，抗てんかん薬，ステロイドなど，日常診療で処方される薬剤が原因となり得る

＊ 悪性腫瘍の脊髄転移，急性散在性脳脊髄炎など

に，血圧低下や発熱，悪寒・戦慄，そのほか随伴症状の有無を確認する。血圧低下などバイタルサインの異常を認めた場合には，診察・検査と同時に蘇生輸液や昇圧薬投与などの治療介入を行い，さらなる鑑別診断を進める。鑑別に際しては，CTなどの画像検査や各種培養検査などを施行し，抗菌薬投与の早期開始が必要である。感染源は呼吸器，腹腔内臓器，尿路，筋骨格系および軟部組織が多い。とくに高齢者などで倦怠感が主訴の患者などではそれぞれの臓器に特異的な所見を示さないことも多く，そのような場合は患者の基礎疾患に透析，肝硬変，白血病，ステロイド内服などがないか注意する。

このように，急性発症の倦怠感では何らかのバイタルサイン，検査・画像結果の異常が出るケースが多いと考えられるが，検査・画像結果が正常で器質的疾患が見出し得ないときは，精神疾患も考慮する。

3 ピットフォール（高齢患者の場合）

主訴としての倦怠感に関して，とくに高齢の救急患者では非特異的症状を訴えることが多く，注意が必要である。高齢救急患者の主訴別の割合をみた報告では，27%が非特異的症状であるとされ，診断に苦慮することが多いとされている[2]。

年齢別の心不全症状を検討した米国の研究[3]では，65歳未満の患者に比して高齢患者では急性心不全の際に認められる7つの徴候（胸痛，呼吸困難感，浮腫，悪心・嘔吐，起坐呼吸，全身脱力，体重増加）のうち，全身脱力を除く6つの徴候を示す割合が低かった。一方で，非特異的症状の全身脱力を示す割合が高かったと報告されている。このように，とくに高齢者の救急診療においては，非特異的症状である脱力が主訴であっても重篤疾患によるものである可能性があり，注意が必要である。

また，近年注目されているフレイル（frailty）も倦怠感，脱力感といった症候と関連している。フレイルとは，高齢期に生理学的予備能が低下することでストレスに対する脆弱性が亢進し，生活機能障害，要介護状態，死亡などの転帰に陥りやすい状態のことで，身体的問題のみならず，認知機能障害やうつなどの精神的・心理的問題，独居や経済的困窮などの社会的問題を含む複合的な概念である[4]。わが国における有病率は4.6〜33.3%と評価法により差がある[5]が，国内における主なフレイルの評価法である日本版CHS（Cardiovascular Health Study）基準，簡易フレイル質問票スクリーニング，簡易フレイル・インデックスの評価項目には倦怠感が含まれている。

初期対応

原因疾患の診断を進めると同時に，緊急度・重症度の評価を行う。急性発症の倦怠感では，緊急治療介入を必要とする疾患（急性冠症候群，心疾患，血糖・電解質異常など）の可能性があり，迅速な対応が求められる。したがって，疾患に特異的な症状や身体所見が明らかでなく，短時間で診断を絞り込むことが困難な場合には，緊急性の高い疾患も念頭に置いて検査・治療計画を立てることが望ましい。胸部X線検査，心電図検査，血糖測定，超音波検査などを早い段階で実施して，緊急性の高い疾患を除外する。

患者処遇の判断（disposition）

倦怠感は非特異的な症状であり，救急診療の初療現場においてすべての患者の確定診断を行うことは難しい。また，前述したとおり，高齢患者ではとくに非特異的症状の訴えが多く，注意が必要である。救急外来での輸液や投薬治療で症状の改善がみられない場合や，血液・画像などの検査で何らかの異常があれば，入院させ経時的に経過観察をしながら，適宜，血液・画像などの検査を追加あるいは繰り返すことが必要である。

また，高齢者や一人暮らし，社会的サポートが必要な患者など心理社会的な面で複雑な症例も多いが，初療の段階で精神科やその他の診療科およびソーシャルワーカーの介入を得ることは容易ではない。そのような患者において患者処遇の判断に苦慮あるいは迷った場合は，入院させて経過観察，精査，および心理社会的問題解決に向けた調整を行うことが望ましい。

▶ 文　献

1) Nijrolder I, et al：Prognosis of fatigue and functioning in primary care：A 1-year follow-up study. Ann Fam Med 6：519-27，2008.
2) Fayyaz J, et al：Pattern of emergency department visits by elderly patients：Study from a tertiary care hospital, Karachi. BMC Geriatr 13：83，2013.
3) Saczynski JS, et al：Clinical features, treatment practices, and hospital and long-term outcomes of older patients hospitalized with decompensated heart failure：The Worcester Heart Failure Study. J Am Geriatr Soc 57：1587-94，2009.
4) 日本老年医学会：フレイルに関する日本老年医学会からのステートメント，2014. https://jpn-geriat-soc.or.jp/info/topics/pdf/20140513_01_01.pdf
5) 野藤悠，他：フレイルとは；概念や評価法について．地域医学 32：312-20，2018.

11-23 異常な皮膚所見

上田 剛士

症候の概要

皮膚の異常所見は見るだけで迅速な診断に結びつくため，救急領域においても重要視される．ここでは，皮膚の異常所見を伴う疾患のなかでもとくに重篤であるものについて概説する．なお，各疾患の皮膚所見については，V章「12. 皮膚科領域」に画像が複数掲示されているため，参照されたい．

皮疹があれば，皮疹の性状，分布，時間経過を確認する．皮疹の性状の確認には視診のみならず触診も重要であり，色調変化がある場合に圧迫で消退すれば紅斑，消退しなければ紫斑と呼ぶ．平坦か隆起しているか，浸潤を触れるかどうかも重要な所見である．一見正常な部位を強くこすることで水疱が生じればNikolsky徴候陽性と判断し，天疱瘡，ブドウ球菌性熱傷様皮膚症候群，中毒性表皮壊死症の3つを考えるが，いずれも重篤な疾患である．皮疹の分布に関しては四肢優位の分布か体幹優位の分布か，腋窩などの間擦部もしくは手掌足底や粘膜に皮疹が存在するかどうかなどで鑑別疾患を絞ることができる．

救急外来ではすべての皮膚所見に対して明確な診断をつける必要性はないが，重篤な疾患を示唆する所見や患者背景（発熱，全身状態不良，低血圧，粘膜疹，激しい疼痛，超高齢者・小児，免疫抑制患者，新たな薬剤の使用など）がある場合には慎重に対応すべきである．

皮膚紅潮や粘膜の充血をきたす重大な疾患

1 アナフィラキシー，ヒスタミン中毒

皮膚紅潮は末梢血管の拡張を反映しており，ショック患者で認められれば血液分布異常性ショックを疑う所見となる．ショックに皮膚紅潮を伴う代表的な疾患には，アナフィラキシーショックがある．アナフィラキシーでは皮膚粘膜症候（80〜90％）が呼吸器症候（60〜70％）や循環器症候（40〜50％），消化器症候（40〜50％）よりも高頻度に認められるが[1]，蕁麻疹ではなくびまん性の皮膚紅潮の場合は意識的に診察しなければ容易に見過ごされるため注意を要する．

アナフィラキシーと同様に急性の皮膚紅潮を認める疾患・病態には，ヒスタミン中毒，急性アルコール中毒（ジスルフィラム-エタノール反応を含む），バンコマイシン注入反応（いわゆるレッドマン症候群）などがある．いずれも誘因から発症までの時間が短く，回復が速やかであるという特徴をもつ．なお，ヒスタミン中毒は主にサバなどの赤身魚の食後2時間以内に皮膚紅潮や下痢で発症することがある．

2 トキシックショック症候群（TSS）

トキシックショック症候群（toxic shock syndrome；TSS）は主に黄色ブドウ球菌が産生するTSS毒素-1により，急性発症の高熱，低血圧，皮疹，多臓器障害を呈する疾患である．月経関連と皮膚感染などに伴って起こるものがあるが，皮膚感染症は軽微なことも多く，また日焼けのようなびまん性紅斑，粘膜充血，回復期の皮膚落屑は見過ごしやすいため，皮膚・粘膜所見を注意深く診察する必要がある．診断基準などは他項（p.537）を参照のこと．

A群β溶血性レンサ球菌によってもトキシックショックは引き起こされるが，黄色ブドウ球菌によるものと比較して皮膚紅潮や粘膜充血は乏しい．一方で，重度の軟部組織感染症（壊死性筋膜炎を含む）を合併しやすく死亡率が高い[2]．毒素の関与が不明確な症例も多いことから，劇症型溶血性レンサ球菌感染症と呼ぶこともある．ショック症状に加えて，肝不全，腎不全，ARDS，DIC，軟部組織炎（壊死性筋膜炎を含む），全身性紅斑性発疹，けいれん・意識消失などの中枢神経症状のうち2つ以上を満たし，レンサ球菌が同定された場合に劇症型溶血性レンサ球菌感染症とする．劇症型溶血性レンサ球菌感染症は全数報告対象（5類感染症）である．

表1　三大重症薬疹の特徴など

所見など	Stevens-Johnson症候群 中毒性表皮壊死症	薬剤性過敏症症候群 （DIHS）	急性汎発性発疹性膿疱症 （AGEP）
発熱	あり	あり	あり
皮疹の特徴	水疱，粘膜皮膚びらん	麻疹様皮疹 （びまん性，搔痒感，斑疹）	毛孔に一致しない無菌性膿疱 周囲に紅斑，粘膜病変はわずか
薬剤開始からの好発時期	3週間以内（80%）	1〜6週間（79%）	1週間以内（81%） とくに2日以内（58%）
被疑薬	抗菌薬（17%），ラモトリギン（9%），カルバマゼピン（6%），アロプリノール（8%），解熱鎮痛薬（15%），総合感冒薬（6%）などが多いが多種多様	カルバマゼピン（31%），ラモトリギン（10%），アロプリノール（18%），サルファ薬（9%），メキシレチン（6%）など特定の薬剤	抗菌薬・抗真菌薬（51%），解熱鎮痛薬・総合感冒薬（19%）が多い
死亡率	30〜40%	10%	5%

〔文献4)5)を参考に作成〕

3 川崎病，および小児COVID-19関連多系統炎症性症候群

主に4歳以下の乳幼児において，発熱，眼球結膜の充血，口唇・口腔・咽頭粘膜のびまん性発赤やいちご舌，手足の硬性浮腫（遅れて皮膚落屑），不定型発疹，頸部リンパ節腫脹を認めれば川崎病を疑い，冠動脈病変の検査が必要である．TSSと類似する臨床所見を呈し得るが，低血圧を呈するのはまれである．

主に未成年者において，SARS-CoV-2感染から2〜6週間後に発熱を含む川崎病様症状を呈した場合には，小児COVID-19関連多系統炎症性症候群（multisystem inflammatory syndrome in children；MIS-C）を考える．川崎病よりも低血圧を呈しやすいが，皮膚粘膜所見は少ない[3]．

重症薬疹

三大重症薬疹としてはStevens-Johnson症候群/中毒性表皮壊死症，薬剤性過敏症症候群（drug-induced hypersensitivity syndrome；DIHS），急性汎発性発疹性膿疱症（acute generalized exanthematous pustulosis；AGEP）があげられる．いずれも高熱と皮疹を呈するが，薬剤投与歴や皮疹の性状に違いがある（**表1**）[4)5)]．

1 Stevens-Johnson症候群/中毒性表皮壊死症

発熱，粘膜疹，皮膚の紅斑と水疱・びらんを伴う重症薬疹である．診断基準については他項（p.520）を参照されたい．標的状病変を伴い多形紅斑との鑑別が必要となる場合は，体幹中心の分布や平坦な皮疹であればStevens-Johnson症候群の初期の可能性が高くなり，慎重に経過をみる．広範な紅斑と全身の10%以上の水疱・びらん・表皮剝離を認める場合は中毒性表皮壊死症と呼ぶ．外力を加えると表皮が容易に剝離すると思われる部位はこの面積に含める．原因は抗菌薬や抗てんかん薬，解熱鎮痛薬が多いが多種多様である．Stevens-Johnson症候群ではマイコプラズマなどの感染症が原因となることもある．いずれも入院治療が必要であり，皮膚科・眼科・呼吸器科とも連携して治療する．

2 薬剤性過敏症症候群（DIHS）

高熱と臓器障害を伴う薬疹で，ヒトヘルペスウイルス-6（HHV-6）の再活性化が関与しており，投薬開始から発症までの日数が長い傾向にあるが（典型的には1〜6週間後），抗てんかん薬，アロプリノール，サルファ剤，メキシレチンなど決まった薬剤で誘発される特徴がある（解熱鎮痛薬での発症はまれ）．薬剤中止後も悪化することが多いのも特徴である．診断基準については他項を参照のこと（p.520）．原則として，入院適応と考えるのが無難である．

3 急性汎発性発疹性膿疱症（AGEP）

抗菌薬や解熱鎮痛薬の開始後2日以内に，高熱とともに全身性に5mm大以下の小膿疱が紅斑を伴って出現するのが典型例である．間擦部に皮疹が顕著となりやすいこと，粘膜疹はまれであること，好中球数≧7,000/μLが診断の参考になる．

発熱患者において見落としてはならない局在性皮疹

1 触知する紫斑

皮疹には圧迫で消退する紅斑と，消退しない紫斑がある．紫斑で数mm以下のものは点状出血（petechia）と呼ばれ，血小板減少症の発見契機となり得る．5mm以上のものは斑状出血（ecchymosis），いわゆる「痣」と呼ばれ，軽度の外傷でも生じ得るため5つ以上なければ病的意義は乏しいと考えられる．これらの多くは触診すると平坦であるが，盛り上がりを触れる場合は，触知する紫斑と呼ぶ．

紫斑は真皮内での出血を示唆するが，触知する紫斑は同部位に炎症細胞の浸潤があることを示唆し，血管炎もしくは血流感染を疑う重要な所見である．発熱とともに触知する紫斑があれば重篤な血管炎もしくは血流感染と考え，精査加療目的に入院とするのが妥当である．

2 感染性心内膜炎

感染性心内膜炎では触知する紫斑以外にも動脈塞栓を示唆する皮膚所見がある．指先端の疼痛を伴うエンドウ豆サイズの小結節はOsler結節，手掌や足底に現れる無痛性で出血性の小斑点はJaneway病変，爪下線状出血斑はsplinter出血と呼ばれる[6]．また，眼瞼結膜にも点状出血を認めやすいため，発熱患者において四肢末梢と眼瞼結膜の診察はルーチンで行うべきである．

3 Eschar（壊死に伴う黒色痂皮）

壊死に伴う黒色痂皮を認めた場合には，①血流障害（皮弁の壊死，電撃性紫斑病，塞栓症，壊疽性膿瘡），②壊死を伴う局所感染症（壊死性筋膜炎），③刺し口や侵入門戸（リケッチア症，ツツガムシ病，重症熱性血小板減少症候群，野兎病，炭疽病，ペスト，ヘビ咬傷，クモ咬傷）を考える[7]．壊疽性膿瘡は緑膿菌菌血症や真菌血症で認められることが多いため，重篤感のある発熱患者にescharを認めた場合は，血液培養を採取のうえで広域な抗微生物薬の投与を検討すべきである．リケッチア症（日本紅斑熱），ツツガムシ病では発熱，発疹，eschar（刺し口）が三徴候であり，escharが診断の決め手となり得る．

4 壊死性筋膜炎

壊死性筋膜炎は外科的ドレナージを必要とし，死亡率も高いことから早期に認識することが非常に重要である．皮膚所見に比して激しい疼痛を伴い，急速に進行する軟部組織感染症では壊死性筋膜炎を強く疑う必要がある．低血圧，水疱，壊死，皮下気腫のいずれかがあれば壊死性筋膜炎の可能性が高い．一方で，皮膚や粘膜損傷を有さない軽度の深部軟部組織損傷部位に，一過性菌血症が契機となり感染が成立した場合は，皮膚病変が晩期まで乏しいことがある[8]．

血液検査では白血球増多，貧血，CRP高値，低ナトリウム血症，腎障害，高血糖をスコアリングするLRINEC（Laboratory Risk Indicator for Necrotizing Fasciitis）scoreが有名であるが（p.612参照），感度が低いため除外診断に用いることはできない[9]．CTやMRIによるガス産生と筋膜に沿った炎症所見が診断の参考になる．また，超音波検査により皮下気腫もしくは筋膜に沿った液体貯留（≧4mm）を検出することはベッドサイド検査として有用である．しかし，除外診断や確定診断を行うには外科的な探索が必要である．

ショック患者の皮膚所見

ショック患者では皮膚の毛細血管は収縮し，皮膚血流は低下することが多い．手指末梢が温かい場合は，血液分布異常性ショックを疑う．前述したように，皮膚紅潮にも同様の意義があり，ショックの原因となり得る皮膚軟部組織感染症や血流感染の診断には皮膚所見が重要である．それ以外に皮膚所見は，ショックによる臓器障害の程度を測るうえでも重要である．敗血症患者において網状皮斑（mottled skin）を認める場合は臓器障害を示唆し予後不良であるといわれている．

▶文 献

1) LoVerde D, et al：Anaphylaxis. Chest 153：528-43, 2018.
2) Cook A, et al：Manifestations of toxic shock syndrome in children, Columbus, Ohio, USA, 2010-2017. Emerg Infect Dis 26：1077-83, 2020.
3) Godfred-Cato S, et al：Distinguishing multisystem inflammatory syndrome in children from COVID-19, Kawasaki disease and toxic shock syndrome. Pediatr Infect Dis J 41：315-23, 2022.
4) Szatkowski J：Acute generalized exanthematous pustulosis（AGEP）：A review and update. J Am Acad Dermatol 73：843-8, 2015.
5) 医薬品医療機器総合機構：医薬品副作用データベース（2004〜2021年度）. https://www.info.pmda.go.jp/fukusayoudb/CsvDownload.jsp
6) Chong Y, et al：Classic peripheral signs of subacute bacterial endocarditis. Korean J Thorac Cardiovasc Surg 49：408-12, 2016.
7) Dunn C, et al：The rash that leads to eschar formation. Clin Dermatol 37：99-108, 2019.
8) Stevens DL, et al：Necrotizing soft-tissue infections. N Engl J Med 377：2253-65, 2017.
9) April MD, et al：What is the accuracy of physical examination, imaging, and the LRINEC Score for the diagnosis of necrotizing soft tissue infection？ Ann Emerg Med 73：22-4, 2019.

11-24 精神症候

救急現場では，精神症状を呈する患者の対応が必要になることも多い。ここでは，とくに遭遇頻度の高いと考えられるものの診断や初期対応について述べる。

せん妄

せん妄とは，身体疾患や，薬物の中毒・離脱作用が脳に侵襲を加えた結果生じる，急性の脳症である。脳の症状として点滴を引き抜く，大声を出すといった不穏を起こすことが多い。「天井に蜘蛛が見える」など幻視を訴えることもある。このため，一見すると急に精神病を発症したようにもみえる。しかし，よく診察してみると，見当識が保たれていない，注意・集中力が低下しており疎通は不良になるなど，軽い意識障害のあることがわかる。サブタイプとして，不穏など制御不能な活動量が増す活動型せん妄，活動量の低下する低活動型せん妄，両方の症状がある混合型せん妄に分けられる。

1 診 断

せん妄の診断は，臨床的には「見当識障害＋中枢神経系の興奮（不眠，不穏など）」が日内で動揺する（朝は普通で夜不穏，あるいは朝は不穏で夜普通，など）ことで判断される。中核症状は注意力の低下である。見当識障害の確認に加えて，注意力障害の有無を評価する目的で「100から7を順番に5回引いてください」という質問を合わせるとよい。せん妄患者はぼんやりしているため，「いくつ引くのでしたか？」「どんな質問でしたか？」といった返答が返ってくることがある。これに加え，CAM-ICU (Confusion Assessment Method for the ICU) やICDSC (Intensive Care Delirium Screening Checklist) でもせん妄と判定されたら，せん妄と診断する（p.1192参照）[1]。

なお，せん妄のように意識障害を呈するなどバイタルサインに異常のある患者は，精神症状が前景にみえても，精神疾患ととらえず，身体疾患ととらえるようにする。

2 原 因

せん妄の発症には，直接因子，準備因子，促進因子がかかわる。直接因子とは，せん妄を起こす身体疾患と，薬物の中毒作用，離脱作用のことを指す。集中治療室に入院しているような身体状況の悪い患者は，すべてせん妄を起こしているととらえたほうがよい。準備因子とは，年齢や認知症などの個体要因のことを指し，取り除くことはできない。促進因子は疼痛などの身体的苦痛，不眠・不安などの精神的苦痛，入院に伴う環境の変化などを指す。

これらのなかでも直接因子がもっとも重要である。準備因子/促進因子と直接因子の鑑別が困難なときもあるが，そのような場合は準備因子と促進因子は参考程度にとらえるようにする。せん妄の治療は直接因子を取り除くことであり，準備因子や促進因子に重きを置きすぎると，疼痛を和らげる，環境を調整するなど，本質的でない治療に結びつくことがある。

3 初期対応・治療

せん妄の治療は，せん妄を起こし得る，あるいは起こしている因子の除去であり，非薬物療法が第一選択である。とくに直接因子の除去，すなわち原因疾患に対する治療が重要である。肺炎や尿路感染など明らかな身体疾患があればすべてせん妄の原因として治療する。

不穏に対する対症療法的な目的で薬物療法がなされることもある。薬物療法は，①せん妄の予防と，②せん妄の不穏に対する対症療法としての鎮静に大別されるが，予防に関しても治療に関しても推奨される薬物はない。また，せん妄に抗精神病薬を使用すると，せん妄の期間を延長させ，傾眠や転倒を起こすという報告が多い。そのため，せん妄に対する薬物療法の適応は，不穏が著しく本来の治療に影響があるようなときである。

せん妄の直接因子が除去されたら，不穏の程度を鑑みながら薬物を漸減・中止する。なお，低活動型せん妄の場合，直接因子が除去されても，しばらく低活動型せん

妄の症状が継続することもある。この間は意識障害として脱水や栄養管理に留意して回復を待つ。

4 離脱によるせん妄

1）アルコール離脱症候群によるせん妄

アルコール離脱症候群は，最終飲酒の約6時間後から生じ，96時間程度まで持続する。7日以上持続することはない。症状は時間経過により小離脱と大離脱に分けられる（表1）。

アルコール離脱症候群の診断は，飲酒の事実，時間経過，そして症状から行う。とくにアルコール依存症（アルコール使用障害）を疑わせる既往や病歴があれば，アルコール離脱症候群が出るものとして対応する。飲酒量に関しては，患者の話は参考にならないことが多い。これは，アルコール使用障害など依存症の中核症状が「嘘」や「否認」であることによる。依存対象に頼って生きていくには否認や嘘が必要になるため，依存症患者は症状として嘘をつく。このため，アルコール使用障害患者の「そんなに飲んでいない」といった訴えはそのままとらえないようにする。

また，アルコール離脱症候群は進行性であり，振戦せん妄に至るとそれだけで致死的になるため，薬物で進行を抑える。使用する薬剤はベンゾジアゼピン受容体作動薬（benzodiazepine receptor agonists；BzRAs）である。アルコールの主な作用部位としてGABA受容体があり，BzRAsはアルコール同様にGABA受容体に対して作用し，交叉耐性として効果を発揮すると考えられている。使用するBzRAsは，できるかぎりロラゼパムとする。理由として，多くのBzRAsは肝酵素CYP3A4で代謝され，次にグルクロン酸抱合される2ステップ代謝であるが，ロラゼパムは肝酵素CYP3A4を介さずにグルクロン酸抱合される1ステップ代謝であり，肝機能障害をもつ患者にも使いやすい。さらにロラゼパムは，通常のせん妄による不穏にも効果がある場合もある。

2）ベンゾジアゼピン離脱症候群によるせん妄

ベンゾジアゼピン離脱症候群は30日以上BzRAsを服薬している患者のBzRAsを急に中止した場合に生じる。うつ状態や易怒性，不安感などまるで人格が変わったようにみえる症状が多く，せん妄を引き起こすこともある。そのため，BzRAsは急に中止すべきではなく，精神科医により時間をかけて漸減していくのが望ましい。

ベンゾジアゼピン離脱によるせん妄は，急性薬物中毒

表1 アルコール離脱症候群の症状

	時間経過	症状
小離脱	最終飲酒後約6～48時間以内に生じる	けいれん，軽度の見当識障害，軽度の発汗，不安，嘔気，食思不振など
大離脱	最終飲酒から48～72時間後に生じる	振戦せん妄，著しい見当識障害，著しい発汗など

最終飲酒後48～72時間以内に生じる，小離脱から大離脱に移行する時期を「切迫せん妄」と呼ぶことがある

患者が，中毒症状の治療のために普段常用しているBzRAsを中止されて入院となったときに散見される。このため，BzRAsを長期間服薬している患者は，たとえBzRAs中毒で受診したとしても，急にBzRAsを中止せず，少量でも継続しておくことが望ましい。

自傷行為

自傷行為とは，不快感情から解放されることなどを目的として，故意に自らの身体に損傷を加える行為である。具体的な手段としては，リストカットや大量服薬が多い。「自傷行為」と「自殺企図」は別物であるが，例えば「死にたくはないが，死にたい気持ちはある」というような，判別の難しいケースもある。そのような場合は自殺企図ととらえ，精神科医の判断を速やかに仰ぐのが望ましい。

自傷行為で救急受診をした患者の自殺率は，男性は一般人口の29倍，女性は一般人口の50倍で，自傷から6カ月後の自殺が多かったとする報告[2]や，自傷行為は自殺の独立予測因子であるとする報告もある[3]。自傷行為は不快感情を一時的に軽減させ，短期的には自殺を回避させる効果もあり得るが，長期的には自殺の危険因子であり，背景に精神疾患がある場合もあるため，些細にみえるリストカットなども十分な注意が必要である。

自殺企図者への対応などについては他項（p.869参照）に譲り，ここでは自殺を企図したものではない自傷行為について述べる。

1 診 断

不安や怒り，空虚感など不快感情から一時的に解放されることを目的に行われた，繰り返し行われている致死性の低い手段であり，行った後は不快感が改善し，平常の感情に戻っている場合，それは自傷行為である。

2 原因

苦痛を伴う記憶や感情的苦痛から意識をそらし，封印しようとする思いによる．自傷と精神疾患の有無は関係ないことが多い．

3 初期対応・治療

自傷行為そのものが治療対象となることを認識する．自殺企図のように，自殺企図行動そのものよりも，背景にある精神疾患の治療や，性格や環境への対応が必要になる場合とは異なる．

自傷行為を防ごうとして，本人と自傷しないことを約束したり，本人を物理的に隔離したりすることは，逆効果となるため行わない．患者は，自傷行為によりつらい気持ちを身体の痛みに置き換えて生活しており，自傷に代わる行動を見つけるまで自傷行為は続く．医療者が患者と自傷行為の中止を治療契約として結んでも，患者は自傷せざるを得ない状況に陥っているため，再度自傷をしたときに，本人と医療者へ後ろめたさを自覚してしまう．これが患者の治療中断につながることもある．

自傷を別の行動に置き換える作業が必要であり，それにはまず，患者が正直に自傷行為のことを申告できるような医療者との関係性を構築することが必要となる．これには行動療法など精神療法の知識と技術が必要であり，精神科医や心療内科医が対応に長けている．このため自傷行為患者が受診した場合は，救急医は自傷行為についてよい/悪いなどの価値判断をせず，必要な身体治療を行い，患者を精神科や心療内科へつなげるよう努めることが望ましい．

興　奮

興奮とは，感情の亢進である．俗に怒りっぽいとか，攻撃的と称され，非特異的な症状である．

1 診断

大声を出す，見るからに怒っているなどがあれば興奮と診断する．

2 原因

原因は，①身体疾患や薬物の影響，②精神疾患，③性格の3つである．最初に①としてとらえ，次に②→③の順に原因を検索する．①身体疾患や薬物の影響による興奮は意識障害である．②精神疾患と③性格の見分けは難しいが，②で興奮しているときは疎通が不良であり，問いかけても的を射ない会話になることが多い．③で興奮しているときは会話が成立する．具体的には，「どうされました？どうしてそんなに興奮されているのですか？」などと問診する．以下に例を示す[4]．

【質問例】
「どうされました？　どうしてそんなに興奮しておられるのですか？」

【返答例】
「ぐわー．わー」
→意識障害により会話にならない．
→①身体疾患や薬物の影響を疑う．

「みんな知っていることだ」「殺そうとしているだろ」「関係ねーよー」
→問診の内容はとらえているが，的を射なかったり，被害的であったり，感情の抑制ができなかったりする会話．
→②精神疾患を疑う．

「お前は関係ないだろ」「責任者を出せ」
→会話は成立する．
→③性格を疑う．
※②と③で迷ったときは，②とする．

3 初期対応の基本

興奮や暴力などに対してはde-escalationテクニックが用いられる．de-escalationテクニックとは，心理学的知見をもとに，言語的・非言語的なコミュニケーション技法によって怒りや衝動性，攻撃性を和らげ，患者を普段の穏やかな状態に戻すことをいう．興奮状態・攻撃性の高まった患者に対しては，de-escalationテクニックをほかの介入に先立って行い，ほかの介入が必要になった際にも，リスクアセスメントと併せてde-escala-

表2 de-escalation テクニック

1．周囲の環境の管理
- 応援の召集を判断し，必要以外の人を移動させる
- 近くにいるほかの患者やスタッフに対して状況を説明し，協力を求める
- 家具などを移動して必要な空間を確保するか，別の安全な場所に移動する
- テレビやラジオは消す
- 武器になる可能性のあるものは取り除く。患者が武器をもっている場合は安全な場所に置いてもらう

2．挑発的な態度・振る舞いを避ける
- 凝視を避ける。ただし，完全に目を逸らさず，アイコンタクトは保つ
- 淡々とした表情を保つ
- 高慢，威圧的な印象を与えるのを避けるため，姿勢や態度に注意する。とくに，腰に手を当てたり，腕組みをしない
- ゆっくりと移動し，急な動作を行わない。身体の動きは最小限にし，身振り・手振りが多過ぎることや，そわそわと体を揺すったり，体重を移動するのを避ける

3．相手のパーソナルスペースを尊重し，自分自身が安全なポジションを保つ
- 患者に対応する前に，暴力発生を誘発したり，けがの原因になる，あるいは武器として使用される可能性のある所持品を除去する（ネクタイ，スカーフ，装飾品，ペン，ハサミ，バッジなど）
- いかなるときも相手に背を向けない
- 通常より広いパーソナルスペースを保つ（最低でも腕の長さ2本分以上）
- 対象の真正面に立つのを避け，およそ斜め45°の立ち位置とする
- 両手は身体の前面に出し，手掌を相手に向けるか，下腹部の前で軽く組むなど，相手に攻撃の意思がないことを示し，万一の攻撃・暴力発生に備える
- 出入口を確認し，自分と対象の双方の退路を保つ位置に立つ。出入口やドアの前に立ちふさがらない
- 壁やコーナーに追い詰められないようにする
- 警告なしに相手に触れたり，接近しない

4．言語的コミュニケーションスキル
- ラポールを築くように試み，ともに問題解決する姿勢を強調する
- 脅すのではなく現実的な条件を提示して交渉する
- 穏やかに，はっきりと，短く，具体的に話す
- 努めて低い声で静かに話す
- 相手が意見を表現できるように助け，注意深く聴く
- 苦情や心配事，欲求不満については理解を示すが，肩入れしすぎたり，その場限りの約束をしないよう注意する
- 批判を避け，感情を話すことを認める。先取りして「あなたの気持ちはよくわかります」などと伝えるのは逆効果である
- 飲み物や食べ物を摂るよう勧める

〔文献5）を参考に作成〕

tionテクニックを続けることが有効である。具体的な方法を**表2**[5]に示す。

4 原因別の治療・対応

実際には，de-escalationテクニックは相当の技術と知識が必要で，救急現場で興奮や暴力を言語的・非言語的になだめることは難しいこともある。そのため，前述した原因の①身体疾患や薬物の影響，②精神疾患，③性格を分類するように努め，各々を以下のようにとらえる。

①身体疾患や薬物の影響の場合は意識障害であり，会話以前の問題である。

②精神疾患では，興奮患者の対応に十分な技術をもつ場合を除き，かえって興奮が強くなるなど，徒労に終わることが多い。興奮させたままにして，精神科医か警察に委ねる。

③性格の場合は，なだめようとせず傾聴に徹し，訴えてきた内容を施設の医療安全管理者などと相談し，具体的な対応法を考えるようにする。

1）身体疾患や薬物の影響が原因の場合

原因となる身体因・薬物を同定して，治療する。身体疾患や薬物の影響が疑われる場合で，患者の不穏のために診察できず，さらに医療者と患者の安全が確保できないときは鎮静薬を使用してもよい。この際，鎮静薬は患者が入眠するまで使用する。入眠している間に各種検査を行い，興奮の原因を精査するようにする。

2）精神疾患が原因の場合

自施設の精神科病棟の有無で対応が異なる。自施設に精神科病棟があれば，自施設の精神科医に相談する。精神科病棟がないときは，自傷他害患者として警察官に通報する。これは精神保健福祉法第23条により，警察官による保健所長を経た知事への通報を依頼することで，精神科救急医療システムに乗せることを意図したものである。

3）性格が原因の場合

本人の訴えを聞いた後で，医療化するかどうか判断する。医療化しない場合は，施設の医療安全管理者へ対応を相談する。警察への通報が必要となることもある。原因を精神疾患と迷った場合は，精神疾患として対応する。

抑うつ状態

「ゆううつである」「気分が落ち込んでいる」などと表現される症状を抑うつ気分といい，抑うつ気分が強い状態を抑うつ状態という。抑うつ状態はさまざまな原因より生じ，うつ病が原因の場合も少なくない。なお，抑うつ気分は症状，抑うつ状態は状態像，うつ病は診断名であり，使い分けに注意する。

1 診 断

気分の落ち込みが強いときに，抑うつ状態と診断する。思考抑制のはっきりした抑うつ状態は，緊急性が高い。思考抑制とは考えが停滞して先に進まなくなることをいい，思考過程の異常の一つである。具体的には，話の流れがゆっくりとなり，簡単な質問にも「わかりません」という返答が多くなる。

2 原 因

原因は，①身体疾患や薬物の影響，②精神疾患，③性格の3つである。

①身体疾患や薬物の影響では，純粋な抑うつ状態というより，むしろ不快感といった訴えも多く，これといった誘因はない。バイタルサインを確認し，異常があれば原因疾患を検索する。内分泌疾患，電解質異常，パーキンソン病，アルツハイマー型認知症，脳梗塞，正常圧水頭症，脳腫瘍，膠原病，感染症は抑うつ状態をきたす頻度が高いといわれており[6]，純粋な精神症状にみえても，頭部CT検査と血液一般/生化学検査を実施しておくことが望ましい。病歴では身体疾患が重症の時期や，薬物投与/増減時期と抑うつ状態との時間的関係を確認する。

②精神疾患では抑うつ気分が強く，思考抑制も顕著である。抑うつ気分の誘因ははっきりせず，あるようにみえても誘因と症状の関連を突き詰めるとはっきりしなくなる。うつ病と双極性障害（双極症）を原因とすることが多く，うつ病の場合は抑うつ気分のほかに食欲がない，身体が動かないといった身体的な不調も訴え，とにかく活気がなく具合は悪そうであるが，その原因がはっきりしない臨床像となる。双極性障害の場合は，喧嘩っ早い，浪費をしたなど躁状態の時期が過去にある。

③性格では抑うつ気分の誘因があり，通常の心理反応である。

3 初期対応・治療

1）身体疾患や薬物の影響が原因の場合
原因となる身体疾患を治療する。

2）精神疾患が原因の場合
原因となる精神疾患を治療するため精神科医に連絡し，対応法を仰ぐ。精神科医に速やかに相談できない場合で，明らかに自傷のおそれがあれば警察に通報し，精神保健福祉法第23条に基づく精神科救急医療システムに乗せるよう試みる。希死念慮の訴えが乏しい場合は，後日精神科を受診できるように，紹介状の発行などを行う。

3）性格が原因の場合
精神疾患による場合に準ずる。

過換気症候群

過呼吸とは本人の自覚は問わず，呼吸頻度と深度が客観的に増加している状態をいい，過換気とは$PaCO_2$が35mmHg以下のものをいう[7]。臨床的に問題となるのは過換気である。過換気症候群とは器質的要因のない過換気であり，突然の不随意的な過換気発作で，呼吸困難感や空気飢餓感（空気が吸えない感じ）などのさまざまな臨床症状を呈する症候群である。

1 診 断

病歴で肉体的・身体的ストレス，不安や恐怖などが誘因となっている過換気で，自然に軽快するものは，過換

気症候群である可能性が高い．検査は要さず，問診で診断できる．よく似た臨床経過をたどるものにパニック発作もあるが，パニック発作の誘因はないか，あっても特定の誘因であることが多い（電車に乗ると発作が起こるなど）．

2 原因

過換気症候群は，肉体的・身体的ストレス，不安や恐怖などで引き起こされる．一方，過換気はさまざまな要因で引き起こされ，身体的な緊急疾患も含まれる（表3）[7]．このため，過換気を安易に過換気症候群と診断しないことも重要である．呼吸数が多いのにSpO_2が100％とならないときは，過換気症候群ではないことが多い．

3 初期対応・治療

経過観察のみでよい．過換気症候群は原則として薬剤投与を必要としない．不要な薬剤投与を行った場合，「薬剤で改善した」と患者に誤って学習されてしまい，救急外来の頻回受診につながる場合がある．過換気症候群が死なない病気であること，自然経過で改善が見込まれることを伝え，不安を取り除き，落ち着かせるように対応する．

1）患者への説明など

患者と会話しながら疾患の説明をすると有効である．会話中は自然と呼気時間が長くなるため，過換気になりにくくなる．患者との会話は過換気そのものの治療にもなるといってよい．なお，会話のときに「落ち着いて」などと過換気そのものについて介入するような声かけをすると，過換気行動に注目が集まり，過換気症候群の症状を増悪させることがある．これは，過換気に限らず行動には「注目されると増える」という特徴があるためである．さらに，「ゆっくり息をして」などの声かけにより患者が深呼吸をすると，過換気を助長してしまうおそれもある．声をかける際には「苦しいですよね．だけど，どんどん悪くなることはありません．そのままでいいです」など，受容的で保証的な内容になるよう留意する．落ち着かせるために，患者と物理的距離を保つことも有効である．医療者からの注目が減れば，過換気行動は治まりやすくなる可能性もある．

表3 過換気をきたし得る緊急疾患

心血管系	うっ血性心不全，心筋梗塞，肺血栓塞栓症
呼吸器系	気胸，喘息，慢性閉塞性肺疾患，肺炎，急性喉頭蓋炎，気道異物
肝・腎・代謝系	甲状腺機能亢進症，糖尿病ケトアシドーシス，肝不全，腎不全，尿毒症
神経系	脳卒中，パニック発作，過換気症候群
その他	急性薬物中毒，敗血症，違法薬物，アルコール

〔文献7〕より引用・改変〕

2）器質的疾患の検討

これらの対応を行いながら，器質的疾患の可能性の有無について検討する．かつては紙袋を口に当てて呼気を再吸入することで血中二酸化炭素濃度を上昇させるペーパーバッグ法（紙袋再呼吸法）も広く用いられていた．しかし，過換気後の低換気や無呼吸による post-hyperventilation apnea（PHA）と呼ばれる失神・死亡例や，器質的疾患による過換気にペーパーバッグ法を施行したことで低酸素血症となり死亡した例などがあり，現在では推奨されていない．

3）精神科・心療内科への紹介が望ましい場合

過換気症候群は精神疾患の合併が多く，繰り返し受診する患者は精神科や心療内科への紹介が望ましい．過換気症候群の確定診断がついた241例のうち，精神疾患の合併が19.1％であったという報告[8]や，救急外来を受診した過換気症候群474名において，6年間に同症状で2回以上受診した患者は71名（15.0％）であり，そのうち1カ月以内に再受診となった患者は37名（7.8％），複数回受診者が精神疾患を合併する割合は69.4％であったとする報告もある[9]．患者背景に精神疾患の可能性を検討し，専門科へつなげることは，患者の反復受診を抑制でき，患者にとっても，救急医療にとっても負担の軽減に役立つ．

パニック発作の場合は，発作を繰り返すことや，次の発作を予期して心配し（予期不安），以前発作を起こした場所や状況を回避するようになるなどパニック症に進展するおそれがあるため，診断した時点で精神科や心療内科に紹介することが望ましい．

▶文献

1) 布宮伸, 他：日本版・集中治療室における成人重症患者に対する痛み・不穏・せん妄管理のための臨床ガイドライン. 日集中医会誌 21：558-9, 2014.
2) Cooper J, et al：Suicide after deliberate self-harm：A 4-year cohort study. Am J Psychiatry 162：297-303, 2005.
3) Wilkinson P, et al：Clinical and psychosocial predictors of suicide attempts and nonsuicidal self-injury in the Adolescent Depression Antidepressants and Psychotherapy Trial (ADAPT). Am J Psychiatry 168：495-501, 2011.
4) 久村正樹：救急現場の精神科診療；若手医師が悩んだ症例から学ぶ58例, 金芳堂, 2021.
5) 日本精神科救急学会（監）：精神科医療救急ガイドライン, 日本精神科救急学会, 2022.
6) 川村諭, 他：内分泌疾患における抑うつ. 臨床精神薬理 15：1145-51, 2012.
7) 陳和夫：過換気症候群. 呼吸 34：813-8, 2015.
8) 中山秀紀, 他：救急医療における過換気症候群の特性と精神症状評価. 日救急医会誌 15：250-8, 2004.
9) 大倉隆介, 他：救急外来における過換気症候群の臨床的検討. 日救急医会誌 24：837-46, 2013.

V

疾患領域別の救急診療

1. 中枢神経系疾患 …………………… 344
2. 末梢神経系疾患，神経筋接合部疾患 … 362
3. 循環器系疾患 ……………………… 374
4. 呼吸器系疾患 ……………………… 408
5. 消化器系疾患（消化管） ………… 428
6. 消化器系疾患（肝胆膵） ………… 446
7. 腎・泌尿器系疾患 ………………… 459
8. 代謝・内分泌系疾患 ……………… 468
9. 血液・免疫系疾患 ………………… 482
10. 内因性の筋・骨格系疾患 ………… 497
11. 外因性の筋・骨格系疾患 ………… 506
12. 皮膚科領域 ………………………… 515
    12-1. 蕁麻疹・血管性浮腫を呈する疾患 … 515
    12-2. 薬 疹 …………………………… 520
    12-3. 中毒疹 …………………………… 527
    12-4. 水痘・帯状疱疹 ………………… 533
    12-5. 皮膚細菌感染症，褥瘡，疥癬 …… 537
13. 眼科領域 …………………………… 548
14. 耳鼻咽喉科領域 …………………… 560
15. 婦人科領域 ………………………… 570
16. 産科領域 …………………………… 579
17. 感染症 ……………………………… 597
    17-1. 敗血症 …………………………… 597
    17-2. 緊急対応を要する感染症 ……… 607
    17-3. 新興感染症，再興感染症 ……… 617
18. 外 傷 ……………………………… 629
    18-1. 重症多発外傷の蘇生戦略 ……… 629
    18-2. 頭部外傷 ………………………… 634
    18-3. 顔面・頸部外傷 ………………… 648
    18-4. 脊椎・脊髄損傷 ………………… 657
    18-5. 胸部外傷 ………………………… 667
    18-6. 腹部外傷 ………………………… 677
    18-7. 骨盤外傷 ………………………… 688
    18-8. 四肢外傷 ………………………… 699
19. 熱傷・凍傷 ………………………… 709
    19-1. 熱傷診療の基本 ………………… 709
    19-2. 広範囲熱傷 ……………………… 715
    19-3. 気道損傷 ………………………… 722
    19-4. 化学熱傷 ………………………… 726
    19-5. 低温熱傷 ………………………… 733
    19-6. 凍 傷 …………………………… 736
    19-7. 電撃傷，雷撃傷 ………………… 742
20. 急性中毒 …………………………… 747
    20-1. 中毒診療の基本 ………………… 747
    20-2. 中毒原因別の対応 ……………… 758
21. 環境障害 …………………………… 772
    21-1. 熱中症 …………………………… 772
    21-2. 偶発性低体温症 ………………… 779
    21-3. 気圧障害（減圧障害，圧外傷） … 785
22. 溺 水 ……………………………… 796
23. 異 物 ……………………………… 801
24. 刺咬症 ……………………………… 807

Ⅴ 疾患領域別の救急診療

1 中枢神経系疾患

畑本　恭子

　中枢神経系は脳と脊髄から成り，意識をつかさどり，知覚・運動を伝達し統合する器官である。さらに，ヒトの高度な情報処理能力や感情の主座でもある。多くの救急疾患と同様またはそれ以上に，治療開始までの時間が転帰に影響し，器質的障害が重大な機能障害を残す。また，中枢神経系を原発とする傷病のみならず，ほかの身体・精神疾患の二次的病態も神経救急の対象となる。

中枢神経系疾患の救急診療

　中枢神経系は脆弱であり，維持に必要な血流，酸素，エネルギー源としての糖は全身の20～25％を要する[1]。機能をつかさどる主たる細胞成分であるニューロンは再生せず，その障害は不可逆的である。二次的な脳・脊髄損傷を防ぐためには，初期診療における気道（A），呼吸（B），循環（C）の安定はきわめて重要である。また，中枢神経系疾患は基礎疾患や発症様式から診断につながるものも多い。基礎疾患に対する抗血栓薬などの治療状況が診療を左右することもあるため，病院前および初期診療での情報収集の重要性はきわめて高い。

1 病　歴

1）既往歴，基礎疾患

　鑑別し得る中枢神経系疾患に優先度をもたらすことができるとともに，その後の経過中に警戒すべきことを認識するために必要である。心臓弁膜症や心房細動などの心疾患や，悪性腫瘍など塞栓源となる疾患と予防的抗血栓療法の有無，糖尿病，高血圧など脳血管障害の原因や危険因子となる疾患は，高齢化が進むにつれ有病率が上がる。免疫不全をきたす基礎疾患，ステロイド治療中，アルコール多飲などは，中枢神経感染症の危険因子として把握する。

2）現病歴

　中枢神経系疾患においては，発症様式も診断・治療上きわめて重要である。くも膜下出血のような突然発症，脳出血の一部のような進行性増悪のほか，脳梗塞ではその病型によって発症形式が異なるが，発症時刻あるいは最終健常確認時刻を明らかにすることは治療の適応と安全性に関与する。中枢神経感染症の多くは数日単位で進行するが，なかには肺炎球菌髄膜炎などのように急激に悪化する劇症型もある。

2 初期診療の要点と病態生理

　中枢神経系疾患は，本来は入念な神経学的診察が必要であるが，救急診療においては迅速な診断と処置が求められる。また，意識障害を伴うことも多いため，診察可能な事項は限られる。意識，眼球所見（瞳孔，眼位，眼球運動），運動（麻痺），呼吸パターン，言語の診察は，中枢神経の障害部位の判定や，その重症度にも関与する。

1）意　識

　脳幹の網様体から視床を経て大脳皮質に投射する上行網様体賦活系が意識を維持する機構である。その判定にはJCS（Japan Coma Scale）やGCS（Glasgow Coma Scale）などが用いられる。米国では気管挿管中の状態も考慮したFOUR（Full Outline of UnResponsiveness）スコアを用いることも多い。

2）眼球所見

　瞳孔の正常径は3～4mmであり，2mm以下を縮瞳，5mm以上を散瞳とする。脳障害の局在を示唆する瞳孔径の異常として，両側瞳孔散大（脳幹機能停止や交感神経系過剰刺激），両側縮瞳（副交感神経優位，交感神経遮断，橋出血など，中心性ヘルニア），一側縮瞳（視床出血・梗塞，Horner症候群），一側瞳孔散大（テント切痕ヘルニア，外傷性動眼神経麻痺）などがある。眼球の位置も重要で，中大脳動脈などの主幹動脈閉塞や，被殻出血などのテント上の病変では，病巣側への共同偏視を認める。視床出血・梗塞では鼻尖凝視あるいは下方偏視，橋出血・梗塞では眼球正中固定などがみられる。

3）運動（麻痺）

　錐体路（前頭葉皮質の運動野から，放線冠，内包後脚，大脳脚，延髄錐体交叉，脊髄側索，脊髄前角，末梢神経まで）のどこで損傷されても運動麻痺が出現する。診察

においては，指示に応じられないレベルの意識障害があっても，自発運動の左右差や，痛み刺激からの逃避などから運動麻痺の有無を判断する。

4）呼吸パターン

中枢神経系の障害により，異常呼吸パターンを呈することがある。脳障害の高位の推測や，代謝異常などによる脳症の推測などにも有用であり，呼吸補助の要否も判断する必要がある。代表的な異常呼吸様式として以下のものがあげられる[2]。

Cheyne-Stokes呼吸（1回換気量の増幅から減衰に転じた後，数秒～数十秒の無呼吸となるというパターンを繰り返す）は，両側大脳半球，中脳レベルの障害で，頭蓋内圧亢進時や代謝障害などでみられ，回復可能な昏睡に伴うことが多い。

過換気呼吸は，速く深い規則的な呼吸（Kussmaul呼吸）で，代謝性アシドーシス，肝性昏睡などでみられるほか，橋を含む障害でみられる。ほかに脳幹異常の徴候や代謝異常がみられない場合は，心因性も考慮する。

群発呼吸（cluster breathing）は，不規則な過呼吸と無呼吸がさまざまなパターンで起こる。延髄上部から橋下部の損傷でみられ，予後不良の徴候でもある。

吸気時無呼吸（apneustic on full inspiration）は，深吸気の状態で無呼吸となるまれな様式であるが，脳底動脈閉塞などの橋病変でみられる。

失調性呼吸（ataxic breathing）は，リズムも深さも規則性のない呼吸で，延髄の障害により生じる。

疾患分類

ここでは中枢神経系疾患として脳血管障害，中枢神経感染症・非感染性炎症性疾患，脳症について解説する。

1 脳血管障害

脳血管障害は，脳血管系の異常により神経症状をきたす疾患群である。わが国の2020年人口動態統計によると，脳血管障害による死亡数は年間約103,000人といまだ死因数で第4位となっているが，年々減少傾向にはある[3]。脳梗塞，くも膜下出血，脳出血が代表的なカテゴリーであり，その診療の必須事項，とくに初期診療には習熟する必要がある。一方，これらと同様の臨床像をとることがある特殊な病態もある。脳の静脈系の閉塞，脳動脈の解離などであり，これらの病態についても後述する。

2 中枢神経感染症・非感染性炎症性疾患

脳実質あるいは髄膜（硬膜，くも膜，軟膜）の感染症は，病原因子や患者背景により致死的となる場合もある。炎症性病変の首座により，硬膜外膿瘍，硬膜下膿瘍，髄膜炎，脳炎，脳膿瘍に分けられる。また，病原因子は細菌，ウイルス，真菌のほかに，がん性，自己免疫性，薬剤誘発性などもあるため，病歴や全身の診察も重要である。

3 脳　症

さまざまな全身性の疾患，とくに，代謝性疾患の一病態や，悪性腫瘍の遠隔症候として，一過性あるいは永続性の脳障害を起こすことがある。

【脳血管障害】脳梗塞

1 疫　学

2020年の脳梗塞の疾患別死亡は56,864人で，2019年よりは減じているものの，依然として脳出血とくも膜下出血の死亡数の和を超えている[3]。脳梗塞の発生機序・原因は多岐にわたるため，急性期医療・二次予防の観点からも，分類に沿った病態別に考える必要がある。脳血管障害の分類には，米国の国立衛生研究所（National Institute of Health；NIH）のNINDS（National Institute of Neurological Disorders and Stroke）分類が用いられ，脳梗塞については，①アテローム血栓性脳梗塞，②心原性脳塞栓症，③ラクナ梗塞，④その他の梗塞の4亜型に分けられる。具体的な判定の基準として，Trial of Org 10172 in Acute Stroke Treatment（TOAST）が用いられている[4]。

2 病態生理

病態別に以下のように分類される[4]。

1）アテローム血栓性脳梗塞

頸部内頸動脈や，頭蓋内脳血管のうち主幹動脈が粥状硬化をきたして狭小化し，狭窄（50%以上）や閉塞に至り，灌流領域に脳梗塞を生じる。一過性脳虚血発作を前駆症状とするものも多く，段階的に症状が増悪する発症様式をとることもある。

2）心原性脳梗塞

高リスクの塞栓源心疾患（左房血栓，左室血栓，発作性を含む心房細動，心臓弁膜症，感染性心内膜炎，低拍出量症候群，左房粘液腫など）からの塞栓子が脳血管を閉塞する。突然発症の様式をとることが多い。

3）ラクナ梗塞（小血管閉塞）

脳動脈の穿通枝に一致した，最大径20mm未満の単一の梗塞巣である。大脳基底核，内包，脳幹の神経核などにみられる。

4）その他の確定的な原因（determined etiology）による脳梗塞

腫瘍塞栓など特殊な塞栓が存在する。

5）その他の不確定な原因（undetermined etiology）による脳梗塞

原因不明の脳塞栓症として，上記1〜4を満たさないもの，原因不明のその他の脳梗塞（脳塞栓でないもの），検査未完了のもの，2つ以上の原因があるものが該当する。

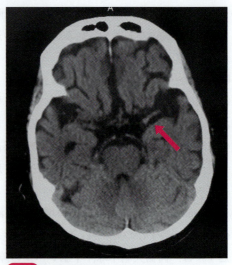

図1 hyperdense MCA sign

3 症状

閉塞血管の灌流域に一致した症状が出現する。脳幹など網様体賦活系の梗塞や広範囲脳梗塞では意識障害が認められ，皮質脊髄路（運動野-放線冠-内包後脚-大脳脚-錐体-脊髄）など運動系では麻痺が，脊髄視床路など体性感覚系では温痛覚障害などが出現する。優位半球の障害では失語症，失行・失認など，後頭葉の梗塞では半盲や皮質盲も認められる。

とくに重要なのは，主幹動脈閉塞による広範囲脳虚血の症候である。中大脳動脈領域の急性期脳梗塞の症状である共同偏視，麻痺，失語，半側空間無視や半盲をとらえることにより，より早期に主幹動脈の再開通治療を開始することができる。

4 検査・診断

主幹動脈閉塞の再開通を行う場合は，発症から開通までの時間が転帰を左右する。来院後，きわめて短時間でNIHSS（National Institutes of Health Stroke Scale）を評価し，可及的速やかに，原則として頭部CTで評価を行う。ただし，脳出血は発症後まもなく高吸収域として描出されるが，脳梗塞は発症後6時間程度経過しなければ典型的な低吸収域として現れない。そのため，血栓溶解あるいは血栓回収療法を治療可能時間域（therapeutic time window）内にできるかぎり早く行うためには，さらに早い時間に早期虚血変化（early CT sign）を読影する必要がある。

early CT signとしては，中大脳動脈の閉塞のhyperdense MCA（中大脳動脈の分岐部まで，すなわちM1が高吸収域となる）（図1），皮髄境界あるいは大脳基底核と周辺の白質の境界の不鮮明などがあげられる。後者はASPECTS（Alberta Stroke Program Early CT Score）という客観的スコアとしても利用されている[5]。ASPECTSとは，頭部CTの被殻，視床のスライスとその2cm上のスライスで，中大脳動脈灌流域の皮髄境界と基底核10カ所を決め（図2），早期虚血変化がある領域の数を引き算したスコアである（MRIでは放線冠を加え，11点が最高として引き算する）。

MRIはわが国での普及率が高く，超急性期の脳梗塞診断に有用であるとともに，MRAで閉塞血管を描出することができる。拡散強調画像（diffusion-weighted image；DWI）では高信号域，apparent diffusion coefficient（ADC）では低信号域となる。

5 治療

急性期血栓溶解療法や血栓回収療法の治療可能時間域は，知見の蓄積により適用開始当初より拡大されているものの，"The sooner, the better"であることが示されている[6)7]。脳梗塞が疑われる患者は，適切な管理下に可及的速やかに再開通治療につなぐ必要がある。また，

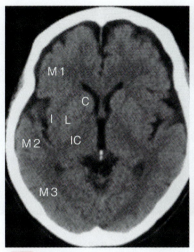

図2 ASPECTS評価の10領域
左：基底核レベル，右：放線冠レベル

各治療指針・ガイドラインが数年ごとに改訂される領域であることを認識し，救急医としても注視する必要がある。

1）急性期の血圧管理[8]

来院時に血圧上昇がみられる場合，血圧の下降はペナンブラ（脳梗塞急性期で虚血巣のなかの辺縁部分。血流低下域ではあるが，血管再開通により回復可能な領域）の低灌流を招き，病状を悪化させるため，降圧しないよう推奨されている。収縮期血圧＞220mmHgまたは拡張期血圧＞120mmHgの高血圧が持続するか，大動脈解離，急性心筋梗塞，心不全，腎不全などを合併している場合にかぎり，慎重な降圧療法を行うことを考慮してもよい。血栓溶解療法前の患者の収縮期血圧が185mmHg以上，または拡張期血圧が110mmHg以上の場合，あるいは血栓溶解療法施行後24時間以内の患者で収縮期血圧＞180mmHgまたは拡張期血圧＞105mmHgの場合は出血リスクがあり[9]，降圧療法が推奨されている。

2）急性期血栓溶解療法

2005年に認可されたrt-PA（recombinant tissue-type plasminogen activator）による血栓溶解療法であるが，2012年には治療可能域が発症後3時間から4.5時間に延長された。また，従来は発症時刻の特定が必須であり，不明の際は最終健常確認時間を発症時刻とするとされていたが，2019年の『静注血栓溶解（rt-PA）療法適正治療指針 第三版』[6]では，MRIの所見から発症時刻を推定して治療適応を決める選択肢が追加された。また，従来，抗凝固薬治療中は慎重投与とされていたが，直接経口抗凝固薬（direct oral anticoagulant；DOAC）の種類により拮抗薬投与可能な場合は適応を考慮することも追加されている。

来院後は少しでも早く，遅くとも1時間以内に，rt-PA静注療法を開始することが推奨される[6]。ただし，重篤な出血性合併症を回避するため，上記の指針にある適応外（禁忌）事項の確認は必須である。

3）経動脈的血行再建療法（血管内治療）

方法として，機械的血栓回収療法（図3），経動脈的局所血栓溶解療法，経皮的血管形成術・ステント留置術がある。

とくに，機械的血栓回収療法は治療可能時間域に関する新しい知見が多い。もっとも推奨度・エビデンスレベルが高いのは，①内頸動脈または中大脳動脈M1の急性閉塞，②発症前のmRS（modified Rankin Scale）が0か1，③頭部CTまたはMRI（DWI）でASPECTSが6以上，④NIHSS 6以上，⑤年齢18歳以上という5要件すべてを満たす例に対して，rt-PA静注による血栓溶解療法に追加して，遅くとも発症から6時間以内にステントリトリーバーまたは血栓吸引カテーテルによる機械的血栓回収療法を開始することである[10]。

一方で，6時間を超えた場合でも神経症候と画像診断から治療適応を判定し，『経皮経管的脳血栓回収用機器適正使用指針 第4版』では最終健常確認から16時間以内であれば推奨度A，また，16～24時間以内であれば推奨度B，と適応は拡がっている[10]。「6時間」という時間のみで治療を断念せず，専門医につなぐ体制の構築が必要である。

脳底動脈の急性閉塞に対しては，機械的血栓回収療法

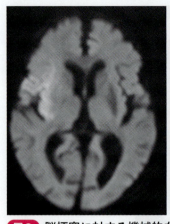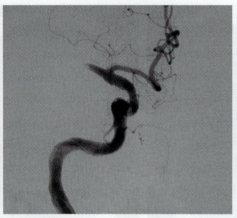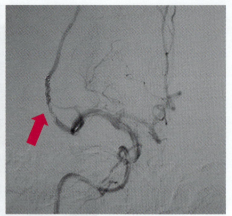

図3 脳梗塞に対する機械的血栓回収療法
右中大脳動脈近位部（M1）閉塞例。ステントリトリーバーによる血栓回収を施行した（矢印）

の有効性・安全性を示した報告もあるが，十分なエビデンスはない。経動脈的局所血栓溶解療法，経皮的血管形成術・ステント留置術に関する報告もあるが，勧告に至るものになっていない。

4）wake-up stroke の概念と対応

wake-up stroke とは，就寝前は普段どおりであったのに，起床時にすでに発症している，といった例に代表される，神経脱落症状の発現時刻が不明な脳卒中を指す。脳卒中患者の5人に1人がこの wake-up stroke とされる[11]。虚血性脳卒中において「発症時刻不明」の場合は，基本的には rt-PA 静注療法が推奨されていない。ただし，発症時刻がわからなくても，発見から4.5時間以内に MRI 上の diffusion/FLAIR mismatch を確認できた場合には投与可能であり，転帰改善効果が期待できる[12]。

5）抗血小板療法[13]

非心原性脳梗塞の転帰改善，または一過性脳虚血発作（transient ischemic attack；TIA）の再発予防として，抗血小板薬の経口投与は有効である。アスピリン単剤（発症後48時間以内に160〜300mg）の推奨度が高い。抗血小板薬2剤（dual anti-platelet therapy；DAPT，アスピリンとクロピドグレルなど）も発症早期の軽症非心原性脳梗塞に有効で，急性期1カ月を目安に継続し，単剤に切り替える。シロスタゾールについても，200mg/day の単剤投与や，アスピリンとの DAPT は発症48時間以内の非心原性脳梗塞患者の神経症候の増悪を抑えるとされる。点滴では，オザグレルナトリウム 160mg/day の急性期投与は有効とされている。

6）抗凝固療法[14]

発症後48時間以内の非心原性・非ラクナ梗塞に対するアルガトロバン（選択的トロンビン阻害薬）の投与は考慮されてもよいが，症候性頭蓋内出血に注意する。心原性脳梗塞には適応がない。また，未分画ヘパリンの皮下注や10,000〜15,000単位/day の持続静注を使用することがあるが，十分な科学的根拠はない。非弁膜症性心原性脳梗塞の場合は，出血性梗塞のリスクを考慮した適切な時期に DOAC を投与してもよいが，早期開始の是非については現在研究が進行中である。

7）脳保護薬[15]

脳保護作用が期待されるのは，現在のところ抗酸化薬であるエダラボンのみであり，心原性・非心原性などどの病型にも投与でき，退院時の神経学的機能の改善が報告されている。腎機能障害，および肝機能障害，血液障害などに注意する。

8）開頭外減圧術

広範囲の脳梗塞により進行性脳浮腫を招き死の転帰をとるような症例については，開頭外減圧術により生存率が改善する。中大脳動脈灌流域を含む一側大脳半球梗塞では，①年齢18〜60歳，②NIHSS 15を超える，③NIHSS の1a（意識水準）が1以上，④CT で中大脳動脈領域の脳梗塞が少なくとも50％以上あるか，MRI の DWI で145cm^{2}を超える，⑤発症48時間以内の場合，硬膜形成を伴う外減圧術が推奨される[16]。小脳梗塞については，腫脹して脳幹を圧迫し意識障害をきたしている場合，後頭下減圧術を行う[17]。

【脳血管障害】くも膜下出血

1 疫 学

2020年のくも膜下出血による死亡数は11,416人で，2019年から微減であった[3]。発症時年齢は，女性が70歳代前半，男性は50歳代後半にピークを示す。重症度は，全体ではWFNS（World Federation of Neurosurgical Societies）分類（表1）[18]のⅠ～Ⅲが約60％，ⅣおよびⅤが約40％であるが，後期高齢者ではⅣおよびⅤが50％以上を占める[19]。破裂脳動脈瘤の部位は，前交通動脈，内頸動脈後交通動脈分岐部，中大脳動脈の順に多い。

2 病態生理

くも膜下出血の主たる原因は脳動脈瘤破裂であり，脳動脈瘤はWillis脳動脈輪とその周囲の主幹動脈に発生することが多い。出血は，脳表周囲のくも膜下腔や脳槽に広く拡散するが，とくにWillis動脈輪が存在する脳底部髄液槽やSylvius裂に厚い。動脈性の出血であり，出血時に頭蓋内圧の上昇や脳幹への衝撃が加わり，意識障害や致死性不整脈など重症化することもある。

3 症 状

典型的な症状は，「これまで経験したことのない突然の激しい頭痛と，嘔気・嘔吐」である。本格的な出血の数時間から数週間前に警告頭痛（sentinel headache）がみられることもある。意識障害を伴うことも多く，一過性の場合も，重症例で昏睡が持続する場合もある。髄膜刺激症状としての項部硬直が確認できるのは出血の6～24時間後であり，発症直後は認められない[20]。また，脳動脈瘤の脳内への埋没や出血の方向によっては脳実質内血腫を合併し，麻痺などの局在症状を起こすこともある。内頸動脈-後交通動脈分岐部動脈瘤，脳底動脈-上小脳動脈分岐部動脈瘤では，動眼神経の走行に近接しているため，動脈瘤の増大，切迫破裂に伴う急激な瞳孔散大による羞明，眼瞼下垂，複視で発症する場合がある。また，高齢者では突然発症の嘔気・嘔吐のみが主訴となる場合もある。

表1 WFNS分類

Grade	GCS合計	主要な局所神経症状（片麻痺，失語）
Ⅰ	15	なし
Ⅱ	14～13	なし
Ⅲ	14～13	あり
Ⅳ	12～7	不問
Ⅴ	6～3	不問

〔文献18〕より引用・改変〕

4 検査・診断

くも膜下出血のCT・MRI像を図4に示す。CT上で脳底部髄液槽やSylvius裂などのくも膜下腔，または脳室内に高吸収域が認められる。ただし，その感度は98.7％であり，CTのみでは診断できない症例が1％程度は存在する[20]。CTで診断がつかない場合には，腰椎穿刺またはMRI（FLAIR像，T2*強調画像）などを行う[21)22]。この際，患者の安静を保ち，侵襲的検査や処置はできるかぎり避ける必要がある。

くも膜下出血と診断がつけば，脳動脈瘤の部位診断と，再破裂予防のための全身管理を同時進行で行う。脳動脈瘤の部位や根治術に要する周辺血管の評価は，3D-CTA，脳血管撮影（digital subtraction angiography；DSA），MRAのいずれかで行う。出血源となる血管異常が認められなかった場合には，時間を空けて再度，出血源検索を行う。重症度の診断には，前述したWFNS分類のほか，Hunt and Kosnik分類，Hunt and Hess分類が多く用いられる。

5 治 療

破裂脳動脈瘤の再出血は発症後24時間以内に多いとされてきたが，最近は6時間以内が有意に高率であるとされている[20]。そのため，この間はできるかぎり安静を保ち，侵襲的検査は最低限として，十分な鎮痛・鎮静を行う。意識障害や不穏，呼吸器合併症があるなど，場合によっては深鎮静として，気道確保や人工呼吸管理も必要である。再出血の危険因子として，重症度，大型動脈瘤，来院時収縮期血圧，脳室内・脳内出血の合併，椎骨脳底動脈系の脳動脈瘤があり[23]，収縮期血圧は160mmHg未満に降圧するのが妥当である[20]。可及的速やかに根治治

中枢神経系疾患

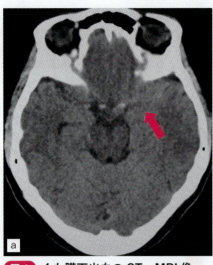
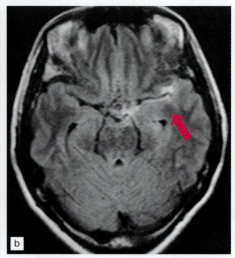

図4　くも膜下出血のCT・MRI像
意識清明，頭痛発症。CTで不明瞭なくも膜下出血をMRIで確認した
a：頭部CT。左Sylvius裂の淡いくも膜下出血を認める
b：MRI（FLAIR）。くも膜下出血が明瞭に描出されている

療を行うことが望ましい。

　根治治療としては，開頭による脳動脈頸部クリッピング術，血管内治療による脳動脈瘤コイル塞栓術が代表である。治療適応や治療法は，重症度や脳動脈瘤の部位，形状，周辺の血管の温存可能性などで決定する。WFNS分類Ⅰ〜Ⅲの非重症例では，年齢，全身合併症，治療の難度などの問題がないかぎり，発症72時間以内に根治術を行う[24]。WFNS分類Ⅳは年齢・動脈瘤部位などの条件つきで根治術の適応となるが，WFNS分類Ⅴは原則として根治術の適応は乏しい。

　脳内出血を伴い，周辺や脳幹への圧迫を伴う場合は，可及的速やかに開頭血腫除去術などを行う。また，くも膜下出血の脳底部髄液槽の充満度や脳室内穿破によっては，急性期にも閉塞性水頭症をきたすことがある。この場合，根治術に先んじて脳室ドレナージを要する。

6　続発症と全身への影響

　くも膜下出血急性期には，心電図異常やたこつぼ心筋症を併発することがある。その結果，うっ血性心不全を呈する場合には，循環作動薬や利尿薬，呼吸補助を必要とする。また，発症後3日〜2週間では，脳血管の部位を問わず，脳血管攣縮が起こる可能性がある。その予防として，可及的なくも膜下腔血腫の排除や，塩酸ファスジル，カルシウム拮抗薬などの予防的投与，血管撮影などによる血管径の確認と必要に応じた塩酸ファスジルの選択的動注や経皮的血管形成術が行われる。

【脳血管障害】脳出血

1　疫　学

　新規発症の脳血管障害のうち，脳出血は約20％を占める。かつて死因として上位を占めたが，2020年の人口動態統計によれば死亡数は32,000人弱で，2019年に比して微減となっている[3]。

2　病態生理

　脳出血は脳実質内の出血であり，多くは高血圧性脳出血である。高血圧性以外の原因としては，脳動静脈奇形の破綻，脳アミロイド血管症，脳静脈・脳静脈洞閉塞症，硬膜動静脈瘻，海綿状血管腫などがあり，多くは高血圧性脳出血とは異なる部位，形状を示す。高血圧性脳出血は脳内の穿通枝からの出血で，好発部位は被殻，視床，小脳，皮質下，脳幹である。また，血腫の進展方向・大きさにより，脳室内穿破や硬膜下血種などの形態をとることもある。

3　症　状

　前記の5部位（被殻，視床，小脳，皮質下，脳幹）に限局した出血の場合は，運動（運動皮質〜内包後脚〜大脳脚〜橋・延髄・脊髄），知覚（感覚皮質〜視床〜脊髄），

失語（優位半球），視野障害（視放線）などの局在症状がみられる。脳ヘルニアをきたすような大きさの出血や，脳幹・脳幹に進展する出血では，高度の意識障害が認められる。また，出血部位に特徴的な眼位や瞳孔所見があり，典型例では出血部位の診断の一助となる。血腫量が多いほど予後不良であり，被殻出血は10mL，視床出血は5mL，皮質/皮質下出血は20mLを超えると予後不良とされる[25]。

4 検査・診断

脳出血は，頭部CTで発症後まもなく高吸収域となり，診断は容易である。皮質下出血では高血圧性以外の出血源の存在を疑う。また，中大脳動脈動脈瘤など脳動脈瘤のblebが脳内に埋没し，脳出血のみの形態をとることもあるので，状況が許せば3D-CTAを追加するよう心がける。

5 治 療

1）血圧のコントロール

血腫の増大を避けるため，血圧のコントロールは重要である。脳出血急性期に収縮期血圧140mmHg未満に降圧し，7日間維持する[26]。

2）外科的治療

脳実質内血腫に対する外科的血腫除去術としては，開頭手術，定位的血腫除去術と血栓溶解薬局所投与が行われ，さらに2000年初頭から神経内視鏡血腫除去術も発展してきた。ガイドライン上[27]で推奨度B以上の外科的治療は，被殻出血でJCS 20～30程度の定位的血腫除去術と，小脳出血の最大径3cm以上で症状が悪化，または脳幹の圧迫，閉塞性水頭症をきたしている場合の外科的血腫除去術である。また，推奨度Cとして，被殻出血でJCS 20～30程度の開頭血腫除去術または神経内視鏡手術，脳表から1cm以下の深さの皮質下出血の開頭手術がある。血腫量10mL以内の血腫は手術を行わないことが推奨され，また重症で深昏睡の症例に対する血腫除去術は推奨されていない。

脳出血に伴う脳室内出血，閉塞性水頭症に対しては脳室ドレナージ術が推奨されており[27]，また，その際に，血腫除去を目的とするrt-PAなどの血栓溶解薬の脳室内投与や，神経内視鏡による血腫除去，モンロー孔の開放，早期の血腫排出，髄液路の開通を行うことで，脳室ドレナージ留置期間の短縮，ひいては髄液感染リスクの低減が期待できる[25)28)]。

3）抗血栓療法中の注意点・対応[29]

脳出血の治療中に配慮すべき点として，出血源のほか，抗血栓療法中か否かも重要である。脳出血発症時に抗血栓薬を内服している割合は年々高くなっており，非内服患者に比べて発症時の重症度（NIHSS），入院中死亡，退院時転帰不良の割合が高い[30]。

ビタミンK阻害薬（ワルファリン）服用中でPT-INRが2.0以上の場合，プロトロンビン複合体製剤の投与を考慮する。DOACのうち，ダビガトラン（トロンビン阻害薬）内服中の場合はイダルシズマブ投与を考慮する。また，DOACのうち第Ⅹa因子阻害薬（リバーロキサバン，アピキサバン，エドキサバン）に対する中和薬が2022年3月に製造販売承認されたが，『脳卒中治療ガイドライン2021』には掲載されておらず，これらDOAC内服からの経過時間に応じた胃洗浄や補液による希釈が推奨されている。

未分画ヘパリン療法中の場合はプロタミンの投与を考慮する。血栓溶解療法中に合併した脳出血に対しては，凝固線溶系の評価を行い，血液製剤による是正を考慮してもよい。抗血小板薬服用中の場合，一律な血小板輸血の推奨度は低い。

【脳血管障害】脳動脈解離

一般的に脳動脈疾患は出血か虚血に分類されるが，脳動脈解離は出血・虚血のいずれの病態も起こし得る異常であるため，ここでは個別に取り上げる。

1 疫 学

脳動脈解離は出血，虚血のいずれの病型も示し，時には解離痛のみで診断されることもある。脳血管障害のなかでも発症年齢は40～50歳代と若い。「脳卒中データバンク2021」[31]によると，登録された脳動脈解離990例のうち，脳梗塞が57.2％，脳出血が1.0％，くも膜下出血が41.8％であった。頭蓋内椎骨動脈での発生がもっとも多かった。脳動脈解離による脳梗塞は男性に多く，くも膜下出血発症は男女ほぼ同じである。

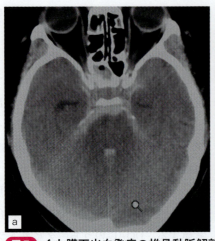
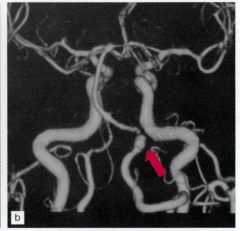

図5 くも膜下出血発症の椎骨動脈解離
a：来院時 CT。橋前部に強いくも膜下出血を認める
b：3D-CTA。左椎骨動脈の膨隆を認める

2 病態生理

　頭蓋内外の脳動脈壁が解離し，真腔の閉塞による虚血症状をきたすか，または，偽腔の外膜側への膨隆から脳動脈瘤が形成され破綻するくも膜下出血を起こす。頭蓋外動脈解離はほぼすべてが脳虚血で発症し，頭蓋内動脈解離は虚血も出血も起こり得る。また欧米に比べ，わが国では頭蓋内動脈解離が多い。

3 症　状

　真腔が閉塞すれば，灌流領域に応じた虚血症状が起こる。偽腔の破綻によるくも膜下出血で発症した場合は，通常と同様，頭痛，嘔気・嘔吐，意識障害などで発症する。椎骨動脈の解離が多いため，脳幹周囲への出血あるいは虚血をきたし，昏睡，呼吸停止，心停止などがみられることも少なくない。くも膜下出血発症例の再出血は報告により14〜71％とかなり開きがあるが[32]，発症後24時間以内に起こることが多く，囊状脳動脈瘤に比べて再出血率は高く，重篤化する。頭痛，頸部痛のみで発症し，真腔も保たれ，頭蓋内出血もない，という解離痛のみの症例もある。

4 検査・診断

　虚血（閉塞）や出血がなくても，解離痛で後頭部（椎骨動脈の解離部側寄り）の痛みとして発症することもある。頭部 CT でくも膜下出血が認められなくても，できるかぎり MRI/MRA 検査を行い，急性期脳梗塞の有無，脳動脈の径の不整（pearl and string sign）や紡錘状の拡張などがないかを確認する（図5）。さらに，可能であれば，BPAS（basi-parallel anatomical scanning）で椎骨脳底動脈の外形を描出し，解離部の異常な外径の拡大を把握することで診断の参考となる。

5 治　療

　くも膜下出血発症の場合は24時間以内の再出血リスクが高いため，可及的速やかに外科的再出血予防が必要である。もっとも多い椎骨動脈解離ではほとんどの場合，血管内治療による internal trapping（親血管閉塞，parent artery occlusion；PAO）が選択される。開頭手術では解離部の近位部閉塞，または解離部の前後で trapping を行うが，分枝の位置などにより適切な手術方法が選択される。さらに現在，血管内治療のフローダイバーターステントなどで血管内腔を形成する治療が選択肢の一つとなりつつある[33]。

　非出血性動脈解離の場合は，瘤の形成がなければ急性期の抗血栓療法（抗血小板療法あるいは抗凝固療法）も考慮されるが，自然に開通する場合もあり，多くは外科治療ではなく保存的治療が選択される[33]。

【脳血管障害】脳静脈洞閉塞症

1 疫 学

　脳静脈洞閉塞症は，全脳血管障害の0.5～1％とまれで，比較的若年者に多い[34]。臨床像やCT画像が多彩であり，この病態を想定しないと診断に至らない場合がある。

2 病態生理

　脳の灌流血液は脳静脈から脳静脈洞（代表的なものとして，上・下矢状静脈洞，直静脈洞，横静脈洞，S状静脈洞など）へと集まり，頸静脈から還流する。脳静脈洞に血栓が生じ，閉塞ないし狭窄すると，脳循環が堰き止められ，うっ滞性の脳浮腫，静脈性脳梗塞，脳出血を生じる。原因はさまざまで，遺伝的血栓要因（プロテインC，プロテインS，その他さまざまな因子などの遺伝子異常），後天性血栓要因（プロテインC，プロテインS，ATⅢ欠乏症，抗リン脂質抗体症候群），妊娠～産褥期の凝固亢進，経口避妊薬の服用，副鼻腔炎といった局所の炎症波及などがあげられる。

3 症 状

　静脈うっ滞による頭蓋内圧亢進と局所脳障害による症状が，さまざまな程度で起こる。頭痛，嘔気・嘔吐，意識障害のほか，時に雷鳴様頭痛，乳頭浮腫，複視などがみられる。皮質静脈のうっ滞を伴うと，片麻痺や失語症，視力障害，けいれんなどもみられる。

4 検査・診断

　頭部単純CTでは異常を認めないこともあるが，静脈うっ滞に伴う静脈洞周辺の脳皮質の出血や，高吸収域と低吸収域の混在をみることもある。造影CTでは上矢状静脈洞に造影剤が入らないため，empty delta（triangle）sign を認めることがある（図6）。単純MRIやMR venography（MRV），3D-CTAの静脈相はさらに診断に有用である（図7）。

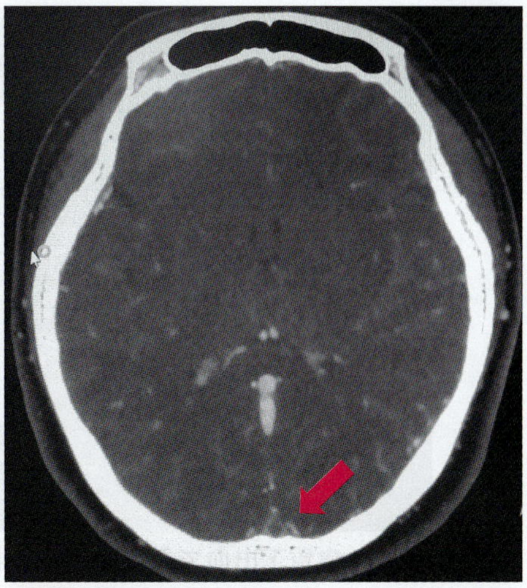

図6 脳静脈洞閉塞症の empty delta sign（造影CT）
40歳代，女性。上矢状静脈洞閉塞症。三角形の造影欠損を認める

5 治 療

　脳静脈洞閉塞症と診断されたら，未分画ヘパリンによる抗凝固療法が第一選択となる[35]。症状の悪化がなく安定していれば，ワルファリンによる経口抗凝固療法を少なくとも3カ月は継続する。DOACによる予防については，有効性を示す報告はあるが，いまだ適応外である。
　症状，とくに意識障害が悪化するようであれば，血管内治療による局所血栓溶解療法が有効であったという報告[36]や，機械的血栓回収療法（図8）が有効かつ安全であるというメタ解析[37]もある。ただし，ガイドラインでは十分な科学的根拠はないという表現にとどまっている[35]。脳腫脹に対しては，開頭外減圧術による救命および予後改善が示されている。

【中枢神経感染症】髄膜炎

1 疫 学

　2020年の人口動態統計によると，髄膜炎による死亡数は282人で，対10万人死亡率は0.2％と，2019年と同程度であった[3]。
　原因となる病原体により，細菌性，ウイルス性，真菌性，結核性に分けられる。また，細菌が検出されない「無菌性髄膜炎」の多くはウイルス性であるが，ほかの原因として，真菌性，薬剤性，悪性血液疾患，がんの髄膜転移，自己免疫疾患，ワクチン接種後などの病原性因子も

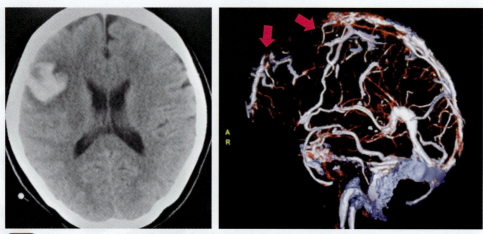

図7 皮質下出血で発症した上矢状静脈洞血栓症（CTと3D-CTV）

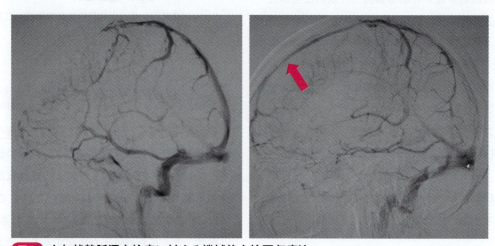

図8 上矢状静脈洞血栓症に対する機械的血栓回収療法
上矢状静脈洞前半の閉塞に対し，ステントリトリーバーによる血栓回収を施行した

あげられる。

細菌性髄膜炎の年間発生数は1,500人程度と推定されており，多くは小児で，成人は400〜500人とされてきたが，小児のヘモフィルス・インフルエンザ菌b型ワクチン（Hibワクチン），肺炎球菌ワクチンの定期接種や，65歳以上の高齢者などの23価結合性肺炎球菌ワクチン（PPSV23）定期接種により減少が期待される[38]。

2 病態生理

髄膜で覆われた脳〜脊髄周囲の髄腔内の感染や炎症である。脳実質の神経脱落症状を起こす脳炎とは異なるが，原因によっては劇症化し，致死的な疾患となる。病態生理は病原性因子の毒性と患者の状態により異なる。病原体の侵入門戸は血行性に脈絡叢を介すると考えられているほか，中耳炎や副鼻腔炎など隣接する感染症も侵入門戸となり得る。また，頭蓋底骨折後や脳神経外科術後など，直接侵入の経路もある。

1）細菌性髄膜炎

年齢により起炎菌が異なる[38]。生後1カ月未満はB群レンサ球菌と大腸菌，1〜3カ月はB群溶連菌，4カ月〜5歳はインフルエンザ菌と肺炎球菌（ワクチンにより減少）のほか，リステリア菌，髄膜炎菌，レンサ球菌が多い。6〜49歳は肺炎球菌が6〜7割を占めるほか，インフルエンザ菌や髄膜炎菌が多く，50歳以上になると肺炎球菌，グラム陰性桿菌，リステリア菌が多い。また，脳室腹腔シャント術などの術後は黄色ブドウ球菌，表皮ブドウ球菌が多い。治療が遅れると致死的となることがある。

2）ウイルス性髄膜炎

ウイルス感染により発症する。原因としては，エンテロウイルス属（コクサッキーウイルス，エコーウイルス

表2 髄液検査の正常値と髄膜炎の鑑別

	正常	細菌性髄膜炎	ウイルス性髄膜炎	結核性髄膜炎
細胞数（/μL）	≦5	1,000〜5,000	100〜1,000	25〜500
多核球率（％）	0	≧80	0	<50
髄液蛋白（mg/dL）	≦45	100〜500	50〜100	>50
髄液糖（mg/dL）	45〜80	≦40	正常域	≦40
髄液糖/血糖比	0.6	<0.4	>0.6	<0.5

〔文献38)より引用〕

ほか，非ポリオのエンテロウイルス）が多いが，単純ヘルペスウイルス，HIVウイルス，水痘・帯状疱疹ウイルスに加え，最近では，蚊が媒介するジカウイルスやウエストナイルウイルス，セントルイスウイルスなどがみられることもある。

3）真菌性髄膜炎

未熟児や脳室ドレナージ感染などで認められる。成人の真菌性髄膜炎でもっとも頻度が高いのはクリプトコッカス髄膜脳炎で，担がん患者，ステロイド投与中，糖尿病，膠原病，HIV感染症といった免疫不全状態での，呼吸器系からのクリプトコッカスの侵入で発生する。

4）結核性髄膜炎

わが国における結核罹患率は低下傾向であり，米国などほかの先進国に近づきつつある[39]。53件（計12,000例以上）の報告を対象としたメタ解析（2022年）では，結核性髄膜炎は全髄膜炎の13.9％，全結核患者の4.5％を占めた[40]。幼児期の感染が，高齢やアルコール多飲，低栄養，悪性腫瘍などで免疫不全に陥ったことで再活性化して起こることも多い。慢性の経過をとり，緩徐に進行する。

3 症　状

基本的な症状は，発熱，頭痛，嘔気・嘔吐，けいれん，羞明などであるが，細菌性髄膜炎などでは劇症化し，脳炎様の局在症状や高度意識障害をきたすことがある。神経学的所見としては，髄膜刺激徴候としての項部硬直，Kernig徴候，Brudzinski徴候などの確認が重要である。

4 検査・診断

1）血液検査

血液検査では，白血球増多，CRP上昇が認められる。血行性に血液脳関門を通過する感染経路を考慮し，起炎菌同定のためには抗菌薬投与前に血液培養検査を行う必要がある。また，肺炎球菌性髄膜炎が尿中莢膜抗原陽性で明らかになることもある。腰椎穿刺による髄液検査は確定診断として必要であるが，頭蓋内圧亢進が疑われる場合は原則禁忌であるため，頭部CT検査を先行することが望ましい。なお，頭部CTが正常でも脳ヘルニアのリスクはゼロではないため，注意が必要である。

2）髄液検査

髄液検査の正常値と鑑別を表2[38]に示す。細胞数では，細菌性では多核球優位となり，ウイルス性・結核性・真菌性では単核球優位の細胞増多となる。ただし，ウイルス性では発症後早期には多核球優位となることがあるため，その場合は概ね8時間後に再検し，単核球優位であることを確認する。髄液蛋白は上昇する一方，髄液糖は細菌性，結核性，真菌性，がん性では血糖の50％未満に下がる。髄液糖は血糖値の40〜60％であるため，検査時の血糖確認も必要である。なお，髄液所見は各病原においてオーバーラップする可能性があるため，髄液一般所見（細胞数，蛋白，糖など）のみで判断できないことがある。病原性因子の特定のためには，髄液培養，塗抹抗酸菌染色（結核），墨汁染色（クリプトコッカス）などが参考になる。

3）PCR検査

可能であれば行いたい検査として，細菌のPCR検査がある。ナイセリア属，インフルエンザ桿菌，肺炎球菌の検出率は，それぞれ88％，100％，92％と高い[41]。細菌の髄液培養の検出率は70％程度であるため，PCRに

よる遺伝子診断も行われている。大腸菌，B群レンサ球菌，肺炎球菌，インフルエンザ菌，髄膜炎菌，リステリア菌，黄色ブドウ球菌，肺炎マイコプラズマの8種について90％近い検出率（抗菌薬投与前）で検出できる。ウイルスの同定に関しては，髄液のPCRも含めた核酸増幅検査（nucleic acid amplification test）が感度・特異度ともに90％以上と高く，確定診断が可能であるが，治療に影響するものではないことが多いため，全例に行う意義はない[41]。

4）画像検査

画像検査では，頭部CT，MRI（DWI）で脳浮腫や脳室炎に伴う水頭症，脳室内の脳脊髄液の鏡面形成などが確認できることがある。結核性髄膜炎では，水頭症，脳室周囲の梗塞像，脳実質の結核結節などがみられる。さらに，水頭症で脳底部の髄膜が造影剤で増強される場合には，強く結核性髄膜炎が疑われる[42]。

5 治療[38]

細菌性髄膜炎では，抗菌薬投与の遅れは転帰の悪化に相関する。可能であれば検体採取の後に経験的治療としての広域抗菌薬を，髄液移行を考慮した用量で投与する必要があるが，場合によっては画像診断や髄液検査よりも抗菌薬投与を先行させることもあり得る。

年齢，免疫不全状態の有無，外傷・手術起因などの要件により，推奨される抗菌薬は異なる。50歳以上の正常免疫の場合は，第3世代セフェム＋バンコマイシンか，カルバペネム系＋バンコマイシンの2剤併用が推奨される。菌種が判明すれば，感受性をもとに抗菌薬の組み合わせを判断する。また，副腎皮質ステロイドは『細菌性髄膜炎診療ガイドライン2014』では，肺炎球菌性髄膜炎では推奨度A，そのほかの細菌においても推奨度Cとされている。抗菌薬投与の10〜20分前に開始し，4日間の使用が推奨されている。ただし，外傷後・手術後の場合は推奨されない。

結核性髄膜炎では抗結核薬の長期投与が必要となる。ウイルス性の場合，基本的には対症療法であるが，単純ヘルペス髄膜炎では脳炎となり重症化するため，アシクロビル治療が必要となり，確定診断前に開始して状態が改善するまで継続する。

【中枢神経感染症】 脳　炎

1 疫　学

ウイルス性脳炎は，2003年より感染症法で全数把握対象疾患となっている。日本脳炎，ウエストナイル脳炎，ジカウイルス感染症，ダニ媒介脳炎，東部ウマ脳炎などは，4類感染症として直ちに届け出が必要である。ほかの脳炎は5類感染症，また麻疹・水痘ウイルス感染症は5類感染症ではあるが，脳炎症状をきたした場合には直ちに届け出る必要がある。国内発生件数については，国立感染症研究所のホームページを参照されたい[43]。

また，脳炎には免疫系を介在する病態がある。ウイルス感染後の脳炎後症候群や，感染に起因しない傍腫瘍性脳炎，自己免疫性脳炎も，けいれん重積や意識障害で救急外来を受診することがある。

2 病態生理

脳炎は髄膜炎と同様，ウイルス，細菌などの中枢神経感染症であるが，明らかな神経局在症状をきたす点で髄膜炎と異なる。しかし，髄膜炎と脳炎の境界が不明瞭な場合も多く，症候が有意なほうに診断されるが，「髄膜脳炎」という病名もしばしば用いられる。感染様式はウイルスによって異なるが，空気，飛沫，接触感染の場合は入院隔離が必要である。重篤な合併症や基礎疾患を有する場合には専門施設での対応が必要となる。

また，ウイルス性脳炎においては脳炎後症候群という病態が知られ，急性散在性脳脊髄炎（acute disseminated encephalomyelitis；ADEM）とも呼ばれる。原発となる脳炎はウイルスの侵入によるもので，組織の鏡検でウイルスの封入体などが確認できるが，脳炎後症候群ではウイルスが同定できないにもかかわらず，微小血管周囲の炎症や脱髄がみられる。免疫が介在して起こる病態とされ，麻疹，水痘，風疹などで起こりやすい。

感染以外に，免疫系を介する脳炎がある。古典的な傍腫瘍性脳炎は悪性腫瘍に関連して起こるもので，腫瘍/神経共通抗原認識抗体（onconeural proteins）が関与する。自己免疫性脳炎（autoimmune encephalitis）は悪性腫瘍の有無にかかわらず発生し，神経細胞の表面やシナプス蛋白に対する抗体を有する。また，抗NMDA受容体脳炎という特殊な自己免疫性脳炎もある。

3 症状

　頭痛，発熱，けいれん，意識障害などの症状がみられ，症状が遷延することもある．とくに脳炎後症候群は重度の遷延性意識障害や機能障害を残すことがある．

　傍腫瘍性脳炎は，大脳辺縁系脳炎，脳幹脳炎として発現する．辺縁系脳炎は，亜急性の精神，行動変化，短期記憶障害，複雑部分発作，認知機能障害などがみられる．また，視床下部障害のほか，異常高熱や不眠，内分泌障害などもみられ，数日～数週間，時には数カ月にわたる．原因となる悪性腫瘍は，肺がん（小細胞がん），睾丸腫瘍，胸腺腫，乳がん，ホジキンリンパ腫などが多く，原発巣の発見に先行する．

　脳幹脳炎は，ほかの傍腫瘍性脳炎の症状発現後にみられる．外眼筋麻痺，眼振，構音障害，神経性難聴，三叉神経感覚脱失，中枢性徐呼吸，めまいなどが起こる．乳がん，腎細胞がん，前立腺がんなどでみられる．また，脳脊髄炎をきたすこともあり，脊髄炎の形をとることもある．

　抗NMDA受容体脳炎は，頭痛，発熱のほか，性格変化，精神症状，睡眠障害，記銘力障害，けいれん，自律神経障害などがみられる．

4 検査・診断

　頭部CTでは脳浮腫や局所の低吸収域，ヘルペス脳炎のように出血を伴う場合は高吸収域となり，側頭葉に多いとされる．帯状疱疹ウイルス（herpes zoster），Epstein-Barr（EB）ウイルスなどでも同様のCT像を示すことがある．頭部MRIは脱髄の感度が高いため，脳炎後症候群や進行性多巣性白質脳症（progressive multifocal leukoencephalopathy；PML）などの検出に有用である．

　髄液検査は確定診断には至らないが，250/μL程度の細胞数（単核球優位．ただし，超早期は多核球優位となり得るため，その場合は8時間後を目安に再検する）と，蛋白上昇（通常150mg/dL以下）を示す[44]．また，ヘルペス脳炎は壊死性脳炎といわれ，出血性変化を伴うため，血性髄液をみることがある．ウイルスの同定については，単純ヘルペス，水痘・帯状疱疹ウイルス，エンテロウイルスについてはPCR検査が可能である．

　傍腫瘍性脳炎はMRIでも異常が認められないことが多いが，一過性にFLAIRや造影MRIで大脳・小脳皮質，海馬・基底核・白質の病巣が描出されることがある．髄液検査では単核球優位の細胞数増加がみられるが，そのほかは正常値であることが多い．髄液オリゴクローナルバンド陽性も確認すべきであるが，特異的ではない．脳波はてんかん波がみられることもあるが，多くは徐波化する．

　自己免疫性脳炎の診断はいまだ専門家委嘱が必要である．血清や髄液の抗体測定法は一般には供給されておらず，また偽陰性・偽陽性もある．辺縁性脳炎については，①亜急性の3カ月未満で進行する記憶障害・精神症状，②MRI（T2WI，FLAIR）に両側側頭葉内側に限局した病巣，③髄液細胞数の軽度増加または脳波の側頭部てんかん波/徐波，④ほかの疾患の除外という基準をもって診断される[45]．

　抗NMDA受容体脳炎については，髄液のIgG抗体検査が感度・特異度ともに高い．また，18歳以上の女性では卵巣の奇形腫の合併が多いため，CTや超音波検査などで検索が必要である．男性では腫瘍の検出はまれである．

5 治療

　病原体特異性をもった治療ができるのは，ヘルペスウイルスに対するアシクロビルに限られている．単純ヘルペス脳炎に対する治療の遅れは転帰を悪化させるため，ウイルス性脳炎を疑う場合，病原ウイルスが同定される前に，経験的治療としてアシクロビルの投与を開始することが推奨されている[46]．脳浮腫・頭蓋内圧上昇に対してはマンニトールなどの浸透圧利尿薬を投与する．デキサメタゾンなどのステロイドは，肺炎球菌性髄膜炎などでは抗浮腫薬として有用であるが，ウイルス性脳炎では推奨されない[46]．

　抗NMDA受容体脳炎については，合併する腫瘍（卵巣腫瘍など）の切除と免疫抑制が有効とされる．メチルプレドニゾロン投与や免疫グロブリン投与，血漿交換療法などは行う意義がある．セカンドラインとしては，リツキシマブやシクロホスファミドなどの免疫抑制薬も選択される．けいれん重積をきたすことが多いので，急性期のけいれんコントロールは重要である．

【中枢神経感染症】脳膿瘍

1 疫　学

脳膿瘍は，頭蓋内細菌感染症としては比較的少ない病型であり，年間10万人当たり0.3〜1.3人とされる[47]。

2 病態生理

脳内の感染性占拠性病変であり，局所の脳炎と腫瘍性病変の病態からなる中枢神経感染症である。感染経路は近傍（副鼻腔炎，中耳炎，歯肉・う歯感染）からの直接波及が25〜50％で孤発であるのに対し，血行性（25〜30％）は多発性病変となることもある。穿通性頭部外傷，異物迷入，頭蓋底骨折，開頭術後も原因となる。欧米では，移植後や悪性腫瘍などの免疫不全に合併するものが多く，転帰不良例として注目されている[47]。起炎菌の侵入後，1〜2週間の局所脳炎期があり，この間は周囲の脳組織との境界が不明瞭で，局所の脳浮腫も伴う。続いて2〜3週間，病巣の中心が壊死して融解を起こし，外周は線維化した被膜に包まれる。

3 症　状

局所脳炎期は頭痛，発熱，けいれんのほか，不穏などの精神症状がみられる。被膜が形成されて腫瘍性病変になれば，発生した部位により，麻痺などの局在症状と，頭蓋内圧亢進によるうっ血乳頭がみられる。

4 検査・診断

画像検査としては，頭部CT，頭部MRIを行う。脳炎期は局所の脳浮腫のみの場合もあるが，被膜が形成されて内部が膿汁になると円形に近い断層像になり，造影剤により被膜がリング状に増強される。膠芽腫などの脳腫瘍や転移性脳腫瘍との鑑別を要する場合もある。多発性の場合，血液培養や細菌性心内膜炎の超音波検査なども必要である。

5 治　療

起炎菌の検出目的も含めて，原則として外科的に穿刺膿瘍ドレナージを行い，抗菌薬を選択する。ドレナージを控える状況としては，血液培養ですでに検出されている場合，初期の脳炎期で膿汁がない場合，穿刺困難あるいは危険な部位である場合，意識が比較的良好で病変が小さい場合などである。

局所の起炎菌の確認ができない場合は，経験的抗菌薬投与を行う。口腔，鼻腔，副鼻腔を感染源と考える場合はメトロニダゾールとセフトリアキソンまたはセフォタキシムを，血行性でグラム陽性球菌の場合はバンコマイシン，グラム陰性菌の場合は口腔・鼻腔・副鼻腔由来と同様の選択，脳外科術後の場合はバンコマイシンとセフタジジムまたはセフェピムまたはメロペネムを選択する。また，異物による膿瘍，真菌による被包化膿瘍，頭蓋内圧上昇を伴う場合は，ドレナージの後で膿瘍摘出を行う場合もある。

脳　症

1 疫　学

脳症は，血管障害や感染症などのような脳の構造の原発性の異常が認められず，脳の機能障害をきたす状態をさす。糖尿病，腎疾患，肝疾患，電解質異常，低酸素状態などさまざまな全身性の要因により起こる。このため，全体の疫学的データを示すことは難しい。

2 病態生理

中枢神経の機能維持には，エネルギーとしての酸素，糖と，これらを運搬する血流のほか，電解質，水分，興奮性・抑制性神経伝達物質，代謝物質，体温，pHなどが至適である必要がある。これらが整わない状況では，上行網様体賦活系の機能不全のため，覚醒や自己・周囲の認識が障害される。これらは急性代謝性中毒性脳症（acute toxic-metabolic encephalopathy；acute TME）と呼ばれ，さまざまな病態が含まれる（表3）。

可逆性後頭葉白質脳症（posterior reversible encephalopathy syndrome；PRES，あるいはreversible posterior leukoencephalopathy syndrome；RPLS）は，可逆性の病変で両側後頭葉に多く，血圧上昇と脳血管の自動調節能の障害が主たる病態である。血管攣縮による虚血，血管内膜の機能障害のほか，高血圧や免疫抑制療法，腎機能障害なども関与する。可逆性脳血管攣縮症候群（re-

表3 急性代謝性中毒性脳症（acute TME）に含まれる病態

- 低酸素血症
- 脳浮腫：急性劇症型肝性脳症，低浸透圧脳症
- 薬剤性の神経伝達物質統合の破綻：ドパミン，アセチルコリン，グルタミン酸，GABA，セロトニンによるせん妄など
- 細胞膜の興奮性に影響する電解質異常
- Wernicke脳症（ビタミンB_1欠乏症），低血糖性昏睡など，栄養障害によるニューロン死
- 一酸化炭素，シアン化合物など，酸素運搬やミトコンドリア機能を障害する物質による中毒
- 低栄養，感染，体温調節障害，多臓器不全などを伴うICU入院
- 敗血症性脳症
- 肝性脳症
- 尿毒症性脳症
- 低ナトリウム血症，低・高カルシウム血症，低マグネシウム血症，低リン血症など
- 低血糖
- 高血糖高浸透圧症候群，糖尿病ケトアシドーシス
- 内分泌障害：甲状腺機能低下症・亢進症，副腎不全，下垂体機能不全など
- 可逆性後頭葉白質脳症（PRES/RPLS）
- 可逆性脳血管攣縮症候群（RCVS）
- 移植後脳症

versible cerebral vasoconstriction syndrome；RCVS）は多源性の脳血管攣縮で，雷鳴様頭痛も含まれる。

3 症状

　見当識障害，せん妄，反応性低下，無関心のほか，けいれん，振戦，運動失調など，中枢神経の統合機能が障害される。昏睡など高度意識障害に至る場合もある。

4 検査・診断

　既往歴・基礎疾患，現病歴，身体所見は，脳症の診断の第一歩である。画像所見のみでは診断に至らないが，脳腫瘍，脳血管障害，頭部外傷などを除外するために，CT検査・MRI検査を行う。血液・生化学検査，動脈血ガス分析，血清浸透圧，髄液検査も診断に必要である。また，脳以外の腫瘍などが影響している可能性もあるため，体幹の画像検査も考慮する。外因性中毒物質のスクリーニングも可能なかぎり行う。また，内分泌機能検査（甲状腺ホルモン，コルチゾール，下垂体ホルモンなど）も必要に応じて行う。

　神経生理学的検査として，脳波検査は重要であり，脳機能の全般性の低下を示す徐波化や低振幅，または非けいれん性てんかん重積状態（non-convulsive status epilepticus；NCSE）の検出にも役立つ。脳波の障害の程度は重症度と相関する。

5 治療

　脳症の治療の原則は基礎疾患・背景因子の改善であるが，原因の如何にかかわらず，全身状態の改善とけいれん，せん妄，不穏などの症候の制御が求められる。中毒や原疾患の治療薬の副作用が考えられる場合は，投与の中断を考慮する。Wernicke脳症の治療と予防の観点から，アルコール依存や低栄養，悪性腫瘍，妊娠悪阻，人工透析患者に対してはチアミン（ビタミンB_1）の投与が推奨される。また，代謝性・中毒性脳症は従来，完全に回復可能と考えられていたが，昏睡，角膜反射・対光反射消失，数日以上自発運動がない場合は予後不良である[48]。

▶文献

1) Clarke DD, et al：Circulation and energy metabolism of the brain. In：Siegel GJ, et al ed, Basic Neurochemistry, 6th ed, Lippincott-Raven, 1999.
2) Greenberg MS：Handbook of Neurosurgery, 9th ed, Thieme, 2020, pp 741-3.
3) 厚生労働省：令和2年（2020）人口動態統計（確定数）の概況, 2022.
https://www.mhlw.go.jp/toukei/saikin/hw/jinkou/kakutei20/index.html
4) 豊田一則：日本脳卒中データバンクの解析の方針と診断名，評価尺度．国循脳卒中データバンク2021編集委員会（編），脳卒中データバンク2021, 中山書店, 2021, pp 14-19.
5) 平野照之：早期虚血性変化のASPECTS評価とrt-PA

静注療法. 脳卒中 37：347-51, 2015.
6) 日本脳卒中学会 脳卒中医療向上・社会保険委員会 静注血栓溶解療法指針改訂部会：静注血栓溶解（rt-PA）療法適正治療指針 第三版, 2019.
https://www.jsts.gr.jp/img/rt-PA03.pdf
7) 日本脳卒中学会脳卒中ガイドライン委員会（編）：経静脈線溶療法. 脳卒中治療ガイドライン2021, 協和企画, 2021, pp 57-60.
8) 日本脳卒中学会脳卒中ガイドライン委員会（編）：全身管理(2)；血圧, 脈, 心電図モニター. 脳卒中治療ガイドライン2021, 協和企画, 2021, pp 27-8.
9) Powers WJ, et al：Guidelines for the early management of patients with acute ischemic stroke：2019 update to the 2018 guidelines for the early management of acute ischemic stroke：A guideline for healthcare professionals from the American Heart Association/American Stroke Association. Stroke 50：e344-418, 2019.
10) 日本脳卒中学会, 他：経皮経管的脳血栓回収用機器適正使用指針 第4版. 脳卒中 42：281-313, 2020.
11) Roaldsen MB, et al：Intravenous thrombolytic treatment and endovascular thrombectomy for ischaemic wake-up stroke. Cochrane Database Syst Rev 12：CD010995, 2021.
12) Thomalla G, et al：MRI-guided thrombolysis for stroke with unknown time of onset. N Engl J Med 379：611-22, 2018.
13) 日本脳卒中学会脳卒中ガイドライン委員会（編）：抗血小板療法. 脳卒中治療ガイドライン2021, 協和企画, 2021, pp 64.
14) 日本脳卒中学会脳卒中ガイドライン委員会（編）：抗凝固療法. 脳卒中治療ガイドライン2021, 協和企画, 2021, pp 66-8.
15) 日本脳卒中学会脳卒中ガイドライン委員会（編）：脳保護薬. 脳卒中治療ガイドライン2021, 協和企画, 2021, pp 70.
16) Vahedi K, et al：Early decompressive surgery in malignant infarction of the middle cerebral artery：A pooled analysis of three randomised controlled trials. Lancet Neurol 6：215-22, 2007.
17) Jauss M, et al：Surgical and medical management of patients with massive cerebellar infarctions：Results of the German-Austrian Cerebellar Infarction Study. J Neurol 246：257-64, 1999.
18) Report of World Federation of Neurological Surgeons Committee on a Universal Subarachnoid Hemorrhage Grading Scale. J Neurosurg 68：985-6, 1988.
19) 豊田一則, 他：日本脳卒中データバンク；17万例の臨床情報解析結果. 国循脳卒中データバンク2021編集委員会（編）, 脳卒中データバンク2021, 中山書店, 2021, p 25.
20) 日本脳卒中学会脳卒中ガイドライン委員会（編）：初期治療. 脳卒中治療ガイドライン2021, 協和企画, 2021, pp 154-6.
21) Greenberg MS：Signs. In：Handbook of Neurosurgery, 9th ed, Thieme, 2020, pp 3095.
22) 日本脳卒中学会脳卒中ガイドライン委員会（編）：くも膜下出血. 脳卒中治療ガイドライン2021, 協和企画, 2021, p 150.
23) Tang C, et al：Risk factors for rebleeding of aneurysmal subarachnoid hemorrhage：A meta-analysis. PLoS One 9：e99536, 2014.
24) 日本脳卒中学会脳卒中ガイドライン委員会（編）：時期. 脳卒中治療ガイドライン2021, 協和企画, 2021, p 160.
25) 宇野昌明：脳出血部位, 血腫量と転帰. 国循脳卒中データバンク2021編集委員会（編）, 脳卒中データバンク2021, 中山書店, 2021, pp 102.
26) 日本脳卒中学会脳卒中ガイドライン委員会（編）：血圧の管理. 脳卒中治療ガイドライン2021, 協和企画, 2021, pp 121-3.
27) 日本脳卒中学会脳卒中ガイドライン委員会（編）：開頭手術, 神経内視鏡手術. 脳卒中治療ガイドライン2021, 協和企画, 2021, pp 129-31.
28) Gaberel T, et al：Intraventricular fibrinolysis versus external ventricular drainage alone in intraventricular hemorrhage：A meta-analysis. Stroke 42：2776-81, 2011.
29) 日本脳卒中学会脳卒中ガイドライン委員会（編）：抗血栓療法に伴う脳出血. 脳卒中治療ガイドライン2021, 協和企画, 2021, pp 145-7.
30) 園田和隆：脳出血患者における抗血栓薬内服割合の変遷とその影響. 国循脳卒中データバンク2021編集委員会（編）, 脳卒中データバンク2021, 中山書店, 2021, pp 105-7.
31) 柏原健一：脳動脈解離, もやもや病と脳卒中. 国循脳卒中データバンク2021編集委員会（編）, 脳卒中データバンク2021, 中山書店, 2021, pp 58-61.
32) 小野純一, 他：椎骨脳底動脈系解離性動脈病変の転帰決定因子；再出血に影響を及ぼす因子の検討. 脳神外ジャーナル 11：265-70, 2002.
33) 日本脳卒中学会脳卒中ガイドライン委員会（編）：頭蓋内・外動脈解離の外科療法. 脳卒中治療ガイドライン2021, 協和企画, 2021, pp 208-9.
34) 新堂晃大, 他：脳静脈洞血栓症. 日血栓止血会誌 25：399-403, 2014.
35) 日本脳卒中学会脳卒中ガイドライン委員会（編）：脳静脈・脳静脈洞閉塞症. 脳卒中治療ガイドライン2021, 協和企画, 2021, pp 225.
36) Siddiqui FM, et al：Mechanical thrombectomy versus intrasinus thrombolysis for cerebral venous sinus thrombosis：A non-randomized comparison. Interv Neuroradiol 20：336-44, 2014.
37) Ilyas A, et al：Endovascular mechanical thrombectomy for cerebral venous sinus thrombosis：A systematic review. J Neurointerv Surg 9：1086-92, 2017.
38) 日本神経学会, 他（監）：細菌性髄膜炎診療ガイドライン2014, 南江堂, 2015.
39) 厚生労働省：2021年結核登録者情報調査年報集計結果について.
https://www.mhlw.go.jp/stf/seisakunitsuite/bunya/0000175095_00007.html
40) Navarro-Flores A, et al：Global morbidity and mortality of central nervous system tuberculosis：A systematic review and meta-analysis. J Neurol 269：3482-94, 2022.
41) Corless CE, et al：Simultaneous detection of Neisseria meningitidis, Haemophilus influenzae, and Streptococ-

42) Ozateş M, et al：CT of the brain in tuberculous meningitis：A review of 289 patients. Acta Radiol 41：13-7, 2000.
43) 国立感染症研究所ホームページ：発生動向調査年別報告一覧（全数把握）. https://www.niid.go.jp/niid/ja/ydata/11529-report-ja2021-20.html
44) Feigin RD, et al：Value of repeat lumbar puncture in the differential diagnosis of meningitis. N Engl J Med 289：571-4, 1973.
45) Graus F, et al：A clinical approach to diagnosis of autoimmune encephalitis. Lancet Neurol 15：391-404, 2016.
46) 日本神経感染症学会, 他（監）：単純ヘルペス脳炎診療ガイドライン2017, 南江堂, 2017.
47) Hauser SL, et al：Brain abscess. In：Harrison's Neurology in Clinical Medicine. 4th ed, McGrow Hill, 2017, pp 538-62.
48) Jørgensen EO, et al：Natural history of global and critical brain ischaemia：Part I：EEG and neurological signs during the first year after cardiopulmonary resuscitation in patients subsequently regaining consciousness. Resuscitation 9：133-53, 1981.

前半の冒頭に見えるテキスト：
cus pneumoniae in suspected cases of meningitis and septicemia using real-time PCR. J Clin Microbiol 39：1553-8, 2001.

2 末梢神経系疾患，神経筋接合部疾患

中森　知毅

　救急医が末梢神経系疾患，神経筋接合部疾患に対応するケースとしては，まだ診断がついていない患者に接する場合と，すでに診断がついている患者の状態が悪化して救急外来を受診する場合がある。

　ここでは，数ある末梢神経系疾患，神経筋接合部疾患のなかから，救急医が対応する可能性の高い疾患として，Guillain-Barré症候群，Fisher症候群，Bell麻痺，糖尿病性ニューロパチー，重症筋無力症，Lambert Eaton筋無力症候群，ボツリヌス症，重症疾患多発ニューロパチーおよび重症疾患多発ミオパチーについて概説する。

【末梢神経系疾患】Guillain-Barré症候群

　Guillain-Barré症候群は，急性免疫介在性ニューロパチーの代表的疾患であり，感冒などの上気道感染や，下痢を伴う感染性胃腸炎の後に，四肢に感覚障害や運動麻痺が出現する単相性の疾患である。

1 疫学

　患者数は，わが国では人口10万人に対して1.15人と推定され，男女比は3：2，平均年齢は39.1±20.0歳である。成人では40〜70％，小児では67〜85％に先行する感染症状がある[1]。感染症状としては，上気道感染と呼吸器感染症状が，消化器感染症状よりも多い。消化器感染症状を呈する原因病原体として*Campylobacter jejuni*感染が有名であるが，上気道感染では病原体を特定できないことが多い[2]。

2 病態生理

　ウイルスや細菌などによる感染症を契機に，末梢神経に対する抗体が産生され，これによって末梢神経が障害されると考えられている。神経伝導検査の結果と脳神経内科医の臨床的判断をもとに，末梢神経の髄鞘の損傷が主体の脱髄型と，軸索の損傷が主体の軸索型に分類される。

3 症状

　先行感染から4週間以内に四肢のしびれ感や進行性の弛緩性運動麻痺が生じ，やがて進行し四肢麻痺となる。四肢麻痺はおおよそ左右対称であるが，遠位筋優位のことも，近位筋優位のこともある。しかし，近位筋から発症しても，いずれは遠位筋の筋力低下がより重度になる。感覚障害として，手掌や足底のぴりぴり感といった四肢のしびれ感が先行することが多いが，運動麻痺に比べて軽度である。感覚障害は，痛みを伴う異常感覚のみであることが多いが，感覚脱失に至ることもある。重症になるほど脳神経障害（顔面神経麻痺，球麻痺，眼球運動障害など）や自律神経障害（洞頻脈，徐脈，高血圧，起立性低血圧，神経因性膀胱など）も伴う。腱反射は初期には正常なこともあるが，いずれはほぼ全例で低下あるいは消失する。ただし，*Campylobacter jejuni*感染後の軸索型では，経過中に亢進することもある。

　症状は徐々に進行し，運動障害の程度・範囲ともに拡大して，多くの場合2週間以内，遅くとも4週間以内にピークに達する。重度の場合には完全四肢麻痺となり，球麻痺や呼吸器麻痺を伴う場合には，気管挿管や人工呼吸管理が必要となる。わが国の調査では，人工呼吸管理を要した症例は約13％であった[3]。通常は単発性であるが，まれに再発することもある。

4 検査・診断

　典型例の診断は，病歴と臨床症候のみから行うことができる。

　神経伝導検査を中心とした電気生理学的検査では，初期から異常所見が認められることが多く，診断の感度・特異度ともに高い。

　血清ガングリオシド抗体測定（GM1，GQ1b，GM1b，GD1a，GalNAc-GD1a IgG抗体など）は，診断に必須ではないが，特異度が非常に高く，診断に迷う症例では推奨される。また，GQ1b IgG抗体陽性例では，人工呼吸器装着率が高いことが知られている[4]。

表1 Guillain-Barré症候群の鑑別疾患

鑑別疾患	鑑別のポイント
急性脊髄圧迫	錐体路徴候（Babinski陽性など）を伴った対麻痺を呈し，脊髄MRI検査で病変を検出できる
脊髄炎	同上。また，脳脊髄液検査で細胞増加を認める
血管炎	四肢の神経症状が対称性ではなく，多発単ニューロパチーを呈する
慢性炎症性脱髄性多発根ニューロパチー	症状の経過。自律神経障害や顔面神経麻痺がなく，先行感染が明らかではないなどの臨床的特徴がある
サルコイドニューロパチー	多発単ニューロパチーを呈し，血液検査でACE高値，脳脊髄液検査で細胞数の増加を認める
神経痛性筋萎縮症	片側上肢の神経痛で発症。疼痛軽快後に限局性筋萎縮を生じる
重症疾患多発ニューロパチー	敗血症，SIRSと多臓器障害に陥った患者に生じる
重症筋無力症	症状が間欠的で，労作で増悪。反復筋電図検査が有用。AChR抗体，MuSK抗体が陽性となる
Lambert Eaton症候群	瞳孔散大など著明な脳神経機能障害。感覚障害は頻度が低い。血液検査でVGCC抗体陽性（保険適用外）
周期性四肢麻痺	近位筋主体で，症状が周期的。感覚障害は認めない

脳脊髄液検査では，蛋白細胞解離が認められることが多いが，感度・特異度ともに高くはなく，とくに発症後1週間以内では，約20〜30％の例で脳脊髄液蛋白は正常範囲にとどまる。しかし，脊髄炎などの他疾患を除外する目的では推奨される。はじめは脳脊髄液検査が正常でも，その後に蛋白上昇が出現してくる場合には，診断的意義は高い[3]。

5 鑑別診断

鑑別を有する疾患として，急性脊髄圧迫，脊髄炎，血管炎，慢性炎症性脱髄性多発根ニューロパチー，サルコイドニューロパチー，神経痛性筋萎縮症，重症疾患多発ニューロパチー，重症筋無力症，Lambert Eaton症候群などがあげられる（表1）。これらを鑑別するには，脳神経内科医の診察やMRI検査，電気生理学的検査，脳脊髄液検査などが必要となる。

6 治療

積極的な治療法としては，血漿浄化療法と経静脈的免疫グロブリン療法（intravenous immunoglobulin；IVIG）が行われる。血漿浄化療法としては，血漿交換法（plasma exchange；PE）と免疫吸着法（immunoadsorption plasmapheresis；IAPP）がある。これまでのところ，PEとIVIGの効果はほぼ同等という結論が出ている[5]。

現在では，発症2週間以内で，「支持があっても5mの歩行が不可能」という状態を超える重症度の場合には，血漿浄化療法やIVIGが有効と考えられている。また，血漿浄化療法は発症7日以内に施行された場合に治療効果が高く，1カ月以内でも十分な有効性が認められている[6]。また，IVIGは，「歩行器が必要，あるいは支持があれば5mの歩行が可能」という状態であっても，進行性であれば使用される。血漿浄化療法やIVIGを行っても症状が進行する，あるいは症状の改善が認められない場合には，再度の施行も考慮される。

なお，治療の経過中，約半数の症例で抗利尿ホルモン不適合分泌症候群（syndrome of inappropriate secretion of antidiuretic hormone；SIADH）による低ナトリウム血症を呈することが知られており，注意が必要である[7]。

呼吸筋麻痺による換気障害が強い場合には人工呼吸管理が必要となるため，酸素飽和度よりも，肺活量や血中二酸化炭素濃度に注意する必要がある。また，咳ばらいの脆弱や近位筋力（頸部，上腕や大腿）の低下，自律神経症状の出現などが生じる例では，人工呼吸器装着率が高い[8,9]。

痛みによる苦痛が強い場合には，はオピオイドの使用を考慮する。

7 予後

約4週以内に症状の極期を迎え，その後は徐々に回復することが一般的であるが，筋萎縮を早期から認め，関節拘縮をきたすこともあり，約20%で障害が残る．死亡に至るのは2%未満である[10)11)]．

【末梢神経系疾患】Fisher症候群

Guillain-Barré症候群の亜型と考えられる症候群で，急性の外眼筋麻痺，運動失調，腱反射消失を三徴とする免疫介在性ニューロパチーである．

1 疫学

報告例が多くないため推測の域を出ないが，わが国では人口10万人当たり約0.5人の発症と考えられており，約2：1で男性優位，平均発症年齢は40歳であるが，あらゆる年齢層で報告例がある[12)]．

2 病態生理

現時点では，先行感染に関連して生じた血清ガングリオシドGQ1b IgG抗体によって，眼運動神経，後根神経節大型感覚ニューロンや筋紡錘の障害が生じて発症すると考えられている[13)]．

3 症状・診断

上気道炎を主体とした先行感染に続き，全方向性の眼球運動制限（外転制限が優位なことが多い），失調性構音障害を伴わない四肢・体幹の運動失調，腱反射消失，そして意識障害を伴わないことが診断のポイントとなる．しかし，約半数で瞳孔異常，顔面神経麻痺，球麻痺を伴うことが報告されており，外眼筋麻痺のみや，運動失調と腱反射低下のみを呈する不全型も存在する．また，典型的なFisher症候群で発症後に意識障害などの中枢神経障害を呈し，Bickerstaff型脳幹脳炎に移行する例も存在する[14)]．

4 検査

80〜90%で血清ガングリオシドGQ1b IgG抗体が陽性となるため，診断マーカーとして使用されることが多い．発症1週間以降には，脳脊髄液検査で蛋白細胞解離が明らかとなる．

5 治療

Guillain-Barré症候群の亜型と考えられているが，経静脈的IVIG群，血漿浄化療法群，いずれの治療も受けなかった群の3群の間に予後の有意差がなく，また自然経過での回復が良好であった[15)]ことから，これらの治療法が必須とは考えられていない．しかし，高齢，急激な発症，完全外眼筋麻痺などの回復不良となる可能性がある場合や，経過中に四肢脱力が加わりGuillain-Barré症候群の病像を呈する場合，あるいは意識障害を伴いBickerstaff型脳幹脳炎に進展する場合には，IVIGや血漿浄化療法といった免疫調整療法が必要と考えられている．

6 予後

発症から6カ月後にはほぼ全例で症状が消失すると報告されている[16)]．

【末梢神経系疾患】Bell麻痺

末梢性の顔面神経麻痺のなかで，とくに急性で特発性のものをBell麻痺と呼ぶ．

1 疫学

人口10万人当たり13〜34人が発症し，妊娠，高血圧，糖尿病がリスクとなり得る[17)]．

2 病態生理

単純ヘルペスウイルスや帯状疱疹ウイルスなどのウイルスが発症に関与するとされているが，いまだ原因は特定されておらず，何らかの原因で顔面神経の末梢側に浮腫が生じ，顔面神経管の狭い空間を通るときに自身を圧迫し，血流障害も加わって神経障害をさらに強くしている可能性が考えられている[18)]．

表2　Bell麻痺の鑑別疾患

鑑別疾患	鑑別のポイント
Ramsay Hunt症候群	外耳に水疱の有無を確認，帯状疱疹ウイルスの抗体検査
ライム病	流行地帯を確認，抗体検査
中耳炎	発熱，痛み，鼓膜所見
Guillain-Barré症候群	両側性の顔面神経麻痺，四肢の症状，腱反射減弱
HIV感染症	多発単ニューロパチー，抗体検査
サルコイドーシス	全身所見，ACE値
腫瘍	MRIなどの画像検査
脳血管障害	神経所見，MRIなどの画像検査

3　症状

突然発症し，数時間のうちに顔面麻痺を生じる。片側の前額部から口の周囲までの麻痺を生じ，時に両側性の麻痺となることもある。数日間は進行し，その後は快方に向かう。顔面神経の枝である鼓索枝の障害を伴うと，同側舌の前2/3の味覚障害（甘味）や唾液分泌の減少，錐体神経枝の障害を伴うと涙分泌の減少，アブミ骨枝の障害を伴うと同側の聴覚過敏を伴う。

4　検査・診断

Bell麻痺の診断は臨床経過と症状によって行われるが，鑑別すべき疾患が少なからず存在する（表2）。帯状疱疹ウイルスの関与を示す水疱性病変の有無や，耳下腺腫瘍の有無の確認を行う。また，顔面神経の中枢側の異常の有無の確認や脳幹を精査する必要がある場合には，頭部MRI検査が有用である。

5　鑑別診断

特筆すべき鑑別疾患として，Ramsay Hunt症候群，ライム病，神経サルコイドーシス，腫瘍，脳血管障害，Sjögren症候群について紹介する。

Ramsay Hunt症候群は，顔面神経麻痺，耳痛，外耳や耳介の水疱を三徴とする。治療として，アシクロビルやバラシクロビル，プレドニゾロンの投与が検討される。とくに耳痛が強く，聴力障害を伴う場合にはこれらが投与されることが多いが，効果については確定されていない[19)20)]。

ライム病では，顔面神経麻痺は両側性となり，髄膜炎を伴うこともある。ほかの症状として，頭痛，倦怠感，関節痛，リンパ節腫脹を伴うこともある。診断には血清抗体検査が必要である。

神経サルコイドーシスでは，片側，あるいは両側の顔面神経麻痺を生じることがある。さらに，視神経やほかのニューロパチー，認知機能の障害も生じ，頭部MRIで髄膜などの造影所見，脳脊髄液検査でIgGインデックスの上昇や単球増加，ACE高値などが確認される。

側頭骨，内耳，小脳橋角部，耳下腺に生じる腫瘍は，顔面神経への浸潤や圧迫によって顔面神経麻痺を生じ得る。これらの場合，顔面神経麻痺のほかに顔面けいれん，聴力低下を伴い，耳下腺に腫瘤を触れることがあるため，触診や聴力低下の確認が必要である。通常は緩徐進行性で，顔面神経麻痺が4カ月以上続く。また，悪性腫瘍の髄膜浸潤で顔面神経麻痺が生じることもあるが，ほかの脳神経にも障害が生じることが多い。

脳血管障害では通常，片側顔面の下半分に著明な麻痺が生じ，前額部に麻痺は乏しく，口角の下垂が目立つ。しかし，同側の顔面神経核や橋の内部で脳血管障害が生じた場合には，あたかもBell麻痺のようにみえることがある。

Sjögren症候群では，脳神経を含む多発ニューロパチーをきたし得るが，顔面神経麻痺はまれである。

6　治療

Bell麻痺は未治療でも約7割が治癒するが，重症例では不全麻痺の残存や後遺症があり得るため，副腎皮質ステロイドの使用が推奨されている。日本神経治療学会の「標準的神経治療」[21)]では，プレドニゾロン1 mg/kg/dayを5日間経口投与し，その後に1日10 mgずつ減量，5

表3 糖尿病性ニューロパチーの分類

多発ニューロパチー
糖尿病でもっとも典型的な末梢神経障害。両側対称性に感覚神経の軸索障害が生じ、両足先から知覚低下が進行し、手袋靴下型の感覚障害を呈する。徐々に運動麻痺も伴うようになる
自律神経ニューロパチー
典型的であるが、多臓器に緩徐に進行するため、あまり異常を自覚されないまま進行することが多い。進行すると起立性低血圧、便秘や下痢といった胃腸症状を呈する
多発神経根ニューロパチー
非対称性に四肢近位部のニューロパチーを生じ、異常知覚や筋萎縮など多彩な症状を呈する。胸腰椎の神経根に軸索変性が生じ発症すると考えられている
単ニューロパチー
脳神経に生じるものと四肢に生じるものがある。脳神経では、外眼筋症状を呈する動眼神経麻痺、外転神経麻痺、滑車神経麻痺や、顔面神経麻痺が多い。四肢では、正中神経麻痺、尺骨神経麻痺や腓骨神経麻痺が多い。いずれも神経への圧迫に対する脆弱性によって生じる
多発単ニューロパチー
血管炎によって生じる
糖尿病治療関連性ニューロパチー
インスリン神経炎とも呼ばれ、慢性的に高血糖状態であった患者が、3カ月以内にHbA1Cが2％以上減少するような積極的な糖尿病治療を受け、その2カ月以内に強い疼痛を伴うニューロパチーや自律神経障害を急性に発症した場合に診断される小径の神経線維の神経内膜の浮腫や虚血、微小血管による神経障害などが原因と考えられているが、病態はまだ特定されていない。網膜症や腎症の増悪を伴うことがある

〔文献24)～26)より作成〕

日間で中止する方法を推奨し、重症例ではさらに高用量の投与が示されているが、既往歴も考慮し慎重に考慮すべきである。理想的には、発症3日以内の投与開始が望ましく、遅くとも1週間以内の投与開始が推奨されている。また、ヘルペスウイルスや帯状疱疹ウイルスを念頭に置いた抗ウイルス薬の併用は、成人重症例において推奨されている。

なお、閉眼が不完全あるいは不可となった場合、角膜びらんを起こすため、点眼薬や眼軟膏の処方を行う。

【末梢神経系疾患】糖尿病性ニューロパチー

末梢神経障害のなかでもっとも多いと考えられている。長い神経の末梢側から症状が始まり、感覚低下により足部の潰瘍や下肢切断のリスクとなり得る。

1 疫学

25年を経過した糖尿病患者では、約50％の患者が糖尿病性ニューロパチーを発症し、その有病率はHbA1cの上昇に伴って高くなる[22]。

2 症状

糖尿病性ニューロパチーでは、約半数に痛覚、振動覚、温覚の低下が生じるが、痛みを伴う異常知覚を呈する者も約34％存在する[23]。臨床症状から、多発ニューロパチー、自律神経ニューロパチー、多発神経根ニューロパチー、単ニューロパチー、多発単ニューロパチー、糖尿病治療関連性ニューロパチーに分類される（表3）[24)~26)]。

3 治療

糖尿病性ニューロパチーは、症状を緩和させることが困難で、進行を防ぎ合併症を予防するために、血糖管理と微小循環障害の改善が治療となる。また、足部の潰瘍や循環障害を防ぐためにフットケアが重要である。感覚障害や起立性低血圧によって転倒するリスクが高く、自宅あるいは職場環境への配慮も必要となる。ビタミンB_{12}の投与が行われることもある。足部の疼痛については、アミトリプチリンなどの抗うつ薬や、プレガバリンやガバペンチンなどの抗てんかん薬を使用する[27]。

表4 重症筋無力症の症状を増悪させる可能性のある薬剤

向精神薬	フェノチアジン系向精神薬，スルピリド，クロルプロマジン，リチウム，フェニトイン，カルバマゼピン，トリヘキシフェニジルなど
筋弛緩薬	サクシニルコリン，ベクロニウムなど
抗コリン薬，心血管系薬	シベンゾリン，リドカイン，プロカインアミド，β阻害薬（プロプラノロールなど），キニジン，ベラパミルなど
抗菌薬	アミノグリコシド系，シプロフロキサチン，エリスロマイシン，クラリスロマイシン，マクロライド系，ペニシリン系（高用量），テトラサイクリン，ポリミキシンなど
抗リウマチ薬	ペニシラミン，クロロキンなど
免疫チェックポイント阻害薬	イピリムマブ，ニボルマブ，ペムブロリズマブなど
その他	マグネシウム，インターフェロンαなど

【神経筋接合部疾患】重症筋無力症

重症筋無力症は，神経筋接合部の疾患のなかでもっとも頻度が高い疾患であり，神経筋接合部のシナプス後膜上にあるいくつかの標的抗原に対する自己抗体によって神経筋接合部の刺激伝達が障害されて生じる自己免疫疾患である。

1 病態生理と疫学

わが国の重症筋無力症全体の約80〜85％が抗アセチルコリン受容体（AChR）抗体陽性で，数％が抗筋特異的受容体型チロシンキナーゼ（MuSK）抗体陽性である。残る約10％が，眼筋型のように検出感度以下のAChR抗体が存在する，あるいは未知の自己抗体によって発症すると想定されている[28]。

眼筋型の重症筋無力症の発症年齢は，0〜4歳発症が多く，約80.7％を占める[29]。重症筋無力症の8〜15％に自己免疫疾患の合併があり，バセドウ病や橋本病，関節リウマチや全身性エリテマトーデスが知られている。また，胸腺腫は自己免疫疾患の合併が多いが，胸腺腫切除例の23％に重症筋無力症が合併する[30]。

また，過形成胸腺腫はAChR抗体の産生に深く関係していることが示されており，AChR抗体陽性の早期発症重症筋無力症では，発症早期の胸腺摘出術が有効な治療法と考えられている[31]。

2 症状

臨床症状の特徴は，運動の反復や持続に伴って骨格筋の筋力が低下し（易疲労性），休息によって改善すること，夕方に症状が悪化すること（日内変動），日によって症状が変動すること（日差変動）である。わが国における重症筋無力症の初発症状としては，眼瞼下垂がもっとも多く71.9％で，眼球運動障害による複視が47.3％である。これらに続き，頸部四肢筋力低下，構音障害，嚥下障害，咀嚼障害などの球症状，顔面筋力低下が生じることが多い[29]。

胸腺腫関連重症筋無力症では，胸腺腫由来のT細胞機能異常が原因となる自己免疫疾患を合併する場合があり，赤芽球癆，円形脱毛，味覚障害，低ガンマグロブリン血症，心筋炎がそれにあたる[32)33]。

身体的・精神的ストレスで増悪することが多く（後述のクリーゼの項を参照），また向精神薬，筋弛緩薬，抗コリン薬，心血管系薬，抗菌薬，抗リウマチ薬，マグネシウムやインターフェロンαなどの薬剤，免疫チェックポイント阻害薬の使用が増悪因子となることが知られている（表4）。さらに，重症筋無力症の治療のために使用されるステロイドや抗コリンエステラーゼ薬も症状を増悪させることがあり，クリーゼの原因となることもあるため，注意が必要である[34]。

3 検査・診断

日本神経学会の『重症筋無力症/ランバート・イートン筋無力症候群診療ガイドライン2022』における診断基

表5 重症筋無力症診断基準2022

A．症状
(1) 眼瞼下垂　　(6) 咀嚼障害
(2) 眼球運動障害　(7) 頸部筋力低下
(3) 顔面筋力低下　(8) 四肢筋力低下
(4) 構音障害　　(9) 呼吸障害
(5) 嚥下障害
※上記症状は易疲労性や日内変動を呈する

B．病原体自己抗体
(1) 抗アセチルコリン受容体（AChR）抗体陽性
(2) 抗筋特異的受容体型チロシンキナーゼ（MuSK）抗体陽性

C．神経筋接合部障害
(1) 眼瞼の易疲労性試験陽性
(2) アイスパック試験陽性
(3) エドロホニウム（テンシロン）試験陽性
(4) 反復刺激試験陽性
(5) 単線維筋電図でジッターの増大

D．支持的診断所見
血漿浄化療法によって改善を示した病歴がある

E．判定
definite：以下のいずれかの場合，重症筋無力症と診断する
　(1) Aの1つ以上，Bのいずれかが認められる
　(2) Aの1つ以上，Cのいずれかが認められ，ほかの疾患が鑑別できる
probable：Aの1つ以上，Dを認め，血漿浄化療法が有効なほかの疾患を除外できる

〔文献34）より引用〕

準を表5[34]に示す。重症筋無力症の症状として，眼瞼下垂，眼球運動障害，顔面筋力低下，構音障害，嚥下障害，咀嚼障害，頸部筋力低下，四肢筋力低下，呼吸障害があげられ，これらの存在に加えて，病原性自己抗体（AChR抗体，MuSK抗体），神経筋接合部障害を示す検査所見，血漿浄化療法による改善の有無によって診断する。

また，成人の重症筋無力症はサブタイプとして眼筋型と全身型に分けられ，さらに全身型は病原性自己抗体と胸腺腫の存在によって分類される（表6）。重症筋無力症の症状の重症度クラス分類には，MGFA（MG Foundation of America）分類（表7）[35]が使用され，重症度評価としてはMG-ADLスケールやQMGスコア，Myasthenia Gravis Composite Scaleが用いられている[35)~37)]。

4 治療

　重症筋無力症は自己免疫疾患であるため，免疫治療が中心となり，胸腺腫関連重症筋無力症では胸腺摘除が適応となる。しかし，長期にわたる治療が必要となることが多く，とくに成人発症の全身型では長期完全寛解は得がたく，治療が生涯にわたることが多い。そこで，経口プレドニゾロン1日5mg以下の投与となるようにし，以下のようにサブタイプによって治療アルゴリズムが示されている[34]。

　眼筋型では，抗コリンエステラーゼ薬で開始され，胸腺腫があれば胸腺摘除，また症状によってステロイドの使用が検討される。

　全身型では，プレドニゾロン少量投与，免疫抑制薬（タクロリムス，シクロスポリン），抗コリンエステラーゼ薬の使用，胸腺腫があれば胸腺摘除が行われる。また，症状の改善状態や反復性によって，早期即効性治療としてIVIG，メチルプレドニゾロン静脈内投与，血漿交換，免疫吸着療法，さらに，これらの治療で効果を得られない場合には，分子標的治療薬としてエクリズマブが考慮される。

表6 成人の重症筋無力症の分類

- 眼筋型（O）
- 全身型（g）
  AChR抗体陽性の非胸腺腫全身型：早期（50歳未満）発症（g-EOMG），後期（50歳以上）発症（g-LOMG）
  AChR抗体陽性の非胸腺腫全身型：胸腺腫関連MG（g-TAMG）
  AChR抗体以外の病原性自己抗体陽性の全身型：MuSK抗体陽性MG（g-MuSKMG）
  病原性自己抗体非検出の全身型：抗体陰性MG（g-SNMG）

表7 MGFA分類

Class		
Class Ⅰ		眼筋筋力低下。閉眼の筋力低下があってもよい ほかのすべての筋力は正常
Class Ⅱ		眼筋以外の軽度の筋力低下 眼筋筋力低下があってもよく，その程度は問わない
	Ⅱa	主に四肢筋，体幹筋，もしくはその両者をおかす それよりも軽い口咽頭筋の障害はあってもよい
	Ⅱb	主に口咽頭筋，呼吸筋，もしくはその両者をおかす それよりも軽いか同程度の四肢筋，体幹筋の筋力低下はあってもよい
Class Ⅲ		眼筋以外の中等度の筋力低下 眼筋筋力低下があってもよく，その程度は問わない
	Ⅲa	主に四肢筋，体幹筋，もしくはその両者をおかす それよりも軽い口咽頭筋の障害はあってもよい
	Ⅲb	主に口咽頭筋，呼吸筋，もしくはその両者をおかす それよりも軽いか同程度の四肢筋，体幹筋の筋力低下はあってもよい
Class Ⅳ		眼筋以外の高度の筋力低下。眼症状の程度は問わない
	Ⅳa	主に四肢筋，体幹筋，もしくはその両者をおかす それよりも軽い口咽頭筋の障害はあってもよい
	Ⅳb	主に口咽頭筋，呼吸筋，もしくはその両者をおかす それよりも軽いか同程度の四肢筋，体幹筋の筋力低下はあってもよい
Class Ⅴ		気管挿管された状態。人工呼吸器の有無は問わない 通常の術後管理における挿管は除く 挿管がなく経管栄養のみの場合はⅣbとする

〔文献35）より引用・改変〕

5 クリーゼ

重症筋無力症の患者が呼吸困難をきたし，急激に呼吸不全に陥って気管挿管が必要となった状態をクリーゼという。わが国では，経過中にクリーゼとなる症例が9.1〜14.8％存在する[29]。クリーゼは，発症から1年以内の症例，球症状を呈する症例，胸腺腫合併例，糖尿病や高血圧などの併存疾患がある症例に起きやすく，MuSK抗体陽性例ではAChR抗体陽性例よりも発症しやすい[38]。発症の誘因としては，気道感染症が多く，そのほか手術侵襲，免疫抑制薬の減量，過労，出産，薬剤，精神的なストレス，ヨード造影剤の影響があげられる。治療としては，血漿浄化療法やIVIGの有効性が示されている。

6 予後

クリーゼによる死亡が大きく減少したため，重症筋無力症による死亡はほとんどなくなっている。また，免疫療法の普及により生活や仕事に支障がない状態まで改善する割合が50％以上となった[39]。

表8 Lambert Eaton 筋無力症候群（LEMS）の診断基準

A. 症状
(1) 四肢近位筋の筋力低下
(2) 腱反射低下
(3) 自律神経症状

B. 反復刺激試験の異常
(1) 1日目の複合筋活動電位の振幅低下
(2) 低頻度刺激（2〜5Hz）で10％以上の漸減現象
(3) 高頻度刺激（20〜50Hz）あるいは10秒間の最大随意収縮後に60％以上の漸増現象

C. 病原性自己抗体
P/Q型電位依存性カルシウムチャネル抗体

D. 判定
以下の場合，LEMSと診断する
　Aのうち(1)を含む2項目以上があり，Bの3項目がすべて認められる
　Aのうち(1)を含む2項目以上があり，Bのうち(3)を含む2項目以上を満たし，Cが陽性

〔文献34）より引用〕

【神経筋接合部疾患】Lambert Eaton 筋無力症候群

　Lambert Eaton 筋無力症候群（Lambert-Eaton myasthenic syndrome；LEMS）は，傍腫瘍性神経症候群の代表的疾患である。神経筋接合部障害に起因する神経筋症状と自律神経症状が生じる。

1 疫学

　わが国では，人口10万人当たり0.27人とされており，50％以上に悪性腫瘍，主に小細胞肺がんを合併する[34]。

2 病態生理

　シナプス前終末の活性帯からのアセチルコリン放出障害により，四肢の筋力低下，腱反射低下，自律神経症状を呈する。病原性自己抗体として，P/Q型電位依存性カルシウムチャネル（VGCC）抗体がある。しかし，この抗体がLEMSに特異的に出現するわけではなく，診断的意義は慎重に検討する必要がある。

3 症状

　症状の中核は，四肢近位部の筋力低下，自律神経障害，腱反射の低下である。筋力低下は四肢，とくに下肢に対称性に目立ち，球症状と眼筋症状が続くが，呼吸筋症状は頻度が低い。自律神経障害としては，ドライマウス，性機能障害が多い。

4 検査・診断

　診断は，症状，反復刺激試験の異常，病原性自己抗体から行われる（表8）[34]。

5 治療

　悪性腫瘍があればこれに対する治療が必須であるが，みつからない場合には，発症後2年間は数カ月おきに検索を行う。3,4-ジアミノピリジン（3,4-DAP）内服治療とIVIGが有用とされている。

【神経筋接合部疾患】ボツリヌス症

　ボツリヌス菌が産生するボツリヌス神経毒素によって生じる全身の神経中毒疾患で，4類感染症として全数の届け出を行うよう義務づけられている。

1 病態生理

ボツリヌス毒素は，コリン作動性神経末端からのアセチルコリンの放出を抑制し，麻痺が生じる。ボツリヌス症は，病態により，ボツリヌス食中毒，乳児ボツリヌス症，創傷ボツリヌス症，成人腸管定着ボツリヌス症，その他に分類される。

ボツリヌス食中毒は，食品内に混入したボツリヌス菌の芽胞が嫌気状態の食品内で発芽・増殖し，産生されたボツリヌス毒素を食品とともに摂取することで発症する。わが国では，真空パック詰食品や缶詰，瓶詰めなどで生じた例がある。

2 症状

原因食品を摂取してから6時間～10日間，通常2日以内に発症する。脳神経症状として，眼瞼下垂，複視，嚥下障害，構音障害が出現し，意識は清明で感覚障害はなく，重複感染がないかぎりは通常，発熱はない。病状が進むと，弛緩性および対称性の麻痺が頸部，肩，上肢（上腕から前腕へ），下肢（大腿から下腿へ）に及ぶ。咽頭筋の麻痺による気道閉塞と，横隔膜および呼吸筋による麻痺を引き起こせば，気管挿管が必要になる。自律神経症状としては，口内乾燥，無汗症などが生じる。病状の進行は数時間～数日にわたることもある。症状が1カ月以上続き，回復にはリハビリテーションを含めて1年程度かかることもある。

3 診断

検体採取は，抗毒素使用前に行う。ボツリヌス疑い患者には，血清中，糞便検体中のボツリヌス毒素検出，糞便検体からのボツリヌス毒素産生菌の分離培養を行う。

4 治療

ボツリヌス症が強く疑われた場合は，乾燥ボツリヌスウマ抗毒素（A型，B型，E型，F型）により治療する。乾燥ボツリヌスウマ抗毒素は，神経末端に結合していない血中のfree toxinを中和する[40]。

重症疾患多発ニューロパチーおよび重症疾患多発ミオパチー

1 概念・疫学

敗血症や多臓器不全によってICUで人工呼吸管理を行う重症な症例に発生する神経筋合併症を，ICU-acquired weakness（ICU-AW）と称する。ICU-AWには，ニューロパチーが主体となる重症疾患多発ニューロパチー（critical illness polyneuropathy；CIP），重症疾患多発ミオパチー（critical illness myopathy；CIM），CIPとCIMの両方の特徴をもつ重症疾患多発ニューロミオパチー（critical illness neuromyopathy；CINM）の3つが含まれる。

CIPは，敗血症・多臓器不全に伴うサイトカインやフリーラジカルの発現による末梢神経の微小循環障害によって末梢神経の低酸素状態が誘発され，一次性軸索変性が生じると考えられている。また，血糖値の上昇や血清アルブミンの低下も関連があると考えられている。CIMは，サイトカインやフリーラジカルによって筋線維の萎縮と空胞変性，ミオシンの喪失が生じ，ミオパチーが生じると考えられている。糖質コルチコイドの投与や神経筋遮断薬の関与を指摘する意見もある。

ICU-AWは，7日間以上人工呼吸管理下にある患者では25～47％，重症敗血症患者では約60～100％に発生する[41,42]。

2 症状

CIPでは，下肢優位，遠位優位の四肢弛緩性麻痺と腱反射の低下あるいは消失を呈する。顔面筋は比較的維持される。表在覚や深部覚障害をきたすが，感覚低下のほか，疼痛や灼熱感などの異常感覚も生じ得る。

CIMでは，感覚障害は伴わず近位部優位の筋力低下を示し，人工呼吸からの離脱が進まず発覚することもある。腱反射は維持されるか低下する。

3 検査・診断

CIPもCIMも，弛緩性四肢麻痺と換気不全によって疑われる。敗血症，多臓器不全，人工呼吸管理，高血糖，糖質コルチコイドや神経筋遮断薬使用の有無と，経過を考慮し診断される。CIMはクレアチンキナーゼ高値を

伴うことが多い。また，糖質コルチコイド使用例で多くみられる。電気生理学的検査を行うことができれば，CIP では神経伝導のブロックや軸索変性を示唆する所見が観察される。しかし，CIP と CIM の鑑別が困難なことも多い。

4 治療

CIP でも CIM でも原疾患の治療が重要であり，それと同時に静脈血栓症を避け，リハビリテーションを行うなどの管理が重要である。その間，鎮静を最低限にして，神経筋遮断薬の使用を避け，糖質コルチコイドの使用量を少なくし，早期離床を図ることが重要である[43]。

5 予後

CIM では，CIP に比較して回復が早いが，それでも数カ月間を要する。CIP では四肢麻痺の障害が残ることがある。

文献

1) 斉藤豊和，他：厚生省特定疾患対策研究事業 免疫性神経疾患に関する調査研究班 平成10年度研究報告書；ギラン・バレー症候群の全国疫学調査 第一次アンケート調査の結果報告結果，1999, pp 59-60.
2) McGrogan A, et al：The epidemiology of Guillain-Barré syndrome worldwide：A systematic literature review. Neuroepidemiology 32：150-63, 2009.
3) 荻野美恵子，他：厚生労働省特定疾患対策研究事業 免疫性神経疾患に関する調査研究班 平成12年度研究報告書；Gruillain-Barré 症候群の全国調査；第3次調査結果を含めた最終報告，2001.
4) Kaida K, et al：Anti-GQ1b antibody as a factor predictive of mechanical ventilation in Guillain-Barré syndrome. Neurology 62：821-4, 2004.
5) Hughes RA, et al：Intravenous immunoglobulin for Guillain-Barré syndrome. Cochrane Database Syst Rev：CD002063, 2014.
6) Raphaël JC, et al：Plasma exchange for Guillain-Barré syndrome. Cochrane Database Syst Rev：CD001798, 2012.
7) Saifudheen K, et al：Guillain-Barré syndrome and SIADH. Neurology 76：701-4, 2011.
8) Walgaard C, et al：Prediction of respiratory insufficiency in Guillain-Barré syndrome. Ann Neurol 67：781-7, 2010.
9) Sharshar T, et al：Early predictors of mechanical ventilation in Guillain-Barré syndrome. Crit Care Med 31：278-83, 2003.
10) Dornonville de la Cour C, et al：Residual neuropathy in long-term population-based follow-up of Guillain-Barré syndrome. Neurology 64：246-53, 2005.
11) 斉藤豊和，他：厚生省特定疾患対策研究事業 免疫性神経疾患に関する調査研究班 平成11年度研究報告書；ギラン・バレー症候群の全国疫学調査 第二次アンケート調査の結果報告，2000, pp 83-4.
12) 日本神経学会（監）：ギラン・バレー症候群，フィッシャー症候群診療ガイドライン2013，南江堂，2013.
13) Kuwabara S, et al：Special sensory ataxia in Miller Fisher syndrome detected by postural body sway analysis. Ann Neurol 45：533-6, 1999.
14) Mori M, et al：Fisher syndrome：Clinical features, immunopathogenesis and management. Expert Rev Neurother 12：39-51, 2012.
15) Mori M, et al：Intravenous immunoglobulin therapy for Miller Fisher syndrome. Neurology 68：1144-6, 2007.
16) Mori M, et al：Fisher syndrome. Curr Treat Options Neurol 13：71-8, 2011.
17) Peitersen E：The natural history of Bell's palsy. Am J Otol 4：107-11, 1982.
18) Liston SL, et al：Histopathology of Bell's palsy. Laryngoscope 99：23-6, 1989.
19) Uscategui T, et al：Antiviral therapy for Ramsay Hunt syndrome (herpes zoster oticus with facial palsy) in adults. Cochrane Database Syst Rev：CD006851, 2008.
20) Coulson S, et al：Prognostic factors in herpes zoster oticus (Ramsay Hunt syndrome). Otol Neurotol 32：1025-30, 2011.
21) 日本神経治療学会ガイドライン作成委員会（編）：標準的神経治療：ベル麻痺2019. https://www.jsnt.gr.jp/guideline/bellmahi2019.html
22) Forrest KY, et al：Hypertension as a risk factor for diabetic neuropathy：A prospective study. Diabetes 46：665-70, 1997.
23) Abbott CA, et al：Prevalence and characteristics of painful diabetic neuropathy in a large community-based diabetic population in the U.K. Diabetes Care 34：2220-4, 2011.
24) Gibbons CH, et al：Treatment-induced neuropathy of diabetes：An acute, iatrogenic complication of diabetes. Brain 138 (Pt 1)：43-52, 2015.
25) Honma H, et al：Acute glucose deprivation leads to apoptosis in a cell model of acute diabetic neuropathy. J Peripher Nerv Syst 8：65-74, 2003.
26) Ohshima J, et al：Hypoglycaemic neuropathy：Microvascular changes due to recurrent hypoglycaemic episodes in rat sciatic nerve. Brain Res 947：84-9, 2002.
27) Price R, et al：Oral and topical treatment of painful diabetic polyneuropathy：Practice guideline update summary：Report of the AAN guideline subcommittee. Neurology 98：31-43, 2022.
28) 島智秋，他：重症筋無力症の自己抗体と病態．日本臨牀 73：465-71, 2015.
29) Murai H, et al：Characteristics of myasthenia gravis according to onset-age：Japanese nationwide survey. J Neurol Sci 305：97-102, 2011.
30) Nakajima J, et al：Myasthenia gravis with thymic epithelial tumour：A retrospective analysis of a Japa-

nese database. Eur J Cardiothorac Surg 49：1510-5, 2016.
31) Wolfe GI, et al：Randomized trial of thymectomy in myasthenia gravis. N Engl J Med 375：511-22, 2016.
32) Marx A, et al：Thymoma and paraneoplastic myasthenia gravis. Autoimmunity 43：413-27, 2010.
33) Kelesidis T, et al：Good's syndrome remains a mystery after 55 years：A systematic review of the scientific evidence. Clin Immunol 135：347-63, 2010.
34) 日本神経学会（監）：重症筋無力症/ランバート・イートン筋無力症候群診療ガイドライン2022, 南江堂, 2022.
35) Jaretzki A 3rd, et al：Myasthenia gravis：Recommendations for clinical research standards：Task Force of the Medical Scientific Advisory Board of the Myasthenia Gravis Foundation of America. Neurology 55：16-23, 2000.
36) Wolfe GI, et al：Myasthenia gravis activities of daily living profile. Neurology 52：1487-9, 1999.
37) Burns TM, et al：The MG composite：A valid and reliable outcome measure for myasthenia gravis. Neurology 74：1434-40, 2010.
38) Sieb JP：Myasthenia gravis：An update for the clinician. Clin Exp Immunol 175：408-18, 2014.
39) Masuda M, et al：The MG-QOL15 Japanese version：Validation and associations with clinical factors. Muscle Nerve 46：166-73, 2012.
40) 国立感染症研究所ホームページ：ボツリヌス症とは. https://www.niid.go.jp/niid/ja/kansennohanashi/7275-botulinum-intro.html
41) Berek K, et al：Polyneuropathies in critically ill patients：A prospective evaluation. Intensive Care Med 22：849-55, 1996.
42) De Jonghe B, et al：Acquired neuromuscular disorders in critically ill patients：A systematic review：Groupe de Reflexion et d'Etude sur les Neuromyopathies En Reanimation. Intensive Care Med 24：1242-50, 1998.
43) Kress JP, et al：ICU-acquired weakness and recovery from critical illness. N Engl J Med 370：1626-35, 2014.

Ⅴ 疾患領域別の救急診療

3 循環器系疾患

桐ケ谷 仁　竹内 一郎

急性冠症候群

1 病態生理

急性冠症候群（acute coronary syndrome；ACS）は，冠動脈粥腫（プラーク）の破綻とそれに伴う血栓形成により冠動脈の急速な高度狭窄，あるいは閉塞をきたし，急性心筋虚血を呈する症候群である。

ACSは12誘導心電図におけるST部分の上昇の有無から，ST上昇型心筋梗塞（ST-segment elevation myocardial infarction；STEMI）と非ST上昇型急性冠症候群（non ST-segment elevation ACS；NSTE-ACS）に分類される。さらに，NSTE-ACSは心筋バイオマーカーの上昇の有無によって，非ST上昇型心筋梗塞（non ST-segment elevation myocardial infarction；NSTEMI）と不安定狭心症（unstable angina；UA）に分類される。UAとNSTEMIを初療時に区別することはしばしば困難であり，一括してNSTE-ACSとして扱い，退院までに心筋バイオマーカーの上昇の有無によって診断する。

2 疫学

わが国では，人口10万人当たり年間約50人の急性心筋梗塞（acute myocardial infarction；AMI）が発症する。AMI発症率の男女差は男性3：女性1である[1]。また，発症時の年齢は，男性が平均65歳であるのに対し，女性は平均75歳である。冠危険因子として，高血圧，糖尿病，喫煙，家族歴，高コレステロール血症といった動脈硬化因子が知られている[1,2]。

3 症状

ACS患者のもっとも多い主訴は胸痛であり，70〜80％で認める[3]。胸痛の性状は，前胸部や胸骨後部の重苦しさ，圧迫感，絞扼感，息がつまる感じ，焼けつくような感じと表現されることが多いが，単に不快感として訴えられることもある。顎，頸部，肩，心窩部，背部，腕への放散や，時に胸部症状を伴わずこれらの部位にのみ症状が限局することもあるため，注意が必要である。また，随伴症状として，男性では冷汗が，女性では嘔気，嘔吐，呼吸困難感が多い。症状の強さと重症度は必ずしも一致しない。胸痛以外でも，呼吸困難（49.3％）や冷や汗（26.2％），嘔気・嘔吐（24.3％），意識消失（19.1％）が主訴となり得る[4]。

4 初期診療の要点

ACS治療の目標は致死的合併症を予防ないしは治療して急性期死亡を防ぐとともに，心筋壊死量を最小限にとどめて左室機能を温存し，その後の心不全発生を防ぐことである。これらの多くは閉塞した冠動脈を早期に再疎通させることによって達成される。虚血時間の増加とともに合併症の出現率や死亡率が上昇することは広く知られており，発症から再灌流までの時間を可能なかぎり短くすることが重要である。

5 病院前診療

救急車内に12誘導心電図が搭載されている場合は，12誘導心電図の記録と搬送先病院への通知が推奨される。救急隊による12誘導心電図記録は死亡率の改善や虚血時間の短縮に寄与することが，多くの観察研究により報告されている[5]。2022年に発表された14研究を統合したsystematic reviewでは，病院前心電図の使用は来院から再灌流までの時間，院内死亡率を改善させたと報告されている[6]。

6 初期評価

患者到着から10分以内にバイタルサインのチェック，心電図モニターを行い，簡潔かつ的確な病歴聴取とともに12誘導心電図を記録する。病歴はACSの診断にきわ

めて重要であり，その後の治療方針に大きな影響を与えることから詳細な聴取を迅速に行う。胸痛の部位，性状，誘因，持続時間，経時的変化，随伴症状の聴取と並行して，既往歴，冠危険因子，家族歴，アレルギーについても聴取する。また，再灌流療法に伴って抗血小板薬や抗凝固薬の投与が行われるため，最近の下血症状など出血リスクに関しても聴取することが重要である。

1）12誘導心電図

来院後10分以内に12誘導心電図を記録・評価し，STEMI，NSTE-ACSの分類を行う。心筋梗塞のuniversal definition[7]では，急性心筋虚血の心電図所見として，ST上昇を隣接する2つ以上の誘導で次のように定義している。

V2-3誘導：40歳以上の男性の場合は2.0mm以上のST上昇，40歳未満の男性の場合は2.5mm以上のST上昇。女性の場合は年齢を問わず1.5mm以上のST上昇。

V2-3誘導以外：1.0mm以上のST上昇（この定義は左室肥大や左脚ブロックのない場合に適用され，STレベルはJ点で計測，10mmは1.0mVとして記録）[8]。

通常の胸部誘導のみならず，急性下壁梗塞患者では右側胸部誘導（V4R誘導）を記録する。また，ACSが疑われるが，初回心電図では診断できない場合に12誘導心電図に加え背部誘導V7-9の記録を考慮する。AMIの患者の4％では背部誘導のみでST上昇するという報告もあり，初回心電図で診断できないもののAMIを疑う例では背部誘導の記録が推奨される[9]。

また，心室ペーシング例，Wolff-Parkinson-White（WPW）症候群や脚ブロック合併例では二次性ST-T変化のため心電図診断が困難なことが多い。このような例に対しては，ほかの臨床所見とあわせて総合的に判断する必要がある。

左脚ブロックを合併したAMIの患者背景および予後は不良であり[10]，再灌流療法の適用を迅速に判断することが重要である。左脚ブロック例で症状が持続し，AMIが強く疑われる場合には，再灌流療法を念頭に置いた緊急冠動脈造影の施行が推奨される。

2）静脈路確保，血液検査

12誘導心電図と並行して静脈路確保，血液検査を行う。ACSでは突然重症不整脈を生じ，心停止に至る可能性もあるため，薬剤投与のルート確保はきわめて重要である。血液検査では高感度トロポニンを含む心筋バイオマーカーの測定を行う。

3）胸部X線検査

うっ血性心不全の評価，およびACS以外の疾患の鑑別に重要である。

4）心エコー検査

救急外来におけるACSへの心エコーでは，左室局所の壁運動障害の評価を行い，12誘導心電図と照らし合わせて責任血管の同定を試みる。また，心破裂に伴う心嚢液貯留，乳頭筋断裂の有無，心室中隔穿孔の有無といった機械的合併症の評価が重要である。大動脈解離，肺塞栓といったACSに症状が近い疾患の除外も行う。

7　初期治療

1）酸素投与

低酸素血症（SpO_2 90％未満）または心不全徴候のある患者に対して酸素を投与する。低酸素血症のない患者への酸素投与の有効性は否定されており，SpO_2 90％以上の患者に対する酸素投与は推奨されない[8]。

2）抗血小板薬

重篤な血液異常，アスピリン喘息や過敏症のある患者を除き，できるかぎり早くアスピリンを投与する。早急に効果を得るために162～325mgを咀嚼して内服する。一次的経皮的冠動脈インターベンション（primary percutaneous coronary intervention；primary PCI）の際にはステント血栓症の予防のため，アスピリンに加え，血小板から放出され血栓形成に関与するアデノシン二リン酸（ADP）のP2Y12受容体への結合を阻害するP2Y12阻害薬（プラスグレル，クロピドグレル）を投与する。

3）硝酸薬

心筋虚血による胸部症状のある患者に対してニトログリセリンを舌下/スプレーでの口腔内噴霧で投与する。ただし，ショック状態にある場合や，右室梗塞を合併している場合には投与すべきでない。また，勃起不全治療薬（シルデナフィルクエン酸塩など）服用後24時間以内の患者に対しても投与すべきではない。過度の血圧低下から心筋虚血やショックをきたす可能性がある。

4）鎮痛薬

胸痛の持続は心筋酸素消費量を増加させ，梗塞巣の拡大や不整脈を誘発するため，鎮痛・鎮静は速やかに行う。硝酸薬使用にもかかわらず持続する疼痛には塩酸モルヒネが有効である。ただし，血圧低下に加え，嘔吐を引き起こす可能性があるため注意が必要である。

表1 NSTE-ACSにおける早期治療選択とその時期

リスク	治療戦略	危険因子
高	即時侵襲的治療戦略（2時間以内）	薬物抵抗性の胸痛持続または再発 心不全合併 血行動態不安定 致死性不整脈または心停止 機械的合併症（急性僧帽弁逆流など） 一過性のST上昇，反復性の動的ST-T変化
高	早期侵襲的治療戦略（24時間以内）	心筋梗塞に合併する心筋トロポニン値の上昇および下降 新たな心電図変化（動的ST-T変化） GRACEリスクスコア＞140
中	後期侵襲的治療戦略（72時間以内）	糖尿病 腎機能障害（糸球体濾過量＜60mL/min/1.73m^2） 低心機能（LVEF＜40％） 早期の梗塞後狭心症 冠血行再建の既往（PCI，CABG） GRACEリスクスコア109～140
低	初期保存的治療戦略	上記危険因子を有さず，保存的治療が妥当と考えられる場合 GRACEリスクスコア＜109

〔日本循環器学会．急性冠症候群ガイドライン（2018年改訂版）．https://www.j-circ.or.jp/cms/wp-content/uploads/2018/11/JCS2018_kimura.pdf．2023年12月閲覧〕

8 初期診断時に行うリスク評価

来院時に得られる情報（年齢，現病歴，既往歴，身体所見，12誘導心電図，臨床検査所見など）からACSが確実，またはその可能性が高いと判断した場合には，短期的な生命予後（心臓死，非致死的な心事故発生）に関するリスク層別化を行い，迅速かつ的確な治療を行うことが予後の改善に重要である．

STEMIは血栓性閉塞により冠動脈血流が途絶し，貫壁性虚血を生じていることを示唆する病態である．冠血流が閉塞性血栓によって途絶すると，まず虚血に脆弱な灌流領域中央の心内膜側に心筋壊死が生じ，数時間で急速に心外膜側に向かって梗塞領域が拡大する．そのため，心筋壊死が進行中（発症12時間以内）であれば，禁忌がないかぎり可及的早期のprimary PCIの適応となる．

NSTE-ACSの場合は冠動脈の不完全閉塞または良好な側副血行路からの残存血流が存在するため，STEMIとは異なる治療戦略が必要となる．表1[8]に示すように，リスク層別化を行ったうえで戦略を決定する．リスクの予後評価はGRACE（Global Registry of Acute Coronary Events）リスクスコアやTIMI（Thrombolysis in Myocardial Ischemia）リスクスコアを用いて行う[8]．

9 再灌流療法

STEMIに対する早期再灌流療法は，予後改善に結びつく確立された心筋梗塞の急性期治療である．発症12時間以内のSTEMI患者に対し，病院到着から90分以内に達成されるPCIが的確な再灌流療法とされる．12時間を超えた場合でも発症2～24時間以内で臨床的に，または心電図変化から持続する虚血徴候が認められる場合にはprimary PCIを考慮する．

primary PCIにおけるベアメタルステントの使用に関しては，バルーン拡張のみのPCIと比較して死亡率は改善しないものの，再血行再建率を改善することが示されている[11]．しかし，ベアメタルステント留置後も新生内膜の増殖により10～20％の例でステントの再狭窄をきたすことが知られている．そのため，近年はステント留置後の新生内膜増殖抑制を目的としてステントに免疫抑制薬や抗がん剤，抗菌薬などがコーティングされた薬剤溶出性ステント（drug eluting stent；DES）が使用されることが多い．DESの有用性に関してはいくつかの臨床試験で，ベアメタルステントと比較してSTEMI患者における死亡，心筋梗塞の頻度は変わらず，再血行再建率を低下させることが報告されている[12)13)]．

10 主な合併症

PCIをはじめとする各種治療法の進歩により，現在のAMIの院内死亡率はSTEMIで7.1〜7.7％，NSTEMIで5.1〜7.8％程度まで改善している[14)15)]。しかし，以下に示す合併症には十分な注意が必要である。

1）致死的不整脈

ACSに伴う持続性心室頻拍（ventricular tachycardia；VT）/心室細動（ventricular fibrillation；VF）は発症後早期に生じることが多く，院外死亡の主因である。心筋梗塞発症早期のVT/VFが長期予後に及ぼす影響についてはいまだ結論が出ていないが，近年の報告では院内死亡とは関連するものの，長期予後には差が認められなかったとされている。

ACSに対する一律な抗不整脈薬の投与は推奨されない。ACS発症48時間以降に出現する持続性VT/VFは予後不良因子であり，不整脈基質の存在が示唆されるため植込み型除細動器（implantable cardioverter defibrillator；ICD）を考慮する。日本循環器学会のガイドライン[16)]では，①心筋梗塞の既往を有し，解除できる残存虚血や電解質異常などの可逆的な要因がないVFまたは電気ショックを要する院外心停止，および，②心筋梗塞の既往を有し，解除できる残存虚血や電解質異常などの可逆的な要因がない持続性VTで，以下の条件のいずれかを満たす場合に，ICDの適応がクラスⅠで推奨されている。

- 左室駆出率（left ventricular ejection fraction；LVEF）≦35％
- VT中に失神を伴う場合
- VT中の血圧が80mmHg以下，あるいは脳虚血症状や胸痛を訴える場合
- 多形性VT
- 血行動態の安定している持続性VTであっても薬剤治療が無効，あるいは副作用のため使用できない場合や薬効評価が不明な場合，もしくはカテーテルアブレーションが無効あるいは不可能な場合

2）心不全

左室の急激な収縮力の低下によりポンプ失調を生じる。来院時の身体所見に基づく重症度分類としてKillip分類がある（クラスⅠ：心不全の徴候なし。クラスⅡ：軽度〜中等度心不全，ラ音聴取領域が全肺野の50％未満。クラスⅢ：重症心不全，肺水腫，ラ音聴取領域が全肺野の50％以上。クラスⅣ：心原性ショック）[17)]。1967年に提言された古典的な分類であるが，primary PCIが一般的な現代においてもその簡便さと高い予後予測能から使用されている。

3）右室梗塞

下壁梗塞の約半数に右室虚血を合併するといわれているが，臨床的に問題となる右室梗塞の合併率は10〜15％程度で，右室に加えて左室の障害範囲が広い場合には低心拍出状態となる。①心電図でV4R誘導のST上昇，②心エコーでの右室壁運動低下，③平均右房圧≧10mmHgかつ平均肺動脈楔入圧−平均右房圧≦5mmHg，④右房圧波形でのnoncompliant波形，⑤肺動脈圧の交互脈または早期立ち上がり，といった所見が診断に重要である[8)]。

治療の原則は，右室前負荷の早期維持，右室後負荷の低下，強心薬による右室機能障害の治療，房室同期の維持であり，このために早期再灌流療法が重要である。血行動態の管理としてはSwan-Ganzカテーテルを用いたモニタリングが有効である[18)]。

4）機械的合併症（左室自由壁破裂，僧帽弁乳頭筋断裂，心室中隔穿孔）

脆弱になった心筋の断裂により機械的合併症を引き起こす。機械的合併症はACSの0.91％に出現し，左室自由壁破裂が0.52％，乳頭筋断裂が0.26％，心室中隔穿孔が0.17％と報告されている[19)]。AMI発症後24時間以上経過して入院した例や，血圧を上昇させるような発症後の身体活動，高齢，女性，初回AMIなどが発生の危険因子である[20)]。とくに左室自由壁破裂はもっとも重篤な機械的合併症で死亡率は75〜90％といわれており，AMI後の院内死亡の20％の原因となっている[21)]。いずれの場合も原則，外科的修復術を要する。

5）心原性ショック

心筋梗塞による心原性ショックはきわめて死亡率の高い病態である。多くは広範な左室収縮力低下によるが，機械的合併症による場合もあるため，心エコー検査による原因検索が重要である。心原性ショックの初期治療として，血圧低下例ではカテコラミン製剤に加え，IABP（intra aortic balloon pumping）の挿入を考慮する。この状況下でも効果が不十分な場合はV-A ECMO（venoarterial extracorporeal membrane oxygenation）を考慮する。

近年は心原性ショックに対する治療としてImpella®が注目されている。心原性ショックなどの薬物療法抵抗性の急性心不全に対して適応があり，大腿動脈から左心

室内に挿入・留置して，左心室から直接脱血し，上行大動脈に送血することにより体循環を補助するカテーテル式の血液ポンプである。溶血や穿刺部出血といった合併症を生じることもあるが，後ろ向き観察研究においては従来の治療より優れていたという報告もある[22]。ただし，大動脈弁置換術後（機械弁），中等度以上の大動脈弁逆流症，大動脈解離，大動脈瘤，重度の閉塞性動脈硬化症，大動脈の高度屈曲や蛇行，左室内血栓を有する例など，アクセスルートや Impella® 挿入部位に問題のある例では禁忌となる。

大動脈解離

1 疫 学

東京都急性大動脈スーパーネットワークのデータでは，急性大動脈解離の発症は10万人当たり年間10人と報告されている。発症のピークは男女いずれも70歳代で，冬季に多く，夏季に少ない。

2 病態生理

1）定義・分類

大動脈解離（aortic dissection）とは，大動脈壁が中膜のレベルで二層に剝離し，動脈走行に沿ってある長さを持ち二腔になった状態で，大動脈壁内に血流または血腫が存在する動的な病態である。剝離した内膜には裂孔（tear）があり，これにより真腔と偽腔が交通することが多い。

解離の範囲からみた分類として，Stanford 分類と DeBakey 分類がある（表2）。わが国では従来，大動脈解離を偽腔に血流のある開存型と血流のない閉塞型に分け，この2つを同じ解離の分類と考えてきた。しかし，国際的には①classic dissection，②intramural hematoma（IMH），③penetrating atherosclerotic ulcer（PAU）の3つの分類が一般的である。

いわゆる偽腔開存型が classic dissection に相当し，偽腔閉塞型が IMH に該当する。PAU は動脈硬化性病変が潰瘍化して，内弾性板，中膜以下に達するものと定義され，PAU そのものは解離とは異なる病態である。これが中膜方向に広がりをもつと解離，外膜方向に進行すると囊状動脈瘤または大動脈破裂となる。ULP（ulcer-like projection）は主に急性大動脈解離の画像診断における画像所見の表現の一つであり，造影CTや血管造影において，閉塞した偽腔における頭尾方向の広がりが15mm 未満の造影域と定義される。このような欧米の考え方にならい，今後はわが国でも IMH の名称が使用されることが予測される（表3）[23]。

2）合併症

広範囲の血管に病変が進展するため種々の病態を示す。大血管拡張に伴う合併症として大動脈弁閉鎖不全（Stanford A 型大動脈解離の60〜70％に発生），慢性期に解離腔の外壁が拡張し生ずる大動脈瘤があげられる。また，解離に伴い血管が破裂し，死因の70％を占める心タンポナーデ，胸腔内やほかの部位への穿破が起こり得る。さらに，分枝動脈の狭窄・閉塞による循環障害（malperfusion）が30％で合併し，心筋梗塞，脳虚血，上肢虚血，対麻痺（Adamkiewicz 動脈の閉塞による脊髄梗塞），腸管虚血，腎不全，下肢虚血を生じ得る[23]。

3 症 状

自覚症状は，激しい胸痛，または背部痛である。この痛みは，胸部から背部へ，さらに腹部，腰部などへ移動することが多い。多い順に，胸痛（67.5％），背部痛（24.8％），意識消失（6.8％）と報告されている[24]。その他の臨床症状としては，持続性意識障害，片麻痺，対麻痺，失語，四肢脱力がある。

表2 解離の範囲による大動脈解離の分類

Stanford 分類
A型：上行大動脈に解離があるもの
B型：上行大動脈に解離がないもの

DeBakey 分類
Ⅰ型：上行大動脈に tear があり，弓部大動脈より末梢に解離が及ぶもの
Ⅱ型：上行大動脈に解離が限局するもの
Ⅲ型：下行大動脈に tear があるもの
Ⅲa型：腹部大動脈に解離が及ばないもの
Ⅲb型：腹部大動脈に解離が及ぶもの

DeBakey 分類に際しては以下の亜型分類を追加できる
弓部型：弓部に tear があるもの
弓部限局型：解離が弓部に限局するもの
弓部広範型：解離が上行または下行大動脈に及ぶもの
腹部型：腹部に tear があるもの
腹部限局型：解離が腹部大動脈のみにあるもの
腹部広範型：解離が胸部大動脈に及ぶもの
（逆行性Ⅲ型解離という表現は使用しない）

表3 IMH（壁内血腫）の概念と表記

概念	日本語表記	英語表記
tear（内膜裂孔）がないもの（本来は病理学的診断）	偽腔閉塞型大動脈解離	IMH
tear（内膜裂孔）が見えないもの（臨床診断）	偽腔閉塞型大動脈解離	IMH
ULPがあるもの	ULP型大動脈解離	IMH with ULP IMH with ulcer intimal defect with IMH
偽腔が開存しているもの	偽腔開存型大動脈解離	aortic dissection classic dissection

IMH：intramural hematoma，ULP：ulcer-like projection
〔日本循環器学会/日本心臓血管外科学会/日本胸部外科学会/日本血管外科学会．2020年改訂版 大動脈瘤・大動脈解離診療ガイドライン．https://www.j-circ.or.jp/cms/wp-content/uploads/2020/07/JCS2020_Ogino.pdf．2023年12月閲覧〕

痛みを伴わない例が存在すること，症状が多彩であること，なおかつACSや肺塞栓症といったほかの胸部救急疾患と類似の症状を有することから，初診で迅速に診断することはしばしば困難である[24]。女性，非典型的症状（とくに発熱），三次医療機関以外の受診，walk-inでの受診といった要素も初診時に診断できないリスクになり得る。

欧米のガイドラインでは，大動脈解離診断リスクスコア（aortic dissection detection risk score；ADD-RS）とD-dimerを組み合わせた診断アルゴリズムが検査前診断確率を高めるとして推奨されている。ADD-RSは患者背景や症状・身体所見をスコアリングしたものである。特記すべき項目として，既往歴の聴取でMarfan症候群およびその他の結合組織異常，大動脈疾患の家族歴，既知の大動脈弁疾患，既知の大動脈瘤，最近の心臓手術を含めた大動脈の手術などがある。救急外来では，これらの既往歴の聴取を行う。

わが国のガイドラインでは，急性大動脈解離の診断・治療カスケードが示されている（図1）[23]。「急性大動脈解離を疑う所見」がある例や，そうでなくても可能性を除外できない場合は，画像モダリティを用いて迅速に診断・治療につなげる。

4 検査・診断

1）身体所見

前述したADD-RSでは，身体所見の項目として脈拍欠損や血圧の左右差，局所の神経学的異常所見，新規の拡張期逆流性雑音，血圧低下/ショックの評価が必要とされており，各々の頻度は21.9%，13.7%，6.9%，29.5%と報告されている[14]。Stanford B型解離ではほとんどの例で高血圧を呈するのに対し，Stanford A型では正常〜低血圧の場合も多く，とくに低血圧例は合併する心タンポナーデや破裂によることが多い。血圧測定部位の動脈血管が偽腔の拡大により圧迫され，計測上の血圧低値をきたしている場合もあり，測定血圧の解釈は造影CT検査など画像モダリティの結果とあわせて慎重に行う。

2）D-dimer

D-dimerは急性大動脈解離の多くで上昇し，特異度40〜100%，感度94%と感度が高く，除外診断に有用である[25]。ただし，偽腔閉塞型や若年者の場合はD-dimerの上昇がみられないことがあり注意を要する。

3）12誘導心電図

心電図異常を認める例が約30%存在することが知られている[26]。しかし，心電図異常単独で急性大動脈解離の診断は困難であり，12誘導心電図の主目的は他疾患の鑑別とcoronary malperfusionによる心筋虚血の有無を診断することである。

4）胸部X線検査

急性大動脈解離では縦隔陰影の拡大がみられることがある。大動脈壁の内膜石灰化の内側偏位は解離を示唆する所見である。しかし，単純X線写真で異常所見を認めない例も約20%存在する[23]。

5）心エコー検査，頸動脈エコー検査

本症の迅速な診断を行ううえで非常に有用である。Stanford A型における経胸壁心エコー（transthoracic echocardiography；TTE）の感度は77〜80%，特異度は93〜96%と報告されている[23]。Stanford A型のTTEにおける直接的所見として，上行大動脈内のflap，血腫

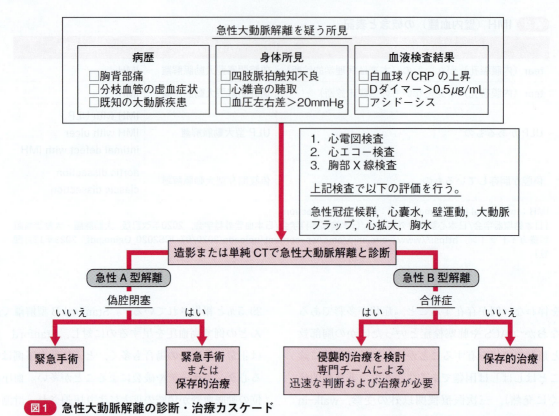

図1 急性大動脈解離の診断・治療カスケード
〔日本循環器学会/日本心臓血管外科学会/日本胸部外科学会/日本血管外科学会．2020年改訂版 大動脈瘤・大動脈解離診療ガイドライン．https://www.j-circ.or.jp/cms/wp-content/uploads/2020/07/JCS2020_Ogino.pdf．2023年12月閲覧〕

形成が知られており，これらを確認した場合はStanford A型解離の可能性が高い。また，間接的所見として上行大動脈拡張（＞40mm），大動脈弁逆流の存在，心膜液貯留がある[27]。A型解離を疑う際はこれらの点に着目し評価を行う。

しかし，上行大動脈の評価では心室中隔のグレーティングローブ，大動脈壁の多重反射といった多種のアーチファクトをflapと見誤る可能性があること，患者の体型によっては評価がそもそも不可能な場合もあるなど，超音波検査特有のピットフォールがあることを理解しておく。したがって，超音波検査に時間をかけすぎず，急性大動脈解離の可能性が否定できないと判断した場合は早急に造影CTを行う必要がある。なお，Stanford B型ではTTEの感度は70％程度である[23]。Stanford A型解離と診断されたら，合併症である心タンポナーデ，大動脈弁逆流，大動脈分枝や冠動脈への進行，局所壁運動異常や胸水貯留も評価を行う。

また，大動脈解離例では頸動脈エコーでの頸動脈血流評価が望ましい。脳卒中は発症早期の線溶療法で良好な治療効果が得られるが，脳神経症状を呈している大動脈解離例ではrt-PAを投与すると致死的となる。緊急を要する急性期脳梗塞患者のなかに本症は1～2％含まれており，わが国でも死亡例が少なからず発生していることから，国立循環器病研究センターからも声明が出されている[28]。D-dimerの測定と頸動脈エコーの実施が推奨されている。頸動脈は体表からわずか数cm以内の深さにあり，ポケットエコーでも解離の評価は十分可能である。

6）CT検査

大動脈解離の確定診断とともに，進展範囲，偽腔の血流状態，entry/re-entryの同定，合併症（破裂，心タンポナーデ，malperfusionなど）を評価する。撮像は単純CT，造影CT早期相と後期相が基本である。単純CTでは石灰化や血腫を評価する。造影早期相では，造影剤のファーストパスの状態で全大動脈を撮影する。偽腔開存型では二腔構造を，偽腔閉塞型では造影されない偽腔を証明することにより診断が確定する。偽腔開存型解離では偽腔の血流が非常に遅い場合があり，造影早期相で偽腔が造影されず後期相で造影剤の流入を認める例があるため，造影後期相まで撮像する必要がある。なお，頸動脈のmalperfusionの評価の際は脳虚血の評価もあわせて行う。

5 急性期管理

　手術治療，保存的治療どちらが選択されるとしても，超急性期の内科的管理は重要である。急性期の治療で重要なのは，降圧と鎮痛，安静である。β遮断薬を投与し，血圧値だけでなく心拍数と血圧の立ち上がり速度を低下させることにより大動脈壁へのストレスを軽減させ，解離の進展や破裂を予防する。とくにStanford B型解離では目標心拍数60回/min，収縮期血圧100～120mmHgとされており，迅速な調整が求められる。持続する痛みに対しては鎮痛・鎮静を図るべきであり，これは降圧にも寄与する。フェンタニルやモルヒネなどを用いる。

6 治療方針

1）Stanford A 偽腔開存型

　Stanford A 偽腔開存型の保存的治療の予後はきわめて不良で，緊急手術の適応である。entryを含む解離大動脈壁の切除と同部位の人工血管置換術を原則とする。必要に応じ，大動脈弁修復，冠動脈バイパス術を追加する。上行置換か全弓部置換かの選択に関して明確な基準は存在しないが，entryが弓部～近位下行大動脈や弓部分枝に存在する，弓部大動脈が拡大している，Marfan症候群，若年などが全弓部置換の適応と判断される。

2）Stanford A 偽腔閉塞型

　心筋虚血，大動脈弁閉鎖不全症，心タンポナーデの合併例は緊急手術の適応である。また，上行大動脈に明らかな血流を有する例は，ULP型へ移行したものと考えられるため，同じく早期手術を考慮すべきである。注意すべきことは，初期に内科治療を選択した場合，厳重な降圧治療と画像診断による経過観察が必要なことである。内科治療を行った例の約30～40％で解離の進行が認められ，手術が必要となることがある[23]。

3）Stanford B型

　合併症を有する場合（complicated型）には，侵襲的治療の適応となる。complicated急性B型解離とは，解離発生に伴い，生命を含む急性期予後に危険が及ぶ，①破裂・切迫破裂，②malperfusion（腹部主要分枝，下肢，脊髄などへの灌流障害），③持続する痛み，または再発する痛み，④コントロール不能の高血圧，⑤大きな大動脈径，真性瘤と一致した部位の解離合併，急速拡大・進展する大動脈解離がみられる状態と定義される。complicated B型解離に対しては血管内治療（thoracic endovascular aortic repair；TEVAR）が有用である。TEVARを含む侵襲的治療が不可能な施設であれば，心拍数，血圧のコントロールを行いつつ，手技可能な施設へ搬送する。

　一方，complicated B型解離に該当しないB型解離をuncomplicated B型解離と表現する。uncomplicated B型解離では降圧，心拍数コントロール，疼痛コントロールを行いつつ，画像検査や症状・バイタルサインのフォローアップを注意深く行い，complicated型への移行に注意する。

大動脈瘤破裂

1 病態・疫学

　真性大動脈瘤は瘤壁が動脈内膜・中膜・外膜の三層構造からなるもので，その部位により胸部，胸腹部，腹部に分類される。成人の大動脈の正常径としては，一般に胸部で30mm，腹部で20mmとされており，壁の一部が局所的に拡張した（こぶ状に突出，嚢状に拡大した）場合，または直径が正常径の1.5倍（胸部で45mm，腹部で30mm）を超えて拡大した（紡錘状に拡大した）場合に「瘤（aneurysm）」と称される。

　時に軽い痛みや隣接臓器の圧迫症状をきたすことがあるが，通常は破裂しないかぎり無症状である。大動脈瘤が破裂すれば，多くの例で医療機関にたどり着く前に死亡する。破裂により生じた血腫が周囲組織により被覆されている場合をcontained ruptureまたはsealed ruptureと呼ぶ。

2 胸部大動脈瘤破裂

　Marfan症候群のような遺伝性結合織疾患や先天性二尖弁，大動脈縮窄症が危険因子となる。contained/sealed ruptureの場合は生存来院が可能である。激しい胸痛やショックで来院する。食道や肺への出血により吐血や喀血をきたすこともある。血行動態は一般に不安定であり，血腫が胸腔などへ穿破すれば速やかに死に至る。心嚢腔への破裂では心タンポナーデをきたす。

　破裂が疑われた場合には単純および造影CT検査が必須である。治療方針決定のうえでも，CT検査の撮影範囲は胸部だけでなく，腸骨領域まで範囲を広げて撮影することが重要である。

救命のためには緊急手術が必須となる。専門的技術の提供が可能な施設で治療が行われる場合，解剖学的要件を満たせば，外科手術よりもTEVARを選択する。

3 腹部大動脈瘤破裂

腹部大動脈瘤が破裂した場合は激しい腹痛や腰痛を自覚し，腹部膨満，冷汗，意識障害などを呈するショック状態で来院する。80％以上は後腹膜腔へ破裂して後腹膜血腫を形成し，その後に多くは腹腔内へ穿破する。時にcontained/sealed ruptureの状態でバイタルサインが安定することがある。

疑った場合は迅速に超音波検査を行い，上行から腸骨動脈まで，血管径（狭窄，拡張，瘤など），瘤の状態（部位，形態，瘤径），壁在血栓などを評価する[29)]。この段階でショックであれば直ちに緊急手術を行う。血行動態が安定している場合はCT検査を行い，血管とその周囲の状況を把握する。治療の第一選択はEVARである。初期内科治療として大量輸液，輸血を行うが，輸液速度は収縮期血圧が90mmHgを維持する程度とする。

肺血栓塞栓症

1 疫学

2015年のわが国からの報告によれば，わが国では静脈血栓塞栓症（venous thromboembolism；VTE）とくに肺血栓塞栓症（pulmonary thromboembolism；PTE）の発症数が増加しており，15,000件/year以上の頻度で出現しているとされる[30)]。

PTEあるいは深部静脈血栓症（deep vein thrombosis；DVT）の既往，1カ月以内の手術，骨折，活動性の悪性腫瘍，95回/min以上の頻脈などがVTE発生の危険因子としてあげられる[31)]。また，VTEの誘因として凝固線溶系の異常が知られている。日本人に一般的であるのは抗リン脂質抗体症候群，プロテインC欠乏症，プロテインS欠乏症，アンチトロンビン欠乏症である。

急性PTEの死亡率は14％，ショックを呈した場合は30％である[32)]。死亡の独立規定因子としては，右室機能低下，70歳以上，がん，うっ血性心不全，慢性閉塞性肺疾患，低血圧（収縮期血圧＜90mmHg），頻呼吸があげられる[33)]。

2 病態生理，重症度分類

肺動脈が血栓塞栓子により閉塞する疾患が急性PTEで，その塞栓源の約90％は下肢あるいは骨盤内の静脈で形成された血栓である。主たる病態は，急速に出現する肺高血圧や右心負荷，および低酸素血症である。

急性PTEのリスク層別化に有用な主な指標としては，①臨床指標としてショック，低血圧，②右室機能不全の指標として超音波での右室機能低下，BNP上昇，右心カテーテル検査での右心圧上昇，③心筋損傷（トロポニン陽性）があげられる。重症度は，早期死亡に影響を与える因子の有無によって評価される。

心エコー検査での右心負荷所見の有無により急性PTEの予後や再発率が有意に異なることを受け，わが国では主に患者の血行動態所見と心エコー所見を組み合わせた重症度分類が用いられてきた（表4）[31)]。

3 症 状

呼吸困難（72～76％），胸痛（43～48％），意識消失（19～22％）が多い[31)]。また，発症様式の内訳として，秒単位44％，分単位27％，時間単位15％，日単位14％と報告されており，sudden onsetかどうかの評価が重要である[34)]。特徴的発症状況としては，安静解除後の最初の歩行時，排便・排尿時，体位変換時がある。塞栓源の多くは下肢や骨盤内の静脈の血栓であるため，起立，歩行，排便などの際に下肢の筋肉が収縮し，筋肉ポンプの作用により静脈還流量が増加することで，血栓が遊離して発症すると推察されている。しかし，症状のみからPTEを診断するのは困難なことが多く，救急外来では27.5％，入院患者では53.6％でPTEが診断できていなかったという報告もある[35)]。

4 検査・診断

PTEの検査前臨床的確率が高い場合には，D-dimer検査が陰性でも，PTEである確率は本疾患を否定できるほど低くはならない。そのため，PTEの臨床的確率が高い場合は直接診断を確定できる造影CT，肺動脈造影，肺シンチグラフィを施行することが勧められる。臨床的確率が低い場合にはD-dimerを測定し，基準値以下であればPTEは否定される。血圧低下あるいはショックを呈する場合，心エコー検査で急性PTEの可能性が

表4　急性肺血栓塞栓症の臨床重症度分類

分類	血行動態	心臓超音波検査で右心負荷
cardiac arrest/collapse	心停止あるいは循環虚脱	あり
massive（広範型）	不安定：ショックあるいは低血圧（定義：新たに出現した不整脈，脱水，敗血症によらず，15分以上継続する収縮期血圧＜90mmHg あるいは≧40mmHg の血圧低下）	あり
submassive（亜広範型）	安定（上記以外）	あり
non-massive（非広範型）	安定（上記以外）	なし

〔日本循環器学会．肺血栓塞栓症および深部静脈血栓症の診断，治療，予防に関するガイドライン（2017年改訂版）．https://www.j-circ.or.jp/cms/wp-content/uploads/2017/09/JCS2017_ito_h.pdf．2023年12月閲覧〕

高い所見があればCT検査の結果を待たず，抗凝固療法を開始するとともに，血栓溶解療法を検討する。

1）身体所見

頻呼吸，頻脈が高率に認められる。ショックで発症することもあり，低血圧を認めることもある。肺高血圧症に基づく所見としてはⅡp音亢進が主で，右心不全をきたすと頸静脈の怒張を認める。DVTに起因する所見としては下腿浮腫，Homans徴候などがある。

2）胸部X線検査，12誘導心電図

PTEに特異的な所見はない。胸部X線では70％で心拡大や肺動脈中枢部の拡張がみられ，1/3で肺野の透過性の亢進がみられる[31]。12誘導心電図では，右側前胸部誘導の陰性T波（右室の虚血所見），洞頻拍が高頻度にみられ，SⅠQⅢTⅢ，右脚ブロック，ST低下，肺性Pも出現するが，中等度以上の急性PTEで右心負荷を示す場合に認める[36]。ACSとPTEの心電図所見は類似することがあり，その鑑別はしばしば困難であるが，12誘導心電図でⅢとV1両方に陰性T波を認めた場合にはPTEの可能性が高い（図2）[37)38]。

3）血液ガス検査

低酸素血症，低二酸化炭素血症，呼吸性アルカローシスが特徴的所見である。PaO_2が80mmHg未満となり，$A-aDO_2$も開大することが多いが，PaO_2が正常であることもあり，PaO_2が80mmHg以上や$A-aDO_2$が20mmHg以下であっても否定できない[39]。

4）経胸壁心エコー検査（TTE）

心エコー検査により右室の拡大が観察されるほか，右心系の圧負荷を反映し，下大静脈（IVC）の拡張，三尖弁逆流圧格差（tricuspid regurgitation pressure gradient；TRPG）の増大，三尖弁輪収縮期移動距離（tricuspid annular plane systolic excursion；TAPSE）の低下がみられる（図3）[40]。エコーのパラメータと予後の関連を調査した報告によれば，4 chamber view における右室/左室径＞1，TAPSE ≦15mm が予後予測に有用であったとされている[41]。わが国のガイドラインではとくに右室/左室径＞1を右室負荷所見の指標としており，右室/左室比0.9～1.0が右室機能不全のカットオフ値とされる[31]。図4に典型的なPTEの心エコー像（短軸像）を示す。

5）下肢静脈エコー

下腿の血栓の描出に関してはCTよりエコーのほうが優れており，PTEと診断した場合，残存血栓の評価として下肢静脈エコーの施行を考慮する。CTと異なり，血栓の輝度により血栓形成からの時間経過の推定や，可動性の評価が可能である。なお，2 point study によるDVTの検索は特異度は96％と高いものの，感度は49％と低く，単独でDVTの除外に使用すべきではない[42]。

6）D-dimer

D-dimerはフィブリンの分解産物であり，血栓形成を示す。感度は高いが特異度が低いため，除外診断に用いる。検査前臨床的確率が低い，あるいは中等度の例においては，D-dimerが陰性であれば画像診断を行うことなく診断を否定することができる。

7）CT検査

PTEの確定診断に用いられる。2020年に報告されたsystematic reviewによれば，CT検査の感度は94％，特異度は98％と良好である[42]。また，PTEに対して実施された静脈相での下肢深部静脈のCTでは，中枢型DVT診断の感度94.5％，特異度98.2％と良好である[43]。状態が不安定な例ではCT施行中の急変リスクに十分留意し，病歴，身体所見，超音波検査でPTEと診断したらCTを施行せず血栓溶解療法を考慮する。

循環器系疾患

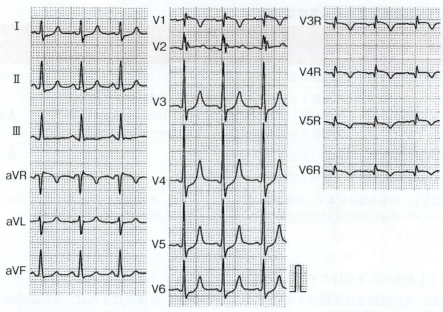

〔文献38〕より引用・改変〕

図2 急性肺血栓塞栓症の心電図
右側前胸部誘導の陰性T波が認められる。そのほか、SⅠQⅢTⅢ、右脚ブロック、ST低下といった特徴の心電図変化を認める

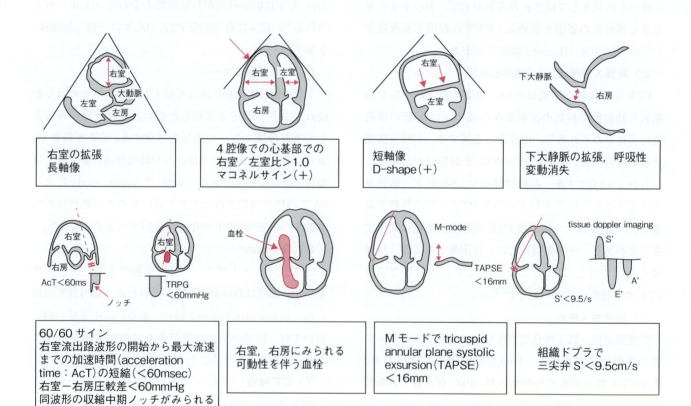

〔文献40〕より引用・改変して作成〕

図3 肺血栓塞栓症で出現する心エコー検査所見（右室負荷所見）

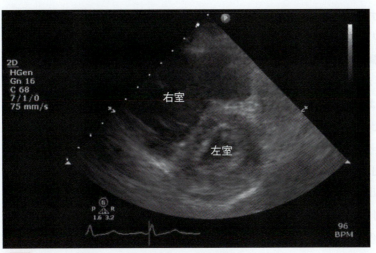

図4 肺血栓塞栓症の超音波所見（短軸像）
短軸像で右室の拡張と左室の圧排が認められ，左室はD-shapeを呈している

5 治　療

1）呼吸・循環の維持

低酸素血症に対して呼吸療法を行う。呼吸サポートが不十分な場合やmassiveな場合には気管挿管，人工呼吸管理を行う。sub-massive，massiveな場合にはノルアドレナリン，ドブタミンを使用する。心停止，循環虚脱をきたした場合はV-A ECMOを導入する。

2）血栓溶解療法

現在，わが国で急性PTEの治療に保険適用があるのは，rt-PAであるモンテプラーゼのみである。血栓溶解療法は迅速な血栓溶解作用や血行動態改善効果に優れるものの，いずれのRCTでも生命予後改善効果は示されていない[31]。

これまでに行われた血栓溶解療法と抗凝固療法のRCT（15試験）のメタ解析[33]では，ヘパリン単独治療群に比べ，血栓溶解療法群では全死亡，死亡と追加治療の複合評価項目，PTE関連死亡，PTE再発が有意に低下したものの，大出血や脳出血の発生率は有意に増加した。また，血栓溶解療法の14％で重症出血が生じたと報告されており，これはヘパリンの2倍である。

これらの結果から，血行動態が安定した右心機能不全のPTEに対する血栓溶解療法はルーチンに行わず，出血リスクが低い若年者や，抗凝固療法を開始するも血行動態悪化の徴候がみられる場合に考慮するのが妥当と考えられている。表5[44]に血栓溶解療法の禁忌を示す。

3）未分画ヘパリン，フォンダパリヌクス

急性期は未分画ヘパリンによる抗凝固療法を行う。禁

表5 肺血栓塞栓症に対する血栓溶解療法の禁忌

絶対的禁忌
- 活動性の内部出血
- 最近の特発性頭蓋内出血

相対的禁忌
- 大規模手術
- 圧迫不能な血管穿刺
- 10日以内の臓器細胞診
- 2カ月以内の脳梗塞
- 10日以内の消化管出血
- 15日以内の重症外傷
- 1カ月以内の脳神経外科的あるいは眼科的手術
- コントロール不良の高血圧（収縮期血圧＞180mmHg，拡張期血圧＞110mmHg）
- 最近の心肺蘇生術
- 血小板数＜100,000/μL，PT＜50％
- 妊娠，出産
- 細菌性心内膜炎
- 糖尿病性出血性網膜症

〔文献44）より引用・改変〕

忌さえなければ，重症度によらず診断されしだい投与する。通常はまず80U/kg，あるいは5,000Uを単回静注の後，持続静注を開始して，APTTがコントロール値の1.5～2.5倍となるよう調節する。3～10％に出血性合併症を生じ得る[31]。フォンダパリヌクスはPTEに対して使用可能ではあるものの，ヘパリンより優れているというエビデンスがないこと，また拮抗薬が存在せず，用量調整が困難であることを考慮すると，積極的に用いる例は限られる。

4）DOAC，ワルファリン

経口抗凝固薬は従来ワルファリンのみであったが，近年，直接作用型経口抗凝固薬（direct oral anticoagulant；DOAC）が開発され，血行動態の落ち着いた例ではヘパリンを使用せずはじめからDOACの経口投与による治療が可能となった。

ただしDOACは，腎不全患者に使用できない，薬価が高額であるなどの問題が指摘されている。一方で，投与法が簡便であること，出血性合併症が少ないことから，血行動態の安定した例では初期・維持治療におけるDOACの使用がわが国のガイドラインでも推奨されている[31]。

また，以前は拮抗薬が存在しないことが問題視されていたが，2016年にダビガトランの拮抗薬であるイダルシズマブが販売開始となり，2022年にはアピキサバン，リバロキサバン，エドキサバンの拮抗薬であるアンデキサネットアルファが製造販売承認を取得している。

5）下大静脈（IVC）フィルター

IVCフィルターの適応に関しては十分なエビデンスはなく，RCTではIVCフィルターによる死亡率低下は示されていない[45)46)]。また，留置によりDVTが増加する可能性が示されている。一方で，2019年にわが国から発表された後ろ向き観察研究においては，留置による死亡率低下も報告されている（留置群 vs 非留置群：3.1% vs 4.4%，$p<0.001$）[47]。抗凝固療法不能＋中枢型DVTあるいは中枢へ進展する末梢型DVT，抗凝固中の増悪・再発例，抗凝固療法が可能でも残存血栓の再度の塞栓化により致死的となるPTEでは，IVCフィルターの留置を考慮する。

6）カテーテル治療，外科的血栓摘除術

重篤なショックあるいは心停止を伴う急性広範型PTEで，血栓溶解療法禁忌例，血栓溶解療法無効例，経皮的体外循環導入例，昇圧薬投与でも血行動態の維持が困難な例には，直視下肺塞栓摘除（人工心肺使用）を行う。外科的治療の院内死亡率は20％と高いが，劇的な状態改善が望める例が少なからず存在する。したがって，ショックが持続する例，血行動態が不安定な例では，人工心肺装置を用いた直視下肺塞栓摘除術を考慮する[31]。

弁膜症

高齢化に伴い，大動脈弁狭窄症をはじめとした弁膜症，それに引き続く心不全は増加傾向にある。弁膜症の種類，病態，治療に関しては非常に多岐にわたるため，ここでは救急医が遭遇する頻度が高く，臨床的に重要と考えられる大動脈弁狭窄症，僧帽弁逆流症，人工弁置換術後に関して概説する。

一般的に慢性弁膜症は進行が緩徐であり，無意識に症状が出るような活動を避けるようになる。そのため，病歴の聴取では患者の主観的な評価よりも，日常生活における緩徐な症状の進行を検出できる質問を行うといった工夫が必要である。

身体所見の確認は，弁膜症の診断と重症度評価のために詳細に行う。各弁膜症にはそれぞれ特徴的な聴診所見があるが，心雑音の時相をもっとも厳密に検討すべきである。心不全例では重症弁膜症でも心雑音の強度が低い場合がある。そのため，頸静脈の怒張，下腿浮腫の有無といった所見の有無も併せて確認する。

検査では，血中のBNP値が弁膜症の重症度評価や予後予測に有用である。また，経胸壁心エコー（TTE）は弁膜症の確定診断，血行動態評価，そして治療方針の決定に必須の検査であり，弁膜症が既知または弁膜症が疑われる全例に施行されるべきである。評価項目として，弁膜症の機序，逆流・狭窄の定性ならびに定量的評価，心腔の大きさ，心機能，そして血行動態評価を含んだ総合的な検査を行う。

1 大動脈弁狭窄症

1）病態・疫学

大動脈弁狭窄症（aortic stenosis；AS）の機序としては，加齢に伴う大動脈弁尖の変性の占める割合がもっとも大きく，手術を要する重症ASの80％以上を占める。加齢以外の要因では一尖弁，二尖弁，四尖弁がよく知られている。このなかでは二尖弁がもっとも多く，有病率は全人口の0.5〜2％で，男女比は3：1で男性に多い[48]。

2）症　状

救急外来で注意すべきASの症状は，息切れなどの心不全症状，胸痛，失神である。身体所見では，頸部に放散する収縮期の駆出性雑音を聴取する。ASが進行して左室機能障害をきたし，1回心拍出量が低下すると収縮期雑音は小さくなる。

3）検　査

心エコー検査では二尖弁など弁性状の評価を行い，連続波ドプラ法によって大動脈弁最大血流速度，最大圧較

差，平均圧較差を求め，さらにパルスドプラ法により求めた左室流出路血流速も用いて連続の式により弁口面積を計測するのが原則である．

4）治療

重症 AS と診断された場合，原則，手術による弁置換術が推奨される．弁置換術には，経カテーテル大動脈弁留置術（transcatheter aortic valve implantation；TAVI）と外科的人工弁置換術（surgical aortic valve replacement；SAVR）がある．重症 AS に対する SAVR は治療のゴールドスタンダードであり，手術リスクの低い若年例には第一選択である．一方，TAVI は長期成績がまだ不十分であるものの，中等度リスク例でも SAVR と比較して非劣性が証明されつつある[49]．年齢やフレイル，開胸手術の可否，TAVI に適した血管アクセスかどうかといった因子を考慮し，どちらの手術方法が適しているかを検討する[50]．

2 僧帽弁逆流症

1）病態・疫学

僧帽弁逆流症（mitral regurgitation；MR）の有病率についてはわが国のまとまったデータがないが，AS と同等といわれている[50]．弁尖または腱索，乳頭筋の器質的異常によって生じる MR は一次性 MR（器質性 MR）と呼ばれ，degenerative MR（DMR）やリウマチ性 MR などを含む．左室や左房の拡大または機能不全に伴って生じる MR は二次性 MR（機能性 MR）と呼ばれる．

2）症状

急性 MR の場合，逆流により急激に左房圧が上昇し，肺水腫をきたす．そのため，救急外来では呼吸困難や起坐呼吸，浮腫を認める．一方，慢性 MR の場合には初期は症状を欠くが，病状の進行に伴って肺うっ血による労作時息切れを訴える．重症になると発作性夜間呼吸困難や起坐呼吸を呈する．また，経過中に心房細動が出現した場合，頻脈により急速に心機能が低下し血行動態を悪化させる．聴診では全収縮期雑音とⅢ音が特徴的である．全収縮期雑音は，左室左房圧較差で生じる特徴的な収縮期雑音である．また，収縮期クリックは僧帽弁逸脱の特徴的所見である．

3）検査

MR の精査は TTE が基本である．MR のメカニズム同定，重症度の定量的評価，心機能や血行動態の評価ができる．重症度評価にはドプラ法を用いた有効逆流弁口面積（EROA, cm^2），逆流量，逆流率が用いられる．同時に，半定量評価としてカラードプラ法による逆流ジェットの縮流部幅，逆流ジェットの左房面積に対する比を用い，定量評価との整合性を確かめる必要がある．

4）治療

重症一次性 MR の治療は，症状がある場合は弁形成（置換術）が基本である．一方，重症二次性 MR は，左室拡大により外側へ変位した乳頭筋が僧帽弁尖を異常に牽引し，その可動性を低下させ（テザリング），閉鎖を阻害して弁逆流が出現する．したがって，本症は心室の疾患であり，左室に病変の本体があるため，MR を止めることが必ずしも本質的な治療になるわけではない．そのため，心不全に対する十分な内科治療が大前提となる．PCI・冠動脈バイパス手術の適応である場合は僧帽弁へ外科的介入することが多いが，そうでない場合は左室駆出率（LVEF）が 30％より高値であれば手術を考慮する．外科的治療においては，弁形成，置換術およびマイトラクリップが選択肢となる[50]．

3 人工弁置換術後

人工弁置換術後の例ではさまざまな問題が生じ得る．冠動脈バイパス手術後，陳旧性心筋梗塞など多彩な併存疾患を有することも多く，慎重な評価が求められる．

機械弁では一生抗凝固療法を続けなければならないということが最大の欠点である．そのため，ある一定の出血と血栓塞栓のリスクが伴う．一方，生体弁は抗凝固療法の継続が不要である点が最大の利点ではあるが，理論上，耐久性は機械弁に劣る．ワルファリンが禁忌，またはワルファリンコントロールが十分に行える状況にない場合（服薬コンプライアンス，遠隔地など）には，生体弁の選択が推奨されている[50]．

人工弁置換術後の弁に関連した合併症として，以下のものがある．

1）血栓弁

機械弁における血栓弁は弁狭窄/閉塞による心不全やショックなどの重篤な状況を生じ得る．一方，無症状で，聴診での収縮期雑音や機械弁閉鎖音の鈍化，TTE での弁開放制限やドプラ所見の異常で発見されることもある．人工弁留置後患者のもっとも致死的な病態の一つである．診断は TTE で圧較差増大や可動性の腫瘤を認めること，また弁透視や CT によって行われる．

左心系機械弁の血栓弁による症状が出現した場合は，血栓溶解療法，緊急手術の適応である。緊急手術の30日死亡率は全体で10～15％と高値である[50]。血栓弁による心不全は高齢者が多いこともあり，息切れや倦怠感，食欲低下といった非特異的症状を主訴に救急外来を受診することもある。人工弁の種類や手術時期といった情報を確認するほか，以前の心エコーの所見を確認して比較する必要がある。

2）弁機能不全（弁狭窄，弁逆流）

機械弁はほぼ永久的に機能するが，時折血栓やパンヌス形成による弁機能不全が起こる。また，生体弁は植込み後5～7年で弁尖の変性や石灰化による弁変性が始まる。その詳細な機序は不明であり，生体弁変性を予防する有用な薬物療法は確立されていない。生体弁の弁機能不全（劣化）の表現型としては，狭窄，閉鎖不全，両者の合併がそれぞれ1/3程度と報告されている[50]。

また，機械弁でも生体弁でも，弁周囲逆流はしばしば術後に認められる。感染性心内膜炎，縫合不全，機械的ストレスなどにより発生する。人工弁周囲逆流は，大動脈弁留置術後の5～10％程度，僧帽弁置換術後の10～20％程度に認める合併症であるが，その多くは無症候性である。人工弁周囲逆流を有する患者の10％に弁逆流による心不全症状や溶血性貧血を認める[51]。

急性心筋炎

1 疫 学

急性心筋炎はウイルスなどの感染を契機に発症することが多く，発症から30日未満で，組織学的に炎症細胞浸潤，心筋細胞傷害（浸潤炎症細胞に近接する心筋細胞の変性，壊死）を認めるものと定義される[52]。急性心筋炎のうち，発病初期に心肺危機に陥るものを劇症型心筋炎（fulminant myocarditis）と呼ぶ[53]。劇症型心筋炎の臨床症状はさまざまであり，診断を確認できる高感度で特異的な非侵襲的診断法がないため，頻度は明確に定義されていない。死亡率に関しては，病理学的に証明されたウイルス性心筋炎の10年死亡率は39.3％と報告されている[54]。年齢が予後不良因子であることは広く知られており，また左室拡張末期容量，LVEF，心室不整脈，低心拍出症候群，MRIで証明された心筋壊死といった心筋障害の程度と関連する因子が予後と関連する[54]。

2 病態生理

心筋炎は心筋を主座とした炎症性疾患である。多くはウイルスや細菌などの感染によって発症し，ほかに自己免疫性疾患，薬物アレルギーなどに合併することがある。近年，免疫チェックポイント阻害薬による心筋炎が注目されている。免疫チェックポイント阻害薬によって抗腫瘍免疫が活性化される一方で，自己免疫の賦活化によると考えられる心筋炎が0.5％に生じる[55]。免疫チェックポイント阻害薬関連心筋炎の死亡率は25～50％に及ぶとされ[56]，心筋炎を疑う例において悪性腫瘍の治療歴を詳細に聴取する必要がある。

3 症 状

発熱がもっとも多く，約60％で認める。また，多くはかぜ様症状（悪寒，頭痛，嘔気，筋肉痛，全身倦怠感）や消化器症状（食欲不振，悪心，嘔吐，下痢）が先行する。その後，数時間～数日の経過で心症状が出現する。心症状としては呼吸困難感や倦怠感を認めることが多く，またショックや頻脈といった血行動態破綻をきたす症状を認めることもある。一方で，刺激伝導系が障害され徐脈を認めることがあり注意を要する。多くは炎症期が1～2週間続いた後に回復期に入り，ほぼ正常化することもまれではない。

4 検査・診断

急性心筋炎が疑われる場合，診断的価値が高い急性期に心臓カテーテル検査を行い，まず冠動脈造影でACSを除外する。そのうえで可及的早期に心内膜心筋生検を行うことが推奨されている[52]。心内膜心筋生検は心筋炎と確定診断する唯一の方法であり，治療と予後推定にも寄与する。

心筋生検が施行できない場合には，心筋炎を示唆する臨床症状や経過に加えて，①血中高感度心筋トロポニン値の上昇，②心臓MRIにおける浮腫を示唆する所見のいずれかが認められれば，臨床的に急性心筋炎と診断できる[52]。検査所見としては，心電図変化がみられるものの特異的な所見はない。心エコー検査では，局所的あるいはびまん性に壁肥厚や壁運動低下がみられる（図5）。バイオマーカーはトロポニン，NT-proBNPが予後因子として重要である。また，近年は心臓MRIの有用性が

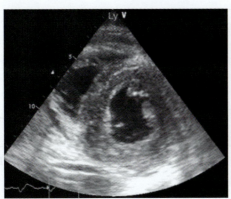
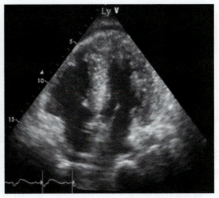

図5 心筋炎の典型的な超音波像
左室壁は全周性に肥厚し，壁運動はびまん性に低下している．心嚢液（＋）

注目されており，T2画像による心筋浮腫，T1画像による浮腫・壊死・線維化を主要項目とし，診断に有用な所見とされる[57]．

5 治療

症状が顕著でなければ，入院としたうえで安静臥床と，バイタルサインや心電図，心エコー，心筋トロポニン値などの注意深い経過観察のみで対処できる．

一方，循環・呼吸に異常をきたし不整脈を併発する場合には，重症心不全に準じた薬物治療，機械的循環補助（IABP，V-A ECMO），体外式ペースメーカや直流除細動などの集中治療が必要となる．循環破綻した場合，急性期にはV-A ECMOによる循環サポートを行う．しかし，V-A ECMO単独では左室のunload不足による心筋負荷の増大や肺水腫が問題となる．大動脈弁が閉鎖した場合，大動脈弁上に血栓を生じることもある．

近年，これらの病態に対してImpella®を使用することがある．Impella®は経皮的に左室に挿入しunloadを行うとともに，前方駆出をサポートするデバイスである．V-A ECMOとImpella®を組み合わせた治療は"ECPELLA"と呼ばれる．ECPELLAを含む補助循環管理の長期化が予測される場合には，補助人工心臓（ventricular assist device；VAD）による機械的循環補助を検討する[58]．ただし，これらの処置が可能な施設は限られており，重症化のおそれがある場合は機械的循環補助が可能な施設への転院を早急に検討する．

心筋炎の原因や組織所見によっては，ステロイドパルス療法や大量免疫グロブリン療法が考慮される．リンパ球性心筋炎に対するステロイドパルス療法はルーチンで施行する根拠が乏しいとされているが，好酸球性心筋炎および巨細胞性心筋炎に対するステロイドパルス療法は推奨されている[52]．

急性心膜炎

1 疫学・病態

非虚血性胸痛で救急外来に入院した患者の5％に急性心膜炎が存在すると報告されている[59,60]．急性心膜炎の院内死亡率は1.1％であり，年齢，重度の同時感染（肺炎または敗血症）と関連する[60]．

心膜炎は，心膜層の炎症を指し，心膜疾患としてもっとも頻度が高い．心嚢液の貯留を伴うことがあり，その結果，心タンポナーデをきたすことがある．特発性（ウイルス性を含む）が多いが，感染（細菌性，結核性），悪性腫瘍，自己免疫性疾患を否定する必要がある．

2 症状

急性心膜炎の臨床症状としては急激に起こる鋭い胸痛が主であるが，鈍痛や，ズキズキするといった性状を呈することもある．心膜への刺激を軽減させる行動をとることが多く，坐位や前傾姿勢で痛みは改善する．痛みは呼吸，咳で増悪を示すこともある．肩への放散を認めることも多い[61]．

3 検査・診断

欧州心臓病学会のガイドライン[62]では，①胸痛，②心膜摩擦音，③心電図の変化，④新たな心嚢液貯留または心嚢液の悪化および炎症性マーカー（CRP，赤沈，

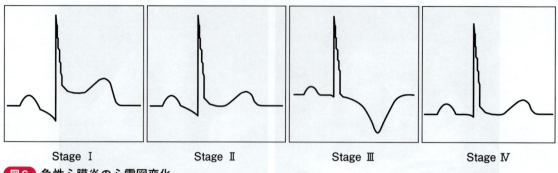

図6 急性心膜炎の心電図変化
Stage Ⅰ：PR低下を伴うST全体の上昇，Stage Ⅱ：STとPRの正常化，Stage Ⅲ：深いT波の陰転化，Stage Ⅳ：心電図正常化

WBC）の上昇の4つのうち，少なくとも2つ以上を認める場合に急性心膜炎と診断するとされている。また，CT，心臓MRIで心膜炎の所見を確認することも診断に有用である。

急性心膜炎における典型的な心電図変化の4段階を**図6**に示す。典型的に，急性期には冠動脈支配領域に一致しない広範な誘導でST上昇を示す。しかし，心電図変化は非常に多様であり，必ず出現するわけでもない。超音波検査では心膜液貯留は60％に認められ，ほとんどの場合，心膜液の貯留は中等度以下であるが，血行動態に影響を及ぼす心タンポナーデが5％の患者に認められる[63]。

4 治 療

急性心膜炎の治療は抗炎症薬の投与が中心となる。アスピリン大量投与のほか，場合によりイブプロフェン，コルヒチンの投与が行われる。再発例においてはより長期間の投薬が必要となる。タンポナーデに至った場合には心嚢ドレナージを検討する。

たこつぼ症候群

1 疫 学

ACSが疑われた例の1.7～2.2％がたこつぼ症候群と診断される[64]。従来，予後は比較的良好と考えられていたが，最近はAMIと同等程度と報告されており，急性心不全，心室不整脈，心停止，高度房室ブロック，機械的合併症，脳卒中，急性腎不全といった合併症が約40％で生じ，院内死亡は4～8％程度である[65)66)]。

2 病態生理

精神的または肉体的ストレスを契機に発症することが多く，また閉経後の高齢女性に多い。その発症機序はいまだ不明であるが，身体的・精神的ストレスを契機に分泌された大量のカテコラミンによる微小血管攣縮，微小血管障害による心筋stunning，あるいはカテコラミン毒性そのものによる心筋毒性が関与していると考えられている。AMIに類似した胸部症状および心電図変化を呈し，冠動脈の支配領域に一致しない左室壁運動障害を認める。心尖部の壁運動低下をきたす頻度が80％程度ともっとも高いが，左室中間部（14％），心基部（2％），あるいは局所的な左室壁運動障害（1％）と多彩である[66]。心機能は数日～数週間で正常化することが多い。

3 症 状

一般的な症状は，胸痛（75.9％），呼吸困難（46.9％），失神（7.7％）である。10％にショックを認め，血圧低下，倦怠感，意識障害，冷汗といった症状を認める[66]。

4 検査・診断

2016年に欧州心臓病学会から診断基準が提唱されている（**表6**）[67]。また，InterTAK registryに基づく診断スコアが提唱されており，侵襲的な画像診断ツールを使用せずに簡単に適用できる以下の7つの臨床変数（100点満点）が含まれている[68]。

・女性：25点
・感情的ストレス：24点
・身体的ストレス13点

表6 たこつぼ症候群の診断基準

1. 左室あるいは右室の一過性局所壁運動異常を呈し，何らかの精神的・身体的ストレス誘因を伴う（誘因がない場合もある）
2. 壁運動異常は単一冠動脈の分布を超えて起こり，しばしば全周性の壁運動低下を呈する
3. 病態を説明し得る冠動脈病変（プラーク破綻，血栓形成，冠動脈解離など）がなく，肥大型心筋症や心筋炎などがない
4. 急性期に新たな可逆性心電図異常を有する（ST上昇や左脚ブロック，陰性T波など）
5. 急性期に著明なBNP濃度上昇を示す
6. 心筋トロポニンは陽性となるが，その上昇は壁運動異常と乖離して軽度となる
7. 3〜6カ月後フォローアップの心臓イメージング検査で壁運動異常が改善する

〔文献67）より引用・改変〕

- ST低下なし：12点
- 急性，以前/慢性の精神障害：11点
- 急性，以前/慢性の神経学的障害：9点
- QTc延長（女性＞460ms，男性＞440ms）：6点

背景疾患により侵襲的冠動脈造影や冠動脈CTを施行できない状況も多々あるため，その場合はInterTAK registryスコアを参考に診断可能性を高める。来院時の所見のみで診断を確定する必要はなく，心電図や超音波検査を繰り返し行い，診断を確定する。

もっとも重要な鑑別疾患はACSである。ACSであれば再灌流療法の適応となるため，診断基準やスコアを用いてたこつぼ症候群の診断可能性を高めつつも，ACSの可能性を念頭に置きながら対応する。

5 治　療

RCTで効果が示された治療は存在せず，一般的な心不全治療と対症療法が中心となる。急性期には合併症の観察と管理が重要である。たこつぼ症候群の主な合併症として，心不全（12〜45％），心原性ショック（6〜20％），左室流出路狭窄（10〜25％），収縮期僧帽弁前方運動に伴う僧帽弁閉鎖不全症（14〜25％），VF/VT（〜3％），徐脈性不整脈（2〜5％），左室内血栓（2〜8％）がある[66]。

感染性心内膜炎

1 疫　学

感染性心内膜炎（infectious endocarditis；IE）は，年間10万人当たり3〜10例の発症と推定される。70歳以降の高齢男性に多く[69]，診断および治療の進歩にもかかわらず，院内死亡率は約22％，5年後には40％に上昇するなど，予後は依然として不良である[70]。

2 病態生理

弁膜や心内膜，大血管内膜に細菌集簇を含むvegetation（疣贅，疣腫）を形成し，菌血症，血管塞栓，心障害など多彩な臨床症状を呈する全身性敗血症性疾患である。発症には，弁膜疾患や先天性心疾患に伴う異常血流のほか，人工弁置換術後などに異物の影響で生じる非細菌性血栓性心内膜炎（nonbacterial thrombotic endocarditis；NBTE）が重要である。

3 症　状

もっとも多い症状は発熱（90％）で，心雑音が多くの例（約85％）で聴取され，時に心不全症状を有する[69]。ほかに眼瞼結膜，頰部粘膜，四肢にみられる点状出血や，Janeway斑，Osler結節，Roth斑などの皮膚所見がみられることがある。

臨床経過は，起炎菌の病原性により急性と亜急性がある。急性の場合は高熱と重篤感を伴う著しい敗血症症状を呈して来院し，心不全症状が急速に進行する。一方，亜急性の場合は繰り返す発熱と全身倦怠感，食欲不振，体重減少，関節痛などの非特異的な症状を呈する。

4 検査・診断

診断にはmodified Duke criteriaが用いられる（表7）[71,72]。わが国のガイドラインでは2023年時点で反映されていないが，Duke criteriaは2023年に改訂されている[73]。本稿執筆時点では関連学会などから和訳版が示されていないため，詳細は文献を参照されたいが，血液培養の採血のタイミング，間隔についての記載が削除されている。また，画像検査においては心臓CT，PET/CTが大基準に追加された。そして，手術所見が大基準に追加され，心臓の画像検査や病理組織検査の大

表7 modified Duke criteria

大基準

【感染性心内膜炎を裏づける血液培養陽性】
◎2回の血液培養で感染性心内膜炎に典型的な以下の病原微生物のいずれかが認められた場合
・*Streptococcus viridans*, *Streptococcus bovis*（*Streptococcus gallolyticus*），HACEKグループ，*Staphylococcus aureus*，またはほかに感染巣がない状況での市中感染型 *Enterococcus*
◎血液培養が感染性心内膜炎に矛盾しない病原微生物で，持続的に陽性
・12時間以上間隔を空けて採取した血液検体の培養が2回以上陽性　または
・3回の血液培養のすべて，または4回以上施行した血液培養の大半が陽性（最初と最後の採血間隔を1時間以上空ける）
◎1回の血液培養でも *Coxiella burnetii* が検出された場合，または抗Ⅰ相菌IgG抗体価800倍以上

【心内膜障害所見】
◎感染性心内膜炎の心エコー図所見*
・弁あるいはその支持組織の上，または逆流ジェット通路，または人工物の上にみられる解剖学的に説明のできない振動性の心臓内腫瘤
・膿瘍　または
・人工弁の新たな部分的裂開
◎新規の弁逆流（既存の雑音の悪化または変化のみでは十分でない）

小基準

◎素因：素因となる心疾患または静注薬物常用
◎発熱：体温38℃以上
◎血管現象：主要血管塞栓，敗血症性梗塞，感染性動脈瘤，頭蓋内出血，眼球結膜出血，Janeway斑
◎免疫学的現象：糸球体腎炎，Osler結節，Roth斑，リウマチ因子
◎微生物学的所見：血液培養陽性であるが上記の大基準を満たさない場合（※）
　または，感染性心内膜炎として矛盾のない活動性炎症の血清学的証拠
※コアグラーゼ陰性ブドウ球菌や感染性心内膜炎の原因菌とならない病原微生物が1回のみ検出された場合は除く

確定診断

【病理学的基準】
1）培養，または疣腫，塞栓を起こした疣腫，心内膿瘍の組織検査により病原微生物が検出されること　または
2）疣腫や心内膿瘍において組織学的に活動性心内膜炎が証明されること

【臨床的基準】
1）大基準2つ　または
2）大基準1つおよび小基準3つ　または
3）小基準5つ

可能性

1）大基準1つおよび小基準1つ　または
2）小基準3つ

〔文献71)72)より引用・改変して作成〕

* 人工弁置換術後，感染性心内膜炎可能性例，弁輪部膿瘍合併例では経食道心エコー推奨，その他の例ではまず経胸壁心エコーを施行

基準がない場合に術中肉眼所見を大基準として扱うことになっている．血液培養と心エコー，CT，PETといった画像所見が重要である．

本症は時に見落としや診断の遅れがみられる疾患である．50％程度は初診時に診断できておらず[74]，初発症状から診断までは2週間程度を要するとするとされている．基礎疾患としては，弁膜症，先天性心疾患，ペースメーカ留置，心筋症・冠動脈疾患を有することが知られているが，約20％でこれらの心基礎疾患を認めない[75]．心エコーではvegetationの同定と弁膜症の重症度の評価が重要であり，そのほかLVEF，左室充満圧といった心機能の評価が必要である．

IEの重篤な合併症は塞栓症である．塞栓症を起こしやすいvegetationの特徴として，大きさ10mm以上，可動性に富む，拡大傾向，僧帽弁（とくに前尖）に付着，起炎菌 *Staphylococcus*，真菌性といった特徴が知られている[76]．経胸壁心エコー検査（TTE）でのvegetation検出の感度は，自己弁で70％程度，人工弁で50％程度，経食道心エコー検査（transesophageal echocardiography；TEE）のvegetation検出の感度は，自己弁・人

工弁ともに90％以上である[71]。TTEでのIEの除外は困難であることに留意し，IEが疑われ，TTEで十分な画像が得られない例，人工弁例またはデバイス留置例ではTEEが推奨される[71]。

5 治　療

IEが疑われる患者は入院が必要である。急性経過の患者や心不全を併発している患者に対する救急外来での初期対応としては，呼吸・循環の安定化，および短時間で血液培養セットを3セット採取した後，早期の抗菌薬を開始する。抗菌薬はガイドラインに基づいた抗菌薬を十分量，長期に投与する。心不全合併，難治性感染，巨大vegetation（＞30mm），10mmを超える可動性のvegetationおよび高度弁機能不全がある自己弁IEといった例では手術適応となる。全身状態を考慮し，総合的な判断が必要となる[71]。

急性動脈閉塞

1 病態生理

急性下肢虚血（acute limb ischemia；ALI）は，その原因にかかわらず肢切断に至る可能性のある急激な肢虚血を呈する病態である。ALIは通常，急性発症から進行性に増悪する2週間以内の虚血肢であるが，心・脳血管疾患などの併存疾患や虚血再灌流障害のため，いまだ15～20％と死亡率が高く，局所治療のみならず，患者の高齢化や併存疾患など，さまざまなリスクファクターを念頭に置いた慎重な全身管理を要する[77]。原因は塞栓症が45％，血栓症が55％と報告されている[78]。塞栓症では心房細動，また血栓症としてはステント内血栓が多く，グラフト不全がこれに続く[79]。

2 症　状

急性に発症し進行する患肢の疼痛（Pain），知覚鈍麻（Paresthesia），蒼白（Pallor/Paleness），脈拍消失（Pulselessness），運動麻痺（Paralysis/Paresis）の"5P"が特徴である。また，これに虚脱（Prostration）を加えて"6P"とする場合もある。虚血に対する耐性は組織によって異なり，一般に発症から4～6時間で神経→筋→皮膚の順で不可逆的変化に陥る[77]。

3 検査・診断

身体所見にて"5P"の有無をチェックし，さらにドプラ法により末梢動脈の血流を確認する。一般検査に加えて，血中・尿中ミオグロビン，LDH，血液ガス分析を行う。画像検査としては血管エコー，心エコー，造影CT検査を行う。ALIは肢のみならず生命予後も不良な疾患であり，閉塞部位の範囲，原疾患や塞栓源の精査および多発塞栓症の鑑別のため，下肢のみならず頭部から胸腹部・骨盤を含めた造影CT検査を可能なかぎり施行する[80]。臨床分類としてSVS（Society for Vascular Surgery）分類（表8）[77]が提唱されており，知覚障害，筋力低下，ドプラ音聴取の可否をもとに重症度判断を行う[81][82]。

4 治　療

診断が確定ししだい，未分画ヘパリン3,000～5,000Uの静注を行い，二次血栓の進展を予防する。迅速に重症度判定の後，手術（塞栓血栓除去術）を行う（図7）[77]。
治療にあたって注意すべき病態を以下に示す。

1）筋腎代謝症候群

虚血時間が長くなると，筋肉など軟部組織の細胞壊死が進行し，乳酸，カリウム，ミオグロビン，クレアチンキナーゼなどが局所に蓄積される。治療により血流が再開すると，これらの代謝物質が全身に放出され，代謝性アシドーシス，高カリウム血症，致死的不整脈，急性腎不全，呼吸不全などの重篤な多臓器障害を引き起こす。これを筋腎代謝症候群（myonephropathic metabolic syndrome；MNMS）という。MNMSの発症予防や治療として確立された方法はなく，予兆があれば重炭酸塩や利尿薬の投与を行い，乏尿やカリウム高値を認めれば血液透析の導入を考慮する。

2）コンパートメント症候群

虚血によって障害された組織に血流が再開すると，筋肉などの組織の浮腫が生じ，筋膜に囲まれたコンパートメントの内圧が上昇して，組織の灌流圧が低下し虚血が進行する。患肢の疼痛や腫脹からコンパートメント症候群が疑われた場合には，必要に応じて各コンパートメントの内圧を測定して診断を確定する。コンパートメント症候群と診断された場合には，発症から6時間以内の可及的早期に筋膜切開を施行する[77]。

表8 急性下肢虚血の臨床分類

カテゴリー		予後	所見		ドプラ信号*	
			感覚消失	筋力低下	動脈	静脈
Ⅰ．救肢可能		即時性なし	なし	なし	聴取可能	聴取可能
Ⅱ．危機的	a．境界型	ただちに治療すれば救肢可能	軽度（足趾のみ）またはなし	なし	（しばしば）聴取不能	聴取可能
	b．即時型	即時の血行再建により救肢可能	足趾以外にも，安静時疼痛を伴う	軽度〜中等度	（通常は）聴取不能	聴取可能
Ⅲ．不可逆性		広範囲な組織欠損または恒久的な神経障害が不可避	重度〜感覚消失	重度〜麻痺（硬直）	聴取不能	聴取不能

＊ 重症例では罹患した動脈の血流速度が非常に遅いため，ドプラ音を検出できない場合がある．動脈と静脈の血流信号の見分けが肝要である．動脈の血流信号は律動音（心拍動と同期）であるのに対して，静脈の信号はより一定で，呼吸運動に影響されたり末梢のミルキングで増強したりする（ドプラプローベで血管を圧迫しないように注意が必要）

〔日本循環器学会/日本血管外科学会．2022年改訂版 末梢動脈疾患ガイドライン．https://www.j-circ.or.jp/cms/wp-content/uploads/2022/03/JCS2022_Azuma.pdf．2023年12月閲覧〕

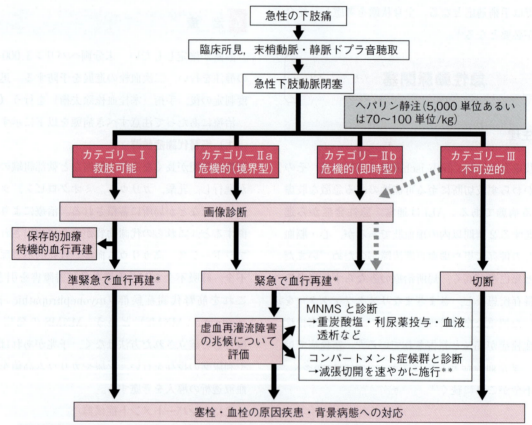

＊ 血栓塞栓除去手術は，血管造影が可能な手術室でオーバーザワイヤー血栓除去カテーテルを用いて透視下で行う
＊＊ 内圧測定に関して，減張切開を行うカットオフ値に関して一定の見解はない

図7 急性下肢動脈閉塞の診断と治療アルゴリズム

〔日本循環器学会/日本血管外科学会．2022年改訂版 末梢動脈疾患ガイドライン．https://www.j-circ.or.jp/cms/wp-content/uploads/2022/03/JCS2022_Azuma.pdf．2023年12月閲覧〕

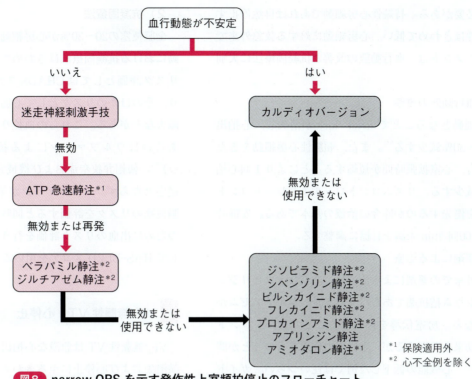

図8 narrow QRS を示す発作性上室頻拍停止のフローチャート
〔日本循環器学会/日本不整脈心電学会．2020年改訂版　不整脈薬物治療ガイドライン．https://www.j-circ.or.jp/cms/wp-content/uploads/2020/01/JCS2020_Ono.pdf．2023年12月閲覧〕

徐脈性・頻脈性不整脈

救急外来で遭遇する不整脈は多岐にわたるが，ここでは頻度の高い徐脈性不整脈および頻脈性不整脈について概説する。

1 徐脈性不整脈

高度徐脈による脳虚血はめまい，眼前暗黒感，失神（Adams-Stokes発作）を引き起こす。洞停止や高度房室ブロックが一過性である場合には，症状が高度徐脈によることを確認しにくい。労作時の息切れや心不全症状により診断に至る洞不全症候群や房室ブロックもある。

1度房室ブロック，運動選手や夜間睡眠中にみられる洞徐脈や2度房室ブロック（Wenckebach型）などの無症候性の徐脈に治療適応はない。有症候性であればペースメーカの植込みが第一選択となる。薬剤や高カリウム血症など可逆性の要因があれば，原因そのものへの対処と，必要であれば一時的ペーシングを行う。一時的ペーシングは経静脈リードによる右室ペーシングに加え，より緊急であればパッチ電極による経皮的ペーシングも行われる。

2 narrow QRS tachycardia

narrow QRS を示す発作性上室頻拍停止のフローチャートを図8[83]に示す。房室結節伝導を抑制する薬物のなかでアデノシン三リン酸（ATP）は，narrow QRS tachycardia を停止させる作用があるとともに，心房頻拍や洞頻脈との鑑別にも有用であり，わが国のガイドラインでも Class Ⅰ の推奨となっている[83]。心房頻拍や洞頻脈の場合には，房室結節伝導の抑制前後のP波形に変化がないことから診断が可能である。

ただし，ATPは洞結節を抑制する作用もあり，洞不全症候群患者への投与は慎重に行うべきである。ATP投与後に胸内苦悶，頭痛などが一過性に起きるため，あらかじめ患者に説明しておく。また，ATPには気管支収縮作用があるため，気管支喘息患者には使用しない。

3 心房細動

心房細動はもっとも一般的な不整脈である。心房細動の有病率は年齢が進むにつれて上昇するため，2050年には心房細動患者が総人口の約1.1%を占めると予測されている[83]。初回診断の心房細動であれば，その原因として弁膜症やうっ血性心不全などの併存疾患がないかを評

価する必要がある。持続性心房細動であれば自然停止する可能性はきわめて低い。心房細動に対する救急外来でのマネジメントは，血行動態の改善と抗凝固療法に大別される。

1）血行動態の改善

心房細動となることでatrial kickが消失し，心拍出量が20〜30％減少する[84]。また，頻脈性心房細動をきたした場合，心室拡張時間が短縮することにより1回心拍出量が減少する。リズムコントロールよりレートコントロールを優先するのが昨今の治療の基本である。安静時心拍数100回/min未満を目標に調整する。

(1) 薬剤による治療

救急外来での薬剤による治療は，非ジヒドロピリジン系カルシウム拮抗薬であるベラパミル，ジルチアゼムが基本となる。房室伝導を抑制することでレートコントロール効果を発揮するが，陰性変力作用をもつことが問題であり，心機能の低下した例では使いづらい。ガイドラインでは，原則LVEF40％未満では使用しないとされている[83]。ベラパミルはその効果発現の速さから救急外来で頻用される傾向にあるが，陰性変力作用が強いことに注意を要する。

急性期に使用するβ遮断薬としてランジオロールとプロプラノロールがあげられるが，調整に時間を要するため，救急外来で使用する機会は少ない。

(2) 電気的除細動

ショック状態であれば電気的除細動が適応となる。鎮静を行い，カルディオバージョンを行う。ショック状態の患者では，鎮静薬を投与すると循環が破綻して心停止に陥る可能性もあるため，医師一人で判断するのではなく，十分なサポート体制を整えて行うことが推奨される。

除細動に伴う血栓塞栓のリスクは1〜5％と報告されている[85)86]。そのため，除細動を行う場合は塞栓症のリスク評価が必要である。心房細動の持続時間が48時間未満であれば通常，ヘパリン 2,000〜5,000Uを静注して除細動を行う。心房細動の持続時間が48時間以上であれば，経食道心エコー（TEE）で心房内血栓がないことを確認する。

また，除細動を施行して心房細動から洞調律に復帰しても，一時的な左房・左心耳の機能低下（スタニング）は続き，その期間は心房細動の持続期間にもよるが数週間以上に及ぶ[87]。そのため，除細動後もDOACあるいはワルファリンによる4週間以上の抗凝固療法が必要である。

2）抗凝固療法

全脳梗塞の20〜30％が心房細動によるとされ，心房細動における抗凝固療法はきわめて重要である。脳梗塞のリスク評価としてはCHADS$_2$スコアが広く知られており，そのほかのリスクとして心筋症，血管疾患，腎機能障害などがある。これらの血栓リスクを評価し，DOACあるいはワルファリンによる抗凝固療法を行う（図9）[83]。僧帽弁狭窄症および機械弁の場合にはDOACは適応とならず，ワルファリンが第一選択となる。また，脳梗塞のリスクを評価すると同時に，出血性合併症予防のために出血のリスク評価を行う。出血のリスク評価としてHAS-BLEDスコアを用いる[88]。

4 VF/無脈性VT，心停止

VF/無脈性VTは急激な心拍出量の低下をきたし，意識消失および心停止に至るきわめて重篤な不整脈であるため，直ちに心肺蘇生を施行する。持続性であればニフェカラント，アミオダロン，β遮断薬を投与する。VF/無脈性VTがいったん停止しQT延長がある場合は，マグネシウム投与，心臓電気ペーシングを行う。虚血の関与を疑う場合には冠動脈造影・治療も考慮する。難治性VF例ではV-A ECMOによる心肺補助も適応となり得る[83]。蘇生後に反応がない場合は体温管理療法の適応となる。

5 心室頻拍（VT）

His束の分岐部以下を起源とし，3拍以上連続して出現する頻拍（100〜300回/min）をVTと定義し，30秒以上持続するか，それ以内でも停止処置を必要とするものを持続性VT，それより短く自然停止するものを非持続性VTと定義する。器質的心疾患を基礎として生じるVTと，明らかな心疾患を認めない特発性VTに分けられる。

特発性VTは，身体所見，心電図，心エコー，心臓CT，心臓MRIなどの画像所見で診断される。一般的に予後良好であり，治療は症状の有無で決定される。心電図のQRSの向きによって治療法が選択され，β遮断薬，ベラパミルによる薬剤治療を行う。予防目的の場合は経口のβ遮断薬，カルシウム拮抗薬，Ⅰ群抗不整脈薬による治療のほか，カテーテルアブレーションも選択肢となる。

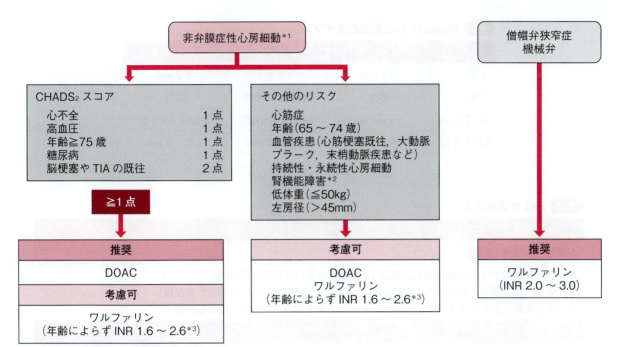

図9 心房細動における抗凝固療法の推奨

*1 生体弁は非弁膜症性心房細動に含める
*2 腎機能に応じた抗凝固療法については，出典のガイドラインを参照
*3 非弁膜症性心房細動に対するワルファリンのINR 1.6〜2.6の管理目標については，なるべく2に近づけるようにする．脳梗塞既往を有する二次予防の患者や高リスク（CHADS$_2$スコア3点以上）の患者に対するワルファリン療法では，年齢70歳未満ではINR 2.0〜3.0を考慮

〔日本循環器学会/日本不整脈心電学会．2020年改訂版 不整脈薬物治療ガイドライン．https://www.j-circ.or.jp/cms/wp-content/uploads/2020/01/JCS2020_Ono.pdf．2023年12月閲覧〕

器質的心疾患に合併するVTの原疾患として，心筋梗塞，拡張型心筋症，肥大型心筋症，不整脈原性右室心筋症，心筋炎後，先天性心疾患などがあげられる．発作と同時に血行動態が不安定となる場合も少なくなく，優先される治療はまず頻拍を停止させることである．血行動態が不安定な場合には，心肺蘇生の手順に従って電気的除細動を行い，抗不整脈薬としてはアミオダロンあるいはニフェカラントの静脈内投与を考慮する．

遺伝性不整脈

遺伝性不整脈は，若年者を含む幅広い年代における心臓突然死の原因として医学的に重要であり，一見健常にみえる一般人が突然死するケースも多いため，社会的損失も甚大である．また，AEDの普及や一般市民による情報の共有化も相まって社会的関心も高まっている[89]．

遺伝性不整脈は，無症状でありながら家族歴などの病歴や検診などでの心電図異常を契機に検査が行われ，診断に至る場合もある．一方で，動悸やめまい，失神，心停止などの症状を呈し，救急外来を受診したことを契機に診断に至る場合もある[90]．

1 Brugada症候群（BrS）

Brugada症候群は，12誘導心電図のV1〜V2（V3）誘導における特徴的なST上昇とVFを主徴とする症候群である．ST上昇には上向きに凸のcoved型（タイプ1）と下向きに凸のsaddle back型（タイプ2，タイプ3）があるが（**表9**），診断確定にはJ点またはST部分が基線から0.2mV以上上昇するタイプ1のcoved型ST上昇を認めることが必須である（**表10**）[89]．

30〜40歳代で初めて出現する場合が多く，平均年齢は45歳で，突然死発生の平均年齢は57歳である[91]．日本人でタイプ1の心電図を有するBrugada症候群の心イベント発生率は，VF既往例では年8〜10％，失神既往例では年0.5〜2％，無症候例では年0〜0.5％程度であり，無症候群は比較的予後が良好であると推測されている[89]．

症状として，VFや心停止蘇生の既往，失神，めまい，苦悶様呼吸，動悸，胸部不快感などがあげられる．これらの症状は日中より夜間に出現しやすく，安静時や就寝中，夕食や飲酒後など迷走神経緊張状態の際に多く認められる．失神は，前駆症状や出現様式および心電図記録

表9 Brugada型心電図のタイプ

	タイプ1	タイプ2	タイプ3
J波	≧2 mm	≧2 mm	≧2 mm
T波	陰性	陽性 or 二相性	陽性
ST-T 形態	coved型	saddle back型	saddle back型
ST-T 変化	緩徐低下	上昇≧1 mm	上昇＜1 mm

表10 BrSの診断基準

1．必須所見
心電図（12誘導/携帯型）
- A．自然発生のタイプ1 Brugada心電図（正常肋間あるいは高位肋間記録）
- B．発熱により誘発されたタイプ1 Brugada心電図（正常肋間あるいは高位肋間記録）
- C．薬物負荷試験にてタイプ1に移行したタイプ2またはタイプ3 Brugada心電図

2．主所見
臨床歴
- A．原因不明の心停止あるいはVFまたは多形性VTが確認されている
- B．夜間苦悶様呼吸
- C．不整脈原性が疑われる失神
- D．機序や原因が不明の失神

3．副所見
臨床歴
- A．ほかの原因疾患を認めない30歳以下発症の心房粗動・細動

家族歴
- B．BrSと確定診断されている
- C．発熱時発症，夜間就眠時発症，あるいはBrS増悪薬物との関係が疑われる心臓突然死を認める
- D．45歳以下の原因不明の心臓突然死を認め，剖検所見で原因が特定されていない

遺伝子検査結果（保険適用外）
- E．BrSを特定する病原性遺伝子変異（*SCN5A*）を認める

有症候性BrS：心電図所見1項目と主所見臨床歴2-A〜2-Dの1項目を満たす場合
無症候性BrS：心電図所見1項目のみで主所見臨床歴がない場合
　無症候性BrSの場合，副所見3-A（臨床歴），3-B〜3-D（家族歴），3-E（*SCN5A*変異）はリスク評価の際の参考とする
　非タイプ1（タイプ2あるいはタイプ3）心電図のみの場合はBrSとは診断されないが，時間経過とともにタイプ1心電図が出現する可能性もあるので，経過観察（とくに主所見出現時の受診）は必要である
〔日本循環器学会．遺伝性不整脈の診療に関するガイドライン（2017年改訂版）．https://www.j-circ.or.jp/cms/wp-content/uploads/2017/12/JCS2017_aonuma_h.pdf．2023年12月閲覧〕

から，反射性失神（神経調節性失神）と鑑別することが重要である。失神はリスクが高く，多くの研究でVFとの関連が示されている。タイプ1の心電図でVFストーム，心停止，持続性心室不整脈，不整脈原性失神あるいは夜間の苦悶様呼吸を有する例では，ICDの植込みが推奨されている[16]。

2 QT延長症候群

1）先天性QT延長症候群

先天性QT延長症候群（congenital long QT syndrome；先天性LQTS）は，QT間隔の延長とtorsade de pointes（TdP）と呼ばれる多形性心室頻拍を認め，失神や突然死を引き起こす症候群である。QT延長とは通常，Bazettの式で心拍数補正された補正QT間隔（QTc

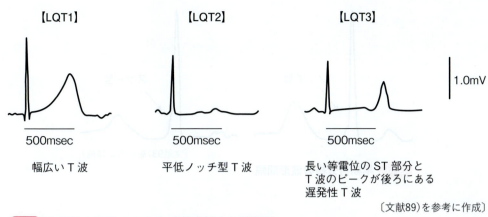

図10 先天性LQTSでみられる代表的なT波異常

$= QT/\sqrt{RR}$）が440msec以上の場合をいう[89]。

先天性LQTSでは遺伝子変異が同定される確率が高く、先天性LQTSと確定診断される患者の約75％で遺伝子変異が同定される。遺伝子変異が同定される患者の90％以上は、LQT1、LQT2、LQT3の原因遺伝子であるKCNQ1、KCNH2、SCN5Aのいずれかに変異が同定される[92]。これら3つの遺伝子型では、表現型に与える影響についてもよく研究されており、臨床像や心電図のT波形態から遺伝子型を類推することができる（図10）[89]。

先天性LQTSの典型的な臨床症状は、失神、けいれん発作、突然死である。先天性LQTSに特徴的な不整脈であるTdPは多くの場合に自然停止するため、失神あるいはけいれん発作を認める。まれにTdPからVFに移行して突然死に至ることがあり、先天性LQTS患者の5％未満で初発症状として突然死あるいは心停止を認める。失神は5～15歳の間に多く認め、症候性患者の約半数（とくに男児）で12歳までに、90％で40歳までに最初の心イベントを経験する[89]。

遺伝子型に特異的な心イベントの誘因が報告されており、水泳中の心イベントはLQT1に特徴的である。その他のLQT1の心イベントの誘因としてはランニング、驚愕、怒り、興奮などがある。LQT2では目覚まし時計や電話のベル音などの音刺激が誘因となり、また分娩後に心イベントが多い。LQT3では安静時や睡眠中に心イベントを発症することが多い[83]。

2）後天性（二次性）QT延長症候群

後天性（二次性）LQTSは、安静時のQT時間は正常範囲か境界域であるが、抗不整脈薬などの薬剤、低カリウム血症などの電解質異常、徐脈など誘因が加わった場合にQT時間が著明に延長した状態である。

二次性LQTSの治療の原則は、①QT延長の要因を同定し除去すること、②基礎疾患がある場合は原疾患の治療を行うことである。具体的な対応として、原因薬剤あるいは被疑薬の中止、徐脈の是正、低カリウム血症に対するカリウム製剤の投与などがあげられる[83]。QT延長によるTdPを認めた場合には迅速な対応が必要であり、QT延長の要因が除去され、TdPのリスクが回避されたと判断されるまで入院管理下で心電図をモニタリングする。①硫酸マグネシウムの静注、②イソプロテレノール静注、③血清カリウム値の補正が原則であり、徐脈や期外収縮によるshort-long-shortシーケンスを認める場合には一時ペーシングによるオーバードライブペーシングを考慮する。

3 早期再分極症候群

早期再分極症候群（early repolarization syndrome；ERS）は健常人や若年アスリートによくみられる心電図として古くから知られており、J点（QRSからSTに至る部分）の上昇として、心電図でQRS下行脚のスラーあるいはノッチを認めるものと定義されている（図11）[93]。特発性VFのおよそ30％でERSが原因であることが知られており、若年男性、アスリートやアフリカ系米国人、東南アジア人に多い[89]。VFないしは多形性VTによる失神、心停止や突然死として発症する。

器質的心異常を伴わないVFまたは多形性VT例において、12誘導心電図の下壁誘導の2誘導以上または側壁誘導の2誘導以上、ないしはその両者に0.1mV以上の早期再分極を認める場合にERSと診断される（表11）[93]。原因が明らかではない心肺蘇生例または心臓突然死例にて早期再分極を認める場合も診断され得るが、診断にあたってはBrugada症候群や不整脈原性右室心

循環器系疾患

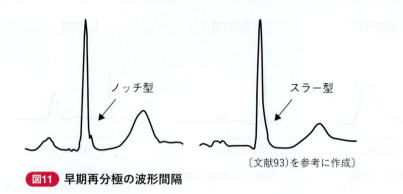

図11 早期再分極の波形間隔

〔文献93〕を参考に作成〕

表11 早期再分極症候群の診断基準

診断基準

12誘導心電図において，下壁誘導の2誘導以上または側壁誘導の2誘導以上，ないしはその両者に0.1mV以上のJ点上昇を伴う，スラー型またはノッチ型の早期再分極パターンを認める場合

副所見

以下の例で早期再分極パターンを認める場合
- 器質的心異常を伴わないVF例
- 多形性VT例
- 原因が明らかでない心肺蘇生例
- 心臓突然死例

〔文献93〕より引用・改変〕

筋症，虚血性心疾患，心筋炎，冠攣縮，てんかんの除外が重要である。早期再分極自体は健常人の5～20％程度に認める心電図所見であり，この存在のみでERSと診断されるわけではない。

植込み型心臓電気デバイスのトラブル

心臓ペースメーカ，植込み型除細動器（ICD），両心室ペーシング機能付き植込み型除細動器（cardiac resynchronization therapy defibrillator；CRTD）といった心臓植込みデバイス留置後の患者は，さまざまな要因で救急外来を受診し得る。術後合併症としてはリード関連（脱落など）がもっとも多く，それ以外にも感染，気胸，心穿孔，ポケットの疼痛，ジェネレータトラブル，血腫があげられる。女性，低体重，ICDあるいはCRTDの植込み，心機能，再手術がこれらの危険因子である[94)～96)]。

1 救急外来での初期対応

救急外来ではペースメーカ手帳を確認し，デバイスの種類や植込み日，残り電池期間などを確認する。身体所見上，ジェネレータ植込み部の異常がないことを確認する。センシング不全やペーシング不全といったリードやジェネレータに関連した異常を疑う所見がないかを胸部X線，心電図検査で評価する。以前の検査所見との違いを確認することも重要である。また，必要に応じて臨床工学技士や製造販売業者などと連携をとり，ペースメーカチェックを行って異常なエピソードがないかを評価する。

2 ICDが作動した際の対応

ICDは，心疾患の種類にかかわらず致死的頻脈性不整脈による心臓突然死を予防し，生命予後を改善する，もっとも有効かつ確立された治療法の一つである。ICD植込みの理由としては虚血性心疾患がもっとも多く，拡張型心筋症がそれに続く[97)]。

意識がある状態で電気ショックが発生すると，痛みを感じる。とくに誤作動時のショックによる症状は強い。そのため，いつ電気ショックが起こるか心配になり，強い不安状態に陥ることもある。ICDの電気ショックの約1/3が誤作動であり，誤作動を生じる患者は抑うつのリスクや死亡率が高いと報告されている[98)99)]。もっとも多い誤作動の理由は，心房細動や発作性上室頻拍を致死性不整脈と誤認識してしまうことである[100)101)]。

ICD植込み患者がごく短時間の強い胸部の痛みで来院した場合，ICDの正常作動，あるいは誤作動を想定して初療にあたる。ペースメーカ手帳でデバイスの種類や植込み日を確認する。前述したとおり，ICD植込み患者は虚血性心疾患などの基礎疾患を有しており，引き

表12 高血圧緊急症の分類

- 加速型-悪性高血圧（網膜出血や乳頭浮腫を伴う高血圧）
- 高血圧性脳症
- 急性の臓器障害を伴う重症高血圧
  　脳出血，くも膜下出血，アテローム血栓性脳梗塞，頭部外傷，急性大動脈解離，急性心不全，急性心筋梗塞および急性冠症候群，急性または急速進行性の腎不全（腎移植後を含む）
- 脳梗塞血栓溶解療法後の重症高血圧
- カテコラミンの過剰
  　褐色細胞腫クリーゼ，モノアミン酸化酵素阻害薬と食品・薬物との相互作用，交感神経作動薬の使用，降圧薬中断による反跳性高血圧，脊髄損傷後の自動性反射亢進
- 収縮期血圧≧180mmHg あるいは拡張期血圧≧120mmHg の妊婦
- 子癇
- 手術に関連したもの
  　緊急手術が必要な患者の重症高血圧，術後の高血圧，血管縫合部からの出血
- 冠動脈バイパス術後
- 重症熱傷
- 重症鼻出血

〔文献103〕より引用〕

続き12誘導心電図，胸部X線検査，心エコー検査，血液検査を行い，現在の調律やうっ血性心不全合併の有無，心機能，電解質の評価を行う。ICDのショックに対する確立された治療法はないが，アミオダロンの投与やカテーテルアブレーションは有効な手段となり得る[102]。ICDが作動した患者は原則入院とし，これらの治療を検討する。

高血圧緊急症

1 病態生理，検査

高血圧緊急症は単に血圧が高い状態ではなく，血圧の高度の上昇によって，脳や心臓，腎，大血管などの標的臓器に急性の障害が生じ，進行する病態である。迅速に診断し，直ちに降圧治療を始めなければならない。高血圧性脳症，急性大動脈解離を合併した高血圧，重症高血圧による肺水腫を伴う急性心不全，高度の高血圧を伴うACS，褐色細胞腫クリーゼ，子癇，重症高血圧を伴う妊娠などが該当する（表12）[103]。高血圧緊急症を疑った場合は，迅速に病歴聴取，身体所見評価，必要な検査を行い，速やかに治療介入を行う。

2 治 療

入院治療が原則であり，集中治療かそれに準ずる環境下で，原則として経静脈的に降圧薬を投与して降圧を図る。高血圧緊急症では臓器障害や血管病変を有しているため，必要以上に急速で過度な降圧は臓器灌流圧の低下を招き，脳梗塞，心筋梗塞，腎機能障害の進行などの虚血性臓器障害を引き起こす可能性が高い。したがって，降圧の程度や速度が予測可能であり，調整がしやすい経静脈的薬剤を用いる。降圧の際は，観血的血圧測定が望ましい。ニカルジピン，ニトログリセリンなどのカルシウム拮抗薬や硝酸薬を使用する。

一般的な降圧目標として，はじめの1時間以内では平均血圧で25%未満の降圧にとどめ，次の2〜6時間では160/100mmHg 程度まで降圧し，その後に24〜48時間かけて140/80mmHg 未満まで降圧する[104]。初期降圧目標に達したら内服薬を開始し，注射薬は用量を漸減しながら中止する。

3 とくに注意を要する病態

1）高血圧性脳症

高血圧性脳症は，急激または著しい血圧上昇により血圧値が脳血流自動調節上限を超え，必要以上に脳血流が増加し，血液脳関門が破綻して血管原性脳浮腫を生じる。長期の高血圧患者では220/110mmHg以上，正常血圧患者では160/100mmHg以上で発症しやすい[105]。もっとも重篤な高血圧緊急症で，悪化する頭痛や悪心・嘔吐，視力障害，意識障害，けいれんなどを伴い，適切に治療さ

れなければ脳出血や意識障害をきたして死に至る。MRI検査では頭頂-後頭葉の白質を中心に血管原性浮腫を呈する可逆性後部白質脳症（posterior reversible encephalopathy syndrome；PRES）の所見がみられることが多い[103]。

2）加速型-悪性高血圧

加速型-悪性高血圧は拡張期血圧が120～130mmHg以上であり，腎機能障害が急速に進行し，放置すると全身状態が急激に悪化して，心不全，高血圧性脳症，脳出血などを発症する予後不良の病態である。長期の高度高血圧による細動脈の内皮障害，血管壁への血漿成分の侵入に続くフィブリノイド壊死，増殖性内膜炎が病理学的特徴である。眼底検査は必須であり，網膜出血，軟性白斑，網膜浮腫や乳頭浮腫を認める。腎では腎硬化症を認め，発症時の腎機能障害の程度は透析，死亡の予後規定因子である[103]。急速な降圧は重要臓器の虚血をきたす危険を伴うため，最初の24時間の降圧は拡張期血圧100～110mmHg までにとどめる[106]。

成人先天性心疾患

心臓血管外科治療が行われるようになる以前は，先天性心疾患をもつ小児が成人になれる割合は生産児の50％以下であったが，外科治療の発達と内科管理の向上により，小児先天性心疾患患者の多くが成人を迎えるようになった。現在，乳児期を過ぎた先天性心疾患児の90％以上は成人となっている[107]。先天性心疾患の頻度は1,000人当たり10.6人で，約1％の割合で出生している。代表的な疾患として，心室中隔欠損がもっとも多く，Fallot四徴症，心房中隔欠損がそれに続く。

通常，成人先天性心疾患（adult congenital heart disease；ACHD）は小児循環器内科医から循環器内科医に引き継がれて診療を続けていることが多いが，加齢に伴って，心機能の悪化，不整脈，心不全といった要素が加わる。また，妊娠・出産に際してもさまざまな困難に遭遇することがある。そのため，予期しない要因によって救急外来に来院し，救急医が初期対応を行うことも想定される。

1 不整脈

ACHDの緊急入院の36％は不整脈によるものであり，もっとも頻度が高い[108]。不整脈の発生率や発生源は，原疾患，修復手術後の瘢痕形成の有無，遺残物や残存病変の存在によって異なる。来院後，速やかに12誘導心電図および植込み型デバイスの機器検査を行う。ただし，ACHDでは，広いQRS波形や異常な伝導のために，心房頻拍と心室頻拍の区別が困難な場合が多く，患者が安静時12誘導心電図のコピーを携帯していれば，確認・共有することが望ましい。疑わしい場合は，QRS幅の拡大した不整脈はすべて心室起源として扱うべきである。抗不整脈薬（アミオダロンなど）や心拍数を減少させるほかの医療介入を行う前に，入院時の初期心拍を心電図で記録することは，アブレーション治療への適合性を含むその後の電気生理学的評価のために重要である[109]。

2 うっ血性心不全

発症時の一般的な症状は，急性または最近発症した呼吸困難，浮腫，腹水，運動耐容能低下といった所見であり，一般的なうっ血性心不全と同様である。最近の手術・介入後に救急外来を受診した患者では，感染症，心嚢液や胸水，デバイスの脱落，ペースメーカの機能不全など，介入・手術の晩期合併症を除外する必要がある。

3 胸痛

胸痛で来院した場合は病歴，身体所見，心電図，心エコー検査，必要であれば造影CT検査を行い，注意深く病態を評価する。冠動脈虚血，大動脈解離，肺塞栓症などが鑑別疾患となる。

体送性右心室（大血管転位症に対するMustard手術／Senning手術後）をもつ患者は異常な冠動脈構造を有しており，結果として心筋灌流と酸素需要の間にアンバランスが生じることがある。右室は1本の冠動脈で灌流されているが，体送性右心室では右室の肥大と拡張により酸素需要が増加する[110]。その他のACHD術後の患者，川崎病患者などでも冠動脈の走行・形態異常を引き起こし，胸痛の原因となる可能性がある。ACHDの冠動脈の精査にはMDCTが適しており，冠動脈血流のみならず動脈硬化性病変や，術後の心臓構造を包括的に評価できる。

冠動脈以外の胸痛の原因として，Marfan症候群など結合組織疾患や大動脈弁二尖弁に合併する大動脈解離，Fontan手術後の肺塞栓症が重要である。また，ACHDに合併した肺高血圧症も胸痛の原因となる。

4 肺高血圧

5～10%のACHD患者で肺高血圧を合併し，patients with PAH related to CHD（PAH-CHD）と表現される[111]。意識消失，喀血，心不全，動悸，胸痛といった多彩な症状を有する。喀血はしばしば致死的であり，出血している側の肺を下にして，気管挿管および分離肺換気によって残存肺を保護する必要がある。止血困難な場合は血管造影，止血を行う。うっ血性心不全や心原性ショックを合併した場合にはカテコラミンや肺血管拡張薬を使用し，血行動態の維持を図る。

5 チアノーゼ

チアノーゼ性心疾患として，Fallot四徴症，完全大血管転位症，三尖弁閉鎖症，肺動脈閉鎖症などが知られている。また，Fontan術後患者では，心房中隔欠損を閉じない場合や肺動静脈側副血行路の発達によりチアノーゼをきたすことがある。長期間に及ぶチアノーゼはヘモグロビン値を上昇させ，運動耐容能低下や多臓器不全，奇異性塞栓や脳膿瘍の原因となり得る。末梢静脈路からの空気塞栓を防ぐためにフィルターが必要であるが，チアノーゼ患者では侵襲的処置により致死的な合併症が出現する可能性がある。

6 感染

ACHD患者は健常人に比べて感染性心内膜炎（IE）のリスクが高い。高リスクの条件は，経カテーテル弁を含む人工弁，人工リングを使用した弁膜症，IEの既往，チアノーゼを伴う先天性心疾患，術後でも遺残短絡がある場合，経カテーテル的修復術後6カ月以内の場合である[112]。また，術後例では創部感染にも注意が必要である。

7 Fontan術後

Fontan手術は，一方の心室低形成や房室弁異常のため二心室修復が困難である機能的単心室血行動態を有するチアノーゼ性先天性心疾患患者（単心室，純型肺動脈弁閉鎖，三尖弁閉鎖，左室低形成など）の低酸素血症解消と心室容量負荷軽減を主な目的とした最終修復術であり，肺循環への駆出心室（右心）をバイパスした術式である（右心バイパス術）[107]。

成人Fontan術後患者では，特異な循環に由来する房室弁や心機能不全を含む慢性心不全病態に加えて，長期間の静脈高血圧による多臓器障害が引き起こされる。慢性右心不全を反映し，息切れや運動耐容能低下といった全身症状に加え，肝静脈うっ血に起因する肝腫大，下腿浮腫，長期静脈高血圧からの色素沈着，静脈瘤や潰瘍といった症状を認める。また，遠隔期合併症として心血管機能異常，房室弁閉鎖不全，肺血管抵抗上昇，大動脈解離，不整脈などの多彩な合併症を認める。根本治療はなく，患者の病態や重症度に応じて生活の質を意識した生活指導，管理が望まれる。

▶文献

1) Takii T, et al：Trends in acute myocardial infarction incidence and mortality over 30 years in Japan：Report from the MIYAGI-AMI Registry Study. Circ J 74：93-100, 2010.
2) Lerner DJ, et al：Patterns of coronary heart disease morbidity and mortality in the sexes：A 26-year follow-up of the Framingham population. Am Heart J 111：383-90, 1986.
3) Devon HA, et al：Typical and atypical symptoms of acute coronary syndrome：Time to retire the terms? J Am Heart Assoc 9：15539, 2020.
4) Brieger D, et al：Acute coronary syndromes without chest pain, an underdiagnosed and undertreated high-risk group：Insights from the Global Registry of Acute Coronary Events. Chest 126：461-9, 2004.
5) Matsuzawa Y, et al：Present and future status of cardiovascular emergency care system in urban areas of Japan：Importance of prehospital 12-lead electrocardiogram. Circ J 86：591-9, 2022.
6) Nakashima T, et al：Impact of prehospital 12-lead electrocardiography and destination hospital notification on mortality in patients with chest pain：A systematic review. Circ Rep 4：187-93, 2022.
7) Thygesen K, et al：Fourth universal definition of myocardial infarction（2018）. Eur Heart J 40：237-69, 2019.
8) 日本循環器学会, 他：急性冠症候群ガイドライン（2018年改訂版）, 2019.
https://www.j-circ.or.jp/cms/wp-content/uploads/2018/11/JCS2018_kimura.pdf
9) Matetzky S, et al：Acute myocardial infarction with isolated ST-segment elevation in posterior chest leads V7-9："Hidden" ST-segment elevations revealing acute posterior infarction. J Am Coll Cardiol 34：748-53, 1999.
10) Erne P, et al：Left bundle-branch block in patients with acute myocardial infarction：Presentation, treatment, and trends in outcome from 1997 to 2016 in routine clinical practice. Am Heart J 184：106-13, 2017.
11) Zhu MM, et al：Primary stent implantation compared

11) with primary balloon angioplasty for acute myocardial infarction : A meta-analysis of randomized clinical trials. Am J Cardiol 88 : 297-301, 2001.
12) Stone GW, et al : Paclitaxel-eluting stents versus bare-metal stents in acute myocardial infarction. N Engl J Med 360 : 1946-59, 2009.
13) Kastrati A, et al : Meta-analysis of randomized trials on drug-eluting stents vs. bare-metal stents in patients with acute myocardial infarction. Eur Heart J 28 : 2706-13, 2007.
14) Daida H, et al : Management and two-year long-term clinical outcome of acute coronary syndrome in Japan : Prevention of atherothrombotic incidents following ischemic coronary attack (PACIFIC) registry. Circ J 77 : 934-43, 2013.
15) Ishihara M, et al : Clinical presentation, management and outcome of Japanese patients with acute myocardial infarction in the troponin era : Japanese registry of acute myocardial infarction diagnosed by universal definition (J-MINUET). Circ J 79 : 1255-62, 2015.
16) 日本循環器学会, 他：不整脈非薬物治療ガイドライン（2018年改訂版）, 2019.
https://www.j-circ.or.jp/cms/wp-content/uploads/2018/07/JCS2018_kurita_nogami.pdf
17) Killip T 3rd, et al : Treatment of myocardial infarction in a coronary care unit : A two year experience with 250 patients. Am J Cardiol 20 : 457-64, 1967.
18) Bertaina M, et al : Prognostic implications of pulmonary artery catheter monitoring in patients with cardiogenic shock : A systematic review and meta-analysis of observational studies. J Crit Care 69 : 154024, 2022.
19) French JK, et al : Mechanical complications after percutaneous coronary intervention in ST-elevation myocardial infarction (from APEX-AMI). Am J Cardiol 105 : 59-63, 2010.
20) Figueras J, et al : Relevance of delayed hospital admission on development of cardiac rupture during acute myocardial infarction : Study in 225 patients with free wall, septal or papillary muscle rupture. J Am Coll Cardiol 32 : 135-9, 1998.
21) Hao Z, et al : A real-world analysis of cardiac rupture on incidence, risk factors and in-hospital outcomes in 4190 ST-elevation myocardial infarction patients from 2004 to 2015. Coron Artery Dis 31 : 424-9, 2020.
22) Schrage B, et al : Left ventricular unloading is associated with lower mortality in patients with cardiogenic shock treated with venoarterial extracorporeal membrane oxygenation : Results from an international, multicenter cohort study. Circulation 142 : 2095-106, 2020.
23) 日本循環器学会, 他：2020年改訂版大動脈瘤・大動脈解離診療ガイドライン, 2020.
https://www.j-circ.or.jp/cms/wp-content/uploads/2020/07/JCS2020_Ogino.pdf
24) Lovatt S, et al : Misdiagnosis of aortic dissection : A systematic review of the literature. Am J Emerg Med 53 : 16-22, 2022.
25) Marill KA : Serum D-dimer is a sensitive test for the detection of acute aortic dissection : A pooled meta-analysis. J Emerg Med 34 : 367-76, 2008.
26) Kosuge M, et al : Clinical implications of electrocardiograms for patients with type A acute aortic dissection. Circ J 81 : 1254-60, 2017.
27) Nazerian P, et al : Integration of transthoracic focused cardiac ultrasound in the diagnostic algorithm for suspected acute aortic syndromes. Eur Heart J 40 : 1952-60, 2019.
28) 国立循環器病研究センター：脳梗塞患者の中に急性大動脈解離患者が隠れている；適切な診断を行うための指針を提案, 2018.
https://www.ncvc.go.jp/pr/release/post_34/
29) 日本超音波医学会, 他：超音波による大動脈病変の標準的評価法2020（案）.
https://www.jsum.or.jp/committee/diagnostic/pdf/aortic_lesion_2020.pdf
30) Nakamura M, et al : Current management of venous thromboembolism in Japan : Current epidemiology and advances in anticoagulant therapy. J Cardiol 66 : 451-9, 2015.
31) 日本循環器学会, 他：肺血栓塞栓症および深部静脈血栓症の診断, 治療, 予防に関するガイドライン（2017年改訂版）, 2018.
https://www.j-circ.or.jp/cms/wp-content/uploads/2017/09/JCS2017_ito_h.pdf
32) Nakamura M, et al : Clinical characteristics of acute pulmonary thromboembolism in Japan : Results of a multicenter registry in the Japanese Society of Pulmonary Embolism Research. Clin Cardiol 24 : 132-8, 2001.
33) Goldhaber SZ, et al : Acute pulmonary embolism : Clinical outcomes in the International Cooperative Pulmonary Embolism Registry (ICOPER). Lancet 353 : 1386-9, 1999.
34) Stein PD, et al : Clinical characteristics of patients with acute pulmonary embolism : Data from PIOPED II. Am J Med 120 : 871-9, 2007.
35) Kwok CS, et al : Misdiagnosis of pulmonary embolism and missed pulmonary embolism : A systematic review of the literature. Health Sciences Review 3 : 100022, 2022.
36) Kumasaka N, et al : Clinical features and predictors of in-hospital mortality in patients with acute and chronic pulmonary thromboembolism. Intern Med 39 : 1038-43, 2000.
37) Kosuge M, et al : Electrocardiographic differentiation between acute pulmonary embolism and acute coronary syndromes on the basis of negative T waves. Am J Cardiol 99 : 817-21, 2007.
38) 桐ヶ谷仁, 他：右側胸部誘導が診断に有用であった急性肺塞栓ショックの1例. ICUとCCU 42 : 794-7, 2018.
39) Rodger MA, et al : Diagnostic value of arterial blood gas measurement in suspected pulmonary embolism. Am J Respir Crit Care Med 162 : 2105-8, 2000.
40) Konstantinides SV, et al : 2019 ESC Guidelines for the diagnosis and management of acute pulmonary embolism developed in collaboration with the European Respiratory Society (ERS). Eur Heart J 41 : 543-603,

41) Pruszczyk P, et al：Prognostic value of echocardiography in normotensive patients with acute pulmonary embolism. JACC Cardiovasc Imaging 7：553-60, 2014.
42) Patel P, et al：Systematic review and meta-analysis of test accuracy for the diagnosis of suspected pulmonary embolism. Blood Adv 4：4296-311, 2020.
43) Patel S, et al：Helical CT for the evaluation of acute pulmonary embolism. AJR Am J Roentgenol 185：135-49, 2005.
44) Task Force on Pulmonary Embolism, European Society of Cardiology：Guidelines on diagnosis and management of acute pulmonary embolism. Eur Heart J 21：1301-36, 2000.
45) Mismetti P, et al：Effect of a retrievable inferior vena cava filter plus anticoagulation vs anticoagulation alone on risk of recurrent pulmonary embolism：A randomized clinical trial. JAMA 313：1627-35, 2015.
46) Decousus H, et al：A clinical trial of vena caval filters in the prevention of pulmonary embolism in patients with proximal deep-vein thrombosis：Prévention du Risque d'Embolie Pulmonaire par Interruption Cave Study Group. N Engl J Med 338：409-15, 1998.
47) Ohyama Y, et al：Effect of inferior vena cava filter on venous thromboembolism mortality in Japan：JROAD and JROAD-DPC registry analysis. Circ Rep 1：296-302, 2019.
48) Siu SC, et al：Bicuspid aortic valve disease. J Am Coll Cardiol 55：2789-800, 2010.
49) Leon MB, et al：Transcatheter or surgical aortic-valve replacement in intermediate-risk patients. N Engl J Med 374：1609-20, 2016.
50) 日本循環器学会, 他：2020年改訂版弁膜症治療のガイドライン, 2020.
https://www.j-circ.or.jp/cms/wp-content/uploads/2020/04/JCS2020_Izumi_Eishi.pdf
51) Giblett JP, et al：Percutaneous management of paravalvular leaks. Nat Rev Cardiol 16：275-85, 2019.
52) 日本循環器学会, 他：2023年改訂版心筋炎の診断・治療に関するガイドライン, 2023.
https://www.j-circ.or.jp/cms/wp-content/uploads/2023/03/JCS2023_nagai.pdf
53) Aoyama N, et al：National survey of fulminant myocarditis in Japan therapeutic guidelines and long-term prognosis of using percutaneous cardiopulmonary support for fulminant myocarditis (Special Report From a Scientific Committee). Circ J 66：133-44, 2002.
54) Greulich S, et al：Predictors of mortality in patients with biopsy-proven viral myocarditis：10-year outcome data. J Am Heart Assoc 9：e015351, 2020.
55) Hu YB, et all：Evaluation of rare but severe immune related adverse effects in PD-1 and PD-L1 inhibitors in non-small cell lung cancer：A meta-analysis. Transl Lung Cancer Res 6 (Suppl 1)：S8-20, 2017.
56) Palaskas N, et al：Immune checkpoint inhibitor myocarditis：Pathophysiological characteristics, diagnosis, and treatment. J Am Heart Assoc 9：e013757, 2020.
57) Ferreira VM, et al：Cardiovascular magnetic resonance in nonischemic myocardial inflammation：Expert recommendations. J Am Coll Cardiol 72：3158-76, 2018.
58) Tschöpe C, et al：Management of myocarditis-related cardiomyopathy in adults. Circ Res 124：1568-83, 2019.
59) Chiabrando JG, et al：Management of acute and recurrent pericarditis：JACC state-of-the-art review. J Am Coll Cardiol 75：76-92, 2020.
60) Kytö V, et al：Clinical profile and influences on outcomes in patients hospitalized for acute pericarditis. Circulation 130：1601-6, 2014.
61) Lange RA, et al：Clinical practice：Acute pericarditis. N Engl J Med 351：2195-202, 2004.
62) Adler Y, et al：2015 ESC Guidelines for the diagnosis and management of pericardial diseases. Eur Heart J 36：2921-64, 2015.
63) Imazio M, et al：Day-hospital treatment of acute pericarditis：A management program for outpatient therapy. J Am Coll Cardiol 43：1042-6, 2004.
64) Gianni M, et al：Apical ballooning syndrome or takotsubo cardiomyopathy：A systematic review. Eur Heart J 27：1523-9, 2006.
65) Vallabhajosyula S, et al：Comparison of complications and in-hospital mortality in Takotsubo (apical ballooning/stress) cardiomyopathy versus acute myocardial infarction. Am J Cardiol 132：29-35, 2020.
66) Templin C, et al：Clinical features and outcomes of Takotsubo (stress) cardiomyopathy. N Engl J Med 373：929-38, 2015.
67) Lyon AR, et al：Current state of knowledge on Takotsubo syndrome：A position statement from the taskforce on Takotsubo syndrome of the Heart Failure Association of the European Society of Cardiology. Eur J Heart Fail 18：8-27, 2016.
68) Ghadri JR, et al：A novel clinical score (InterTAK diagnostic score) to differentiate takotsubo syndrome from acute coronary syndrome：Results from the International Takotsubo Registry. Eur J Heart Fail 19：1036-42, 2017.
69) Cahill TJ, et al：Infective endocarditis. Lancet 387：882-93, 2016.
70) Khan O, et al：International guideline changes and the incidence of infective endocarditis：A systematic review. Open Heart 3：e000498, 2016.
71) 日本循環器学会, 他：感染性心内膜炎の予防と治療に関するガイドライン (2017年改訂版), 2018.
https://www.j-circ.or.jp/cms/wp-content/uploads/2020/02/JCS2017_nakatani_h.pdf
72) Li JS, et al：Proposed modifications to the Duke criteria for the diagnosis of infective endocarditis. Clin Infect Dis 30：633-8, 2000.
73) Fowler VG, et al：The 2023 Duke-international society for cardiovascular infectious diseases criteria for infective endocarditis：Updating the modified Duke criteria. Clin Infect Dis 77：518-26, 2023.
74) Naderi HR, et al：Errors in diagnosis of infective endocarditis. Epidemiol Infect 146：394-400, 2018.

75) Nakatani S, et al：Current characteristics of infective endocarditis in Japan：An analysis of 848 cases in 2000 and 2001. Circ J 67：901-5，2003.

76) Sanfilippo AJ, et al：Echocardiographic assessment of patients with infectious endocarditis：Prediction of risk for complications. J Am Coll Cardiol 18：1191-9，1991.

77) 日本循環器学会，他：2022年改訂版末梢動脈疾患ガイドライン，2022.
https://www.j-circ.or.jp/cms/wp-content/uploads/2022/03/JCS2022_Azuma.pdf

78) The Japanese Society For Vascular Surgery Database Management Committee Member, et al：Vascular surgery in Japan：2014 annual report by the Japanese Society for Vascular Surgery. Ann Vasc Dis 13：474-93，2020.

79) Higashitani M, et al：One-year limb outcome and mortality in patients undergoing revascularization therapy for acute limb ischemia：Short-term results of the Edo registry. Cardiovasc Interv Ther 36：226-36，2021.

80) Björck M, et al：Editor's choice：European Society for Vascular Surgery (ESVS) 2020 clinical practice guidelines on the management of acute limb ischaemia. Eur J Vasc Endovasc Surg 59：173-218，2020.

81) Rutherford RB, et al：Recommended standards for reports dealing with lower extremity ischemia：Revised version. J Vasc Surg 26：517-38，1997.

82) Norgren L, et al：Inter-Society Consensus for the Management of Peripheral Arterial Disease (TASC II). J Vasc Surg 45 (Suppl S)：S5-67，2007.

83) 日本循環器学会，他：2020年改訂版不整脈薬物治療ガイドライン，2020.
http://www.j-circ.or.jp/cms/wp-content/uploads/2020/01/JCS2020_Ono.pdf

84) Alpert JS, et al：Atrial fibrillation：Natural history, complications, and management. Annu Rev Med 39：41-52，1988.

85) Dell'Orfano JT, et al：Cost-effective management of acute atrial fibrillation：Role of rate control, spontaneous conversion, medical and direct current cardioversion, transesophageal echocardiography, and antiembolic therapy. Am J Cardiol 85：36-45，2000.

86) Arnold AZ, et al：Role of prophylactic anticoagulation for direct current cardioversion in patients with atrial fibrillation or atrial flutter. J Am Coll Cardiol 19：851-5，1992.

87) Fatkin D, et al：Transesophageal echocardiography before and during direct current cardioversion of atrial fibrillation：Evidence for "atrial stunning" as a mechanism of thromboembolic complications. J Am Coll Cardiol 23：307-16，1994.

88) Pisters R, et al：A novel user-friendly score (HAS-BLED) to assess 1-year risk of major bleeding in patients with atrial fibrillation：The Euro Heart Survey. Chest 138：1093-100，2010.

89) 日本循環器学会，他：遺伝性不整脈の診療に関するガイドライン（2017年改訂版），2018.
https://www.j-circ.or.jp/cms/wp-content/uploads/2017/12/JCS2017_aonuma_h.pdf

90) Hocini M, et al：Diagnosis and management of patients with inherited arrhythmia syndromes in Europe：Results of the European Heart Rhythm Association Survey. Europace 16：600-3，2014.

91) Matsuo K, et al：The prevalence, incidence and prognostic value of the Brugada-type electrocardiogram：A population-based study of four decades. J Am Coll Cardiol 38：765-70，2001.

92) Splawski I, et al：Molecular basis of the long-QT syndrome associated with deafness. Proc Assoc Am Physicians 109：504-11，1997.

93) Priori SG, et al：HRS/EHRA/APHRS expert consensus statement on the diagnosis and management of patients with inherited primary arrhythmia syndromes：Document endorsed by HRS, EHRA, and APHRS in May 2013 and by ACCF, AHA, PACES, and AEPC in June 2013. Heart Rhythm 10：1932-63，2013.

94) Kirkfeldt RE, et al：Complications after cardiac implantable electronic device implantations：An analysis of a complete, nationwide cohort in Denmark. Eur Heart J 35：1186-94，2014.

95) Ohlow MA, et al：Very early discharge after cardiac implantable electronic device implantations：Is this the future? J Interv Card Electrophysiol 60：231-7，2021.

96) Patel B, et al：Thirty-day readmissions after cardiac implantable electronic devices in the United States：Insights from the Nationwide Readmissions Database. Heart Rhythm 15：708-15，2018.

97) Shimizu A, et al：Actual conditions of implantable defibrillation therapy over 5 years in Japan. J Arrhythm 28：263-72，2012.

98) Deshmukh A, et al：Can we avoid inappropriate implantable cardioverter-defibrillator shocks：The answer is in the definition. JACC Clin Electrophysiol 5：716-8，2019.

99) Whang W, et al：Depression as a predictor for appropriate shocks among patients with implantable cardioverter-defibrillators：Results from the Triggers of Ventricular Arrhythmias (TOVA) study. J Am Coll Cardiol 45：1090-5，2005.

100) Wilkoff BL, et al：Differences in tachyarrhythmia detection and implantable cardioverter defibrillator therapy by primary or secondary prevention indication in cardiac resynchronization therapy patients. J Cardiovasc Electrophysiol 15：1002-9，2004.

101) van Rees JB, et al：Inappropriate implantable cardioverter-defibrillator shocks：Incidence, predictors, and impact on mortality. J Am Coll Cardiol 57：556-62，2011.

102) Kheiri B, et al：Antiarrhythmic drugs or catheter ablation in the management of ventricular tachyarrhythmias in patients with implantable cardioverter-defibrillators：A systematic review and meta-analysis of randomized controlled trials. Circ Arrhythm Electrophysiol 12：e007600，2019.

103) 日本高血圧学会高血圧治療ガイドライン作成委員会（編）：高血圧治療ガイドライン2019，ライフサイエンス出版，2019.

104) Whelton PK, et al：2017 ACC/AHA/AAPA/ABC/ACPM/AGS/APhA/ASH/ASPC/NMA/PCNA guideline for the prevention, detection, evaluation, and management of high blood pressure in adults：A report of the American College of Cardiology/American Heart Association Task Force on Clinical Practice Guidelines. Hypertension 71：e13-115，2018.
105) Vaughan CJ, et al：Hypertensive emergencies. Lancet 356：411-7，2000.
106) Mancia G, et al：2007 guidelines for the management of arterial hypertension：The task force for the management of arterial hypertension of the European Society of Hypertension (ESH) and of the European Society of Cardiology (ESC). J Hypertens 25：1105-87，2007.
107) 日本循環器学会，他：成人先天性心疾患診療ガイドライン（2017年改訂版），2018. https://www.j-circ.or.jp/cms/wp-content/uploads/2017/08/JCS2017_ichida_h.pdf
108) Kaemmerer H, et al：Management of emergencies in adults with congenital cardiac disease. Am J Cardiol 101：521-5，2008.
109) Chessa M, et al：Emergency department management of patients with adult congenital heart disease：A consensus paper from the ESC Working Group on Adult Congenital Heart Disease, the European Society for Emergency Medicine (EUSEM), the European Association for Cardio-Thoracic Surgery (EACTS), and the Association for Acute Cardiovascular Care (ACVC). Eur Heart J 42：2527-35，2021.
110) Brida M, et al：Systemic right ventricle in adults with congenital heart disease：Anatomic and phenotypic spectrum and current approach to management. Circulation 137：508-18，2018.
111) Dimopoulos K, et al：Echocardiographic screening for pulmonary hypertension in congenital heart disease：JACC review topic of the week. J Am Coll Cardiol 72：2778-88，2018.
112) Baumgartner H, et al：2020 ESC guidelines for the management of adult congenital heart disease. Eur Heart J 42：563-645，2021.

V 疾患領域別の救急診療

4 呼吸器系疾患

藤島 清太郎

【呼吸器感染症】肺炎

1 概要・疫学

肺炎は，感染症により肺胞を中心とする肺実質領域に急性炎症を呈する疾患である。感染の状況から，市中肺炎（community-acquired pneumonia；CAP），院内肺炎（hospital-acquired pneumonia；HAP）または人工呼吸器関連肺炎（ventilator-associated pneumonia；VAP），および医療・介護関連肺炎（nursing and healthcare-associated pneumonia；NHCAP）に分けられ，原因菌の内訳と診療プロセスも異なることから，診療ガイドラインなどはCAPとHAP，VAPで別々に作成されることが多い。

NHCAPは，表1[1]のいずれかを満たす患者と定義され，HAPに関連する多剤耐性菌の感染リスクがある非入院患者を網羅するために導入された概念であるが，欧米を中心に，耐性菌感染リスクを必ずしも正しく評価できず，広域抗菌薬，とくにメチシリン耐性黄色ブドウ球菌治療薬の使用増加に関連するとの批判がある[2]。一方，わが国の『成人肺炎診療ガイドライン2017』[1]は国内の現状に即し，上記すべての肺炎診療を包括的に示し，また原因菌の観点から細菌性と非定型肺炎に分けているのが特徴である。

2020年の厚生労働省による患者調査[3]によると，肺炎による入院患者数は人口10万人当たり推計24.0人（外来患者は同4.1）で，慢性閉塞性肺疾患（chronic obstructive pulmonary disease；COPD）の同6.4，喘息の同1.9，肺がんの同15.9など，ほかの呼吸器疾患よりも高かった。年齢別では，65歳以上の高齢者が多いが，15歳未満の小児も比較的多かった。肺炎の死亡率は低下傾向にあるが，死因数としての順位は上がって第3位となっている。

2 病因・病態生理

肺胞領域を中心とする病原微生物の増殖と，それに対

表1 医療・介護関連肺炎（NHCAP）の定義

1. 療養病床に入院している，もしくは介護施設に入所している
2. 90日以内に病院を退院した
3. 介護を必要とする高齢者，身体障害者
4. 通院にて継続的に血管内治療（透析，抗菌薬，化学療法，免疫抑制薬など）を受けている

〔文献1）より引用〕

する宿主反応としての炎症性細胞浸潤，浮腫が肺炎の病態である。サイトカイン，ケモカインなどの炎症性メディエータが病態形成に関与しており，急性呼吸促迫症候群（acute respiratory distress syndrome；ARDS）や敗血症の主要な原因ともなっている。CAP，HAPにおける感染の契機として，中咽頭の常在微生物の微小吸引によるウイルス感染が指摘されている。また，誤嚥性肺炎では，誤嚥物内の細菌に加えて，胃液の塩酸により惹起される化学性肺臓炎も関与している。

CAPの原因となる病原微生物として，細菌，抗酸菌，ウイルス，ニューモシスチスを含む真菌などがある。主要な病原菌として，肺炎球菌，インフルエンザ菌，マイコプラズマ，肺炎クラミジアなどがあり，また糖尿病やアルコール依存症ではクレブシエラ菌，インフルエンザウイルス感染合併例ではメチシリン耐性黄色ブドウ球菌（methicillin-resistant *Staphylococcus aureus*；MRSA）の感染リスクが高い。VAP，HAP，NHCAPでは，この順で多剤耐性菌のリスクが高い。新しいウイルス病原体としては，ヒトメタニューモウイルスや重症急性呼吸器症候群（severe acute respiratory syndrome；SARS），中東呼吸器症候群（middle east respiratory syndrome；MERS），新型コロナウイルス感染症（COVID-19）の原因であるコロナウイルスがある。

3 症状・所見

咳嗽，喀痰，膿性痰，呼吸困難，胸痛といった呼吸器症状と，発熱，倦怠感，食思不振，意識障害といった全

身症状が認められる。高齢者では，体調不良や食思不振といった非特異症状のみのことがあり，注意が必要である。

診察所見では，胸部聴診で病変部に一致した不連続音を聴取するが，重症例では，病変部の含気量低下によりかえって聴取しづらいことがある。バイタルサインでは発熱，頻脈，頻呼吸を認め，重症例では低体温，意識障害，ショックを呈することもある。COVID-19肺炎では，重度の低酸素血症があるにもかかわらず重篤症状を訴えないことがあり，happy hypoxia, silent hypoxiaと呼ばれているが，その機序はわかっていない。

4 検査・診断

1）血液検査

細菌性肺炎では，血液検査上好中球優位の白血球増多，CRP・プロカルシトニン高値を認めることが多い。抗菌薬投与要否の判断に炎症マーカーを非推奨とするガイドラインが多いが，わが国のガイドラインではCRPがエキスパートコンセンサスとして弱く推奨されている[1]。

2）細菌学的検査

喀痰のグラム染色・培養は，重症例（とくに挿管例），MRSA・緑膿菌感染の既往や同抗菌療法予定時，入院の既往がある患者では，抗菌薬投与前の検体採取が推奨される[1]。血液培養の採取も同様の基準とされている[1,2]。尿中レジオネラ抗原・肺炎球菌抗原検査は，CAP全般で弱い推奨となっており[1]，とくに重症例や最近の旅行歴がある場合，集団感染の疑いがある場合には必要である。また，インフルエンザ抗原検査も流行期には強く推奨されている。加えて，最近では遺伝子検査も一部保険適用となっており，とくに重症例では考慮に値する。

3）画像検査

一般外来で呼吸器症状と発熱を呈する患者の全員に胸部X線検査を行う必要はないが，救急外来ではほぼ必須である。また，単純X線では陰影がはっきりしないが，低酸素血症や強い症状を認めた場合は胸部CT検査を行ったほうがよい。

細菌性肺炎では，画像検査上，肺葉分布に一致した通常片側性の気管支透亮像を伴う浸潤影（外に凸の不均一影）を認める。1つ以上の肺葉全体の浸潤影（大葉性肺炎）は肺炎球菌，クレブシエラ肺炎などでみられる。ウイルス性肺炎・マイコプラズマ肺炎では，肺葉分布に不一致の間質性陰影が多い。一方，無気肺や一部の閉塞性肺炎（肺がんなどに合併）では外に凹の陰影を呈する。腫瘍・葉間胸水・完全無気肺では濃度均一な陰影を呈する。胸部CTは病変検出感度が高く，その性状・分布，合併病変（胸膜炎・膿胸，肺化膿症）や慢性呼吸器疾患の評価に有用である。

5 診療フローと重症度評価

CAP，HAP，NHCAPの包括的な診療フローを図1[1]に示す。CAPでは，重症度に応じて外来治療が可能か，入院適応の場合は一般床でよいか，ICU管理が必要かを判断する。HAPやNHCAPでは，患者背景のアセスメントを行い，誤嚥性肺炎のリスク，疾患末期・老衰状態ではないかを判断し，治療方針を決定する。

わが国では重症度評価の指標として，CAPはA-DROP（米国ではPSI），HAPではI-ROAD，NHCAPはA-DROPまたはCURB-65，PSIが推奨されている（表2）。CAPにおける細菌性肺炎と非定型肺炎の鑑別項目については他項（p.275）を参照のこと。

6 治療

肺炎の治療は，適切な抗微生物薬の投与が基本となる。中等症以上では，これに加えて患者の状態により酸素投与・換気補助，補液を行う。さらに，敗血症・敗血症性ショック，ARDS合併例ではガイドラインに準拠した治療が必要となる。

CAPに関して，図1に治療方針を，表3に抗菌薬選択を示す[1]。菌種・病態別のCAPの治療期間の目安は，①肺炎球菌：菌血症がなければ解熱後3（〜5）日間（最低5日間），菌血症併発では10〜14日間，②ブドウ球菌や嫌気性菌による壊死性肺炎：14日間以上，③レジオネラ・ニューモフィラ：7〜14日間，④緑膿菌：10〜14日間，⑤その他のCAP：最低5日間かつ2〜3日間平熱が続く，である[2]。ただし，肺化膿症，胸膜炎，膿胸を併発している場合や，基礎疾患による難治化を認める場合には，上記より長期間の抗菌薬投与を行う。

HAP/NHCAPについて，図1にエンピリック治療方針を，表4に抗菌薬選択を示す[1]。耐性菌のリスク因子として，①過去90日以内の経静脈的抗菌薬の使用歴，②過去90日以内の2日以上の入院歴，③免疫抑制状態，④活動性の低下（PS≧3，Barthel index＜50），歩行不能，経管栄養または中心静脈栄養の実施，の4項目のうち2

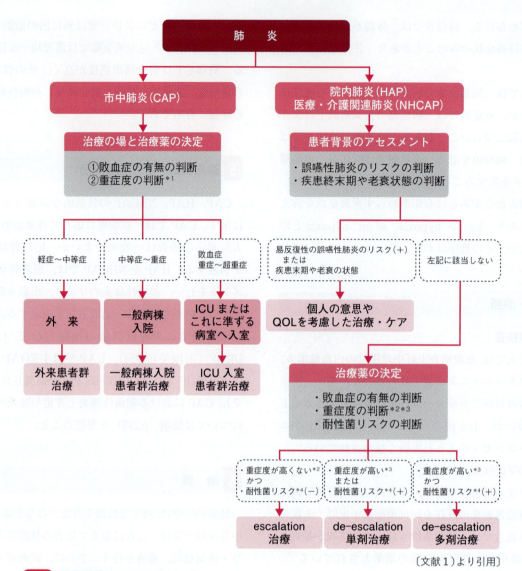

図1 肺炎診療のフローチャート

*1 CAPではA-DROPにより重症度を判定
*2 敗血症の状態ではなく，NHCAPではA-DROPで中等症以下，HAPではI-ROADで軽症
*3 敗血症の状態，または，HAPではI-ROADで中等症以上，NHCAPではA-DROPで重症以上
*4 耐性菌のリスクあり：①過去90日以内の経静脈的抗菌薬の使用歴，②過去90日以内の2日以上の入院歴，③免疫抑制状態，④活動性の低下のうち2項目以上を満たす

表2 A-DROP，I-ROADの各項目と重症度評価

A	(Age)	男性≧70歳，女性≧75歳
D	(Dehydration)	BUN≧21mg/dL または脱水あり
R	(Respiration)	$SpO_2 \leq 90\%$
O	(disOrientation)	意識障害
P	(blood Pressure)	収縮期血圧≦90mmHg
I	(Immunodeficiency)	悪性腫瘍または免疫不全状態
重症度（該当数）		軽症：0，中等症：1～2，重症：3，超重症4～5

両指標で5項目のうち4項目（A，D，R，O）は共通
HAPでは，①CRP≧20mg/dL，②胸部X線上陰影の広がりが一側肺の2/3以上も重症度指標となる。基礎疾患（慢性呼吸器疾患，悪性腫瘍，糖尿病，慢性腎不全，慢性肝疾患，慢性アルコール中毒，パーキンソン症候群，嚥下障害，脳卒中後遺症），NHCAPも考慮する

表3 市中肺炎（CAP）のエンピリック治療抗菌薬

外来患者群	一般病棟入院患者群	集中治療室入室患者群
【内服薬】 ・β-ラクタマーゼ阻害薬配合 　ペニシリン系薬[*1] ・マクロライド系薬[*2] ・レスピラトリーキノロン[*3, *4] 【注射薬】 ・セフトリアキソン ・レボフロキサシン[*4] ・アジスロマイシン	【注射薬】 ・スルバクタム・アンピシリン ・セフトリアキソン or セフォタキシム ・レボフロキサシン[*4] ※非定型肺炎が疑われる場合 ・ミノサイクリン ・レボフロキサシン[*4] ・アジスロマイシン	【注射薬】 A法：カルバペネム系薬[*5] or 　　　タゾバクタム・ピペラシリン B法[†]：スルバクタム・アンピシリン or 　　　セフトリアキソン or 　　　セフォタキシム C法：A or B法＋アジスロマイシン D法：A or B法＋レボフロキサシン[*4, *6] E法：A or B or C or D法＋抗MRSA薬[*7]

〔文献1〕より引用〕

[*1] 細菌性肺炎が疑われる場合：スルタミシリン，アモキシシリン・クラブラン酸
[*2] 非定型肺炎が疑われる場合：クラリスロマイシン，アジスロマイシン
[*3] 慢性の呼吸器疾患がある場合には第一選択薬：ガレノキサシン，モキシフロキサシン，レボフロキサシン，シタフロキサシン，トスフロキサシン
[*4] 結核に対する抗菌力を有しており，使用に際しては結核の有無を慎重に判断する
[*5] メロペネム，ドリペネム，ビアペネム，イミペネム・シラスタチン
[*6] 代替薬：シプロフロキサシン[*4] or パズフロキサシン[*4]
[*7] MRSA肺炎のリスクが高い患者で選択する：リネゾリド，バンコマイシン，テイコプラニン，アルベカシン
[†] 緑膿菌を考慮しない場合

表4 院内肺炎（HAP）/医療・介護関連肺炎（NHCAP）のエンピリック治療抗菌薬

escalation 治療	de-escalation 単剤治療	de-escalation 多剤治療
・敗血症（−）で，重症度が高くない[*1] ・耐性菌リスク（−） 【内服薬（外来治療が可能な場合）】 ・β-ラクタマーゼ阻害薬配合ペニシリン系薬[*2]＋マクロライド系薬[*3] ・レスピラトリーキノロン[*4, *5] 【注射薬】 ・スルバクタム・アンピシリン ・セフトリアキソン[*6]，セフォタキシム[*6] 　　非定型肺炎が疑われる場合 ・レボフロキサシン[*5, *6]	・敗血症（＋），または，重症度が高い[*1] 　または ・耐性菌リスク（＋） 【注射薬（単剤投与）】 ・タゾバクタム・ピペラシリン ・カルバペネム系薬[*7] ・第4世代セフェム系薬[*6, *8] ・ニューキノロン系薬[*5, *6, *9]	・敗血症（＋），または，重症度が高い[*1] 　かつ ・耐性菌リスク（＋） 【注射薬（2剤併用投与，ただしβ-ラクタム系薬の併用は避ける）】 ・タゾバクタム・ピペラシリン ・カルバペネム系薬[*7] ・第四世代セフェム系薬[*6, *8] ・ニューキノロン系薬[*5, *6, *9] ・アミノグリコシド系薬[*6, *10, *11] 　　MRSA感染を疑う場合[*12] 　　　　　　＋ ・抗MRSA薬[*13]

〔文献1〕より引用〕

[*1] 重症度が高い：NHCAPではA-DROPで重症以上，HAPではI-ROADで中等症（B群）以上
[*2] スルタミシリン，アモキシシリン・クラブラン酸（いずれも高用量が望ましい）
[*3] クラリスロマイシン，アジスロマイシン
[*4] ガレノキサシン，モキシフロキサシン，レボフロキサシン，シタフロキサシン，トスフロキサシン
[*5] 結核に対する抗菌力を有しており，使用に際しては結核の有無を慎重に判断する
[*6] 嫌気性菌感染を疑う際には使用を避けるか，クリンダマイシンまたはメトロニダゾールを併用する
[*7] メロペネム，ドリペネム，ビアペネム，イミペネム・シラスタチン
[*8] セフォゾプラン，セフェピム，セフピロム
[*9] レボフロキサシン，シプロフロキサシン，パズフロキサシン（パズフロキサシンは高用量が望ましい）
[*10] アミカシン，トブラマイシン，ゲンタマイシン
[*11] 腎機能低下時や高齢者には推奨されない
[*12] 以前にMRSAが分離された既往あり，または，過去90日以内の経静脈的抗菌薬の使用歴あり
[*13] リネゾリド，バンコマイシン，テイコプラニン，アルベカシン

項目以上に該当する場合は耐性菌の高リスク群と判断する。なお，Barthel indexとは，食事，移動，整容，トイレ動作，入浴，歩行，階段昇降，着替え，排便，排尿の10項目をそれぞれ0～15点で評価し，合計0～100点でスコアリングするものである。

【閉塞性肺疾患】気管支喘息

1 概要・疫学

気管支喘息は，気道の慢性炎症を本態とし，変動性をもった気道狭窄による喘鳴，呼吸困難，胸苦しさや咳などの臨床症状で特徴づけられる疾患である[4]。喘息患者がCOPDを合併している例も多く，オーバーラップ症候群（asthma and COPD overlap；ACO）と呼ばれる。喘息増悪時は，軽い喘鳴を呈する軽症から重度の呼吸不全，心停止に至る最重症までさまざまな重症度の発作を伴う。特殊な喘息として，アスピリン喘息，運動誘発性，職業性，アレルギー性気管支肺真菌症，好酸球性多発血管炎性肉芽腫症に伴うものなどがある。

わが国における喘息の有病率は，1960年代では1％程度であったが，2000年初頭までに小児で10％以上，成人でも6～8％まで急速に増加し，その後も増加傾向にあると推定されている。一方で，喘息死亡率は近年減少を続けているが，高齢者の割合が増加している[4]。

2 病因・病態生理

喘息患者の気道では，好酸球，リンパ球，マスト細胞，好塩基球，好中球などの炎症細胞浸潤に加えて，血管拡張，粘膜・粘膜下浮腫，さらに気道上皮剝離，杯細胞増生，粘膜下腺過形成，血管新生，上皮下線維増生，弾性線維破壊，平滑筋肥大，気道外膜の線維化，内腔の粘液貯留が認められる。

気道炎症は，喘息を特徴づける変動性の気流制限の原因と考えられている。気流制限は気道系の狭小化に起因し，主として①気道平滑筋の収縮，②気道の浮腫，③気道粘液の分泌亢進，④気道リモデリングという4つの機序が知られている。

気道過敏性は喘息を特徴づける病態であり，その機序として，持続・遷延する気道炎症による①気道上皮の傷害，②神経系への影響，③気道平滑筋の質的変化，④気道リモデリングの4要因が想定されている。

3 症状・所見

喘鳴，息切れ，胸苦しさなどを訴えて受診することが多いが，咳嗽のみを訴える場合もあるので注意する。「喘鳴を伴った息苦しさ」の訴えは比較的喘息に特徴的とされる。症状は間欠的かつ夜間，早朝に出ることが多く，日中は無症状でも喘息を否定できない。病歴上の喫煙，併存疾患も診断の参考とする。

診察では，肺野の聴診で呼気時の喘鳴が特徴的であり，時に吸気時にも聴取する。強制呼出を行わせることで聴取できる場合もある。

4 検査

喘息の既往歴があり，典型的な症状を呈している場合は必ずしも諸検査は必要ないが，初診時や他疾患との鑑別を要する場合，血液検査，胸部画像検査，心電図検査などを適宜行う。

1) 血液検査，動脈血ガス分析，SpO_2

血液検査で末梢血好酸球数が220～320/μL以上あれば，好酸球性気道炎症の存在を示唆する。また，増悪の原因が感染症の場合は炎症所見を呈する。低酸素血症のスクリーニングはSpO_2でよいが，低酸素血症，高二酸化炭素血症，アシドーシスが疑われる場合などは動脈血ガス分析を行う。

2) 画像検査

気道病変は画像検査では検出が難しく，喘息の診断や重症度評価には画像検査は役立たない。ただし，COPD（ACO），肺炎，気胸などの合併や，心不全，胸部陰影を伴う特殊な喘息の鑑別には有用である。

3) 呼吸機能検査，呼気中一酸化窒素濃度（FeNO）

気道の可逆性があるため，非増悪時のスパイロメトリーではACOを除き気流制限を認めない。スパイロメトリーで1秒率（$FEV_{1.0}$％）の低下を認めた場合は，気管支拡張薬の吸入後に再度試験を行い，気道可逆性の有無を判定する。

FeNOは好酸球性を中心とした気道の2型炎症を反映し，COPDとの鑑別や喘息コントロールの補助的指標として用いられる。37ppbが正常上限とされるが，20ppb程度でも喘息を否定できない。

表5 喘息を疑う患者に対する問診チェックリスト

大項目		■ 喘息を疑う症状（喘鳴，咳嗽，喀痰，胸苦しさ，息苦しさ，胸痛）がある
小項目	症状	□1 ステロイドを含む吸入薬もしくは経口ステロイド薬で呼吸器症状が改善したことがある □2 喘鳴（ゼーゼー，ヒューヒュー）を感じたことがある □3 3週間以上持続する咳嗽を経験したことがある □4 夜間を中心とした咳嗽を経験したことがある □5 息苦しい感じを伴う咳嗽を経験したことがある □6 症状は日内変動がある □7 症状は季節性に変化する □8 症状は香水や線香などの香りで誘発される
	背景	□9 喘息を指摘されたことがある（小児喘息も含む） □10 両親もしくはきょうだいに喘息がいる □11 好酸球性副鼻腔炎がある □12 アレルギー性鼻炎がある □13 ペットを飼い始めて1年以内である □14 血中好酸球が300/μL以上 □15 アレルギー検査（血液もしくは皮膚検査）にてダニ，真菌，動物に陽性を示す

大項目＋小項目（いずれか1つ以上）があれば喘息を疑う　　　　〔文献5）より引用〕

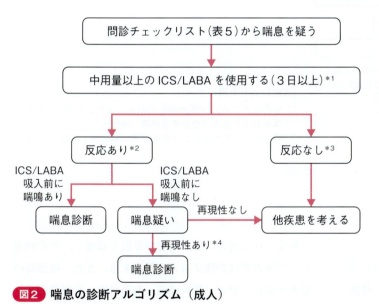

図2 喘息の診断アルゴリズム（成人）

〔文献5）より引用〕

*1 症状が重篤な場合，経口ステロイド薬（プレドニゾロン換算で10〜30mg）を1週間程度併用する
*2 次に示すいずれかの所見がある場合は喘鳴と関係なく喘息と診断する。①ICS/LABA使用前後で1秒量（FEV_1）が12％以上かつ200mL以上の改善，②FeNO＞50ppb，③血中好酸球＞300/μL（喀痰中好酸球3％以上の代用マーカー）のいずれかを認める場合，喘鳴と関係なく喘息と診断
*3 症状が重篤である場合は，喘息であってもICS/LABAの効果が乏しい場合がある
*4 喘鳴や呼吸困難がない場合は「低用量ICS/LABA」または「ICS単剤」に治療のステップダウンを行い，その後，症状の再現があれば「中用量ICS/LABA」に切り替えて効果の再現性を確認する

5 診　断

　喘息の診断は，①発作性の呼吸困難，喘鳴，胸苦しさ，咳などの症状の反復，②変動性・可逆性の気流制限，③気道過敏性の亢進，④気道炎症の存在，⑤アトピー素因の有無，⑥他疾患の除外を目安として行う。実際の診療においては，日本喘息学会のガイドラインの問診チェックリスト（表5）と診断アルゴリズム（図2）がわかりやすい[5]。

　喘息と鑑別すべき疾患を表6[4]に示す。

6 治　療

1）長期管理

　喘息の治療目標は，喘息症状をなくすことである。成人喘息の治療は中用量の吸入ステロイド薬（inhaled corticosteroid；ICS）/長時間作用性$β_2$刺激薬（long-acting beta-agonist；LABA）から開始する（図3）[5]。専門治療としては，生物学的製剤，気管支熱形成術（bronchial thermoplasty），アレルゲン免疫療法などが行われる。

表6 喘息と鑑別すべき他疾患

1. 上気道疾患：喉頭炎，喉頭蓋炎，vocal cord dysfunction（VCD）
2. 中枢気道疾患：気管内腫瘍，気道異物，気管軟化症，気管支結核，サルコイドーシス，再発性多発軟骨炎
3. 気管支～肺胞領域の疾患：COPD，びまん性汎細気管支炎
4. 循環器疾患：うっ血性心不全，肺血栓塞栓症
5. 薬剤：アンジオテンシン変換酵素（ACE）阻害薬などによる咳
6. その他の原因：自然気胸，迷走神経刺激症状，過換気症候群，心因性咳嗽

〔文献4）より引用〕

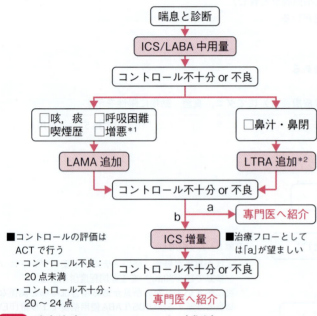

図3 喘息治療のフローチャート（成人）
LTRA：ロイコトリエン受容体拮抗薬

〔文献5）より引用〕
*1 全身性ステロイド薬の静脈内投与，または短期間の経口ステロイド薬を必要とする増悪（発作）
*2 咳，痰，呼吸困難のいずれかが強い場合はLAMA併用可

2）急性増悪（発作）への対応

日本アレルギー学会のガイドラインにおける喘息の急性増悪（発作）の強度（重症度）を**表7**[4]に示す。横臥できない場合は中等度以上，動けなければ高度以上と判断する。SpO_2は重症度の目安になるが，正常域でも努力呼吸を認めれば中等度以上の可能性がある。バイタルサイン，SpO_2はもちろんのこと，肺炎，COPD，心不全，気胸などの合併の有無・鑑別診断のため，血液検査，画像検査，心電図を適宜行う。

表8[4]に，『喘息予防・管理ガイドライン2021』より各々の強度で行う治療ステップを示す。治療目標は，呼吸困難の消失，体動・脈拍正常，日常生活正常，最大呼気流量（PEF）値が予測値または自己最良値の80%以上，$SpO_2>95\%$，平常服薬・吸入で喘息症状の悪化なしである。これらが1時間以内に達成されなければ，ステップアップを考慮する。

帰宅させる場合には，増悪の原因を確認し，その回避と，喫煙者では禁煙するよう指導する。また，増悪時の患者・家族の対応（徴候認識，初期対応，医療機関アクセスなど）について問題がなかったかを確認し，必要に応じて指導を行う。長期管理薬の使用が適切であったかも見直し，継続の必要性を説明する。増悪治療薬（気管支拡張薬，経口ステロイド薬など）は3～5日分処方する。そして，早期にかかりつけ医や喘息専門医を受診し，治療を継続するよう指導する[4]。

『喘息予防・管理ガイドライン2021』における入院治療の適応を**表9**[4]に示す。また，①重篤な増悪症状または増悪治療ステップ4へのステップアップを要する場合，②救急室での初期治療で反応がない場合，③昏迷・もうろう状態など呼吸停止や意識喪失の危険を示す症状がある場合，④高度の呼吸不全を呈し呼吸停止の可能性が危惧される場合には，集中治療室管理の適応となる[4]。

表7 喘息増悪の強度と目安となる増悪治療ステップ

増悪強度*	呼吸困難	動作	検査値の目安				増悪治療ステップ
			PEF**	SpO$_2$	PaO$_2$	PaCO$_2$	
喘鳴／息苦しい	急ぐと苦しい動くと苦しい	ほぼ普通	80％以上	96％以上	正常	45mmHg未満	増悪治療ステップ1
軽度（小発作）	苦しいが横になれる	やや困難					
中等度（中発作）	苦しくて横になれない	かなり困難かろうじて歩ける	60〜80％	91〜95％	60mmHg超	45mmHg未満	増悪治療ステップ2
高度（大発作）	苦しくて動けない	歩行不能会話困難	60％未満	90％以下	60mmHg以下	45mmHg以上	増悪治療ステップ3
重篤	呼吸減弱チアノーゼ呼吸停止	会話不能体動不能錯乱意識障害失禁	測定不能	90％以下	60mmHg以下	45mmHg以上	増悪治療ステップ4

〔文献4〕より引用〕

* 増悪強度は主に呼吸困難の程度で判定する（ほかの項目は参考事項とする）。異なる増悪強度の症状が混在する場合は強いほうをとる
** PEF値は予測値または自己最良値との割合を示す

【閉塞性肺疾患】慢性閉塞性肺疾患（COPD）

1 概要・疫学

タバコ煙を主とする有害微粒子に長期に吸入曝露されることなどにより生ずる肺疾患であり、呼吸機能検査で閉塞性換気障害を認める[6]。臨床的には徐々に進行する労作時の呼吸困難や慢性の咳・痰を示すが、これらの症状に乏しいこともある。また、前述したとおり、COPDと気管支喘息の合併はACOと呼ばれる。合併症としては随伴性気胸や肺高血圧症があり、各種感染症の重症化リスクが高まる。

2004年に発表されたCOPD住民調査に基づく有病率は、40歳以上の男女の8.6％と推定された一方で、2017年の厚生労働省患者調査では、病院でCOPDと診断された患者数は22万人であり、COPDに気づいていない患者が500万人以上いると推定されている。また、喫煙者のうち15〜20％でのみ認めることから、遺伝的要因などの関与も推定される。

2 病因・病態生理

タバコ煙などの有害微粒子の長期吸入により肺に慢性炎症が惹起され、肺気腫につながる肺実質組織の破壊と、正常修復機転・防御機構の破綻による末梢気道の線維化をきたす。$α_1$-protease inhibitor欠損症は欧米ではCOPDの数％を占めるが、わが国では非常にまれである。

COPDの気流閉塞は末梢気道病変と気腫病変が複合的に作用して生じるが、その割合は患者によって異なる。末梢気道病変では、炎症細胞浸潤、気道壁の線維化、内腔浸出物などにより気道が狭窄・閉塞される。肺気腫病変では、肺の弾性収縮力の低下と末梢気道への肺胞接着の消失により呼気時の気道の狭窄・閉塞が強まり、空気のとらえ込みにより動的過膨張が生じる。

進行したCOPDでは、換気／血流不均等が増大し、低酸素血症の原因になる。また、気流閉塞が高度に進行したCOPD患者の一部では、肺胞低換気により高二酸化炭素血症を呈する。重症COPDでは、毛細血管床の破壊による血管抵抗の増大や低酸素性血管収縮反応、肺血管床の組織学的再構築変化などにより肺高血圧症を認め、さらに進行すると肺性心になる。

表8 喘息の増悪治療ステップ

治療目標：呼吸困難の消失，体動，睡眠正常，日常生活正常，PEF値が予測値または自己最良値の80％以上，$SpO_2 > 95\%$，平常服薬，吸入で喘息症状の悪化なし

ステップアップの目安：治療目標が1時間以内に達成されなければステップアップを考慮する

	治療	対応の目安
増悪治療ステップ1	短時間作用性β_2刺激薬吸入[*2] ブデソニド/ホルモテロール吸入薬追加（SMART療法施行時）	医師による指導のもとで自宅治療可
増悪治療ステップ2	短時間作用性β_2刺激薬ネブライザー吸入反復[*3] ステロイド薬全身投与[*5] 酸素吸入（SpO_2 95％前後） 短時間作用性抗コリン薬吸入併用可 （アミノフィリン点滴静注併用可[*4]）[*8] （0.1％アドレナリン（ボスミン）皮下注[*6]使用可）[*8]	救急外来 ・2〜4時間で反応不十分 ・1〜2時間で反応なし ｝入院治療 入院治療：高度喘息症状として増悪治療ステップ3を施行
増悪治療ステップ3	短時間作用性β_2刺激薬ネブライザー吸入反復[*3] 酸素吸入（SpO_2 95％前後） ステロイド薬全身投与[*5] 短時間作用性抗コリン薬吸入併用可 （アミノフィリン点滴静注併用可[*4]（持続静注[*7]））[*8] （0.1％アドレナリン（ボスミン）皮下注[*6]使用可）[*8]	救急外来 1時間以内に反応なければ入院治療 悪化すれば重篤症状の治療へ
増悪治療ステップ4	上記治療継続 症状，呼吸機能悪化で挿管[*1] 酸素吸入にもかかわらずPaO_2 50mmHg以下 および/または意識障害を伴う急激なPaO_2の上昇 人工呼吸[*1]，気管支洗浄を考慮 全身麻酔（イソフルラン，セボフルランなどによる）を考慮	直ちに入院，ICU管理[*1]

〔文献4〕より引用〕

[*1] ICUまたは，気管挿管，補助呼吸などの処置ができ，血圧，心電図，パルスオキシメータによる継続的モニターが可能な病室．気管挿管，人工呼吸装置の装着は，緊急処置としてやむを得ない場合以外は複数の経験のある専門医により行われることが望ましい

[*2] 短時間作用性β_2刺激薬pMDI吸入器の場合：1〜2パフ，20分おき2回反復可

[*3] 短時間作用性β_2刺激薬ネブライザー吸入：20〜30分おきに反復する．脈拍数を130回/min以下に保つようにモニターする．なお，COVID-19流行時には推奨されず，代わりに短時間作用性β_2刺激薬pMDI吸入器（スペーサー併用可）に変更する

[*4] アミノフィリン125〜250mgを補液200〜250mLに入れ，1時間程度で点滴投与する．副作用（頭痛，吐き気，動悸，期外収縮など）出現で中止．増悪前にテオフィリン薬が投与されている場合は，半量もしくはそれ以下に減量する．可能なかぎり血中濃度を測定しながら投与する

[*5] ステロイド薬点滴静注：ベタメタゾン 4〜8mg あるいはデキサメタゾン 6.6〜9.9mgを必要に応じて6時間ごとに点滴静注．AERD（NSAIDs過敏喘息，N-ERD，アスピリン喘息）の可能性がないことが判明している場合，ヒドロコルチゾン 200〜500mg，メチルプレドニゾロン 40〜125mgを点滴静注してもよい．以後，ヒドロコルチゾン 100〜200mgまたはメチルプレドニゾロン 40〜80mgを必要に応じて4〜6時間ごとに，またはプレドニゾロン 0.5mg/kg/day，経口

[*6] 0.1％アドレナリン（ボスミン）：0.1〜0.3mL皮下注射20〜30分間隔で反復可．原則として脈拍数は130回/min以下に保つようにモニターすることが望ましい．虚血性心疾患，緑内障［開放隅角（単位）緑内障は可］，甲状腺機能亢進症では禁忌，高血圧の存在下では血圧，心電図モニターが必要

[*7] アミノフィリン持続点滴時は，最初の点滴（*6参照）後の持続点滴はアミノフィリン125〜250mgを5〜7時間で点滴し，血中テオフィリン濃度が8〜20μg/mLになるように血中濃度をモニターして中毒症状の発現で中止する

[*8] アミノフィリン，アドレナリンの使用法，副作用，個々の患者での副作用歴を熟知している場合には使用可

表9 喘息入院治療の適応

・中等度の症状（増悪治療ステップ2）で2〜4時間の治療で反応不十分あるいは1〜2時間の治療で反応がない
・高度の症状（増悪治療ステップ3）で1時間以内に治療に反応がない
・入院を必要とした重症喘息増悪の既往がある
・長期間（数日間〜1週間）にわたり増悪症状が続いている
・肺炎，無気肺，気胸などの合併症がある
・精神障害が認められる場合や意思疎通が不十分と認められる
・交通などの問題で医療機関を受診することが困難と認められる

〔文献4〕より引用〕

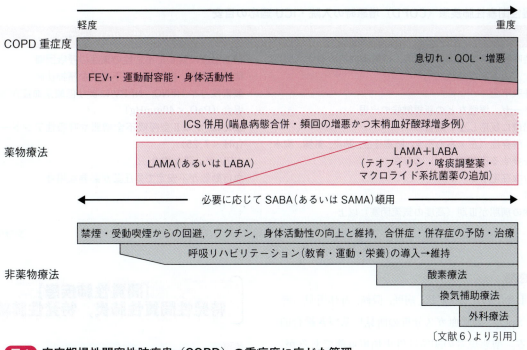

図4 安定期慢性閉塞性肺疾患（COPD）の重症度に応じた管理
SAMA：短時間作用性抗コリン薬
〔文献6）より引用〕

3 症状・所見

　慢性の咳，痰，労作性呼吸困難が主な症状であるが，症状の強さは必ずしも重症度と比例しない．喘息の合併例では，喘鳴や発作性の呼吸困難を呈する．続発性気胸の主要リスクでもある．

4 検査・診断

1）血液検査，動脈血ガス分析，SpO_2

　COPDに固有の血液検査所見はないが，喘息合併時は好酸球増多を認めることがある．また，急性増悪の原因が感染症の場合は炎症所見を呈する．PaO_2，SpO_2は軽症例では異常値を呈しないが，進行例では種々の程度の低酸素血症，高二酸化炭素血症を呈する．

2）画像検査

　進行したCOPD患者では，単純X線でも肺野の透過性亢進，肺や末梢血管陰影の細小化，横隔膜の平坦化などの所見を認める．胸部CTでは，気腫病変を検出可能であるが，末梢気道病変の検出や疾患重症度の評価は困難である．

3）呼吸機能検査

　スパイロメトリーで$FEV_{1.0}\%$が70％未満の場合にCOPDと診断されるが，喘息症状を伴う場合は気管支拡張薬吸入後の測定値で判断する必要がある．また，フローボリューム曲線では下に凸の下行脚を呈する．

4）診断と病期分類

　喫煙などの長期間の有害物質吸入曝露歴があり，気管支拡張薬に不応性の閉塞性換気障害を認める場合にCOPDと診断され，画像上の気腫化病変の有無は問わない．
　病期は，対標準1秒量（$\%FEV_1$）により分類する．Ⅰ期（軽度）：$\%FEV_1 \leq 80\%$，Ⅱ期（中等度）：$50\% \leq \%FEV_1 < 80\%$，Ⅲ期（高度）：$30\% \leq \%FEV_1 < 50\%$，Ⅳ期（きわめて高度）：$\%FEV_1 < 30\%$である．

5 治療

1）安定期

　安定期COPD管理の概要を図4[6)]に示す．安定期は，原因物質曝露（喫煙）からの回避と薬物療法が主体であり，さらにワクチンによる感染症予防，栄養療法や呼吸リハビリテーションを適宜行う．薬物療法の中心は吸入薬であり，喘息病態非合併例では長時間作用性抗コリン薬（long-acting muscarinic antagonist；LAMA）またはLABAを，合併例（ACO）ではLABA（またはLAMA）＋ICSを投与する．

呼吸器系疾患

表10 慢性閉塞性肺疾患（COPD）増悪時の入院・ICU適応の目安

入院適応	集中治療室（ICU）への入院適応
・安静時呼吸困難の増加，頻呼吸，低酸素血症の悪化，錯乱，傾眠などの著明な症状 ・急性呼吸不全 ・チアノーゼ，浮腫などの新規徴候の出現 ・初期治療に反応しない場合 ・重篤な併存症（左・右心不全，肺塞栓症，肺炎，気胸，胸水，治療を要する不整脈など）の存在 ・不十分な在宅サポート ・高齢者 ・安定期の病期がⅢ期（高度の気流閉塞）以上	・初期治療に対して不応性の重症の呼吸困難 ・錯乱，傾眠，昏睡などの不安定な精神状態 ・酸素投与やHFNC，NPPVにより低酸素血症が改善しない場合（PaO_2＜40mmHg） または/かつⅡ型呼吸不全増悪や呼吸性アシドーシス増悪（pH＜7.25） ・IPPVが必要な場合 ・血行動態が不安定で昇圧薬が必要な場合

〔文献6)より引用〕

2）増悪期

増悪の重症度判定は，症状，病歴，徴候，身体所見（呼吸状態），SpO_2，動脈血ガス分析の所見に基づき総合的に評価する。増悪患者の80％は外来加療可能であるが，安静時呼吸困難の増悪，頻呼吸，低酸素血症の進行，意識障害，治療反応性，重篤な合併症などから入院適応を総合的に判断する。表10[6)]に入院適応とICUへの入室適応の目安を示す。

増悪時の薬物療法の基本は，ABCアプローチ（A：antibiotics抗菌薬，B：bronchodilators気管支拡張薬，C：corticosteroidsステロイド薬）である。気管支拡張薬の第一選択薬は短時間作用性$β_2$刺激薬（short-acting beta-agonist；SABA）吸入であり，ステロイドはプレドニゾロン換算30〜40mg/day程度を5〜7日間全身投与する。喀痰の膿性化やCRP高値を認めれば，抗菌薬投与が推奨される[6)]。

図5[6)]にCOPD増悪期における酸素療法，呼吸管理のフローを示す。酸素療法の適応はPaO_2＜60mmHg，あるいはSpO_2＜90％であり，これらの閾値を超えるように投与する。Ⅱ型呼吸不全を呈する場合にはCO_2ナルコーシスのリスクがあるため，低濃度の酸素投与から開始する。

これらの治療でⅡ型呼吸不全状態が改善せず，$PaCO_2$＞45mmHgかつpH＜7.35を満たす場合は，換気補助療法を検討する。非侵襲的陽圧換気（non invasive positive pressure ventilation；NPPV）が第一選択であるが，忍容性がない場合はhigh-flow nasal cannula（HFNC）を考慮する。確実な気道確保や気道吸引が必要な場合は，侵襲的陽圧換気（invasive positive pressure ventilation；IPPV）の適応となるが，極力事前に患者への十分な説明を行い，同意を得る[6)]。

【間質性肺疾患】特発性間質性肺炎，特発性肺線維症

1 概要・疫学

胸部画像上，両側肺野にびまん性の陰影を呈するびまん性肺疾患には，原因不明の種々の間質性肺疾患（interstitial lung disease；ILD），職業・環境性肺疾患，膠原病および関連疾患，薬剤性，腫瘍性疾患，感染症などがある[7)]。ILDのうち，肺間質である肺胞隔壁の炎症や線維化病変を基本的な場とする疾患群が，間質性肺炎である。間質性肺炎は，過敏性，じん肺，膠原病性，薬剤性，放射線性，サルコイドーシスなどの原因が明らかなものと，原因不明の特発性間質性肺炎（idiopathic interstitial pneumonias；IIPs）に分けられる。IIPsはその半数以上を特発性肺線維症（idiopathic pulmonary fibrosis；IPF）が占める。

IPFは慢性進行性の経過をたどり，高度の線維化が進行して不可逆性の蜂巣肺形成をきたす，予後不良で原因不明の肺疾患である。その自然経過は，進行が遅くきわめて安定している患者から，急速に悪化する患者までさまざまであり，予測困難である。IPFの経過中において，急速に呼吸不全が進行することがあり，急性増悪と呼ばれている。

ILD，IIPs全体の疫学は不明であるが，IPFのわが国における有病率は，人口10万人当たり27人で，男性が73％，平均年齢73歳と報告されている[8)]。

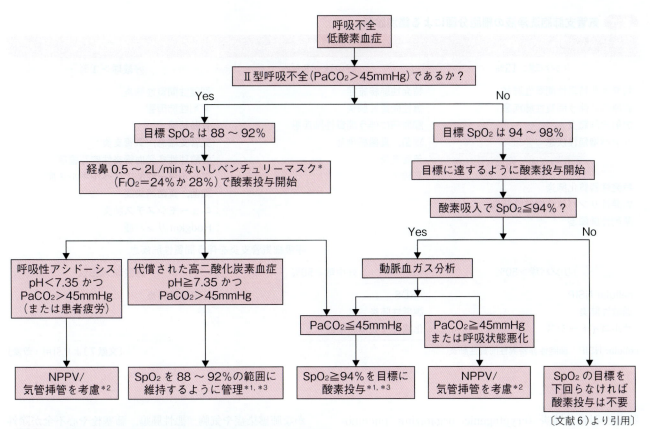

図5 慢性閉塞性肺疾患（COPD）増悪期における呼吸管理
*1 HFNC を含む
*2 NPPV 忍容性がない，かつ IPPV の適応がない場合に，HFNC を考慮する
*3 30分以内に動脈血ガス分析を実施する

2 病因・病態生理

　IIPs，IPF は肺の間質を主体とする異常な炎症反応と進行性の線維化を伴う病態であり，現時点でその原因はわかっていない。以前は，動物のブレオマイシン誘発性肺臓炎モデルを用いた結果などに基づき，炎症反応に続発して線維化が起こると理解されていた。しかし，副腎皮質ステロイドなどの抗炎症薬が無効であることから，現在では反復性の肺胞上皮傷害によりエージングが加速され，肺胞構築の破壊と筋線維芽細胞による間質の線維化をきたすと理解されている。

3 症状・所見

　間質性肺炎全般の主な症状は乾性咳嗽と労作性呼吸困難であり，病期の進行とともに呼吸困難は増悪する。診察では，肺底部に捻髪音を高率に認め，進行例では広く肺野に聴取できる。

4 検査・診断

1）血液検査，動脈血ガス分析，SpO_2

　IIPs，IPF に特異的な検査はないが，KL-6，SP-D，SP-A の異常高値は本疾患の診断や病勢の推測に有用である。また，LDH 高値を認めることもある。臨床的には，感染症や膠原病肺を鑑別するための各種検査が必要となることが多い。

　SpO_2，PaO_2は病期の進行とともに低下する。安静時は正常範囲内の患者においても，労作後に著しい低酸素血症が顕在化することがあり，6分間歩行試験はその検出に有用である。

2）画像検査

　間質性肺炎では，網状影，コンソリデーション（濃い陰影），すりガラス陰影，モザイクパターン，蜂巣肺・蜂窩肺，牽引性気管支拡張などの所見を認める。

　陰影の性状や分布は疾患によって異なるが，IPF ではびまん性網状影を両側中下肺野，末梢側優位に認め，多くは蜂巣肺を伴う。コンソリデーションを認める場合は，

表11 気管支肺胞洗浄液の細胞分画による鑑別診断

リンパ球増多	好中球増多	好酸球増多
リンパ球＞15％	好中球＞3％	好酸球＞1％
特発性非特異性間質性肺炎 膠原病に伴う間質性肺疾患 放射線肺臓炎 リンパ増殖性疾患	特発性肺線維症 急性間質性肺炎 膠原病に伴う間質性肺疾患 細菌，真菌感染症 気管支炎 石綿肺	剝離性間質性肺炎 薬剤性肺障害 骨髄移植 気管支喘息，気管支炎 好酸球性多発血管炎性肉芽腫症 アレルギー性肺アスペルギルス症 細菌，真菌感染症 ニューモシスチス肺炎 Hodgkinリンパ腫
リンパ球＞25％		
特発性器質化肺炎 特発性リンパ球性間質性肺炎 薬剤性肺障害		
	呼吸細気管支炎を伴う間質性肺疾患	
リンパ球＞50％	好中球＞50％	好酸球＞25％
cellular NSIP 過敏性肺炎 サルコイドーシス	ARDS 誤嚥性肺炎 化膿性呼吸器感染症	好酸球性肺炎

cellular NSIP：細胞性非特異性間質性肺炎　　　　　　　　　　　　　　　　　　　　　〔文献7）より引用・改変〕

特発性器質化肺炎（cryptogenic organizing pneumonia；COP），急性間質性肺炎（acute interstitial pneumonia；AIP）などほかのIIPsを疑う[7]。

3）呼吸機能検査

間質性肺炎では，一般的に拘束性換気障害（％VCの低下）と肺拡散能（％DL_{CO}）の低下を認め，後者はより鋭敏な指標である。

4）気管支肺胞洗浄

気管支鏡下で行う気管支肺胞洗浄（bronchoalveolar lavage；BAL）は，ILDのなかでも肺胞蛋白症，びまん性肺胞出血，ニューモシスチス肺炎などの感染症の鑑別にきわめて有用である。また，IIPsにおいても，CT所見がIPFとして典型的ではない場合，外科的肺生検と同様に有用とされている。表11[7]に，BAL液細胞成分による鑑別診断を示す。

5）ILDの鑑別診断とIPFの診断

ILDにはさまざまな疾患が含まれるため，これらの鑑別が重要となる（表12）[7]。

IIPsにおけるIPFの診断は，図6[7]のフローに従って原則専門診療施設で行う。また，IPFの経過中に急速進行性の急性呼吸不全を呈した場合，感染症の合併とともに急性増悪を疑う。1カ月以内の経過で，①呼吸困難の増強，②高分解能CTで蜂巣肺所見＋新たに生じたすりガラス陰影・浸潤影，③PaO_2の低下（同一条件下で10mmHg以上の低下）がすべて認められ，ほかの明らかな肺感染症や気胸，悪性腫瘍，肺塞栓や心不全が除外できる場合，CRP，LDHやKL-6，SP-A，SP-Dなどの上昇も参考に，IPFの急性増悪と診断できる[7]。

5 治療

間質性肺炎においては，細胞性/炎症性の要因が主な場合は副腎皮質ステロイド，免疫抑制薬，生物学的製剤を，線維化主体の場合は抗線維化薬を使用する。

また近年，抗線維化薬（ニンテダニブ，ピルフェニドン）の適応範囲が広がり，IPFに限らず進行性の線維化を伴うILD（progressive fibrosing interstitial lung disease；PF-ILD）に対しては，図7[7]のフローに従ってその適応を判断するようになった。

IPFの急性増悪に対する標準治療はないが，①ステロイドパルス療法：メチルプレドニゾロン 500〜1,000mg/day×3日間，反応をみながら1週ごとに1〜4回繰り返し，②ステロイド連日静注療法：メチルプレドニゾロン 1mg/kg/day×2週間→0.5mg/kg/day×1〜2週間などが行われる。なお，①ステロイドパルス療法では，パルス療法の間欠日にメチルプレドニゾロン1mg/kg/day投与を試みてもよい。また，両治療ともにはじめから免疫抑制薬の経口投与を併用してもよい[7]。

表12 特発性間質性肺炎（IIPs）と鑑別すべき間質性肺疾患

疾患名	関連する疾患，職業，抗原など
膠原病	関節リウマチ，強皮症，皮膚筋炎/多発性筋炎，全身性エリテマトーデス，Sjögren症候群，混合性結合組織病，ANCA関連血管炎（顕微鏡的多発血管炎）など
急性および慢性過敏性肺炎	家屋（夏型過敏性肺炎），鳥飼育（鳥飼病），農作業（農夫肺），塗装業（イソシアネート過敏性肺炎），キノコ栽培（キノコ栽培肺）など
じん肺	鉱山業，トンネル作業など（珪肺など），断熱・絶縁作業，電気工事，配管工事，解体業など（石綿肺），溶接業（溶接工肺）金属ヒューム吸入，金属研磨（超合金肺），ベリリウム（慢性ベリリウム肺）など
薬剤性肺炎	
感染症	細菌性肺炎，ウイルス性肺炎，ニューモシスチス肺炎など
その他	急性および慢性好酸球性肺炎，サルコイドーシス，肺ランゲルハンス細胞組織球症，リンパ脈管筋腫症，肺胞蛋白症など

〔文献7）より引用〕

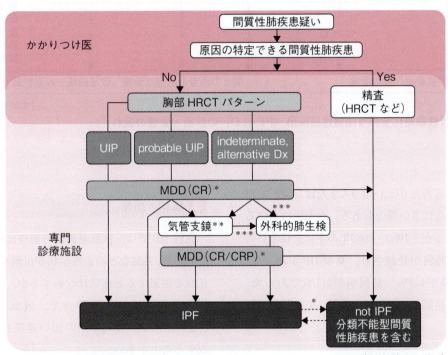

図6 特発性肺線維症（IPF）の診断フローチャート

HRCT：高分解能CT，UIP：通常型間質性肺炎，Dx：diagnosis，CR：臨床医・放射線科医による集学的検討，CRP：臨床医・放射線科医・病理医による集学的検討
 * 疾患挙動を考慮したMDD（multidisciplinary discussion）による再評価
 ** 気管支肺胞洗浄，経気管支肺生検，経気管支肺凍結生検
 *** 診断の確信度が高くなければ考慮

〔文献7）より引用〕

【間質性肺疾患】過敏性肺炎

1 概要・疫学

過敏性肺炎（hypersensitivity pneumonitis；HP）は，抗原の反復吸入により肺胞や細気管支にリンパ球浸潤を主体とする炎症をきたすアレルギー疾患である。抗原曝露後に急性症状を呈する急性型（非線維性）と，慢性に進行しIIPsとの鑑別を要する慢性型（線維性，非線維性を含む）がある[9]。

有病率は地域や調査方法によって異なるが，米国では

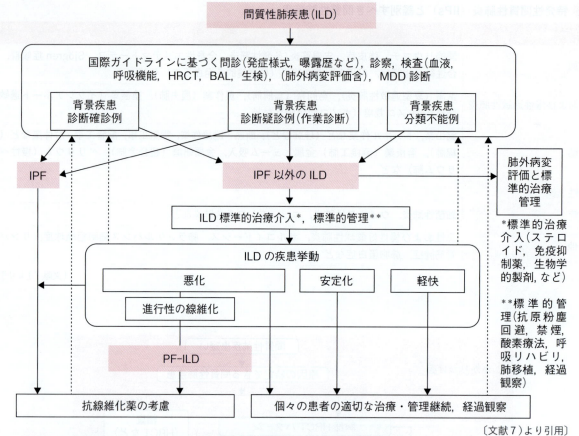

図7 進行性線維化を伴う間質性肺疾患（PF-ILD）の診断・管理の流れ

〔文献7）より引用〕

発生率が人口10万人当たり0.3～0.9人または1.67～2.71人と報告され，さらに多い報告もある．わが国における有病率は不明であるが，1980～1989年の主に急性HPの全国調査では，835例が登録され，夏型HPが74.4％，農夫肺・空調機肺が4.3％，鳥飼病が4.1％であった．50～60歳代以降の高齢者で多く認められ，平均年齢は65歳以上であった[9]．

2 病因・病態生理

HPは，特定の抗原に感作された個体が抗原に曝露することで発症するアレルギー性疾患である．吸入した抗原は特異的IgG抗体と免疫複合体を形成し（Ⅲ型アレルギー），これが補体経路を活性化して，好中球，さらにリンパ球，単球，マクロファージの活性化・集積を促し，肉芽腫が形成される（Ⅳ型アレルギー）．抗原曝露が長期化すると，症例によっては慢性化し，肺の線維化が進行する．わが国における主な型として，夏型，住居関連，鳥関連，農夫肺，塗装工肺，加湿器肺，キノコ栽培者肺などがある[7]．

3 症状・所見

急性HPでは，抗原曝露数時間後に乾性咳嗽，労作性呼吸困難，発熱などの急性症状が出現する．多くの場合，抗原を回避すると症状は改善するが，長期に持続する症例もみられる．胸部聴診で，吸気時の捻髪音（fine crackles）や，吸気中期の短い連続音（squawk）を聴取することが多い．

4 検査・診断

1）血液検査，動脈血ガス分析，SpO_2

白血球増多，CPR高値，および間質性肺炎の活動性マーカーであるKL-6，SP-Dの高値を認める．急性期にはSpO_2低下，低酸素血症も認める．

特異抗体の検出は診断確定に有用であり，わが国では*Trichosporon asahii*（夏型HP），ハト・セキセイインコ鳥抗原（鳥関連HP）の2種類のみの特異抗体が測定可能である．

2) 画像検査

胸部X線では，両側びまん性にすりガラス陰影を認めることがあるが，陰影が判別不能な場合も多く，疑った場合は胸部CTによる確認が必要である。

胸部CT所見としては，非線維性では両側肺野に均質なすりガラス陰影またはすりガラス陰影と正常肺がパッチワーク状に併存するモザイクパターンの病変がびまん性に分布する。また，細気管支病変を示唆する境界不明瞭な小葉中心性の粒状影を認めることもある。一方，肺野に線状網状影，牽引性気管支拡張も認めれば，線維性HPが疑われる。

3) 呼吸機能検査

軽症例では拡散能（%DL_{CO}）の低下のみを認め，重症例では拘束性換気障害が出現する。

4) 気管支肺胞洗浄（BAL）

気管支鏡下で行うBAL液の総細胞数増加，細胞分画ではリンパ球の増加（30～90％）を認め，CD4/CD8比は農夫肺や慢性型を除き1.0以下に低下する。

5 治療

治療の基本は抗原回避である。しかし，完全な抗原回避ができない場合や，原因抗原を特定できない場合，そして症状が強く低酸素血症を伴う場合などは薬物療法を考慮する。

投与薬剤としては，副腎皮質ステロイドが経験的に使用されてきたが，急性期症状の改善は認めるものの，長期的な呼吸機能，予後の改善効果は示されていない。一方，線維性HPのなかでもPF-ILDに属する患者には，抗線維化薬が有効な可能性が示されている。

【間質性肺疾患】好酸球性肺炎

1 概要・疫学

好酸球性肺疾患は，末梢血，BAL液，または肺組織における好酸球増多を特徴とする多彩な疾患群であり，このうち肺実質を病変の主座とする疾患として，急性好酸球性肺炎（acute eosinophilic pneumonia；AEP）と慢性好酸球性肺炎（chronic eosinophilic pneumonia；CEP）がある[10]。

AEP，CEPともにまれな疾患であり，有病率は明らかでない。AEPは比較的若年の男子に多い。CEPは中年女性に好発し，喘息，アトピー性皮膚炎，アレルギー性鼻炎などのアトピー素因を有する割合が高い[7]。

2 病因・病態生理

気道・肺組織に好酸球が異常集積し，胸部画像上のびまん性陰影と種々の程度のガス交換障害を呈する病態である。AEPはタバコ・電子タバコ・コカインなどの煙の吸入，さまざまな薬剤，感染症がその原因として知られているが，原因不明のものもある。CEPは，薬剤，感染症，膠原病と関連するもの，原因不明のものがある。

3 症状・所見

AEPでは，数日～数週間の経過で発熱，乾性咳嗽，呼吸困難が出現・進行し，しばしば急性呼吸不全に至る。CEPは咳嗽，息切れ，呼吸困難などの症状を訴え，痰，喘鳴を認めることも多い。

4 検査・診断

AEPでは末梢血好酸球増多を認めることが多いが，極急性期には正常範囲内のこともある。LDH，CRPが高値をとることもある。一方，CEPでは末梢血好酸球増多を高率に認め，IgE高値を伴うことも多い。SpO_2，動脈血ガス分析では，AEPはしばしば低酸素血症を認めるが，CEPで認めることは少ない。

画像検査では，AEPは両側肺野のびまん性すりガラス陰影，小葉間隔壁肥厚，胸水を主要所見とし，重症例ではARDS様のコンソリデーションを認める。CEPは肺野末梢優位の浸潤影（逆肺水腫像）を特徴とし，しばしばCOPDとの鑑別を要する。BAL液の細胞分画で好酸球が25％より多くを占めていれば診断が確定する。

5 治療

AEPは原因の除去により自然軽快する場合もあるが，低酸素血症を伴う中等症以上に対しては副腎皮質ステロイドの2～4週間投与を行う。治療反応性は良好であり，通常，投与開始1～2日以内に病態の改善が認められる。CEPもステロイドに対する反応性は良好であるが，ステロイドの減量・中止に伴い約半数で再燃がみられ，難治例では生物学的製剤の投与も考慮される[11]。

【肺血管疾患】脂肪塞栓症候群

1 概要・疫学

脂肪塞栓症候群（fat embolism syndrome；FES）はさまざまな原因・誘因により全身性の微小血管脂肪塞栓が生じ，多彩な臨床症状を呈する症候群である。重症例では呼吸不全，神経認知機能障害を認め，死に至ることもある。

有病率は不明であるが，まれな疾患である。米国における1979〜2005年のデータを用いた大規模研究では，合併率が全骨折の0.17%で，そのうち大腿骨単独（頸部を除く）が0.54%，多発が1.29%であった[12]。また，わが国の外傷データバンクを用いた症例対照研究では，外傷患者の0.1%と報告されている[13]。

2 病因・病態生理

さまざまな原因により血液中に非乳化脂肪滴が放出または形成され，全身の微小血管を閉塞し，血管炎が惹起される結果，多彩な臨床症状を呈する。肺ではARDSおよび肺塞栓症の複合病態を，脳では意識障害を呈する。

原因・誘因は長管骨骨折，多発骨折が主であり，そのほかに整形外科的手技，脂肪吸引術，胸骨圧迫，肝・皮下組織の外傷，全身性エリテマトーデス，鎌状赤血球症（急性胸部症候群），サラセミア，Sjögren症候群，膵炎，糖尿病，急性骨髄炎，骨粗鬆症，脂肪肝，ウイルス性肝炎，てんかん，熱傷，減圧症，奇形腫，輸血，中心静脈栄養などが知られている。

3 症状・所見

通常，原因・誘因から24〜72時間後に呼吸困難，意識障害（昏迷など），赤褐色の点状出血が出現する。診察では頻呼吸を認め，重症例ではショックを呈する。

4 検査・診断

1）血液検査，動脈血ガス分析，SpO_2

一般血液検査では血小板減少を認めることが多く，低カルシウム血症を呈する場合もある。

2）心電図，心エコー検査

肺塞栓症と同じく，心電図，心エコーで右室負荷所見を認めることがある。

3）画像検査

画像検査では胸部X線上，両側性に肺野末梢，肺底部主体の淡い陰影（snowstorm），胸部CT上両側性のすりガラス陰影，頭部MRIでは大脳深部白質・基底核・脳梁・脳幹・小脳に散在性のT1強調画像上の低吸収域，T2強調画像・diffusion画像上の高吸収域を認めることがある。

4）診 断

わが国では，Gurdらが30例をもとに作成した診断基準に自験7例を加えて鶴田らが作成した試案が現在も用いられている（表13）[14]。

また，右室負荷所見（心電図，断層心エコー）も参考になる。BAL液中に脂肪滴含有肺胞マクロファージが多数存在した場合は，診断の一助となる。経食道エコーにて血液中の脂肪滴が観察可能とする報告もあるが，一般的ではない。

5 治 療

治療は基本的に保存療法であり，急性呼吸不全・ARDSに対しては酸素療法，人工呼吸管理となる。ステロイドの効果は確立されていないが，とくに重症例では投与される場合が多く，投与量はARDSに準じる。

【胸膜疾患】気 胸

1 概要・疫学

気胸は，胸腔内に空気が貯留し，肺が虚脱する疾患である。基礎疾患や外的要因によらないものを自然気胸，基礎疾患を有する患者に発症するものを続発性気胸と呼ぶ。ほかに外傷によるものがある。原因によらず，致死的となる緊張性気胸に進展する場合がある。まれに血胸を合併する（血気胸）。自然気胸は若年男性に好発する。

2 病因・病態生理

陰圧の閉鎖腔である胸腔内に空気が漏出し，種々の程度に肺が虚脱する病態である。自然気胸は，肺の微小囊胞（胸膜直下のbleb，肺内のbulla）の破裂が原因である。

表13 脂肪塞栓症候群（FES）の診断基準

大基準
1. 点状出血（網膜病変を含む）
2. 胸部X線・CT上の肺病変（snowstorm effect）
3. 頭部損傷と関連づけがたい中枢神経症状（昏迷状態など）

中基準
1. 低酸素血症（$PaO_2 ≦ 60mmHg$）
2. ヘモグロビン値低下（$Hb ≦ 10g/dL$）

小基準
1. 頻脈
2. 発熱
3. 尿中脂肪滴出現
4. 血小板減少
5. 血沈の亢進
6. 血清リパーゼ値上昇
7. 血中遊離脂肪滴出現

〔文献14）より引用・改変〕

大基準2項目以上，もしくは大基準1項目＋中・小基準4項目以上で臨床的脂肪塞栓と診断し，中基準1項目＋小基準4項目以上で疑症とする

続発性気胸の基礎疾患としては，COPD，間質性肺炎，肺がんなどが，特殊なものとしては異所性子宮内膜症，リンパ脈管筋腫症，肺ランゲルハンス細胞組織球症，Birt-Hogg-Dube症候群，Marfan症候群，Ehlers-Danlos症候群などがある。緊張性気胸は空気漏出部位がチェックバルブ様に働き，胸腔内が陽圧化する病態である。非外傷性の血胸は，肺虚脱時の壁側・臓側胸膜間の血管断裂により併発する。

3 症状・所見

突発する呼吸困難，胸部圧迫感，胸背部痛を呈する。中等度以上の気胸では気胸側胸郭の動きが低下し，打診で鼓音，聴診で患側呼吸音の低下を認める。緊張性気胸では，バイタルサインの異常，患側胸郭・肋間の膨隆，前胸部～顔面の皮下気腫，頸静脈怒張などを認める。

4 検査・診断

疑われたら，まず胸部X線を撮影し，胸壁に沿った弓状無血管野を確認する。ただし，胸腔内に癒着がある場合など，無血管野の形状が異なることもある。単純X線ではっきりしないが否定できない場合は，胸部CTで適宜確認する。単純X線上の縦隔気腫・シフトは緊張性気胸を示唆する。立位・坐位の単純X線やCTで液面形成を伴う気胸を認めれば，血気胸を疑う。

5 治療

気胸の程度に応じて安静（保存的治療），胸腔穿刺（脱気），胸腔ドレーン留置を選択する。チアノーゼ，バイタルサイン異常，低酸素血症，両側気胸，大量血胸があれば重症と判断し，酸素投与・人工呼吸，輸血などを適切に行う。緊張性気胸では，救命のため胸腔ドレナージが必要である。

軽度（虚脱肺の肺尖が概ね鎖骨より上）の場合，症状が軽ければ，保存的治療とする。症状が強い場合は適宜胸腔ドレナージを行う。

中等度（軽度と高度の間）で初発の場合，胸腔ドレナージまたは胸腔ドレーン留置を行う。

高度（概ね片側が完全虚脱），または再発で中等度以上，または血胸合併の場合，胸腔ドレーンを留置する。完全または長期間の虚脱の場合，再膨張性肺水腫の発症を防ぐため緩徐に拡張を図る。

【胸膜疾患】胸水貯留，胸膜炎

1 概要・疫学

胸水は胸腔内の体液である。生理的にも10～20mL程度存在するが，さまざまな原因により貯留量が病的に増加すると治療が必要となる。感染症，腫瘍，膠原病などにより胸膜に炎症が生じた状態を胸膜炎と呼び，胸水貯留の主要な原因である。

2 病因・病態生理

胸水はさまざまな肺・胸膜疾患や全身性疾患で生じる。その性状から漏出性，滲出性および血性，乳び，膿胸に分類できる。**表14**[15]に代表的な疾患を示す。

3 症状・所見

胸水貯留部位では，打診で濁音，聴診で肺胞呼吸音の減弱ないし消失や山羊音を認める。胸水が大量に貯留すると呼吸困難や低酸素血症を呈する。胸膜炎では，しばしば深呼吸・咳嗽で増悪する胸背部痛，乾性咳嗽を訴える。

表14 胸腔内液体貯留をきたす疾患

漏出性胸水
- うっ血性心不全
- 肝硬変
- 低アルブミン血症
- ネフローゼ症候群，水腎症
- 腹膜透析
- 上大静脈症候群
- 全身性毛細血管漏出症候群
- 粘液水腫（甲状腺機能低下症）

滲出性胸水
- 肺炎随伴性
- 感染性胸膜炎
  細菌性，結核性，真菌性，ウイルス性，寄生虫性
- 腫瘍随伴性
  肺がん，乳がん，悪性リンパ腫
- 悪性胸膜中皮腫，良性石綿胸水
- 肺塞栓症
- 消化器疾患
  食道破裂，膵疾患，腹腔内膿瘍，横隔膜ヘルニア，腹部手術後，内視鏡的静脈瘤硬化療法，肝移植後
- 膠原病
  関節リウマチ，全身性エリテマトーデス，Sjögren症候群，多発血管炎性肉芽腫症，好酸球性多発血管炎性肉芽腫症（Churg-Strauss症候群）
- 冠動脈バイパス手術後
- サルコイドーシス
- 尿毒症
- 良性卵巣腫瘍（Meigs症候群）
- 卵巣過剰刺激症候群
- 薬剤性

血胸
外傷，悪性腫瘍，肺梗塞，動脈破裂，自然血気胸，医原性

乳び・乳び様胸水
外傷・手術，縦隔腫瘍，リンパ脈管筋腫症

膿胸
細菌性，結核性，近傍の膿瘍，穿通性外傷，開胸術後

〔文献15）を参考に作成〕

4 検査・診断

胸水貯留確認目的の胸部X線は，立位，坐位または側臥位で撮影する。少量では肋骨横隔膜角の鈍化，横隔膜陰影の不明瞭化，中等量以上では液面形成を認める。少量胸水の確認には，ベッドサイド超音波検査，体幹部CTがさらに有用である。

両側性・腹水を合併などで全身性疾患による体液貯留が疑われる場合や，原因疾患が明らかな場合，胸水の性状検査は必ずしも必要ない。原因疾患が不明な場合は，胸腔穿刺により胸水を採取し，各種検査に提出する。

臨床化学：蛋白・LDH（滲出性・漏出性の鑑別），糖（細菌性，リウマチ性で低値），ADA（結核），ヒアルロン酸（中皮腫），アミラーゼ（膵炎，食道破裂），腫瘍マーカー。

細胞診・分画：好中球（細菌性，膵炎など），リンパ球（結核性，悪性腫瘍，膠原病など），異型細胞（悪性腫瘍）。

培養・遺伝子検査：一般細菌，抗酸菌，真菌。

以下のいずれかを満たせば，滲出性胸水と判断する（Lightの基準）[16]。

①胸水TP/血清TP＞0.5，②胸水LDH/血清LDH＞0.6，③胸水LDH＞血清LDH正常上限の2/3。乳びではトリグリセリド高値，乳び様ではコレステロール高値。膿胸では白血球多数。

コクサッキーBウイルスなどによる一部のウイルス性胸膜炎では，胸痛などの自覚症状は強いが，胸水の貯留量がわずかなため，臨床的に診断する必要がある（pleurisy, pleurodynia）。

5 治療

原疾患の治療が基本である。胸腔穿刺は，胸水性状分析による診断目的，ドレナージは大量胸水で呼吸困難，低酸素血症を認めた場合に治療目的で行う。細菌性胸膜炎・膿胸では，感染巣対策としての完全ドレナージが基本となる。排液量は，再膨張性肺水腫の発症を防ぐ観点から，1日当たり1,000～1,500mL以内とする。胸膜炎による疼痛に対しては適宜NSAIDsを処方する。

▶文 献

1) 日本呼吸器学会成人肺炎診療ガイドライン2017作成委員会：成人肺炎診療ガイドライン2017，2017.
2) Metlay JP, et al：Diagnosis and treatment of adults with community-acquired pneumonia：An official clinical practice guideline of the American Thoracic Society and Infectious Diseases Society of America. Am J Respir Crit Care Med 200：e45-67，2019.
3) 厚生労働省：令和2年（2020）患者調査の概況；推計患者数. https://www.mhlw.go.jp/toukei/saikin/hw/kanja/20/dl/suikeikanjya.pdf
4) 日本アレルギー学会喘息ガイドライン専門部会（監）：喘息予防・管理ガイドライン2021，協和企画，2021.
5) 相良博典，他（監）：喘息診療実践ガイドライン2023，協和企画，2023.
6) 日本呼吸器学会COPDガイドライン第6版作成委員会：COPD（慢性閉塞性肺疾患）診断と治療のためのガイドライン，第6版，メディカルレビュー，2022.
7) 日本呼吸器学会びまん性肺疾患診断・治療ガイドライン作成委員会（編）：特発性間質性肺炎診断と治療の手引き2022，改訂第4版，南江堂，2022.
8) Kondoh Y, et al：Prevalence of idiopathic pulmonary fibrosis in Japan based on a claims database analysis. Respir Res 23：24，2022.
9) 日本呼吸器学会過敏性肺炎診療指針2022作成委員会：過敏性肺炎診療指針2022，2022.
10) De Giacomi F, et al：Acute eosinophilic pneumonia：Causes, diagnosis, and management. Am J Respir Crit Care Med 197：728-36，2018.
11) 板倉潮人，他：好酸球性肺炎．臨牀と研究 96：1156-8，2019.
12) Stein PD, et al：Fat embolism syndrome. Am J Med Sci 336：472-7，2008.
13) Kainoh T, et al：Risk factors of fat embolism syndrome after trauma：A nested case-control study with the use of a Nationwide Trauma Registry in Japan. Chest 159：1064-71，2021.
14) 鶴田登代志，他：脂肪塞栓の臨床診断．日災害会誌 20：456-63，1972.
15) Loscalzo J, et al eds：Harrison's Principles of Internal Medicine, 21th ed, McGraw-Hill，2022.
16) Light RW：Clinical practice：Pleural effusion. N Engl J Med 346：1971-7，2002.

V 疾患領域別の救急診療

5 消化器系疾患（消化管）

真弓　俊彦　　大須賀　章倫

消化器疾患は，例えば急性腸炎などの疾患確定には除外診断が必要となり，確定診断に至らない場合も少なくない．そのため救急対応では，確定診断を試みるというよりも，致死的な疾患を見逃さず，緊急対応が必要な疾患・病態か否かを判断することが肝要である．

食道・胃静脈瘤破裂

1 疫　学

とくに，肝予備能や血小板値の低下を認める症例（主に肝硬変症）では頻度が高くなると報告されている[1]．

2 病態生理

食道・胃静脈瘤は，食道あるいは胃噴門部周囲の粘膜下層の静脈が拡張蛇行し，瘤状に隆起した連続血管走行として肉眼的に認められる．門脈圧亢進症により代償的に自然に形成された，門脈系から大循環系への側副血行路である．多くは慢性肝疾患に伴ってみられる．門脈圧亢進症をきたす疾患はすべて原因となり得る．逆に，食道・胃静脈瘤を認めれば，門脈圧亢進状態を疑うことができる．門脈圧亢進症をきたす基礎疾患，とくに肝硬変症などの慢性肝疾患に伴う場合が多いが，まれに慢性膵炎や膵がんでも脾静脈の閉塞により併発することがある（左側門脈圧亢進症）．

3 症　状

静脈瘤出血により吐下血，貧血を認め，ショックを呈することもある．基礎疾患（主に慢性肝疾患）による症状を伴うことも多い．肝硬変症では黄疸，腹水，浮腫，出血傾向，肝性脳症，脾腫，くも状血管腫，手掌紅斑，女性化乳房などを認める．

4 検査・診断

気道・呼吸・循環を確保しながら，肝疾患や食道・胃静脈瘤の既往などを確認する．これらがあれば，事前確率は大幅に上昇する．胃管挿入による吐血か喀血かの鑑別は通常行わない．

上部消化管内視鏡検査で，食道および胃噴門部から穹窿部に数珠状に拡張した粘膜下静脈の存在とそこからの出血を確認できれば容易に診断できる．食道静脈瘤では下部食道に数珠状に拡張した粘膜下血管を認め，胃静脈瘤では胃噴門部から穹窿部に粘膜下血管が結節状に拡張した血管像，もしくはやや青色の粘膜下腫瘍像を認める．

出血を伴わない場合には，超音波内視鏡検査が食道静脈瘤の治療方針決定や治療効果判定，再発の予知に有用であり，MDCTアンギオグラフィやMRIは門脈圧亢進症における側副血行路や胃静脈瘤の診断に有用であるが，出血をきたしている緊急時には適応とはならない．

5 治　療

静脈瘤出血をきたした場合は，血圧，脈拍数，尿量，ヘモグロビン値などや出血性ショックの有無がその重症度を表す．ABCを是正しながら，緊急内視鏡治療を行う．内視鏡的静脈瘤結紮術（endoscopic variceal ligation；EVL）が推奨されている[2]．

胃静脈瘤に対するIVR治療として，バルーン閉塞下逆行性経静脈的塞栓術（balloon-occluded retrograde transvenous obliteration；B-RTO）が有用であり，シアノアクリレートによる内視鏡的塞栓療法も有用である．また，内視鏡治療と薬物療法の併用は食道・胃静脈瘤の再出血防止に有効である[2]．

静脈瘤出血の急性期には抗利尿ホルモン（バソプレシン）やソマトスタチンアナログ（オクトレオタイド）を用いることがある[3]．

特発性食道破裂

1 疫 学

　食道破裂（穿孔）は原因により，①特発性，②医原性，③外傷後性，④異物性，⑤化学性，⑥食道疾患によるものに分けられる。59％は医原性で，特発性は15％，異物性が12％，外傷後性が9％，手術が2％，腫瘍が1％，その他が2％という報告もあるが[4]，イギリスの全国調査2,564例の報告では，特発性81.9％，医原性5.9％，食道がん10％，異物2.2％とされている[5]。

　特発性食道破裂は，1724年にオランダのHermann Boerhaaveが最初の剖検例を報告したことから，Boerhaave症候群とも呼ばれる[6]。嘔吐に際し，上部食道括約部の弛緩不全に伴う急激な食道内圧上昇による圧外傷で，筋層脆弱部の食道胃接合部より2～3cm口側の下部食道左側部に発生しやすい[7]。20～30歳代男性の特発性食道破裂では，食道壁に高度の好酸球浸潤がみられる好酸球性食道炎が原因の場合がある[8]。

　破裂から24時間以上の経過や，胸部・腹部食道の破裂は予後不良となる[9]。発症後24時間以内に治療を開始した場合の死亡率は7.4％であるのに対し，24時間以降の治療例の死亡率は20.3％と高い[10]。また，穿孔部位別の死亡率は，頸部穿孔は5.9％，胸部穿孔は10.9％，腹部穿孔は13.2％と報告されている[10]。穿孔例の死亡は敗血症や多臓器不全による。

2 病態生理

　食道壁に全層性に断裂や損傷が生じた状態は，食道破裂（esophageal rupture），食道穿孔（esophageal perforation），食道断裂（esophageal disruption）と表現される。内圧上昇などにより脆弱部の断裂が生じる特発性食道破裂では，その境界が不明瞭である。

3 症 状

　特徴的な症状はないが，胸痛や呼吸困難，嘔吐，心窩部痛，嚥下困難がみられ，縦隔気腫や皮下気腫を伴う場合には本疾患を強く疑う。とくにMacklerの3徴（胸痛，嘔吐，皮下気腫）や，胸壁聴診にて心拍動に一致した捻髪性雑音（crunching）の聴取（Hamman's sign）は特発性食道破裂を強く疑わせるが，これらがすべて揃うことはまれであり，これらの所見がなくても除外はできない。

　心筋梗塞，気胸，大動脈解離などとの鑑別が必要である。縦隔炎や膿胸により敗血症，ショックを伴う場合があるため，疑った場合には迅速な診断を心がける。

4 検査・診断

　画像検査が必須であり，頸部食道穿孔では頸部側方向X線で椎体前面の遊離ガス，胸部食道穿孔では胸部正面X線で胸水，気胸，縦隔陰影拡大，心囊気腫，縦隔気腫，皮下気腫がみられる。近年は頸部から腹部のCTで，頸部や縦隔の気腫，食道壁の断裂，胸水などから診断されることが多い。

　穿孔の確定，穿孔部位，被覆の有無の確認のため，食道造影を行う。さらに，造影剤の流出を確認するためのCT検査を追加したり，内視鏡検査を行う場合もある。発症から治療開始までの時間が予後を決するため，迅速な治療方針の決定が求められる。

5 治 療

　手術療法が第一選択であるが，軽症例や限局例に対しては保存的治療や内視鏡的治療を選択する場合もある。

　呼吸・循環を維持しながら，CT検査や食道造影にて迅速に穿孔の有無を診断し，穿孔部位ならびに開放性の有無を確認して治療方針を立てる。穿孔部の閉鎖とドレナージが原則であるが，穿孔部位，開放性，汚染の重症度を考慮して方針を立てる。

　特発性食道破裂では，①破裂が縦隔内に限局，②縦隔内に形成された穿孔腔の食道内へのドレナージが良好，③症状軽微，④感染徴候が軽微である被覆・限局穿孔例に保存的治療の適応がある[11]。保存的治療としては，絶飲・絶食として高カロリー輸液を行い，急性縦隔炎の治療として好気性菌・嫌気性菌を対象とした広域抗菌薬を投与する。適宜，経鼻チューブを食道内へ留置して排液する。限局性の症例に対して保存的治療を積極的に選択することで，入院期間の短縮や合併症・死亡率の減少が得られる[12]。

Mallory-Weiss症候群

1 疫 学

男性に多く，30〜50歳代に好発し，上部消化管出血の4〜14％にみられる。約90％の症例で自然止血が得られ，予後はよく，再発もほとんどみられない[13]。

2 病態生理

激しい嘔吐などに伴って食道内圧または胃内圧が上昇した結果，食道・胃接合部に粘膜裂傷を生じ，急性上部消化管出血をきたす病態である。腹圧の急激な上昇が誘因であり，大量飲酒後の悪心・嘔吐，激しい咳嗽，妊娠悪阻などで発症する。

3 症 状

何ら前駆症状を伴わず，激しい嘔吐を繰り返したのち，吐血を認める。

4 検査・診断

病歴から本疾患を疑い，緊急上部消化管内視鏡検査を行う。食道・胃接合部に粘膜裂傷があれば本疾患と診断する。食道・胃内に新鮮血の貯留を認めることが多い。

5 治 療

バイタルサインをチェックし，それらの是正を行う。貧血の程度などで重症度を判断する。多くの症例で自然止血が得られ，禁食や補液などの保存的治療により治癒することが多い。自然止血が得られない場合はクリップなどによる内視鏡的止血を行い，それが困難な場合は経動脈的塞栓術，さらには手術を行う。

胃・十二指腸・小腸穿孔

1 疫 学

胃・十二指腸穿孔は，そのほとんどが胃十二指腸潰瘍に伴う穿孔であるが，まれに腫瘍や外傷，異物，薬物によって生じる。一方，小腸穿孔は外傷や異物などによることが多く，まれに腫瘍やCrohn病，結核などに伴って生じる。

2 病態生理

何らかの原因で胃・十二指腸・小腸の壁が損傷したものである。

3 症 状

腹痛，嘔気・嘔吐，まれに吐下血を生じる。腹膜刺激徴候を認めることが多い。

4 検査・診断

病歴から疑い，従来は腹部や胸部の単純X線で診断を行っていたが，近年ではヘリカルCTでfree airや胃・十二指腸・小腸の壁の破綻，穿孔部局所の炎症所見を認めた場合にはほぼ確定できる。胃・十二指腸では内視鏡検査を行い，確定診断を得ることがある。また，胃・十二指腸，小腸のいずれにも壁の破綻や局所炎症所見を認めない場合には，水溶性造影剤（ガストログラフィン®）を消化管に流し，造影剤の流出で確認することもある。

5 治 療

消化性潰瘍穿孔で程度の軽い限局性腹膜炎は内科的（保存的）治療の対象となる。ガイドラインでは内科的治療の適応として，①24時間以内の発症，②空腹時の発症，③重篤な合併症がなく全身状態が安定，④腹膜刺激徴候が上腹部に限局，⑤腹水貯留が少量の場合などがあげられ，一方で70歳以上の高齢者では外科手術を優先するとされている[14]。また，内科的治療を行い24時間経過しても臨床所見，画像所見が改善しない場合には手術を行うことが多い。

腹膜炎（特発性細菌性腹膜炎を含む）

1 疫 学

腹膜炎は，腹部臓器の炎症や穿孔，腹腔内膿瘍などによって腹腔内に炎症をきたした状態である。ここでは外

科的介入を要しない腹膜炎について概説する。

外科的介入を要しない腹膜炎としては，特発性細菌性腹膜炎（spontaneous bacterial peritonitis；SBP），がん性腹膜炎，骨盤内炎症疾患，肝周囲炎（Fitz-Hugh-Curtis症候群）などがある。SBPは，肝硬変に腹水を合併し入院した患者の5〜25％に認め，死亡率は20〜30％と報告されている[15]。治癒したとしても累積1年の再発率は70％とされている[16]。

一方，外科的介入を必要とすることがあるものとして，胆汁性腹膜炎がある。

2 病態生理

SBPは感染源が不明な腹水の感染症で，心不全やネフローゼ症候群などでも起こり得るが，多くは進行した非代償性肝硬変患者に生じる。がん性腹膜炎は消化管がん（とくに胃がん）や卵巣がんなど進行がんが腹膜に播種して生じる。骨盤内炎症疾患，肝周囲炎は，クラミジア，淋菌，嫌気性菌，腟細菌叢の細菌などによる炎症である。

3 症　状

いずれも腹水を伴い，腹痛を生じる。その程度は疾患や病状による。腸閉塞をきたし，便秘を伴う場合もある。SBPでは発熱や腹痛がもっとも多い症状であるが，入院時には症状・所見がないことも約半数ある[17]。骨盤内炎症疾患では，下腹部痛や発熱，帯下の増加などを認めることがある。

4 検査・診断

肝疾患，悪性腫瘍，性感染症，子宮内操作を伴う経腟的検査や処置などの既往や，病歴から原疾患を推察できる場合が多く，よく聴取する。採血で炎症所見を確認するとともに，超音波検査，CTなどの画像検査で腹水の部位，量，性状を類推する。

SBPの診断には腹水中の好中球数検査および腹水培養検査が用いられる。致死的なSBPの治療を逸することを避けるために感度を優先し，腹水中の好中球数が250/μL以上もしくは腹水細菌培養が陽性の場合にSBPと臨床診断することが提唱されている。腹水培養陽性率を上げるためには，抗菌薬投与前に腹水を血液培地に採取する。また，抗菌薬投与前の血液培養も併施することが推奨されている[18]。腹水中の多核白血球が250/μL以上ある場合や2種類以上の細菌が検出された場合には二次性腹膜炎との鑑別を行う。

細胞診で悪性所見が得られればがん性腹膜炎と確定診断できる。原疾患は，胸腹部CT検査，上下部消化管内視鏡検査，腫瘍マーカーなどによる検索で診断していく。腹水細胞診が陽性でなくても，原疾患が確定でき，腹膜炎による臨床所見が明らかに認められれば，がん性腹膜炎と臨床的に診断する場合もある。腹水中のLDHやCEA高値なども参考所見となる。

骨盤内炎症疾患では，内診で子宮や付属器周辺の圧痛部位を確認する。腟・頸管分泌物の性状を確認し，分泌物の培養検査とクラミジア，淋菌の検索を行う。可能であればDouglas窩穿刺を行い，性状の確認と細菌培養検体の採取を行う。

5 治　療

SBPでは，腹水中の多核白血球を250/μL以上認める場合，速やかに経験的抗菌薬治療を開始する。250/μL以下の場合でも感染徴候（体温38℃以上の発熱や腹痛，腹部圧痛）がある場合は，腹水の培養結果を待つ間に経験的抗菌薬治療を開始する。起炎菌の多くは*Escherichia coli*，*Klebsiella pneumoniae*，*Streptococcus pneumoniae*であるが，関与する微生物は通常1種類のみである。経験的抗菌薬治療の第一選択として，セフォタキシムがあげられる。

また，重度肝硬変患者のSBPに対してアルブミンを投与することによって予後が改善する（腎障害減少，死亡率減少）ことが示唆され，ガイドラインでも推奨されている[2]。Sigalらの研究[19]では，血清Cre値＞1 mg/dL，BUN＞30 mg/dL，総ビリルビン値＞4 mg/dLのいずれかを満たす場合にアルブミンを使用していた。

腹水から複数種の菌や嫌気性菌が検出された場合は，二次性腹膜炎を考慮し再評価を行う。がん性腹膜炎では原疾患に対する治療と対症療法が主である。骨盤内炎症疾患や肝周囲炎では，重症度や感受性試験の結果を考慮し，使用する抗菌薬を選択する。

小腸閉塞

1 疫学

先進国における小腸閉塞の原因としては，65〜75％が腹腔内の癒着で，次いでヘルニア，Crohn 病，悪性腫瘍，腸軸捻転などがあげられる[20]。

2 病態生理

腸管通過障害の原因が機械的な場合が「腸閉塞」，機能的な場合が「イレウス」と定義される[21]。腸閉塞には，血流障害を伴わない単純性腸閉塞と，血流障害を伴う絞扼性腸閉塞がある。イレウスには，麻痺性イレウスとけいれん性イレウスがある。腸閉塞の原因は開腹術後の癒着，腫瘍，異物などであり，イレウスの原因は腹膜炎や代謝性疾患など多岐にわたる。数日の絶食で軽快する症例から，腸管内圧上昇により bacterial translocation を発生し敗血症に至る症例や，突然発症して腸管壊死から死に至る症例まで，重症度もさまざまである。

3 症状

腹痛，嘔気・嘔吐，腹部膨満を認めるが，これらを認めない場合や症状が軽度の場合もある。

4 検査・診断

腹部手術の既往を確認するとともに，病歴をよく聴取する。腸蠕動音は1カ所でよいので30秒ほど聴取し，異常な腸雑音がないか確認する[21]。圧痛部位とともに，腹膜刺激徴候の有無も確認する。

血液・生化学検査，血液ガス検査（静脈でも可）を行うとともに，腹部CTがなければ腹部単純X線検査（臥位と，できれば立位，不可であれば坐位）を行うが，CTが撮影できればX線検査は必須ではない。腹部単純CTで腸閉塞が疑われる場合には，絞扼性か否かの鑑別のために造影CT検査も実施する。単純CTと比較し，腸管の血流障害有無を検討する。

絞扼性腸閉塞を疑わせる所見（筋性防御，CKやLDHの上昇，代謝性アシドーシス，乳酸値の上昇，造影CTでの造影不良）を認める場合には緊急手術が必要である。

5 治療

絞扼性腸閉塞では腸管壊死が生じていることが多く，緊急手術が必要であり，多くの場合に腸管切除が必要となる。

単純性癒着性腸閉塞に対しては，まず胃管による減圧を行う。胃管により腸管の減圧を行い，1〜2日間経過観察する。減圧チューブからのガストログラフィン®注入は腸閉塞やイレウスの鑑別や閉塞部位の診断だけでなく，狭窄の解除につながる場合もある。改善傾向を認めない場合はイレウス管挿入を考慮する。また，高気圧酸素治療が単純性癒着性腸閉塞の治療に有用という報告もある[22]。

単純性癒着性腸閉塞における手術適応は，イレウス管挿入から7〜10日前後に判断する。手術を考慮すべき排液量は，3日目の廃液量が500mL/day以上という意見もある[23]。

上腸間膜動脈/静脈閉塞症

1 疫学

上腸間膜動脈（superior mesenteric artery；SMA）閉塞症は10万人当たり5.3〜8.6人発症し，腸間膜血管閉塞疾患の約70％を占め，塞栓症が約70％，血栓症が約30％と報告されている[24]。動脈塞栓症の場合，多発塞栓が高頻度であり注意を要する。広範囲な小腸壊死を生じると，大量腸切除後の術後短腸症候群をきたし，免疫能低下や静脈栄養離脱困難となることも少なくない。

一方，上腸間膜静脈（superior mesenteric vein；SMV）閉塞症は，腸間膜血管閉塞疾患の5〜15％を占めると報告されている。また，血栓の再発が多く，通常30日以内に認められる[25]。血栓の進展速度や側副血行路の発達の程度が症状・予後に関与する。急速に腸管壊死に至る「急性型」，側副血行路の発達により症状の乏しい「慢性型」，慢性型の経過中に血栓の増大により発症する「亜急性型」に分類される。

2 病態生理

SMA閉塞症は，血栓・塞栓を原因として発症する腸管・腸間膜虚血症で，致死的な腹部救急疾患である。閉塞部位により腸管の虚血範囲は決定されるが，全小腸か

ら右側結腸に及ぶ広範囲壊死を生じ得る。

SMV閉塞症は，腹腔内の炎症，悪性腫瘍，血栓傾向，外傷，骨髄増殖性新生物などによって発生する。腸間膜静脈内に血栓が形成され，末梢側に進展すると直静脈から壁内静脈が閉塞してうっ血性腸管壊死が生じ，中枢側に進展すると肝機能異常や門脈圧亢進を生じる。

3 症状

1）SMA閉塞症

初期には激烈な腹痛や下痢が出現し，進行すると腸管壊死から汎発性腹膜炎をきたしてショック状態に陥る。腹膜刺激徴候が発現する前に，まず激しい腹痛を訴える。腹部膨満，筋性防御などは発症後数時間で認められるようになる。腹痛と比較して筋性防御や反跳痛などの腹膜刺激徴候に乏しく，診断が遅れる場合がある。基礎疾患として心房細動などの循環器系疾患を合併している場合が多く，問診が必要である。

2）SMV閉塞症

症状は腹痛，嘔気・嘔吐，下痢，下血など非特異的で，緩徐に進行する場合が多く，早期診断が困難な場合が多い。腹痛の際に本疾患を鑑別診断として念頭に置くことが重要である。特発性と二次性に分けられ，二次性の原因としては肝硬変，門脈圧亢進症，腹部術後，腹腔内感染症，外傷後，炎症性腸疾患，凝固機能亢進状態（悪性腫瘍，妊娠，経口避妊薬服用，膠原病など），真性多血症，止血機能異常症（プロテインC/S欠損症，AT-Ⅲ欠損症，プラスミノゲン異常症）などがあげられるため[26]，基礎疾患の問診を行う。

4 検査・診断

1）SMA閉塞症

腹部身体所見がなくても，脳心血管疾患の既往のある患者の急性腹痛や，発症時に腹膜刺激徴候を伴わない激しい腹痛を呈する場合には，急性腸管虚血の可能性を念頭に置く。血液検査では炎症所見の上昇，腸管壊死に至るとCK，LDH，乳酸の上昇やアシドーシスをきたす。D-dimerはメタ解析で，急性腸間膜動脈閉塞症において特異度は低い（40％）が，感度が高い（96％）と報告されており，除外に使用できる[27]。

本疾患を疑った場合には腹部造影CT検査を行う。SMA塞栓症は，大部分が左心由来の血栓により発症し，塞栓部位は中結腸動脈分枝直後のSMAが典型とされ，側副血行路の発達はみられない。一方，SMA血栓症は，SMAの動脈硬化を基盤に発症し，閉塞部位はSMA起始部2cm以内に認められる場合が多く，長い既往歴をもつ患者では側副血行路の発達がみられることがある。SMAの途絶像やsmaller SMV sign（SMV径＜SMA径）を認める。腸管壊死の場合，門脈内ガス像を認めることもある。造影CTはメタ解析で感度94％，特異度95％と，診断に非常に有用である[27)28]。

血管造影はもっとも診断能が高く，血管の途絶像と血流が途絶した腸管範囲が同定できるが，現在は，造影CT検査により血管撮影に劣らない画像診断が速やかに得られることに加えて，腸管ならびに腹腔内の状況が得られることから，血管撮影の診断における重要性は低下している[29]。

2）SMV閉塞症

血液検査では炎症所見の上昇とCK，LDH，乳酸の上昇やアシドーシスをきたすが，静脈還流が途絶して上昇を示さない場合もある。腹部造影CT検査がきわめて有用で，拡張した門脈，SMV，およびその分枝内に造影欠損として血栓を認める。腸管・腸間膜虚血症を合併した場合は，静脈還流障害型の腸管虚血の所見を呈する。腸管は広範囲にわたって高度の壁肥厚を呈し，壁内出血を合併している症例では単純CTで高吸収を，浮腫のみの場合は低吸収を呈する。

腸管壁の濃染効果はさまざまで，濃染するもの，層状の濃染効果（halo or target appearance）を呈するもの，増強効果を示さないものなどがある。腸間膜静脈はうっ血，拡張し，血栓を伴う。腸間膜は濃度上昇を示し，腸間膜液貯留，腹水が認められる。腸管壊死の有無の厳密な評価は困難であるが，壁の増強効果の有無が重要である。なお，SMA/SMVいずれもドプラ超音波検査でも血栓・塞栓を同定できるが，腸管ガスが多いと困難な場合が多い。

5 治療

急性腹症において，本疾患を鑑別疾患として想起することが重要である。治療法は，血栓溶解療法による保存的加療と，開腹術による外科的治療に分けられる。腸管壊死が疑われる場合は早急に外科的治療を行う。腸管壊死が疑われなければIVRによる血栓溶解療法を中心とした保存的治療を行うが，加療中に腸管壊死が疑われた

場合は機を逸さず手術を行う。

塞栓症に対しては開腹外科的治療と血管内治療（endovascular therapy；EVT）の治療成績はほぼ同等であるが，血栓症の場合にEVTの成績が優ると報告されており，ガイドラインでも，SMA血栓症ではEVTが血行再建の第一選択とされ，SMA塞栓症ではEVTか開腹手術のいずれかを選択するとされている[29)30)]。

SMA閉塞症の手術時には全小腸と右側結腸を含む大量腸管壊死が生じていることが多く，大量腸切除を余儀なくされる場合がある。術中に腸管壊死の判断が困難な場合もあり，腸管虚血の有無を確認するために，初回手術後24～48時間のsecond-look operationを考慮する[29)]。EVT施行例においても，開腹して腸管のviabilityの確認が必要となる場合も少なくない。

SMV閉塞症でも壊死腸管を切除するが，動脈閉塞と比し境界が不明瞭で，切除範囲の決定が難しい場合がある。また，壊死腸管辺縁で肉眼的に正常腸管と判断される腸間膜内にも静脈血栓が進展していることがあり，切除腸管範囲の判定が困難である場合も多く，ある程度の正常腸管を犠牲にして腸切除を行うか，second-look operationを選択する。

保存的加療を選択した場合は，血栓溶解の程度と腸管壊死の有無を再評価するために腹部造影CTによるフォローアップを行う。保存的加療で改善しても，再発や遅発性腸管狭窄を呈する場合があり注意を要する。

上腸間膜動脈解離，腹腔動脈解離

1 疫　学

腹部内臓動脈に発生する解離の頻度はきわめて低い。SMA解離の頻度は不明であるが，50～60歳代の少数の症例報告があるのみで，比較的まれで男性に多く，アジアからの報告が多い。しかし，近年ヘリカルCTなどの進歩に伴って偶然発見される例が増加している。大動脈解離を伴わない，CTかMRIで発見された腹腔動脈またはSMA解離77例のうち，両者の合併が18％，腹腔動脈単独が43％，SMA単独が39％と報告され，男性が80％を占め，13％で結合組織病を伴っていた[31)]。

2 病態生理

大動脈と同様に，腸間膜動脈や腹腔動脈の内膜が損傷し，中膜または外膜に及び縦横に解離して，偽腔を形成するものである。しかし，典型的なリスク因子である動脈硬化（高血圧，喫煙，脂質異常症など）などがない症例も多い。

3 症　状

多くの患者で腹痛，背部痛，心窩部痛，下痢，腹満感などの症状を呈するが，35％は無症状であったと報告されている[31)]。

4 検査・診断

多くの場合，超音波検査や腹部単純および造影CT検査で診断することが可能である。CTやMRIで偶然発見されることもある。治療も兼ねて動脈造影を実施することが多い。

5 治　療

本疾患は，破裂時には出血性ショック，腸間膜虚血による腸管壊死，続発する敗血症などを念頭に対処する必要がある。無症状の場合には，抗血小板療法（あるいは抗凝固療法）と降圧療法を行い，経過観察とすることが多い。有症状時には，抗血小板療法または（低分子）ヘパリンを症状消失まで投与する。内科的治療に反応せず，かつ腸管虚血が疑われる場合には，血管内治療または外科的血行再建を行う。保存療法後には，動脈瘤形成や閉塞，狭窄の有無を診断するフォローアップの画像検査を行う。

非閉塞性腸管虚血

1 疫　学

非閉塞性腸管虚血（non-occlusive mesenteric ischemia；NOMI）は急性腸間膜虚血の5～15％を占めるとされる。血行動態のモニタリングが使用されるようになり，早期に低血圧の是正が行われ，心不全では血管拡張薬が使用されるようになったことで，以前よりは頻度が低下してきている。しかし，診断が難しく，NOMIとなってから改善することは難しいため死亡率は高い。

2 病態生理

腸間膜動脈に器質的な閉塞を伴わないにもかかわらず、腸管の血流障害をきたす病態である。心不全やショック、循環血液量減少、腹部コンパートメント症候群などの全身状態が芳しくない状況で、内因性因子や血管収縮薬などの治療薬により惹起される腸間膜血管攣縮が原因とされている。

3 症　状

腹痛、嘔気・嘔吐、血便などの症状をきたすが、意識状態が悪い場合には腹痛を訴えず診断が遅れる。進行して腸管壊死が起こると汎発性腹膜炎に至る。

4 検査・診断

特異的な血液検査所見はない。NOMIは循環不全状態で発症するが、積極的に疑わなければ診断できない。重篤な腹痛の際には腹部単純CT、造影CT検査を施行し、明らかな腸間膜動脈閉塞がなくNOMIを疑った場合には、DSA（digital subtraction angiography）などの血管撮影検査か試験開腹術を行う。血管造影では特徴的な血管の攣縮が描出でき、血管拡張薬を動脈内に直接投与することが有用な場合がある[32)33)]。

5 治　療

血行動態をモニタリングしながら、原因病態（心不全、敗血症など）を治療し、血管収縮物質を除去して早期に腸管血流を回復させる。

血管造影による確定診断後、留置カテーテルから血管拡張薬を投与して腸間膜動脈血流の改善を図る。①血管閉塞がないため直接修復できないこと、②早期の腸切除は高率に縫合不全を生じること、③麻酔や手術によって循環不全を助長し増悪させることがあること、などから発症早期は手術適応とならないことが多い[24)]。しかし、腹膜刺激徴候を認める症例や発症後12時間以上の症例では腸管壊死の可能性が高く、広範囲の腸管切除に至ることが多い。内科的治療を行っても腹部症状が持続する場合には速やかな開腹術や腸管切除が推奨されるが、予後はきわめて不良である。

感染性腸疾患

1 疫　学

コレラ、細菌性赤痢、腸管出血性大腸菌感染症、腸チフス、パラチフスは、3類感染症に分類され、診断した医師は直ちに最寄りの保健所に届け出る必要がある。アメーバ赤痢は5類感染症に分類され、診断した医師は7日以内に最寄りの保健所に届け出る必要がある。また、ロタウイルスによる感染性胃腸炎は5類感染症定点把握疾患に定められている。

食品衛生法第63条では、「食中毒患者等を診断し、又はその死体を検案した医師は、直ちに最寄りの保健所長にその旨を届け出なければならない」（食中毒患者の届出の義務）とされている。

2 病態生理

細菌やウイルスなどの感染によって生じる腸の炎症である。細菌そのものや細菌が産生した毒素による腸管の透過性亢進から下痢を生じ、脱水から死に至ることがある。

3 症　状

下痢、腹痛、嘔気・嘔吐、食欲不振を生じ、発熱や血便（大腸炎のことが多い）を伴うこともある。

4 検査・診断

問診、身体所見からおおよそ診断可能である。超音波検査、腹部単純X線、腹部CTで拡張した腸管を認める。下痢をきたすほかの原因を除外することが重要である。問診やバイタルサイン、血液検査から脱水の程度を評価する。必要時には、ノロウイルスやロタウイルスの検査キットを使用する。また、*Salmonella*, *Shigella*, 腸管出血性大腸菌, *Campylobacter*, *Yersinia* や *Clostridioides difficile* 毒素などによる炎症性・侵襲性腸炎が疑われる場合には、抗菌薬投与前に便培養を行い、とくに注意する。

5 治療

アセトアミノフェンなどで腹痛を除くとともに，脱水を認めれば，経口補水液の飲水または細胞外液補充液の輸液を行う。脱水の程度が重篤であれば入院加療を行う。一般的に，抗菌薬投与は行わない。米国感染症学会（Infectious Diseases Society of America；IDSA）のガイドラインでは以下のように推奨されている[34]。

1）発熱が続くまたは血便がみられる旅行者下痢症や，赤痢が疑われる場合，キノロンの投与が推奨される。

2）キノロン耐性のカンピロバクターが疑われる場合には，マクロライド系の投与（エリスロマイシン，アジスロマイシン）が推奨される。

3）非チフス性サルモネラ腸炎においては，基礎疾患がない場合，軽症〜中等症では抗菌薬投与は推奨されない。基礎疾患がある場合，高齢者・中等症以上ではキノロンやセフトリアキソンの投与が推奨される。

4）腸管出血性大腸菌（EHEC or VTEC）では抗菌薬は使用しない。

5）その他の原因を含め，炎症性下痢の可能性が高い場合（発熱，しぶり腹，血便，便中白血球陽性）には，便培養確認までキノロン系を投与することは妥当かもしれない。

また，止痢薬（ロペラミド）の投与は，発熱や血便のない患者において症状の持続期間を短縮させる可能性があり，考慮してもよい。

急性虫垂炎

1 疫学

わが国における虫垂切除の頻度としては，幼児から徐々に上昇し，10〜14歳でもっとも高くなり，以降は減少する[35]。幼児や高齢者では，穿孔性虫垂炎で発見されることが少なくない。

画像診断の進歩に伴い診断率が高くなり，陰性切除率は減少している。また，単純性虫垂炎では画像診断で進行度を評価し，抗菌薬による保存的治療を行う例が増加しており，さらに腫瘤形成性虫垂炎に対して抗菌薬治療が成功しinterval appendectomyを行わない症例もあるため，近年の虫垂切除例数は減少傾向にある。

2 病態生理

糞石などにより虫垂が閉塞するなどし，虫垂に感染を生じた病態である。蜂窩織炎から壊死と炎症が進み，さらに高度となると穿孔を生じ，局所の腹膜炎から膿瘍形成や汎発性腹膜炎を生じる。

3 症状

腹痛，嘔気，食欲不振などを生じ，初期には心窩部などに圧痛がみられ，炎症が進むと右下腹部に圧痛を認めることが多い。

4 検査・診断

問診や身体所見（圧痛部位，圧痛部位の移動，反跳痛など）から急性虫垂炎を疑う。MANTRELS（Alvarado score）（表1）[36]が3点以下であると虫垂炎の除外が可能で，9点以上ではその可能性が高いとされ，図1に示すアルゴリズムが提唱されている[37)38]。

小児では超音波検査で診断可能なことが多いが，成人では腹部単純CTで診断する。腫大した虫垂だけではなく，周囲の炎症所見も参考となる。MRI検査の感度は97％，特異度は95％とされており，妊婦においては有用な選択肢である[39]。

5 治療

虫垂炎では抗菌薬による内科治療，切除による外科治療，およびそれらを組み合わせたinterval appendectomyが行われる。

現在も急性虫垂炎の治療の基本は外科手術である。ただし，単純性急性虫垂炎（急性発症の若年で，糞石，穿孔，併存症を認めない）では，抗菌薬による治療も選択肢となる[40]。5つのRCTを用いたシステマティックレビュー[41]では，抗菌薬単独による保存的治療は外科手術と比較し，「2週間以内に治癒し，1年間合併症なし」を目標とした到達度は，保存的治療では73％，手術治療では97％が目標に達成しており，手術治療の成績が良好であったが，20％のマージンによる非劣性試験では2つの治療は同等の効果と判断された。外科手術では，腹腔鏡下手術が推奨されている[35)40)42]。

発症5日以上経過した汎発性腹膜炎のない例などで，

表1 MANTRELS (Alvarado score)

	項目	点数
症状	腹痛部位の移動 (Migration)	1
	食欲低下 (Anorexia-acetone)	1
	嘔気・嘔吐 (Nausea-vomiting)	1
所見	右下腹部の圧痛 (Tenderness in right lower quadrant)	2
	反跳痛 (Rebound pain)	1
	発熱 (Elevation of temperature)	1
検査	白血球数上昇 (Leukocytosis)	2
	左方移動 (Shift to the left)	1

〔文献36〕より和訳引用〕

3点以下：虫垂炎の除外が可能，9点以上：虫垂炎の可能性が高い

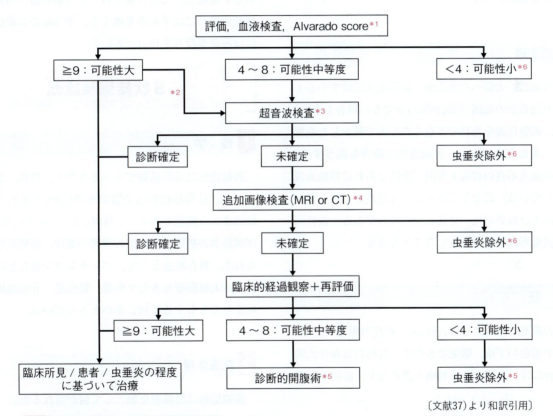

〔文献37〕より和訳引用〕

図1 急性虫垂炎の診療アルゴリズム

[*1] カットオフ値は文献38)の結果に基づく
[*2] 虫垂炎でないのに虫垂切除術を行うことを避けるため，Alvarado scoreが高くても画像検査を考慮してよい
[*3] 超音波検査は最初に行う画像検査であるが，肥満患者などでは直ちにCTを行うことも考慮される
[*4] 超音波検査で確定診断に至らない場合，追加の画像検査（CTまたはMRI）が推奨される。小児や妊婦ではMRIが推奨される（虫垂炎が疑われる妊娠可能年齢の女性では，CT検査前に妊娠を否定しておく）
[*5] すべての画像検査で確定診断が得られない場合，経過観察して再評価する。診断的腹腔鏡検査は，再評価でも依然虫垂炎の可能性が高い症例のみに限定すべきである
[*6] Alvarado scoreで虫垂炎の可能性が低い場合は，ほかの疾患を除外し，翌日の再受診などを指導して帰宅させるか，臨床的に妥当であれば経過観察のために入院させる。虫垂炎が除外できれば，地域のプロトコルなどに沿って対応する

腹腔内膿瘍を伴う虫垂炎の場合には，抗菌薬とドレナージで保存的に治療し，8～20週後に手術を行うinterval appendectomyが推奨される[35)41)43)]。膿瘍が小さい場合には抗菌薬で保存的に治療することもある。

虚血性腸炎

1 疫学

前述した腸管虚血病態以外で，腸管に虚血を生じるものを虚血性腸炎という。大腸や下行結腸，S状結腸で発生することが多い。右側結腸にも生じるが，予後は左側よりも不良である。虚血のために手術となると，死亡率は約50％と報告されている[44)]。

2 病態生理

大腸虚血は，大腸への血流が，循環血液量減少や心不全などの何らかの原因（原因が明らかでない場合も多い）により，細胞代謝を維持できなくなるまで減少した病態である。虚血だけでなく，再還流後の障害も関与する。虚血前の血流不良の程度や期間（慢性であれば側副血流が発達している）にも左右される。可逆性と不可逆性があり，後者は腸管壊死，穿孔に至る場合がある。慢性病態では潰瘍形成や狭窄を生じることもある。

3 症状

突然の腹部のけいれん（cramp），軽度の腹痛，便意，鮮赤色や褐色の下痢，嘔気をきたす。右側の虚血性大腸炎の場合には，左側よりも腹痛を認めるが，血便の頻度は低い[44)]。

4 検査・診断

病変部位に圧痛を認め，血液検査では，Hbの低下，アルブミン低値，代謝性アシドーシスが重症の予測因子という報告がある[44)]。

画像検査では，虚血性腸炎を疑った場合には，単純および造影の腹部CT検査を行い，病変の部位と程度を評価する。腸管壁の肥厚，浮腫，thumbprintingなどの所見が認められる。右側の大腸虚血や急性腸間膜虚血が疑われる患者では，多相（動脈相，平衡相など）でのCTアンギオグラフィを行う。

大腸虚血性腸炎が疑われる場合には48時間以内に大腸内視鏡を実施し，壊死性でなければ粘膜を生検する。ただし，重症例ではCT所見を確認するにとどめ，腹膜炎や不可逆性の所見を認める場合，内視鏡は行わない。

5 治療

米国消化器病学会（American Gastroenterological Association；AGA）による虚血性腸炎の重症度に応じた診断と治療のアルゴリズムを図2に，リスク因子と周術期の死亡率を表2に示す[44)]。多くの症例は自然に軽快し，特別な治療は不要である。低血圧，頻脈，下血を伴わない腹痛で，右側大腸虚血や全大腸虚血の場合や腸管壊死の場合には手術を考慮する。中等症から重症の場合には抗菌薬投与を検討する。

S状結腸軸捻転

1 疫学

腸軸捻転はS状結腸でもっとも多く，盲腸，小腸と続く。S状結腸軸捻転は全腸閉塞の1.9％と報告され，比較的まれな疾患である[45)]。原因として，S状結腸過長症，高繊維食の摂取，長期間の便秘の既往，長期臥床があげられる。併存疾患として，パーキンソン病などの神経疾患・巨大結腸症をきたす疾患，脳疾患，脊髄損傷，精神疾患などを有する症例に多いとされている。

2 病態生理

腸軸捻転は腸間膜を軸として腸が捻れる疾患で，腸間膜の主幹動脈の閉塞による腸管虚血に加えて，腸閉塞の病態が加わる。

3 症状

S状結腸軸捻転には急性型，亜急性型，慢性型がある。多くは腹痛・腹部膨満で発症し，排ガスの停止，便秘，嘔気，嘔吐，下痢を伴うことが多い。捻転により腸壊死を生じた場合には，下血・ショックなどを伴うこともある。高齢者や精神疾患を有する症例が多いため，自覚症状に乏しいことがある。

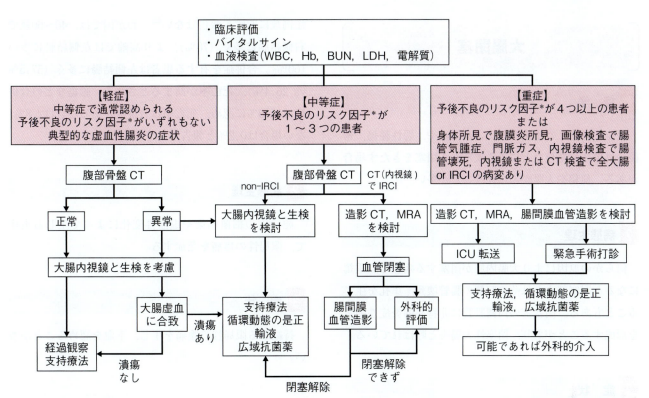

図2 虚血性腸炎の重症度に応じた診断・治療アルゴリズム（米国消化器病学会）
IRCI：孤立性虚血性右側大腸炎
* 予後不良のリスク因子：男性，低血圧（収縮期血圧＜90mmHg），頻脈（心拍数＞100回/min），直腸出血を伴わない腹痛，BUN＞20mg/dL，Hb＜12g/dL，LDH＞350U/L，血清ナトリウム＜136mEq/L，WBC＞15,000×10^6/μL

表2 虚血性腸炎のリスク因子と周術期死亡率

リスク因子
・心拍出量低下心不全（例：超音波検査で EF ＜20％）
・急性腎不全
・大腸亜全摘 or 全摘
・乳酸値＞2.5mmol/L
・術前/術中のカテコラミン投与

リスク因子該当数	周術期死亡率
0	10.5％
1	28.9％
2	37.1％
3	50.0％
4	76.7％
5	100％

〔文献44）より和訳引用〕

4 検査・診断

著明な腹部膨隆と鼓腸を認め，痩せた患者では拡張した腸管ループを触知する。圧痛や反跳痛，腹膜刺激徴候を認めることもある。本疾患が疑われた場合，腹部単純X線検査で約60〜90％は診断可能である[46]。腹部CTでは腸間膜が渦巻き状に巻き込まれる whirl sign が特徴的である。捻転度が小さいと whirl sign を示さず，腸間膜の引きつれ像（radial distribution）を示す。

5 治療

早急な治療が必要で，腹部症状や CT で腹膜炎や腸管壊死を示唆する所見があれば切除を要する。腹膜炎や腸管壊死を示唆する所見がなければ，まず内視鏡的整復術などの非観血的治療により腸管の整復・減圧を行う。減圧目的に捻転部口側に経肛門チューブを留置する。70〜90％で減圧，60〜90％で整復が可能である[47]。非観血的整復・減圧後の再発率は40〜70％と高率であり[47]，手術リスクが高くなければ根治的な外科治療も検討する。

大腸閉塞

1 疫学

便秘や異物，寄生虫などによる閉塞や，悪性腫瘍，術後や外傷後，結核などによる狭窄から閉塞をきたす場合がある。便秘や大腸がんに伴うことが多い。

2 病態生理

何らかの原因により大腸内腔が閉塞する病態で，重篤になると閉塞部またはその口側の腸管壊死，穿孔を生じることもある。閉塞部の口側腸管に非特異的炎症性病変を形成することがあり，閉塞性大腸炎と呼ばれている。

3 症状

腹満，腹痛，便秘，排ガスの停止，嘔気・嘔吐などを生じる。

4 検査・診断

腹部膨満を認め，穿孔を生じていれば腹膜炎所見を認める。

5 治療

便秘であれば摘便や浣腸を試みる。異物の場合には，肛門から摘出できれば摘出を試みるが，不可能な場合には経腹腔鏡下または開腹で摘出を行う。がんなどによる閉塞の場合には，右側〜横行結腸の場合には一期的に切除根治術を行うこともあるが，それ以外の場合には人工肛門を造設し，二期的に根治術を行うことが多い。減圧術として経肛門的にステントやイレウス管を挿入し減圧することもある。

大腸憩室炎

1 疫学

大腸憩室炎は米国では微増と報告されているが，わが国では憩室保有率は上昇しているとされているものの，症例数に関する報告はない[48]。わが国では，40〜60歳で右側結腸に多く（70%），より高齢では左側結腸に多い（60%）。合併症を有する患者は左側結腸に多く（57.5% vs 26.4%），死亡率が高まるとされる。膿瘍などの合併症は16.0%に認め，死亡率は合併症がある場合は2.8%，ない場合は0.2%と報告されている[49]。

2 病態生理

憩室内の細菌感染や虚血性変化によって生じる炎症で，限局性の疼痛を発症する。

3 症状

持続する限局性の腹痛を生じ，下血を認めることが多い。

4 検査・診断

病変部に圧痛を認める。腹部造影CT検査が有用で（感度93〜97%，特異度100%）[48]，憩室を認め，憩室周囲の脂肪織の炎症所見，4mm以上の結腸壁の肥厚を認める。鑑別疾患は，虚血性腸炎，進行大腸がん，虫垂炎，卵管卵巣膿瘍，腸閉塞などの急性腹症をきたす疾患である。これらの疾患も通常，画像診断にて診断される。

5 治療

図3に急性発症の無痛性の血便を主訴とした患者，図4に大腸憩室を疑う急性の腹痛または発熱を有する患者における診療フローチャートを示す[48]。これらに従って診療を進める。

下部消化管出血性疾患

1 疫学

消化管出血全体のなかで，出血源として上部消化管疾患がもっとも頻度が高く，下部消化管疾患では大腸や肛門部病変が大半を占める。小腸疾患は少なく，消化管出血疾患全体の約2〜5%にすぎない[50]。血便をきたす大腸疾患のうち頻度の高いものとして，大腸憩室出血，虚血性大腸炎，大腸がん，炎症性腸疾患，感染性腸炎，ポ

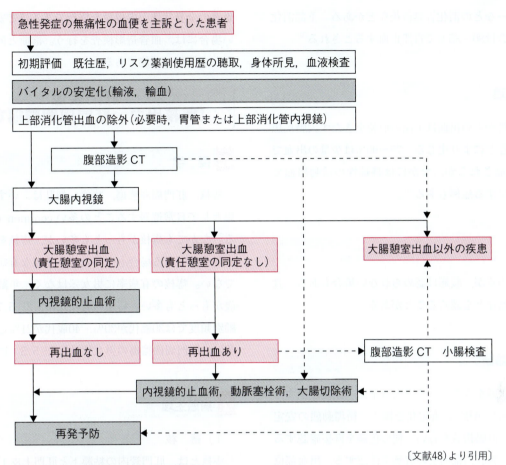

図3 大腸憩室出血診断・治療フローチャート

〔文献48）より引用〕

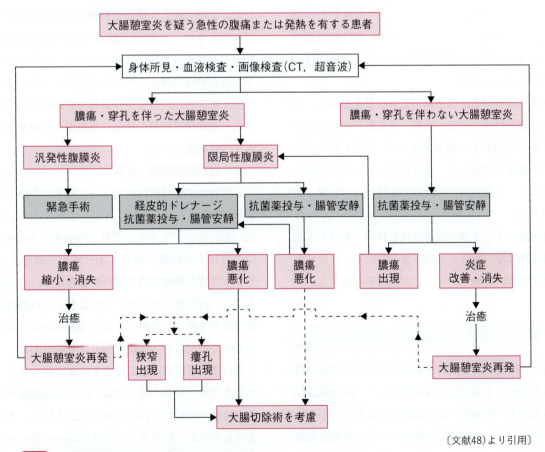

図4 大腸憩室炎診断・治療フローチャート

〔文献48）より引用〕

リペクトミーなどの消化管処置後などがある。下部消化管出血の場合は80〜85％で自然止血するとされる[50]。

2 病態生理

下部消化管からの出血は上記の血便をきたす大腸疾患や小腸疾患などにより生じる。75〜90％は少量の出血で保存的に止血されるが，なかには持続性の活動出血でショックを呈する症例もある[50]。

3 症 状

血便を認めるが，腹痛は認められない場合もある。食欲不振，発熱などを認めることがある。

4 検査・診断

ショック状態をきたすような大量下血・血便を呈する例では，直ちにABCの安定化を図る。循環動態の安定を図りながら直腸指診を行い，便の色調を直接確認するとともに，直腸肛門部病変の有無を確認する。出血部位の目安をつけるため，腹部単純および造影CTを行う。造影CTでは，毎分0.5mL以上の持続性出血であれば血管外漏出（extravasation）として出血部位が認識できるといわれているが，急性期に施行しても出血部位の特定が困難な場合もある。

下血（黒色便）のときは上部消化管疾患を想起し，緊急上部内視鏡を行う。一方，血便（赤色便）のときは下部消化管疾患を想起し，腹部単純CT，造影CT検査を施行して出血源を同定する。必要時には，下部内視鏡を行う（ただし，上部からでも大量出血時には赤色便となることがある）。

上部内視鏡および下部内視鏡検査を行い，それでも出血源が明らかでない場合，小腸病変を想起し，その検索のためカプセル内視鏡やバルーン内視鏡を考慮する。

5 治 療

出血部位の確認や内視鏡的止血治療を目的とする場合に，上部あるいは下部の緊急内視鏡を行う。内視鏡は侵襲性があるため，原則的には循環動態が安定してから行うことが望ましい。内視鏡で出血源が不明であるが出血が持続する場合や，出血源が判明しても止血困難な場合，

患者の全身状態が内視鏡を施行できるほど安定していない場合には，血管造影検査を行う。診断と同時に塞栓術などの治療が可能である。

肛門疾患（痔核出血，肛門周囲膿瘍など）

1 疫 学

痔核，肛門周囲膿瘍，痔瘻，裂肛は，いずれも肛門疾患として日常遭遇することの多いcommon diseaseである。なかでも痔核がもっとも多いが，痔核を有していても無症状である場合も多いため，正確な有病率は明らかでない。痔核の有病率に男女差はなく，年齢層は45〜65歳がもっとも多い。痔瘻の男女比は2.2〜5.7：1で，年齢別頻度では30歳代が30％，40歳代が21％と若い世代に多い。肛門周囲膿瘍の男女比は2.8〜5.5：1である[51)52]。

2 病態生理

1）痔 核

痔核とは，肛門管内の粘膜下と肛門上皮下にある血管や結合織からなるやわらかい組織（肛門クッション）がしだいに肥大化し，出血や脱出などの症状を呈する状態になったものである。歯状線よりも直腸粘膜側を内痔核，肛門上皮側を外痔核として区別する。急性期の状態として，血栓形成に伴って外痔核が腫脹したものは血栓性外痔核，脱出した内痔核が腫脹して肛門管内に還納できなくなった状態は痔核の嵌頓，痔核から出血をきたしたものを痔核出血という。

2）肛門周囲膿瘍，痔瘻

肛門周囲膿瘍は肛門陰窩から肛門導管を経て肛門腺に細菌が侵入し，感染を起こすものである（cryptoglandular infection）。しかし，裂肛から発生する痔瘻，Crohn病に合併する痔瘻，結核，HIV感染，膿皮症などが関与する痔瘻も頻度は高くないが存在する。感染の広がり方には，内外括約筋間を上行するもの，外肛門括約筋外側に瘻管を伸ばすもの，まれではあるが肛門挙筋上に至るものなどがあり，痔瘻の形態は多彩である。

これまで肛門周囲膿瘍は必ず痔瘻に移行すると考えられてきたが，最近の報告では，肛門周囲膿瘍の切開排膿後の痔瘻への移行率は30数％程度とされる。また，女性よりも男性が，起炎菌としては*Escherichia coli*が痔瘻に移行しやすい[51]。

3 症状

痔核出血の症状の多くは排便時にみられ鮮明な赤色であることが多く，出血の量はほとばしる程度から紙や便に少量が付着する程度までさまざまで，通常は便と分離している。暗赤色の出血，粘血液，便潜血陽性，貧血，持続的な出血症状がみられる場合は，下部消化管精査による大腸病変の鑑別が必要である。肛門周囲膿瘍では，肛門周囲の痛みや発熱で受診することが大半である。痔瘻になると持続的な膿の排出や間欠的な肛門周囲の腫脹と圧痛をしばしば訴える。

4 検査・診断

1) 痔核

痔核は，痔核を肛門鏡診察で視認することと，ほかの直腸肛門疾患を除外することで確定診断を行う。痔核と鑑別を要する疾患としては，裂肛，粘膜脱，直腸脱，直腸潰瘍，直腸炎，直腸・肛門ポリープ，直腸肛門の腫瘍性疾患（肛門がん，直腸がん）があげられる。必要に応じて直腸鏡検査や下部内視鏡検査・排便造影検査などを行い，これらの疾患との鑑別を行う。

2) 肛門周囲膿瘍，痔瘻

肛門周囲膿瘍は肛門周囲の発赤・腫脹，二次口などを視診で確認する。腫脹している部位を指診すると圧痛を認める。二次口を外側に牽引すれば，皮膚の上から瘻管の走行を触知することができる。肛門内に挿入した示指と肛門外の母指との双指診で，原発口や瘻管の広がりを診断する。坐骨直腸窩痔瘻，骨盤直腸窩痔瘻では肛門挙筋を硬結として触れる。肛門鏡検査では膿瘍，痔瘻の発生の原因となる原発口の部位を確認することが望ましいが，実際には確認できない場合も多い。

痔瘻の画像診断としては，超音波検査，CT検査，MRI検査，瘻孔造影，注腸造影などが利用される。経肛門的超音波検査は肛門からプローブを挿入して，肛門周囲膿瘍や瘻管の部位と広がりを診断する。侵襲はほとんどなく，簡便で即座に病変情報を得ることができる利点がある。CT検査は坐骨直腸窩膿瘍や骨盤直腸窩膿瘍の診断に有用である。MRIはCTよりもコントラスト分解能に優れ，横断像や冠状断像，矢状断像が自由に得られるため複雑痔瘻の診断に有用である。

5 治療

薬物療法は腫脹，疼痛，出血の緩和に効果を認め，外用薬と内服薬があり，外用薬には坐薬と軟膏がある。ステロイド含有薬は腫脹，疼痛，出血の強い急性炎症の時期に著効を示す場合が多いが，長期間の使用でまれにステロイド性皮膚炎や肛門周囲白癬症を生じることがある。トリベノシドやブロメラインを含有するものは炎症性浮腫の緩和，局所麻酔薬が配合されているものは疼痛の緩和，ビスマス系のものは出血症状の緩和に有効である。フラボノイド類は疼痛，腫脹，出血に著明な改善効果を示すことが報告されているが，フラボノイド類の妊婦に対する安全性は保障されておらず，胎児の死亡1例，奇形1例が報告されているため，安全性は十分ではない[51]。

また，生活指導として，十分な水分量の摂取と食物繊維の摂取を勧めるほか，アルコールの過剰摂取にも注意する。過度な怒責や長時間便器に座りつづけることを避け，便性状の改善と便意が発現してから排便するように指導する。

肛門周囲膿瘍では，基礎疾患の有無，抗血栓薬などの服用の有無にかかわらず，速やかに切開・排膿を行うことが原則である。肛門周囲膿瘍の急性期に根治手術を行うことは肛門括約筋の損傷による括約筋不全のリスクが高い[51]。

皮下膿瘍，低位筋間膿瘍のような比較的浅い部位の膿瘍の場合は局所麻酔下の切開でよいが，高位筋間膿瘍，坐骨直腸窩膿瘍，骨盤直腸窩膿瘍などの深い部位の膿瘍に対しては，仙骨硬膜外麻酔下または腰椎麻酔下で切開を行うこともある。ドレナージのための切開の位置や大きさは膿瘍の病型や占拠範囲によるが，将来的に痔瘻化した場合の根治手術を考慮して，括約筋を損傷しないで十分なドレナージが効く方法で行う。

抗菌薬は一般の感染性疾患と異なり効果はあまり期待できないが，広範な蜂窩織炎を伴う場合や，糖尿病や心臓弁膜症などの併存疾患をもつ患者でドレナージだけでは改善しない場合には抗菌薬を投与すべきである。免疫低下状態の患者は必ず抗菌薬を投与する。

文献

1) Sanyal AJ, et al：The prevalence and risk factors associated with esophageal varices in subjects with hepatitis C and advanced fibrosis. Gastrointest Endosc 64：855-64, 2006.
2) 日本消化器病学会, 他（編）：肝硬変診療ガイドライン2020, 改訂第3版, 南江堂, 2020.
3) Garcia-Tsao G, et al：Prevention and management of gastroesophageal varices and variceal hemorrhage in cirrhosis. Hepatology 46：922-38, 2007.
4) Brinster CJ, et al：Evolving options in the management of esophageal perforation. Ann Thorac Surg 77：1475-83, 2004.
5) Markar SR, et al：Management and outcomes of esophageal perforation：A national study of 2,564 patients in England. Am J Gastroenterol 110：1559-66, 2015.
6) Derbes VJ, et al：Hermann Boerhaave's Atrocis, nec descripti prius, morbi historia, the first translation of the classic case report of rupture of the esophagus, with annotations. Bull Med Libr Assoc 43：217-40, 1955.
7) Korn O, et al：Anatomy of the Boerhaave syndrome. Surgery 141：222-8, 2007.
8) Lucendo AJ, et al：Boerhaave's syndrome as the primary manifestation of adult eosinophilic esophagitis：Two case reports and a review of the literature. Dis Esophagus 24：E11-5, 2011.
9) Griffiths EA, et al：Thirty-four cases of esophageal perforation：The experience of a district general hospital in the UK. Dis Esophagus 22：616-25, 2009.
10) Biancari F, et al：Current treatment and outcome of esophageal perforations in adults：Systematic review and meta-analysis of 75 studies. World J Surg 37：1051-9, 2013.
11) Cameron JL, et al：Selective nonoperative management of contained intrathoracic esophageal disruptions. Ann Thorac Surg 27：404-8, 1979.
12) Kuppusamy MK, et al：Evolving management strategies in esophageal perforation：Surgeons using nonoperative techniques to improve outcomes. J Am Coll Surg 213：164-71, 2011.
13) Yin A, et al：Mallory-Weiss syndrome：Clinical and endoscopic characteristics. Eur J Intern Med 23：e92-6, 2012.
14) 日本消化器病学会（編）：消化性潰瘍診療ガイドライン2020, 改訂第3版, 南江堂, 2020.
15) Mattos AA, et al：Spontaneous bacterial peritonitis and extraperitoneal infections in patients with cirrhosis. Ann Hepatol 19：451-7, 2020.
16) Garcia-Tsao G：Current management of the complications of cirrhosis and portal hypertension：Variceal hemorrhage, ascites, and spontaneous bacterial peritonitis. Gastroenterology 120：726-48, 2001.
17) European Association for the Study of the Liver：EASL clinical practice guidelines on the management of ascites, spontaneous bacterial peritonitis, and hepatorenal syndrome in cirrhosis. J Hepatol 53：397-417, 2010.
18) 手島裕治, 他：特発性細菌性腹膜炎における腹水培養および血液培養検査の評価と有効性の検討. 医学検査 71：106-11, 2022.
19) Sigal SH, et al：Restricted use of albumin for spontaneous bacterial peritonitis. Gut 56：597-9, 2007.
20) Menzies D, et al：Intestinal obstruction from adhesions：How big is the problem? Ann R Coll Surg Engl 72：60-3, 1990.
21) 急性腹症診療ガイドライン出版委員会（編）：急性腹症診療ガイドライン2015, 医学書院, 2015.
22) 高橋悠希, 他：イレウス初診時の腹部単純X線写真によるHBOT施行方針の推察. 日臨高気圧酸素潜水医会誌 17：13-9, 2020.
23) 榊原巧, 他：癒着性イレウスに対するイレウス管管理の重要性と手術時期の検討. 日消外会誌 38：1414-19, 2005.
24) Acosta S, et al：Incidence of acute thrombo-embolic occlusion of the superior mesenteric artery：A population-based study. Eur J Vasc Endovasc Surg 27：145-50, 2004.
25) Kumar S, et al：Mesenteric venous thrombosis. N Engl J Med 345：1683-8, 2001.
26) Warshauer DM, et al：Superior mesenteric vein thrombosis with radiologically occult cause：A retrospective study of 43 cases. AJR Am J Roentgenol 177：837-41, 2001.
27) Cudnik MT, et al：The diagnosis of acute mesenteric ischemia：A systematic review and meta-analysis. Acad Emerg Med 20：1087-100, 2013.
28) 古川顕, 他：血栓, 塞栓を原因として発症する腸管虚血；上腸間膜動脈閉塞症と門脈・上腸間膜静脈血栓症. 血栓と循環 15：280-85, 2007.
29) 日本循環器学会, 他：2022年改訂版末梢動脈疾患ガイドライン, 2022.
https://www.j-circ.or.jp/cms/wp-content/uploads/2022/03/JCS2022_Azuma.pdf
30) Beaulieu RJ, et al：Comparison of open and endovascular treatment of acute mesenteric ischemia. J Vasc Surg 59：159-64, 2014.
31) Morgan CE, et al：Ten-year review of isolated spontaneous mesenteric arterial dissections. J Vasc Surg 67：1134-42, 2018.
32) Trompeter M, et al：Non-occlusive mesenteric ischemia：Etiology, diagnosis, and interventional therapy. Eur Radiol 12：1179-87, 2002.
33) Ward D, et al：Improved outcome by identification of high-risk nonocclusive mesenteric ischemia, aggressive reexploration, and delayed anastomosis. Am J Surg 170：577-80, 1995.
34) Guerrant RL, et al：Practice guidelines for the management of infectious diarrhea. Clin Infect Dis 32：331-51, 2001.
35) 日本小児救急医学会診療ガイドライン作成委員会（編）：エビデンスに基づいた子どもの腹部救急診療ガイドライン2017；第Ⅱ部 小児急性虫垂炎診療ガイドライン, 2017.
https://minds.jcqhc.or.jp/n/med/4/med0431/G0001192
36) Alvarado A：A practical score for the early diagnosis

of acute appendicitis. Ann Emerg Med 15：557-64, 1986.
37) Gorter RR, et al：Diagnosis and management of acute appendicitis：EAES consensus development conference 2015. Surg Endosc 30：4668-90, 2016.
38) Ebell MH, et al：What are the most clinically useful cutoffs for the Alvarado and Pediatric Appendicitis Scores? A systematic review. Ann Emerg Med 64：365-72, 2014.
39) Barger RL Jr, et al：Diagnostic performance of magnetic resonance imaging in the detection of appendicitis in adults：A meta-analysis. Acad Radiol 17：1211-6, 2010.
40) Di Saverio S, et al：Diagnosis and treatment of acute appendicitis：2020 update of the WSES Jerusalem guidelines. World J Emerg Surg 15：27, 2020.
41) Wilms IM, et al：Appendectomy versus antibiotic treatment for acute appendicitis. Cochrane Database Syst Rev：CD008359, 2020.
42) Jaschinski T, et al：Laparoscopic versus open surgery for suspected appendicitis. Cochrane Database Syst Rev：CD001546, 2018.
43) Cheng Y, et al：Early versus delayed appendicectomy for appendiceal phlegmon or abscess. Cochrane Database Syst Rev：CD011670, 2017.
44) Brandt LJ, et al：ACG clinical guideline：Epidemiology, risk factors, patterns of presentation, diagnosis, and management of colon ischemia（CI）. Am J Gastroenterol 110：18-44, 2015.
45) Halabi WJ, et al：Colonic volvulus in the United States：Trends, outcomes, and predictors of mortality. Ann Surg 259：293-301, 2014.
46) Burrell HC, et al：Significant plain film findings in sigmoid volvulus. Clin Radiol 49：317-9, 1994.
47) Raveenthiran V, et al：Volvulus of the sigmoid colon. Colorectal Dis 12（7 Online）：e1-17, 2010.
48) 日本消化管学会ガイドライン委員会：大腸憩室症（憩室出血・憩室炎）ガイドライン, 2017. https://minds.jcqhc.or.jp/n/med/4/med0348/G0001033
49) Manabe N, et al：Characteristics of colonic diverticulitis and factors associated with complications：A Japanese multicenter, retrospective, cross-sectional study. Dis Colon Rectum 58：1174-81, 2015.
50) Farrell JJ, et al：Review article：The management of lower gastrointestinal bleeding. Aliment Pharmacol Ther 21：1281-98, 2005.
51) 日本大腸肛門病学会（編）：肛門疾患（痔核・痔瘻・裂肛）・直腸脱診療ガイドライン2020年版, 改訂第2版, 南江堂, 2020.
52) Johanson JF, et al：The prevalence of hemorrhoids and chronic constipation：An epidemiologic study. Gastroenterology 98：380-6, 1990.

6 消化器系疾患（肝胆膵）

庄古 知久

急性膵炎

2008年に定められた診断基準[1]では，①上腹部に急性腹痛発作と圧痛がある，②血中または尿中に膵酵素の上昇がある，③超音波，CTまたはMRIにて急性膵炎に伴う異常所見がある，という3項目中2項目以上を満たしたものが急性膵炎とされる。

1 基本方針（Pancreatitis Bundle 2021）

急性膵炎に対しては，Pancreatitis Bundle 2021（表1）[2]の11の項目が実施されることが望ましい。

急性膵炎と診断されたら，病歴聴取，血液検査および画像診断により成因を検索し，呼吸・循環モニタリングと初期治療（絶食による膵の安静，十分な初期輸液，十分な除痛）を速やかに開始する。予後因子スコアおよび造影CTにより，重症度を判定する（表2，3）[1)2)]。判定は診断時，翌日，翌々日まで繰り返し実施する。重症の場合にはICU管理が必要となり，自施設で対応困難な場合には対応可能施設への転送を考慮する。

2 輸 液

初期輸液では晶質液を投与する。膠質液は推奨されていない。

3 薬物療法

アセトアミノフェン，非ステロイド性抗炎症薬（NSAIDs），ペンタゾシンなどの非オピオイド鎮痛薬を迅速に使用する。疼痛の程度にあわせて，フェンタニルなどオピオイドの使用も考慮する。

軽症の急性膵炎に対しては予防的抗菌薬投与は行わない。重症または壊死性膵炎に対しても予防的抗菌薬投与は推奨されないが，感染を伴っている場合には抗菌薬を使用する。また，蛋白分解酵素阻害薬は致死率や膵合併症発生率を改善せず，重症膵炎においても有用性が示さ

表1 Pancreatitis Bundle 2021

1.	急性膵炎診断時，診断から24時間以内，および24〜48時間の各々の時間帯で，厚生労働省重症度判定基準の予後因子スコアを用いて重症度を繰り返し評価する
2.	重症急性膵炎では，診断後3時間以内に，適切な施設への転送を検討する
3.	急性膵炎では，診断後3時間以内に，病歴，血液検査，画像検査などにより，膵炎の成因を鑑別する
4.	胆石性膵炎のうち，胆管炎合併例，黄疸の出現または増悪などの胆道通過障害の遷延を疑う症例には，早期のERCP＋ESTの施行を検討する
5.	重症急性膵炎の治療を行う施設では，造影可能な重症急性膵炎症例では，初療後3時間以内に造影CTを行い，膵造影不良域や病変の拡がりなどを検討し，CT Gradeによる重症度判定を行う
6.	急性膵炎では，発症後48時間以内はモニタリングを行い，初期には積極的な輸液療法を実施する
7.	急性膵炎では，疼痛のコントロールを行う
8.	軽症急性膵炎では，予防的抗菌薬は使用しない
9.	重症急性膵炎では，禁忌がない場合には診断後48時間以内に経腸栄養（経胃でも可）を少量から開始する
10.	感染性膵壊死の介入を行う場合には，ステップアップ・アプローチを行う
11.	胆石性膵炎で胆嚢結石を有する場合には，膵炎沈静化後（同一入院期間中か再入院かは問わない）に胆嚢摘出術を行う

〔文献2）より引用〕

急性膵炎では，特殊な状況以外では原則的に上記のすべてが実施されることが望ましく，実施の有無を診療録に記載する

表2　急性膵炎の重症度判定基準（厚生労働省難治性疾患に関する調査研究班，2008年）

予後因子（予後因子は各1点とする）

1. BE ≦ －3mEq/L，またはショック（収縮期血圧≦80mmHg）
2. PaO_2≦60mmHg（room air），または呼吸不全（人工呼吸管理を必要とする）
3. BUN ≧40mg/dL（or Cr ≧ 2 mg/dL），または乏尿（輸液後も1日尿量が400mL以下）
4. LDH ≧基準値上限の2倍
5. 血小板数≦10万/μL
6. 総カルシウム値≦7.5mg/dL
7. CRP ≧15mg/dL
8. SIRS診断基準*の陽性項目数3以上
9. 年齢≧70歳

造影CT Grade

1．炎症の膵外進展度

前腎傍腔　　　：0点
結腸間膜根部：1点
腎下極以遠　：2点

2．膵の造影不良域〔膵を便宜的に3つの区域（膵頭部，膵体部，膵尾部）に分け判定〕

各区域に限局している場合，または膵の周辺のみの場合：0点
2つの区域にかかる場合　　　　　　　　　　　　　　：1点
2つの区域全体を占める，またはそれ以上の場合　　　：2点

3．合計スコア

1点以下：Grade 1
2点　　：Grade 2
3点以上：Grade 3

重症の判定

①予後因子が3点以上，または
②造影CT Grade 2以上の場合は重症とする

〔文献1）より引用〕

*（1）体温＞38℃または＜36℃，（2）脈拍数＞90/min，（3）呼吸数＞20/minまたは$PaCO_2$＜32mmHg，（4）白血球数＞12,000/μLもしくは＜4,000/μLまたは10％超の幼若球出現

表3　造影CTによる急性膵炎のCT Grade分類（予後因子と独立した重症度判定項目）

膵外進展度		前腎傍腔	結腸間膜根部	腎下極以遠
膵造影不良域	＜1/3	Grade 1	Grade 1	Grade 2
	1/3〜1/2	Grade 1	Grade 2	Grade 3
	1/2＜	Grade 2	Grade 3	Grade 3

〔文献2）より引用〕

浮腫性膵炎は造影不良域＜1/3に含める。原則として発症後48時間以内に判定する

れていない。ヒスタミンH_2拮抗薬やプロトンポンプ阻害薬の投与も基本的に行わないが，上部消化管出血を合併している場合には必要となる。

4　栄養療法

重篤な腸管合併症（高度の腸閉塞，消化管穿孔，重篤な下痢，難治性嘔吐，活動性消化管出血，汎発性腹膜炎など）のない重症例に対しては経腸栄養を行う。入院後48時間以内に，少量からでも開始する。腹痛，嘔気，腸

管蠕動音消失，胃内容逆流があっても経管栄養は可能である。

経腸栄養（経口摂取）開始の指標として，血清リパーゼ値が正常上限の2.5倍未満とする報告がある[3]。経腸栄養の方法としては，経口摂取のほか，十二指腸や胃に栄養剤を投与してもよい。栄養剤の種類は下痢の有無などの病態に応じ，消化態，半消化態，成分から選択する。

軽症例では，腸蠕動が回復すれば経口摂取を再開する。再開時は，水分から徐々に固形食に変更するのではなく，はじめから普通食がよい。

表4 膵炎後貯留の分類

分類	発症後4週以内	4週以降
液体貯留	急性膵周囲液体貯留（APFC）	膵仮性囊胞（PPC）
壊死性貯留	急性壊死性貯留（ANC）	被包化膵壊死（WON）

〔文献2）より作成〕

APFC：acute peripancreatic fluid collection, ANC：acute necrotic collection, PPC：pancreatic pseudocyst, WON：walled-off necrosis

5 局所動注療法

急性壊死性膵炎に対する局所動注療法の有用性は証明されておらず，保険収載もされていない。実施の際は，臨床研究として行うことが望ましい。

6 胆道結石に対する治療

胆石性膵炎で，胆管炎の合併もしくは黄疸や胆管拡張を認め，総胆管内に結石や胆泥を認める場合は，早期に内視鏡的逆行性胆管膵管造影（endoscopic retrograde cholangiopancreatography；ERCP）/内視鏡的乳頭括約筋切開術（endoscopic sphincterotomy；EST）を行うことが推奨されている[2]。膵管閉塞や乳頭浮腫を解除し，膵管減圧と胆道ドレナージ効果により膵炎や胆管炎の悪化を防げる可能性がある。抗凝固薬内服中や凝固異常による出血傾向の際は，内視鏡的経鼻胆道ドレナージ（endoscopic nasobiliary drainage；ENBD）を行う方法もあるが，ENBDチューブが膵液流出障害を助長する可能性もあり，有用性は確立されていない。

軽症の急性胆石性膵炎に対しては，早期に胆囊摘出術を行うことが推奨されている[2]。一方，膵周囲の液体貯留や膵壊死を伴う重症の急性胆石性膵炎に対しては，膵炎が沈静化し液体貯留が消失する時期，または発症から4～6週以降の待機的手術が提案されている[2]。

7 腹部コンパートメント症候群への対応

急性膵炎例で，大量輸液，高い重症度，腎障害や呼吸障害の合併，複数部位の液体貯留，高乳酸血症を認めた場合に，腹腔内圧上昇（intra-abdominal hypertension；IAH）や腹部コンパートメント症候群（abdominal compartment syndrome；ACS）を発症すると致死率が高くなる（IAH：腹腔内圧が12mmHg以上，ACS：腹腔内圧が20mmHg以上で臓器障害が発生）[2]。腹腔内圧は，膀胱内圧を測定して代用する。

腹腔内圧12mmHg以上が持続する場合，適正な水分管理，消化管内の減圧，十分な鎮痛・鎮静，経皮的ドレナージ術などの内科的治療を行い，腹腔内圧15mmHg以下になるよう管理する。内科的治療が無効で，腹腔内圧が20mmHg以上かつ新規臓器障害を合併した患者に対しては外科的減圧術を考慮する。

8 感染性膵壊死に対する治療

表4[2]に膵炎後貯留の分類を示す。被包化膵壊死（walled-off necrosis；WON）は膵仮性囊胞（pancreatic pseudocyst；PPC）に比べ，臨床的治療不成功率と合併症発生率が有意に高い[2]。

感染性膵壊死に対しては，非包化が起きる発症4週以降にインターベンション治療（内視鏡または経皮的ドレナージ）を行う。在院日数が短いという利点から，内視鏡的ステップアップ・アプローチ（低侵襲な内視鏡的ドレナージに引き続き，内視鏡的ネクロセクトミーに移行）が推奨されている[2]。内視鏡的ドレナージは，超音波内視鏡ガイド下の経胃的ドレナージが推奨される。

膵周囲から骨盤腔まで及ぶような大きいWONに対しては，内視鏡的治療と経皮的ドレナージ治療の併用が有用な可能性がある。内視鏡的治療や経皮的ドレナージにて改善しない場合は，外科的なネクロセクトミーを選択する。その場合，開腹よりも後腹膜アプローチによるネクロセクトミーを選択する。

慢性膵炎

慢性膵炎とは，「遺伝的因子，環境因子，その他の危険因子を有する患者において，膵実質の障害や，ストレスに対して持続的に病的な反応が起こる，膵の病的な線維性，炎症性の症候群」と定義される[4]。成因からアルコール性と非アルコール性（特発性，遺伝性，家族性など）に分類される。慢性膵炎患者の膵炎発作では，急性膵炎とほぼ同様の対応を行う。

1 内科的治療

生活指導（断酒と禁煙），食事指導（低脂肪食），薬物治療（鎮痛薬，抗コリン薬，膵消化酵素薬，蛋白分解酵素阻害薬，脂溶性ビタミン薬）などによる集学的治療を行う。

臨床経過初期である腹痛を有する代償期においては，短期的な脂肪制限食が有効である。経過後期である非代償期には，十分な膵消化酵素補充療法を行ったうえで，脂肪を制限しない食事が望ましい。腹痛に対しては，NSAIDsの内服・坐剤を用いる。無効の場合はトラマドール塩酸塩などの弱オピオイドを使用し，さらにブプレノルフィンなどの強オピオイドの使用（保険適用はない）を考慮する[5]。

膵性糖尿病に対してはインスリン治療を行う。

2 内視鏡的治療

膵石に対する治療として，膵管口切開，結石除去，膵管ステント留置などがある。膵石が2〜5mm以上の大きさで，X線で視認できる場合には体外衝撃波結石破砕術（extracorporeal shock wave lithotripsy；ESWL）が併用されることがある[6]。

膵管狭窄または閉塞に対して膵管ステント治療を，PPCに対して経乳頭的ドレナージや超音波内視鏡的ドレナージを，胆管狭窄に対してステント留置を行う。

3 外科的治療

内視鏡的治療が難しい閉塞性黄疸や十二指腸狭窄に対し，バイパス術を行う。がん合併を疑う場合は膵切除術を行う。難治性疼痛に対しては，膵管ドレナージ術（膵管空腸側々吻合術，Frey手術），膵切除術を行う。内視鏡的治療よりも長期的な疼痛改善効果が高いことが示されている[4]。

4 血管内治療

慢性膵炎に合併した仮性動脈瘤に対し，動脈塞栓術，動脈内ステント留置を行う。

症候性胆石症

症候性胆石症とは，上腹部の疼痛や違和感などを呈する胆石胆嚢炎を指す。急性胆嚢炎を合併すると発熱を伴う。Mirizzi症候群（胆嚢頸部や胆嚢管の結石による圧排や炎症のため総胆管狭窄をきたす）や総胆管結石の合併で黄疸や胆管炎症状を呈することもある。

1 胆石症の治療

1）発作時の疼痛緩和

NSAIDsが第一選択である。ブチルスコポラミン，フロプロピオンは発作時の症状緩和に対する有用性のエビデンスが乏しい[7]。

2）発作の予防

ウルソデオキシコール酸 600mg/dayの長期内服が胆石発作の出現率や手術移行率に関して効果的である[7]。

3）急性胆嚢炎合併時の抗菌薬治療

急性胆嚢炎重症度判定基準（表5）[8]の中等症（GradeⅡ）および重症（GradeⅢ）では抗菌薬治療が必要であり，胆嚢摘出まで継続する。

4）経口胆石溶解療法

石灰化を伴わない純コレステロール結石では，経口胆石溶解療法の適応となる。

5）体外衝撃波結石破砕術（ESWL）

総胆管結石で3cmを超えるものに対しては，ESWLを考慮する。

6）胆嚢摘出術

無症状の胆石症に対して胆嚢摘出術を行う意義は少ない。一方，慢性胆嚢炎により生じた萎縮胆嚢では，良悪性鑑別目的の胆嚢摘出術を検討する。有症状の場合には，腹腔鏡下胆嚢摘出術を行う。

重症の急性胆嚢炎では，抗菌薬投与などの全身管理を行い，耐術能がある場合は早期手術を行う。耐術能がな

表5 急性胆嚢炎の重症度判定基準

重症急性胆嚢炎（Grade Ⅲ）
急性胆嚢炎のうち，以下のいずれかを伴う場合は「重症」である
- 循環障害（ドパミン≧5μg/kg/min，もしくはノルアドレナリンの使用）
- 中枢神経障害（意識障害）
- 呼吸機能障害（PaO_2/FiO_2比<300）
- 腎機能障害（乏尿，もしくはCr>2.0mg/dL）
- 肝機能障害（PT-INR>1.5）
- 血液凝固異常（血小板<10万/μL）

中等症急性胆嚢炎（Grade Ⅱ）
急性胆嚢炎のうち，以下のいずれかを伴う場合は「中等症」である
- 白血球数>18,000/μL
- 右季肋部の有痛性腫瘤触知
- 症状出現後72時間以上の症状の持続
- 顕著な局所炎症所見（壊疽性胆嚢炎，胆嚢周囲膿瘍，肝膿瘍，胆汁性腹膜炎，気腫性胆嚢炎などを示唆する所見）

軽症急性胆嚢炎（Grade Ⅰ）
急性胆嚢炎のうち，「中等症」「重症」の基準を満たさないものを「軽症」とする

〔文献8〕より引用〕

ければ，早期に経皮経肝胆嚢ドレナージ（percutaneous transhepatic gallbladder drainage；PTGBD）を行う．Mirizzi症候群では外科的治療（開腹手術が基本）を行う．

2 総胆管結石合併例の治療

胆嚢結石合併の胆管結石例では，胆嚢摘出も行うべきである．

1）内視鏡的治療

ESTと，それに引き続き行うカテーテルによる内視鏡的結石除去術が標準治療である．ESTに代わり，内視鏡的乳頭バルーン拡張術（endoscopic papillary balloon dilation；EPBD）を行うこともある．

結石が大きい場合（≧10mm），機械的結石破砕術，または内視鏡的乳頭大口径バルーン拡張術が行われる．さらに大きい巨大結石や合流部胆石，嵌頓結石に対しては，経口胆道鏡下のレーザー結石除去や，電気水圧衝撃波結石破砕療法が行われる．Roux-en-Y再建やBillroth Ⅱ法再建などの術後再建腸管例では，バルーン内視鏡で十二指腸乳頭まで到達し，総胆管結石治療を行う．

急性胆管炎の合併例では，まず内視鏡的胆道ドレナージを行い，後日二期的に内視鏡的結石除去術を行うこともある．

2）外科的治療

術前内視鏡的総胆管結石除去術＋腹腔鏡下胆嚢摘出術が主な治療法である．内視鏡治療を術中・術後に行う場合もある．開腹手術や腹腔鏡下手術で同時に胆嚢摘出＋総胆管結石除去を行う場合もあり，腹腔鏡下の胆管結石治療法としては，経胆嚢管的な胆管結石除去と胆管切開結石除去がある．

急性胆管炎・胆嚢炎

急性胆管炎の治療は，胆管ドレナージと抗菌薬投与が重要である．急性胆管炎に胆嚢炎を合併している場合は，両者の重症度と患者の全身状態を加味して治療方針を決定する．急性胆嚢炎の治療は，患者が耐術であれば，早期手術が推奨されている[8]．

1 抗菌薬治療

診断後，抗菌薬は可及的に速やかに投与すべきであり，とくに敗血症性ショックの患者では1時間以内に投与を開始すべきである[9]．表6に急性胆管炎・胆嚢炎に対する推奨抗菌薬を，表7に抗菌薬の投与期間を示す[8]．ペニシリン系，セフェム系，カルバペネム系が優先される．胆道感染症に対し，胆汁移行性のよい薬剤は効果が期待できるが，胆管に閉塞部位があり内圧が高まっている場合，胆管内に移行せず有効性が発揮できない．そのため，胆管に閉塞部位がある場合は組織移行性や原因微生物への薬剤感受性を重視して抗菌薬を選択すべきである．

胆汁培養検査は速やかに提出する．重症度がGrade ⅡまたはⅢの急性胆管炎・急性胆嚢炎では抗菌薬投与前に血液培養を採取する．

2 急性胆管炎の胆管ドレナージ

内視鏡的経乳頭的な胆道ドレナージが推奨されている[8]．内視鏡が乳頭まで到達困難な場合や内視鏡自体が実施困難な場合には，経皮経肝ドレナージ（percutaneous transhepatic cholangio drainage；PTCD，percutaneous transhepatic biliary drainage；PTBD）を行う．ただし，凝固異常がある場合や抗血栓薬を内服している場合には不適応となる．

表6 急性胆管炎・胆嚢炎の推奨抗菌薬

抗菌薬	市中感染			医療関連感染
	Grade Ⅰ	Grade Ⅱ	Grade Ⅲ	
ペニシリン系を基本として	スルバクタム・アンピシリン*1は耐性率が20％以上の場合，推奨しない	タゾバクタム・ピペラシリン	タゾバクタム・ピペラシリン	タゾバクタム・ピペラシリン
セファロスポリン系を基本として	セファゾリン*2 or セフォチアム*2 or セフォタキシム or セフトリアキソン or セフロキシム*2 ± メトロニダゾール セフメタゾール*2 or フロモキセフ*2 スルバクタム・セフォペラゾン	セフトリアキソン or セフォタキシム or セフェピム or セフォゾプラン or セフタジジム ± メトロニダゾール スルバクタム・セフォペラゾン	セフェピム or セフタジジム or セフォゾプラン ± メトロニダゾール	セフェピム or セフタジジム or セフォゾプラン ± メトロニダゾール
カルバペネム系を基本として	エルタペネム	エルタペネム	イミペネム・シラスタチン or メロペネム or ドリペネム	イミペネム・シラスタチン or メロペネム or ドリペネム
モノバクタム薬を基本として	推奨なし	推奨なし	アズトレオナム ± メトロニダゾール	アズトレオナム ± メトロニダゾール
ニューキノロン系を基本として	シプロフロキサシン or レボフロキサシン or パズフロキサシン ± メトロニダゾール モキシフロキサシン	シプロフロキサシン or レボフロキサシン or パズフロキサシン ± メトロニダゾール モキシフロキサシン		

〔文献8）より引用・改変〕

*1 ほとんどの大腸菌はスルバクタム・アンピシリンに対して耐性を示す
*2 地域の感受性パターン（アンチバイオグラム）を考慮して使用する
・メトロニダゾールの静脈注射薬は保険承認された。モキシフロキサシンは胆道感染症に対しては適用未承認であるが，二次性腹部感染，大腸菌，クレブシエラ，プロテウス，エンテロバクターに適応がある。セフロキシムとエルタペネムは国内未承認
・バンコマイシンとダプトマイシンはGrade Ⅲの市中感染と医療関連感染において腸球菌感染に対して推奨する。リネゾリドとダプトマイシンは医療関連感染においてバンコマイシン耐性腸球菌（VRE）を保有している場合，バンコマイシンによる治療歴がある場合，もしくは施設・地域においてVREが流行している場合に推奨する
・抗嫌気性作用のある薬剤（メトロニダゾール，クリンダマイシンなど）は胆管空腸吻合が行われている場合に推奨する。カルバペネム系薬，タゾバクタム・ピペラシリン，スルバクタム・アンピシリン，セフメタゾール，フロモキセフ，スルバクタム・セフォペラゾンも同様である。ただし，クリンダマイシンに対してバクテロイデス属の多くが耐性を示している
・フルオロキノロン系薬は分離菌が感性である場合か，βラクタム薬に対してアレルギーがある場合に推奨する

表7 抗菌薬の投与期間

感染	市中感染			医療関連感染
重症度	Grade Ⅰ，Ⅱ	Grade Ⅰ，Ⅱ	Grade Ⅲ	Grade Ⅰ～Ⅲ
疾患	胆嚢炎	胆管炎	胆管炎・胆嚢炎	胆管炎・胆嚢炎
治療期間	胆嚢摘出が行われた場合，抗菌薬治療は24時間以内に終了	いったん感染巣が制御されたら4～7日間の投与を推奨 腸球菌，レンサ球菌などのグラム陽性菌による菌血症の場合は2週間以上の投与を推奨		腸球菌，レンサ球菌などのグラム陽性菌による菌血症の場合は2週間以上の投与を推奨
治療延長の要因	術中に穿孔，気腫性変化，壊疽があった場合，4～7日間の投与を推奨	胆管に結石または閉塞があり，それが解決されない場合は，解剖学的にそれが解決するまで抗菌薬の投与を続ける 肝膿瘍が合併した場合には，臨床的・検査上・画像上，膿瘍が完全に消失するまで抗菌薬治療を続ける		

〔文献8）より引用〕

表8 年齢調整を含めたチャールソン並存疾患指数（CCI）

点数	疾患
1	心筋梗塞，うっ血性心不全，末梢動脈疾患，脳血管疾患，認知症，慢性肺疾患，膠原病，潰瘍性疾患，軽度の肝疾患，末期臓器障害のない糖尿病
2	片麻痺，中等度〜重度の腎疾患，末期臓器障害のある糖尿病，がん，白血病，悪性リンパ腫
3	中等度〜重度の肝疾患
6	転移性固形がん，AIDS

〔文献10）より引用・改変〕

以下のとおり年齢調整を行ったうえで，該当する疾患の点数を合計する
40歳以下：±0，41〜50歳：＋1，51〜60歳：＋2，61〜70歳：＋3，71〜80歳：＋4，81歳以上：＋5

新しいドレナージ法として，超音波内視鏡ガイド下胆管ドレナージがあり，経胃的もしくは経空腸的に肝左葉外側区胆管に穿刺する方法と，経十二指腸的に肝外胆管に穿刺する方法がある。

ESTは，大口径の胆管ステント留置や総胆管結石の一期的除去を除き，内視鏡的ドレナージの際に追加する必要はない。EPBDは胆管結石除去・ドレナージの際に行われ，乳頭括約筋を温存できるメリットがある。

術後再建腸管の胆管炎に対しては，バルーン小腸内視鏡下のドレナージが推奨されている[8]。

3 急性胆嚢炎の胆嚢ドレナージ

緊急手術リスクが高い場合は，PTGBDまたは内視鏡（ERCP）下の経乳頭的胆嚢ドレナージ（endoscopic transpapillary gallbladder drainage；ETGBD）が行われる。ベッドサイドで行える経皮経肝胆嚢穿刺吸引法も有用であるが，濃縮胆汁や膿性胆汁は十分にドレナージすることができない。

4 急性胆嚢炎の外科的治療

重症度がGrade ⅠまたはⅡの場合，耐術能の評価を行い，耐術能があれば発症後早期に腹腔鏡下胆嚢摘出術の実施が望ましい。耐術能がなければ，保存的治療または胆嚢ドレナージを考慮する。耐術能の評価には，年齢調整を含めたチャールソン並存疾患指数（Charlson Comorbidity Index；CCI）**（表8）**[10]と，米国麻酔学会による術前状態分類（American Society of Anesthesiologists physical status；ASA-PS）を用いる（p.1022参照）。CCI 6点以上またはASA-PS 3以上は手術危険因子である[8]。

重症度Grade Ⅲの場合の治療フローチャートを**図1**[8]に示す。まず臓器障害の正常化に努め，抗菌薬投与を行う。CCI 4点以上またはASA-PS 3以上はphysical status（PS）不良であり，緊急/早期の胆嚢ドレナージを行う。また，致死性臓器障害として中枢神経障害や呼吸機能障害，T-Bil 2mg/dL以上の存在は手術死亡を増加させる危険因子であり，緊急/早期の胆嚢ドレナージを行う。胆嚢ドレナージ後にPSが改善すれば，待機的手術を考慮できる。ただし，腹腔鏡下胆嚢摘出術は，集中治療を含めた全身管理が可能であり，急性胆嚢炎手術に熟練した内視鏡外科医の勤務する施設で行うべきである。胆嚢ドレナージ後の適切な手術時期に関して，一定のものはない。患者の危険因子を念頭に，最適な時期を判断する。

急性胆嚢炎の診断時は，壊疽性胆嚢炎や胆嚢穿孔，気腫性胆嚢炎，胆嚢捻転症などの合併に注意し，緊急手術の適応を見誤らないよう注意する。

急性肝炎

急性肝炎の主な原因はウイルス性（A型，B型，C型，E型など）であるが，ほかにアルコール性，非アルコール性脂肪肝炎，薬剤性がある。一般的には予後良好であるが，劇症化することもある。

1 一般療法

顕性黄疸（T-Bil ≧4.0mg/dL）またはPT-INR >1.5を呈する場合，床上安静，入院を検討する。顕性黄疸があるときは，脂肪制限食とする。輸液はブドウ糖を中心とし，高カロリー輸液の必要性はない[11]。

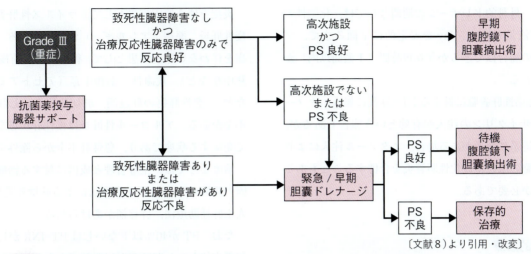

図1 急性胆嚢炎（重症）の治療フローチャート

致死性臓器障害：中枢神経障害，呼吸機能障害または黄疸（T-Bil 2 mg/dL 以上）
治療反応性臓器障害：循環障害または腎機能障害（治療により早期に回復する可能性がある）
高次施設：集中治療を含む全身管理が可能，かつ急性胆嚢炎手術に習熟した内視鏡外科医がいる施設
PS 良好：CCI 3 点以上かつ ASA-PS 2 以下，PS 不良：CCI 4 点以上または ASA-PS 3 以上
腹腔鏡下胆嚢摘出術困難例では，開腹移行を含めた危機回避手技を検討する

2 薬物療法

高ビリルビン値（T-Bil ≧5.0mg/dL）が4週間以上持続する胆汁うっ滞型に対しては，ステロイドおよびウルソデオキシコール酸を内服投与する。

B型急性肝炎重症型および劇症肝炎の場合には，抗ウイルス薬のラミブジン投与が有効とされる[12]。C型急性肝炎に対しては，直接作用型抗ウイルス薬（direct acting antivirals；DAA）を投与する。

アルコール性肝炎重症度スコアで中等症や重症の場合は，副腎皮質ステロイドの使用が推奨される。

肝膿瘍

肝膿瘍は，原因により化膿性（主に腸内細菌）とアメーバ性（*Entamoeba histolytica*）に大別される。治療の基本は抗菌薬と経皮的膿瘍ドレナージである。肝嚢胞の嚢胞内感染に対しても，肝膿瘍と同様の治療を要する。

1 抗菌薬治療

1）化膿性の場合

複数の菌が起因になるため，嫌気性菌も対象に含める。アンピシリン・スルバクタムを第一選択とし，重症ではメロペネムの使用を考慮する。

2）アメーバ性の場合

メトロニダゾールの内服が第一選択であるが，経口摂取不能の際は注射薬を使用する。アメーバ腸炎合併例では，パロモマイシン硫酸塩の内服を行う。パロモマイシンは腸管からほとんど吸収されない。

3）両者判別不能の場合

膿瘍への薬剤移行性を考慮し，ニューキノロン系とメトロニダゾールを併用する。

2 経皮的膿瘍ドレナージ

化膿性に対してはドレナージが必要である。一方，アメーバ性は基本的にドレナージの適応とならず，5～7日間の保存的治療で改善せず症状が持続する場合，または膿瘍径が5～10cm以上で破裂の危険がある場合，肝左葉に腫瘍があり心腔内に穿破する危険性がある場合にはドレナージを考慮する[13]。

多発している場合は，大きな数個の膿瘍に対し，超音波やCTガイド下で経皮的経肝膿瘍ドレナージ（percutaneous transhepatic abscess drainage；PTAD）を行う。ただし，出血傾向や腹水がある場合は適応をよく検討する。また，肋間からの穿刺経路は経胸的になるため慎重に行う。

経皮的ドレナージが不可能な場合や，膿瘍が腹腔内に穿破し腹腔ドレナージも必要な場合には外科的ドレナー

ジを行う。外科的ドレナージの期間としては、化膿性の場合は排液量が10mL/dayを安定的に下回るまで、アメーバ性の場合はできるかぎり短時間（1週間以内）がよいとされる[14]。

また、感染性肝囊胞に対するPTAD後に無水エタノールやミノサイクリンの注入が有効という報告もあるが、囊胞と胆道系に交通がある場合、エタノール注入により胆管壁細胞の壊死や硬化性胆管炎を合併することもあるため注意が必要である。

3 外科的治療

抗菌薬治療およびPTAD治療に抵抗性である場合、または膿瘍が穿孔し腹膜炎を合併している場合、肝膿瘍の原因が胆管狭窄に起因している場合には外科的治療を要する。治療抵抗性の因子は、多発膿瘍、膿瘍径5cm以上、壊死組織を含む粘稠度の高い膿を含むもの、胆道系に異常を伴うもの、隔壁により隔絶されているもの、厚い皮膜を有するもの、腹腔内に膿瘍の原因となる外科的疾患（魚骨や爪楊枝などの異物穿通も含む）が併存するものとされる[15]。

1）開腹ドレナージ

全身麻酔下に開腹し、壊死物質を切除して腹腔内洗浄を行う。膿瘍が穿孔し全身状態不良であり、肝切除では過大侵襲と考えられる場合はよい適応となる。

2）肝切除

Strongらの報告[15]では、15年間で49例の肝切除を実施しており、非手術療法開始から手術までの平均期間は12日間で、術式は右葉切除、左葉切除、外側区域切除などであった。Chenら[16]は、肝切除のほうがドレナージ治療よりも再発が少なく、入院期間の短縮にもつながり有用であると報告している。

急性肝不全（劇症肝炎）

急性肝不全とは、正常肝ないし肝予備能が正常と考えられる肝に肝障害が生じ、初発症状出現から8週以内に高度な肝機能障害（PTが40％以内ないしPT-INRが1.5以上）を示すものである。急性肝不全には昏睡型と非昏睡型があり、昏睡型で肝に炎症を伴うものは劇症肝炎と呼ばれる。また、昏睡型は「急性型（昏睡Ⅱ度まで10日以内）」と「亜急性型（昏睡Ⅱ度まで11〜56日以内）」に分けられる（**表9**）[17]。

炎症を伴う原因疾患として、ウイルス性肝炎、自己免疫性肝炎、薬剤（アレルギー）性肝炎がある。一方、炎症を伴わない原因疾患として、循環障害（術後、感染症、熱中症など）、代謝性、薬物中毒（アセトアミノフェンなど）、悪性腫瘍の肝浸潤、肝切除後ないし肝移植後肝不全がある。アルコール性肝炎は慢性肝疾患を基礎として発症する病態であり、急性肝不全から除外する。

治療としては、全身管理と成因に対する治療による原因の排除のほか、肝庇護療法による肝壊死進展の阻止、人工肝補助療法、肝移植があげられる。

なお、PTが40％以下ないしPT-INRが1.5以上で、初発症状ないし肝障害が出現してから8〜24週以内に昏睡Ⅱ度以上の脳症が出現したものは「遅発性肝不全」と呼ばれるが、治療は急性肝不全に準ずる[17]。

1 全身管理

1）呼吸管理

低酸素血症をきたさないように酸素投与を行う。肺の血管透過性亢進のため、急性肺障害やARDSを呈することがあり注意を要する。

2）循環管理

循環不全は肝不全をさらに悪化させるため、必要に応じてカテコラミンを使用する。

3）腎機能管理

肝腎症候群による腎不全を合併することがあり、BUN、Cre、eGFRをモニターする。必要があれば透析療法も行う。

4）脳浮腫対策

ナトリウムの過剰投与に注意し、肝性昏睡が悪化する場合には頭蓋内圧低下目的でマンニトールの投与を考慮する。必要があれば軽度の低体温療法も併用する。

5）凝固・線溶系管理

肝での凝固因子産生が低下するため新鮮凍結血漿を投与する。またアンチトロンビン（AT）活性も低下しやすいため、AT-Ⅲ活性値70％未満であればAT-Ⅲ製剤を補充する。

6）栄養管理

肝での糖新生が妨げられるため、グルコースの静脈内投与が必要である。また、肝性昏睡の改善のため、分岐鎖アミノ酸を多く含む薬剤（アミノレバンなど）の使用を考慮する。肝機能が廃絶している場合には高アミノ酸血症の原因となるが、血液浄化療法を実施していれば回

表9 急性肝不全と遅発性肝不全の定義

急性肝不全

正常肝ないし肝予備能が正常と考えられる肝に肝障害が生じ，初発症状出現から8週以内に，高度の肝機能障害に基づいてプロトロンビン時間（PT）が40％以下ないしはPT-INRが1.5以上を示すもの（ただし，アルコール性肝炎を除く）

【昏睡型急性肝不全】

昏睡Ⅱ度以上の肝性脳症を呈するもの
- 急性型：初発症状出現から昏睡Ⅱ度以上の肝性脳症が出現するまで10日以内
- 亜急性型：初発症状出現から昏睡Ⅱ度以上の肝性脳症が出現するまで11日以降56日以内

【非昏睡型急性肝不全】

肝性脳症が認められない，ないしは昏睡度がⅠ度までのもの

遅発性肝不全

PTが40％以下ないしはPT-INRが1.5以上で，初発症状ないし肝障害が出現してから8週以降24週以内に昏睡Ⅱ度以上の脳症を発現するもの

〔文献17〕より作成〕

肝性脳症の昏睡度分類は犬山分類（1972年）に基づく。ただし，小児では「第5回小児肝臓ワークショップ（1988年）による小児肝性昏睡の分類」を用いる

避できる。適切な腸肝循環を維持するために腸内細菌叢の改善を図ることが重要であり，これを妨げ得る予防的抗菌薬投与は避けるべきである。

2 原因治療

1）抗ウイルス療法

B型肝炎ウイルス増殖抑制目的にインターフェロン療法，核酸アナログ療法を行う。C型肝炎ウイルスによる劇症化はまれであるが，抗ウイルス療法を行うことがある。

2）ステロイドパルス療法

自己免疫性肝炎やアレルギー性薬物肝障害の場合にはステロイドパルス療法を行う。ただし，治療として肝移植を考慮している場合は慎重に検討する。

3）免疫抑制薬

自己免疫性肝炎やアレルギー性薬物肝障害に対して，保険適用外であるが免疫抑制薬を投与することがある。

4）N-アセチルシステイン

従来，アセトアミノフェンの過量内服による薬剤性肝障害の予防に対して適応とされているが，内服から時間が経過した肝不全に対して効果が認められたという報告もある[18]。

3 肝庇護療法

肝庇護薬による治療は，肝炎を鎮静化し肝組織の線維化進展を抑えることを目的とする。科学的に有用性が示されているのは，ウルソデオキシコール酸（UDCA）と強力ネオミノファーゲンC（SNMC）である[19]。

1）ウルソデオキシコール酸（UDCA）

UDCAの肝機能改善効果は，1日150mg投与から認められている[20]。全国多施設で施行された二重盲検試験では，UDCA 150mg/day投与群に比べ，600mg/dayおよび900mg/day投与群でのAST，ALT値，γ-GTP値が有意に改善した[21]。副作用として，胃部不快感，下痢，便秘などの消化器症状が認められるが，比較的軽いことが多い。

2）強力ネオミノファーゲンC（SNMC）

甘草の成分であるグリチルリチンが主成分で，肝障害への作用機序は，グリチルリチンのもつ弱ステロイド作用による抗炎症作用，肝細胞膜の保護作用などである。これらの作用によってALT値が改善すると考えられている。1日40mLを1カ月間投与するわが国での二重盲検試験において，SNMC投与群はプラセボ群よりも有意にAST値とALT値の改善が得られた[22]。投与量は，40〜100mLを連日または間欠投与するが，わが国で行われた用量比較試験では40mL投与よりも100mL投与のほうが有意にALT値の改善が認められた[23)24]。

表10 劇症肝炎の肝移植適応ガイドライン・スコアリングシステム

項目	スコア 1	スコア 2	スコア 3
発症～昏睡（day）	0～5	6～10	11≦
PT（％）	20<	5＜ ≦20	≦5
T-Bil（mg/dL）	<10	10≦ <15	15≦
D-Bil/T-Bil	0.7≦	0.5≦ <0.7	<0.5
血小板（万）	10<	5＜ ≦10	≦5
肝萎縮	なし	あり	

〔文献28）より引用〕

※合計点と予測死亡率
0点：ほぼ0％，1点：約10％，2～3点：20～30％，4点：約50％
5点：約70％，6点以上：90％以上

3）グルカゴン・インスリン療法

グルカゴン・インスリン療法は肝細胞再生の促進が目的とされるが，生存率に有意差は認められていない。

4 人工肝補助療法（ALS）

血液浄化療法による人工肝補助療法（artificial liver support；ALS）の目的は，肝での代謝が低下することによって蓄積した中毒物質を除去し，肝細胞の再生を待つことである。肝移植までのつなぎ治療（bridge to transplant）として行われることもある。昏睡Ⅱ度以上の肝性脳症が出現したら実施する。

1）血漿交換

通常，1回に30～40単位の新鮮凍結血漿が使用される。肝性昏睡起因物質を除去し，肝合成物質も補充できる。PT活性が30％以上になるようにする。高ナトリウム血症，高カルシウム血症，代謝性アシドーシスに注意する。

2）血液濾過透析

アンモニアなどの小～中分子量除去に有用である。血漿交換とあわせて，24時間持続で行う持続型血液濾過透析（continuous hemodiafiltration；CHDF）で行う場合もある。

3）高流量持続型血液濾過透析（high flow CHDF）

脳浮腫改善のための血液濾過量のさらなる増加を目的とする。多用途血液処理用装置を使用し，バッグ型濾過型人工腎臓用補液を用いて後希釈法で行う。

4）on-line CHDF

一般の多用途透析装置を用いて，透析液の一部を大量に補充液として用いる前希釈法による方法である。肝性昏睡の覚醒率の向上が期待できるが，透析液の高い清浄度が求められる。

5 肝移植

脳症の進行による昏睡と著明な肝萎縮は保存的治療のみでは予後不良であり，従来の治療法では予後が1年以内と推定される場合に肝移植が必要となる。移植後の生存率は70～80％と良好であり[25)〜27)]，脳死・生体肝移植の可能性を考慮しながら集中治療を行うべきである。

肝移植の適応はスコアリングシステム（表10）[28)]を活用して判断する。昏睡Ⅱ度以上の肝性脳症が確認された時点の数値を用いて評価し，合計5点以上であれば予測死亡率が高く，肝移植の適応ありと判定される。

一方，肝移植の禁忌は，不可逆性脳障害，低酸素血症（ARDS，肺水腫），多臓器不全，敗血症性ショック，広範囲にわたる腸間膜静脈血栓，アルコールや薬物依存が成因，肝機能改善である。なお，アルコール性肝硬変に対する肝移植は，移植前に，生体肝移植では6カ月，脳死肝移植では18カ月の禁酒期間を医療機関が確認していることを条件に認められている。

慢性肝不全（肝硬変，アルコール性肝炎）

慢性肝不全とは，発症から24週以上経過してから肝不全症状が出現するものである。栄養療法，抗ウイルス療法のほか，各合併症に対する治療を要する。

1 栄養療法

1日の総摂取カロリーより約200kcalを分割し就寝前に摂取する。就寝前エネルギー投与（late evening snack；LES）が推奨されている[29]。耐糖能異常に注意する。必要に応じて分岐鎖アミノ酸製剤を投与する。

2 抗ウイルス療法

B型肝硬変に対して，核酸アナログ製剤投与は肝線維化，肝予備能を改善し，肝発がんを抑制するため推奨されている[29]。C型代償性肝硬変に対しては，インターフェロンフリーのDAA投与が推奨されている[19]。

3 合併症の治療

1）食道・胃静脈瘤破裂

非選択的βブロッカー（カルベジロールなど）や一硝酸イソソルビドは門脈圧を低下させ，出血を予防する。ただし，保険適用はない。添付文書上，バソプレシンは食道静脈瘤出血の緊急処置に適応があるが，実際には内視鏡的止血が優先される。

食道静脈瘤の再出血予防のため内視鏡的静脈瘤結紮術や内視鏡的静脈瘤硬化療法が提案されている。胃静脈瘤の再出血予防には，バルーン閉塞下逆行性経静脈的塞栓術（balloon occluded retrograde transvenous obliteration；B-RTO）が提案されている。

2）腹　水

低アルブミン血症や大量腹水穿刺排液時のアルブミン投与は予後を改善する。利尿薬はスピロノラクトンが第一選択であり，ループ利尿薬を併用する。バソプレシンV_2受容体拮抗薬（トルバプタン）も有用である。難治性腹水に対する大量腹水穿刺排液や腹水濾過濃縮再静注法は有用である。

腹水を伴う重症肝硬変に対しては，予防的な抗菌薬投与が特発性細菌性腹膜炎の発症または再燃を抑制するが，保険適用はない。

3）肝腎症候群

急激に進行する1型肝腎症候群（hepatorenal syndrome with acute kidney injury；HRS-AKI）に対するアルブミン投与は予後を改善する。ノルアドレナリンとの併用投与も提案されている。肝移植は根本的な治療である。

4）肝性脳症

非吸収性合成二糖類（ラクツロースなど）を第一選択薬として投与する。分岐鎖アミノ酸（BCAA）製剤も改善に有用である。非吸収性抗菌薬投与（リファキシミンなど）も有効である。

5）サルコペニア

サルコペニア，すなわち骨格筋量および筋力または身体機能が低下した状態は，肝硬変症例の予後不良因子である。運動療法と栄養療法が提案されている。

▶文　献

1) 大槻眞，他：急性膵炎をめぐる最近の動向；急性膵炎重症度判定基準と診断基準の改訂．胆と膵 29：301-5，2008．
2) 急性膵炎診療ガイドライン2021改訂出版委員会（編）：急性膵炎診療ガイドライン2021，第5版，金原出版，2021．
3) Bevan MG, et al：The oral refeeding trilemma of acute pancreatitis：What, when and who? Expert Rev Gastroenterol Hepatol 9：1305-12, 2015.
4) 日本消化器病学会（編）：慢性膵炎診療ガイドライン2021，改訂第3版，南江堂，2021．
5) Jakobs R, et al：Buprenorphine or procaine for pain relief in acute pancreatitis：A prospective randomized study. Scand J Gastroenterol 35：1319-23, 2000.
6) Drewes AM, et al：Guidelines for the understanding and management of pain in chronic pancreatitis. Pancreatology 17：720-31, 2017.
7) 日本消化器病学会（編）：胆石症診療ガイドライン2021，改訂第3版，南江堂，2021．
8) 急性胆管炎・胆囊炎診療ガイドライン改訂出版委員会：急性胆管炎・胆囊炎診療ガイドライン2018，医学図書出版，2018．
9) Evans L, et al：Surviving sepsis campaign：International guidelines for management of sepsis and septic shock 2021. Intensive Care Med 47：1181-247, 2021.
10) Charlson M, et al：Validation of a combined comorbidity index. J Clin Epidemiol 47：1245-51, 1994.
11) 臨床医マニュアル編集委員会（編）：消化器疾患；急性肝炎．臨床医マニュアル，第5版，医歯薬出版，2016，pp 1076-84．
12) 日本肝臓学会肝炎診療ガイドライン作成委員会（編）：B型肝炎治療ガイドライン（第4版），2022．https://www.jsh.or.jp/medical/guidelines/jsh_guidlines/hepatitis_b.html
13) 日本感染症学会ホームページ：感染症クイック・リファレンス；アメーバ肝膿瘍，2019．https://www.kansensho.or.jp/ref/d02.html
14) 臨床医マニュアル編集委員会（編）：消化器疾患；肝膿瘍．臨床医マニュアル，第5版，医歯薬出版，2016，pp 1224-8．
15) Strong RW, et al：Hepatectomy for pyogenic liver abscess. HPB（Oxford）5：86-90, 2003.

16) Chen LE, et al：Cut it out：Managing hepatic abscesses in patients with chronic granulomatous disease. J Pediatr Surg 38：709-13, 2003.
17) 厚生労働省難治性疾患政策研究事業「難治性の肝・胆道疾患に関する調査研究」班：急性肝不全の診断基準（2015年改訂版）.
http://www.hepatobiliary.jp/modules/medical/index.php?content_id=13
18) Harrison PM, et al：Improved outcome of paracetamol-induced fulminant hepatic failure by late administration of acetylcysteine. Lancet 335：1572-3, 1990.
19) 日本肝臓学会肝炎診療ガイドライン作成委員会（編）：C型肝炎治療ガイドライン（第8.2版）, 2023.
https://www.jsh.or.jp/medical/guidelines/jsh_guidlines/hepatitis_c.html
20) Takano S, et al：A multicenter randomized controlled dose study of ursodeoxycholic acid for chronic hepatitis C. Hepatology 20：558-64, 1994.
21) Omata M, et al：A large-scale, multicentre, double-blind trial of ursodeoxycholic acid in patients with chronic hepatitis C. Gut 56：1747-53, 2007.
22) Suzuki F, et al：Effects logic examination. Seventy-one patients in Group A of glycyrrhizin on biochemical tests in patients with chronic hepatitis. Double-blind trial. Asian Med J 26：423-38, 1983.
23) Iino S, Tet al：Therapeutic effects of stronger neo-minophagen C at different doses on chronic hepatitis and liver cirrhosis. Hepatol Res 19：31-40, 2001.
24) Miyake K, et al：Efficacy of Stronger Neo-Minophagen C compared between two doses administered three times a week on patients with chronic viral hepatitis. J Gastroenterol Hepatol 17：1198-204, 2002.
25) Farmer DG, et al：Liver transplantation for fulminant hepatic failure：Experience with more than 200 patients over a 17-year period. Ann Surg 237：666-75, 2003.
26) Barshes NR, et al：Risk stratification of adult patients undergoing orthotopic liver transplantation for fulminant hepatic failure. Transplantation 81：195-201, 2006.
27) Ikegami T, et al：Living donor liver transplantation for acute liver failure：A 10-year experience in a single center. J Am Coll Surg 206：412-8, 2008.
28) 厚生労働省難治性疾患政策研究事業「難治性の肝・胆道疾患に関する調査研究」班：劇症肝炎の肝移植適応ガイドライン・スコアリングシステム（2009年）.
http://www.hepatobiliary.jp/modules/medical/index.php?content_id=13
29) 日本消化器病学会, 他（編）：肝硬変診療ガイドライン2020, 改訂第3版, 南江堂, 2020.

7 腎・泌尿器系疾患

栗原 智宏

急性腎盂腎炎

1 疫 学

急性腎盂腎炎の発生率は，性別および入院患者か外来患者かによって異なる。米国のデータではあるが，1万人当たりの年間発症数は，女性の外来患者で12～13人，女性の入院患者で3～4人，男性の外来患者で2～3人，男性の入院患者で1～2人と報告されている[1]。年齢層によっても発症率は異なり，性的活動期の女性，乳児，高齢者の順に高い。起炎菌は，単純性では大腸菌がもっとも多いが，複雑性の起炎菌は多岐にわたり予測不能である[1,2]。

2 病態生理

一般に尿路の逆行性感染により惹起される有熱性尿路感染症である。集合管から腎実質まで組織破壊が波及し，血流感染を合併しやすい特徴をもつ。基礎疾患（前立腺肥大症，神経因性膀胱，尿路結石，尿路悪性腫瘍，尿路カテーテル留置，糖尿病やステロイド投与などの全身性易感染状態）の有無により，単純性と複雑性に分類される。成人男性の腎盂腎炎はすべて複雑性と判断してよい[3,4]。複雑性のなかでも，閉塞性腎盂腎炎では尿の流れが妨げられ，急速に急性腎盂腎炎から敗血症に陥る。多くは結石性であるが，腫瘍の鑑別も要する。閉塞性腎盂腎炎は緊急で尿管ステントや腎瘻などのドレナージを要することが多く，注意が必要である（後述の「尿路結石」を参照）。

3 症 状

典型的には，先行する膀胱炎症状に加え，発熱や悪寒，全身倦怠感などの全身症状，悪心・嘔吐などの消化器症状，腰背部痛などが認められる。脱水に伴う意識障害がみられることもある。

4 検査・診断

尿検査では膿尿や細菌尿，血液検査では白血球増多などの炎症所見を認める。起炎菌検索目的に尿培養を施行し，血液培養も考慮すべきである。

画像検査は，施行するのであればCT検査であるが，急性腎盂腎炎は臨床症状や検査データから比較的容易に診断され，適切な抗菌薬治療に良好に反応する。そのため，単純性であれば急いでCT検査を施行する必要はない。American College of Radiology のガイドラインでも，抗菌薬治療開始から72時間以内によく反応すれば，単純性急性腎盂腎炎ではCT検査は必要ないとされている[5]。ただし，急性腎盂腎炎以外の感染症も疑う場合や，複雑性尿路感染症を疑う場合，72時間以内に良好な反応が認められない場合には，単純もしくは造影CT検査を考慮する。急性腎盂腎炎の単純CT像を図1に示す。

5 治 療

尿培養検査の結果が判明するまで，広域抗菌薬の使用を考慮する（empiric therapy）。治療開始後3日目を目安に効果判定を行い，細菌学的結果が判明した時点で菌種，薬剤感受性に基づく適正な抗菌薬に切り替える（definitive therapy）。可能であれば，狭域スペクトラムの抗菌薬への切り替えが望ましい（de-escalation）。閉塞性腎盂腎炎の場合は緊急で尿管ステントや腎瘻などのドレナージを要する。

気腫性腎盂腎炎

1 疫 学

気腫性腎盂腎炎はまれな病態であり，明確な疫学的データはない。糖尿病や尿路閉塞が背景にある患者に多く，大腸菌や肺炎桿菌が原因菌であることが多いとされる[6]。早期診断と全身管理の進歩により致死率は低下しているものの，死亡率は約20％と報告されている[7]。

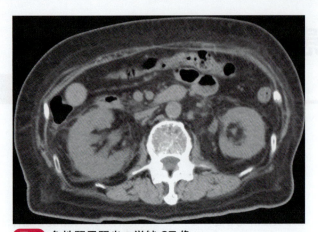

図1 急性腎盂腎炎の単純CT像
右腎が腫大し，周囲脂肪織濃度上昇を認める

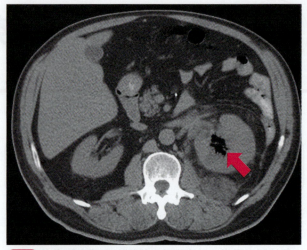

図2 気腫性腎盂腎炎の単純CT像
左腎に気腫性変化（矢印）を認める

表1 気腫性腎盂腎炎の分類（Huangらの分類）

Class 1	ガスが腎盂・腎杯内にとどまる
Class 2	ガスが腎実質内にとどまり，腎外への進展を伴わない
Class 3A	ガスおよび膿瘍が腎周囲のみ（腎筋膜内）に進展
Class 3B	ガスおよび膿瘍が腎周囲腔（腸腰筋など）まで進展
Class 4	両側または単腎症例に生じた病変

〔文献6）より引用・改変〕

2 病態生理

急性腎盂腎炎の劇症化した病態と考えられ，嫌気性菌の感染により，腎実質や腎周囲にガス産生をきたす。

3 症　状

急性腎盂腎炎と同様の症状を呈するが，急激に進行し，容易に敗血症に陥るため，全身状態に注意して管理する必要がある。

4 検査・診断

超音波検査やCT検査で気腫性変化を認めれば，診断が可能である。単純CT像を図2に示す。CTのガス像や膿瘍の存在部位に基づくHuangらの分類（**表1**）[6]があり，治療方針決定の参考となる。

5 治　療

急性腎盂腎炎に準じて抗菌薬投与を開始するが，進行が早いため，全身管理を注意して行い，早期からドレナージや腎摘出術を考慮すべきである。

Huangら[6]は，CT分類に加えて，危険因子として血小板減少，急性腎不全，意識障害，ショックをあげ，Class 1〜3で危険因子が1個までの場合には，経皮的ドレナージを併用した保存的治療を推奨している。一方，Class 1および2で治療に反応しない場合，Class 3で危険因子が2個以上の場合，Class 4で両側（単腎症例の場合は片側）の経皮的ドレナージにて改善しない場合には，腎摘出術を推奨している。

急性巣状細菌性腎炎

1 疫　学

急性腎盂腎炎の患者のうち，画像上約15％に急性巣状細菌性腎炎（acute focal bacterial nephritis；AFBN）

の所見が認められ，AFBN の所見を認めなかった患者と比べると若年で，非特異的な臨床症状を呈し，長期の治療期間が必要であったと報告されている[8]。

2 病態生理

1979年に Rosenfield らにより提唱された疾患概念で，膿瘍などの液状化成分を伴わない腫瘤様構造の形成を特徴とする，腎実質の局所感染である。急性腎盂腎炎から腎膿瘍や腎周囲膿瘍へ進展する前の病態と考えられているが，尿中白血球や尿培養の所見に乏しい症例も多く，長い治療期間など，腎盂腎炎との臨床的な差異は大きい。しかし，腎盂腎炎と急性巣状細菌性腎炎は基本的に抗菌薬などで保存的に治療されることが多く，両者を明確には区別せず，一連の疾患として扱っていることもある。

3 症　状

多彩な臨床症状を呈する。発熱を認めることが多いが，そのほか腹痛や腰背部痛など典型的な症状を認める場合もある。一方で，食思不振や意識障害などの非特異的な臨床症状のみを呈する例もあり，不明熱として精査されることもある。腎・尿路系の症状を呈さない患者でも鑑別として念頭に置く必要がある。

4 検査・診断

前述したように，尿所見で異常所見を呈しないことがある。診断にもっとも有用とされるのは造影 CT である。単純 CT で異常を指摘することは困難であり，造影 CT で造影良好な腎実質のなかに，造影効果が低下している腫瘤状部分を認める（図3）。排泄相においても造影効果が低下していることが一般的である。

超音波検査では腎の軽度腫大とともに腎実質内に低エコー域を認める場合が多く，最初に行う検査として有用ではあるが，異常を認めない例も多いとされている[9]。

5 治　療

急性腎盂腎炎に準じて治療を開始するが，単純性腎盂腎炎と比べ抗菌薬投与が長期間となる。

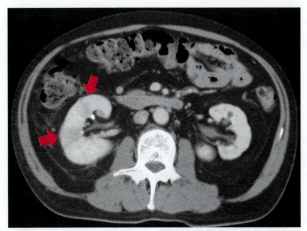

図3 急性巣状細菌性腎炎の造影 CT 像
右腎に造影効果が不良な腫瘤状の領域（矢印）を認める

腎膿瘍

1 疫　学

腎膿瘍は，気腫性腎盂腎炎と同様にまれな病態であり，明確な疫学的データはない。糖尿病や尿路閉塞が背景にある患者に多いとされる[10]。

2 病態生理

腎実質内に限局して膿が貯留した状態である。被膜下や腎周囲腔に膿瘍を形成することもあり，その場合は腎周囲膿瘍と呼ばれる。大部分は大腸菌による上行性感染で，急性腎盂腎炎からの増悪であるが，黄色ブドウ球菌による血行性感染やリンパ行性感染も原因となり得る。

3 症　状

悪寒を伴う発熱・倦怠感，背部や側腹部の自発痛（CVA tenderness）などの症状が認められる。敗血症に陥る可能性があり，全身状態に注意する。

4 検査・診断

超音波検査や CT 検査で囊胞性病変として認識される（図4）。造影 CT では内部の造影効果は乏しく，壁は造影されるため，リング状を呈する。CT 検査は膿瘍の範囲・程度の判断に有用で，ドレナージの経路の選定にも必要となる。

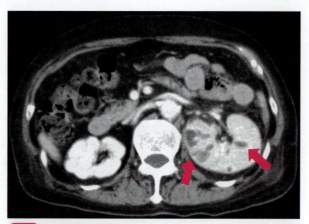

図4 腎膿瘍の造影 CT 像
左腎に周囲造影効果を伴う low density area（矢印）が散在している

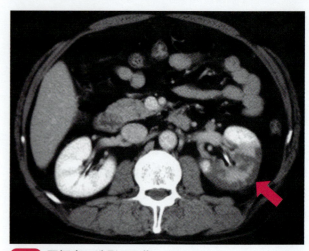

図5 腎梗塞の造影 CT 像
左腎に造影不良域（矢印）を認める

5 治 療

抗菌薬投与を開始するが，膿瘍が大きい場合は穿刺ドレナージや腎摘出術を考慮する必要がある。一般的には膿瘍が直径3cm以下であれば保存的治療が期待でき，5cmを超えると超音波もしくはCTガイド下に穿刺ドレナージが行われる[11]。ドレナージ不良もしくはドレナージの効果が期待できない場合には腎摘出術が考慮される。

腎梗塞

1 疫 学

救急患者の0.013％，入院患者の0.003％が腎梗塞と診断されたとの報告がある[12]。別の報告でも，入院患者の0.007％，100万人当たり6.1人の頻度と報告されており[13]，まれな病態である。

2 病態生理

何らかの理由で主または分岐腎動脈が閉塞する病態である。多くは塞栓症であり，末梢の腎組織が虚血に陥り梗塞を生じる。心房細動が塞栓症の原因となることが多い。そのほか，アテローム性動脈硬化症，腎動脈瘤，腎動脈解離，血管炎，担がん患者の凝固異常，外傷などによって発症することがある。

3 症 状

突然発症する腹痛や背部痛，嘔気などを認め，尿路結石と鑑別を要する。特異的ではないが，発熱や血圧上昇を伴うこともある。

4 検査・診断

採血ではLDH上昇，尿検査では尿蛋白や尿潜血を認めることが多い。確定診断は造影CTやMRI検査，超音波検査など，腎の血流を評価可能な検査を施行する。造影CT像を図5に示す。そのほか，原因特定のために凝固能を確認し，12誘導心電図を行う。また，まずは経胸壁心エコー検査を行い，それらの結果をもって，経食道心エコー検査の必要性を考慮する。腎障害の確認のため，腎機能検査や尿検査を行う。

5 治 療

原疾患を検索し，それに応じた治療を行う必要がある。急性期に診断ができれば，抗凝固療法に加えて経皮的血管内治療（血栓溶解薬およびカテーテルによる血栓除去術）の施行を考慮できる。経皮的血管内治療の適応がないと判断された場合，禁忌がなければヘパリンの静脈内投与で治療を開始する。

膀胱炎

1 疫 学

　急性単純性膀胱炎は，男性よりも女性が圧倒的に多く罹患する。起炎菌は *Escherichia coli* が約70％で，そのほか *Proteus mirabilis* や *Klebsiella* 属などを含めグラム陰性桿菌が約80〜85％を占める。グラム陽性球菌は約15〜20％で検出され，*Staphylococcus* 属，*Streptococcus* 属，*Enterococcus* 属などが分離される[2]。

2 病態生理

　尿道口からの病原菌の侵入により発症する。基礎疾患（前立腺肥大症，神経因性膀胱，尿路結石，尿路悪性腫瘍，尿カテーテル留置，糖尿病やステロイド投与など）の有無により単純性と複雑性に分類される。成人男性に尿路感染症が発症した場合，複雑性尿路感染症と判断してよい。

3 症 状

　頻尿，排尿痛，尿混濁，残尿感，膀胱部不快感などを認め，発熱は通常伴わない。

4 検査・診断

　尿検査は診断に必須であり，膿尿や細菌尿がみられる。

5 治 療

　Escherichia coli を中心とするグラム陰性桿菌におけるキノロン耐性株およびESBL（extended-spectrum β-lactamase）産生株の割合が年々増加する傾向にある。薬剤耐性菌出現抑制の観点から，尿検査でグラム陽性球菌が確認されている場合にはキノロン系薬を第一選択とし，尿検査でグラム陰性桿菌が確認されている場合にはセフェム系薬，またはβ-ラクタマーゼ阻害薬配合ペニシリン系薬が推奨されている[2]。

急性細菌性前立腺炎

1 疫 学

　前立腺炎症状の有病率を調査した5つの疫学研究をまとめたレビューでは，2.2〜9.7％の男性が前立腺炎の症状についてさまざまな基準を満たしていたと報告されており[14]，患者数は比較的多いと考えられる。原因菌の65〜87％は大腸菌で，緑膿菌が3〜13％，*Klebsiella* 属が2〜6％，グラム陽性球菌が3〜5％，その他が9％程度とされる[2]。

2 病態生理

　前立腺に経尿道的や血行性に細菌感染を生じる。急性細菌性前立腺炎の患者側因子として，前立腺肥大症，神経因性膀胱，糖尿病などがあげられる。また，尿道カテーテルや膀胱鏡，前立腺針生検が誘因となることがあるが，多くの原因は不明である。

3 症 状

　前立腺が腫れ，頻尿，尿意切迫感，排尿障害，排尿時痛，血尿がみられる。炎症に伴い悪寒や発熱を認める。勃起時や射精時に疼痛を伴うことがある。

4 検査・診断

　尿検査で膿尿や細菌尿，前立腺の触診にて腫脹や圧痛を認める。治療薬の選択のため，尿培養を提出し，敗血症を疑う場合は血液培養も提出する。高齢者の急性前立腺炎の5〜10％で前立腺膿瘍を併発するとされ，経腹壁，経直腸的な超音波検査が有用な場合がある。

5 治 療

　empiric therapy には原則として注射剤による治療が行われる。第2・3世代セフェム系薬，β-ラクタマーゼ阻害薬配合ペニシリン系薬，キノロン系薬が主に用いられる。抗菌薬治療開始3日後を目安にempiric therapyの効果を判定し，培養結果が判明しだいdefinitive therapyに切り替える[2]。抗菌薬治療に加え，膿瘍を形

成している場合にはドレナージが考慮される。尿閉をきたした場合，膀胱瘻造設を考慮する。

前立腺膿瘍

1 疫　学

急性細菌性前立腺炎に前立腺膿瘍が合併する頻度は報告や年齢層により異なるが，高齢男性では約5〜10％に合併するとも報告される[15]。原因菌に関しては急性細菌性前立腺炎と同様，大腸菌が多いとされる。

2 病態生理

局所的に膿瘍が形成される病態である。前立腺生検や経尿道操作後などの下部尿路操作後に併発するリスクが高い。糖尿病やステロイドの使用，HIV感染などの免疫低下状態が背景にある可能性がある[16]。

3 症　状

急性細菌性前立腺炎を伴わない場合は自覚症状に乏しく，発熱のみが主訴の場合があるため注意を要する。

4 検査・診断

直腸診で前立腺部の波動を触れることがあるが，膿瘍が内腺領域に限局する場合やサイズが小さい場合には触知しないことも多い。画像診断として，経直腸超音波は有用で，前立腺内の血流を伴わない低エコー領域を確認することで診断できるが，救急医の診断ツールとして一般的とはいえない。造影CTで膿瘍辺縁が造影される低エコー領域を認めることで診断が確定できる。また，前立腺膿瘍をみた場合，他臓器の膿瘍が合併している可能性を考慮する[17]。

5 治　療

抗菌薬治療のみで軽快するケースもあるが，薬剤抵抗性例やサイズが大きい例では外科的ドレナージが必要なことがある。外科的ドレナージには，経尿道的ドレナージ（経尿道的前立腺切除）と経会陰的ドレナージがある。ドレナージチューブ留置の必要性については明確な基準は定められていない。抗菌薬は，フルオロキノロン系薬による経験的抗菌薬治療を行う。投与期間の明確な基準はないが，最低でも2週以上の投与期間を設定する[18]。

尿路結石

1 疫　学

わが国における疫学調査によると，初発上部尿路結石の推定人数は17万5,343人，年間罹患率は10万人対137.9人で，男性の6.5人に1人，女性の13.2人に1人が一生に一度は罹患する疾患である[19]。

2 病態生理

尿路結石とは，腎から外尿道口に至る尿路に存在する固形の物質を指す。上部尿路結石（腎結石，尿管結石）と下部尿路結石（膀胱結石，尿道結石）に分けられ，上部尿路結石が多く，カルシウム結石がその大半を占める。結石が尿の流れを妨げることで感染や疼痛を引き起こす可能性がある。

3 症　状

小さな結石の場合は無症状のまま尿とともに排泄され，無症状で経過することがある。主に尿管や腎盂などの結石により尿路の急性閉塞を引き起こすと，側腹部から下腹部，背中などに激しい痛みを生じる。疼痛は陰部や鼠径部へ放散することもあり，そのほか嘔気・嘔吐，血尿，尿意切迫を生じることもある。

4 検査・診断

ほとんどの場合，単純CT検査で診断が可能である（図6）。他疾患の鑑別が必要な場合は造影CT検査を考慮する。超音波検査では片側性の腎盂拡張から疑うことは可能であるが，必ずしも全例で認める所見ではなく，局所診断は困難なことも多いものの，スクリーニング検査としては有用である。腎尿管膀胱単純撮影でも結石が描出されれば診断可能な場合もあるが，X線陰性結石や小結石の場合は検出不能で否定しきれず，血管の石灰化を尿路結石と誤認する場合もある。

血尿に関しては認めない例もあり，血尿を認めてもそ

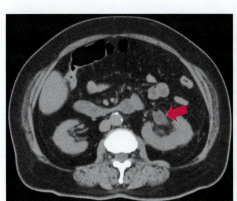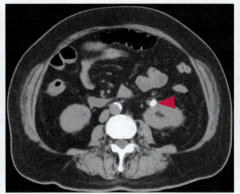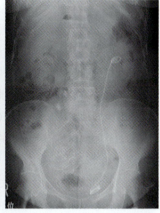

図6 左尿管結石の単純CT像，およびDouble-Jステント留置後の単純X線像
左腎盂の拡張（矢印）がみられる。遠位ではhigh density area（矢頭）を認め，尿管結石の所見である。Double-Jステントを留置した

の他の疾患を除外できない。検尿検査は，感染の合併を考慮して確認する意義がある。

5 治療

　一般に，長径10mm未満の結石の場合は自然排石が期待できるため，疼痛管理を行いつつ経過観察を行う。疼痛管理に関しては非ステロイド性抗炎症薬（NSAIDs）が第一選択である。使用にあたっては，腎機能低下例では注意を要し，アスピリン喘息患者では禁忌である。第二選択はモルヒネ製剤やペンタジンなどである。臭化ブチルスコポラミンは鎮痙目的で使用されるが，補助的薬剤としての位置づけである[20]。

　結石が10mm以上で自然排石が困難な場合は，体外衝撃波結石破砕術や経尿道的尿路結石破砕術を考慮する。尿の流れが妨げられ，急性腎盂腎炎（結石性腎盂腎炎）の合併から敗血症性ショックに陥った場合は，緊急で尿管ステントや腎瘻などのドレナージを要する。

急性陰嚢症

　陰嚢の急性の疼痛を主症状とする疾患の総称で，精巣上体炎や精巣捻転症，精巣付属器捻転症（精巣垂捻転，精巣上体垂捻転）の頻度が高い。なかでも精巣上体炎や精巣捻転症の診断を早急に行う必要がある。直接生命を脅かす可能性は低いが，診断が遅れると精巣摘出が必要になる場合がある。

1 精巣上体炎

1）疫学
　成人における陰嚢痛のもっとも一般的な原因で，発生率は10,000人当たり25～65人とされる[21]。

2）病態生理
　精巣上体の炎症により痛みと腫脹をきたす急性疾患である。通常は膀胱や尿道，または前立腺の感染が射精管から精管を経由して精巣上体に達し発症する。小児では尿路感染症と下部尿路奇形または包茎と関連することが多いが，中高年以降では前立腺肥大，尿路感染症，尿道カテーテル操作や留置などがもっとも一般的な原因である。性活動期の男性で最多の原因は尿道炎である。

3）症状
　陰嚢の腫脹と同部の強い疼痛を認め，通常は発熱も伴う。

4）検査・診断
　膀胱炎あるいは尿道炎を伴う場合は検尿で膿尿を認める。血液検査では，白血球増加やCRP上昇などの炎症所見を認める。原因微生物同定のため，尿路感染と同様に尿培養・薬剤感受性試験を行う。性活動期の患者の場合は初尿での *Neisseria gonorrhoeae*, *Chlamydia trachomatis* の検査を行う。もっとも重要な鑑別すべき疾患は，後述する精巣捻転である。

5）治療
　性活動期の男性では尿道炎の原因微生物である *Neisseria gonorrhoeae*, *Chlamydia trachomatis* を念頭に置いた治療を考える。それ以外の年齢では *Escherichia coli* を中心とした下部尿路感染症の原因微生物を念頭に置いて治療を行う。

2 精巣捻転

1）疫 学

思春期に好発し，寝ているときに発症することが多い。発症頻度は，わが国では年間男性10万人当たり0.56人[22]，英国では25歳未満男性10万人当たり25人[23]と報告されており幅があるが，比較的まれな疾患といえる。左精巣が右精巣よりも約2～3倍多く発症することがわかっており[24]，その理由として左側の精索のほうが長いために捻転しやすいという解剖学的要因があげられている。

2）病態生理

精巣が回転して，精巣動静脈および精管からなる精索がねじれることによって，精巣の血流障害をきたす。

3）症 状

患側の陰嚢から鼠径部・下腹部にかけての激しい疼痛で始まり，陰嚢が腫大する。嘔気・嘔吐を伴うこともあり，年少の男児では症状を正確に訴えられず「腹痛」で受診することがあるため注意を要する。

4）検査・診断

いわゆるゴールデンタイム（6～12時間以内）に血液の流れを回復しないと精巣は壊死に陥るため，発症早期の診断が重要である。本疾患が念頭にあれば，挙睾筋反射の消失や患側精巣の腫大・疼痛など身体所見から疑うことは容易である。画像検査としてはドプラ超音波検査で精巣への血流低下を確認できれば診断ができる。

精巣上体炎との鑑別を要するが，診断が確実でない場合は緊急手術が勧められる。

5）治 療

まず用手的整復を試みてよいが，奏効しないことが多く，泌尿器科へのコンサルトおよび手術時機を逸しないことが重要である。手術にて捻転を解除し，色調の変化・回復を確認したうえで固定する。精巣が梗塞をきたしている場合には摘除が必要となる。温存しても摘除しても，対側の確認と固定を行う。精巣が温存できても血流の回復が十分でないと，精巣の萎縮や造精機能への影響が出ることを考慮する。

尿路系の性感染症

性感染症は性行為によって感染を起こす病気の総称である。性感染症の病原体（細菌やウイルスなど）は主に感染者の精液や腟分泌液などに存在し，多くは性行為によってその体液に（主に粘膜が）直接触れることにより感染する。自覚症状は男女によっても異なり，個人差も大きい。性感染症に感染しても，自覚症状がないことも多く，感染者が気づかないままパートナーに感染させることもある。

梅毒，淋菌感染症，性器クラミジア感染症，性器ヘルペスウイルス感染症，尖圭コンジローマ，トリコモナス症が代表的であるが，単独感染とは限らず，混合感染にも注意が必要である。男性の尿道炎を引き起こす性感染症は，淋菌性と非淋菌性に大別される。非淋菌性は，さらにクラミジア性と非クラミジア性に分類される。そのほか，トリコモナス症によっても尿道炎が引き起こされるが，男性は無症状で経過することも多い。淋菌感染症の潜伏期間は2～7日ほど，性器クラミジア感染症の潜伏期間は1～2週間ほどであり，排尿痛や尿道分泌物を認める。精巣上体炎や前立腺炎に進展する可能性もあり，注意を要する。

▶文 献

1) Czaja CA, et al：Population-based epidemiologic analysis of acute pyelonephritis. Clin Infect Dis 45：273-80, 2007.
2) 日本感染症学会, 他：JAID/JSC 感染症治療ガイド・ガイドライン2015；尿路感染症・男性性器感染症. 日化療会誌 64：1-30, 2016.
3) Ishikawa K, et al：The nationwide study of bacterial pathogens associated with urinary tract infections conducted by the Japanese Society of Chemotherapy. J Infect Chemother 17：126-38, 2011.
4) Matsumoto T, et al：Nationwide survey of antibacterial activity against clinical isolates from urinary tract infections in Japan（2008）. Int J Antimicrob Agents 37：210-8, 2011.
5) Expert Panel on Urologic Imaging：ACR Appropriateness Criteria® acute pyelonephritis. J Am Coll Radiol 15：S232-9, 2018.
6) Huang JJ, et al：Emphysematous pyelonephritis：Clinicoradiological classification, management, prognosis, and pathogenesis. Arch Intern Med 160：797-805, 2000.
7) Ubee SS, et al：Emphysematous pyelonephritis. BJU Int 107：1474-8, 2011.

8) Campos-Franco J, et al：Acute focal bacterial nephritis in a cohort of hospitalized adult patients with acute pyelonephritis：Assessment of risk factors and a predictive model. Eur J Intern Med 39：69-74, 2017.
9) Sieger N, et al：Acute focal bacterial nephritis is associated with invasive diagnostic procedures：A cohort of 138 cases extracted through a systematic review. BMC Infect Dis 17：240, 2017.
10) Coelho RF, et al：Renal and perinephric abscesses：Analysis of 65 consecutive cases. World J Surg 31：431-6, 2007.
11) Siegel JF, et al：Minimally invasive treatment of renal abscess. J Urol 155：52-5, 1996.
12) Nagasawa T, et al：A case series of acute renal infarction at a single center in Japan. Clin Exp Nephrol 20：411-5, 2016.
13) Korzets Z, et al：The clinical spectrum of acute renal infarction. Isr Med Assoc J 4：781-4, 2002.
14) Krieger JN, et al：Epidemiology of prostatitis. Int J Antimicrob Agents 31（Suppl 1）：S85-90, 2008.
15) Schaeffer AJ, et al：Urinary tract infections in older men. N Engl J Med 374：2192, 2016.
16) Ludwig M, et al：Diagnosis and therapeutic management of 18 patients with prostatic abscess. Urology 53：340-5, 1999.
17) Ackerman AL, et al：Diagnosis and treatment of patients with prostatic abscess in the post-antibiotic era. Int J Urol 25：103-10, 2018.
18) Abdelmoteleb H, et al：Management of prostate abscess in the absence of guidelines. Int Braz J Urol 43：835-40, 2017.
19) Sakamoto S, et al：Chronological changes in the epidemiological characteristics of upper urinary tract urolithiasis in Japan. Int J Urol 25：373-8, 2018.
20) 日本泌尿器科学会, 他（編）：尿路結石症診療ガイドライン, 第2版, 金原出版, 2013.
21) Çek M, et al：Acute and chronic epididymitis. Eur Urol Suppl 16：124-31, 2017.
22) 秦野直, 他：九州地方における精巣捻転の臨床的検討；九州泌尿器科共同研究. 西日泌 64：380-90, 2002.
23) Hazeltine M, et al：Testicular torsion：Current evaluation and management. Urol Nurs 37：61-71, 93, 2017.
24) 日本泌尿器科学会（編）：急性陰嚢症診療ガイドライン2014年版, 金原出版, 2014.

V 疾患領域別の救急診療

8 代謝・内分泌系疾患

橋口 尚幸

代謝とは，外界から取り入れた無機物や有機化合物を素材として，脂肪，糖質，蛋白質などを作り，これらを化学反応させて活動するエネルギーを作り出して，生体の恒常性を維持することである．身体内には100種以上のホルモンならびにホルモン様物質が存在しており，この反応を円滑に，かつうまく調和するように働いている．代謝・内分泌系疾患とは，このホルモンを作る内分泌臓器の障害により，ホルモン分泌の異常（増加または低下）が起こった状態，あるいは，そのホルモンが作用する対象臓器の異常（ホルモン受容体やホルモン情報伝達の障害）によりホルモン作用の異常が起こった状態のことである．

最近のトピックスとして，悪性腫瘍に対する免疫チェックポイント阻害薬使用時に発症する可能性のある間質性肺炎などの免疫関連有害事象のなかに，下垂体機能低下症，副腎皮質機能低下症，甲状腺機能異常症，副甲状腺機能低下症，1型糖尿病を発症することが報告されている．これらの内分泌障害では，副腎クリーゼ，甲状腺クリーゼ，低カルシウム血症，糖尿病ケトアシドーシスなど，緊急対応を要する状態となることもあり得る．

低血糖症

1 疫学

低血糖は，糖尿病治療薬，あるいはその他の薬物（アルコールを含む）への曝露によって引き起こされることがもっとも多い．表1[1]に，糖尿病治療薬とアルコール以外で低血糖をきたすおそれのある薬剤一覧を示す．また，インスリノーマ，末期臓器不全，敗血症，飢餓，ホルモン欠損症，非β細胞性腫瘍，遺伝性代謝疾患，胃手術の既往など，ほかの多くの疾患も低血糖を引き起こす可能性がある．

2 病態生理

絶食時に血中グルコース濃度が生理的範囲内で低下すると，膵β細胞からのインスリン分泌が減少し，肝でのグリコーゲン分解と糖新生が増加する．インスリン分泌の低下は低血糖に対する第一の防御になる．血中グルコース濃度が生理的範囲以下に低下すると，膵α細胞からグルカゴンが分泌され，肝グリコーゲン分解を刺激する．これが第二の防御になる．グルカゴン分泌が不十分な場合，副腎髄質からアドレナリンが分泌され，肝グリコーゲン分解と糖新生を刺激する．これが第三の防御である．さらに低血糖が遷延する場合，コルチゾールと成長ホルモンもグルコース産生促進と利用抑制に働く．

低血糖は重度で遷延した場合に致死的となり得るため，低血糖を防止するために生体にはいくつもの防御機能が備えられている．低血糖の際に血糖値を上昇させる働きをするこれらのホルモンを，インスリン拮抗ホルモンと称する．

3 症状

交換神経症状と中枢神経症状がある．一般的には交感神経症状が先行し，その後に中枢神経症状が出現する．それぞれの症状と目安の血糖値を図1に示す．

表1 低血糖の原因となり得る薬剤（糖尿病治療薬とアルコールを除く）

不整脈治療薬	シベンゾリン，ジソピラミド，ピルメノール，ソタロール
降圧薬	アンジオテンシンⅡ受容体拮抗薬（ARB），アンジオテンシン変換酵素（ACE）阻害薬，β遮断薬
鎮痛解熱薬	インドメタシン
抗菌薬	ニューキノロン系，クラリスロマイシン，セフェム系（ピボキシル基を有すもの），ペンタミジン

〔文献1）より引用・改変〕

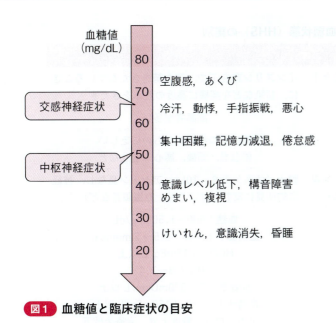

図1 血糖値と臨床症状の目安

インスリノーマなどで慢性的に低血糖をきたした場合は，前述したインスリン分泌の低下，グルカゴン，アドレナリンの分泌増加，さらに成長ホルモンやコルチゾールの分泌が増加した状態が続くことで，これらインスリン拮抗ホルモンへの反応が低下する。それにより交感神経症状が脱落し，中枢神経症状のみが認められることがあり，注意を要する。この場合，健忘や錯乱，意識消失，片麻痺などの中枢神経症状をきたして救急搬送され，別の疾患として対応された結果，低血糖に対する治療が遅れて不可逆的なダメージを中枢神経系にきたすおそれがある。そのため，意識障害や片麻痺を呈する患者ではまず血糖のチェックを施行する。

4 検査・診断

Whippleの三徴，すなわち①空腹時・運動時の意識消失など低血糖に合致する症状があること，②症状出現時の血糖値が50mg/dL以下であること，③ブドウ糖投与などにより症状が改善することから低血糖と診断する。同時に，低血糖をきたしている原因についての検索が必要である。

5 治療

経口摂取できる場合は，安全を見越してブドウ糖を15～20g（60～80kcal）投与する。経口摂取不能の場合は，50％ブドウ糖溶液を40mL速やかに静注する。2～3分以内に意識は回復するが，再び低血糖をきたすことがあるため，血糖測定の再検を行い，経過を観察する。速やかに静脈路確保できない場合，グルカゴン 0.5～1mgの皮下もしくは筋肉内注射，あるいは点鼻製剤（グルカゴン 3mg）を使用する。

糖尿病ケトアシドーシス 高浸透圧高血糖状態

1 疫 学

糖尿病ケトアシドーシス（diabetic ketoacidosis；DKA）は，糖尿病経過中に発症する重篤な急性代謝障害である。糖尿病患者で，感染症や心血管疾患などの併発時，悪心・嘔吐などの消化器症状のため摂食不良時にインスリンを減量・中止するなどのマネジメントエラー，大量飲酒の際にも認められる。さらに，ステロイドやサイアザイド，ペンタミジンおよび向精神薬などの薬剤によってももたらされ，1型糖尿病の初発の症状として認められることがある。一方，2型糖尿病患者でも大量の糖質摂取によりもたらされる，いわゆるソフトドリンクケトーシスを呈することがあり，DKAの20～30％を占めるとの報告もある[2]。推定死亡率は1％未満である[3]。

高浸透圧高血糖状態（hyperosmolar hyperglycemic state；HHS）は，2型糖尿病患者，とくに高齢患者が，肺炎や尿路感染症などの感染症，脳卒中，手術，ステロイドや利尿薬などの薬剤をきっかけに発症することが多く，推定死亡率は13～19％とDKAに比べて有意に高い[4]。通常は症候性高血糖の期間を経て発症し，この期間中の水分摂取が不十分であると，高血糖誘発性の浸透圧利尿による極度の脱水を生じる。

2 病態生理

DKAの病態は，高血糖，ケトーシス，代謝性アシドーシスをきたすことである。インスリンが欠乏すると，生体はグルコースの代わりにトリグリセリドおよびアミノ酸を代謝してエネルギーを得ようとする。具体的には，グルカゴン分泌が亢進し，ミトコンドリアで遊離脂肪酸からケトン体生成が進行する（ケトーシス）。ケトン体はアセトン，アセト酢酸，β-ヒドロキシ酪酸の総称であるが，アセトンは中性であり，ケトアシドーシスに関与するのはアセト酢酸とβ-ヒドロキシ酪酸である。

表2 糖尿病ケトアシドーシス（DKA）と高浸透圧高血糖状態（HHS）の鑑別

	DKA	HHS
病態	インスリン欠乏と拮抗ホルモンの増加によるケトン体増加と浸透圧利尿による脱水	インスリン存在下で，高血糖をきたしているときに，感染などを契機に高度の脱水をきたす
好発年齢	若年者（30歳以下）が多い	高齢者が多い
主な症状	激しい口渇，多飲，全身倦怠感 悪心・嘔吐，腹痛など	明確かつ特異的なものに乏しい 倦怠感，頭痛，悪心・嘔吐など
身体所見	脱水（体液欠乏3～6L），発汗なし，アセトン臭あり，Kussmaul呼吸，神経学的所見に乏しい	脱水（体液欠乏8～10L），アセトン臭なし，神経学的所見に富む（けいれん，意識障害など）
主な検査所見	血糖：250～1,000mg/dL 血清総ケトン体：3mmol/L以上 HCO_3^-：18mEq/L以下 pH：7.3以下 血清浸透圧：正常～300mOsm/L 血清ナトリウム：正常～軽度低下 血清カリウム：軽度上昇，治療後低下	血糖：600～1,500mg/dL 血清総ケトン体：0.5～2mmol/L HCO_3^-：18mEq/L以上 pH：7.3～7.4 血清浸透圧：320mOsm/L以上 血清ナトリウム：150mEq/L以上 血清カリウム：軽度上昇，治療後低下
予後	推定死亡率1％未満	推定死亡率16～20％

〔文献2）を参考に作成〕

インスリン欠乏による高血糖は，浸透圧利尿を引き起こし，尿からの水分および電解質の著明な喪失につながる。体液欠乏は3～6Lに及ぶ。血清ナトリウム値はナトリウム利尿によって低下するか，または大量の自由水の排泄によって上昇する。血清カリウムも大量に失われる。カリウムはアシドーシスに反応して細胞外へと移動するため，体内の総カリウム量が有意に欠乏しているにもかかわらず，初期の血清カリウム値は正常もしくは上昇する。

正常血糖ケトアシドーシスとは，明らかな高血糖を合併しないケトアシドーシスをきたす病態である。血液ガスでアニオンギャップ開大型の代謝性アシドーシスを認めるが，pHは呼吸性に代償されて，正常範囲であることも多い。適切な治療がなされないと，体内のケトン体産生がさらに増え，脱水が進行し，DKAへ増悪する。

経口血糖降下薬であるSGLT2阻害薬の内服は正常血糖ケトアシドーシス発症因子の一つとされている。SGTL2阻害薬は，近位尿細管でのブドウ糖の再吸収を抑制するため，血中の糖新生の亢進と遊離脂肪酸の放出を促進させる。また，SGLT2阻害薬自身に血中グルカゴンレベルを上昇させる働きがあり，ケトン体産生亢進につながる。そこに過度の糖質制限やストレス，インスリンの自己中断，甲状腺機能亢進症の発症，妊娠中などが誘因となって脂肪分解が亢進し，ケトン体生成が増加して発症する。

HHSは，ケトン体生成を抑制するのに十分な量のインスリンがあるため，血清ケトン体は存在しないか，あってもごくわずかである。そのため，アシドーシスの症状は存在しない。大半の患者は発症前にかなり長期間にわたって浸透圧性の脱水を発症し，8～10Lの体液欠乏が存在する。そのため，通常，血糖値（>600mg/dL）および浸透圧（>320mOsm/L）はDKAよりも大幅に高い。

3 症状

共通した臨床所見は，1～2日の経過で，急激な口渇，多飲，多尿，倦怠感，嘔気・嘔吐，腹痛，種々の程度の意識障害，体重減少などの脱水に起因した症状を呈する。DKAでは，代謝性アシドーシスを補正するための過呼吸（Kussmaul呼吸），呼気のアセトン臭（甘酸っぱい，独特の臭気）を認めることもある。DKAとHHSの鑑別を**表2**[2)]に示す。

4 検査・診断

1）DKA

DKAの診断は，上記の既往や症状に加え，高血糖（>250mg/dL），アニオンギャップ開大型の代謝性アシドーシス（血液ガスpH 7.30以下，HCO_3^- 18mEq/L以下）であり，血清中にケトン体（β-ヒドロキシ酪酸）を認

めることによる。尿試験紙はアセト酢酸に反応し，β-ヒドロキシ酪酸を検出しないため，ケトーシスの程度が過小評価されることがある。また，DKA発症の誘因の可能性も念頭に置き，血液検査や画像検査，培養検査などを必要に応じて施行する。

高血糖により血清浸透圧が上昇し，細胞内・組織間から血管内に水が移動して希釈性低ナトリウム血症を生じるため，血清ナトリウム値を評価するためには血糖値に応じた補正が必要となる。補正値は 補正$[Na] = [Na] + 1.6 \times [$血糖値$-100]/100$ で計算する。また，アシドーシスが補正されるとナトリウムポンプが活性化され，血清カリウム値が低下するため，血清カリウム値のこまめな測定が必要で，早めのカリウム補充を考慮する。

2）正常血糖ケトアシドーシス

正常血糖ケトアシドーシスの診断基準は，血糖値300mg/dL未満かつ血液ガスHCO_3^- 10mEq/L以下とされている。嘔吐，下痢，脱力などの主訴ならびにSGLT2阻害薬の内服があれば，疑いが強くなる。

3）HHS

HHSは，意識の変容を呈する患者で，末梢血での血糖値が高値であるときに疑う。検査所見は，高血糖（>600mg/dL），高浸透圧血症（有効浸透圧>320mOsm/L）をきたす。そのほか，一般採血に加え，血清ケトン体，血清浸透圧，尿中ケトン体を測定する。血清ナトリウム値は，循環血液量により低値または高値を示す。前述したように，高血糖により見かけ上は低ナトリウム血症を呈している可能性があり，前述の式で計算し，補正が必要かどうかを見極める。基本的には高度なアシドーシスは認めず，ケトーシスはあっても軽度にとどまる。DKAと同様に血糖コントロールの目的でインスリンを使用するため，血清カリウム値をこまめに測定し，早めのカリウム補充を考慮する。

5 治療

体液欠乏に対する十分な輸液，血糖値のコントロール，血清カリウム値の補正が治療の柱である。詳細は**表3**[2)]にまとめた。

アルコール性ケトアシドーシス

1 疫学

アルコール性ケトアシドーシスとは，慢性のアルコール中毒患者で，24時間以上アルコールや食事が摂れない状態の際に，高ケトン体血症（ケトーシス）による代謝性アシドーシスを発症したものである。好発年齢は20〜60歳で[5)]，1940年にDillonらが初めて報告し，1971年からアルコール性ケトアシドーシスの名称が使用されている[6)]。

2 病態生理

ケトアシドーシスの発生機序は以下のとおりである。

重篤な糖質不足を含めた栄養障害を呈している慢性のアルコール依存患者は，肝におけるグリコーゲンの貯蔵量が低下しているため，容易に細胞内飢餓状態を誘発する。すると，インスリン分泌低下/グルカゴン分泌増加を介して，トリグリセリドから脂肪酸が遊離し，ケトン体産生が増加する。産生される主要なケトン体である，アセト酢酸およびβ-ヒドロキシ酪酸が代謝性アシドーシスを引き起こす。また，エタノールは，アセトアルデヒドを経て酢酸に酸化され，さらにケトン体の基質となるアセチルCoAに代謝される。その過程で酸化型ニコチンアミドアデニンジネクレオチド（nicotinamide adenine dinucleotide；NAD）が，還元型NAD（reduced nicotinamide adenine dinucleotide；NADH）に還元されるため，NADH/NAD比が上昇する（**図2**）。NAD→NADHの反応は，TCA回路や糖新生など生体内での種々の代謝過程で行われており，NADH/NAD比の上昇は，TCA回路や糖新生を抑制する。

アセチルCoAはクエン酸回路（TCA回路）の基質となるが，NADH/NAD比の上昇によってTCA回路が抑制されると，アセチルCoAはTCA回路でなく，アセト酢酸へと代謝される。アセト酢酸は，β-ヒドロキシ酪酸とアセトンのいずれにも代謝されるが，NADH/NAD比が高いとアセト酢酸はβ-ヒドロキシ酪酸に代謝されやすくなる。さらに，慢性のアルコール依存患者は循環血液量も減少傾向であり，循環血液量の減少はストレスホルモンを増加させ，血中遊離脂肪酸の増加を介してケトン体産生に傾き，腎からのケトン体排泄

表3 糖尿病ケトアシドーシス（DKA）と高浸透圧高血糖状態（HHS）の治療方針

	DKA	HHS
治療概要	・細胞外液の十分量の投与が必要（尿量は目安にならない） ・目標血糖は250〜300mg/dL程度，急激な糖低下は脳浮腫発生の危険あり	
	・血糖値は50〜75mg/dL/hr程度の低下が目標 ・頻回に血清ナトリウム値，血清カリウム値を測定し適宜補充	・初期輸液が十分であれば75〜100mg/dL/hrの血糖値降下が見込める ・十分な初期輸液後，補正血清ナトリウム値を参考に輸液製剤を決定 ・頻回に血清カリウム値を測定し，適宜補充 ・HHSをもたらした誘因（基礎疾患）の治療
輸液量	体重の10％の水分が喪失している 生理食塩液500〜1,000mL/hr（15〜20mL/kg/hr）で開始→（循環動態に応じて）250〜500mL/hr目安→（血糖値250〜300mg/dLで）5％ブドウ糖入りの維持輸液	体重の10〜15％の水分が喪失している 生理食塩液500〜1,000mL/hr（15〜20mL/kg/hr）で開始→（循環動態に応じて）250〜500mL/hr目安
インスリン量	少量持続静注が原則（血糖値をみながら適宜調節） ・小児：0.05〜0.1単位/kg/hr ・成人：0.1単位/kg/hr	初期輸液のみで75〜100mg/dL/hrの血糖値降下が見込める 十分な脱水補正をしても50mg/dL/hr未満の血糖値低下であれば少量持続静注を開始 ・小児：0.05〜0.1単位/kg/hr ・成人：0.1単位/kg/hr
血清Na補正	補正［Na］＝［Na］＋1.6×［血糖値−100］/100 ・7〜10mEq/kgのナトリウムが欠乏している ・2時間ごとにチェックして適宜補正	補正［Na］＝［Na］＋1.6×［血糖値−100］/100 ・血清ナトリウム＜135mEq/L 　→生理食塩液（0.9％ NaCl）250〜500mL/hr ・血清ナトリウム＞135mEq/L 　→0.45％ NaCl（生理食塩液の1/2濃度）250〜500mL/hr
血清K補正	・もともと3〜5mEq/kgのカリウムが欠乏している ・さらに，血糖やアシドーシス改善に伴って血清カリウム値は低下する ・血清カリウム＜3.3mEq/L未満で，20〜30mEq/hrの速度で補充 ・4.0〜5.0mEq/Lの範囲で維持	
検査頻度	血糖は1時間ごと，電解質は2時間ごとにチェックする	

〔文献2）を参考に作成〕

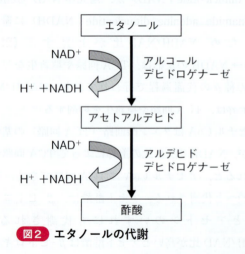

図2 エタノールの代謝

も，尿量減少とともに低下する。慢性のアルコール依存患者は容易にケトアシドーシスに傾きやすいが，アニオンギャップ開大に寄与する酸は乳酸である。アルコール肝障害により慢性的に肝で乳酸産生が亢進しているが，さらにビタミンB_1欠乏，けいれんなどが乳酸を増加させ，代謝性アシドーシスが増悪する。

3 症 状

悪心・嘔吐，腹痛，頻脈，頻呼吸，腹痛を生じる。いずれも前述した病態に対応した症状である。アルコール多飲により膵炎を発症している場合もある。

4 検査・診断

ケトアシドーシスは，糖尿病性ケトアシドーシスをはじめ，アルコール，SGLT2阻害薬などの薬物，メタノール，エチレングリコールなどの毒素により引き起こされる[7]。アルコール性ケトアシドーシスの診断基準は存在しないが，長期間のアルコール飲酒歴，発症前の長期的な食事摂取不足による飢餓状態，著明なアニオンギャップの開大，β-ヒドロキシ酪酸が優位に上昇することなどから診断される。なお，尿試験紙でのケトン体はアセト酢酸が対象であり，β-ヒドロキシ酪酸は測定できないため注意が必要である。

5 治療

病態生理から勘案して，まず補液による糖補充，細胞外液の補充による腎からのケトン体の排泄促進，低栄養に対するビタミンB_1やマグネシウムの補充を，厳重にモニタリングしつつ行う必要がある。

乳酸アシドーシス

1 疫学

乳酸はグルコース代謝およびアミノ酸代謝の正常な副産物であり，肝でグルコースを生み出す糖新生の過程で代謝される。乳酸アシドーシスとは，種々の原因によって血中乳酸値が上昇し，代謝性アシドーシスをきたした病態をいい，アニオンギャップが著しく開大していることが特徴である。悪性腫瘍合併例やメトホルミン内服者の乳酸アシドーシスは予後不良であることが多く，死亡率は25％に及ぶとの報告もある[8]。

2 病態生理

乳酸アシドーシスを呈する主たる原因は，ショックの遷延や低酸素血症の遷延などにより，組織での酸素濃度が低下し，酸素を使わずにエネルギーを産生する嫌気的解糖が進行し乳酸が過剰に産生されることによる。また，とくに2型糖尿病で，ビグアナイド薬で治療されている場合，軽度でも腎障害が存在するとビグアナイド薬の腎からの排出が低下し，体内に蓄積される。ビグアナイド薬は肝で乳酸などからの糖新生を抑制する働きがメインであるため，乳酸が蓄積され，乳酸アシドーシスを発症する。その他の原因として，重症の肝不全やエタノールによる糖新生異常の状態でも発症する。エタノールによる糖新生のメカニズムは，アルコール性ケトアシドーシスの項を参照のこと。

3 症状

初期には，悪心，嘔吐，腹痛，下痢などの消化器症状から始まることが多い。筋肉痛や倦怠感を訴えることもよくみられる。適切な対処がなされない場合，数日～数週間の期間を経て，過呼吸，脱水，低血圧，昏睡となり，やがて死に至る。

4 検査・診断

動脈血ガス検査で，乳酸濃度＞5～6 mmol/L かつ pH＜7.35で乳酸アシドーシスと診断する。アニオンギャップ（anion gap；AG），デルタギャップ（delta gap；DG）を測定する。

体内の環境は，電気的中性の法則によって陽イオン数と陰イオン数は同じであるが，すべての陽イオンや陰イオンを一般の臨床生化学検査で測定するわけではないため，ギャップが発生する。未測定の陰イオンは20～24mEq/L（20～24mmol/L）で，未測定の陽イオンは10mEq/L（10mmol/L）であることから，AGの正常値は12±2mEq/L（12±2mmol/L）となる。AGは代謝性アシドーシスの原因を鑑別するために用いる指標となり（表4），$AG = Na^+ - (Cl^- + HCO_3^-)$ で概算する。AGの増加は，負電荷（陰イオン）をもつ酸（ケトン体，乳酸，硫酸，メタノール，エチレングリコール，サリチル酸の代謝物など）がHCO_3^-を消費する場合に引き起こされる。

一方，DGは患者のAGと正常なAGの差のことで〔DG＝測定AG－正常AG（通常10を使用）〕，AGが1増加するごとにHCO_3^-が緩衝により1減少するため，DG値はHCO_3^-の値に相当するとみなされる。測定されたHCO_3^-にDGを足すと，HCO_3^-の値は正常範囲内〔22～28mEq/L（22～28mmol/L）〕に入るはずである。値が正常範囲を超えているようであれば，代謝性アルカローシスも存在することになる。

表4 アニオンギャップから考えられるアシドーシスの種類

アニオンギャップが上昇	アニオンギャップが正常
・乳酸アシドーシス ・ケトン性アシドーシス ・糖尿病アシドーシス ・アルコール性アシドーシス ・尿毒症性アシドーシス ・腎不全 ・敗血症 ・薬物中毒（サリチル酸，メタノール，アセトアミノフェンなど）	・下痢 ・尿細管性アシドーシス ・原発性副甲状腺機能亢進症 ・先天性副腎皮質過形成 ・Fanconi 症候群 ・麻痺性イレウス

5 治 療

 診断時には全身状態が不良なことが多く，ショック状態の改善，呼吸補助，循環補助を含めた全身管理を行う。基礎疾患を有する場合は原因疾患の治療も行う。

粘液水腫性昏睡

1 疫 学

 甲状腺で分泌される甲状腺ホルモン T_3，T_4 は99％以上がサイロキシン結合グロブリン（thyroxine binding globulin；TBG），アルブミンなどの血漿蛋白に結合している。残りの遊離型（free T_3；FT_3，free T_4；FT_4）が細胞膜を通過する。組織で T_4 は T_3 に変換され作用を発現する。
 粘液水腫性昏睡とは，甲状腺機能低下症（原発性または中枢性）が基礎にあり，重度で長期にわたる甲状腺ホルモンの欠乏に由来する，あるいはさらに何らかの誘因（薬剤，感染症など）により惹起された低体温，呼吸不全，循環不全などから，中枢神経系の機能障害をきたす病態である。わが国の発生頻度・死亡率は不明で，2008年の予備調査でも数年で10数例の確診例があったのみである[9]。しかし，診断に至らなかった例，見過ごされている例もあると考えられている。

2 病態生理

 粘液水腫性昏睡は，原発性甲状腺機能低下症である慢性甲状腺炎が基礎にあることがもっとも多いが，ほかに甲状腺全摘出術後，放射性ヨード内用療法後，頸部放射線照射後，リチウムやアミオダロン誘発性甲状腺機能低下症が基礎となることもある。これに，感染症，外傷，心血管疾患，消化管疾患，代謝疾患あるいは抗不安薬，向精神薬，睡眠薬などの薬物が誘因となり得る。

3 症 状

 古典的な粘液水腫顔貌（顔面は無気力で浮腫状，眼瞼浮腫，眉毛の外側が薄い，厚い口唇，舌腫大，粗雑な毛髪）を呈し，腱反射は遅延する。甲状腺腫の有無は原疾患の病状によるため，明らかでないこともある。2010年に日本甲状腺学会が発表した診断基準（3次案）を表5[10]に示す。
 診断基準の必須項目である意識障害で，向精神薬や睡眠薬内服が誘因となり得るため，粘液水腫性昏睡か薬剤の影響か，しばしば鑑別に難渋するが，甲状腺機能低下症を認める場合は粘液水腫性昏睡の症状とすべきである。低体温は，細胞内 T_3 濃度低下により熱産生が低下し，さらに視床下部における体温調節機能の低下もきたすため，体温35℃以下の低体温をきたしやすい。低換気により呼吸性アシドーシスを呈し，さらに進行すると CO_2 ナルコーシスを呈する。循環では低体温により末梢血管が収縮するが，その神経血管調節機構が破綻して低血圧，徐脈，低心拍出を呈する。また，循環血漿量低下に伴う腎血流低下により，自由水クリアランスの低下や，ADH（antidiuretic hormone）分泌過剰が関与して，低ナトリウム血症を発症する。

4 検査・診断

 顔貌などからまず甲状腺機能低下症を疑うことが肝要である。内分泌検査では，FT_3 低値，FT_4 低値，甲状腺刺激ホルモン（thyroid stimulating hormone；TSH）が

表5 粘液水腫性昏睡の診断基準（3次案）

必須項目
①甲状腺機能低下症
②中枢神経症状（JCS 10以上，GCS 12以下）

症候・検査項目
1．低体温（35℃以下：2点，35.7℃以下：1点）
2．低換気（$PaCO_2$ 48mmHg以上，動脈血pH 7.35以下，酸素投与：いずれか該当すれば1点）
3．循環不全（平均血圧75mmHg以下，脈拍数60回/min以下，昇圧薬投与：いずれか該当すれば1点）
4．代謝異常（血清ナトリウム130mEq/L以下：1点）

診断

【確実例】
必須項目①②＋症候・検査項目2点以上

【疑い例】
・甲状腺機能低下症を疑う所見があり，必須項目①は確認できないが，必須項目②＋症候・検査項目2点以上
・必須項目①②＋症候・検査項目1点
・必須項目①があり，軽度中枢神経症状（JCS 1〜3 または GCS 13〜14）＋症候・検査項目2点以上

〔文献10)より引用・一部改変〕

表6 粘液水腫性昏睡に対する甲状腺ホルモン・副腎皮質ステロイドの使用例

甲状腺ホルモン薬
・レボチロキシン（L-T_4）50〜200μg/day を経鼻胃管から投与
　→意識障害が改善するまで継続，あるいは翌日から50〜100μg/day 投与
・リオチロニン（L-T_3）〜50μg/day の併用を考慮

副腎皮質ステロイド
・ヒドロコルチゾン 100〜300mg を甲状腺ホルモン薬の投与に先行して静注
　→8時間ごとに100mg を追加投与し，副腎不全が否定されるまで漸減継続

〔文献9)より引用・改変〕

著明な高値の場合には原発性甲状腺機能低下症と診断できるが，FT_4低値，TSH 正常〜低値の際は，中枢性甲状腺機能低下症かlow-FT_3症候群（nonthyroidal illness）かの鑑別を要する。副腎不全の合併も考慮し，副腎皮質刺激ホルモン（adrenocorticotropic hormone；ACTH），コルチゾールの検査も必要である。

一般検査では，呼吸・循環不全に対する検索ならびに，骨格筋細胞膜の透過性が亢進するため，クレアチンキナーゼ（CK）がしばしば500U/L以上となり，あわせてCK-MM，LDHの上昇も認める。そのほか，低血糖，総コレステロール値の上昇，白血球減少，貧血を認める。

5 治療

投与する甲状腺ホルモンについて，合成甲状腺ホルモン製剤には，レボチロキシンナトリウム（L-T_4製剤），リオチロニンナトリウム（L-T_3製剤）がある。L-T_4製剤は安定して緩やかに甲状腺ホルモンを供給でき有害事象も少ないが，効果発現まで約14時間かかる。一方，L-T_3製剤は早期の臨床効果が得られやすいが，血中T_3濃度が高い群で有意に死亡率が増加することもあり，現時点では，L-T_4製剤に少量のL-T_3製剤を併用する方法が推奨されている。しかし，現時点まで粘液水腫性昏睡への甲状腺ホルモン補充に関するgolden standardはない。

副腎皮質ホルモンは，甲状腺ホルモンの補充に先立って投与する。甲状腺ホルモンを補充するとコルチゾールのクリアランスが速くなる一方，ACTH刺激に対するコルチゾール増加反応が障害され，相対的副腎不全になり得るためである。投与方法の例を**表6**[9)]に示す。

表7 甲状腺クリーゼの診断基準

必須項目

甲状腺中毒症の存在（少なくとも，遊離 T_3 および遊離 T_4 のいずれか一方が高値）

症状項目

1. 中枢神経症状：不穏，せん妄，精神異常，傾眠，けいれん，昏睡，JCS 1以上またはGCS 14以下
2. 発熱：体温38℃以上
3. 頻脈：130回/min 以上（心房細動では心拍数で評価）
4. 心不全症状：肺水腫，肺野50％以上の湿性ラ音，心原性ショックなど重度症状，NYHA 分類4または Killip 分類Ⅲ以上
5. 消化器症状：嘔気・嘔吐，下痢，黄疸（血中総ビリルビン値＞3 mg/dL）

診断

【確実例】
必須項目および以下のいずれかを満たす
 a：中枢神経症状＋ほかの症状項目1つ以上
 b：中枢神経症状以外の症状項目3つ以上
【疑い例】
 a：必須項目＋中枢神経症状以外の症状項目2つ
 b：必須項目を確認できないが，甲状腺疾患の既往，眼球突出，甲状腺腫があり，確実例条件aまたはbを満たす

〔日本甲状腺学会，日本内分泌学会（編）：甲状腺クリーゼ診療ガイドライン2017，南江堂，2017，p26より許諾を得て転載（http://www.japanthyroid.jp/doctor/img/crisis2.pdf 引用）〕

甲状腺クリーゼ

1 疫学

甲状腺クリーゼは，甲状腺中毒症に種々のストレスが加わって生体恒常性が破綻をきたし，多臓器不全となり致死的となった状態である．わが国では年間約250件発生している．基礎疾患としてバセドウ病がもっとも多く，抗甲状腺薬の不規則な服用，中断など不十分な状態に，感染症が誘因となることが多く，発症すると致死率は10％を超える[11]．

2 病態生理

甲状腺機能が亢進している状態とは，摂取した炭水化物や脂質からエネルギーを取り出す代謝が促進していることで，甲状腺クリーゼとは，亢進状態に加え何らかのストレス（手術や感染症など）がきっかけとなり，甲状腺機能が過剰に亢進している状態である．詳細な発症機序は不明であり，通常の甲状腺中毒症と区別できず，臨床的症状や徴候に基づいて診断される．甲状腺ホルモンレベルが著明に高くない場合でも発症することがある．

3 症状

日本甲状腺学会および日本内分泌学会によって作成された甲状腺クリーゼの診断基準（表7）[12]では，「甲状腺中毒症の存在またはその疑い」が必須項目となっている．症状の項では，中枢神経症状を軸として，発熱，頻脈，心不全症状，消化器症状の有無で診断する．確実例と疑い例が設けられ，幅広く拾い上げ早期治療に寄与するように工夫されている．例えば，体温38.0℃以上の発熱，130回/min 以上の頻脈など，具体的なカットオフ値も示されている．症状のうち中枢神経症状は，同疾患に合併がもっとも多く特異的である．

4 検査・診断

とくに循環器系の障害を認める可能性あるため，一般的な血液検査に加え，心筋マーカーなども考慮する．甲状腺関係では，FT_3，FT_4，TSH とともにバセドウ病の診断として TSH レセプター抗体（TSH receptor antibody；TRAb）も測定する．ただし，TRAb 値とバセドウ病の病勢は必ずしも一致しない．頻脈，心不全の疑いのため，12誘導心電図，胸部X線検査も必要であり，診断基準に従って診断する．

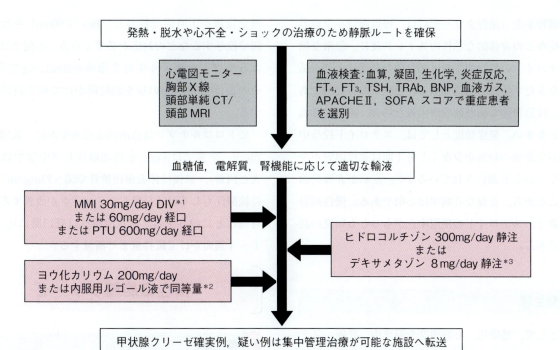

図3 バセドウ病による甲状腺クリーゼにおいて推奨する画像検査，血液検査，ならびに初期治療

MMI：メチマゾール，PTU：プロピルチオウラシル

*1 意識障害患者や消化管機能不全患者では，MMIの注射薬が望ましい．入手不能の場合は経口，胃管，経腸投与を行う

*2 無機ヨウ素薬の必要量は20mg程度と推定されるが，十分量を確保するため1日当たり200mg以上を投与する
有機化されるのを防ぐため，抗甲状腺薬投与後1時間以上空けるとの記載が成書にあるが，ヨウ素自体に有機化抑制作用があるため重症患者では速やかに投与すべきである

*3 ヒドロコルチゾン100mgを8時間ごとに静注，またはデキサメタゾン 8mg/dayを静注

〔日本甲状腺学会，日本内分泌学会（編）：甲状腺クリーゼ診療ガイドライン2017，南江堂，2017，p93より許諾を得て転載（Satohら，Endocr J 63：1025-64，2016改変）〕

5 治療

　甲状腺クリーゼを疑う場合は，疑診の段階で治療を始める必要がある．救急外来で，あるいは集中治療室で全身管理をしつつ，感染症などの誘因に対する治療とともに，亢進した甲状腺ホルモン作用に対する治療を同時に施行する（図3）[12]．

　バセドウ病をベースにした甲状腺クリーゼの場合，抗甲状腺薬としてメチマゾール（MMI）30mgを点滴静注，またはMMI 60mg/dayまたはプロピルチオウラシル（PTU）600mg/day経口投与を行い，T_4からT_3への変換抑制目的でヒドロコルチゾン 100mg×3回/day静注またはデキサメタゾン 8mg/day，さらに甲状腺ホルモン分泌抑制目的で無機ヨウ素薬（ヨウ化カリウム200mg，または内服用ルゴール液で同等量）を投与する．24〜48時間投与して臨床症状に改善傾向を認めなければ，血漿交換療法も考慮する．そのほか，高体温に対して，アイスパックなどによる全身冷却やアセトアミノフェン投与を行う．

　解熱薬は，遊離型甲状腺ホルモンの上昇をきたす可能性のあるNSAIDsよりも，その作用の少ないアセトアミノフェンが推奨される．頻脈に対して，T_4からT_3への変換抑制効果も加味してβブロッカーを使用するが，心不全を伴う場合は心停止を誘発する危険もあるため，厳格な心血行動態モニター管理下で，$β_1$選択性かつ短時間作用型遮断薬（プロプラノロールではなくランジオロール）を使用する．また，従来無機ヨウ素薬は抗甲状腺薬投与から1時間以上空けて使用するとされていたが，最近はできるかぎり早期の投与が推奨されている．

急性副腎不全（副腎クリーゼ）

1 疫学

　副腎では，皮質からコルチゾール（糖質コルチコイド），アルドステロン（鉱質コルチコイド），副腎アンドロゲンが，髄質からアドレナリン，ノルアドレナリンが分泌される．

急性副腎不全（副腎クリーゼ）は，慢性副腎不全患者で感染症などの身体的な急性のストレス後に，急激な糖質コルチコイドの絶対的または相対的な欠乏により，循環障害をきたす致死的病態である。症状が非特異的であるため，救急初診で病歴聴取が困難な場合，診断に難渋することも多い。発症頻度としては，ステロイド投与中の副腎不全患者の44％が少なくとも1回は急性副腎不全を経験していると報告されているが[13]，症状が非特異的であることから，正確な有病率は不明である。慢性副腎不全患者で，ステロイドの使用中止がもっとも頻度の高い原因である。

2 病態生理

誘因として，感染症，心筋梗塞や脳卒中，妊娠，ステロイドカバーをしない手術，外傷などがあげられ，あらゆる生体へのストレスが引き金となる。ステロイド内服中でも，需要が増加するシックデイ（糖尿病患者が糖尿病以外の感染症などの病気にかかった状態を指す）における相対的なステロイド不足の際にも発症するため，本疾患を想起するためには問診が重要である。

3 症　状

前述したように，症状は非特異的である。初期症状として，全身倦怠感，脱力，無気力，発熱，意識状態の変化，食欲不振，悪心・嘔吐，下痢，腹痛，関節痛などがみられる。進行すると昏睡，血圧低下をきたす。

4 検査・診断

ショック状態で，カテコラミンへの反応が不良であれば，急性副腎不全が疑われる。低血糖，低ナトリウム血症，高カリウム血症，低クロール性代謝性アシドーシスを認める。治療前の検体で，低コルチゾール血症（3〜5μg/dL未満），ACTH高値，迅速ACTH負荷試験での反応不良により確定する。

5 治　療[13]

十分なモニタリングのもと，ヒドロコルチゾン100mgの静注，それに続き100〜200mgを24時間かけて投与する。ショック状態であり，輸液は1,000mLの生理食塩液を1時間で投与し，続いて500mLを次の1時間で投与するなどの対応が必要である。小児では，輸液は5％ブドウ糖入り生理食塩液を20mL/kgで開始し，その後は60mL/kgの量を24時間かけて輸液負荷を続行する。

ヒドロコルチゾンは点滴開始後速やかに，乳幼児では25mg，学童では50mgを急速静注し（中学生以上は成人と同量），以後は体表面積換算で50〜75mg/m^2/dayを持続静注もしくは4分割し，ショックが改善するまで6時間ごとに投与する。症状改善後は経口薬に切り替え，1〜4週間かけて維持量まで漸減する。

褐色細胞腫クリーゼ

1 疫　学

副腎髄質のクロム親和性細胞からカテコラミン（ノルアドレナリン，アドレナリン，ドパミン，ドーパ）が分泌されるが，この細胞が腫瘍化したものが褐色細胞腫と呼ばれる。持続性または発作性の高血圧を引き起こす。90％は副腎髄質に発生するが，神経堤細胞に由来し，脳や傍大動脈部などほかの組織に生じる場合がある。

発生の男女差はなく，推定発症平均年齢は40〜45歳であるが，幅広い年齢層に分布する。症候性（高血圧あり）は約65％，無症候性は約35％で，副腎偶発腫瘍として発見される。副腎外，両側性，悪性は各々約10％である[14]。褐色細胞腫は家族性多発性内分泌腫瘍症（multiple endocrine neoplasia；MEN）の部分症である場合があり，副甲状腺，甲状腺の精査も必要である。高血圧患者の約1/1,000で褐色細胞腫が認められる。

2 病態生理

クリーゼは，カテコラミン過剰放出により多彩な臨床像を呈し，発症急性期での診断が困難であることや，急激な全身状態の悪化により治療が遅れてしまうことがあり，しばしば致死的となる内分泌的緊急疾患である。日常生活に関連する種々の動作（重い物を持ち上げる，前屈姿勢），妊娠，診断・治療の行為によって誘発される。

メトクロプラミドは制吐薬として使用されるが，抗ドパミン作用（D$_2$受容体拮抗薬）を有し，内服薬も注射薬も褐色細胞腫に対して使用禁忌である。ドンペリドンもD$_2$受容体拮抗薬であり，昇圧発作の報告はないが，

作用機序が同じであり使用には注意を要する。虚血性心疾患，高血圧に対するβブロッカー単独投与は，血管平滑筋のβ₂受容体（血管拡張に作用）をブロックし，α作用が増強されるため禁忌である。また，ヨード造影剤により褐色細胞腫クリーゼを誘発する例が報告されており，添付文書には褐色細胞腫に使用することは原則禁忌で，やむを得ず使用する際は「フェントルアミン，プロプラノロールを準備すること」とされている。

3 症 状

カテコラミン過剰により通常，拡張期血圧が120mmHg以上，頭痛，悪心・嘔吐，けいれん，意識障害などの中枢神経症状，肺水腫，心不全，腎機能障害，眼底出血，乳頭浮腫などを呈する。心筋梗塞類似の胸痛や急性心不全，肺水腫，ショックなどを呈することもある。

4 検査・診断

内分泌学的検査では，血中，尿中カテコラミンおよび代謝産物であるメタネフリン，ノルメタネフリンの増加を確認する。血中アドレナリンの基準値は，170pg/mL以下，血中ノルアドレナリンの基準値は150～570pg/mL，ドパミンは30pg/mL以下が基準値である。血中カテコラミン濃度の総和（アドレナリン＋ノルアドレナリン）が2,000pg/mL以上の場合の診断精度は98%である。アドレナリンやノルアドレナリンは間欠的に分泌されるため生理的変動が大きいが，血中メタネフリンは持続的に上昇しているため96%の感度である（ただし，保険適用外検査）。尿検査では，尿中アドレナリンや尿中ノルアドレナリンは基準値上限の2倍以上をカットオフ値とすることが推奨されている。前述した血中メタネフリンや尿中メタネフリンのほうが，血中カテコラミン濃度，尿中カテコラミン排泄量測定と比較して精度が高い[14]。しかし，血中濃度，尿中濃度の結果は判明に数日要するため，疑いがあれば，腫瘍の局在確認として超音波検査，CT検査，MRI検査を施行する。

5 治 療

呼吸・循環不全に対する対症療法を施行する。褐色細胞腫の診断が未確定の場合，通常の高血圧クリーゼ治療

表8 ビタミンB₁不足になる背景

- アルコール過剰摂取時（アルコール分解にビタミンB₁が使われる）
- 胃の全摘手術，妊娠悪阻，衰弱した高齢者など栄養欠乏が疑われる場合
- 激しい運動，甲状腺機能亢進症などビタミンB₁の需要が増加する場合
- 食事の偏りによる栄養不足の場合
- アルコール依存や摂食障害の場合

の原則に沿って治療を開始し，画像診断などで診断する。治療の基本は過剰なカテコラミン作用の阻害である。高血圧クリーゼに対して，カルシウム拮抗薬やニトログリセリン投与で降圧を図りつつ，各種検索で褐色細胞腫クリーゼが疑われる場合は，第一選択はα遮断薬であるフェントラミンを2～5mg静注して，拡張期血圧110mmHg以下を維持する。フェントラミンは即効性があるが，持続時間が非常に短いため，持続点滴が必要である。2mg/hrで点滴静注し，160/100mmHgを目標とする。フェントラミン投与後の頻脈に対してβブロッカーを使用するが，急激なβ遮断は致死的不整脈を誘発することがあり，緊急の場合を除き，経口投与が望ましい[15]。

前述したとおり，本病態は過剰なカテコラミン作用であり，治療はその除去であるため，クリーゼの急性期治療として薬物療法に加え，持続血液統制濾過法が有効との報告もある[16]。急性期を脱した後は外科手術の適応となる。

脚気，Wernicke脳症，Korsakoff症候群

1 疫 学

ビタミンB₁不足になる背景を表8に示す。江戸時代に江戸で，玄米食から白米食が広がってきた頃から，ふらつきや，倦怠感などの体調不良者を多く認めるようになり，「江戸わずらい」として認知されるようになってきた。明治・大正時代には，年間10,000～30,000人が亡くなったと推定されている[17]。食事内容の多様化やビタミンB₁（チアミン）の発見により，昭和に入ってからは激減した。しかし，1975年頃からのカップ麺のみの食事などの栄養の偏り，高カロリー輸液にビタミン剤が混入されていなかったこと，最近では高齢者の食品購入の

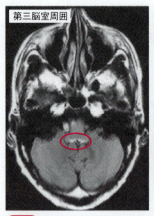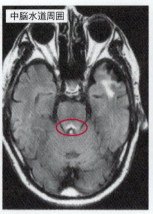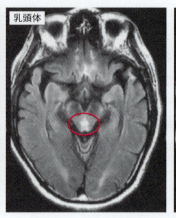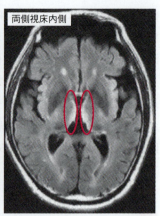

図4 Wernicke脳症の頭部MRI所見（FLAIR） 〔文献19）より引用・改変〕

不自由さによる白米のみの食生活などにより，散発的に流行している．最近のカップ麺には1日必要量の1/4程度のビタミンB_1，B_2，カルシウム量が添加されている．また，アルコール依存症患者は，脚気，Wernicke脳症，Korsakoff症候群のハイリスクグループである．

2 病態生理

水溶性ビタミンであるビタミンB_1は糖代謝に必須な補酵素である．ビタミンB_1の活性化形態であるチアミンピロリン酸は，ミトコンドリア内でグルコースの解糖によって生じたピルビン酸をアセチルCoAに変換させる際に補酵素として不可欠である．アセチルCoAはTCA回路で酸化され，細胞が活動するためのエネルギー源であるATPを産生する．すなわち，ビタミンB_1欠乏では，エネルギー代謝の中心であるアセチルCoAの産生が低下し，ATP産生が低下するためにさまざまな症状を発症する．また，TCA回路の制限はピルビン酸と乳酸の蓄積につながり，乳酸アシドーシスを呈する．

3 症状

脚気とはビタミンB_1が不足することで発症する疾患で，末梢神経障害や心不全をきたし得る．末梢神経障害が主で，手足の脱力感，手足の感覚低下，焼けるような痛みを感じる，言葉が発しにくい，足がつりやすい，筋力低下（しゃがんだ状態から立てない），腱反射の低下/消失などの症状を認める．進行すると循環系では「脚気心」といわれる心不全を呈し，中枢系ではWernicke脳症やKorsakoff症候群を呈する．

脚気心は，末梢血管の拡張と末梢血管抵抗の減少，静脈還流の増大による，高拍出量性心不全を呈する．劇症型の脚気心（衝心脚気）は，血圧低下，頻脈，乳酸アシドーシスを呈し，心原性ショックにより数時間で死亡する．

中枢神経障害であるWernicke脳症は，①異常な眼球運動（外転障害によるより目，小刻みに揺れる，まれに動かなくなる），②姿勢や歩行の運動失調，③認知機能障害といった3徴を呈する．しかし，すべての症状が揃うのは1/3程度である．一方，栄養障害を含めた4項目中2項目が陽性の場合，感度は85％と上昇する[18]．未治療のままでは不可逆性の神経性ダメージを発症し，Korsakoff精神病に進行して，健忘，作話，混乱あるいは無関心な状態，重篤な記憶喪失，最近の記憶および作業記憶の消失を伴うといった深刻な記憶障害を呈する．

4 検査・診断

前述した症状を確認する．ビタミンB_1値の測定で診断するが，結果が判明するまでに時間がかかるため，診察所見と生活実態で診断する．Wernicke脳症では頭部MRIのT2強調画像，FLAIRで第三脳室周囲，中脳水道周囲，乳頭体，視床内側に左右対称のhigh intensity areaを認めることが特徴である（図4）[19]．画像による診断の特異度53％，感度93％と報告されている[20]．これらの所見は適切な治療が行われれば消失する．

5 治療

ビタミンB_1投与が基本である。ビタミンB_1は水溶性であり、過剰分は尿中に排泄されるため、現病歴で疑われる場合は躊躇なく点滴内にビタミンB_1を追加投与することが推奨される。ビタミンB_1投与により数日で軽快するが、まれに症状軽快につれて末梢血管拡張が改善され、末梢血管抵抗が急速に増大し、そのため低心拍出量となり死亡することがあり、脚気心の治療には細心の注意が必要である。

Wernicke脳症の初期治療をためらうと高率にKorsakoff症候群に移行してしまうため、Wernicke脳症が疑われる場合は、早期にビタミンB_1の大量投与を行う。わが国では保険適用内のビタミンB_1投与量は100mg/dayであるが、2010年のヨーロッパ神経学会のガイドライン[21]では、アルコール性Wernicke脳症の場合は500mg×3回/day、非アルコール性Wernicke脳症の場合は200mg×3回/day投与が推奨されている。また、症状が経過した後も長期にわたり100mg/day投与を継続し、Korsakoff症候群への移行を防止することが推奨されている。

すでにKorsakoff症候群まで進行している場合には、食事療法、栄養補給、リハビリテーションといった支持療法が主体となる。

▶文 献

1) 厚生労働省：重篤副作用疾患別対応マニュアル：低血糖、平成23年3月（平成30年6月改定）．
https://www.mhlw.go.jp/topics/2006/11/tp1122-1d.html
2) 日本糖尿病学会：糖尿病診療ガイドライン2019，南江堂，2019．
3) Benoit SR, et al：Trends in diabetic ketoacidosis hospitalizations and in-hospital mortality：United States, 2000-2014. MMWR Morb Mortal Wkly Rep 67：362-5, 2018.
4) 山岡巧弥、他：高血糖高浸透圧症候群（HHS）を発症した高齢者の背景因子と臨床的特徴の検討．日老医誌 54：349-55, 2017.
5) Howard RD, et al：Alcoholic Ketoacidosis（StatPearls），2022.
6) Allison MG, et al：Alcoholic metabolic emergencies. Emerg Med Clin North Am 32：293-301, 2014.
7) Cartwright MM, et al：Toxigenic and metabolic causes of ketosis and ketoacidotic syndromes. Crit Care Clin 28：601-31, 2012.
8) Kajbaf F, et al：Mortality rate in so-called "metformin-associated lactic acidosis"：A review of the data since the 1960s. Pharmacoepidemiol Drug Saf 23：1123-7, 2014.
9) 小西美絵乃、他：粘液水腫性昏睡．日内会誌 99：769-75, 2010.
10) 日本甲状腺学会粘液水腫性昏睡の診断基準と治療指針の作成委員会：粘液水腫性昏睡の診断基準（3次案），2010.
https://www.japanthyroid.jp/doctor/img/shindan.pdf
11) 赤水尚史：甲状腺クリーゼ；診療ガイドラインとレジストリー研究．日内会誌 108：2361-8, 2019.
12) 日本甲状腺学会・日本内分泌学会（編）：甲状腺クリーゼ診療ガイドライン2017，南江堂，2017.
13) 柳瀬敏彦：急性副腎不全（副腎クリーゼ）．日内会誌 105：640-6, 2016.
14) 日本内分泌学会「悪性褐色細胞腫の実態調査と診療指針の作成」委員会：褐色細胞腫・パラガングリオーマ診療ガイドライン2018．日内分泌会誌 94（S）：1-90, 2018.
15) 立木美香、他：褐色細胞腫クリーゼ．日内会誌 105：647-52, 2016.
16) 谷川剛、他：褐色細胞腫クリーゼ症例の対処法．日内分泌・甲状腺外会誌 32：29-33, 2015.
17) 農林水産省：脚気の発生．
https://www.maff.go.jp/j/meiji150/eiyo/01.html
18) Caine D, et al：Operational criteria for the classification of chronic alcoholics：Identification of Wernicke's encephalopathy. J Neurol Neurosurg Psychiatry 62：51-60, 1997.
19) 小黒浩明、他：複視とめまい．日内会誌 103：486-91, 2014.
20) Chung SP, et al：Magnetic resonance imaging as a diagnostic adjunct to Wernicke encephalopathy in the ED. Am J Emerg Med 21：497-502, 2003.
21) Galvin R, et al：EFNS guidelines for diagnosis, therapy and prevention of Wernicke encephalopathy. Eur J Neurol 17：1408-18, 2010.

V 疾患領域別の救急診療

9 血液・免疫系疾患

松田 直之

　血液および免疫の機能は，救急診療において，時系列で大きく変化する傾向がある．血液や免疫の理解に加えて，さまざまな基礎疾患における緊急性の高い状態の生体変化として，血液・免疫系の機能異常が出現することに留意する．貧血および凝固・線溶系異常においては輸血を考慮し，また白血球系異常や免疫異常においてはアナフィラキシーを含めて，定義，病態，診断，治療の基本となる内容を説明できるようにする．

　赤血球系疾患，白血球系疾患，血小板系疾患として，表1に示すように多くの疾患がある．すでに診断がついている場合には，各疾患の特徴となる異常所見に注意して，身体所見，血液・生化学検査，および画像評価を行う．一方で，血液系異常を新たに発見した場合には，表1に示した疾患を念頭に置き，緊急度と重症度を評価し，血液内科などと連携して診断・治療のための入院加療を検討する．

　ここでは，まず造血機能に関する解剖・生理を概説したうえで，総論的に赤血球系疾患および白血球系疾患を解説し，さらにその他の血液・免疫系疾患でおさえておくべきものを各論的に解説する．

造血機能における解剖と生理

1 骨髄造血

　血液の造血に関与する造血幹細胞は，成人では骨髄に存在する．造血作用は，胎生期2週頃に卵黄囊で開始され，5週頃に肝に移行する．その後，胎生11週頃から鎖骨で骨髄造血が始まり，第14週には胸骨，肋骨，脊椎，肩甲骨，腸骨，上腕骨，大腿骨などでの全身性骨髄造血が開始され，血液の全身循環が開始される．骨髄で造血された血液細胞は，赤血球は約120日，白血球は数日〜7日間，血小板は10日間の寿命で，数カ月で新しい細胞に入れ替わる[1]．

　造血の場となる骨髄は，骨梁と骨皮質に囲まれた骨内腔の組織であり，成人で約2,500〜3,000gである．正常な骨髄は，約半分が造血に関与する赤色骨髄（red marrow）であり，そのほかは脂肪と共存する黄色骨髄（yellow marrow）である．しかし，多発外傷や敗血症などの高サイトカイン血症になると，黄色骨髄は赤色骨髄に変化し，造血能を高める機能がある．このような骨髄には血管や神経が支持組織として分布しているが，リンパ管は存在せず，脾やリンパ節のような免疫応答性は低い．そして，骨髄の部位により細胞の分布が異なることが知られており，骨髄の骨梁付近には造血幹細胞，骨髄間質には骨芽細胞や脂肪細胞，筋線維芽細胞，血管壁には形質細胞，骨髄洞様毛細血管（類洞；sinusoid）には巨核球が分布しているという特徴がある．

　骨髄造血幹細胞の骨髄造血細胞の多くは未成熟の血液細胞であり，顆粒球系細胞が主体である．腸骨などの骨髄穿刺では，顆粒球系細胞が約40〜55％，赤血球系細胞が約14〜25％，リンパ球が約18〜25％，単球が約1〜5％の比率である[1]．骨髄の顆粒球系細胞は，骨髄芽球（myeloblast），前骨髄球（promyelocyte），骨髄球（myelocyte），後骨髄球（metamyelocyte）に区別され，骨髄芽球，前骨髄球，骨髄球，後骨髄球の順に成熟する．一方，骨髄の赤血球系細胞は，骨髄幹細胞より巨核球系細胞とともに分化し，マクロファージとともに赤芽球島（erythroblastic island）を構成し，前赤芽球（proerythroblast），好塩基性赤芽球（basophilic erythroblast），多染性赤芽球（polychromatophilic erythroblast），正染性赤芽球（orthochromatic erythroblast），網状赤血球（reticulocyte）の順に成熟する．成熟後に赤芽球島の外縁に移動して，その後に骨髄類洞より全身へ循環する．

　巨核球は，骨髄幹細胞より赤血球系細胞とともに分化し，巨核芽球（megakaryoblast），前巨核球（promegakaryocyte）の順に成熟し，成熟後も骨髄にとどまる．この成熟した巨核球は，直径100μmレベルの巨大な細胞であり，骨髄類洞に突起を伸ばし，これが切断されて血小板となり，全身に循環する．一方で，多発外傷や敗血症などの重症な炎症状態では，巨核球が末梢血で検出される場合がある．

表1 赤血球系・白血球系・血小板系の異常でおさえておくべき疾患

先天性赤血球系疾患
遺伝性球状赤血球症,ヘム・ヘモグロビン異常症,酵素異常症,先天性造血不全症など

後天性赤血球系疾患
鉄欠乏貧血,巨赤芽球性貧血,再生不良性貧血,赤芽球癆,自己免疫性溶血性貧血など

骨髄性白血球系疾患
急性骨髄性白血病,急性前骨髄球性白血病,骨髄異形成症候群,慢性骨髄性白血病,原発性骨髄線維症,好酸球増多症など

リンパ球系白血球系疾患
急性/慢性リンパ球性白血病,濾胞性リンパ腫,MALTリンパ腫,マントル細胞リンパ腫,Burkittリンパ腫,末梢性T細胞リンパ腫,NKT細胞リンパ腫,成人T細胞性白血病,Hodgkinリンパ腫,後天性免疫不全症候群,原発性マクログロブリン血症,多発性骨髄腫,TAFRO症候群/Castleman病など

血小板減少性疾患
血栓性微小血管症,免疫性血小板減少症,後天性血友病,DICなど

2 脾

脾は門脈系に介在する末梢最大のリンパ装置であり,免疫応答に関与するとともに,循環血液中の異常赤血球,異物,微生物(莢膜型細菌など)を補綴し,血液を浄化する機能がある[2]。脾は,組織学的には白脾髄,周辺帯,赤脾髄の3つで構成される。脾門部より脾に入った脾動脈の枝として,分岐した中心動脈は白脾髄を貫き,さらに筆の穂先のような筆毛動脈(penicillar artery)として分岐し,毛細血管への移行部にさや(莢)状の莢組織を作り,マクロファージを分布させる。また,中心動脈を包む領域である白脾髄では,中心動脈周囲にTリンパ球が多く分布し,指状嵌入樹状細胞(interdigitating dendric cell;IDC)により抗原提示を受ける。さらに,白脾髄に豊富なリンパ濾胞にはBリンパ球が存在し,濾胞樹状細胞(follicular dendric cell;FDC)などにより抗原提示を受ける。周辺帯は,白脾髄と赤脾髄の境界域であり,主にBリンパ球が分布する。赤脾髄は,静脈洞と静脈洞を取り囲む脾索で構成され,赤血球や血小板などの血液成分が分布する。

3 リンパ節

リンパ組織は,一次リンパ組織として骨髄と胸腺,二次リンパ組織として脾や各組織のリンパ節に分類される。一次リンパ組織は幼若なリンパ球の拠点であり,リンパ球はさらに二次リンパ組織で抗原感作を受けて抗原に対する親和性の高いリンパ球に成熟する。

リンパ節は,組織学的には胚中心,辺縁体,傍皮質の3つで構成される。胚中心は,B細胞が増殖する場所であり,さらにCD4陽性濾胞ヘルパーT細胞などが存在する。辺縁体は,抗原に曝露されていないナイーブB細胞や,抗原記憶をもつメモリーB細胞などが分布する。傍皮質は,多くのT細胞と少数の大型B細胞が分布しており,T細胞に対して主に指状嵌入樹状細胞が抗原提示を行う。

4 免疫担当細胞

免疫は,マクロファージ,顆粒球,樹状細胞,自然免疫型T細胞,自然リンパ球〔ナチュラルキラーT(NKT)細胞,ナチュラルキラー(NK)細胞,ナチュラルヘルパー(NH)細胞,リンパ組織誘導(LTi)細胞〕などの貪食作用を中心とする自然免疫系と,抗体発現などのリンパ球(B細胞,T細胞)が中心となる獲得免疫系に大別される。

自然免疫は,Toll-like受容体やスカベンジャー受容体などを介した細胞内情報伝達や貪食能により,早い免疫応答を行う。一方,獲得免疫は,ワクチンなどのように,抗原に対する抗体産生による免疫記憶として働き,外来抗原や病原体に特異的に反応する。一方,自然免疫で処理しきれない異物に対しては樹状細胞の獲得免疫系細胞への仲介や,好塩基球や好酸球による異物制御が関与する。

免疫担当細胞として,マクロファージ,好中球,好酸球,好塩基球,樹状細胞,自然リンパ球,NKT細胞,

MAIT（mucosal associated invariant T）細胞，γδT細胞などの機能が明らかとされてきている。

赤血球系疾患（貧血）

1 病態生理

貧血は，ヘモグロビン（Hb）値やヘマトクリット（Ht）値が基準値より低下した状態である。一方，多血症はHb値やHt値が高い状態であり，チアノーゼが認められにくい。チアノーゼとは，皮膚や粘膜の青紫色変化であり，血中の還元Hb濃度が5g/dL以上になると出現する。

貧血の原因は，出血（外傷，消化管，悪性腫瘍，子宮筋腫など），造血幹細胞異常（再生不良性貧血，赤芽球癆，がんの骨髄転移），無効造血（骨髄異形成症候群，巨赤芽球性貧血，炎症性貧血，微量元素不足），DNA合成障害（ビタミンB_{12}欠乏，葉酸欠乏），Hb合成障害（鉄欠乏，サラセミア，鎌状赤血球症），溶血（発作性夜間ヘモグロビン尿症，自己免疫性，脾腫），エリスロポエチン（erythropoietin；EPO）産生障害（腎性貧血）など，失血，産生低下，赤血球寿命短縮の観点から評価する。

EPOは，腎尿細管間質のEPO産生細胞より産生され，前赤芽球の産生を亢進させるホルモンである。自己免疫性溶血性貧血（autoimmune hemolytic anemia；AIHA）は，自己抗体が赤血球膜上の抗原との反応により溶血する。また，強度の高いトレーニングでは，筋肉での鉄需要増加，発汗による鉄喪失，足底部にかかる強い衝撃での赤血球破壊などが原因となり，Hb値の低下がみられる場合がある。

2 症状

赤血球輸血を考慮する高度の貧血（Hb＜7g/dL）では，呼吸数増加，めまい，倦怠感，呼吸困難，頻脈などの症状が出現する。慢性貧血（Hb＜10g/dL）では舌炎，嚥下障害，異食症が，ビタミンB_{12}欠乏症では四肢のしびれや舌炎，溶血性貧血では血漿ビリルビン値上昇による黄疸が症状となる。鉄欠乏では，さじ状爪，氷食症，脱毛，抑うつや情緒不安定，むずむず脚症候群などに注意する。

3 検査・診断

慢性のものも含めて，貧血を呈する疾患の特徴などを表2に示す。

血液ガス分析で，Hb値とともに代謝性アシドーシスおよび呼吸性アルカローシスを評価する。血液検査では，Hb濃度やHt値に加えて，平均赤血球容積（MCV），平均赤血球ヘモグロビン量（MCH），平均赤血球ヘモグロビン濃度（MCHC）に注意する。MCV 120fL以上の大球性貧血では，巨赤芽球性貧血としてビタミンB_{12}欠乏や葉酸欠乏を疑う。また，網赤血球数指数〔（網赤血球数（％）×Ht値）/正常Ht値（45％）〕を算出し，網赤血球数指数が2以下で産生低下，網赤血球数指数が3以上で溶血や出血を疑う。赤血球破壊においては，AST，LDH，間接ビリルビンが増加する。フェリチンの低下では，鉄欠乏と評価する。

4 治療

Hb＜7g/dLで臨床症状のある場合や急性出血では，輸血を考慮する。慢性の貧血では，貧血の原因を評価する。出血に加えて，赤血球産生低下，赤血球寿命短縮，溶血などに注意する。

白血球系疾患

1 病態生理

白血球系腫瘍は骨髄系腫瘍とリンパ球系腫瘍の2つに大きく大別され，WHOは骨髄系腫瘍を9つのカテゴリーに分類している（表3）[3]。また，急性リンパ球性白血病（acute lymphoblastic leukemia；ALL）は大きくB細胞性とT細胞性の2つに分類され，B細胞性ALLは遺伝子変異によりBCR-ABL1，KMT2A変異，ETV6-RUNX1，IGH/IL3，TCF3-PBX1，BCR-ABL1-like，iAMP21などに分類される[4]。白血球系疾患の病態生理として，白血球系細胞の遺伝子変異が同定されてきている。

2 症状

白血病細胞の増殖により，腫瘍熱，倦怠感，骨痛，関節痛，肝脾腫，リンパ節腫脹，歯肉増強などの症状に留

表2 貧血を呈する疾患の特徴と治療の概要

鉄欠乏性貧血

特徴	小球性低色素性貧血 フェリチン低下などを特徴とする
治療	経口鉄剤，静注用鉄剤など

ビタミン B_{12} 欠乏

特徴	巨赤芽球性貧血 偏食，大量飲酒，栄養不良，胃腸障害，メトホルミン使用，平均赤血球容積増大など
治療	ビタミン B_{12} の経口投与あるいは筋注など

葉酸欠乏

特徴	巨赤芽球性貧血 偏食，大量飲酒，栄養不良，胃腸障害，経口避妊薬，妊娠，フェノバルビタール使用などで葉酸が欠乏する
治療	葉酸投与など

再生不良性貧血

特徴	汎血球減少（Hb＜10g/dL，好中球＜1,500/μL，血小板数＜10万/μLのうち2つ以上を満たす） 骨髄生検で骨髄低形成，胸腰椎MRIで造血組織の減少，血中エリスロポエチンおよびトロンボポエチン濃度の上昇など
治療	支持療法（輸血，G-CSF，鉄キレート療法），トロンボポエチン受容体作動薬，同種造血幹細胞移植などを考慮

赤芽球癆

特徴	正球性正色素性貧血，網赤血球減少（＜1％） 原因として薬剤，ヒトパルボウイルスB19感染症，胸腺腫，妊娠，リンパ球性白血病などがあげられる
治療	被疑薬の中止，基礎疾患治療，免疫抑制療法など

自己免疫性溶血性貧血

特徴	温式（37℃）/冷式（4℃）がある 溶血性貧血，黄疸，脾腫，血清ハプトグロビン値低下など
治療	温式では副腎皮質ステロイド，免疫抑制薬，ビスホスホネート製剤，ビタミンDおよび葉酸投与 冷式では加温，プレドニゾロン，免疫抑制薬．難治例では血漿交換療法など

発作性夜間ヘモグロビン尿症

特徴	血管内溶血，ヘモグロビン尿，血栓症，造血不全，Ham試験陽性，直接Coombs試験陰性など
治療	溶血：抗C5抗体，副腎皮質ステロイド，血栓症：抗血栓療法，骨髄不全：トロンボポエチン受容体作動薬，造血幹細胞移植，再生不良性貧血の治療に準拠

腎性貧血

特徴	慢性腎不全では，エリスロポエチン産生が低下し，腎性貧血となる
治療	赤血球造血刺激因子（ヒトエリスロポエチン，ダルベポエチンアルファなど），鉄剤，低酸素誘導因子プロリン水酸化酵素（HIF-PH）阻害薬などを考慮

先天性赤血球系疾患

特徴	赤血球膜異常症，ヘム・ヘモグロビン異常症（鉄芽球性貧血，ポルフィリン症，メトヘモグロビン血症，鎌状赤血球症，サラセミア），赤血球酵素異常症（G6PD異常症，PK異常症など），先天性造血不全症（先天性赤芽球癆）などで赤血球が脆弱となる．赤血球膜異常症は，自覚症状がなく，成人になって発見される場合がある
治療	赤血球膜異常症では脾摘術，先天性造血不全症ではステロイドや造血幹細胞移植を考慮．PK異常症などの酵素異常症としてヘモクロマトーシスを合併している場合，血清フェリチン濃度を評価し，鉄制限食や鉄キレート剤投与を考慮

表3 骨髄系腫瘍の分類（WHOによる）

- 骨髄増殖性腫瘍
- 肥満細胞症
- PDGFRA，PDGFRBまたはFGFR1遺伝子の再構成あるいはPCM1-JAK2を伴う骨髄/リンパ系腫瘍
- 骨髄異形成/骨髄増殖性腫瘍
- 骨髄異形成症候群
- 胚細胞系列の素因を伴う骨髄性腫瘍
- 急性骨髄性白血病と関連前駆細胞腫瘍
- 芽球性形質細胞様樹状細胞腫瘍
- 系統の明らかでない急性白血病

〔文献3〕より引用・改変〕

意する。正常な造血機能の低下により，貧血，出血，易感染性に留意する。主訴としては，脱力感や倦怠感，出血傾向（鼻出血，網膜出血，月経過多など），感染症状に注意する。

3 検査・診断

救急外来でルーチンに行われている血液・生化学検査において，白血球数および白血球分画の変化に加えて，Hb値，血小板数，LDH上昇，高尿酸血症に留意する。CT像では，回盲部，腹膜，後腹膜などのリンパ節腫脹に注意する。白血球系腫瘍が疑わしい場合には，凝固検査に加えて，入院後に骨髄検査，細胞形態検査，細胞生化学検査，遺伝子検査などを必要とする。リンパ節腫大では，リンパ腫病変を生検し，病理組織学的診断とする。悪性リンパ腫や末梢性T細胞リンパ腫では，可溶性IL-2受容体（sIL-2R）が2,000U/L以上の異常高値となり，病勢の指標として用いられる。

4 鑑別疾患・治療

急性増悪や抗腫瘍薬投与においては，骨破壊症状，出血および敗血症，心機能低下，また肺線維症や腎硬化症などの組織線維化を伴う多臓器機能不全に留意する。抗腫瘍薬の開始による腫瘍崩壊症候群として，高カリウム血症，高リン血症，尿酸上昇，急性腎障害などの発症に注意し，重症例では血液浄化療法を考慮する。抗腫瘍薬，化学療法および造血幹細胞移植の推奨については，日本血液学会の『造血器腫瘍診療ガイドライン』[5]などを参照のこと。

以下，代表的な白血球系疾患の特徴・治療をまとめる。

1）急性骨髄性白血病 （acute myeloid leukemia；AML）

骨髄芽球の腫瘍性増殖として白血病幹細胞（leukemic stem cell；LSC）が出現する。アントラサイクリン系抗がん剤3日間およびシタラビン（Ara-C）7日間投与，再発難治症例に対する多剤併用療法（FLAG療法，MEC療法，HAM療法，A-Triple-V療法，CAG療法）などのレジメンがある。

2）急性前骨髄球性白血病 （acute promyelocyte leukemia；APL）

細胞形態検査で前骨髄球を同定し，PML-RARα mRNAのRT-PCR検査で確定診断とする。線溶亢進型DICを生じやすい。治療薬として，全トランス型レチノイン酸（ATRA），亜ヒ酸（ATO）が用いられる。治療過程で生じるAPL分化症候群に対してステロイド投与を検討する。

3）骨髄異形成症候群 （myelodysplastic syndrome；MDS）

骨髄異形成症候群（MDS）は，造血幹細胞のクローン性増殖による無効造血，血球の異形成，白血病化を特徴とする造血器腫瘍で，1血球系以上の血球減少を示す。AMLの前駆状態として注意する。RNAスプライシング変異など多くの遺伝子変異が報告されている。改訂IPSS（International Prognostic Scoring System）などのスコアリングシステムで，MDSのリスクを評価する。高リスクでは，同種造血幹細胞移植を考慮する。

4）慢性骨髄性白血病 （chronic myeloid leukemia；CML）

白血球および血小板増加において，CMLの可能性に注意する。9染色体長腕と22番染色体長腕の転座によるフィラデルフィア染色体で発現するBCR-ABL1遺伝子がチロシンキナーゼ作用として白血病細胞を増殖させる。チロシンキナーゼ阻害薬（ダサチニブ，イマチニブ，ニロチニブ，ボスチニブ）の投与により，治療開始3カ月後のBCR-ABL1 mRNAのコピー数の国際標準法10％以下を目標として管理する。進行例では，同種造血幹細胞移植を考慮する。

5）原発性骨髄線維症 （primary myelofibrosis；PMF）

造血幹細胞の遺伝子変異などにより，巨核球や好中球が増殖する。異常巨核球から放出されるTGF-βなどの増殖性サイトカインにより骨髄の線維化が進行する。合併する真性多血症や本態性血小板血症にも注意する。

JAK阻害薬であるルキソリチニブ投与や同種造血幹細胞移植を考慮する。

6) 好酸球増多症 (hypereosinophilia; HE)

末梢血の好酸球数≧1,500/μLで診断され、原発性クローン性として骨髄系腫瘍を鑑別診断とする。異常T細胞クローンによるHEではステロイド療法、FIP1L1-PDGFRA融合遺伝子陽性例ではイマチニブなどのチロシンキナーゼ阻害薬の投与を考慮する。

7) 急性リンパ球性白血病 (acute lymphoblastic leukemia; ALL)

フィラデルフィア染色体で発現するBCR-ABL1遺伝子陽性は成人の約30％で認められる。前述したとおり、WHOの分類がある[4]。アドリアマイシン、シクロホスファミド、オンコビン、L-アスパラギナーゼ、メトトレキサート、シタラビン、ステロイドなどの組み合わせた化学療法に加えて、フィラデルフィア染色体がある場合はBCR-ABLの抑制目的でチロシンキナーゼ阻害薬を併用する。そのほか、イノツズマブ/オゾガマイシン、ブリナツモマブなどの抗体薬も治療に用いられる場合がある。

8) 慢性リンパ球性白血病 (chronic lymphocytic leukemia; CLL)

小型成熟Bリンパ球の腫瘍であり、細胞膜上にCD5とCD23を発現する。貧血で来院し、白血球増加、リンパ球増加、リンパ節腫大、肝脾腫を認める場合にはCLLを疑う。染色体異常として、13番染色体長腕、17番染色体短腕に欠失などの異常が認められる場合がある。BTK阻害薬（イブルチニブもしくはアカラブルチニブ±オビヌツズマブ）が推奨レジメンであり、そのほかの選択肢としてFCR療法、BR療法などがある。

9) 濾胞性リンパ腫 (follicular lymphoma; FL)

リンパ節病変が主体であり、自覚症状を伴わない場合も多く、後腹膜や腸間膜の巨大腫瘍として発見される場合がある。抗CD20抗体の臨床応用により、治療成績が向上している。抗CD20抗体（リツキシマブまたはオビヌツズマブ）を併用した化学療法として、R-CVP療法、ベンダムスチン・R (BR) 療法、オビヌツズマブ-CVP療法、オビヌツズマブ-B療法、R-CHOP療法、オビヌツズマブ-CHOP療法などがある。再発・難治性FL患者では、化学療法後の地固め療法として造血幹細胞移植を考慮する。

10) MALTリンパ腫 (mucosa-associated lymphoid tissue; MALT)

粘膜や腺に付随してみられるリンパ組織を発生母地として生じるB細胞系の低悪性度リンパ腫であり、感染症や自己免疫疾患などの慢性炎症を背景としやすい。胃MALTリンパ腫では、ピロリ菌の関与が知られている。胃MALTリンパ腫ではピロリ菌の除菌治療、その他の限局性MALTリンパ腫では24～30Gyの放射線療法、抗腫瘍薬ではリツキシマブなどが選択される。

11) マントル細胞リンパ腫 (mantle cell lymphoma; MCL)

リンパ節の胚中心のマントル帯に存在するBリンパ球を起源とする悪性度の高いリンパ腫である。リンパ節や消化管に病変を認めることが多い。リツキシマブとシタラビンによる化学療法と自家造血幹細胞移植、また高齢者ではR-CHOP療法やBR療法などを考慮する。

12) Burkittリンパ腫 (Burkitt lymphoma; BL)

リンパ節の胚中心のB細胞由来の腫瘍であり、小児に多く、成人にまれな進行の速い悪性リンパ腫である。成人では、免疫不全型としてヒト免疫不全ウイルス (HIV) の感染により発症する場合がある。強化型化学療法として、DA-EPOCH-R療法、modified CODOX-M/IVAC＋R療法、R-hyper CVAD/MA療法などが施行される。再発例で自家造血幹細胞移植を考慮する。

13) 末梢性T細胞リンパ腫 (peripheral T-cell lymphoma; PTCL)

成熟T細胞に類似したリンパ腫として、約30種類に細分類されている。BV-CHP療法、CHOP/CHOP類似療法などの選択を考慮する。

14) 節外性NKT細胞リンパ腫 (extranodal NK/T-cell lymphoma; ENKL)

PTCLに分類される一つであり、NK細胞由来が主体であるが、鼻腔およびその周辺の原発例ではT細胞由来のリンパ腫が検出される場合がある。鼻出血、鼻閉感、鼻汁、頸部リンパ節腫脹においてENKLを考慮する。CHOP療法の有用性が低く、RT-2/3DeVIC療法などが推奨されている[5]。

15) 成人T細胞性白血病 (adult T-cell lymphoma; ATL)

PTCLに分類され、HTLV-1感染により生じる。HTLV-1の感染経路は主に母乳と性交渉であり、HTLV-1感染後のATL発症率は3～5％とされてい

る[5]。発症は，20歳代まではまれであり，その後増加して，70歳頃をピークにして徐々に減少する。初発のagressive ATLでは，VCAP-AMP-VECP療法が選択される。再発または治療抵抗性のATLには，モガムリズマブとレナリドミド，同種造血幹細胞移植が推奨されている[5]。

16) Hodgkin リンパ腫（Hodgkin lymphoma；HL）

頸部リンパ節，縦隔リンパ節などのリンパ節腫大でHLを疑う。悪性リンパ腫は，HLと非HLの2つのタイプに大別され，HLはさらに，限局期結節性リンパ球優位型HL（NLPHL）と古典的HL（CHL）の2つに大別される。

リンパ節生検で，Hodgkin細胞やリード・シュテルンベルグ細胞（RS細胞）が認められる。感染症が否定される38℃以上の発熱，体重減少（6カ月以内の10%以上の低下），大量の寝汗を「B症状」と呼び，HLの約4割にB症状が認められる。頸部リンパ節，縦隔リンパ節などのリンパ節腫大でHLを考慮する。

限局期CHLでは，初回治療として化学療法と放射線療法の併用療法（combined modality therapy）が行われる。現在用いられている代表的なレジメンはABVD療法である。予後不良群に対しては，ABVD療法4コース後involved-site radiotherapy（ISRT）30Gyが推奨されるが，予後良好群に対してはABVD療法2コース後ISRT 20Gyも推奨される治療法の一つである。再発例では進行期再発例と同様の治療法が選択されることが多い[5]。

17) 原発性マクログロブリン血症（Waldenström macroglobulinemia；WM）

原発性マクログロブリン血症はWaldenströmマクログロブリン血症（WM）とも呼ばれ，リンパ形質細胞リンパ腫（LPL）として骨髄に播種し，血中にIgM型のM蛋白質が出現し，血清IgM濃度が3g/dL以上で頭痛，めまい，耳鳴り，粘膜出血などの過粘稠症候群をきたす。M蛋白質はIgMとしての機能をもたないが，M蛋白質の出現により血液過粘稠亢進，Raynaud症状，血管炎，寒冷凝集素活性亢進，貧血，腎障害，アミロイド沈着なども生じる。WMの原因として，MyD88およびCXCR4の遺伝子変異が知られている。過粘稠症候群では血漿交換，化学療法としてはDRC療法，R-CHOP療法などが選択される。

18) 多発性骨髄腫（multiple myeloma；MM）

B細胞の終末分化段階での形質細胞の腫瘍性増悪である。単クローン性免疫グロブリン軽鎖であるBence Jones蛋白質（BJP）や，IgG/IgA/IgD/IgE型のM蛋白質を産生し，CRAB症状として，Calcium（高カルシウム血症），Renal dysfunction（腎機能障害），Anemia（貧血），Bone（骨病変），そして過粘稠症候群，アミロイドーシス，感染症などを合併する。骨髄腫細胞の表面抗原としてCD38とCD138が検出される。WMに類似した治療となり，過粘稠症候群では血漿交換，化学療法としては，未治療で移植適応があるものはBLD療法，CBD療法，BAD療法，BD療法が，未治療で移植適応がないものはDLd療法，D-MPB療法，Ld療法，MPB療法，Bd療法，modified BLd療法などが選択される。

19) TAFRO症候群/Castleman病

Thrombocytopenia（血小板減少），Anasarca（全身浮腫，胸水，腹水など），Fever（発熱），Renal injury（腎障害）あるいはReticulin fibrosis（骨髄のレチクリン線維症），Organomegaly（肝脾腫，リンパ節腫大などの臓器腫大）の頭文字より，TAFRO症候群と命名されている。リンパ節生検により病理組織診断としてCastleman病の類縁病態と診断される。これらは高IL-6血症が特徴である。HHV-8はDNAウイルスであり，このDNA上にIL-6をコードする遺伝子領域をもつため，感染後に血中IL-6濃度が上昇する。また，IL-6を過剰産生する多クローン性リンパ増殖疾患の場合がある。抗IL-6抗体，抗IL-6受容体抗体，抗CD20抗体などが選択される。リンパ節腫大に対しては，外科的摘除や放射線療法を考慮する。

血球貪食症候群

1 定義・分類

血球貪食症候群（hemophagocytic syndrome；HPS）は，骨髄，脾，リンパ節など網内系で，血球細胞がマクロファージなどにより貪食される病態である[6]。マクロファージは，通常は自己血球を貪食しないが，マクロファージの活性化過程で赤血球，好中球，血小板などが貪食される場合にHPSと呼ぶ。また，小児領域ではマクロファージによる血球貪食過程でリンパ球が増殖する傾向が高く，血球貪食性リンパ組織球症（hemophagocytic lymphohistiocytosis；HLH）とも呼ばれる[7]。

HPSは，一次性（遺伝性）と二次性（反応性）に大きく分類される（表4）[6,7]。一次性HPSは，家族性血

表4 血球貪食症候群（HPS）の分類・原因

一次性（原発性）HPS
- 家族性血球貪食性リンパ組織球症（familial hemophagocytic lymphohistiocytosis；FHL）
- 免疫不全症候群（Chediak-Higashi 症候群，X 連鎖リンパ増殖性疾患など）

二次性（反応性）HPS
- 感染症関連血球貪食症候群（infection-associated hemophagocytic syndrome；IAHS）
    ウイルス関連血球貪食症候群（virus-associated hemophagocytic syndrome；VAHS）
    細菌関連血球貪食症候群（bacteria-associated hemophagocytic syndrome；BAHS）
    真菌，寄生虫，リケッチア（日本紅斑熱，重症熱性血小板減少症候群など）
- 悪性腫瘍関連血球貪食症候群（malignancy-associated hemophagocytic syndrome；MAHS）
    リンパ腫関連血球貪食症候群（lymphoma-associated hemophagocytic syndrome；LAHS）
    その他の悪性腫瘍
- 自己免疫関連血球貪食症候群（autoimmune-associated hemophagocytic syndrome；AAHS）
- その他
    移植関連血球貪食症候群（造血幹細胞移植など），薬剤など

〔文献6）7）を参考に作成〕

球貪食性リンパ組織球症（familial hemophagocytic lymphohistiocytosis；FHL），Chediak-Higashi 症候群，Griscelli 症候群，X 連鎖リンパ増殖性疾患などで発症する。二次性 HPS は，感染症，悪性腫瘍（悪性リンパ腫など），自己免疫疾患（全身性エリテマトーデス，Still 病など）などの基礎疾患に随伴して発症する。また，二次性 HPS は薬剤や造血幹細胞移植に関連して発症する場合もある。

2 病態生理

一次性 HPS では，先天性遺伝子異常として NK 細胞や NKT 細胞の殺細胞作用が低下しており，感染などの状態において単球・マクロファージ機能が亢進すると考えられている。二次性 HPS は，①サイトカインストームにおけるマクロファージの過剰活性化，②血球細胞における自己抗体の産生（抗顆粒球抗体，抗赤血球抗体，抗血小板抗体など），③補体活性化，④血球細胞における Eat me シグナルと Don't eat me シグナルの不均衡（CD47，サーファクタント蛋白質 A/D など）などが，病態形成に関与している[8]。

3 症状・診断

一次性・二次性 HPS ともに，発熱，出血，肝脾腫，リンパ節腫脹，汎血球減少，凝固異常，肝障害，高 LDH 血症，高トリグリセリド血症，高フェリチン血症，高可溶性 IL-2受容体（sIL-2R，sCD25）血症などを特徴とする。発熱と原因不明の血球減少（1～3系統）では，家族歴や免疫不全を疑う既往歴を聴取する。身体所見では，肝脾腫，リンパ節腫脹，出血傾向，神経症状，皮疹を評価する。肝脾腫，肝障害，高フェリチン血症が存在し，HPS が疑われる場合や血球減少の原因が不明な場合は，骨髄検査を施行し，血球貪食像の有無，および再生不良性貧血や骨髄異形成症候群など血球減少をきたす疾患を鑑別する。

4 治療

一次性 HPS では，エトポシド，シクロスポリン，デキサメタゾンを併用したプロトコルと造血幹細胞移植などが提唱されている[7]。

二次性 HPS では，原因となるサイトカイン血症の改善を図る。感染症関連 HPS では，感染症に対する治療に加え，ステロイド療法や，重症例では免疫グロブリン療法（intravenous immunoglobulin；IVIG），シクロスポリンなどの免疫抑制薬，血漿交換療法を考慮する。EB ウイルス感染症に随伴する HPS では B 細胞や T 細胞が増殖する場合があり，一次性 HPS に準じた治療に移行することがある。リンパ腫関連 HPS では，各リンパ腫に対する治療が主体となる。自己免疫関連 HPS では，原疾患の治療に準じるとともに，ステロイド療法を基盤とし，ステロイド不応性に対しては IVIG，シクロスポリンまたはシクロホスファミドなどを考慮する。

アナフィラキシー

1 定義・分類

アナフィラキシーは1902年にPrtierと Ricketらが報告した現象であり，anaphylaxis（ana = against, phylaxis = protection），防御できない，予防できない突発的反応とされている。その定義はさまざまであるが，「アレルゲンなどの曝露により，複数臓器に全身性アレルギー反応が誘導され，生命に危機を与える過敏反応」，また「アレルゲンなどの曝露にアドレナリンが効果を及ぼす病態」などとされている。アナフィラキシーは重篤な過敏反応であり，急速発現する症状だけでなく，遅延性反応も知られており，重症では気道・呼吸・循環の異常により気道閉塞やショックとなり死に至る可能性がある。一方で，皮膚紅潮などの典型的な皮膚症状，頻脈やショックを伴わない場合もある。

2 病態生理

アナフィラキシーの発症機序は多岐にわたるが，もっとも頻度の高い機序はⅠ型アレルギー反応（即時型過敏症）である。

アレルゲンに曝露されることで産生されるIgE抗体は，マスト細胞や好塩基球の細胞膜上のFcε受容体Ⅰ（FcεRⅠ）と，きわめて高い親和性で結合する。肥満細胞や好塩基球に抗原/IgE複合体がFcεRⅠに作用すると，分泌顆粒であるヒスタミン，グランザイム，ロイコトリエンC_4，PAFなどが放出され，生理・薬理学的作用としてアナフィラキシー症状が出現する。一方，肥満細胞や好塩基球はIgEとの結合において，ホスホリパーゼA_2を活性化させ，シクロオキシゲナーゼやリポキシゲナーゼを産生し，新たにプロスタグランジンや活性酸素種を産生する機序がある。また，活性化された肥満細胞では，新たにNFATやNF-κBなどの転写因子活性化を介してIL-4，IL-5，IL-6，IL-13，TNF-αなどのサイトカインを産生する機序があり，これらの好酸球や好中球の活性化作用を含めて，抗原曝露後の遅延性アナフィラキシーの形成機序となる。

IgEが関与する機序における誘因は，食物（牛乳，鶏卵，小麦，落花生，くるみ，そば，など），刺咬昆虫（ハチ，アリなど）の毒，薬剤（抗菌薬，NSAIDs，抗腫瘍薬，スガマデクスなど）である。造影剤やNSAIDsについては，アナフィラキシーの誘因となる際にIgEが関与する機序と関与しない機序の2つが知られている。

IgEが関与しないアナフィラキシーとしては，アルコール，オピオイド，NSAIDs，造影剤，デキストラン，生物学的製剤，日光，運動，高温，低温などで肥満細胞が直接に活性化され，ヒスタミンなどの遊離が高まり，アナフィラキシーとなる。肥満細胞は，アレルゲンとIgEによるFcεRⅠの架橋形成とは別に，多塩基化合物，ペプチド（vasoactive intestinal peptide，ソマトスタチン，生物学的製剤など），ケモカイン，補体由来のアナフィラトキシン（C5aなど）で直接に活性化されることが知られている。

3 症状・診断

診断として，①皮膚，粘膜，またはその両方の症状（全身性の蕁麻疹，搔痒，紅潮，口唇・舌・口蓋垂の腫脹など）が数分〜数時間で急速に発症した場合，②典型的な皮膚症状を伴わなくても，既知のアレルゲンまたはアレルゲンの可能性がきわめて高いものに曝露された後に気道症状，気管支攣縮，血圧低下が数分〜数時間で発症した場合に，アナフィラキシーを疑う。循環系の異常としてはアナフィラキシーショック，また心房浮腫などの心臓アナフィラキシーに注意し[9]，消化管浮腫に伴う嘔吐・下痢などの消化器症状にも留意する。日本アレルギー学会の『アナフィラキシーガイドライン2022』では，グレード1（軽症）〜グレード3（重症）の3つに重症度分類がなされている(表5)[10]。

4 治療

アナフィラキシーでは，気道・呼吸・循環における緊急性の高い状態として，適切な気道確保，循環管理を念頭に置く。管理体位は，仰臥位で頭部での気道確保ができる状態とする。薬剤治療としては，循環管理と肥満細胞からの脱顆粒抑制としてアドレナリン筋注が第一選択である。アナフィラキシーが疑われる場合には，大腿部中央の前外側に0.1%アドレナリン（1：1,000，1 mg/mL）を成人であれば0.3〜0.5mg，小児では0.01mg/kgを筋肉注射する。エピペン®を用いる場合，通常は成人では0.3mg製剤を，小児では0.15mg製剤を使用する。アナフィラキシーにおけるアドレナリンの最

表5 アナフィラキシーにより誘発される器官症状の重症度分類

症状		グレード1（軽症）	グレード2（中等症）	グレード3（重症）
皮膚粘膜	紅斑，蕁麻疹，膨疹	部分的	全身性	全身性
	搔痒	自制内の軽い搔痒	自制できない搔痒	自制できない搔痒
	口唇・眼瞼腫脹	部分的	顔全体の腫れ	顔全体の腫れ
消化器	口腔内・咽頭違和感	口・喉のかゆみ，違和感	咽頭痛	咽頭痛
	腹痛	弱い腹痛	強い腹痛（自制内）	持続する強い腹痛（自制外）
	嘔吐，下痢	嘔気，単回の嘔吐・下痢	複数回の嘔吐・下痢	繰り返す嘔吐・便失禁
呼吸器	咳嗽，鼻汁，鼻閉，くしゃみ	間欠的な症状	断続的な咳嗽	持続する強い咳き込み 犬吠様咳嗽
	喘鳴，呼吸困難	―	聴診上の喘鳴 軽い息苦しさ	明らかな喘鳴，呼吸困難，チアノーゼ，呼吸停止，$SpO_2 \leq 92\%$，締めつけられる感覚，嗄声，嚥下困難
循環器	頻脈，血圧	―	頻脈（＋15回/min） 血圧軽度低下 蒼白	血圧低下 不整脈，重度徐脈 心停止
神経	意識状態	元気がない	眠気，軽度頭痛，恐怖感	ぐったり，不穏 失禁，意識消失

血圧軽度低下：1歳未満＜80mmHg，1〜10歳＜80＋（2×年齢）mmHg，11歳〜成人＜100mmHg
血圧低下：1歳未満＜70mmHg，1〜10歳＜70＋（2×年齢）mmHg，11歳〜成人＜90mmHg

〔文献10〕より引用・一部改変〕

大投与量は，成人0.5mg，小児0.3mgであり，過量投与における高血圧に注意する。アドレナリン血中濃度は筋注後10分程度で最高値となり，その効果は筋注後10分以降に低下していくため，治療抵抗性を示す場合には再投与を考慮する。

また，アナフィラキシーでは，心臓アナフィラキシーとして心房浮腫，心囊液，頻脈，心電図変化などが生じる可能性や，Kounis症候群として冠動脈攣縮や冠動脈プラークの破綻による急性心筋梗塞の合併に注意を要する[9)11)]。

抗ヒスタミンH_1受容体拮抗薬，抗ヒスタミンH_2受容体拮抗薬，ステロイドなどのアドレナリン以外の治療薬は，アナフィラキシーを完全に阻止できるものではなく，強い推奨はなされていない。それらを含む診療のエビデンスについてはガイドラインを参照されたい[10)]。

血栓性微小血管症

1 定義・分類

血栓性微小血管症（thrombotic microangiopathy；TMA）は，血小板減少，微小血管性溶血性貧血，および多臓器障害を特徴とする症候群であり，病理像では微小血管内血栓症を特徴とする。

TMAは大きく，ADAMTS13の活性低下を原因とする血栓性血小板減少性紫斑病（thrombotic thrombocytopenic purpura；TTP）と，溶血性尿毒症症候群（hemolytic uremic syndrome；HUS）に分類される。さらにHUSは，腸管出血性大腸菌（enterohemorrhagic *Escherichia coli*；EHEC）の産生する志賀毒素/ベロ毒素によるHUS（EHEC-HUS）と，補体制御因子異常/コバラミン異常症/肺炎球菌感染症などの原因に伴う非典型HUS（atypical-HUS；aHUS）に分けられる。また，抗血小板薬（チクロピジン，クロピドグレルなど），抗菌薬（キニーネ，βラクタム系薬，メトロニダゾールなど），免疫抑制薬（シクロスポリン，タクロリムスなど），抗腫瘍薬（マイトマイシンC，シスプラチンなど），スタチンなどの薬剤によるHUSの発症例もある。

TTPは従来，Moschcowitzの5徴候，①発熱，②精神神経症状，③血小板減少，④微小血管性溶血性貧血，⑤腎障害を特徴として診断されてきた。またHUSは，Gasserの3徴候，①血小板減少，②微小血管性溶血性貧血，③腎障害を特徴として診断されてきた。すなわちTMAは，このような発熱，精神神経症状，血小板減少，溶血性貧血で疑われる症候群である。

2 病態生理

1）TTP

TTPでは，VWFマルチマーの切断酵素であるADAMTS13の活性低下により血栓性微小血管症が生じる。血管内皮細胞より放出されるvon Willebrand 因子（VWF）は，血管内皮細胞で合成された後に200個以上の超巨大分子（マルチマー）として血液中に分泌され，血小板凝集として微小血栓症の原因となる。ADAMTS13の遺伝子異常による先天性TTP（Upshaw-Schulman症候群）と，ADAMTS13の阻害分子（インヒビター）として抗ADAMTS13抗体が産生される後天性TTPに分類される。

2）EHEC-HUS

大腸菌は，大腸菌細胞壁のO抗原として約180種類，大腸菌の鞭毛成分のH抗原として約53種類が同定されており，O：Hの組み合わせとして「O157：H7」などのように表記される。

消化管出血を特徴とする腸管出血性大腸菌感染におけるEHEC-HUSでは，ADAMTS13活性は低下しない。大腸菌の産生するベロ毒素（Vero toxin；VT。別名：志賀毒素，Shiga toxin；ST）はVT1とVT2の2種類が同定されており，毒性はVT1よりVT2が強く，白血球，血管内皮，腎糸球体などのGb3受容体などと結合し，直接的な細胞傷害性を誘導し，さらに炎症性サイトカインなどの産生を介して発熱，血管内皮細胞障害，微小血栓症，急性腎障害を増悪させる。大腸菌O157：H7などは，EHECとしてVT産生を介して下痢，出血性大腸炎，溶血性貧血，血小板減少，急性腎障害を生じさせる。

3）aHUS

aHUSは，補体異常，肺炎球菌感染症，コバラミン異常で発症することが知られている。

補体関連aHUSでは，補体の第二経路としてC3bとC5bの異常活性が関与する。補体C3の分解反応として活性化したC3bは異物のみならず，C3b抑制因子の機能低下がある場合，血管内皮細胞障害が進行する。補体の第二経路を活性化させる先天性異常としては，H因子（CFH），I因子（CFI），membrane cofactor protein（MCP：CD46），C3，B因子（CFB），トロンボモジュリン（THBD），diacylglycerol kinase ε（DGKE）の遺伝子変異，後天性異常としては抗H因子抗体陽性例がaHUSを起こすとされている。一方で，補体の第二経路として活性化したC5bは，C6〜C9を活性化させ，膜侵襲複合体（membrane attack complex；MAC）を形成し，血管内皮や腎糸球体などに細胞障害を誘導する。

侵襲性肺炎球菌感染症では，肺炎球菌が産生するノイラミニダーゼ（NanA），β-ガラクシターゼ（BgaA），β-N-グルコシダーゼ（StrH）による血管内皮などの複合糖質の切断が細胞傷害性に強く関与する。NanAはとくに，赤血球，血小板，腎糸球体内皮細胞において，βGal（1-3）αGal NAc-（Thomsen-Friedenreich 抗原）を細胞膜上に露出させる作用があり，血漿中の抗Thomsen-Friedenreich IgM抗体と反応すると赤血球凝集，溶血，急性腎障害がHUSとして発症する。劇症型肺炎球菌感染症におけるHUSでは，血漿交換療法において投与血漿における抗Thomsen-Friedenreich IgM抗体により病態悪化となる危険性がある。

コバラミン異常症は，コバラミン-C，-D，-Fの遺伝子異常に伴う常染色体潜性（劣性）遺伝性疾患であり，コバラミンCの遺伝子異常が多い。ビタミンB_{12}はコバルトを含むビタミン（コバラミン）の総称であり，生体内では主にメチルコバラミンとアデノシルコバラミンがアミノ酸や脂質などの代謝における補酵素として働いている。コバラミンは，アミノ酸合成においてホモシステインからメチオニンを合成するメチオニン合成酵素の補酵素として働いており，コバラミン異常症では高ホモシステイン血症，低メチオニン血症，高メチルマロニル-CoA血症，メチルマロン尿症となる。ホモシステインは高濃度で，血管内皮細胞障害，血管平滑筋細胞増殖，血小板凝固亢進，血栓形成などの作用としてaHUSを発症させる。

3 診断・治療

TMAの診断と治療を図1[12]に示す。TMAは，①微小血管症性溶血性貧血としてHb低下（10g/dL未満），血清LDH上昇，血清ハプトグロビン減少および末梢血での破砕赤血球の存在，②血小板減少（15万/μL未満），③急性腎障害（血清クレアチニン値が年齢・性別基準値の1.5倍以上）の3つの徴候から診断する。薬剤投与中のTMAの発症では，被疑薬を中止する必要がある。治療は，TTP，EHEC-HUS，aHUSで異なることに注意する。

1）TTP

ADAMTS13活性と抗ADAMTS13抗体を測定する。ADAMTS13活性測定と自己抗体（インヒビター）検査

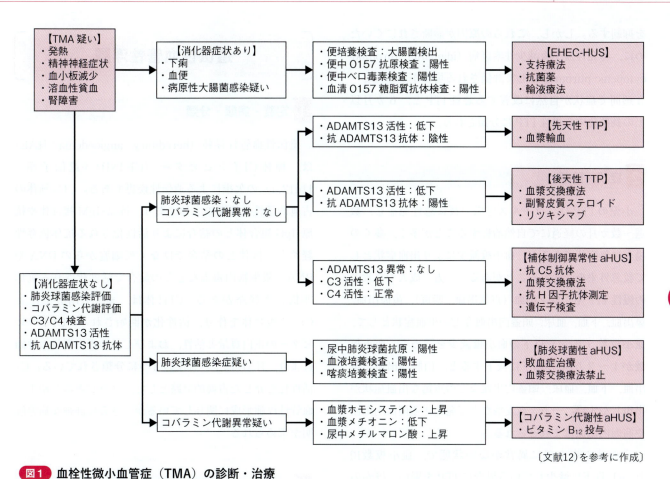

図1 血栓性微小血管症（TMA）の診断・治療

〔文献12)を参考に作成〕

は，2018年4月より保険収載されている。ADAMTS13活性が10%未満の場合はTTPを強く疑う。抗ADAMTS13抗体が陽性であれば，後天性TTPと診断する。先天性TTPでは新鮮凍結血漿を投与する。後天性TTPに対しては，症状に対する支持療法に加えて，血漿交換療法が重要であり，そのうえで副腎皮質ステロイドやリツキシマブ，カプラシズマブの投与が検討される。

2) EHEC-HUS

便培養検査，検査便の大腸菌O157抗原検査（免疫クロマト法）およびベロ毒素検査（ELISA法），血清O157糖脂質抗体検査（ラテックス凝集反応）でEHECを診断する。治療は，けいれん，急性腎障害，溢水，高血圧，貧血などのHUSの症状に対する対症療法や支持療法に加えて，大腸菌感受性のあるβラクタム系薬などの抗菌薬を選択する。止痢薬はHUS発症の危険因子であり，使用しないことが推奨されている[12]。

3) aHUS

aHUSの診断として，血中C3，C4，H因子，I因子，B因子の測定，白血球上のCD46（MCP）発現を評価する。C3活性低値でC4活性正常は第二経路の活性化を疑う。確定診断には，抗H因子抗体測定と遺伝子検査（CFH，CFB，CFI，C3，CD46，THBD，DGKE）行う。コバラミン代謝異常症では，血漿ホモシステイン，血漿メチルマロン酸，尿中メチルマロン酸を測定する。

aHUSの治療においては，侵襲性肺炎球菌感染症では肺炎球菌に対する敗血症治療を優先し，血漿交換療法は抗Thomsen-Friedenreich IgM抗体を補充する危険性があるため選択しない。コバラミン代謝異常症では，ビタミンB_{12}投与とする。補体異常においては，血漿交換療法とエクリズマブ（抗C5抗体）投与を考慮する。

免疫性血小板減少症

1 定義・病態・分類

免疫性血小板減少症（immune thrombocytopenia；ITP）は，血小板のGpⅠb/ⅨやGpⅡb/Ⅲaなどの細胞膜構成蛋白質に対して自己抗体が発現し，脾での血小板の破壊が亢進することで血小板減少を生じる自己免疫性疾患である。抗血小板抗体は骨髄における巨核球の成熟

を抑制する．しかし，これらの原因が診断されにくいために，特発性血小板減少性紫斑病（idiopathic thrombocytopenic purpura）として評価される場合が多い．2〜3週間で症状が自然に改善する急性ITPと，6カ月以上の長期化する慢性ITPに分類される．

2 症状・診断

小児のITPは，ウイルス感染の後に急性発症し，数週〜数カ月の経過にて自然治癒することが多く，多くの場合に無症状であるが，血小板減少により出血症状として救急外来を受診することがある．一方，成人や高齢者の慢性ITPも，皮下出血（点状出血，紫斑），歯肉出血，鼻出血，下血，血尿，頭蓋内出血などの出血症状として，血小板数5万/μL以下の血小板減少を認める．血小板数が1〜2万/μL以下に低下すると，口腔内出血，鼻出血，下血，血尿，頭蓋内出血などの重篤な出血症状が出現しやすい．一方，血友病などで発症する関節内出血や筋肉内出血はまれとされる．

白血球や赤血球に異常がない状態で，血小板数10万/μL以下に減少している場合にITPを疑い，ほかの血小板減少を伴う疾患の除外により診断される．末梢血では，破砕赤血球を認める場合にはITPではなくTTPを疑う．脾の触診やCT像での評価では，EBウイルス感染症や自己免疫性溶血性貧血のような腫大はなく，一般に脾の大きさは正常である．

3 治療

ITP治療の参照ガイド[13]に準じて，血小板数の目標は3万/μL以上とする．治療薬の第一選択は副腎皮質ステロイドとし，静注用免疫グロブリン大量療法を考慮する．第二選択として，トロンボポエチン受容体作動薬（TPO-RA），リツキシマブ，脾摘出術を考慮する．また，胃などにおける*Helicobacter pyrori*（ピロリ菌）感染症の合併がITPの増悪因子として知られており，内視鏡検査，尿素呼気試験，血液や尿を用いた抗体法などでピロリ菌感染が疑われる場合は，アモキシシリンやクラリスロマイシンなどの抗菌薬でピロリ菌を除菌する．

遺伝性血管性浮腫

1 定義・病態・分類

遺伝性血管性浮腫（hereditary angioedema；HAE）は，補体C1インヒビター（C1-INH）（遺伝子座：11q12.1）の欠損による遺伝性疾患である．C1は補体の古典的活性化経路の主体であり，抗原-IgM複合体や抗原-IgG複合体との結合により活性化される抗体依存性経路と，抗体との結合ではなく死細胞からのDNAやRNA，微生物内毒素などとの結合で活性化される抗体非依存性経路がある．C1自体は，まずC1qがC1rとC1sの複合体を作り，活性化が開始される．C1インヒビターの蛋白質量と活性，およびCq1の蛋白質量の評価により，HAEはI〜III型の3つに分類されている．C1活性化を介した古典的経路として，ブラジキニン産生が血管性浮腫形成に関与しているが，さらに詳細な病態解明が求められる[14]．

2 症状・診断

HAEの臨床症状は，皮膚や粘膜，気道，消化管血管などの独特の血管性浮腫症状である．皮膚や粘膜下の血管透過性亢進により，顔面，口唇，頸部，手足，腕脚などに，かゆみを伴わない浮腫が生じる．この血管性浮腫の症状に加えて，C1インヒビター活性低下（<50%），家族歴の3つにより，HAE I型あるいはHAE II型を診断する．C1インヒビターの量と活性の両方が低下している場合をHAE I型，C1インヒビター活性のみが低下している場合をHAE II型とする．これらにおいて，血清C4活性が低下していることも確認する．HAE III型は，C1インヒビターの遺伝子変異がなく，C1インヒビターの産生量や機能は正常であり，女性に多く発症することが知られている．

家族歴のない後天性HAEにおいては，悪性腫瘍や自己免疫疾患などにおいて抗C1インヒビター抗体が出現し，C1インヒビターが消費されて，血管性浮腫が発症する．後天性HAEを疑う場合は，血清補体C1q値（基準値8.8〜15.3mg/dL）を測定し，C1qが低値の場合には後天性血管性浮腫を疑い，腫瘍や自己免疫疾患を検索する．薬剤性血管性浮腫として，降圧薬やエストロゲン製剤などの薬剤を除外診断とする．

確定診断には，C1インヒビター遺伝子（SERPING1）の遺伝子診断を行う。

3 治 療

HAEの発作時の治療として，第一選択薬としてC1インヒビター補充療法（体重50kg以下で500単位，50kg以上で1,000～1,500単位 静注），補助治療薬としてトラネキサム酸（15mg/kg静脈内投与，4時間ごと）や，イカチバント（ブラジキニンB_2受容体拮抗薬）（30mg/回，腹部への皮下注射，効果不十分な場合は6時間以上追加投与）を考慮する。気道閉塞や呼吸異常を伴う場合は，気管挿管下管理を考慮する[14]。

後天性血友病

1 定義・病態・分類

血友病は，血液凝固因子の欠乏・欠損によって生じる出血性疾患である。先天性凝固因子異常症としての登録が最多であり，国内では血友病A（第Ⅷ因子異常）が5,000人以上，血友病B（第Ⅸ因子異常）が1,000人以上にのぼる。一方，後天性に自己抗体が出現することにより血友病が惹起される後天性血友病がある。後天性血友病では，主な報告は血友病A（第Ⅷ因子異常）であり，全身性エリテマトーデス，関節リウマチ，Sjögren症候群，皮膚筋炎などの自己免疫疾患，胃がんや大腸がんなどの悪性腫瘍，妊娠・分娩，薬剤（βラクタム系薬，サルファ薬，フェニトインなど）における第Ⅷ因子抑制分子（インヒビター）の産生が関与する[15]。

2 症状・診断

症状として，皮下出血，口腔内出血，血尿，消化管出血，さらに広範な紫斑や筋肉内出血に注意する。血液凝固検査を行い，出血時間，血小板数，プロトロンビン時間（PT）は正常で，活性化部分トロンボプラスチン時間（APTT）のみが延長している場合に後天性血友病を疑う。鑑別としては，APTTを延長させるヘパリン混入，von Willebrand病に随伴する凝固因子異常症，ループスアンチコアグラント血症に注意する。

確定診断のためには，第Ⅷ因子および第Ⅸ因子のインヒビター測定，およびVWF活性測定を行う。また，APTTが延長している際には，患者血漿に正常血漿を添加して補正効果をみるAPTTクロスミキシングテストを行う。APTTクロスミキシングテストでは，第Ⅷ因子や第Ⅸ因子の不足によりAPTTが延長している場合には，正常血漿の添加でAPTTが改善する。しかし，第Ⅷ因子インヒビターが存在する場合，APTTの改善が顕著とはならない。

3 治 療

後天性血友病の治療では，第Ⅷ因子および第Ⅸ因子の補充療法は，これらのインヒビターの作用により有効ではない。治療薬の第一選択は副腎皮質ステロイドとし，静注用免疫グロブリン大量療法が考慮される。第二選択として，第Ⅷ因子インヒビターなどの抑制療法として，副腎皮質ステロイド，シクロスポリン，アザチオプリンなどの免疫抑制療法，抗CD20モノクローナル抗体（B細胞の抗体産生抑制）が考慮される[15]。

また近年，先天性／後天性血友病A患者の出血傾向の抑制を適応とし，抗血液凝固第Ⅸa／Ⅹ因子ヒト化二重特異性モノクローナル抗体・血液凝固第Ⅷ因子機能代替製剤としてエミシズマブ（遺伝子組換え）が保険収載されており，その効果が期待されている。

▶文 献

1) Park JE, et all：Prenatal development of human immunity. Science 368：600-3, 2020.
2) Lewis SM, et al：Structure and function of the immune system in the spleen. Sci Immunol 4：eaau6085, 2019.
3) Arber DA, et al：The 2016 revision to the World Health Organization classification of myeloid neoplasms and acute leukemia. Blood 127：2391-405, 2016.
4) Alaggio R, et al：The 5th edition of the World Health Organization classification of haematolymphoid tumours：Lymphoid neoplasms. Leukemia 36：1720-48, 2022.
5) 日本血液学会（編）：造血器腫瘍診療ガイドライン2023年版，第3版，金原出版，2023.
6) Al-Samkari H, et al：Hemophagocytic lymphohistiocytosis. Annu Rev Pathol 13：27-49, 2018.
7) 日本小児血液・がん学会組織球症委員会（監）：小児HLH診療ガイドライン，2020.
https://www.jspho.org/journal/guideline.html
8) Kelley SM, et al：Putting the brakes on phagocytosis："Don't-eat-me" signaling in physiology and disease. EMBO Rep 22：e52564, 2021.
9) Bani D, et al：Cardiac anaphylaxis：Pathophysiology

and therapeutic perspectives. Curr Allergy Asthma Rep 6：14-9，2006.
10) 日本アレルギー学会：アナフィラキシーガイドライン2022，2022.
https://www.jsaweb.jp/modules/journal/index.php?content_id=4
11) Jolobe OMP：Kounis syndrome and anaphylaxis. Am J Emerg Med 56：264，2022.
12) 溶血性尿毒症症候群の診断・治療ガイドライン作成班（編）：溶血性尿毒症症候群の診断・治療ガイドライン，2014.
https://jsn.or.jp/academicinfo/hus2013.php
13) 厚生労働省難治性疾患政策研究事業血液凝固異常症等に関する研究班「ITP治療の参照ガイド」作成委員会：成人特発性血小板減少性紫斑病治療の参照ガイド2019改訂版．臨血 60：877-96，2019.
14) 日本補体学会HAEガイドライン作成委員会：遺伝性血管性浮腫（HAE）ガイドライン改訂2014年版，2014.
https://square.umin.ac.jp/compl/HAE/HAEGuideline2014.html
15) 後天性血友病A診療ガイドライン作成委員会：後天性血友病A診療ガイドライン2017年改訂版，2017.
https://www.jsth.org/wordpress/guideline/

10 内因性の筋・骨格系疾患

関根　康雅　　加藤　宏

内因性の筋・骨格系疾患には，局所の症状（疼痛，腫脹など）のみならず，発熱や倦怠感などの全身症状を伴うものや，強い神経症状を呈するものが含まれており，治療緊急度が高い病態が少なからず存在する。ここでは，救急外来で遭遇する頻度が比較的高い疾患について，鑑別や見逃してはならない注意点を含めて概説する。

化膿性関節炎（感染性関節炎）

1 疫学・病態生理

感染経路としては，①血行性感染，②外傷，手術，関節内注射などによる関節内への細菌の直接侵入，③関節周囲の骨組織や軟部組織からの感染波及がある。中高年層では化膿性膝関節炎が多く，関節穿刺やステロイド薬，ヒアルロン酸製剤などの関節内注射による医原性感染が多い。

起炎菌は，年齢を問わず黄色ブドウ球菌がもっとも多く，そのほか，表皮ブドウ球菌，グラム陰性桿菌，レンサ球菌，インフルエンザ菌，肺炎球菌などがある。また，わが国では近年，メチシリン耐性黄色ブドウ球菌（methicillin-resistant *Staphylococcus aureus*；MRSA）による感染の増加も問題になっている。危険因子として，副腎皮質ステロイド，免疫抑制薬の長期服用や糖尿病などがあげられる[1)～3)]。

2 症状

局所の急激な疼痛と腫脹，熱感，発赤が出現するほか，発熱などの全身症状を呈する。化膿性膝関節炎では，しばしば歩行困難を認め，乳児期の化膿性股関節炎では，おむつ交換時の啼泣や不機嫌で気づかれることもある。

後述する偽痛風と化膿性関節炎の局所所見は類似し，膝関節炎の場合は，両者とも膝蓋跳動を伴う高度の関節腫脹を呈するが，偽痛風よりも化膿性関節炎のほうが発赤や熱感が高度である（図1）。

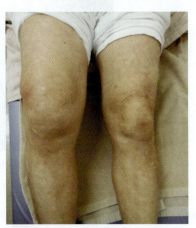

図1　化膿性膝関節炎（右脚）

3 検査・診断

急激な関節の痛みや腫脹が出現した患者では，まずは本疾患を念頭に置いて診察を進める必要がある。

1）血液検査

WBC，CRPの上昇を認める。これらは急性の炎症所見であり化膿性関節炎に特異的なものではないが，好中球の増加や血清プロカルシトニン値の上昇は，非感染性疾患との鑑別に有用である。慢性の関節炎では結核菌や真菌が起炎菌である可能性もあるため，通常の培養検査のほか，抗酸菌培養やβ-Dグルカンなども必要に応じて追加する。

2）画像検査

発症から間もない時点では，X線検査では明らかな異常を認めないが，関節の腫脹による関節裂隙の開大を認めることがある。その後，関節面の不整や浸食像，関節周囲の骨萎縮へと進行し，急速に骨破壊や関節裂隙の消失に至る（図2）。MRI検査は骨髄内の信号変化により骨髄炎の評価や，滑膜の増生，関節液の貯留などの評価に有用である。

3）関節液検査

血液培養または血清学的に菌が証明されていない場合でも，関節液検査により診断が可能なことがある。関節穿刺には一定の手技の習熟が必要であるが，超音波など画像ガイド下で行うことにより安全に実施可能である。

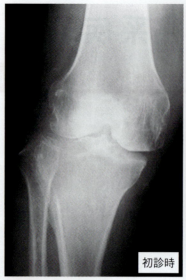
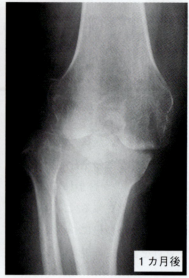

図2 化膿性関節炎の膝関節X線正面像（初診時／1カ月後）

関節穿刺により関節液から塗抹あるいは培養検査で細菌を検出することで診断を確定する。関節液は膿性もしくは混濁を示す。偽痛風やリウマチ性疾患と比べて混濁の程度が強く，白色のデブリス（debris）が吸引されることがある（図3）。

関節液検査では，細胞数と細菌の有無を検査する。化膿性関節炎では関節液中の糖の低下を認め，細胞数は10万/μLを超えて，75％以上を多核球が占める場合が多い[1)3)]。関節液の培養検査は，抗菌薬投与前に検体を採取する。ただし，関節液から菌が検出されなくても化膿性関節炎を否定することはできないため，症状やほかの検査所見も含めて総合的に判断する。

図3 化膿性関節炎の膿性関節液

4 治療

化膿性関節炎においては，治療の遅れは軟骨破壊から重篤な機能障害に直結する。そのため，早期診断と迅速な治療が不可欠となる。臨床症状や各種検査から化膿性関節炎が疑われた場合は，起炎菌の同定を待たずに抗菌薬投与を開始し，早期に手術治療を計画する。

抗菌薬は，起炎菌に黄色ブドウ球菌が多いことから，第1・第2世代のセフェム系，広域または複合ペニシリン，クリンダマイシンなどを選択するのが一般的である。乳幼児，高齢者や抵抗力の低下した易感染性宿主に対しては，MRSAを考慮して，バンコマイシンなどの抗MRSA薬を積極的に用いるとする報告もある。また，骨髄炎を併発している場合は，炎症反応が収束するまで長期にわたり抗菌薬の投与が必要である。

痛風（痛風発作）

1 疫学・病態生理

痛風発作の原因とされる高尿酸血症は，食生活の欧米化に伴ってわが国でも近年増加の一途をたどっている。国民生活基礎調査によれば，2016年の時点では全国で推定される高尿酸血症患者は1,000万人を超え，痛風患者も110万人となっている。痛風関節炎は，高尿酸血症により生じた尿酸ナトリウムが，関節内に析出して関節炎を誘発する結晶性関節炎で，血清尿酸値の上昇は結晶性関節炎の発症の危険因子であり，7.0mg/dLを超えると発症リスクが高まるとされている[4)]。

2 症状

焼け火鉢を押しつけられるような激痛と，母趾の中足趾節（MTP）関節に発赤や腫脹を伴う関節炎として知

られている（図4）。母趾以外にも膝関節や足関節などほかの関節に生じる場合もある。発症は突然で激しい痛みを伴い，腫脹，熱感，発赤，関節水腫，関節可動域制限などを認める。

3 検査・診断

1）血液検査
急性の炎症所見としてWBC，CRPの上昇を認める。血清尿酸値の高値は発生リスクであるが，痛風発作中の尿酸値は必ずしも高値を示さない。

2）画像検査
X線検査では，慢性的な経過では骨びらんを生じることもあるが，初期の段階では特徴的な所見はない。診断には，結晶の証明とともに，類似した症状を呈する化膿性関節炎との鑑別を要する。

3）関節液検査
関節液中に尿酸ナトリウムの結晶の有無を確認する。偏光顕微鏡下での結晶の同定は感度・特異度とも高く，診断の根拠になる。とくに特異度は100％ともいわれている[4]。

4 治療

発作時にはNSAIDsなどの消炎鎮痛薬の投与と局所の安静，冷却などの対症療法を行う。痛風発作の前兆期にはコルヒチンの経口投与が行われる。血清尿酸値の変動は痛風発作を増悪させる場合もあり，アロプリノールなどの尿酸降下薬は発作時には開始せず，寛解から2週間程度空けて内服を開始する。発作前から内服している場合には休薬の必要はない。食事療法など生活習慣の改善により，普段から血清尿酸値をコントロールすることが肝要である。

偽痛風

1 疫学・病態生理

偽痛風は，ピロリン酸カルシウムの結晶が関節内に析出して関節炎を誘発する結晶性関節炎である。高齢者にとくに誘因なく発症することが多く，男女差はないとされている[5]。

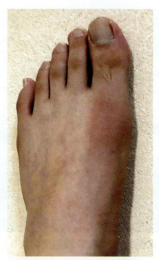

図4 痛風発作時の外観

2 症状

疼痛，腫脹，熱感，関節水腫，関節可動域制限を認める。化膿性関節炎と比べて発赤や疼痛は軽度なことが多い。

3 検査・診断

1）血液検査
非特異的な炎症所見を呈する。CRPは著明な上昇を認めるが，WBCの分画では好中球の増加は乏しい。

2）画像検査
ピロリン酸カルシウムは，尿酸ナトリウムと異なりX線に非透過性であるため，膝関節罹患例では半月板や関節軟骨の表層に付着した結晶が石灰化像として確認できることがある（図5）。

3）関節液検査
ピロリン酸カルシウムの結晶の有無を確認する。偏光顕微鏡下で結晶を同定できれば，診断の根拠となり得る。しかし，偽痛風でも結晶が確認できないケースや，変形性膝関節症でピロリン酸カルシウムの結晶を認める場合，化膿性関節炎を合併することもあるので注意を要する。

4 治療

NSAIDsの経口投与を基本とし対症療法を行う。ステロイドの関節内投与も有効とされるが，化膿性関節炎を除外できない場合は危険である。手術療法に至ることは

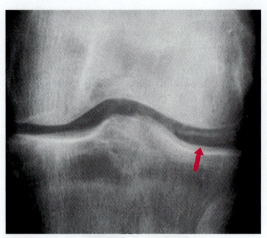

図5 偽痛風の膝関節 X 線正面像
矢印は半月板の石灰化像

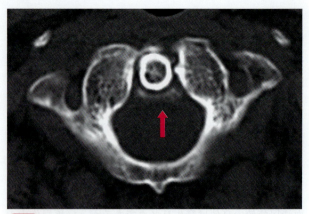

図6 CDS（crowned dens syndrome）における歯突起後方の石灰化
矢印はピロリン酸カルシウムの結晶

まれであるが，再発を繰り返す場合は手術による関節内洗浄を考慮する。

5 CDS（crowned dens syndrome）

CDS は歯突起周囲組織へのピロリン酸カルシウム結晶が沈着した環軸関節の偽痛風発作である（図6）。多くは高齢者に発症し，急性の頸部痛，発熱，頸椎運動制限を生じる[6]。診断は頸椎 CT が有用であり，歯突起周囲に石灰化像が認められる。予後は良好で，NSAIDs が著効し数日〜数週間で軽快することが多いが，髄膜炎などほかの疾患と誤診されやすいため，炎症所見を伴う頸部痛の原因疾患の一つとして認識しておく必要がある。

腰椎椎間板ヘルニア

椎間板ヘルニアとは，椎間板の線維輪が断裂して，中心部にある髄核が脊柱管内に逸脱し，神経の圧迫症状を呈する疾患である。好発部位は「腰椎」と「頸椎」である。まず，腰椎椎間板ヘルニアについて概説する。

1 疫学・病態生理

男女比は 2：1〜3：1 で男性に多く，20〜40歳代に好発する。発生部位は L4/5 がもっとも多く，次いで L5/S1 が好発部位であり，両者でおよそ 95％ を占める。人口の概ね 1％ 程度が罹患している。発生要因として重労働や喫煙などの環境因子に加え，遺伝的要素も指摘されている[7]。

加齢とともに，髄核の水分を含有するプロテオグリカンの減少など椎間板の変性を基盤として線維輪が破綻し，変性した髄核が脊柱管内に突出，さらには脱出して，神経根や馬尾神経を圧迫する。

2 症状

腰痛と片側の下肢痛を訴えることが多い。殿部から大腿後面に至る坐骨神経痛は，腰椎椎間板ヘルニアの代表的症状である。神経症状は，圧迫された神経根が支配する下肢の領域に感覚障害，あるいは筋力低下が出現する。身体所見では，疼痛による跛行，脊柱側彎，脊椎運動制限がみられる。また，ヘルニアが馬尾を強く圧迫すると，両下肢に多恨性の感覚運動障害や排尿・排便障害を生じることがある（急性馬尾症候群）。

3 検査・診断

1）神経学的高位診断

後方や後側方にヘルニアが突出することが多く，1椎体下の神経が圧迫を受けて障害される。すなわち，もっとも頻度が高い L4/5 椎間板ヘルニアでは L5 神経根が圧迫されるため，L5 神経根障害（殿部付近〜大腿部外側〜下腿外側の腓骨頭付近〜足背および母趾にかけての疼痛やしびれ，足関節の背屈および母趾伸展の筋力低下）を生じる。L5/S1 椎間板ヘルニアでは S1 の神経根障害（殿部付近〜大腿部後面〜下腿後面〜足底にかけての疼痛やしびれ，足関節の底屈および母趾の屈曲筋力低下，アキレス腱反射の低下または消失）を生じる[7]。

表1 腰椎椎間板ヘルニアの高位診断のための tension sign 誘発テスト

大腿神経伸展テスト（femoral nerve stretch test；FNST）
L2，L3，L4神経根障害で陽性となる。腹臥位で膝関節を屈曲したまま股関節を伸展させる。大腿前面に疼痛が誘発されれば陽性

下肢伸展挙上テスト（straight leg raising test；SLRT）
L5，S1神経根障害で陽性となる。仰臥位で膝伸展位のまま下肢を挙上する。70°以下で大腿後面に疼痛が誘発された場合は陽性

Lasègue 徴候
L5，S1神経根障害で陽性となる。仰臥位で股関節および膝関節屈曲90°で膝関節を伸展していく。大腿後面に疼痛が誘発された場合は陽性

〔文献7）より引用・改変〕

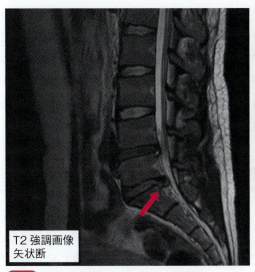
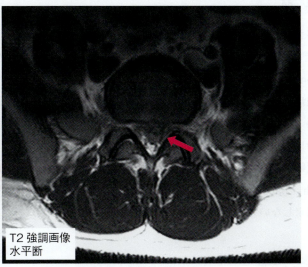

図7 腰椎椎間板ヘルニアのMRI像
T2強調画像 矢状断　／　T2強調画像 水平断

　神経学的高位診断として，どのレベルで障害を受けているかを診断する神経根の緊張性徴候（tension sign）誘発テストがある（**表1**）[7]。下肢伸展挙上テスト（straight leg raising test；SLRT）および Lasègue 徴候に関しては，若年者の椎間板ヘルニアでは高率で陽性となるものの，幅広い年齢層を対象にとした場合では感度・特異度ともに低下するとされている。大腿神経伸展テスト（femoral nerve stretch test；FNST）も，感度は低いが特異度は高いとされている[7]。tension sign 誘発テストの診断精度は単独では高くないため，腰椎椎間板ヘルニアの診断は，身体所見や病歴，画像所見も含めて総合的に判断することが重要である。

2）画像検査

　MRI 検査が有用である。脱出した髄核は T1強調画像で等信号（iso intensity），T2強調画像で高信号（high intensity）を呈する（**図7**）。そのほか，ヘルニアの腫瘤の直接的描出や動的評価（機能撮影）を目的に，脊髄造影検査や脊髄造影 CT 検査なども行われる。

4 治療

　痛みの軽減を目的として消炎鎮痛薬を中心とする薬物療法や装具療法に加え，神経ブロックも併用される。保存治療に抵抗する場合は手術治療が考慮され，馬尾症候群や運動麻痺が進行する場合は早急に手術を行う。

頸椎椎間板ヘルニア

1 疫学・病態生理

頸椎の椎間板変性は腰椎に比べて遅いため，頸椎椎間板ヘルニアは30〜50歳代の男性に多く発生し，C5/6にもっとも好発し，次いでC6/7，C4/5に多い。髄核の脱出方向によって，脊髄圧迫（正中位障害），脊髄＋神経根圧迫（前外側障害），神経根圧迫（側方障害）の3タイプに分類される[8]。

2 症状

障害されている神経根の支配領域での刺激症状と神経脱落症状がみられる。神経根痛の誘発テストとしてJacksonテストとSpurlingテストがある。

脊髄症特有の手指として，①巧緻性の低下，②finger escape sign（小指離れ徴候），③手指の素早い握り開きが10秒間に20回以下（10秒テスト，正常は25〜30回），④腱反射の亢進またはHoffmann反射の両側陽性のmyelopathy handが特徴的である。そのほか，神経根や脊髄に由来しない脊柱軸に沿った軸性疼痛がみられる[9]。

3 検査・診断

1）神経学的高位診断

腱反射や筋力低下を用いた診断指標として，C5神経根（C4/5椎間高位）では上腕二頭筋腱反射の低下と三角筋の筋力低下，C6神経根（C5/6椎間高位）では上腕二頭筋腱反射の低下と上腕二頭筋の筋力低下，C7神経根（C6/7椎間高位）では上腕三頭筋腱反射の低下と上腕三頭筋の筋力低下，C8神経根（C7/T1椎間高位）では上腕三頭筋腱反射の低下と小手筋の筋力低下，といった基準が提唱されている[10]。

2）画像検査

MRI検査が診断に有用である。頸椎のX線検査では局所の後彎や椎間板の狭小化を認めることもあるが，異常を示すことは少ない。

4 治療

しびれや痛みなど症状が比較的軽い場合には，消炎鎮痛薬を中心とする薬物療法や装具療法など保存的加療が選択される。筋力低下の程度が強く現れている場合には手術療法が検討される。

化膿性脊椎炎

1 疫学・病態生理

化膿性脊椎炎は，細菌が脊椎に感染して炎症を引き起こす脊椎炎症性疾患である。重症化すると椎体破壊や硬膜外膿瘍などを形成したり，敗血症を併発することがある。中高年者では，感染性心内膜炎や糖尿病などの基礎疾患を有する患者が多い。近年は高齢者やがんの術後など易感染性宿主の罹患例も増加している。感染経路の主たるものは血行性であり，起炎菌はグラム陽性菌の黄色ブドウ球菌が約50％を占める。泌尿器や生殖器の感染巣から波及した場合は，大腸菌や緑膿菌などのグラム陰性菌が起炎菌となる場合が多い[11]。結核菌による結核性脊椎炎の存在にも注意する。

2 症状

初期症状は罹患部の疼痛（頸部痛，背部痛，腰痛）と発熱のほか，罹患部位に応じた疼痛や叩打痛を認める。安静時にも痛みがあり，体動で増強する。病状が進行し硬膜外膿瘍を伴うようになると，しびれや疼痛，筋力低下，膀胱直腸障害などの神経根障害や神経学的異常を認めるようになる。

発症形式から急性型，亜急性型，潜行（慢性）型に分類されるが，亜急性型や慢性型では症状が軽度な場合もあり，見落とさないよう注意する[12]。脊椎疾患のなかでも化膿性脊椎炎のような感染症だけでなく，腫瘍や骨折なども早期の鑑別が重要である。重要な脊椎疾患の危険を示す徴候としてred flagsがあり，該当するものがあれば注意深く鑑別を進める（p.302参照）[13]。

3 検査・診断

1）血液検査

WBC，CRPの上昇を認める。これらは急性の炎症所見であり特異的なものではないが，好中球の増加や血清プロカルシトニン値の上昇は，非感染性疾患との鑑別に有用である。起炎菌同定のために，血液培養を行う。

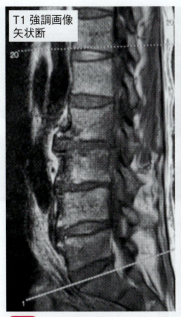 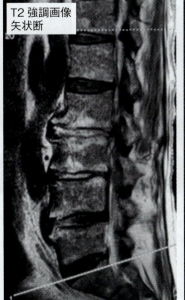 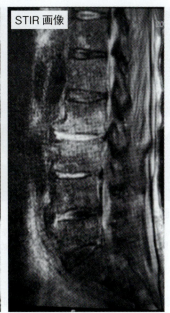

図8 化膿性脊椎炎のMRI像

2）画像検査

X線検査では初期の段階では明らかな異常を示すことは少ないが，病状の進行に伴い椎間板や椎体の終板に不整像や破壊を生じるようになる。CT検査は単純X線検査よりも椎体終板の変化を詳細に観察することが可能である。MRI検査が診断にもっとも有用であり，椎間板腔の膿瘍の貯留はT1強調画像で低信号，T2強調画像で高信号を示す。また，STIR画像では椎体終板の破壊や骨髄浮腫が描出可能である（図8）。発症初期に画像変化が指摘できなくても，症状が遷延する場合には再検査を検討する。

4 治療

起炎菌が不明な場合は広域スペクトラムの抗菌薬を投与する。起炎菌の同定や薬剤感受性の結果を受けて抗菌薬を変更する。脊椎の安静を目的に，体幹ギプスや装具を使用する。

抗菌薬での治療効果が不十分の場合や椎体破壊が進行した場合，膿瘍による脊髄への圧迫を認めた場合は，ドレナージや病巣搔爬，神経の除圧や脊椎の固定術，骨移植などの手術加療が必要である[14]。ただし，手術加療は脊椎固定や骨移植を感染巣に施すため困難を極める。患者の機能的予後への影響を最小限とするために，早期からの適切な治療介入が重要である。

腸腰筋膿瘍

1 疫学・病態生理

腰椎の化膿性脊椎炎や虫垂炎，尿路感染症などの隣接した感染巣から腸腰筋に炎症が波及し，膿瘍が形成されることが多い。筋線維に沿って大腿部や殿部に広がることもある。起炎菌は黄色ブドウ球菌がもっとも多い。本症が発症する背景には，栄養状態不良，糖尿病，ステロイド使用などがある。

2 症状

発熱とともに下腹部や殿部の痛みを認める。腸腰筋に膿瘍があると筋の収縮により，股関節の伸展は痛みで制限され，股関節が軽度外旋屈曲位で膝関節が屈曲する腸腰筋肢位（psoas position）をとる。

3 検査・診断

1）血液検査
WBC，CRPの上昇を認める。
2）画像検査
X線検査では腰椎の正面像や骨盤正面像で腸腰筋陰影の膨隆や消失を認める。ガス産生菌ではガス像を認める

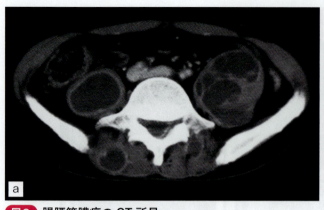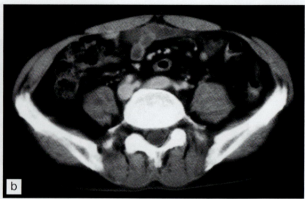

図9 腸腰筋膿瘍のCT所見
a：初診時．両側腸腰筋および傍脊柱筋に膿瘍を認める
b：腸腰筋膿瘍穿刺後3カ月．膿瘍の消退を認める

場合がある．造影CTやMRIで膿瘍が証明できれば診断は確定する．いずれの検査も膿瘍の部位や大きさを容易に判別できる（図9）．

4 治 療

原因となる感染巣の治療と併行し，効果のある抗菌薬を投与しながら，膿瘍に対してはCTまたは超音波ガイド下に穿刺排膿を行う．

特発性脊髄硬膜外血腫

1 疫学・病態生理

特発性脊髄硬膜外血腫（spontaneous spinal epidural hematoma；SSEH）は，年間の発生率が0.1人/10万人とまれな疾患である[15]．好発年齢は，15～20歳と60～70歳代に2つのピークがあり，男女比は1.4：1でやや男性に多い[16]．病変部は多くが頸髄から上部胸椎であり，外傷後や硬膜外麻酔後，腰椎穿刺後などでは胸腰椎移行部や腰髄でも生ずる[16)17]．

2 症 状

症状は，血腫部位から後頸部～肩や肩甲骨～上腕へ放散する突然の激痛であり，その後に運動麻痺と感覚障害が進行し膀胱直腸障害をきたすとされているが，実際は疼痛や麻痺の程度・分布はさまざまである[15)~18]．片麻痺で発症することも珍しくないため，脳卒中と判断されて診断が遅れ，重篤な後遺症を残すこともある．

3 検査・診断

MRI検査が診断に有用である（図10）．血腫の部位はMRI T2強調画像では高信号で，T1画像では初期は等信号で，しだいに高信号になるとされている[18]．

4 治 療

従来は積極的に緊急除圧術などの手術加療が行われていたが，MRIなどで経過観察が可能な場合もあり，近年は保存療法を行っても予後良好という報告もある[19]．

▶文 献

1) 井樋栄二，他（編）：標準整形外科学，第14版，医学書院，2020．
2) 平田勝章，他：乳幼児化膿性股関節炎の予後；起因菌による予後の違い．日小児整外会誌 22：105-8，2013．
3) 阿部哲士：化膿性関節炎の診断と治療．Bone Joint Nerve 20：465-70，2017．
4) 日本痛風・尿酸核酸学会ガイドライン改訂委員会（編）：高尿酸血症・痛風の治療ガイドライン，第3版（2022年追補版），診断と治療社，2022．
5) Derfus BA, et al：The high prevalence of pathologic calcium crystals in pre-operative knees. J Rheumatol 29：570-4，2002．
6) Bouvet JP, et al：Acute neck pain due to calcifications surrounding the odontoid process：The crowned dens syndrome. Arthritis Rheum 28：1417-20，1985．
7) 日本整形外科学会，他（監）：腰椎椎間板ヘルニア診療ガイドライン2021，改訂第3版，南江堂，2021．
8) 小野啓郎，他：Myelopathy handと頸髄症の可逆性．別冊整形外科 2：10-7，1982．
9) 国分正一，他：頸椎症の症候学．脊椎脊髄 1：447-53，1988．
10) 平林洌，他：日本整形外科学会頸髄症治療成績判定基

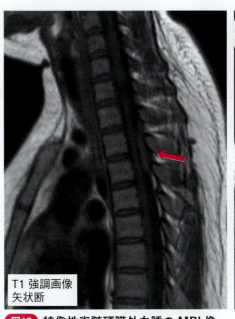
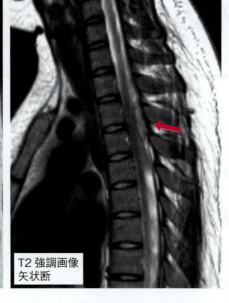

図10 特発性脊髄硬膜外血腫の MRI 像

準．日整会誌 68：490-503，1994．
11) Resnick D：Diagnosis of Bone and Joint Disorders, 3rd ed, WB Saunders, 1995, pp 2417-36.
12) 岩物幸英（編）：神中整形外科学，改訂23版，南山堂，2013．
13) 日本整形外科学会，他（監）：腰痛診療ガイドライン2019，改訂第2版，南江堂，2019．
14) 青野博之，他：化膿性脊椎炎に対する治療成績．日整会誌 77：S181，2003．
15) Holtås S, et al：Spontaneous spinal epidural hematoma：Findings at MR imaging and clinical correlation. Radiology 199：409-13，1996．
16) 小山素麿，他：脊髄硬膜外出血．脊椎脊髄 3：761-7，1990．
17) Kreppel D, et al：Spinal hematoma：A literature survey with meta-analysis of 613 patients. Neurosurg Rev 26：1-49，2003．
18) Groen RJ, et al：Operative treatment of spontaneous spinal epidural hematomas：A study of the factors determining postoperative outcome. Neurosurgery 39：494-508，1996．
19) 濱田知，他．特発性脊髄硬膜外血腫（SSEH）に対する手術治療と保存的治療の検討．J Spine Res 4：852-6，2013．

11 外因性の筋・骨格系疾患

福島　憲治

　外因性の筋・骨格系疾患というと非常に広範囲な疾患領域であるが，ここでは日常診療で遭遇する可能性の高いものについて解説する。

骨粗鬆症，脆弱性脊椎骨折

　骨粗鬆症は，「低骨量と骨組織の微細構造の異常を特徴とする，骨の脆弱性が増大し骨折の危険性が増大する疾患」と定義されている[1]。わが国では2012年に診断基準が改定され，続発性骨粗鬆症がない例で，①脆弱性骨折がある症例では骨密度が若年成人平均値（young adult mean；YAM）の80％未満の場合，②脆弱性骨折のない症例ではYAMの70％以下または−2.5SD以下の場合に骨粗鬆症と診断される[2]。

　超高齢社会のわが国では骨粗鬆症患者が増加しており，骨粗鬆症に合併する脆弱性椎体骨折は脆弱性骨折のなかでも発生率が高く，日常的に遭遇する頻度が高い。

1 疫　学

　わが国における骨粗鬆症の腰椎骨密度からの有病率は，男性3.4％，女性19.2％と報告されている[3]。これを2013年の年齢別人口構成に当てはめて推定すると，約870万人の骨粗鬆症患者が存在する。年間の新たな骨粗鬆症の発症件数は約90万人と推定されており，70歳代前半の25％，80歳以上の43％が椎体骨折を有するとされる[3]。

2 病態生理

　脆弱性脊椎骨折は臨床上，急性期（〜4週），亜急性期（4〜12週），慢性期（3カ月以上）に分類される。また，骨癒合状態を反映し，治癒過程（〜3カ月），遷延治癒（3〜6カ月），骨癒合不全（半年〜1年），偽関節（1年以上）に分けられる。

　局所の修飾因子としては，椎間不安定性，椎体圧壊，椎体楔状化，後方要素損傷などがある。全身の修飾因子としては，全脊柱バランス，骨折高位，筋組織，既往症などがあげられる。このことからも，脆弱性脊椎骨折の病態は非常に複雑であることがわかる。

3 症　状

　症状は，腰を曲げる動作や咳嗽，乗車中の振動といった軽微な力でも生じ得る。主訴は腰背部痛で，基本的には体動時痛である。また，経過によっては脊椎後壁の突出により脊髄・馬尾損傷をきたす可能性があるため，神経所見が重要となる。病期によっては著しい変形により亀背をきたす。これらの症状から日常生活動作の低下をきたして来院するケースもある。

4 検査・診断

　第一選択は単純X線検査で，所見がある場合の診断は比較的容易である。ただし，脆弱性脊椎骨折のうち外傷などの明らかな原因がない例も約3割あるため，本症を念頭に置いて検査を行わなければならない[4]。また，急性期には所見に乏しい場合もあり，疑わしければ後日の再撮影も考慮する。さらに，単純X線検査では所見が乏しいものの，症状などから疑いが強い場合にはCT検査を考慮する。

　MRI検査では圧迫骨折初期から所見が現れるため，単純X線検査より診断率が高い。体動時痛が持続する場合には，MRI検査を検討してもよい。新鮮例では，T1強調画像で低信号，STIRもしくは脂肪抑制T2強調画像で高信号となる。経過良好例では，5週後には低信号域の減少がみられ，3カ月後には正常化または線状陰影となる[5]。

　また，立位・坐位で椎体高が異なることがあり，診断の参考になる。

5 治療

1）保存治療

第一選択は保存治療である。脊椎骨折であることから急性期は安静臥床を要するが、長期に及ぶと椎体変形率が高くなるため、早期離床が重要である。外固定についてはエビデンスが乏しい。ギプスは固定力があり、コルセットや装具よりも早く導入できるが、脱着ができず不快であることや、既往症によっては導入困難などのデメリットもある。コルセットは軟性・硬性に分けられるが、ギプス、硬性コルセット、軟性コルセット、簡易固定器具の使用率はいずれも3～4割と報告されており[6]、装具治療の標準化はなされていないのが現状である。

2）外科治療

神経障害があり、脊髄損傷がある場合、程度によって緊急除圧術を考慮する。ただし、高齢患者では既往症により緊急で施行できない場合もある。また、除圧術を実施する場合も、後方固定材の固定力をいかに持続させるか、あるいは何椎体固定とするかなど難題があるため、経験豊富な施設での実施が望ましい。

若年例の脊椎圧迫骨折

脊椎圧迫骨折は高齢者だけでなく若年者においても生じる。原因としては、骨粗鬆症や腫瘍、代謝異常もあり得るがこれらは特殊/まれであり、大多数は外傷性である。外傷による場合、前述した病態生理や症状、検査、治療とは当然異なる部分があるが、詳細については本書他項（p.657）などを参照されたい。

脆弱性骨盤骨折

1 疫学

全体像をとらえたデータは乏しい。フィンランドからの報告では、60歳以上での脆弱性骨盤骨折（fragility fractures of the pelvis；FFP）の発生率について、1970年には10万人当たり128人であったが、1997年には10万人当たり913人となり、2030年には10万人当たり2,700人になると予測されている[7]。わが国でも340例（男性40例、女性300例）を集めた検討があるが、手術加療は全体の4.7％で、1年死亡率は6.8％と、海外からの報告とほぼ同様であった[8]。

2 病態生理

2013年にRommensとHofmannがFFPの分類を提唱し、治療のよりどころとなっている[9]。Rommens分類のTypeⅠが前方骨盤輪のみ、TypeⅡが後方骨盤輪の不全損傷、TypeⅢが片側後方骨盤輪の不安定性を伴う損傷、TypeⅣが両側後方骨盤輪の不安定性を伴う損傷とされる。Rommensらの報告では、脆弱性骨盤骨折症例のうち半数がTypeⅡであった[9]。

3 症状

FFPでは「骨盤が痛い」と訴える患者は少なく、股関節痛の訴えが最多で半数以上を占めるとされる。仙骨骨折で腰痛を訴える場合があるなど、疼痛の部位だけにとらわれると初療で見逃す可能性がある。また、先行する外傷のエピソードがない場合には、数週間～数カ月の疼痛の訴えのすえに診断に至る場合もあり、注意を要する。

4 検査・診断

まず単純X線検査を行う。ただし、FFPに関しては骨盤後方要素を確認しなければならず、骨粗鬆症のため骨陰影のコントラストが乏しく転位がほとんどない骨盤後方要素を単純X線で判断するのは非常に難しい。単純X線検査では恥骨骨折しか認めなかった例のうち96.8％で、その後のCT検査にて後方要素の損傷を認めたという報告もある[10]。そのため、FFPが強く疑われる場合にはCT検査が必須である（図1）。ただし、CT検査の感度は74.3％という報告もあり[11]、CTでも判断できない場合にはMRI検査を実施する。

また、たとえ転位が極小であっても高齢で既往症のある患者が多く、抗凝固療法を受けている場合もあることを考慮し、出血のリスクも念頭に置くべきである（貧血の進行や血腫のサイズなど）。FFPの2.4％で出血性ショックに陥ったという報告がある[12]。造影CT検査の適応基準を示している報告も多く、各施設で基準・方法を決定しておくべきである。

5 治療

以前は保存治療が優先されたが、疼痛により日常生活

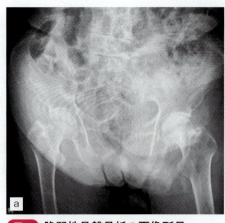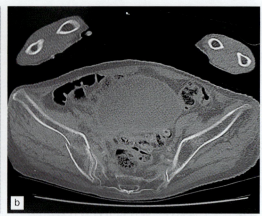

図1 脆弱性骨盤骨折の画像所見
X線では腸管ガスもかかり読影できないが（a），CTでは転位のない右腸骨骨折がわかる（b）

レベルが低下してしまう症例や，転位の進行がみられる症例の存在が明らかとなってきている．そのため，初期からの手術治療により早期離床リハビリテーションが可能となる場合には，早期手術を検討する．

大腿骨頸部/転子部骨折

1 疫 学[13]

大腿骨頸部/転子部骨折のわが国における発生数は約18万例/yearである．頸部と転子部の割合は約1：1.3～1.7で，75歳未満では頸部骨折が多く，75歳以上では転子部骨折が多い．性差があり，男女で約1：3の発生割合である．高齢者人口の増加に伴って発生数は増加が続いており，2030年の推計患者数は30万例に達するとされている．

2 病態生理

大腿骨頭の血流支配のほとんどは，大腿骨頸部基部に巻きつくように関節包外に存在する内外側大腿回旋動脈である．したがって，大腿骨頭をまかなう血流のほとんどが大腿骨内からのものとなる．従来，大腿骨近位部骨折は大腿骨頸部内側骨折（関節包内骨折）と大腿骨頸部外側骨折（関節包外骨折）に分類されてきた．ただし，用語の混乱もあることから，最近は大腿骨頸部骨折は関節包内骨折を指し，関節包外骨折は大腿骨転子部骨折に含められるようになっている[13]．

1）大腿骨頸部骨折

受傷機転は不明なものが多いが，転倒例のみでなく，患肢を捻ることによる受傷も多い．関節包内骨折であり，骨内血流が骨折により絶たれた場合，阻血性骨壊死に至る可能性が高い．分類として，単純X線写真正面像により判断するGarden分類が広く用いられている（図2）[14]．転位により4型に分け，Stage Ⅰは不全骨折で骨頭が外反位となるタイプ，Stage Ⅱは完全骨折であるが転位がないタイプ，Stage Ⅲは転位のある完全骨折で骨頭が内反しているタイプ，Stage Ⅳは転位が高度の完全骨折タイプである．

2）大腿骨転子部骨折

受傷機転は不明なものが多いが，側方転倒での直達外力による受傷も多い．骨折線は長く，関節包外であり，出血量が頸部骨折に比して多い傾向にある．

3 症 状

大腿骨頸部/転子部骨折ともに患部股関節周囲痛を訴える．ただし，前述したように骨折型として安定型と不安定型があり，程度によっては徒歩で外来受診する場合もある．不安定型の場合，下肢の短縮外旋位や内反位といった肢位で疑われることが多い．大腿骨頸部骨折は関節包内骨折であることから，出血は関節包内でとどまることが多い．一方，大腿骨転子部骨折は皮下出血斑を認めることが多い．

4 検査・診断

検査の第一選択は単純X線で，96％以上の症例で診断がつくとされる[15]．ただし，残る症例で単純X線では判断できない場合があることを知っておかなければならな

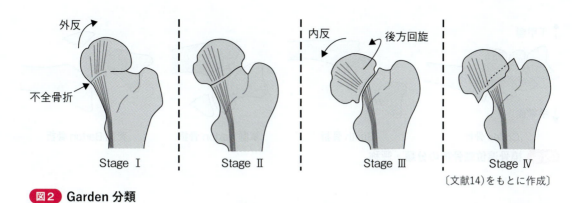

図2 Garden 分類

〔文献14)をもとに作成〕

い。単純X線写真で所見がないが疑わしい場合には，CT検査やMRI検査を行う（T1強調画像で低信号，T2強調画像またはSTIR画像で高信号を示す）。MRIの撮影が困難な場合，骨シンチグラフィが次の選択肢となる。ただし，受傷後72時間経過しなければ正確な診断が困難であり，ほかの炎症性病変でも集積像が生じ得ることに注意を要する。MRIや骨シンチグラフィが実施できない場合には，単純X線検査やCT検査を連日行うことで診断陽性率を高めることができる[15]。

大腿骨頸部骨折では，Garden 分類 Stage ⅠおよびⅡを非転位型，Stage ⅢおよびⅣを転位型として2つに分類するのが治療法や予後の判断に役立つ。大腿骨転子部骨折ではいずれの分類でも検者間での一致率が低いとされるが，安定型・不安定型の2つに分ける場合の判定の一致率は比較的高くなる[16]。

5 治療

手術治療については近年，早期手術（24時間以内，2日以内，3日以内など）が合併症率，生存率，入院期間において有利という報告がある[17]。また，術前の直達・介達牽引については，早期手術の場合は牽引をしなかった場合と比して有意な差はなかったとされている[18]。保存治療と手術治療の選択については，非転位型骨折に対する保存治療は偽関節発生率が高いという報告があり，全身状態が手術に耐え得る場合には保存治療は行わないほうがよいとされている[19]。

大腿骨頸部骨折の非転位型（Garden 分類 Stage ⅠおよびⅡ）は骨癒合に至る可能性が高く，骨接合術が推奨される。高齢患者で転位型（Garden 分類 Stage ⅢおよびⅣ）の場合は人工物置換術（人工骨頭など）が推奨される。非高齢者の転位型では術者が術式を判断する。一方，大腿骨転子部骨折に対しては，転位の有無にかかわらず骨接合術が推奨される。ただし，転位のない大転子部のみの骨折は保存治療が推奨される[13]。

周術期の抗菌薬の全身予防投与については，執刀0～2時間前および術後24時間までの経静脈的抗菌薬投与が推奨されている[20]。

術後合併症として多いのは精神症状，肺炎，心疾患で，入院中の死亡原因としては肺炎合併症がもっとも多い[16]。また，大腿骨頸部/転子部骨折を生じた患者は対側の骨折を生じるリスクも高いことから，骨粗鬆症治療や転倒予防などの予防策を講じることが望ましい。

橈骨遠位端骨折

1 疫学[21]

諸外国における成人の橈骨遠位端骨折発生率は14.5～28人/1万人/yearであり，男性よりも女性で1.9～3倍多く発生している。わが国においてもほぼ同様の数字となっている。加齢とともに発生数が増加し，70歳以上では若年に比べて男性で2倍，女性で17.7倍となる。一方，経年的な発生率の増減傾向は，諸外国でもわが国でも認められていない。

受傷機転としては低エネルギーのものが多く（49～77％），屋外での受傷や冬季の受傷が多いのも特徴である。利き手・非利き手での発生に差はない。骨折の転位方向は背側が多く，AO分類ではA型が54～66％，B型が9～14％，C型が25～32％である。A型は女性，B型は男性で有意に多く発生する。

発生にかかわる危険因子としては，高齢，女性，低体重，BMI低値，独居，グルココルチコイド使用歴，骨粗鬆症，気象，骨微細構造の劣化，血清ビタミンD低値，

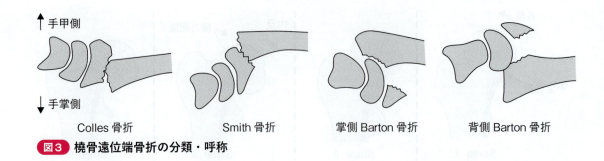

図3 橈骨遠位端骨折の分類・呼称

片脚起立時間の短縮，遺伝子，テストステロン低値などが指摘されている．また，橈骨遠位端骨折とほかの主要な脆弱性骨折は関連があり，橈骨遠位端骨折受傷後にほかの脆弱性骨折を生じる危険性が有意に高いという報告も多い．

2 病態生理

骨折部の転位方向により，背側転位の場合を Colles 骨折，掌側転位の場合を Smith 骨折と呼ぶ．また，関節内骨折は Barton 骨折と呼ばれる（図3）．分類としては AO 分類，Frykman 分類，Melone 分類などさまざまなものがあるが，分類法による優位性はほとんど示されていない．

骨折部近傍の組織への影響があり得る．三角線維軟骨複合体（triangular fibrocartilage complex；TFCC）損傷や舟状月状骨靱帯損傷は橈骨遠位端骨折の約4割に合併するとされ，MRI や関節鏡，手関節造影などで診断する．また，尺骨茎状突起骨折の合併率は約5割という報告がある[22]．

3 症状

受傷機転や局所所見（腫脹，変形，疼痛など）から容易に疑い，診断が可能である．正中神経障害もみられることから，初診時の所見は重要となる．長母指伸筋腱や屈筋腱の断裂も初診時所見として注意を要する．

4 検査・診断

検査の第一選択は単純X線であり，ほとんどの例で診断がつく．関節内骨折が存在する，または疑わしい場合は CT 検査を追加する．単純X線検査のみでは判断できない不顕性骨折の場合には，MRI 検査が有用である．

5 治療

関節内骨折を含む関節周囲骨折であることから，できるかぎり解剖学的整復を目指す．許容できない転位が残存した場合，握力低下，可動域制限，疼痛などの臨床症状が残る可能性が高まる．

保存治療を選択した場合は，設定した整復基準をクリアすべきである．整復基準としてはさまざまな報告があるが，関節外骨折の場合，palmar tilt（volar tilt）が $-10°$ 未満，かつ ulnar plus variance が健側と比較して2mm 以下の差異であれば許容とする報告がある[23]．一方，関節内骨折の場合，関節外骨折の基準を満たしたうえで，gap/step off の許容範囲は2mm 未満とされる[24]．保存治療でこれらの整復基準がクリアできない場合には手術治療を検討する．なお，高齢患者の場合，上記の整復基準を採用するかは議論が分かれるところであるが，可能なかぎりの整復位を試みることが望ましい．

保存治療における外固定の範囲や方法，期間についての明確なエビデンスはない．そのため，固定方法（ギプス，sugar tong splint など）の選択や，前腕ギプスか上腕ギプスの選択，期間（4週か，6週か）については各症例に応じて検討・決定する．保存治療を選択したものの転位が進行した場合には，その転位が許容できるものか否かを判断し，許容できない場合には手術治療に変更すべきである．

整復操作の評価としては単純X線検査を行うが，近年，超音波検査による骨折評価が検討されている．ただし，現状では単純X線検査に置き換えられるものではなく，整復評価の補助としての使用にとどめる．

手術治療の時期については結論が出ていないが，現在はできるかぎり早期の手術が望ましく，遅くとも3週間以内に実施することが推奨されている[21]．骨折の再転位を予測する因子としては，年齢，受傷時の骨折部の粉砕，骨折部の著しい軸転位，尺骨骨折の合併，関節内骨折な

どがあげられる[25]。これらの予測因子を考慮して，早期手術療法の選択などを行う。

上腕骨顆上骨折

1 疫　学

肘周囲骨折は小児から高齢者まで幅広く発生するが，上腕骨顆上骨折はとくに小児での発生が多い。全小児骨折の約3～15％が上腕骨顆上骨折であり，肘関節周囲骨折のなかで約60％ともっとも発生数が多い形態である。年齢は3～8歳に多く，6～7歳がピークとされる[26]。

2 病態生理

上腕骨顆上部の腹側には鉤上突起，背側には肘頭窩があり，薄く構造的に脆弱なものとなっているため，この部位での骨折が多い。

受傷機転はほとんどが転倒・転落である。転落により患肢をつくと，小児においては肘は過伸展し，肘頭が衝突して骨折が起きる。近位骨片が前方へ，遠位骨片が後方へ転位する伸展型骨折となる（伸展型が90％程度を占めるとする報告が多い）。肘関節を屈曲位にしたまま転倒して肘を打ちつける形態での受傷もあり，この場合は屈曲型骨折が発生する。伸展型とは反対に，近位骨片が後方へ，遠位骨片が前方へ転位する。また，転落などのエピソードが不明であったり，親やきょうだいとの接触や喧嘩によることもあるが，このような場合には虐待なども念頭に置く。

上記のような転位が生じることから，上腕骨顆上骨折は肘周囲の神経・血管類の損傷を合併しやすい。受傷時の牽引による損傷と，整復時の骨片間の挟み込みによる損傷が考えられる。循環障害については阻血所見がみられればわかりやすいが，動脈が触知できないものの皮膚色調が良好な，いわゆる"pulseless pink"の状態にもなり得る。これは，主要動脈の損傷があるが，不完全閉塞か側副血行路により循環が保たれている状態と考えられる。

また，骨折部の先端が鋭利となることが多いことから，神経・血管類を損傷したうえで上腕筋を貫通することもある。皮膚まで貫通する場合は開放骨折となるが，皮膚に骨折部先端がとどまることもあり，皮膚のくぼみをつくる特徴的な所見となる（Pucker sign）。

表1　modified Gartland分類

1型	転位なし
2a型	後方骨皮質接触，軽度転位
2b型	後方骨皮質接触，回旋転位あり
3型	骨皮質接触なし
4型	転位著明

〔文献27）より引用・改変〕

分類は伸展型/屈曲型のほかにもさまざまなものがあるが，American Academy of Orthopaedic Surgeons（AAOS）の上腕骨顆上骨折治療ガイドラインなどではGartland分類が使用されている（表1）[27]。

3 症　状

前述した受傷機転や疼痛，腫脹，皮下出血があれば骨折を疑うのは容易である。同側肢の合併骨折は5～13％という報告があり[28]，積極的に検索しなければならない。また，神経・血管類の損傷所見は重要であり，疑って診察しなければ見過ごす可能性もある。とくに小児患者の場合，訴えをとらえることが難しい場合もあり注意が必要である。

4 検査・診断

検査の第一選択は単純X線である。ただし，肘の単純X線検査は正確な2方向を撮るのは困難であり，正確な2方向でなければ情報量が下がる。極力正確な2方向を撮るために診療放射線技師と協力して撮影を行うとよい。小児の場合，健側との比較は診断を助ける有力な方法である。単純X線検査で骨折が明らかではないが疼痛・腫脹が強い例や，単純X線検査でfat pad signを認める例では，ギプスシーネ固定をして後日通院にてフォローする。転位がある場合には，診断は容易である。

前述したように，初診時の上腕動静脈，正中神経，橈骨神経，尺骨神経の所見が重要となる。循環障害の診察としては皮膚色調の観察と脈拍の触知が一般的であるが，他覚的な所見としてドプラ超音波での脈拍確認も行うのが望ましい。また，前腕部屈側のコンパートメント症候群は念頭に置いておかなければ見逃しやすい病態であり，5P（pain, pulselessness, pallor, paresthesia, paralysis）や3S（swelling, stretch or severe pain, sensory disorder）を確認する．

神経障害は，上腕骨顆上骨折全体では10～20％，Gartland分類3型では約半数にみられるとされ，解剖学的にも正中神経がもっとも多い[29]．とくにその走行から前骨間神経の損傷が多く，感覚障害と母指球筋麻痺は軽度で，示指DIP関節と母指IP関節が屈曲できないtear drop signを認める．ただし，小児患者では感覚障害の所見を得ることが困難な場合も多いため，運動所見をより緻密にとるべきである．ジャンケン（グーができれば正中神経が機能している，チョキができれば尺骨神経が機能している，パーができれば橈骨神経が機能している）で簡易的に観察したり，医師自身が運動をしてみせて，それを患者に真似させるなどの工夫が必要である．

5 治　療

手術治療と保存治療の選択基準として確立したものはない．転位が大きい症例や粉砕例，神経・血管類の損傷所見がある症例では手術適応となる．AAOSでは，Gartland分類1および2a型では保存治療，2b型では経皮的鋼線刺入術，3および4型は経皮的鋼線刺入術または観血的整復内固定術を推奨している[27]．

保存治療としては，ギプスシーネ固定と牽引療法がある．牽引療法は古くから上腕骨顆上骨折の治療法として用いられているが，牽引療法で治癒まで達成するには入院期間が長くなること，整復位の確認が必要で煩雑であることなどから，現在は手術治療までの一時的な整復位保持の方法となっている．手術治療が何らかの理由で行えない場合には，牽引療法を行ってもよい．ギプスシーネ固定は，肘関節90°屈曲/内反転位がみられる場合には前腕軽度回内位，そうでない場合には前腕回内外中間位で手部MP関節近位から上腕骨近位（腋窩）まで固定する．

横紋筋融解症

横紋筋融解症は，骨格筋の筋細胞の壊死によりその内容物が大量に血中へ移行し形成される病態である．

1 疫　学

横紋筋融解症に関してはその実数などの統計のためのデータバンクはなく，薬剤性のものについては治験などのデータがあるものの，臨床上のデータは乏しい．年齢，性別，人種に関係なく発生し，地震災害などの建物崩壊による圧挫性筋壊死が阪神・淡路大震災以降，災害分野において注目されている．

2 病態生理

骨格筋の筋細胞内成分であるミオグロビン，クレアチンキナーゼ，カリウムなどが大量に血中に流入し，体循環に乗る．臨床上は，心伝導障害（高カリウム血症），電解質異常（高カリウム血症など），急性腎障害（高ミオグロビン血症）などがみられる．

急性腎障害の発生機序は，筋から放出されたミオグロビンを中心とした複合的な病態である．ミオグロビンは一般の低分子蛋白と同様に糸球体を通過し，尿細管で一部再吸収される．とくに酸性尿下ではミオグロビンが腎毒性を有するヘマチンとなり，尿細管障害を生じる．また，筋崩壊による尿素サイクルの異常から産生が増えた尿酸が結晶化することによる尿細管閉塞も，腎障害を助長する．さらに，ミオグロビン自身の血管収縮作用や，バソプレシン過剰分泌による虚血も障害に不利に働く．そのほか，脱水，活性酸素によるミトコンドリア機能異常，乳酸アシドーシスなどがさらに不利に働く．

横紋筋融解症の原因は多彩である（**表2**）[30]．外傷性と非外傷性に分かれるが，ここでは非外傷性のものを取り扱う．非外傷性の原因もまた多彩であり，薬剤性のほかに代謝性，感染性などさまざまな報告がある．薬剤起因性として代表的なものには，脂質異常症治療薬，ニューキノロン系抗菌薬＋併用薬，向精神薬などがある．

3 症　状

非外傷性の横紋筋融解症の場合，筋痛，筋力低下，骨格筋の腫脹などがみられる．

4 検査・診断

初期から筋細胞内成分が大量・急速に血中に漏出することによる高カリウム血症と高ミオグロビン血症，およびミオグロビン尿症の経時変化の追跡が重要である．ミオグロビン（分子量約17,500）は酸素運搬能を有する蛋白で，骨格筋と心筋に存在し，筋細胞の崩壊のみならず細胞膜透過性亢進で血中に漏出し，排泄は尿中となる．

表2 横紋筋融解症の原因

外傷性/虚血性
・圧迫性壊死，急性動脈閉塞，外科手術，電気ショック，その他（スポーツなど）

非外傷性
・薬物：麻酔薬，脂質異常症治療薬，免疫抑制薬，向精神薬，有機溶媒など
・過重負荷運動/動作：マラソン，過剰なトレーニング，けいれん（てんかん発作，熱性けいれん），喘息重積など
・毒物：一般細菌・ハチ・クモ・ヘビ・魚の毒素，アルコールなど
・先天性筋骨格系疾患：筋ジストロフィー，ミトコンドリア病など
・代謝性ミオパチー：糖質・脂質代謝障害など
・炎症性（自己免疫性）ミオパチー：多発・皮膚・封入体筋炎など
・感染症：細菌（溶連菌など），ウイルス（コクサッキーなど），寄生虫
・代謝異常状態：低カリウム血症（甘草中毒，副腎・甲状腺機能低下など），高ナトリウム血症など
・全身状態悪化（critical illness myopathy）

〔文献30）より引用・改変〕

ミオグロビン尿症は，尿の色調が赤色～コーラ色となることから識別可能である。尿潜血反応は陽性となり，ヘモグロビン尿を含むほかの色素尿との鑑別が必要である。ほかの色素尿との鑑別法としては，遠心分離後の血清が赤褐色となることで確認される。血清クレアチンキナーゼ，LDH，カリウム高値を認める。また，急性腎機能障害の所見が現れる。

5 治療

原疾患（感染症，薬物など）が存在する場合，それらの治療・対応を行ったうえで，全身状態（電解質異常とそれに伴う心伝導障害，腎機能障害など）に対する集中治療を行う。

病態としてはミオグロビンの腎からの大量排出を促すことが改善につながることから，補液を積極的に行い，ミオグロビンの排泄に努める。検査としてはクレアチンキナーゼ値で評価するのが簡便である。また，尿のアルカリ化が行われることがある。腎機能障害の進展に応じて，血液透析導入を検討する。

文献

1) Kanis JA：Assessment of fracture risk and its application to screening for postmenopausal osteoporosis：Synopsis of a WHO report：WHO Study Group. Osteoporos Int 4：368-81，1994.
2) 日本骨代謝学会，日本骨粗鬆症学会合同原発性骨粗鬆症診断基準改訂検討委員会：原発性骨粗鬆症の診断基準．Osteoporo Jpn 21：9-21，2012.
3) Yoshimura N, et al：Cohort profile：Research on Osteoarthritis/Osteoporosis Against Disability study. Int J Epidemiol 39：988-95，2010.
4) 吉田徹，他：高齢者脊椎圧迫骨折の保存療法；早期診断と経過予測．骨・関節・靱帯 18：395-401，2005.
5) 中野哲雄：骨粗鬆症性椎体骨折の診断と自然経過．脊椎脊髄ジャーナル 22：231-9，2009.
6) 長谷川雅一：骨粗鬆症性新鮮椎体骨折に対する保存治療法．MB Orthopaedics 26：1-6，2013.
7) Kannus P, et al：Epidemiology of osteoporotic pelvic fractures in elderly people in Finland：Sharp increase in 1970-1997 and alarming projections for the new millennium. Osteoporos Int 11：443-8，2000.
8) 吉田昌弘，他：脆弱性骨盤骨折；340例の短期予後の解析．骨折 42（suppl）：S140，2020.
9) Rommens PM, et al：Comprehensive classification of fragility fractures of the pelvic ring：Recommendations for surgical treatment. Injury 44：1733-44，2013.
10) Scheyerer MJ, et al：Detection of posterior pelvic injuries in fractures of the pubic rami. Injury 43：1326-9，2012.
11) Cabarrus MC, et al：MRI and CT of insufficiency fractures of the pelvis and the proximal femur. AJR Am J Roentgenol 191：995-1001，2008.
12) Krappinger D, et al：Hemorrhage after low-energy pelvic trauma. J Trauma Acute Care Surg 72：437-42，2012.
13) 日本整形外科学会，他（監）：大腿骨頸部/転子部骨折診療ガイドライン2021，改訂第3版，南江堂，2021.
14) Barnes R, et al：Subcapital fractures of the femur：A prospective review. J Bone Joint Surg Br 58：2-24，1976.
15) Thomas RW, et al：The validity of investigating occult hip fractures using multidetector CT. Br J Radiol 89：20150250，2016.
16) Urrutia J, et al：Inter and intra-observer agreement evaluation of the AO and the Tronzo classification systems of fractures of the trochanteric area. Injury 46：1054-8，2015.

17) Cha YH, et al：Effect of causes of surgical delay on early and late mortality in patients with proximal hip fracture. Arch Orthop Trauma Surg 137：625-30, 2017.
18) Parker MJ, et al：Pre-operative traction for fractures of the proximal femur in adults. Cochrane Database Syst Rev：CD000168, 2006.
19) Handoll HH, et al：Conservative versus operative treatment for hip fractures in adults. Cochrane Database Syst Rev：CD000337, 2008.
20) Gillespie WJ, et al：Antibiotic prophylaxis for surgery for proximal femoral and other closed long bone fractures. Cochrane Database Syst Rev：CD000244, 2010.
21) 日本整形外科学会, 他（監）：橈骨遠位端骨折診療ガイドライン2017, 改訂第2版, 南江堂, 2017.
22) 河野正明, 他：橈骨遠位端骨折の鏡視下手術. 日手外科会誌 22：14-20, 2005.
23) Smilovic J, et al：Conservative treatment of extra-articular Colles' type fractures of the distal radius：Prospective study. Croat Med J 44：740-5, 2003.
24) Giannoudis PV, et al：Articular step-off and risk of post-traumatic osteoarthritis：Evidence today. Injury 41：986-95, 2010.
25) Mackenney PJ, et al：Prediction of instability in distal radial fractures. J Bone Joint Surg Am 88：1944-51, 2006.
26) Houshian S, et al：The epidemiology of elbow fracture in children：Analysis of 355 fractures, with special reference to supracondylar humerus fractures. J Orthop Sci 6：312-5, 2001.
27) Mulpuri K, et al：AAOS clinical practice guideline：The treatment of pediatric supracondylar humerus fractures. J Am Acad Orthop Surg 20：328-30, 2012.
28) Rennie L, et al：The epidemiology of fractures in children. Injury 38：913-22, 2007.
29) Louahem DM, et al：Neurovascular complications and severe displacement in supracondylar humerus fractures in children：Defensive or offensive strategy？ J Pediatr Orthop B 15：51-7, 2006.
30) Schulze VE Jr：Rhabdomyolysis as a cause of acute renal failure. Postgrad Med 72：145-7, 150-8, 1982.

12-1 蕁麻疹・血管性浮腫を呈する疾患

中野　敏明

救急診療における皮膚疾患

救急外来で対象となり得る皮膚疾患は多い（表1）が，皮膚科にコンサルトされる皮膚疾患は小児と成人で特徴があり，小児ではウイルス性中毒疹，虫刺症，アトピー性皮膚炎，急性蕁麻疹，おむつ皮膚炎，膿痂疹，疥癬，薬疹，手足口病が，成人では帯状疱疹，薬疹，急性蕁麻疹，血管性浮腫，皮膚血管炎，接触皮膚炎，単純ヘルペスウイルス感染症，虫刺症，滲出性紅斑などが上位を占める[1]。入院が必要となる皮膚疾患は，顔面または播種状の帯状疱疹やKaposi水痘様発疹症，水痘などのヘルペスウイルス感染症，丹毒・蜂窩織炎などの皮膚細菌感染症およびトキシックショック症候群，トキシックショック様症候群，ブドウ球菌性熱傷様皮膚症候群などの関連疾患，糖尿病性潰瘍や褥瘡性潰瘍などの皮膚潰瘍，風疹・麻疹などの中毒疹，薬疹，蕁麻疹や血管性浮腫，蕁麻疹様血管炎・IgA血管炎・Behçet病などの皮膚血管炎などが多くを占め[1]，これらの疾患では皮膚科への早めのコンサルトが必要になる。蕁麻疹か紅斑か区別が難しければ，写真で記録しておくことも重要である。

V章-12「皮膚科領域」では，皮膚科へコンサルトを要する（準）緊急的疾患で，救急医学を学ぶ医師が理解しておきたい皮膚疾患のうち，蕁麻疹または血管性浮腫を呈する疾患，薬疹（p.520），中毒疹（p.527），水痘・帯状疱疹（p.533），皮膚細菌感染症や褥瘡など（p.537）を取り上げる。

概　要

蕁麻疹は，膨疹すなわち紅斑を伴う一過性，限局性の浮腫が病的に消長する疾患で，多くはかゆみを伴い，発

表1　救急外来で対応する主な皮膚疾患

疾患分類	対象疾患
皮膚炎，湿疹	接触性皮膚炎，アトピー性皮膚炎，中毒疹など
紅斑症	中毒疹，多形滲出性紅斑など
薬疹	重症多形滲出性紅斑，Stevens-Johnson症候群，中毒性表皮壊死症，薬剤性過敏症症候群，急性汎発性発疹性膿疱症，汎発性水疱性固定薬疹など
蕁麻疹	蕁麻疹，クインケ浮腫，血管性浮腫，アナフィラキシー，ヒスタミン中毒など
紫斑病	IgA血管炎，蕁麻疹様血管炎，血小板減少性紫斑病など
膠原病および類縁疾患	全身性エリテマトーデス，Behçet病など
皮膚潰瘍	褥瘡性，糖尿病性，外傷性など
物理的・化学的障害	熱傷，凍傷，化学熱傷，電撃傷，日光皮膚炎，放射線皮膚炎など
自己免疫性水疱症	類天疱瘡，天疱瘡など
細菌性皮膚疾患	トキシックショック症候群，溶血性レンサ球菌性トキシックショック症候群，ブドウ球菌性熱傷様皮膚症候群，丹毒，蜂窩織炎，壊死性筋膜炎，伝染性膿痂疹など
ウイルス性皮膚疾患	帯状疱疹，Kaposi水痘様発疹症，風疹，麻疹，伝染性紅斑，手足口病など
動物・海生生物性皮膚疾患	虫刺症，ハチ刺症，マダニ刺症，ヘビ咬傷，クラゲ皮膚炎，動物咬傷など
性病	梅毒，尖圭コンジローマ，HIV感染症
爪甲疾患	陥入爪，化膿性爪囲炎
その他	異物残留，擦過傷，挫傷

表2 蕁麻疹の病態に関与する因子

直接的誘因（主として外因性，一過性）
1. 外来抗原
2. 物理的刺激
3. 発汗刺激
4. 食物：食物抗原，食品中のヒスタミン，仮性アレルゲン（タケノコ，餅，香辛料など），食品添加物（防腐剤，人工色素），サリチル酸
5. 薬剤：抗原，造影剤，NSAIDs，防腐剤，コハク酸エステル，バンコマイシンなど
6. 運動

背景因子（主として内因性，持続性）
1. 感作（特異的IgE）
2. 感染
3. 疲労，ストレス
4. 食物：抗原以外の上記成分
5. 薬剤：アスピリン，その他のNSAIDs（食物依存性運動誘発アナフィラキシー），ACE阻害薬（血管性浮腫）など
6. IgEまたは高親和性IgE受容体に対する自己抗体
7. 基礎疾患：膠原病および類縁疾患（全身性エリテマトーデス，Sjögren症候群など），造血性疾患，遺伝的欠損（血清C1-INH活性低下など），血清病，その他の内臓病変，日内変動（特発性蕁麻疹では夕方〜夜に悪化しやすい）

〔文献2）より引用〕

症から6週間以内のものを「急性蕁麻疹」，6週間を超えるものを「慢性蕁麻疹」と定義し，皮膚または粘膜の深層を中心とした限局性浮腫は「血管性浮腫」と呼ぶ[2]。蕁麻疹に加えて呼吸器症状や消化器症状，血圧低下や意識消失などを合併している場合にはアナフィラキシーを考慮する。

蕁麻疹や血管性浮腫の病態に関与する因子は多岐にわたり，病型も多彩であるが（表2，3）[2]，蕁麻疹や血管性浮腫を呈する疾患のうち，アナフィラキシーや特殊型食物アレルギーである食物依存性運動誘発アナフィラキシー（food-dependent exercise-induced anaphylaxis；FDEIA），口腔アレルギー症候群（oral allergy syndrome；OAS），ラテックス-フルーツ症候群，oral mite anaphylaxis（OMA），そしてヒスタミン中毒などでは迅速な対応が必要であり，それらの皮疹と病型を理解することは重要である。

疫学

急性蕁麻疹は救急外来から皮膚科にコンサルトされる頻度が高い皮膚疾患の一つで，小児が6.1％，成人は13.5％である[1]。蕁麻疹を高率に発症する食物アレルギーの主要原因食物は鶏卵，牛乳，小麦であるが，年齢層により種類や順位が異なる。有病率は乳児期でもっとも高く，年齢とともに減少傾向を示し，小学生から高校

表3 蕁麻疹の主たる病型

特発性の蕁麻疹
- 急性蕁麻疹（発症後6週間以内）
- 慢性蕁麻疹（発症後6週間以上）

刺激誘発型の蕁麻疹（特定刺激ないし負荷により誘発）
- アレルギー性蕁麻疹
- 食物依存性運動誘発アナフィラキシー
- 非アレルギー性蕁麻疹
- アスピリン蕁麻疹（不耐症による蕁麻疹）
- 物理性蕁麻疹（機械性，寒冷，日光，温熱，遅延性圧，水）
- コリン性蕁麻疹
- 接触蕁麻疹

血管性浮腫
- 特発性血管性浮腫
- 刺激誘発型血管性浮腫（振動性含む）
- ブラジキニン起因性血管性浮腫
- 遺伝性血管性浮腫

蕁麻疹関連疾患
- 蕁麻疹様血管炎
- 色素性蕁麻疹
- Schnitzler症候群およびクリオピリン関連周期熱症候群

〔文献2）より引用〕

生までの年代の罹患率は4.5％で，10％にショックを合併する[3,4]。世界全体のアナフィラキシーの生涯有病率は0.3〜5.1％と推測され[5]，わが国ではアナフィラキシーの既往を有する児童の割合は，小学生0.6％，中学

生0.4%，高校生0.3%である[6]。

アナフィラキシーの誘因は，食物（68.1%），医薬品（11.6%），FDEIA（5.2%），虫刺症（4.4%）の順に多いが，2001〜2020年のアナフィラキシーによる死亡例（1,161例）の内訳では，薬剤性が38.9%（452例）ともっとも多く，次いでハチ刺症32.0%（371例），食物4.2%（49例）の順であった[4]。特殊型のFDEIAでは，小麦（61.9%），エビ・カニ（11.9%），果物（8.4%），魚（1.5%）で多く，OASでは，リンゴ（13.2%），モモ（11.2%），キウイ（10.2%），メロン（7.0%），大豆（5.2%）などのバラ科，ウリ科，マタタビ科，マメ科の食品に注意し，ラテックス-フルーツ症候群では，バナナ，クリ，アボカドなどのヘベイン様ドメインをもった果物が交差反応を呈する[7]。

食物中のダニの経口摂取によるアナフィラキシーはOMAまたはパンケーキ症候群と呼ばれ，わが国は世界で2番目にその報告が多い[8)9]。アニサキス第3期幼虫が人体の胃や腸に穿入して激しい胃腸炎を呈するアニサキス症は，わが国では食品媒介寄生虫症のなかでもっとも多く，アニサキス属幼線虫は食品衛生法で食中毒起因物質に指定されている。一方，アニサキスアレルギーでは，日本人のアニサキス特異的IgE抗体の保有率は26〜52%で年齢と相関して上昇し[10]，魚摂取後にアレルギー症状を呈した45歳以上の症例ではアニサキスアレルギーの可能性が高くなる[11]。

ヒスタミン中毒のわが国での発生状況は，2012〜2021年までの統計によると，患者数は2015年が405例（事件数13件）で最多であったが，事件数は2018年が20件（患者数355例）でもっとも多く，年によって変動し，2021年は事件数4件（患者数81例）のみであった[12]。国内のヒスタミン食中毒事例の届け出では，マグロ（33%），カジキ（18%），サバ（13%）の順で多く，魚以外でもチーズ，鶏，ザワークラウトなどの報告がある[13)14]。

病態生理

IgE依存性反応ではアレルゲン特異的IgE抗体が誘導され，肥満細胞上のアレルゲン特異的IgE受容体に結合し，脱顆粒によるケミカルメディエータの放出と脂質メディエータの産生などによりアレルギー症状を発症する。一方，非IgE依存性ではアレルゲン特異的リンパ球により誘導される免疫反応や肥満細胞の直接刺激などで惹起される。造影剤によるものでは病態にIgEが関与しないことが多く，アナフィラキシー様反応と称する。

OMAは，ダニに感作されている患者が古い粉で調理したものを摂取後にアナフィラキシー症状を呈する疾患で，粉中で増殖したダニの大量摂取が起因となる。魚摂取後のアレルギー（様）症状では，パルブアルブミンやコラーゲンなどの魚の成分と，魚に寄生したアニサキス，およびアレルギー様食中毒を呈するヒスタミン中毒の可能性を考える。現在までにアニサキスのアレルゲンコンポーネントは，Ani s1〜11，Ani s 11-like，Ani s 12〜14，トロポニンCの16種類が同定されている[11]。ヒスタミン食中毒では，食品中に含まれるヒスチジンに *Morganella morganii* などのヒスタミン産生菌の酵素が作用してヒスタミンが高濃度に蓄積され，仮性アレルゲンとして蕁麻疹などのアレルギー類似症状を引き起し，その含有量は一般的に赤身魚のほうが白身魚より多く，ヒスタミンは加熱しても分解されない。

症　状

蕁麻疹は24時間以内で皮疹が移動・消長することが最大の特徴である。皮膚の反応が浅いほど膨疹は境界明瞭に膨隆し，ペンなどで皮膚表面を擦ると，なぞった部位に一致して膨疹が誘発される（機械性蕁麻疹）（図1）。一方，血管性浮腫では皮膚の反応が深いほど境界が不明瞭となり，眼瞼や口唇に限局するとクインケ浮腫と呼ばれる（図2）。

フルーツ摂取後の口腔粘膜の腫脹や違和感があればOASの可能性を，食後の運動負荷で発症した場合はFDEIAを考慮する。OMAでは，お好み焼き粉のほか，たこ焼き粉，パンケーキ，ピザ，スコーン，粗挽きトウモロコシ粉，ポレンタ，ベニエ，魚フライ，サラミソーセージなどの加熱調理品の摂取後にアナフィラキシー症状を発症した報告がある[8)9]。

ヒスタミン食中毒は，マグロなど腐敗した魚の筋肉で発生した高濃度のヒスタミンを摂取することで生じ，一過性のびまん性潮紅，かゆみ，蕁麻疹，ショックなどアナフィラキシー様症状を呈し，集団発生することがある。

検査・診断

発症早期の血中のヒスタミン濃度や総トリプターゼ値の上昇を認めることはあるが，正常値の場合でもアナフィラキシーを否定することはできない[4]。I型アレル

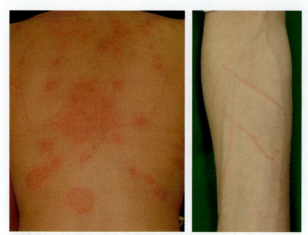

図1 蕁麻疹(左)と機械性蕁麻疹(右)

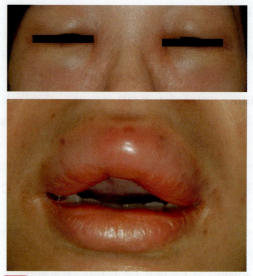

図2 眼瞼・口唇の血管性浮腫(クインケ浮腫)

ギー反応では,症状改善後に特異的IgE抗体検査や皮膚プリックテストを行う。食物アレルギーでは食物経口負荷試験も考慮される[3]。蕁麻疹様皮疹に紫斑を混じる場合は,蕁麻疹関連疾患である蕁麻疹様血管炎(図3)が鑑別にあがるため,皮膚生検が必要となる。

治療

蕁麻疹はその程度により,グレード1:無症状,グレード2:症状はあるが気にならない,グレード3:不快であるが我慢できる,グレード4:支障はあるがなんとか生活できる,グレード5:社会生活ができない,という5段階に分類される[2]。これら重症度に応じて治療薬が選択される。

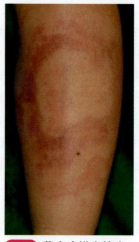

図3 蕁麻疹様血管炎

1 軽症の場合

蕁麻疹の軽症例では効果と副作用の両者を考慮し,中枢組織の移行性が少なく,鎮静作用の低い第2世代の抗ヒスタミン薬(非鎮静性抗ヒスタミン薬)が第一選択薬として推奨される。一般的にステロイド外用薬は蕁麻疹の症状を抑制するための治療として推奨されない。

抗ヒスタミン薬を含めて,妊婦に対する薬物療法の十分な安全性は確立されていないが,現在までにわが国で承認されている抗ヒスタミン薬では催奇形性の報告はなく,薬物治療の必要性が有害事象によるデメリットを上回る場合は,ロラタジンやセチリジン塩酸塩,デスロラタジン,レボセチリジンなどの第2世代の非鎮静性抗ヒスタミン薬が使用経験の蓄積と弱いエビデンスがあるため,それらの投与を検討する。

2 中等症以上の場合

中等症以上の急性蕁麻疹では,点滴で抗ヒスタミン薬やヒスタミンH_2受容体拮抗薬(蕁麻疹に対する保険適用は未承認)の併用投与を考慮する。さらに難治例ではステロイドの全身投与を行う。

3 予防,アレルゲンへの対応

アレルゲンが同定されている食物については基本的に摂取しないことで対応するが,OMAでは,お好み焼き粉などの開封後はダニが増殖する前に1回で使い切り,保管しないよう指導する。アニサキスアレルギーでは,アニサキスの寄生率の低い魚類の摂取を勧める。アニサ

キスは冷凍（−20℃で24時間以上）や加熱（70℃以上または60℃で1分以上）で死滅するが，一部のアレルギーコンポーネントは残るため注意が必要である[11)15)]。

ヒスタミン中毒では，一度生成されたヒスタミンは調理の加熱などでは分解されないため，原材料から最終製品の喫食までの一貫した温度管理が重要であり，鮮度の低下したおそれのある魚は食べないようにして，魚を購入したら常温で保存せず，速やかに冷蔵庫や冷凍庫で保管するよう心がける。高濃度のヒスタミンが含有している食品では，口唇や舌に刺激感を感じるときがあるため，そのような場合には摂取を控える。

▶文献

1) Demirel Öğüt N, et al：Dermatology consultation requests from a university hospital's pediatric and adult emergency departments：A 5-year retrospective analysis. Am J Emerg Med 53：112-7，2022.
2) 日本皮膚科学会蕁麻疹診療ガイドライン改定委員会：蕁麻疹診療ガイドライン2018. 日皮会誌 128：2503-624，2018.
3) 日本小児アレルギー学会食物アレルギー委員会：食物アレルギー診療ガイドライン2021，協和企画，2021.
4) 日本アレルギー学会Anaphylaxis対策委員会：アナフィラキシーガイドライン 2022.
https://www.jsaweb.jp/modules/journal/index.php?content_id=4
5) Cardona V, et al：World allergy organization anaphylaxis guidance 2020. World Allergy Organ J 13：100472，2020.
6) 日本学校保健会：平成25年度学校生活における健康管理に関する調査事業報告書.
https://www.gakkohoken.jp/books/archives/159
7) 森田栄伸，他：特殊型食物アレルギーの診療の手引き2015.
https://shimane-u-dermatology.jp/study/guideline
8) 小林律子，他：開封後の市販お好み焼き粉内に増殖したダニの多量摂取によるアナフィラキシー．アレルギー 58：1304，2009.
9) 続木康伸，他：お好み焼き粉に発生したダニによるアナフィラキシーの双子例．日内会誌 104：986-90，2015.
10) 梅林芳弘：アニサキス特異的IgE抗体に影響する因子の解析．アレルギー 50：1090-5，2001.
11) 千貫祐子，他：魚アレルギーとアニサキスアレルギー．MB Derma 307：13-9，2021.
12) 厚生労働省ホームページ：ヒスタミンによる食中毒について.
https://www.mhlw.go.jp/stf/seisakunitsuite/bunya/0000130677.html
13) 登田美桜，他：国内外におけるヒスタミン食中毒．国立医薬品食品衛生研究所報告 127：31-8，2009.
14) Lehane L, et al：Histamine fish poisoning revisited. Int J Food Microbiol 58：1-37，2000.
15) 内閣府食品安全委員会：ファクトシート；アニサキス症（概要），2006.
https://www.fsc.go.jp/factsheets/index.data/factsheets_anisakidae.pdf

12-2 薬疹

中野 敏明

概要

薬疹は皮膚を主体とする薬剤有害反応で，治療介入・入院を要し，致死性となり得るものを重症皮膚有害反応（severe cutaneous adverse reactions；SCARs）と呼ぶ。これは重症薬疹と同義語であり，①Stevens-Johnson症候群（Stevens-Johnson syndrome；SJS），②中毒性表皮壊死症（toxic epidermal necrolysis；TEN），③薬剤性過敏症症候群（drug-induced hypersensitivity syndrome；DIHS），④急性汎発性発疹性膿疱症（acute generalized exanthematous pustulosis；AGEP）と，最近では⑤汎発性水疱性固定薬疹（generalized bullous fixed drug eruption；GBFDE）を加えた5つに分類される。薬疹の初期段階で重症化を予測することは難しいが，早期の病型診断と治療は患者の予後に影響するため，それぞれの特徴を理解することは重要である（表1）[1〜5]。

ここでは，上記の5型に加えて，SJS/TENの多くが粘膜症状を有する多形滲出性紅斑，いわゆる重症多形滲出性紅斑（erythema exsudativum multiforme；EEM major）から移行するため（TEN with spots），EEM majorについても取り上げる。

表1 代表的な重症型薬疹の特徴

	EEM major	SJS	TEN	DIHS	AGEP	GBFDE
皮膚症状	typical target lesion，かゆみ	atypical target lesion，かゆみ，痛み	atypical target lesion，かゆみ，痛み	紅皮症，眼囲紅斑欠く，かゆみ	浮腫性紅斑と多発性無菌性小膿疱，かゆみ，灼熱感	非対称性・非ターゲット状の紅斑，かゆみ，痛み
粘膜症状	あっても軽度	眼，口唇，口腔外陰部	眼，口唇，口腔外陰部	まれ	あっても軽度	口唇，口腔外陰部
眼病変	あっても軽度	結膜炎偽膜形成など	結膜炎偽膜形成など	あっても軽度	あっても軽度	まれ
水疱びらん	なし	体表面積<10% Nikolsky徴候	体表面積>10%（欧米>30%）Nikolsky徴候	なし	小膿疱	<10%多い（52%）9の法則で2領域以上に分布
リンパ節腫脹	なし	なし	なし	あり	あっても軽度	なし
その他症状	全身状態は比較的良好	発熱，倦怠感嚥下・排尿障害	発熱，倦怠感嚥下・排尿障害	発熱，倦怠感	発熱，倦怠感	発熱，倦怠感固定薬疹既往
臓器障害	まれ	肝・腎機能障害肺障害	肝・腎機能障害肺障害	肝機能障害HHV-6再活性化	まれ	まれ
検査異常	好酸球増多	肝・腎機能障害	肝・腎機能障害	好酸球数増多	好中球優位の白血球数上昇	まれ
薬剤投与〜発症まで	4〜21日	4〜28日	4〜28日	2〜6週	1〜11日	初回固定薬疹14日再投与から数時間〜48時間
死亡率	0%	1.3〜5.0%	12.5〜30.0%	10.0%	5.0%	22.0%

〔文献1）〜5）をもとに作成〕

疫　学

　救急外来から入院を要する皮膚疾患のうち，薬疹は17％を占める[6]。SJS，TEN，DIHS，AGEP の 4 型は薬疹全体の約 2 ％と推計され[3]，台湾の薬害救済システムを用いた報告では，SCARs の内訳は SJS が47.3％，DIHS が23.7％，TEN が21.4％，GBFDE が3.5％，AGEP が1.9％であった[1]。各病型の死亡率は，SJS が1.3～5.0％，TEN が12.5～30.0％，DIHS が10.0％，AGEP が5.0％，GBFDE が22.0％とされている[2)4)7)~9]。

　SJS/TEN（37％）[10] と DIHS（51～87％）[11)~13] は，高率で薬物性肝障害を合併する。眼病変の合併率は，結膜充血が SJS で76％，TEN で65％，部分角膜欠損が SJS で19％，TEN で28％，偽膜形成が SJS で14％，TEN で26％とされている[14]。

　わが国では被疑薬として，SJS では抗菌薬など（抗ウイルス薬，抗結核薬などを含む）（16.3％），解熱鎮痛薬（14.6％），抗けいれん薬（14.0％）が，TEN では抗菌薬など（19.5％），解熱鎮痛薬（16.8％），循環器疾患治療薬（11.4％）が多い[14]。また，DIHS ではカルバマゼピン，サラゾスルファピリジン，アロプリノール，バルプロ酸ナトリウム，ゾニサミド，フェノバルビタール，メキシレチンなどが[15]，AGEP では塩酸テルビナフィン，ペニシリン系抗菌薬，非ピリン系感冒薬，アセトアミノフェン，アロプリノールなどが被疑薬として多い[16]。

　わが国における多発固定薬疹の報告526例の集計では，アリルイソプロピルアセチル尿素（モノウレドイド系鎮静薬）が16.5％でもっとも多く，次いでメフェナム酸（6.7％）やエテンザミド（5.7％）などの NSAIDs，バルビタール（4.4％），カルボシステイン（3.0％），アセトアミノフェン（2.7％），チペピジンヒベンズ（2.5％），レボフロキサシン（2.3％），フェノバルビタール（1.9％），イオパミドール（1.9％），その他（56.6％）が報告されている[17]。

　なお，TEN では90％以上が薬剤性であるが，SJS では薬剤性が69％で[18]，単純ヘルペス感染症やマイコプラズマ肺炎など感染症が原因のこともあるため，これらを除外することも重要である。

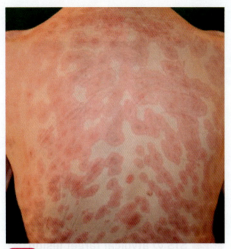

図1　EEM major の typical target lesion

病態生理

　SJS，TEN，DIHS，AGEP を代表とする重症薬疹では，薬剤抗原提示，遺伝的素因（HLA や薬剤代謝酵素），免疫学的－細胞死機序，HHV-6 などウイルス感染や慢性腎疾患による薬剤代謝障害など環境因子や非遺伝因子の影響など，さまざまな要因が関与している[3]。

症　状

1　重症多形滲出性紅斑（EEM major）

　EEM major は比較的軽度の粘膜病変を伴い，全身に鮮紅色の炎症の強い紅斑を認める。典型例では，皮疹は四肢優位に 3 層構造の typical target lesion（図1）を示し，しばしば発熱を伴うが重症感は乏しい。EEM major と SJS の違いは，重症感，倦怠感，治療への反応，皮膚病理組織の表皮の壊死性変化の程度を加味して総合的に判断する。

2　Stevens-Johnson 症候群（SJS）

　SJS は，以下の主要所見 5 項目をすべて満たすことで診断される[2]。

　1）皮膚粘膜移行部（眼，口唇，外陰部）に，広範囲で重篤な粘膜病変（出血，血痂，びらん）を伴う。

　2）全身に汎発性の紅斑と，体表面積で10％未満の水疱・びらんを認める。外力で容易に表皮が剥離する，い

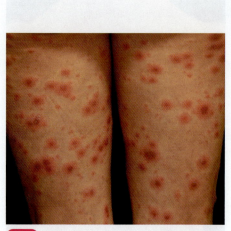

図2 SJS の atypical target lesion（一部水疱を伴う）

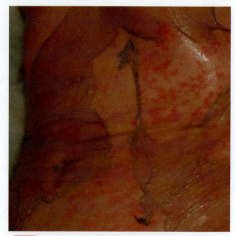

図3 TEN の広範囲表皮剝離

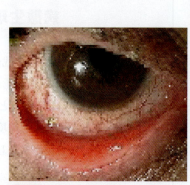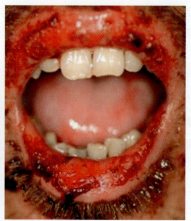

図4 TEN の眼病変と，口唇・口腔粘膜の出血性びらん（対称性）

わゆる Nikolsky 徴候を認める部位もこの面積に含める。

3）発熱を伴う。

4）皮膚病理検査で表皮壊死変化を認める。

5）EEM major を除外できる。

典型例では，紅斑は顔面・頸部・躯幹優位に分布し，中央が暗紅色の2層構造の atypical target lesion（図2）またはびまん性紅斑を認め，皮膚は痛がる。眼病変では，偽膜形成や眼表面（角膜・結膜）上皮欠損，急性結膜炎症状を認めることがあり，まれに粘膜病変のみを呈するSJS もあるため注意する。口腔や咽頭の痛みが強く，摂食障害を認める。自己免疫性水疱症を除外することが必要である。

3 中毒性表皮壊死症（TEN）

TEN は，以下の主要所見3項目すべてを満たすことで診断される[2]。

1）全身の広範囲の紅斑と，粘膜疹および全身の10％以上の水疱，びらん，表皮剝離を認める（図3）。

2）高熱を伴う。

3）ブドウ球菌性熱傷様皮膚症候群，トキシックショック症候群，伝染性膿痂疹，AGEP，自己免疫性水疱症を除外できる。

皮膚生検での表皮壊死変化，atypical target lesion や眼・口腔粘膜病変（図4），倦怠感，摂食障害などはSJS と同様である。

なお，水疱・びらんなどの表皮剝離面積について，SJS のわが国および国際基準は「10％未満」で同等となっているが，TEN では異なり，わが国では「10％以上」を，国際基準では「30％以上」を TEN と定義し，「10〜30％」を SJS/TEN overlap と位置づけている[2]。

表2 薬剤性過敏症症候群（DIHS）の診断基準

概念

高熱と臓器障害を伴う薬疹で，医薬品中止後も遷延化する．多くの場合，発症後2〜3週間後にHHV-6の再活性化を生じる

主要所見

典型DIHS：下記1〜7すべてに該当
非典型DIHS：下記1〜5すべてに該当．ただし，4に関してはその他の重篤な臓器障害をもって代えることができる
1. 限られた医薬品投与後に遅発性に生じ，急速に拡大する紅斑．しばしば紅皮症に移行する
2. 原因医薬品中止後も2週間以上遷延する
3. 体温38℃以上の発熱
4. 肝機能障害
5. 血液学的異常：a，b，cのうち1つ以上
   a．白血球増多（11,000/μL以上），b．異型リンパ球の出現（5％以上），c．好酸球増多（1,500/μL以上）
6. リンパ節腫脹
7. HHV-6の再活性化

参考所見

1. 原因医薬品は，抗てんかん薬，ジアフェニルスルホン，サラゾスルファピリジン，アロプリノール，ミノサイクリン，メキシレチンであることが多く，発症までの内服期間は2〜6週間が多い
2. 皮疹は，初期には紅斑丘疹型，多形紅斑型で，後に紅皮症に移行することがある．顔面の浮腫，口囲の紅色丘疹，膿疱，小水疱，鱗屑は特徴的である．粘膜には発赤，点状紫斑，軽度のびらんがみられることがある
3. 臨床症状の再燃がしばしばみられる
4. HHV-6の再活性化は，①ペア血清でHHV-6 IgG抗体価が4倍（2管）以上の上昇，②血清（血漿）中のHHV-6 DNAの検出，③末梢血単核球あるいは全血中の明らかなHHV-6 DNAの増加，のいずれかにより判断する．ペア血清は発症後14日以内と28日以降（21日以降で可能な場合も多い）の2点で確認するのが確実である
5. HHV-6以外に，サイトメガロウイルス，HHV-7，EBウイルスの再活性化も認められる
6. 多臓器障害として，腎障害，糖尿病，脳炎，肺炎，甲状腺炎，心筋炎も生じ得る

〔文献15）より作成〕

4 薬剤性過敏症症候群（DIHS）

DIHSは，海外ではdrug reaction with eosinophilia and systemic symptoms（DRESS）と称することが多い．わが国のDIHS診断基準（2005年）を**表2**[15)]に示す．紅斑は遅発性に生じ，急速に拡大して紅皮症に移行する（**図5**）．眼周囲には紅斑を認めない傾向がある．

5 急性汎発性発疹性膿疱症（AGEP）

AGEPは以下の主要所見をすべて満たすと診断される[16)]．

1）急速に出現，拡大する紅斑（**図6**）．
2）紅斑上に多発する無菌性の非毛孔性小膿疱．
3）末梢血白血球中の好中球増多（7,000/μL以上）．
4）体温38℃以上の発熱．

また，副所見として，①皮膚病理組織学的に角層下膿疱または表皮内膿疱を認め，②膿疱性乾癬，角層下膿疱症，TEN，汗疹，敗血疹を除外する．

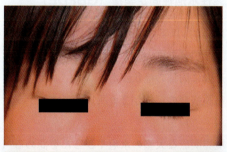
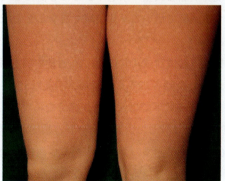

図5 DIHSのびまん性紅斑（同患者）

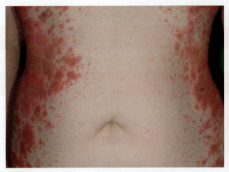
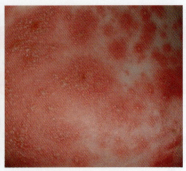

図6　AGEPの多発する浮腫性紅斑と，無菌性膿疱拡大像（同患者）

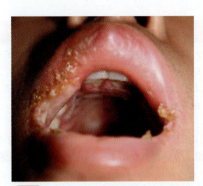

図7　GBFDEの口唇・口腔粘膜びらん（非対称性）

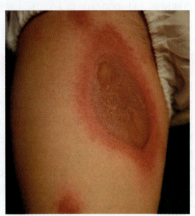

図8　GBFDEの多発する水疱・紅斑

6 汎発性水疱性固定薬疹（GBFDE）

GBFDEは，以下のうち3項目以上を満たすと確定診断され，2項目で疑いとされている[4]。

1）過去に同様の症状がある。
2）粘膜病変の部位が2カ所以内でターゲット型紅斑がない（図7）。
3）境界明瞭な大型の水疱やびらんを認める（図8）。
4）9の法則で用いる身体領域で異なる2領域以上に皮疹がある。

平均発症年齢は74歳（中央値）で，通常の固定薬疹（46歳）と比較し高齢者に多く，高齢（70歳以上），悪性腫瘍合併，腎機能低下では死亡率が高くなる[4,5]。GBFDEはSJS/TENと比較して過去の薬疹歴の頻度が高く（64% vs 18%），とくに同型の薬疹歴がある症例で有意に頻度が高い（38% vs 1.8%）[4]。被疑薬内服後1～2週以内に発症するが，多くは数時間から48時間以内で発症する。皮疹は固定薬疹同様，非対称性，大小不同，時に大型で，色素沈着を残しやすく，粘膜病変は口唇，口腔，外陰部に多い[4,5]。

検査・診断

いずれの病型も病初期での皮膚生検による早期診断が重要であり，各疾患の臨床的特徴を理解し，診断基準に基づいて診断を進める。また，種々の臓器障害を合併するため全身精査も必要である。眼病変を合併するEEM majorやSJS，TENでは，眼科の精査を依頼する。

薬物性肝障害については，ALT値が正常の2倍，ALP値が正常上限を超えた場合に肝障害と定義され，重症例ではALT・ALP値から肝細胞障害型，胆汁うっ滞型，混合型に病型を分類し，疑わしい薬剤に関してスコアリングを行い，薬物性肝障害の可能性が高い薬剤を検索できる[19]。薬物性肝障害の診断基準やスコア計算ソフトは日本肝臓学会のホームページからダウンロード可能である[20]。なお，わが国のSJS/TENの重症度分類で用いる肝機能障害の基準では，ALT >100U/Lを判断材料としている[2]。

SJS/TENでは皮膚症状のほか，口唇・口腔粘膜症状，眼症状，全身症状を総合的に評価して重症度を診断する

表3　中毒性表皮壊死症（TEN）の重症度分類

項目			点数
1．粘膜疹	眼病変	結膜充血	1
		偽膜形成	1
		眼表面の上皮欠損（びらん）	1
		視力障害（慢性期）	1
		ドライアイ（慢性期）	1
	口唇・口腔粘膜病変	口腔内の広範囲に血痂，出血を伴うびらん	1
		口唇の血痂，出血を伴うびらん	1
		広範囲に血痂，出血を伴わないびらん	1
	陰部びらん		1
2．皮膚の水疱，びらん		30％以上	3
		10〜30％	2
		10％未満	1
3．38℃以上の発熱			1
4．呼吸器障害			1
5．表皮の全層性壊死性変化			1
6．肝機能障害（ALT＞100U/L）			1

〔文献2）より引用〕

合計6点未満：中等症，合計6点以上：重症
ただし，以下の所見がある場合はスコアにかかわらず重症と判断する
1）眼表面（角膜・結膜）の上皮欠損（びらん），あるいは偽膜形成が高度なもの
2）SJS/TENに起因する呼吸障害のみられるもの
3）びまん性紅斑進展型TEN

（表3）[2]。また，TENの死亡率を予測する際にはSCORTENスコアが参考となり，死亡率は0〜1点で3.2％，2点で12.1％，3点で35.5％，4点で58.3％，5点以上で90％以上とされている（表4）[21]。

被疑薬の検索は，一般的に患者の薬剤投与歴と皮疹型を評価し，わが国では『薬疹情報』[22]から過去に同様の皮疹型を呈した薬疹の報告があるかどうかを確認して情報を得ることが多い。皮膚症状が改善してステロイド治療が終了したら，パッチテストやDLST（drug-induced lymphocyte stimulation test）などの精査を施行する。固定薬疹では被疑薬の内服で同じ部位に紅斑や水疱が誘発されるため，パッチテストでは無疹部に加え，治癒後の皮疹部でも行うことが重要である。

治療

EEM major，SJS，TENでは早期に被疑薬を中止することが原則であるが，中止が困難な場合は代替薬を検討する。代替薬としては，交差反応による症状の増悪・遷延を避けるため化学構造式の異なる薬剤を選択し，SJS/TENで過去に報告されている薬剤を避けることも重要である。

皮疹やかゆみに対して，抗ヒスタミン薬の内服やステロイド外用を併用する。治療は，中等症ではプレドニゾ

表4　SCORTENスコア

項目	0点	1点
年齢	＜40歳	≧40歳
心拍数	≦120回/min	＞120回/min
悪性腫瘍合併	なし	あり
表皮剥離面積	＜10％	≧10％
BUN	≦28mg/dL	＞28mg/dL
血糖値	≦252mg/dL	＞252mg/dL
血清HCO$_3^-$	≧20mEq/L	＜20mEq/L

〔文献21）より引用・改変〕

ロン換算で0.5〜1mg/kg/dayを投与し，重症例では1〜2mg/kg/day，または急激に進行する場合はステロイドパルス療法（メチルプレドニゾロン 500〜1,000mg/dayを3日間投与）が選択される[2]。高用量のステロイド全身療法の応答が悪ければ，ヒト免疫グロブリン大量療法（400mg/kg/dayを5日間）を考慮し，さらに難治の症例では血漿交換療法（単純血漿交換法または二重膜濾過血漿交換法）が選択される[2]。

局所外用療法では，水疱形成部ではステロイド外用薬に加え，疼痛緩和も兼ねてジメチルイソプロピルアズレン（アズノール®）軟膏を外用し，広範囲の水疱とびらんを伴う症例では全身熱傷と同様に，集中治療室での補液管理と全身の外用療法が必要になる。眼病変についてはステロイド点眼など眼科的局所療法を併用する。

DIHSでは被疑薬中止後，プレドニゾロン換算で0.5〜1mg/kg/dayで開始し，臨床症状が改善したらHHV-6の再活性化とそれによる症状再燃のおそれがあるため，ステロイドは時間をかけて減量する[15]。

AGEPも同様に被疑薬中止とあわせて，プレドニゾロン換算0.5〜0.7mg/kg/dayで治療を開始し，適宜減量する[16]。

GBFDEの治療について確立されたエビデンスはないが，58例の検討では40％が集中治療室での治療を受けており，SJS/TENに準じた高用量のステロイド全身療法が必要になることが多い[4]。シクロスポリンの有効性も報告されているが[5]，わが国では本症に対してシクロスポリンやヒト免疫グロブリン大量療法，血漿交換療法は保険適用となっていない。

▶ 文　献

1) Huang PW, et al：Analysis of severe cutaneous adverse reactions (SCARs) in Taiwan drug-injury relief system：18-year results. J Formos Med Assoc 121：1397-405, 2022.
2) 重症多形滲出性紅斑ガイドライン作成委員会：重症多形滲出性紅斑，スティーヴンス・ジョンソン症候群・中毒性表皮壊死症診療ガイドライン．日皮会誌 126：1637-85, 2016.
3) Duong TA, et al：Severe cutaneous adverse reactions to drugs. Lancet 390：1996-2011, 2017.
4) Lipowicz S, et al：Prognosis of generalized bullous fixed drug eruption：Comparison with Stevens-Johnson syndrome and toxic epidermal necrolysis. Br J Dermatol 168：726-32, 2013.
5) Anderson HJ, et al：A review of fixed drug eruption with a special focus on generalized bullous fixed drug eruption. Medicina (Kaunas) 57：925, 2021.
6) Demirel Öğüt N, et al：Dermatology consultation requests from a university hospital's pediatric and adult emergency departments：A 5-year retrospective analysis. Am J Emerg Med 53：112-7, 2022.
7) 山口由衣，他：厚生労働科学研究費補助金（難治性疾患政策研究事業）分担研究報告書；Stevens-Johnson症候群および中毒性表皮壊死症132例における臨床的検討および予後の解析, 2021.
8) Chen YC, et al：Drug reaction with eosinophilia and systemic symptoms：A retrospective study of 60 cases. Arch Dermatol 146：1373-9, 2010.
9) Fernando SL：Acute generalised exanthematous pustulosis. Australas J Dermatol 53：87-92, 2012.
10) Zimmerman HJ：Drug-induced liver disease. Drugs 16：25-45, 1978.
11) Lee T, et al：Characteristics of liver injury in drug-induced systemic hypersensitivity reactions. J Am Acad Dermatol 69：407-15, 2013.
12) Kardaun SH, et al：Drug reaction with eosinophilia and systemic symptoms (DRESS)：An original multisystem adverse drug reaction：Results from the prospective RegiSCAR study. Br J Dermatol 169：1071-80, 2013.
13) Lin IC, et al：Liver injury in patients with DRESS：A clinical study of 72 cases. J Am Acad Dermatol 72：984-91, 2015.
14) 北見周，他：Stevens-Johnson症候群ならびに中毒性表皮壊死症の全国疫学調査；平成20年度厚生労働科学研究費補助金（難治性疾患克服研究事業）重症多形滲出性紅斑に関する調査研究．日皮会誌 121：2467-82, 2011.
15) 厚生労働省：重篤副作用疾患別対応マニュアル；薬剤性過敏症症候群（平成19年6月）．
https://www.mhlw.go.jp/topics/2006/11/dl/tp1122-1a09.pdf
16) 厚生労働省：重篤副作用疾患別対応マニュアル；急性汎発性発疹性膿疱症（平成21年5月）．
https://www.mhlw.go.jp/topics/2006/11/dl/tp1122-1a13.pdf
17) 赤芝知己，他：口腔粘膜，躯幹四肢に多発したレボフロキサシンによる固定薬疹の1例．臨床皮膚科 72：505-11, 2018.
18) Yamane Y, et al：Analysis of Stevens-Johnson syndrome and toxic epidermal necrolysis in Japan from 2000 to 2006. Allergol Int 56：419-25, 2007.
19) 滝川一：薬剤性肝障害の診断と治療．日内会誌 104：991-7, 2015.
20) 日本肝臓学会：薬物性肝障害診断基準（田辺三菱製薬提供）．
http://www.jsh.or.jp/medical/guidelines/medicalinfo/mtphama
21) Bastuji-Garin S, et al：SCORTEN：A severity-of-illness score for toxic epidermal necrolysis. J Invest Dermatol 115：149-53, 2000.
22) 「薬疹情報」ホームページ．
https://www.fukuda-derma.com/index.html

V 疾患領域別の救急診療　12. 皮膚科領域

12-3 中毒疹

中野　敏明

概　要

　中毒疹は，「体外性あるいは体内性物質によって誘発される反応性の皮疹で，薬剤，ウイルス，細菌など様々な因子による急性発疹症の総称」と定義され，皮疹は播種状紅斑丘疹型や多形紅斑，紅皮症に類似し，初診時に確定診断をつけられない症例に対して暫定的な病名として用いられ，経過中に原因がわかれば，麻疹や風疹，薬疹などと病名が変更される[1]。重大な原因を見逃して原因不明の中毒疹の診断で終わることなく，皮疹の経過を追って精査や除外診断を行い，最終診断できるよう努力することが重要である[2]。

　海外では中毒疹（toxicoderma）という用語はほとんど用いられず，maculopapular eruption（rash, exanthema, dermatitis）を呈する疾患として表現されることが多い。中毒疹の原因は多岐にわたり，ウイルス性などの感染症や薬疹など発熱を伴うことが多い。また，小児では突発性発疹や川崎病など，成人では薬疹や成人Still病，HIV初感染など，年齢好発的な疾患もある。

疫　学

　初診時，皮膚疾患で救急外来を受診する成人のうち，中毒疹に相当する非特異的な紅斑で受診する患者の割合は9％である[3]。また，救急外来から皮膚科にコンサルトされる皮膚疾患のうち，中毒疹の占める割合は，小児では原因不明のウイルス性中毒疹が9.2％，手足口病が2.6％，丘疹紅斑型の薬剤性中毒疹が2.6％で，ウイルス性の頻度が高く，成人では丘疹紅斑型の薬剤性中毒疹が8.2％を占め，薬剤性の頻度が高い[4]。

病態生理

　種々の原因で中毒疹は発症するが，小児と成人で鑑別疾患が異なるため注意する[5,6]。

　小児では，突発性発疹，川崎病，Gianotti症候群（病），伝染性紅斑（パルボウイルスB19感染），手足口病，風疹，麻疹，髄膜炎菌血症，ロッキー山紅斑熱，エーリキア症，デング熱・チクングニア熱・ジカ熱・ウエストナイル熱などの蚊媒介感染症，薬疹などを考慮する。

　成人では，風疹，麻疹，デング熱・チクングニア熱・ジカ熱・ウエストナイル熱などの蚊媒介感染症，伝染性紅斑，ロッキー山紅斑熱，髄膜炎菌感染症，手足口病（成人では頻度は低い），エーリキア症，伝染性単核球症，梅毒（バラ疹），HIV初感染，成人Still病などの膠原病・類縁疾患，血液系悪性腫瘍など内科疾患に伴うデルマドローム，薬疹などを考慮する。

　各中毒疹の臨床像を図1，図2にまとめて示す（p.531, 532参照）。

症　状

　一般的に躯幹を中心に汎発する淡い紅斑を呈するが，手足口病のように四肢末梢中心に紅斑を呈する疾患もある。丘疹紅斑型の薬剤性中毒疹も，紅斑は躯幹から発症し，その後四肢に拡大する経過が多く，また丘疹紅斑型から多形滲出性紅斑型など，より重症型へ移行しないか皮疹型の変化に注意する。

　リンパ節腫脹は感染症で認めることが多い。発熱に伴い全身倦怠感や脱水，食思不振などの全身症状を併発しやすい。肝機能障害や腎機能障害，肺炎，眼病変など，他臓器症状の合併の有無を把握する。風疹，麻疹，伝染性紅斑，手足口病，梅毒，川崎病などでは，それぞれ特徴的な皮疹・粘膜疹が出るので，全身を視診する。

1 風　疹

　風疹は1本鎖RNAウイルスの*Togavirus*科に属する風疹ウイルス感染後，2～3週の潜伏期間で，発熱，紅斑，耳後部リンパ節腫脹を特徴として発症し，感染期間は発症前後1週間程度とされる[7]。

　紅斑は小型で麻疹と比較して癒合傾向に乏しく（図2 a），軟口蓋に点状出血斑（Forchheimer spots）を認め

る（図2b）。合併症として，関節炎（5～30％），血小板減少性紫斑病（1/3,000），脳炎（1/4,000～1/6,000）があり，妊娠20週頃までの妊婦が罹患すると1/3に胎児感染を合併し，さらにその1/3に先天性風疹症候群（白内障，心疾患，難聴）を合併する[7)8)]。

本症は5類感染症に属し，直ちに保健所への届け出が必要であり，学校保健安全法上，皮疹が消失するまで出席停止となる。

2 麻 疹

麻疹は1本鎖RNAウイルスの*Paramyxovirus*科に属する麻疹ウイルス感染後に，咳，鼻汁，くしゃみなどの上気道症状と結膜炎症状，倦怠感，二峰性発熱，全身の紅斑を特徴として発症し，潜伏感染は10～14日で，感染期間は紅斑出現前4日～出現後4日とされる[7)9)]。

発熱や上気道症状，結膜炎を伴うカタル期に口腔頬粘膜の白色点状病変（コプリック斑）を認め（図2c），半日程度いったん解熱した後，再び体温39℃以上の発熱を認め，全身に癒合傾向を呈する紅斑（図2d）が出現し（紅斑期），その後3～4日で解熱して，7～10日で主症状は回復する（回復期）[10)]。合併症として，肺炎，中耳炎，クループ症候群，心筋炎，脳炎（1/1,000～1/2,000），7～10年後に遅発性に発症する亜急性硬化性全脳炎がある[10)]。

本症も5類感染症に属し，直ちに保健所の届け出が必要で，解熱後3日経過するまで出席停止となる。

3 手足口病

手足口病は1本鎖RNAウイルスの*Picornavirus*科に属するエンテロウイルス属の感染後，口腔と掌蹠に水疱や紅斑が出現することを特徴として発症する。エンテロウイルスA71やコクサッキーウイルスA16，A6，A10などが原因となり，糞口感染で伝播し，経口的に侵入後，咽頭ぬぐい液では4週以内に消失するが，便からの排出は6週間以上にわたり検出される[11)]。

小児で夏季に好発するが，免疫をもたない成人に流行することもあり，潜伏期間は2～7日で，2日程度の体温38～39℃の発熱と口唇・頬粘膜，舌に小水疱を形成し（図1i），咽頭・口腔痛で食欲低下をきたすことがある。口腔の小水疱は口唇ヘルペスに似るが，手足口病では後咽頭に病変が好発する。また，掌蹠にも紅斑や2～5mm大の紅暈を伴う水疱を生じ（図1g, h），これらの症状は7日程度で自然軽快し，水疱は痂皮化しない。

本症も5類感染症に属するが，定点把握疾患で全国約3,000カ所の小児科定点医療機関から翌週月曜日までに保健所に届け出をし，学校保健安全法では第1～3種感染症に含まれず，主症状から回復後もウイルスの排出が続くため，皮疹のみでの登園・登校停止は流行抑止に効果がなく，本人の症状や全身状態から判断する。

4 伝染性紅斑

伝染性紅斑は1本鎖DNAウイルスである*Parvovirus*科に属する*Human parvovirus* B19による急性ウイルス発疹症で，10～20日の潜伏期間後，両側頬部に境界明瞭な紅斑を認め（図1f），その後，四肢に網目状・レース状の紅斑が出現し，7日前後で消退するが，成人では関節炎や頭痛など全身症状を合併することがある[12)]。紅斑が出現する7～10日前に微熱や感冒様症状があり，この時期にウイルス血症を起こしているため，紅斑出現時にはウイルス血症は終息し，感染力はほぼ消失している。

合併症として，溶血性貧血患者の貧血発作（aplastic crisis）や血球貪食症候群，血小板減少症，免疫異常者における持続感染，胎児感染（胎児水腫），関節リウマチなどがある[13)]。

本症は5類感染症に属し，手足口病と同様に全国の小児科定点医療機関から翌週月曜日までに保健所に届け出る。症状出現1週間以上前のウイルス血症の時期に隔離しなければ感染予防とならないため，伝染性紅斑の症状を認める園児・学童の出席停止は意味がない。

5 梅 毒

梅毒はスピロヘータ感染症である*Treponema pallidum subspecies pallidum*（Tp）による代表的な性行為感染症で，皮膚や粘膜の小傷からTpが侵入し，さまざまな臨床症状を引き起こす。胎児が母体内で胎盤を通して感染する先天梅毒と，それ以外の後天梅毒とに分類され，また皮疹・粘膜疹や臓器症状などの有症状の顕性梅毒と，無症状の無症候性梅毒に分けられる。

梅毒は5類感染症で，全例を都道府県知事に7日以内に届け出る必要があり，東京都の報告では，2021年の2,451人（男性1,577人，女性874人）から2022年には3,677人（男性2,291人，女性1,386人）と急増し，男性は20～

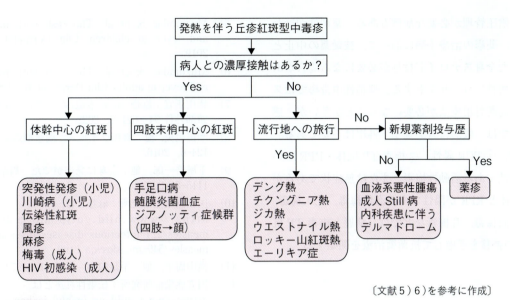

図3 中毒疹の診断アルゴリズム

〔文献5)6)を参考に作成〕

50歳代，女性は20歳代の増加が目立っている[14]。

感染後，数時間で血行性に全身に散布され，約3週間後にTpの侵入部である包皮，冠状溝，亀頭部，大小陰唇，子宮頸部に3～10mm大の初期硬結と呼ばれる紅色結節病変が出現し（図2g），3％以下の頻度で口唇や手指など陰部以外にも生じる[9]。初期硬結は硬く変化してから中央に潰瘍を生じて硬性下疳となり，2～3週間にわたり両側鼠径部リンパ節の無痛性腫脹を認める。

その後，無症状期を経て，約3カ月後に全身の皮疹や粘膜疹と臓器梅毒症状を認める時期を，第2期梅毒と呼ぶ。皮疹は多彩で，皮疹の特徴から丘疹性梅毒疹，梅毒性乾癬（図2h），梅毒性バラ疹（図2i），扁平コンジローマ，梅毒性アンギーナ，梅毒性脱毛，膿疱性梅毒疹などがあり，これらが自然消退して無症候梅毒となり，症状の再燃を繰り返しながら第3期，第4期へと移行する。

中枢神経系のTp感染である神経梅毒は，第1期，第2期の早期神経梅毒から，それ以降の晩期神経梅毒まで症状は多彩である。先天梅毒は，胎盤を通して胎児に伝播される多臓器感染症で，胎盤が完成する妊娠15～16週以降に胎児に感染する。

なお10～35％の頻度で抗菌薬治療開始24時間以内に全身に潮紅を伴う淡い紅斑が出現し，悪寒，発熱，頭痛，頻脈など全身症状を伴い，1～2日以内に自然消退するものをJarish-Herxheimer reactionと呼び，抗菌薬によって死滅した菌体から放出される炎症性サイトカインの影響と考えられている[15]。

検査・診断

各々の原因疾患により年齢や経過に特徴があるため，詳細な問診に加え，紅斑の大きさ，分布，癒合傾向，かゆみ，分布，水疱，粘膜症状などの皮膚症状に注目して診察を進める（図3）[5)6)]。

風疹，麻疹，手足口病，伝染性紅斑は，患者接触歴などの問診と皮膚・臨床所見などで比較的容易に診断できるが，確定診断には血清抗体や遺伝子検査（RT-PCRなど）の検査を施行する。梅毒は，病歴に加え梅毒TP抗体（TPHAなど）とRPR検査で診断し，病変部は皮膚生検や滲出液のPCRで評価する。特殊な感染症が疑われる場合には，血清や皮膚生検組織などの検体を冷凍保存しておくと，のちに専門機関で病原同定の検査ができる可能性があり有用である。

感染症と薬剤を見分ける問診のポイントとして，①皮疹発症前の前駆症状，②皮膚炎と関連する臨床症状，③周囲に同様の症状のある人はいるか，④皮疹の分布と変化，⑤最近の旅行歴，⑥最近の新規薬剤内服歴などを聴取する。

治療

各鑑別疾患に応じた対症療法が主体となる。全身倦怠感，食思不振，脱水が著明な場合は，入院加療して補液など電解質管理が必要になることがある。ウイルス性感

染症では，陰圧管理が必要な症例もある．薬剤性が疑われる場合は，薬疹の治療手順に沿って，被疑薬の中止と症状に応じた全身ステロイド投与が必要になる場合があるため，皮膚科にコンサルトする．薬剤性中毒疹ではステロイドの局所外用療法が必要になることが多いが，感染性中毒疹では一般的にステロイド外用は不要である．

有症状で，①PCR陽性，②梅毒TP抗体・RPRのいずれかが陽性である活動性梅毒，または無症状であるが梅毒TP抗体とRPRが陽性である潜伏梅毒，先天梅毒，神経梅毒，眼梅毒，耳梅毒などでは，病歴と梅毒TP抗体とRPRの推移を考慮して抗菌薬治療を開始する[16]．

▶文 献

1) 水川良子："中毒疹"診断のロジックその①；臨床，検査から．MB Derma 296：1-6，2020．
2) 高橋勇人："中毒疹"診断のロジックその②；"中毒疹と診断しない"を目指して．MB Derma 296：7-12，2020．
3) Nadkarni A, et al：The most common dermatology diagnoses in the emergency department. J Am Acad Dermatol 75：1261-2，2016．
4) Demirel Öğüt N, et al：Dermatology consultation requests from a university hospital's pediatric and adult emergency departments：A 5-year retrospective analysis. Am J Emerg Med 53：112-7，2022．
5) Muzumdar S, et al：The rash with maculopapules and fever in children. Clin Dermatol 37：119-28，2019．
6) Muzumdar S, et al：The rash with maculopapules and fever in adults. Clin Dermatol 37：109-18，2019．
7) 新庄正宜：麻疹/風疹/水痘/ムンプス．耳鼻咽喉科・頭頸部外科 94：621-6，2022．
8) 潮田至央，他：風疹ウイルス．周産期医学 46（増刊）：124-6，2016．
9) 下屋浩一郎，他：全身に発疹がでた．周産期医学 52：1115-8，2022．
10) 国立感染症研究所：麻疹とは．
https://www.niid.go.jp/niid/ja/diseases/measles/221-infectious-diseases/disease-based/measles/549-measles-qa.html
11) 横山周平，他：手足口病．薬局 71：1979-81，2020．
12) 国立感染症研究所：伝染性紅斑とは．
https://www.niid.go.jp/niid/ja/kansennohanashi/443-5th-disease.html
13) 要藤裕孝：伝染性紅斑．小児内科 52（増刊）：975-9，2020．
14) 東京都感染症情報センター：梅毒の流行状況（東京都2006～2022年のまとめ），2023．
https://idsc.tmiph.metro.tokyo.lg.jp/diseases/syphilis/syphilis2006/
15) 森博士，他：Jarisch-Herxheimer reactionを認めた妊娠後期梅毒感染の一例．日周産期・新生児会誌 56：512-6，2020．
16) 日本性感染症学会梅毒委員会梅毒診療ガイド作成小委員会：梅毒診療ガイド，2018．
http://jssti.umin.jp/pdf/syphilis-medical_guide.pdf

12-4 水痘・帯状疱疹

中野　敏明

水痘・帯状疱疹ではさまざまな合併症を併発することがあり、また治療の遅れが重症化や後遺症に影響するため、早期診断と治療は重要である。ここでは、成人の入院率が高い顔面帯状疱疹と播種性帯状疱疹を中心に概説する。

疫学

救急外来を皮膚疾患で受診する成人患者のうち帯状疱疹は2.3%と報告されている[1]。また、救急外来から皮膚科にコンサルトする皮膚疾患のなかで帯状疱疹は18.5%を占め、入院を要した皮膚疾患のなかでは、眼部帯状疱疹が10.4%、播種性帯状疱疹が6.1%とされ、救急外来経由で皮膚科へのコンサルトや入院率が高い皮膚疾患の一つである[2]。

わが国の疫学調査では、帯状疱疹の罹患率は1997年の3.6/1,000人から2017年は6.1/1,000人と、年々上昇傾向を示している[3]。帯状疱疹の罹患率を50歳未満の群と比較すると、50歳代は2.7倍、60歳代は4.1倍、70歳代は5.7倍、80歳代以上は6.6倍と、加齢とともに罹患リスクが増加する[4]。また、免疫低下状態（TNF阻害薬使用、JAK阻害薬使用、抗がん治療、HIV）も罹患リスクに影響する[5]。

発症部位では胸椎領域が55%でもっとも多く、脳神経領域は20%で、なかでも三叉神経領域が最多である[5]。

病態生理

水痘・帯状疱疹ウイルス（varicella-zoster virus；VZV）の初感染で水痘に罹患し、その後、脊髄後根神経節や脳神経節に潜伏感染しているVZVの再活性化により神経支配領域（皮膚デルマトーム）に疼痛を伴う小水疱が帯状に出現し、帯状疱疹を発症する[6)7]。

水痘の症状

水痘および帯状疱疹は、2本鎖DNAウイルスである

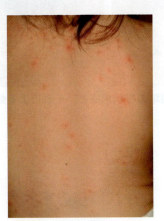

図1　小児の水痘

ヘルペスウイルス科のVZVによって引き起こされ、初感染後に知覚神経節に潜伏感染する。潜伏期間は2週間で、ウイルスは気道粘膜から侵入し、鼻咽頭リンパ組織にて増殖し、4～6日後より一次ウイルス血症を起こし、全身の諸臓器で増殖後、二次ウイルス血症をきたし、発熱と表在リンパ節腫脹に加え、皮膚に小水疱を形成する（図1）。皮膚の二次感染のほか、脱水、肺炎、無菌性髄膜炎や脳炎を合併することがある。

水疱出現の1～2日前から痂皮化するまで伝染力があるため、学校保健安全法では水疱が痂皮化するまで出席停止となる。本症は5類感染症に分類され、小児科定点医療機関での週単位の届け出のほか、入院例は7日以内に保健所に届け出る。

妊娠中の母体の水痘感染により、先天性水痘症候群（皮膚瘢痕、発育障害、神経系異常、眼球異常、骨格異常）を引き起こすが、妊娠13週未満での発症率は0.4%、妊娠13～20週で2%、妊娠20週以降ではごくまれとされ、妊娠中の帯状疱疹では先天性水痘症候群の報告はない[8]。妊婦が水痘を発症して4日以内に出生するか、分娩2日以内に水痘を発症した場合、新生児は20～50%で出生5～10日後に新生児水痘を発症し、その死亡率は30%であるため、新生児へのアシクロビルやガンマグロブリンの投与が必要になる[9]。

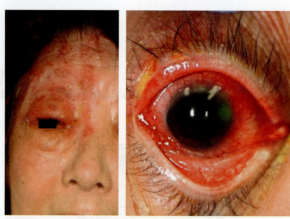

図2 V_1領域の帯状疱疹と，それによる虹彩毛様体炎

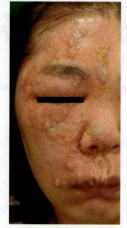

図3 $V_1 \sim V_2$領域にまたがる帯状疱疹

帯状疱疹の症状

帯状疱疹は皮疹出現1〜3日前からかゆみや痛みを自覚することが多いが，痛みが皮疹と同時に出現することも，遅れて出現することもある。皮疹はデルマトームに一致して片側性に丘疹や紅斑として出現し，その後1〜5日間にわたり小水疱が新生・多発して，浮腫性紅斑が癒合拡大する。皮疹に一致した疼痛（かゆみから刺すような痛みまで程度はさまざま）を認め，通常2〜3週で水疱は痂皮化するが，高齢者や免疫低下患者などでは水疱が潰瘍化し，皮膚病変の改善に6週以上かかる場合もある。まれではあるが，痛みのみで皮疹のない帯状疱疹も存在する（zoster sine herpete）。

1 顔面帯状疱疹

頭頸部帯状疱疹では三叉神経（$V_1 \sim V_3$）領域が多い。鼻尖部はV_1とV_2の重複支配であり，上眼瞼，前額，前頭部などV_1（眼神経）領域の帯状疱疹に，鼻尖部の皮疹を併発していると Hutchinson 徴候と称し，眼合併症の頻度が高くなる（図2）。すなわち，V_1は滑車上神経（鼻背部と結膜）と鼻毛様体神経（鼻尖部と角膜，強膜，虹彩，毛様体）に分岐するが，V_2末梢の眼窩下神経は鼻毛様体神経と同様鼻尖部に分布するも眼領域には分岐しないため，鼻尖部に皮疹があっても下眼瞼や頬部などV_2領域の皮疹があると眼症状は発症しない。しかし，V_1とV_2領域に重複する帯状疱疹もあるため注意する（図3）。

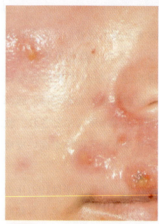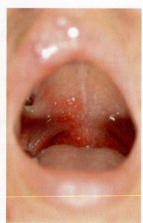

図4 V_2領域の帯状疱疹とその口腔病変

V_2は上顎神経とも称され，下眼瞼から頬部中央の皮膚に加え，鼻腔，咽頭粘膜，口蓋扁桃，口腔上壁粘膜，上顎の歯と歯肉，上側の口唇と口腔前庭に分布する（図4）。一方，V_3は下顎神経とも称され，下顎から頬部下方，耳前部，側頭部にかけての皮膚に加え，舌，下側の口唇と口腔前庭，下顎の歯と歯肉，中耳，耳介に分布する（図5）。このような皮疹または疼痛部位を正しく把握して，帯状疱疹の罹患神経領域を決定する。

顔面領域の帯状疱疹で起こり得る合併症として，表在性二次感染，帯状疱疹後神経痛，眼合併症（V_1：結膜炎，虹彩炎，上強膜炎，角膜炎，ぶどう膜炎，急性網膜壊死，視神経炎，緑内障），無菌性髄膜炎（V：頭痛，髄膜刺激症状），Bell 麻痺（Ⅶ：末梢性顔面神経麻痺），Ramsay Hunt 症候群（Ⅶ＋Ⅷ：耳痛，耳の小水疱，片側舌前方のしびれ，痛み，びらん，末梢性顔面神経麻痺），聴覚障害（Ⅷ），血管炎（脳炎）（V：脳血管炎，昏迷，けいれん，一過性脳虚血発作，脳梗塞）などがある[10]。

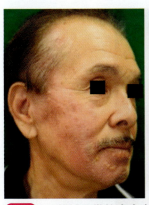
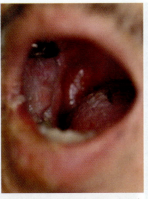

図5 V₃領域の帯状疱疹（末梢性顔面神経麻痺を合併）とその口腔病変

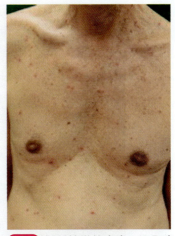

図6 播種性帯状疱疹の汎発疹

2 播種性帯状疱疹

デルマトームに沿った帯状疱疹に加え，全身に水痘様の小水疱や小型の丘疹・紅斑が20カ所以上汎発疹を認める状態（図6）をいい，高齢者やリンパ血液系悪性腫瘍，AIDSなど免疫低下状態の患者に好発する。発熱を伴うことが多く，小水疱は出血性ないし壊死性変化を呈し，通常の帯状疱疹と比べ重症感がある。肺や肝，中枢神経系など内臓に播種し，内臓播種性帯状疱疹で死亡するリスクもあるため，入院による抗ウイルス薬の点滴加療が必要になる[5)11)]。水痘と同じ程度の感染力があり，空気感染対策が必要である。なお，20個未満の場合は通常，散布疹と呼ぶ。

3 複発性帯状疱疹

通常の帯状疱疹でも連続性に2領域以上の神経支配領域にまたがる場合はあるが，まれに連続しない2領域以上に同時期に帯状疱疹が出現した場合を複発性帯状疱疹という（図7）。わが国では30年間で81例の報告がある[12)]。2病変とも片側に分布しているものを片側性複発性帯状疱疹，左右に分布するものを両側性複発性帯状疱疹，さらに分布により対称性と非対称性に分けられる。

検査・診断

帯状疱疹の診断では，デルマトームの神経支配領域の正確な記述が重要である。通常，臨床所見のみで帯状疱疹の診断は容易であるが，病初期で診断が難しい場合，以前は水疱内容液を採取してTzanck試験でウイルス性巨細胞を確認していたが，最近では簡便な水痘・帯状疱疹ウイルス抗原キット（デルマクイック®）を用いた迅速検査により5〜10分で診断でき有用である（保険適用）。

髄膜炎や脳炎の合併を疑う症例では，腰椎穿刺でVZV-PCR検査を実施する。眼病変が疑われる症例では，眼科に診療依頼をする。播種性帯状疱疹では，他臓器障害がないか全身精査を行う。

治療

通常の帯状疱疹では，発症72時間以内，または5日以上経過していても，新規水疱新生がある場合に抗ウイルス薬の治療が有効である[13)]。免疫能正常の軽症例では，核酸アナログの抗ウイルス薬（成人：アシクロビル800mg/回・1日5回，バラシクロビル 1,000mg/回・1日3回，ファムシクロビル 500mg/回・1日3回。小児：アシクロビル 20mg/回・1日4回，バラシクロビル 25mg/回・1日3回）の7日間投与が治療の選択肢となるが，腎機能低下があれば腎排泄のため投与量の調整が必要である。

アメナメビル（400mg・1日1回）は，ヘルペスウイルスDNAの複製に必須酵素であるヘリカーゼ・プライマーゼ複合体の活性を阻害することにより，2本鎖DNAの開裂とRNAプライマーの合成を抑制してウイルスの増殖を防ぐ。便排出のため腎機能による調節は不要で，高齢者や腎機能低下患者，免疫低下患者などに対して用量を調節せずに投与できる[14)]。

中等症から重症の帯状疱疹では，入院加療でアシクロビルを点滴投与する。通常量は5mg/kg/回・1日3

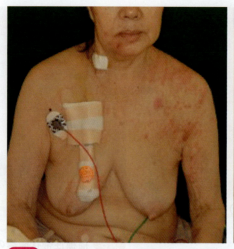
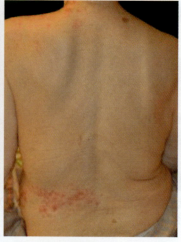

図7 3領域にまたがる両側性・非対称性・複発性帯状疱疹
右下顎V₃, 左肩〜上腕〜胸部C4〜Th2, 左腰部Th10

回・1週間であるが，顔面や頭頸部の重度の皮膚病変，眼病変，播種性病変，免疫不全者，VZV髄膜炎，Ramsay Hunt症候群では，10〜15mg/kg/回・1日3回での治療が推奨され，必要に応じて延長できる（わが国では，保険適用の投与量上限は10mg/kg/回である）[5)15)]。

局所療法は，炎症初期にはジメチルイソプロピルアズレン（アズノール®）軟膏やイブプロフェンピコノール（スタデルム®）軟膏などの非ステロイド系の消炎鎮痛外用薬を使用する。水疱がびらん・潰瘍化したら，二次感染しやすいため抗菌薬軟膏を塗布する。全身の汎発疹は水痘に似ることが多く，カチリ®軟膏を1日1〜数回使用すると，フェノールと酸化亜鉛の作用で局所の消毒・収斂・鎮痒・乾燥作用が期待される。眼病変にはアシクロビル眼軟膏を1日5回塗布する。ビダラビン（アラセナ®）軟膏は単純疱疹と帯状疱疹に保険適用があるが，経口や点滴で抗ウイルス薬の全身投与をしている場合には保険適用とならない。

▶ 文　献

1) Nadkarni A, et al：The most common dermatology diagnoses in the emergency department. J Am Acad Dermatol 75：1261-2, 2016.
2) Demirel Öğüt N, et al：Dermatology consultation requests from a university hospital's pediatric and adult emergency departments：A 5-year retrospective analysis. Am J Emerg Med 53：112-7, 2022.
3) 外山望：帯状疱疹大規模疫学調査「宮崎スタディ（1997-2017）」アップデート, 2018. https://www.niid.go.jp/niid/ja/allarticles/surveillance/2433-iasr/related-articles/related-articles-462/8235-462r07.html
4) Kawai K, et al：Increasing incidence of herpes zoster over a 60-year period from a population-based study. Clin Infect Dis 63：221-6, 2016.
5) William DJ, et al：Viral diseases. In：Andrews' Disease of the Skin. 12th ed, Elsevier, 2020.
6) Gershon AA, et al：Varicella zoster virus infection. Nat Rev Dis Primers 1：15016, 2015.
7) Arvin A：Aging, immunity, and the varicella-zoster virus. N Engl J Med 352：2266-7, 2005.
8) Enders G, et al：Consequences of varicella and herpes zoster in pregnancy：Prospective study of 1739 cases. Lancet 343：1548-51, 1994.
9) 下屋浩一郎, 他：全身に発疹がでた. 周産期医学 52：1115-8, 2022.
10) Cohen JI：Clinical practice：Herpes zoster. N Engl J Med 369：255-63, 2013.
11) Doki N, et al：Visceral varicella zoster virus infection after allogeneic stem cell transplantation. Transpl Infect Dis 15：314-8, 2013.
12) 平井伸幸, 他：複発性帯状疱疹の一例. 臨床皮膚科 64：333-6, 2010.
13) 新村眞人（監）：帯状疱疹・水痘；予防時代の診療戦略, メディカルトリビューン, 2016.
14) 今福信一, 他：帯状疱疹患者におけるアメナメビルの安全性と有効性の検討；特定使用成績調査の中間成績. 日臨皮会誌 37：641-9, 2020.
15) Dworkin RH, et al：Recommendations for the management of herpes zoster. Clin Infect Dis 44(Suppl 1)：S1-26, 2007.

12-5 皮膚細菌感染症，褥瘡，疥癬

中野　敏明

皮膚細菌感染症

皮膚軟部組織感染症の疾患スペクトラムは広く，病変の深さ，皮膚付属器との関係，一次性か二次性か，慢性膿皮症かどうか，抗菌薬のみで治療できるか（単純性皮膚感染症），手術など抗菌薬以外の治療が必要か（複雑性皮膚軟部組織感染症），さらに全身感染症と特異な感染症を加えて分類される（表1）[1]。

ここでは，単純性・表在性皮膚感染症の伝染性膿痂疹，単純性・深在性皮膚感染症の丹毒・蜂窩織炎，および毒素関連性全身感染症のブドウ球菌性熱傷様皮膚症候群（staphylococcal scalded skin syndrome；SSSS），トキシックショック症候群（toxic shock syndrome；TSS），溶血性レンサ球菌性トキシックショック症候群（streptococcal toxic shock syndrome；STSS）を中心に概説する。

1 疫学

救急外来を皮膚疾患で受診する成人患者のなかで蜂窩織炎または皮下膿瘍で受診する患者は47％ともっとも多いが[2]，蜂窩織炎で入院が必要な症例は2.8％と報告されている[3]。皮膚科領域でのサーベランス調査による皮膚一般細菌症の主な原因菌は，黄色ブドウ球菌67.3％，コアグラーゼ陰性ブドウ球菌27.9％，A群溶血性レンサ球菌0.5％で[4]，皮膚軟部組織感染症は診断ができれば主な起炎菌をおおよそ推定できる（表2）[1]。

わが国では，外来患者で検出されたMRSAにおけるPanton-Valentine leukocidin（PVL）陽性率は13.4％であるが[5]，深在性病変由来の黄色ブドウ球菌のPVL陽性率は，癰40％，癤28％，皮下膿瘍14％と高く注意が必要である[6]。PVL陽性MRSAは，欧米では市中感染型MRSA（CA-MRSA）で多く認め，わが国では比較的少ないが，近年基礎疾患のない若年のPVL陽性MRSAによる多発癤腫症の報告が増えており，注意が必要である[7,8]。

表1　皮膚軟部組織感染症の分類

単純性皮膚感染症
- 表在性皮膚感染症
  - 付属器関連感染症：毛包炎，化膿性汗孔周囲炎
  - びまん性感染症：伝染性膿痂疹，手（足）水疱性膿皮症，尋常性膿瘡
- 深在性皮膚感染症
  - 付属器関連感染症：癤，癤腫症，癰，尋常性毛瘡，乳児多発性汗腺膿瘍，急性化膿性爪囲炎，ひょう疽
  - びまん性感染症：丹毒，蜂窩織炎，リンパ管炎，リンパ節炎
- 二次感染（表在性，潜在性）

複雑性皮膚軟部組織感染症
- 膿瘍性疾患：感染性粉瘤，化膿性汗腺炎，毛巣瘻，慢性膿皮症，深部膿瘍
- 潰瘍の二次感染：皮膚潰瘍，褥瘡，深部術創感染症，深部外傷の二次感染
- 関連組織感染症の皮膚への波及：骨髄炎，関節炎，化膿性筋炎，腱鞘炎など

全身感染症
- 毒素関連性：SSSS，TSS，新生児TSS様発疹症，STSS，猩紅熱
- 壊死性筋膜炎：劇症型溶血性レンサ球菌感染症，Fournier壊疽，ガス壊疽
- 敗血症：感染性心内膜炎，Vibrio vulnificus感染症，Aeromonas hydrophila感染症

〔文献1）より引用・改変〕

12. 皮膚科領域

表2 皮膚軟部組織感染症と主な起炎菌

起炎菌	皮膚軟部組織感染症
黄色ブドウ球菌	水疱性膿痂疹，表在性毛包炎，尋常性毛瘡，癤，癤腫症，癰，化膿性汗孔周囲炎，多発性汗腺膿瘍，化膿性汗腺炎，丹毒，蜂窩織炎，敗血疹
レンサ球菌	痂皮性膿痂疹，尋常性膿瘡，レンサ球菌性肛囲皮膚炎，亀頭包皮炎，丹毒，蜂窩織炎，リンパ管炎，リンパ節炎，壊死性筋膜炎
コアグラーゼ陰性ブドウ球菌	毛包炎，慢性膿皮症
緑膿菌	趾間感染症，壊疽性膿瘡

〔文献1）より引用・改変〕

　SSSSは乳幼児に多く，急性扁桃炎や急性中耳炎などの先行感染がSSSS発症の危険因子で，起炎菌としてMRSAが増加傾向である。TSSの罹患率は0.52人/10万人（月経性0.69：非月経性0.32，米国）で[9]，死亡率は4％とされる[10]。STSSは5類感染症で，7日以内に最寄りの保健所に届け出るが，近年国内発生数は増加傾向を示し，2018年は894例であった[11]。また，2012〜2014年の死亡率は29％で，死亡例の年齢中央値は72歳，その76％が発症3日以内に死亡し，41％が発病翌日までに死亡している[12]。

2 病態生理

　伝染性膿痂疹は水疱性と痂皮性に分けられる。水疱性膿痂疹は，黄色ブドウ球菌の産生する表皮剥離毒素（exfoliative toxin）が表皮内接着因子であるデスモグレイン1を特異的に切断することにより，表皮上層で棘融解を生じ弛緩性水疱を形成する。一方，痂皮性膿痂疹は，A群β溶血性レンサ球菌によって紅暈を伴う膿疱が出現し，急速に厚い痂皮を形成する。

　丹毒では，一般的にA群溶血性レンサ球菌または黄色ブドウ球菌が起炎菌となり，蜂窩織炎では黄色ブドウ球菌とA群溶血性レンサ球菌が主であるが，B，C，G群溶血性レンサ球菌や肺炎球菌，*Haemophilus influenzae*，*Pasteurella multocida* なども検出されることがある。

　PVLは黄色ブドウ球菌が産生する白血球破壊毒素で，白血球溶解により放出される炎症性メディエータや活性酸素などで組織の壊死が起き，癤・癤腫症・癰や壊死性肺炎の発症に関与する[13][14]。

　SSSSでは，黄色ブドウ球菌の産生する exfoliative toxin A（ETA）や exfoliative toxin B（ETB）などの毒素が，血流を介して全身皮膚に作用し，水疱性膿痂疹と同様の機序で全身に弛緩性水疱とびらんを形成する。乳幼児では，上気道炎などの先行感染が局所の黄色ブドウ球菌の易感染性を生じること，また黄色ブドウ球菌の外毒素に対する抗体産生の未熟性や腎からの外毒素排泄の未熟性も一因として考えられている[15]。

3 症状

1）伝染性膿痂疹

　単純性・表在性皮膚感染症に分類され，水疱性膿痂疹は，乳児期から学童期にかけて夏季に好発し，虫刺症やアトピー性皮膚炎など先行する湿疹の搔破が誘因となる。四肢，顔面など露出部中心に弛緩性水疱，びらんが新生し，辺縁に鱗屑を伴う（図1）。一方，痂皮性膿痂疹は，年齢・季節を問わず発症し，紅暈を伴う膿疱が新生し，急速に痂皮が厚く堆積して下床に膿汁が蓄積する（図2）。また，咽頭痛，発熱，所属リンパ節腫脹など全身症状を伴い，時に感染後の糸球体腎炎を発症する。

2）丹毒・蜂窩織炎

　いずれも単純性・深在性皮膚感染症に分類される。丹毒は真皮・皮下脂肪織境界部までのびまん性感染症で，顔面，下腿，上腕，大腿，臍などを好発部位とし，局所に熱感と疼痛を伴い，急性期は病変が浅いため浮腫性紅斑は境界明瞭で隆起する（図3）。明らかな感染門戸を認めないことも多く，発熱と所属リンパ節腫脹を認めることもある。

　蜂窩織炎は，真皮深層から皮下脂肪織のびまん性感染症で，丹毒より深部に病変の主座があるため，浮腫性紅斑は隆起せず境界は不明瞭となるが，経時的に変化していくため，両者の区別が難しいことも多い。局所の疼痛と熱感を伴い，発熱とリンパ管炎を合併することもある（図4）。高熱など全身症状を伴い，局所の著明な腫脹に

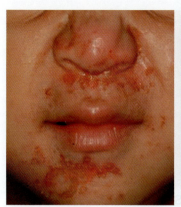

図1 水疱性膿痂疹の顔面びらんと手背水疱

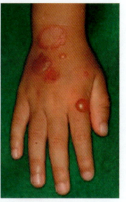

図2 前腕・下腿の痂皮性膿痂疹

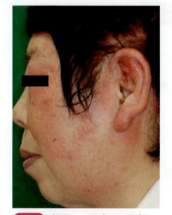

図3 顔面・耳介の丹毒

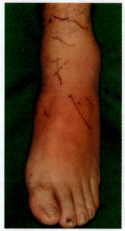
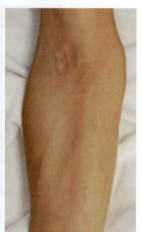

図4 猫ひっかき傷後の蜂窩織炎（足背）とリンパ管炎

加え，皮膚表在の虚血に基づいた水疱，血疱，表皮剝離，紫斑，点状出血，壊死，潰瘍化などの症状が急速に進行すると壊死性筋膜炎（図5）が，さらに触診で握雪感があるとガス壊疽が鑑別にあがる．

3）ブドウ球菌性熱傷様皮膚症候群（SSSS）

新生児から乳幼児に好発するが，まれに腎不全や免疫抑制患者でも認める．全身倦怠感と発熱を伴い，口囲・眼囲・鼻入口部の発赤とびらんが出現し，全身に潮紅，弛緩性水疱，表皮剝離，びらん，落屑をきたして，潮紅は頸部・腋窩・鼠径部などの間擦部で強く，触ると痛い（図6）．Stevens-Johnson症候群や中毒性表皮壊死症と同様，健常皮膚を擦ると容易に表皮剝離を生じるNikolsky徴候を認める．

4）トキシックショック症候群（TSS）

黄色ブドウ球菌の外毒素TSS toxin-1（TSST-1）やエンテロトキシン（staphylococcal enterotoxin；SE）などがスーパー抗原として作用し，T細胞の非特異的な活性化を生じて，全身の炎症症状をきたす中毒反応である．皮疹は，猩紅熱様の全身の潮紅や，斑状紅斑を呈す

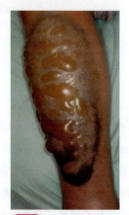

図5 壊死性筋膜炎

る（図7）．TSSの診断基準を表3[16]に示す．ショックやDICにて多臓器不全で死亡することがある．

5）溶血性レンサ球菌性トキシックショック症候群（STSS）

トキシックショック様症候群（toxic shock-like syn-

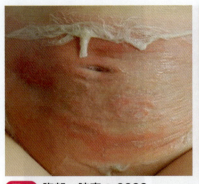
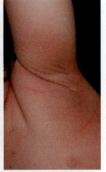

図6 腹部・腋窩のSSSS

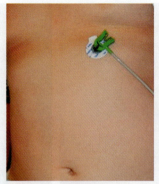

図7 TSSの躯幹潮紅

表3 トキシックショック症候群（TSS）の診断基準

臨床基準
1．発熱：体温38.9℃以上
2．皮疹：全身の斑状紅斑ないしびまん性紅皮症
3．落屑：発症1〜2週間後に生じる
4．血圧低下：成人＜90mmHg，16歳以下は年齢別血圧から20％を超える低下
5．3つ以上の多臓器障害
・消化器（嘔吐，下痢など）
・筋症状（筋痛，CK正常値の2倍以上上昇）
・粘膜症状（腟，口腔，咽頭，結膜の充血）
・肝機能障害（T-Bil，ASTまたはALTの正常値の2倍以上上昇）
・腎機能障害（BUNまたはCrの正常値の2倍以上上昇）
・血小板低下（≦10万/μL）
・中枢神経症状（失見当識や意識障害）

検査基準
1．血液，脳脊髄液の培養陰性（血液培養で黄色ブドウ球菌が検出されてもよい）
2．ロッキー山紅斑熱，レプトスピラ症，麻疹の血清反応陰性

判断
・確定例：臨床基準5項目＋検査基準を満たす
・疑い例：臨床基準4項目＋検査基準を満たす

〔文献16）より作成〕

drome；TSLS）や劇症型溶血性レンサ球菌感染症（severe invasive streptococcal infection）とも呼ばれ，主にA群β溶血性レンサ球菌によって引き起こされるが，B群やC群，G群でも起こり得る．基礎疾患にかかわらず，突然の四肢の疼痛や腫脹，発熱などで発症した後，急激に軟部組織壊死や急性腎不全，DIC，多臓器不全などを引き起こし，ショック状態から死亡することも多い．STSSの診断基準を表4[17)]に示す．

4 検査・診断

臨床経過とアトピー性皮膚炎の有無など現病歴と既往歴を詳細に聴取し，各疾患の診断基準に沿った必要な臨床所見および検査所見を参考に診断する．可能なかぎり全身の皮膚を視診で把握し，病巣の深さを触診で感じとり，菌種によっては特有の臭いも参考になる．肺炎などの合併がないか，聴診を行う．

疾患ごとに起炎菌の特徴があり，経験的な抗菌薬治療で加療することが多いが，糖尿病や腎不全など免疫低下患者では緑膿菌やMRSAなど多剤耐性菌の可能性も考慮して，積極的に細菌培養を試みる．PVLの検査が可能な施設では，必要に応じて実施する．穿刺や切開で膿瘍が確認できたらグラム染色で鏡検する．閉鎖性膿瘍であれば嫌気性培養を行う．発熱もあれば，必要に応じて

表4 溶血性レンサ球菌性トキシックショック症候群（STSS）の診断基準

検査基準
A群溶血性レンサ球菌（*Streptococcus pyogenes*）が ①本来は無菌である部位から　または ②本来は無菌でない部位から　検出される

臨床基準
①血圧低下 ②臨床症状・検査異常（下記のうち2項目を満たす） 　腎障害，凝固異常，肝障害，ARDS，壊死性筋膜炎，紅斑（びまん性猩紅熱様皮疹）

判断
確定例：検査基準①＋臨床基準①および②を満たすもの 疑い例：検査基準②＋臨床基準①および②を満たすもの

〔文献17）より作成〕

血液培養も実施する。

皮下膿瘍や壊死性筋膜炎，ガス壊疽，骨髄炎などを疑う例では，造影CT検査やMRI検査を考慮する。壊死性筋膜炎が疑われる症例では，診断の補助ツールとしてLRINEC scoreが参考になるが（p.612参照），感度が40％であるためLRINEC scoreが低いことで除外はできない[18]。

5 治療

治療はガイドライン[19)20)]を参考に，抗菌薬のスペクトラム，体内動態，副作用，併用薬，患者の重症度，基礎疾患の有無，年齢，腎機能などを考慮して，抗菌薬の種類，投与量，投与経路を決定して実施する。

1）水疱性膿痂疹

伝染性膿痂疹は小児に多く，水疱性膿痂疹ではセフェム系，ペネム系，マクロライド系抗菌薬が主に選択される。市中感染型MRSA（CA-MRSA）が膿痂疹全体の20～30％を占め，院内感染型MRSA（HA-MRSA）と異なり種々の抗菌薬に感受性が残っている[1)]。3日経過して効果が乏しい場合やMRSA感染が判明したら，スルファメトキサゾール・トリメトプリム（ST）合剤や塩酸ミノサイクリンが推奨される[19)]。

ただし，テトラサイクリン系薬は歯牙の沈着やエナメル質形成不全のため8歳未満では投与せず，ニューキノロン系薬は関節軟骨の異常を認める可能性があるため15歳未満では原則投与しない。また，ST合剤の皮膚軟部組織感染症のブドウ球菌属に対する適応は国内未承認である[21)]。

2）痂皮性膿痂疹

痂皮性膿痂疹ではペニシリン系薬が第一選択で，βラクタマーゼ阻害薬配合ペニシリン系薬，セフェム系薬，ペネム系薬を選択する。CA-MRSAの可能性が考慮される場合，8歳以上では塩酸ミノサイクリンを，15歳以上ではキノロン系やST合剤を用いる。

3）丹毒・蜂窩織炎

丹毒・蜂窩織炎では，まずβラクタム系薬（ペニシリン系やセフェム系）を使用し，中等症以上や基礎疾患のある患者では点滴加療を考慮する。3日経過して反応がなければ，診断と治療の再評価を行う。

4）ブドウ球菌性熱傷様皮膚症候群（SSSS）

SSSSでは原則入院で全身管理を行い，MRSAを念頭にセファゾリンやスルバクタム・アンピシリンで加療し，MRSAが検出されればバンコマイシンなどの抗MRSA薬に変更する。

5）トキシックショック症候群（TSS）

TSSではショックや急性腎不全などを合併すれば，水分と電解質の急速かつ適正な補液が重要である。また，多臓器障害に対する全身管理も必要となる。黄色ブドウ球菌に対しては第1世代セフェム系薬が第一選択となり，MRSAが検出されたらバンコマイシンやテイコプラニン，ダプトマイシン，リネゾリドなどの抗MRSA薬への変更を検討する[21)]。また，毒素とサイトカインの産生抑制目的でクリンダマイシンを併用する[20)]。

6）溶血性レンサ球菌性トキシックショック症候群（STSS）

STSSでもショックや急性腎不全に対して急速補液を要し，DICではヘパリン類などの抗凝固療法や血小板，

表5 褥瘡患者の基礎疾患別頻度

大学病院	循環器系疾患（18.0%），悪性新生物（16.1%），消化器系疾患（11.9%）
一般病院	呼吸器系疾患（20.1%），循環器系疾患（17.5%），悪性新生物（14.9%）
療養型併設一般病院	皮膚および皮下組織の疾患（30.0%），循環器系疾患（20.4%），呼吸器系疾患（19.1%）
精神病院	精神および行動の障害（100%）
小児専門病院	神経系疾患（25.0%），先天奇形・変形および染色体異常（25.0%），循環器系疾患（25.0%）

〔文献27〕より作成〕

表6 医療関連機器による圧迫創傷の原因頻度

大学病院	医療用弾性ストッキング（19.8%），経鼻経管チューブ（9.1%），血管留置カテーテル（6.6%）
一般病院	医療用弾性ストッキング（16.8%），NPPVフェイスマスク（10.4%），ギプス・シーネ（9.7%）
療養型併設一般病院	医療用弾性ストッキング（30.3%），尿道留置カテーテル（9.1%），下肢装具（9.1%）
精神病院	抑制帯（66.7%），ギプス・シーネ（33.3%）
小児専門病院	血管留置カテーテル（36.4%），ギプス・シーネ（13.6%），気管切開カニューレ（13.6%）

〔文献28〕より作成〕

新鮮凍結血漿製剤，アンチトロンビンⅢなどの補充療法も考慮する。ARDS を合併すれば人工呼吸管理が必要になる。壊死性筋膜炎には必要に応じてデブリドマンやドレナージなどの外科的治療を行う。溶血性レンサ球菌に対してはペニシリン系薬を第一選択として治療を開始し，TSS と同様の理由でクリンダマイシンの併用も考慮する。

TSS や STSS に対する毒素の中和作用を期待して免疫グロブリン（IVIG 2 g/kg）の投与も考慮するが，『日本版敗血症診療ガイドライン2020』ではエビデンスの観点から，TSS に対しては IVIG を行わないことが弱く推奨され，STSS に対しては IVIG を弱く推奨するにとどまっている[22]。

褥　瘡

褥瘡とは，圧迫や圧迫と擦れが組み合わさった結果，骨突出部の皮膚や皮下組織に限局して生じた損傷と定義され[23]，米国褥瘡諮問委員会（National Pressure Ulcer Advisory Panel；NPUAP）は2019年に，"pressure ulcer"から"pressure injury"に呼称を変更している[24]。わが国では，2002年に日本褥瘡学会より発表された褥瘡状態判定スケールである DESIGN® が，2020年に DESIGN-R®2020として改訂され[25]，『褥瘡予防・管理ガイドライン』も2022年に第5版が出版されている[26]。

1 疫　学

わが国における2016年の自重関連による褥瘡の施設別有病率（推定発生率）に関する実態調査では，大学病院1.32%（0.71%），一般病院2.13%（0.90%），療養型併設一般病院2.48%（1.13%），精神病院0.43%（0.37%），小児専門病院0.61%（0.54%）と報告されている[27]。また，褥瘡患者の基礎疾患別頻度は表5[27]に示すように，施設ごとに特徴がある。

一方，医療関連機器による圧迫創傷の有病率（推定発生率）は，大学病院0.29%（0.27%），一般病院0.35%（0.34%），精神病院0.16%（0.11%），小児専門病院0.84%（0.81%）と報告されている[28]。表6[28]に示すように，医療関連機器による圧迫創傷の原因も施設ごとに特徴がある。

2 病態生理

褥瘡は局所が長時間圧迫され，局所の血流が減り組織が損傷された状態である。脂肪組織や筋は皮膚より虚血に対して脆弱であり，骨突出近傍の皮下組織および筋は皮膚浅層より強いストレスを受けるため，深部組織に損傷が生じやすい。

表7 褥瘡の深さの定義・分類

深さ・状態	DESIGN-R®2020 分類	EPUAP/NPUAP/PPPIA 分類
皮膚損傷や発赤なし（健常皮膚）	d0	表記なし
持続する消退しない発赤	d1	Stage I
黄色壊死組織（スラフ）を伴わず，薄赤色の浅い潰瘍を呈した真皮までの損傷	d2	Stage II
皮下脂肪レベルまでの全層皮膚欠損	D3	Stage III
皮下脂肪レベルを超え，腱，筋の露出を伴う全層組織欠損	D4	Stage IV
皮下脂肪レベルを超え，骨，関節腔，体腔に至る全層組織欠損	D5	
スラフやエスカー（黄褐色・褐色・黒色壊死）に覆われ，深さの判定が不能な全層組織欠損	DU	判定不能，深さ不明
圧力や剪断力によって生じた皮下軟部組織の損傷（deep tissue injury；DTI）で，限局する紫色から栗色の皮膚病変または血疱を呈する	DDTI	DTI疑い，深さ不明

〔文献23）25）より作成〕

3 症　状

DESIGN-R®2020による褥瘡の皮膚症状のアセスメントは，褥瘡の発生から治癒まで用いられ，①深さ（Depth），②滲出液（Exudate），③大きさ（Size），④炎症/感染（Inflammation/Infection），⑤肉芽組織（Granulation tissue），⑥壊死組織（Necrotic tissue），⑦ポケット（Pocket）の7項目で表現し，合計66点満点で採点して重症度を評価する。

深さの定義は，DESIGN-R®2020とEPUAP（European Pressure Ulcer Advisory Panel）/NPUAP/PPPIA（Pan Pacific Pressure Injury Alliance）分類で異なる。それぞれの分類を表7[23)25)]に，臨床像を図8に示す。隣接組織と比較し，疼痛や硬結，脆弱，浸潤性で熱感・冷感などの症状が先行する場合がある。

4 検査・診断

DESIGN-R®2020により後述の「予防・管理のプロセス」に沿って褥瘡を評価し，危険因子と褥瘡があれば重症度まで診断する。褥瘡の危険因子の評価には，ブレーデンスケールなどさまざまなツールが用意されており，患者の状態により使い分ける。危険因子としては，①寝たきり，車椅子生活，②可動性制限の有無，③灌流・血流・酸素化，④栄養不良状態，⑤皮膚湿潤の上昇，⑥体温上昇，⑦高齢，⑧知覚，⑨血液データなどが用いられる[23)26)]。

皮下膿瘍や骨髄炎を疑う症例があれば，超音波，X線，CT，MRIなどで評価する。筋組織に炎症が達していればクレアチンキナーゼ上昇が補助的検査として用いられる。褥瘡の潰瘍底や皮下膿瘍などから細菌培養をする。

5 治　療

1）予防・管理のプロセスの3本柱

褥瘡の予防・管理のプロセスの3本柱は，以下のとおりである[26)]。

①全身観察→危険因子なし→経過観察。

②全身観察→危険因子あり→局所観察→評価（褥瘡なし）→予防ケア・全身管理→適宜再評価。

③全身観察→危険因子あり→局所観察→評価（褥瘡あり）→発生後ケア・全身管理・保存的治療・外科的治療→適宜再評価。

2）危険因子があって，褥瘡のない場合（上記②）

危険因子があって褥瘡のない場合，予防ケアとして，自力体位変換能力や皮膚の脆弱性，筋萎縮，関節拘縮の有無を評価し，クッションやマットレスの導入，体位変換，ポジショニング，スキンケア，物理療法，運動療法，患者教育などを考慮する。また，発生予防の全身管理として，栄養状態や基礎疾患を評価し，必要に応じて栄養療法や基礎疾患の管理を行う。

3）褥瘡がある場合

褥瘡がある場合の発生後ケアとして，マットレス・クッションの選択，体位変換，ポジショニング（シーティ

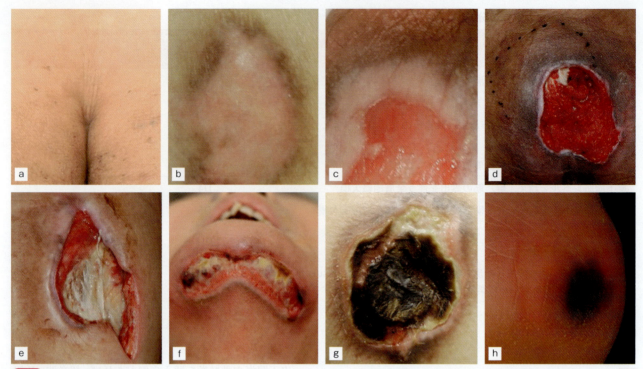

図8 褥瘡の臨床像

a：健常皮膚（d0），b：持続する発赤（d1），c：真皮までの損傷（d2），d：皮下組織までの損傷（D3），e：腱・筋が露出する皮下組織の損傷（D4），f：骨・関節腔・体腔に至る損傷（D5），g：壊死組織に覆われ深さの判定が不能（DU），h：深部損傷褥瘡疑い（DDTI）

ング），スキンケア，患者教育，運動療法・物理療法を選択・実施する．また，褥瘡発生後の全身管理では，栄養状態や基礎疾患，全身療法が必要な褥瘡感染の有無を評価し，必要に応じて栄養療法，基礎疾患の管理，抗菌薬の全身投与を行う．

保存的治療としては，褥瘡の深さ・滲出液・感染・肉芽組織・壊死組織・ポケットの有無を評価して，適切な外用剤やドレッシング材，物理療法を選択・実施する．一方，外科的治療としては，感染・壊死組織・ポケットの有無を評価し，外科的治療の適応があれば外科的デブリドマンを施行し，その後に保存的治療か，再建術の適応があれば再建術を実施する．なお，外科的治療が困難な場合，陰圧閉鎖療法（negative pressure wound therapy；NPWT）も治療の選択肢として考慮する．

4）トータルマネジメント

褥瘡の予防・管理では，リスクアセスメントを行った後，管理栄養士や栄養サポートチーム（nutrition support team；NST）などによる早期栄養介入を図り，皮膚観察を兼ねたスキンケアや体位変換の実施，体圧分散用具や体圧分散マットレスの使用，リハビリテーションや家族も含めた患者教育などのトータルマネジメントが重要である．

疥 癬

疥癬とは，ヒゼンダニ（*Sarcoptes scabiei*）がヒトの角質層に寄生して，虫体，糞，脱皮殻などに対するアレルギー反応による皮膚病変と搔痒を主症状とし，ヒトからヒトに感染する疾患である[29]．誤診によるステロイド外用で通常疥癬から角化型疥癬へ移行する例や，病院や介護施設などで集団発生する事例が後を絶たないため，疥癬発症時における院内対策は重要である．

1 疫 学

通常，同一の病棟・ユニット内で2カ月以内に2人以上の疥癬患者が発生した場合を集団発生と定義し，近隣の集団発生状況も考慮する[29]．

2 病態生理

ヒゼンダニ（雌）は体長約400μm，体幅約325μmの卵円形で，角層内に穴を掘って寄生している雌と，雌の60％ほどの大きさで体表を移動している雄が交尾する

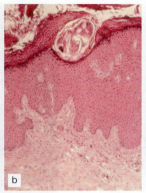
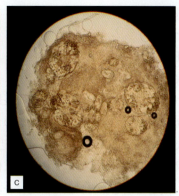

図9 ヒゼンダニ
a：生きているヒゼンダニの雌成虫
b：角層内に寄生する虫体（皮膚生検：HE 染色）
c：病変部の苛性カリ鏡検（雌成虫と虫卵）

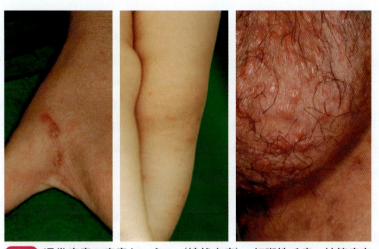

図10 通常疥癬の疥癬トンネル（線状皮疹），紅斑性丘疹，結節病変

と，雌は角質層内にトンネルを掘り進み，4〜6週間にわたり1日2〜4個の卵を産卵する（図9）[29)30)]。その生活環は10〜14日間で，卵→幼虫→若虫→成虫と脱皮しながら成長し，卵は3〜5日で孵化する。ヒゼンダニは乾燥と低温，高温に弱く，16℃以下では動かなくなり，50℃・10分間で死滅する[31)]。

3 症　状

臨床症状から，ヒゼンダニが数十匹以下（健康成人では半数が5匹以下）の寄生で強いかゆみを伴う「通常疥癬」と，100〜200万匹以上の寄生を伴い特徴的な角化性病変を呈する「角化型疥癬」に分けられる[29)]。

1）通常疥癬

通常疥癬の皮疹は以下の3つに大別される（図10）。

(1) 疥癬トンネル

疥癬に特異的な皮疹で，皮膚表面がわずかに隆起・蛇行する紅色〜白色調の線状皮疹を呈し，幅0.4mm（指紋一つ分），長さは5mm程度である。手関節屈側，手掌，指間，指側面に好発し，足蹠，足背，肘頭，乳頭部，外陰部，殿部，腋窩にも認める。ヒゼンダニの侵入部には鱗屑を伴い，掘り進んだ先端に小水疱を認めることもある。高齢者では船の水しぶき様に末広がりに水尾型の鱗屑（wake sign）を伴うこともある。

(2) 紅斑性丘疹

臍，腹部，胸部，腋窩，大腿内側，上腕屈側などに散在し，夜間に強い激しい掻痒を伴う。ヒゼンダニに感作されてアレルギー反応として生じるとされ，虫体・虫卵が検出されることはまれである。

(3) 結節病変

主に男性の外陰部に好発する5×5mm程度の赤褐色

の病変で，腋窩，肘頭部，殿部に認めることもあり，激しい搔痒を伴う。

2）角化型疥癬

角化型疥癬は，重篤な基礎疾患，免疫低下，高齢者，また通常疥癬でも誤診でステロイド外用薬を長期使用している者に発症する病型で，灰色から黄白色のざらざらと厚い蛎殻状の角質増生（**図11**）が，手，足，殿部，肘頭部，膝蓋などの部位のほか，通常疥癬では侵されない頭部，頸部，耳介を含む全身に認め，時に全身の皮膚が潮紅を呈し，紅皮症状態になることもある。搔痒は一定せず，搔痒のない症例もある。爪の角質増生を認め，爪白癬に類似することもある。角化型疥癬では，細菌性の二次感染や腎不全を併発して致死的になることもあり，早期の治療が必要である。

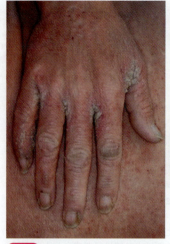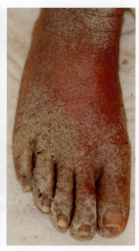

図11 手・足の角化型疥癬

4 検査・診断

1）顕微鏡検査

疥癬トンネルや新しい丘疹や結節病変から，眼科用曲剪刀やメス刃，鑷子などで角質層を採取し，真菌検査と同様に苛性カリ（KOH）鏡顕で100倍にて虫体や虫卵などを観察する。

2）ダーモスコピー

疥癬トンネルや水尾徴候と先端部を確認するのに有用である。また，ダーモスコピーで直接ヒゼンダニを確認することも可能である。ヒゼンダニはトンネル先端部に，顎体部と前二対の脚が黒褐色で，その後方に透明で円形の胸腹部が観察される。

3）直接鏡検

18G針でトンネル先端部の虫体を採取してプレパラート上に載せ，動く虫体を直接確認することもできるが，難易度は高い。

5 治 療

疥癬の治療は，ヒゼンダニが検出され確定診断された患者，または確定診断された患者と接触機会があり，かつ疥癬の臨床症状を有する患者に行う[29]。

現在，疥癬に保険適用となっている薬剤は，フェノトリン（スミスリン®）ローションとイオウ外用薬，イベルメクチン（ストロメクトール®）のみで，クロタミトン（オイラックス®）クリームは保険適用になっていないが，社会保険診療報酬支払基金により疥癬に対する当該使用事例を審査上認めるとの通知が出ている。外用療法は，通常疥癬では頸部以下の皮疹のない部位も含めた全身に塗布し，角化型疥癬では，顔面や頭部も含めた全身に塗布する。抗疥癬薬を長期投与・過量投与すると，薬剤抵抗性ヒゼンダニの出現を誘発する可能性があり，適正な薬剤投与に努める。

▶文 献

1) 山崎修：皮膚感染症．臨床と研究 97：977-82，2020.
2) Nadkarni A, et al：The most common dermatology diagnoses in the emergency department. J Am Acad Dermatol 75：1261-2，2016.
3) Demirel Öğüt N, et al：Dermatology consultation requests from a university hospital's pediatric and adult emergency departments：A 5-year retrospective analysis. Am J Emerg Med 53：112-7，2022.
4) Watanabe S, et al：The first nationwide surveillance of antibacterial susceptibility patterns of pathogens isolated from skin and soft-tissue infections in dermatology departments in Japan. J Infect Chemother 23：503-11，2017.
5) Funaki T, et al：SCCmec typing of PVL-positive community-acquired Staphylococcus aureus（CA-MRSA）at a Japanese hospital. Heliyon 5：e01415，2019.
6) Yamasaki O, et al：The association between Staphylococcus aureus strains carrying panton-valentine leukocidin genes and the development of deep-seated follicular infection. Clin Infect Dis 40：381-5，2005.
7) 北村佳美，他：Panton-Valentine Leukocidin 陽性市中感染型 MRSA による癤腫症の1例．皮膚臨床 62：1959-64，2020.
8) 小西里沙，他：Panton-Valentine leukocidin 陽性 MRSA による多発癤腫症．皮膚病診療 43：630-2，2021.
9) DeVries AS, et al：Staphylococcal toxic shock syndrome 2000-2006：Epidemiology, clinical features, and

10) Hajjeh RA, et al：Toxic shock syndrome in the United States：Surveillance update, 1979 1996. Emerg Infect Dis 5：807-10, 1999.

11) 早田英二郎：母胎救急；劇症型A群溶連菌（Group A Streptococcus：GAS）感染症. 分娩と麻酔 103：56-61, 2021.

12) 国立感染症研究所感染症疫学センター：わが国における劇症型溶血性レンサ球菌感染症の疫学, 2015.
https://www.niid.go.jp/niid/ja/typhi-m/iasr-reference/2316-related-articles/related-articles-426/5857-dj4265.html

13) Boyle-Vavra S, et al：Community-acquired methicillin-resistant Staphylococcus aureus：The role of Panton-Valentine leukocidin. Lab Invest 87：3-9, 2007.

14) Lina G, et al：Involvement of Panton-Valentine leukocidin-producing Staphylococcus aureus in primary skin infections and pneumonia. Clin Infect Dis 29：1128-32, 1999.

15) Handler MZ, et al：Staphylococcal scalded skin syndrome：Diagnosis and management in children and adults. J Eur Acad Dermatol Venereol 28：1418-23, 2014.

16) Centers for Disease Control and Prevention：Toxic Shock Syndrome（Other Than Streptococcal）（TSS）2011 Case Definition.
https://ndc.services.cdc.gov/case-definitions/toxic-shock-syndrome-2011/

17) Centers for Disease Control and Prevention：Streptococcal Toxic Shock Syndrome（STSS）（Streptococcus pyogenes）2010 Case Definition.
https://ndc.services.cdc.gov/case-definitions/streptococcal-toxic-shock-syndrome-2010/

18) Fernando SM, et al：Necrotizing soft tissue infection：Diagnostic accuracy of physical examination, imaging, and LRINEC score：A systematic review and meta-analysis. Ann Surg 269：58-65, 2019.

19) JAID/JSC感染症治療ガイド・ガイドライン作成委員会（編）：JAID/JSC感染症治療ガイド2019, ライフサイエンス出版, 2019.

20) Stevens DL, et al：Practice guidelines for the diagnosis and management of skin and soft tissue infections：2014 update by the Infectious Diseases Society of America. Clin Infect Dis 59：147-59, 2014.

21) MRSA感染症の治療ガイドライン作成委員会（編）：MRSA感染症の治療ガイドライン改訂版2019, 2019.
https://www.kansensho.or.jp/modules/journal/index.php?content_id=10

22) 日本版敗血症診療ガイドライン2020特別委員会：日本版敗血症診療ガイドライン2020. 日集中医誌 28（Suppl）：S1-411, 2021.

23) EPIAP/NPUAP/PPPIA編：褥瘡の予防と治療クイックリファレンスガイド, 2014.

24) Kottner J, et al：Prevention and treatment of pressure ulcers/injuries：The protocol for the second update of the international Clinical Practice Guideline 2019. J Tissue Viability 28：51-8, 2019.

25) 日本褥瘡学会（編）：改定DESIGN-R®2020コンセンサス・ドキュメント, 2020.
https://jspu.org/medical/books/docs/design-r2020_doc.pdf

26) 日本褥瘡学会（編）：褥瘡予防・管理ガイドライン, 第5版, 照林社, 2022.

27) 紺家千津子, 他：療養場所別自重関連褥瘡の有病率, 有病者の特徴, 部位・重症度およびケアと局所管理. 褥瘡会誌 20：446-85, 2018.

28) 紺家千津子, 他：療養場所別医療関連機器圧迫創傷の有病率, 有病者の特徴, 部位・重症度, 発生関連機器. 褥瘡会誌 20：486-502, 2018.

29) 日本皮膚科学会疥癬診療ガイドライン策定委員会：日本皮膚科学会ガイドライン・疥癬診療ガイドライン（第3版）. 日皮会誌 125：2023-48, 2015.

30) 内川公人：ヒゼンダニの生物学. 病原微生物検出情報 22：246-7, 2001.

31) Arlian LG, et al：Survival and infectivity of Sarcoptes scabiei var. canis and var. hominis. J Am Acad Dermatol 11（2 Pt 1）：210-5, 1984.

V 疾患領域別の救急診療

13 眼科領域

恩田 秀寿

　眼疾患の特殊性から眼科は専門性の高い診療科であり，診察は眼科医に委ねられることが多い。さらに，視力低下，視野狭窄，眼球運動障害の評価には眼科検査機器が必要である。救急医療の現場では，おおよその眼科救急疾患を想定した応急処置を行い，早急な眼科コンサルトが望ましい。

症状から想定される疾患

　症状から想定される眼科救急疾患を表1に示す。

1 網膜動脈閉塞症

1）疫　学

　網膜動脈閉塞症（retinal artery occlusion；RAO）の好発年齢は70歳以上であり，高血圧，糖尿病，虚血性心疾患，脂質代謝異常などの基礎疾患のある高齢者に多い。

2）病態生理

　内頸動脈の分岐である眼動脈は，球後10mm後方で網膜中心動脈を分岐する。網膜中心動脈は視神経，篩状板を貫通した後，網膜内層2/3の網膜を灌流する。網膜中

表1 部位と症状による眼科救急疾患の分類

部位	急激な眼症状						
	視力低下	視野異常	複視	眼痛	眼脂	搔痒	充血
角膜	角膜炎 角膜潰瘍			角膜炎 角膜潰瘍			
結膜					細菌性 ウイルス性 アレルギー性 結膜炎	アレルギー性 結膜炎	細菌性 ウイルス性 アレルギー性 結膜炎
眼圧上昇	急性 緑内障発作			急性 緑内障発作			急性 緑内障発作
硝子体	前房出血 硝子体出血 眼内炎			前房出血 眼内炎			眼内炎
網膜	RAO CRVO黄斑浮腫 網膜剝離 黄斑円孔 急性網膜壊死	RAO 網膜剝離					
ぶどう膜	ぶどう膜炎			虹彩毛様体炎			ぶどう膜炎 虹彩毛様体炎
視神経	視神経炎 虚血性視神経症	視神経炎 虚血性視神経症		視神経炎			
眼瞼				麦粒腫	麦粒腫		
涙囊				涙囊炎	涙囊炎		
外眼筋			外眼筋炎	外眼筋炎			外眼筋炎
頭部		脳梗塞 脳出血	脳梗塞 脳出血				

RAO：retinal artery occlusion, CRVO：central retinal vein occlusion

心動脈が血栓で閉塞されると，網膜内層の虚血が生じ，光覚を失うほどの急激な視力低下をきたす．分枝閉塞の場合には部分的な視野狭窄をきたす．さらに，網膜血流が90分以上途絶すると網膜に不可逆性変化が生じる．RAOの成因は血栓症と塞栓症であるが，内頸動脈硬化・狭窄症，心臓弁膜症，不整脈を原疾患とすることが多い．眼動脈の分枝である毛様動脈が存在すれば，視神経乳頭と黄斑部間の血流が保たれるため，視力低下が生じづらい．

3）症状
片眼の無痛性の重度の視力低下，視野狭窄を突然生じる．

4）検査・診断
RAOの急性期には，眼底検査でcherry red spot（**図1**），網膜浮腫による網膜の白濁がみられることが多い．分枝閉塞では閉塞領域に網膜浮腫を生じる．フルオレセイン蛍光眼底造影を行うと，初期像で腕-網膜循環時間（通常10秒）の高度な遅延を認め，後期像においても脈絡膜血流による蛍光背景越しに，血流のない網膜動脈が際立って観察される．

5）応急処置
眼球マッサージを持続的に行う．急性期に有効であり，迅速かつ簡便に行える手技である．閉瞼したまま眼瞼の上に手のひらを乗せて10秒間圧力をかけ，速やかに圧迫を解除する．これを5分以上，できるかぎり長時間繰り返す．細隙灯顕微鏡で接眼レンズ越しに眼球を圧迫し観察しながら，視神経乳頭上の動脈血流を改善させる手技もある．

6）急性期治療
(1) 血栓溶解療法（静脈内投与）

発症から6時間以内に治療可能，かつ頭蓋内出血，脳梗塞の発症と既往がないこと，全身に出血傾向がないことを確認する（添付文書参照）．本人と家族に十分説明したうえで治療の承諾を得るべきである．処方例を示す．

- ウロキナーゼ：初期1日量 24万単位．以後，漸減量として12万単位を5日間

(2) 眼圧降下療法

下記のいずれかを用いる．併用してもよい．
- マンニットール注：1回5 mL/kg，点滴静注
- ダイアモックス®注：1日250mg～1gを分割して静脈内投与
- キサラタン®点眼液：1回1滴，1日1回，朝点眼

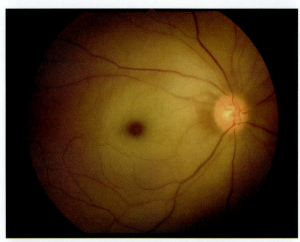

図1 網膜中心動脈閉塞症患者の眼底写真
cherry red spotを認める

(3) 外科的治療

前房穿刺で前房水を排出させることで眼圧を物理的に低下させる．

(4) 星状神経節ブロック

血管拡張を目的とする．

(5) 高気圧酸素治療

1日1回，7日間施行する．

2 網膜中心静脈閉塞症に伴う黄斑浮腫

1）疫学
網膜中心静脈閉塞症（central retinal vein occlusion；CRVO）の好発年齢は70歳前後で，高血圧，糖尿病，脂質代謝異常などの基礎疾患のある高齢者に多い．若年層に発症することがあり，その場合は抗リン脂質抗体症候群などの可能性がある．

2）病態生理
網膜中心動脈・静脈は眼内から出る際に篩状板を通過する．この部位での動静脈の密着度は強く，静脈圧が動脈圧に比べて低いために，静脈血流に障害が生じやすい．さらに動脈硬化が進行すれば，交差現象が著明になり，血小板の粘着凝集によってやがて静脈が閉塞する．その後，末梢の静脈圧が上昇すると血液がうっ滞し，血管外に血液成分が漏出する．黄斑部は浮腫を生じやすく，その結果，視力低下をきたす．

3）症状
片眼の無痛性の重度な視力低下を生じる．

4）検査・診断
眼底検査で広範囲の網膜出血を認める（**図2**）．光干

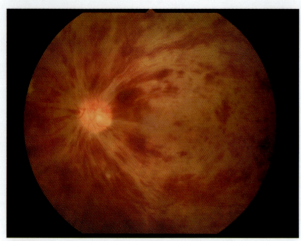

図2 網膜中心静脈閉塞症患者の眼底写真
広範囲の網膜内層の出血を認める

渉断層計(optical coherence tomography；OCT)で黄斑部の網膜浮腫のために中心窩が隆起する。フルオレセイン蛍光眼底造影を行い、広範囲の無灌流領域を認めれば虚血型と診断する。

5) 急性期治療

虚血型であれば早期に汎網膜光凝固を行う。黄斑浮腫による視力低下があればラニビズマブやアフリベルセプトなどの眼科用VEGF阻害薬の硝子体注射を行う。CRVOを放置することで高率に血管新生緑内障に移行し、眼圧コントロール不良となり失明する。

3 裂孔原生網膜剥離

1) 疫 学

裂孔原生網膜剥離(rhegmatogenous retinal detachment；RRD)は50歳前後が好発年齢である。強度近視、眼打撲、アトピー性皮膚炎の既往がリスクファクターとなる。

2) 病態生理

視細胞のある感覚網膜が、これを栄養する網膜色素上皮細胞から剥がれると、視細胞の機能が低下もしくは消失する。

3) 症 状

網膜剥離に一致した視野狭窄、さらに黄斑部が剥離すると重度の視力低下を生じる。網膜剥離の進行速度は、網膜剥離の位置と大きさ、年齢によって異なり、上方の網膜剥離や硝子体の液化が進んだ高齢者ほど進行が早い。

4) 検査・診断

眼底検査で網膜剥離の原因となった網膜裂孔をみつけ、網膜剥離の範囲を同定する(図3)。

5) 応急処置

網膜剥離の進行を遅くするためには、安静時間を増やすことが重要である。激しい頭の揺さぶりは進行を加速させる。仰臥位になることで重力の影響を受けづらくする。

6) 治 療

眼科医による網膜硝子体切除術、強膜内陥術を数日以内に行う。とくに、黄斑が剥離していない場合には、黄斑が剥離する前に手術を受けることが望ましく、視力予後がよい。

4 硝子体出血

1) 疫 学

後部硝子体膜剥離が進行しやすい40～50歳代、高血圧、糖尿病、血小板減少性の血液疾患は硝子体出血(vitreous hemorrhage；VH)のリスクファクターとなる。

2) 病態生理

硝子体の網膜血管牽引が原因となる。網膜裂孔が形成されたとき、増殖糖尿病網膜症の新生血管が破綻したとき、視神経乳頭の後部硝子体膜剥離が生じたときに硝子体界面の網膜血管が破綻し、硝子体内に血液が散布される。

3) 症 状

飛蚊症、霧視、視力低下を生じる。硝子体に散布された血液が眼内で漂うため、「墨が垂れてきて、そのあとから見えなくなった」と訴える人が多い。

4) 検査・診断

硝子体出血が生じると、通常の眼底検査では眼底が見えない。そのため超音波Bモード検査を行い、硝子体腔の高反射物質(出血に相当するもの)や網膜剥離所見を検出する。

5) 治 療

病態にもよるが、基本的には原疾患の治療方針に従う。網膜剥離が予測できる場合には早めの対応をとる。

5 びまん性表層角膜炎

1) 疫 学

びまん性表層角膜炎(superficial punctate keratitis；

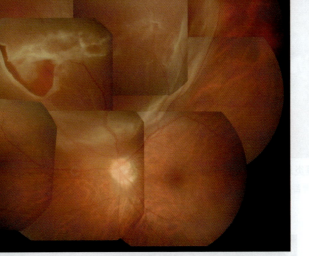

図3 裂孔原生網膜剥離患者の左眼の眼底写真
10時方向に網膜裂孔と上方網膜剥離を認める

SPK）は，サングラスをせずに紫外線の強い雪山・海で長時間作業した後（紫外線角膜炎）や，防護面を装着せずに溶接作業を行った後（電気性眼炎）に生じることが多い．

2）病態生理

紫外線は網膜に到達するまでに角膜と水晶体で99％以上が吸収される．角膜上皮炎が生じると眼表面の三叉神経が露出し眼痛をきたす．

3）症　状

紫外線角膜炎では，昼間に長時間作業した場合，夜間から深夜に強い眼痛と充血，流涙が生じる．電気性眼炎では，昼間に溶接防護面をせずに10分ほどの短時間作業した場合，帰宅時や夜間に強い眼痛と充血，流涙が生じる．両眼性であることが多い．

4）検査・診断

現病歴からおおよそ診断がつく．また，眼科用眼表面麻酔点眼薬（オキシプロカイン：ベノキシール®）を点眼し症状がいったん消失すれば診断の目安となる．細隙灯顕微鏡検査および角膜生体染色検査を行うことで診断できる．

5）治　療

痛みは局所麻酔点眼薬でいったん消失するが，20分ほどで再発する．麻酔薬は処方できないため，オフロキサシン眼軟膏を点入し閉瞼させることで眼痛を緩和できる．眼痛は24時間以内には自然軽快する．鎮痛内服薬の効果はないことが多い．

6 細菌性角膜炎

1）疫　学

汚染されたコンタクトレンズの終日連続装用や異物の飛入などにより角膜が損傷することによって生じることが多い．

2）病態生理

細菌に汚染されたものによって損傷した角膜上皮に細菌が感染し，炎症がBowman膜を越えて角膜実質に浸潤している状態である．

3）症　状

片眼性の眼痛と視力低下を生じ，充血は強膜充血（毛様充血）を呈する．

4）検査・診断

細隙灯顕微鏡検査および角膜生体染色検査を行うことで診断できる（図4）．

5）応急処置

コンタクトレンズの就寝時装用後の眼痛は角膜炎を疑う．コンタクトレンズ使用中止を指示する．取り外したソフトコンタクトレンズがあれば細菌培養に提出する．眼軟膏を点入し閉瞼させることで眼痛を緩和できる．眼内に炎症が早く波及するため，早期に眼科医の診察が必要である．

6）治　療

抗菌点眼薬を頻回に点眼する．炎症が強い場合には硫酸アトロピン点眼薬と低濃度副腎皮質ステロイド点眼薬

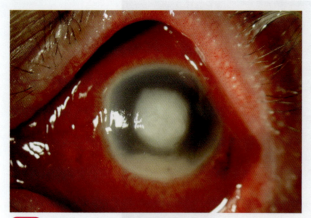

図4 細菌性角膜炎患者の前眼部写真
角膜中央の潰瘍と前房蓄膿を認める

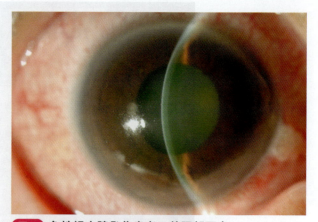

図5 急性緑内障発作患者の前眼部写真
角膜浮腫，中等度の散瞳および浅前房を認める

図6 急性緑内障発作患者の前眼部 OCT 写真
浅前房，狭隅角を認める

を併用する．疼痛が強い場合はオフロキサシン眼軟膏を点入し，眼帯をする．細菌検査結果に応じて抗菌点眼薬の内容を変更する．処方例を示す．

- 1.5%クラビット®点眼液：1回1滴，1時間ごと
- 0.1%フルメトロン®点眼液：1回1滴，1日3回
- 1%硫酸アトロピン点眼薬：1回1滴，1日1回
- タリビッド®眼軟膏：夜間就寝時に点入，または疼痛時に点入

7 急性緑内障発作

1）疫　学

白内障手術を受けていない後期高齢者に多い．前房深度が浅く，隅角が狭い閉塞隅角緑内障がベースにあり，散瞳薬や抗コリン作用薬の投与後やうつ伏せを契機に発症する．

2）病態生理

毛様体無色素上皮細胞から産生された房水が水晶体前面から瞳孔を通過するが，隅角の通過が滞ると房水が後房にうっ滞し，虹彩が隅角を前方移動させることで隅角が閉塞する．これにより房水は眼内にうっ滞し，眼圧が急上昇する．

3）症　状

眼圧上昇に伴う眼痛，頭痛，嘔気・嘔吐を生じる．見え方は，羞明や霧視という軽症のものから，指数弁，光覚弁という重度の視力障害までさまざまである．

4）検査・診断

瞳孔は中等度散瞳（6 mm）し，直接対光反射が消失する．患眼が失明していなければ，僚眼（患眼ではないほうの眼）の間接対光反射は正常である．眼圧が60 mmHgを超えている場合には角膜上皮に浮腫が生じ，黒目が白く見える（図5）．結膜毛様充血が強い．緊急に眼科医の診察が必要である．前眼部OCT検査で明らかな浅前房と閉塞隅角を認める（図6）．

5）応急処置

眼圧を下げる目的で高浸透圧利尿薬（マンニトール注 1回5mL/kg）を急速点滴静注する。

6）治療

いったん眼圧が下がれば，根治的治療までの間，ピロカルピン点眼液による縮瞳，炭酸脱水酵素阻害薬および緑内障点眼薬による眼圧降下を行う。根治的治療はできるかぎり早期に計画し，水晶体再建術またはレーザー虹彩切開術を行う。処方例を示す。

- ダイアモックス®注：1日250mg〜1gを分割して静脈内投与
- キサラタン®点眼液：1回1滴，1日1回，朝点眼
- 2％サンピロ®点眼液：1回1滴，1日3回，点眼

8 流行性角結膜炎

1）疫学

流行性角結膜炎（epidemic keratoconjunctivitis；EKC）患者との接触で感染伝播する。同一人物の僚眼にも感染する。8月を中心とした夏季に多い。しばしば指を眼にもっていくことがあるコンタクトレンズ装用者や，花粉症で眼を擦る者にもEKCの発生が多い。

2）病態生理

アデノウイルスで汚染されたもの（ティッシュペーパー，タオル，手指など）を眼周囲に運ぶことで感染し，約8〜14日間の潜伏期間を経て結膜炎を発症する。アデノウイルスの種類は60種類以上と多いが，そのうちEKCを発生させるものはD種の8, 19, 37, 53, 54, 56型，B群の3, 7, 11型，およびE群の4型とされている。

3）症状

眼瞼浮腫，流涙を伴い急激に発症し，漿液性眼脂，充血，異物感，耳前リンパ節腫脹が持続する（図7）。約2週間で自然軽快する。

4）検査・診断

結膜嚢内を綿棒で擦過し，アデノウイルス検査試薬で陽性となれば診断できる。検査キットによって特異度が異なるため注意する。細隙灯顕微鏡検査で特徴的な角膜白斑を認める。

5）治療

EKCに有効な治療薬はない。細菌感染，角膜炎予防のための点眼を行う。重症例では結膜に偽膜を形成し，角膜びらんを誘発することがあるため，眼瞼結膜を定期

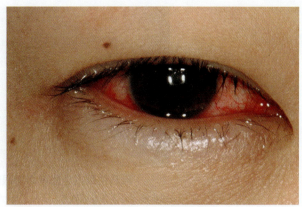

図7 流行性角結膜炎患者の前眼部写真
結膜充血，流涙，眼脂を認める

的に診察する。偽膜があれば除去する。高率に感染拡大するため，家庭内ではタオルなどを共有しない。処方例を示す。

- 0.5％クラビット®点眼液：1回1滴，1日4回
- 0.1％フルメトロン®点眼液：1回1滴，1日4回

9 転移性眼内炎

1）疫学

全身疾患を有する高齢者，糖尿病，免疫機能低下患者に多い。

2）病態生理

原因となる感染巣としては，心内膜炎，肝膿瘍，肺・気管支膿瘍，腎盂腎炎，尿路感染症がある。他臓器から血行性に細菌や真菌が眼内に感染し，全眼球炎，眼窩蜂窩織炎を引き起こすことによって重篤な視機能障害を生じさせる。

3）症状

初期は霧視，充血を自覚し，感染の拡大によって急激な視力低下，眼瞼腫脹・発赤を生じる。しばしば両眼性に起こる。全身疾患が関与している場合が多く，治療に抵抗して失明に至ることも多い。

4）検査・診断

細隙灯顕微鏡検査で前房蓄膿，眼底検査で強い硝子体混濁を認める。重症例では全眼球炎へと急速に進行する（図8）。血液検査ではCRP，白血球が高値となり，血液培養で細菌を検出する。グラム陰性菌である肺炎桿菌，大腸菌によるものの報告が多い。

5）治療

抗菌薬の全身投与を速やかに開始する。重症感染症例

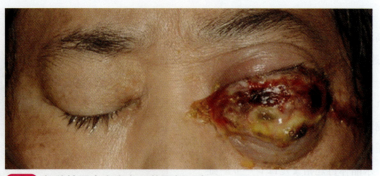

図8 転移性眼内炎患者の前眼部写真
眼窩蜂窩織炎と全眼球炎により眼球が突出している

表2 発生メカニズムと部位による外傷性眼疾患の分類

眼外傷疾患		発生メカニズム			非機械的外傷
		機械的外傷			
		鈍的外傷	裂傷	異物	
眼球	開放性	眼球破裂（強膜破裂）	強角膜裂傷 穿孔 貫通	眼内異物	化学 熱傷 光障害 超音波 電気 放射線 気圧 振動 加速
	閉鎖性	前房出血，毛様体解離 白内障，水晶体脱臼 硝子体出血 網膜剝離，網膜裂孔，網膜出血 黄斑円孔，脈絡膜破裂	角膜上皮びらん 結膜裂傷 結膜下出血	角膜異物 結膜異物	
眼窩	骨	眼窩骨折 視神経管骨折			
	軟部組織	眼窩内出血 眼窩気腫 滑車損傷	視神経断裂 外眼筋断裂 眼窩先端症候群	眼窩内異物	
	付属器	眼瞼血腫 瞼板欠損	涙小管断裂 眼瞼下垂 瞼板断裂		

〔文献1）より引用・改変〕

に対する投与量を投与する。眼底が見えない場合，硝子体手術を緊急で行い眼内の減菌化を図る。

眼外傷から想定される疾患

眼外傷の発生機序から想定される疾患を表2に示す[1]。

1 前房出血

1）疫 学

野球ボール大の球体やバドミントンのシャトルコックが眼球を直撃したりする場面でみられる。

2）病態生理

鈍的外力によって虹彩根部が断裂し，隅角が後退する際に出血する。出血は前房内に貯留し，多くはニボーを形成する。前房内は出血で充満するため一過性の高眼圧を呈する。

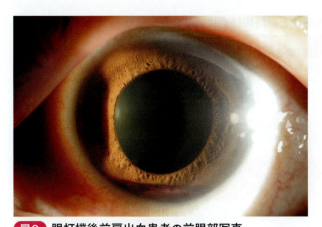

図9 眼打撲後前房出血患者の前眼部写真
バドミントンのシャトルコックによる。前房出血を認める

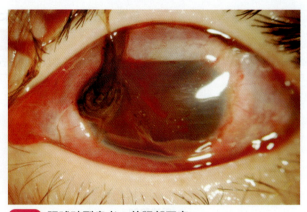

図10 眼球破裂患者の前眼部写真
強膜破裂に伴う結膜下出血と一部虹彩脱出を認める

3）症 状
視力低下，眼痛，結膜下出血，羞明がみられる。

4）検査・診断
細隙灯顕微鏡検査で前房出血の量を測定する（図9）。出血量が多い場合は眼圧が上昇していることが多い。外傷性散瞳をきたしていると直接対光反射が消失する。眼底が見えない場合には超音波Bモード検査を行う。

5）治 療
再出血と虹彩炎を予防するために瞳孔括約筋・散大筋の作動を低下させる。血液凝固能が正常，もしくは抗血小板薬，抗血液凝固薬を内服していなければ，前房出血は徐々に吸収される。しかし，出血量が多く高眼圧状態が持続すれば角膜血液染色が生じるため，眼圧降下治療もしくは前房内血腫除去を行う。処方例を示す。
- ミドリン®P点眼液：1回1滴，1日3回
- 0.1％リンデロン®点眼液：1回1滴，1日3回
- 1％トルソプト®点眼液：1回1滴，1日3回

2 眼球破裂

1）疫 学
転倒によって机の角に眼をぶつけたり，ゴルフボールが眼に直撃したりする場面で発生する。

2）病態生理
鈍的外力が眼圧を超えて眼球壁に作用した際に，脆弱な部位，とくに外眼筋付着や白内障手術創部が破裂する。破裂した創部から網膜，脈絡膜，硝子体が眼球外に脱出し，網膜剝離，硝子体出血，脈絡膜下出血をきたす。鋭的な外力で強角膜が裂ける強角膜裂傷とは病態発生のメカニズムが異なる。

3）症 状
重度の視力低下をきたす。

4）検査・診断
前眼部は角膜破裂，前房出血，結膜下出血・裂傷，水晶体・眼内レンズ脱出などの眼球破裂を示唆する所見を認める（図10）。眼窩CT検査で正常の眼球形状が保たれていないことが多く，眼内組織が多量に脱出している場合には萎縮した眼球形状が描出される。

5）治 療
同日もしくは近日中に破裂層を5-0ナイロン糸で縫合する。その際に，脱出している網膜脈絡膜をできるかぎり完納し，可能であれば強膜内陥術を創部に併施する。硝子体手術をするタイミングは，角膜の透明性があれば，早期に実施する。

3 眼窩（底）骨折

1）疫 学
眼窩（底）骨折（orbital blow-out fracture；BOF）は男性に多い傾向がある。野球，ボクシング，柔道などのスポーツ，高齢者の転倒，飲酒後の衝突などの不慮の事故，交通事故が原因のほとんどを占める。10％に眼内損傷を認める[2]。

2）病態生理
眼窩下壁と内壁は脆弱なために骨折しやすく，骨折部位に外眼筋・眼窩脂肪が嵌頓すると眼球運動障害と眼球陥凹をきたす。骨折形態は閉鎖型と開放型に分類される。
閉鎖型骨折（トラップドア型骨折）は比較的骨が折れにくい若年者（20歳未満）に多く，骨折部をドアに例えると，開いたドアが再度閉まるわずかな瞬間に外眼筋・

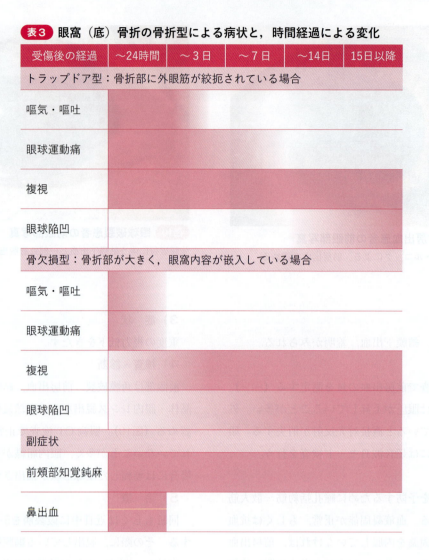

表3 眼窩（底）骨折の骨折型による病状と，時間経過による変化

眼窩脂肪が挟まってしまった状態である。

開放型骨折（骨欠損型骨折）は非常に強いエネルギーが加わった場合や顔面の大きさや形状が固まる20歳以降に多く，骨折部を床に例えると，穴が空いた床に外眼筋・眼窩脂肪が落ちてしまった状態である。

上顎洞にはみ出た組織は時間経過とともに，閉鎖型では壊死を生じ，開放型では上顎洞粘膜との癒着を形成する。

3）症　状

閉鎖型では受傷直後から症状が強く出る。一方，開放型では打撲による腫脹軽快後にいったん症状が改善するが，2週間以降から症状が悪化しはじめる。鼻出血，頬部知覚鈍麻などの副症状を認める（**表3**）。

4）検査・診断

現病歴と症状から眼窩CT検査を行う。骨条件および軟部組織条件で実施する（**図11**）。

5）治　療

閉鎖型では迷走神経反射症状や眼球運動痛が強いため，速やかに手術を行う。開放型では2週間前後での手術を計画する。複視を自覚していない骨折例では経過観察をし，複視出現時には手術を行う。

4 外傷性視神経症

1）疫　学

外傷性視神経症（traumatic optic neuropathy；TON）は，高所からの転落やバイク自転車衝突事故などの高リスク受傷機転によって引き起こされる。成人男性に多いが，小児にも多い。

2）病態生理

原因は視神経管内での視神経の傷害である。病態は管壁骨折による直接的な視神経の圧迫・断裂，あるいは視神経管内視神経の揺さぶりによる浮腫・軸索流変化が考えられている。明らかに視神経管壁の骨折片が視神経を圧迫する，いわゆる圧迫性視神経症の様相を呈する場合には「視神経管骨折」と呼ぶ。

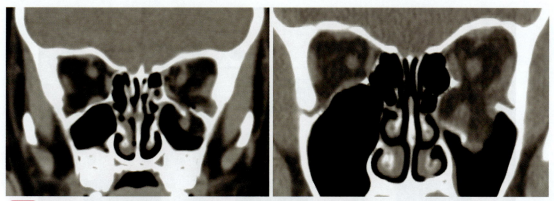

図11 左眼窩下壁骨折のCT像：閉鎖型（左）と開放型（右）

3）症　状

眉毛外側を中心とした顔面・頭部の鈍的打撲直後から比較的短時間に受傷側の視力が低下する（図12）。

4）検査・診断

受傷機転を考慮し，眉毛外側の打撲痕，対光反射で相対的瞳孔求心路障害（relative afferent pupil disorder；RAPD）を検出することで診断する。CT検査で視神経管骨折の評価を行う。

5）治　療

視神経管骨折によって明らかに骨片が視神経を圧迫している場合には，脳神経外科に依頼し骨片の摘出を早急に行う。視神経管骨折を認めない場合には，ステロイド治療を前提とし，視神経管開放術が検討されるが，積極的な意見と消極的な意見がある。

治療に積極的な意見としては，「視神経管開放術群は無治療群と比べて最終視力を改善させる傾向（手術群55％改善，無治療群で40％改善）にあり，7日以内の早期手術に改善傾向がある」「副腎皮質ステロイド無効例に対し視神経管開放術を併施した場合には視力が有意に改善する」との報告がある[3]。

一方，治療に消極的な意見としては，「無治療に勝るエビデンスはなく，強力な治療法の確立には至らない（国際視神経外傷スタディー）」[3]との報告や，「良質な研究デザインに基づく適切な治療方法は見出せていない。ステロイド全身投与は，エビデンスは弱いが早期治療開始により良好な視力が得られる。外科的手術は視力改善をさせることができるが，ステロイドと比し有利な点が示されない。いずれも合併症の危険性をはらんでおり注意を要する」[4]との報告がある。

現時点では，エビデンスに乏しいなりの治療選択肢を患者に提示し，患者の希望に応じてリスクを説明したうえで治療介入するのが望ましい。

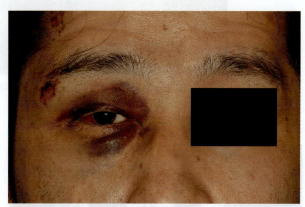

図12 右視神経管骨折患者の顔写真
眉毛外側に打撲痕を認める

5 外傷性動眼神経麻痺

1）疫　学

頭部外傷後に生じる。

2）病態生理

①脳幹出血，脳幹損傷による動眼神経核の障害，②脳出血，硬膜下による核下神経の障害，③眼窩内出血による核下神経・筋接合部の障害がある。

3）症　状

動眼神経麻痺による眼球運動障害に伴う複視を自覚する（図13）。

4）検査・診断

頭部・眼窩単純CTで原因となる出血を検出する（図14）。

5）治　療

脳出血の治療に準じる。

眼科領域

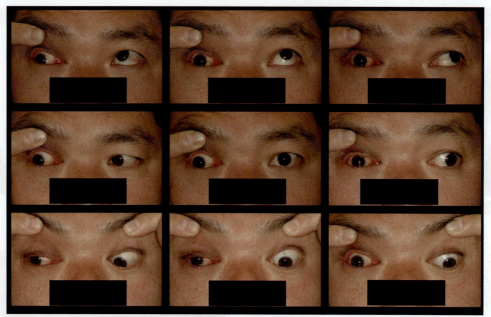

図13 右外傷性動眼神経麻痺患者の9方向向き眼位写真

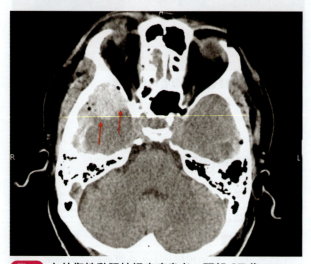

図14 右外傷性動眼神経麻痺患者の頭部CT像
図13と同一患者。脳出血を右上眼窩裂後方に認める

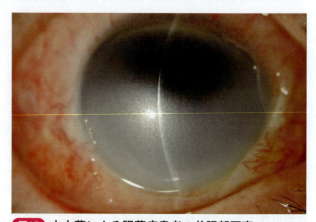

図15 水虫薬による眼薬症患者の前眼部写真
高度な角膜の白濁と下方角膜輪部の palisades of Vogt の消失を認める

6 化学眼外傷（酸アルカリ薬傷）

1）疫 学

特殊な薬剤・材料を扱う専門職に多い。一方，家庭内でも市販薬の不適切な使用や不注意により発生し得る（図15）。

2）病 態

酸性物質は角膜上皮の蛋白質を変性凝固するために，物質が深部に到達しづらい。一方，アルカリ性物質は細胞膜を融解させるため組織への浸透が速く，前房内に到達しやすい。

3）検査・診断

飛散物質を特定する（表4）。

4）応急処置

受傷直後から現場で10分間以上，流水で洗眼させる。そのうえで救急を受診する。可能であれば，受診時に原因物質の持参を依頼する。

5）治 療

生理食塩液の眼部持続滴下洗浄を行う。とくにアルカリ性剤は眼内への深達が早いため，数時間洗眼する場合がある。定時的に結膜嚢内のpHを測定し，中性になれば洗眼を終了する。

表4 化学眼外傷（酸アルカリ薬傷）の原因物質例

酸性物質
- 塩酸・硫酸：バッテリー液
- 硝酸・酢酸：トイレ用洗剤

アルカリ性物質
- 水酸化ナトリウム：液状モルタル
- 水酸化カリウム：生コンクリート
- アンモニア：水虫薬，パーマ液，毛染め液，カビ取り剤，トイレ用洗剤，洗濯用洗剤，漂白剤

消毒液
- メチルフェノール：クレゾール
- ヒビテン・グルコネート：ヒビテン®液
- 70％エタノール：消毒用アルコール
- 界面活性剤：家庭用洗剤，コンタクトレンズケア用品

有機溶媒
- アセトン，ベンゼン：マニキュア，除光液
- トルエン：香水，ヘアトニック

▶文　献

1) 恩田秀寿：眼外傷と代表的な疾患．眼科学，第3版，文光堂，2020，p1420．
2) 遠藤貴美，他：眼窩底骨折における受傷機転の検討．臨床眼科 63，1087-90，2009．
3) Levin LA, et al：The treatment of traumatic optic neuropathy：The international optic nerve trauma study. Ophthalmology 106, 1268-77, 1999.
4) Wladis EJ, et al：Interventions for indirect traumatic optic neuropathy：A report by the American Academy of Ophthalmology. Ophthalmology 128：928-37 2021.

14 耳鼻咽喉科領域

藤原 崇志

急性中耳炎

1 病態生理

中耳腔は鼓膜や側頭骨によって外界と隔てられているが，耳管を通じて咽頭とつながっている。急性中耳炎は中耳腔の急性に発症した感染症で，急性上気道炎による感染が耳管を通じて中耳腔に波及することで発症することが多い。

2 疫学

年間発症率は100人当たり約3〜5人程度で，耳管が短く未成熟な小児に多い。約半数が生後6カ月〜2歳の発症であり，5歳を過ぎると少なくなり，成人患者は全急性中耳炎患者の数％程度である[1]。

3 症状

耳痛や耳漏のほか，滲出液による伝音性難聴をきたす。耳痛はもっとも多い自覚症状であるが，発語前の小児では耳痛を訴えず，耳を押さえる，引っ張る，または擦りつけるといった行動で表現する場合がある。

4 検査・診断

急性（48時間以内）に発症した耳痛があり，耳鏡を用いた検査で鼓膜所見（発赤，腫張，耳漏）を確認することで診断する（図1）。年齢，自覚症状，耳鏡による鼓膜所見などから重症度を判断する（表1）[2]。

5 治療

軽症の急性中耳炎では自然緩解する場合があることから，まず鎮痛薬のみで3日ほど様子をみて，改善しなければ抗菌薬治療を行う。中等症以上では自然軽快しない

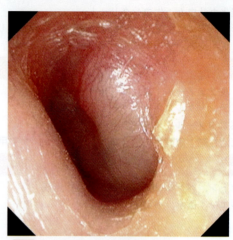

図1 急性中耳炎の鼓膜所見
鼓膜全体の発赤と，後上象限を中心に部分的な鼓膜の膨張を認める。耳漏は外耳道内になし

場合があり，初回から抗菌薬による治療を行い，3日後の再評価で抗菌薬治療に反応しない場合には鼓膜切開を行う。ガイドライン[2]では重症度に応じてペニシリン系とセフェム系の抗菌薬の使い分けが提案されているが，患者の罹患歴やその際の培養結果，近隣での抗菌薬耐性菌の頻度を踏まえて抗菌薬投与を行う。

抗菌薬投与前後の局所所見の比較も重要で，体温38.5℃以上の発熱，鼓膜全体の腫張，鼓膜が観察できないほどの膿汁などがなければ，鎮痛薬を処方し，耳鼻咽喉科・小児科などに抗菌薬投与を含めたフォローを依頼してもよい。

乳突洞炎

1 病態生理・疫学

中耳炎による感染が乳突洞および乳突蜂巣まで進展することによって生じる。環境衛生の向上や抗菌薬の普及によってほとんどみることはなくなったが，小児でまれに発症し，成人でももともと中耳に疾患がある場合（真珠腫性中耳炎，慢性中耳炎）や，未治療糖尿病など免疫機能に障害がある場合に発症することがある。膿瘍が乳

表1 小児急性中耳炎の重症度分類

項目		スコア
年齢	2歳（24カ月齢）未満	3点
耳痛	なし	0点
	痛みあり	1点
	持続性の高度疼痛	2点
体温（腋窩温）	37.5℃未満	0点
	37.5～38.5℃	1点
	38.5℃以上	2点
啼泣・不機嫌	なし	0点
	あり	1点
鼓膜の発赤	なし	0点
	ツチ骨柄あるいは鼓膜の一部の発赤	2点
	全体の発赤	4点
鼓膜の膨隆	なし	0点
	部分的な膨隆	4点
	全体の膨隆	8点
耳漏	なし	0点
	外耳道に膿汁があるが鼓膜観察可能	4点
	膿汁により鼓膜が観察できない	8点
重症度分類		

- 合計5点以下：軽症
- 合計6～11点：中等症
- 合計12点以上：重症

〔文献2）より作成〕

様突起を経て頸部に進展し，頸部膿瘍を形成する場合もある（Bezold 膿瘍）。

2 症状

急性中耳炎の症状に加え，外耳道後壁の腫脹，耳介後部を中心とした発赤・腫脹を認める（図2a）。症状が悪化すると耳介後部の発赤・腫脹が激しくなり，耳介が前方に押し出されるようになる。

3 検査・診断

耳鏡による鼓膜所見に加え，耳介後部の臨床所見により診断する。病変が進むと乳突洞やその周辺に膿瘍を形成し，静脈洞血栓や顔面神経麻痺，髄膜炎などの頭蓋内合併症を生じることから，CTおよびMRIを中心とした画像検査により病変を評価する（図2b, c）。

4 治療

重症化すると頭蓋内合併症を生じることから，入院としたうえで抗菌薬投与，鼓膜切開による膿瘍切開排膿を行う。病変が進行し頭蓋内合併症のリスクが高い場合には，病巣部に対する乳突洞削開術による直接開放・洗浄を行う。

突発性難聴

1 病態生理

突然に発症した原因不明の感音難聴と定義されるが，内耳循環障害やウイルス感染，自己免疫の関与も示唆されている[3]。

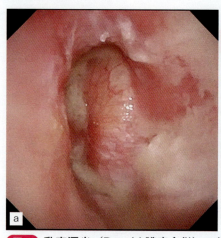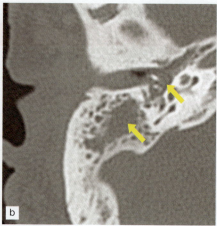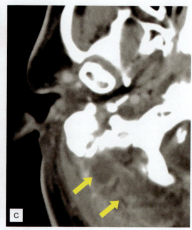

図2 乳突洞炎（Bezold 膿瘍合併）の鼓膜・画像所見
鼓膜全体の発赤，鼓膜全体の腫脹に加え，耳漏を認める（a）。鼓室内と乳突洞内に軟部陰影を認め（b），造影CTで後頸部筋群に膿瘍形成を認める（c）

2 疫　学

発症頻度は年間10万人当たり60人程度である。50～60歳代にピークがあるが，0～80歳まで発症し得る[4)5)]。

3 症　状

自覚症状として難聴が一般的であるが，軽度の場合は自覚症状がなく，耳閉感や耳鳴などのみ自覚する場合もある。内耳障害が主体であり，外耳道や鼓膜所見は正常である。めまいを伴うこともある。

4 検査・診断

診断基準は，隣り合う3周波数（250Hz，500Hz，1,000Hz，2,000Hz，4,000Hzのうち3周波数）で各30dB以上の難聴が72時間以内に生じたもので，ほかに明らかな原因が特定されていないものとされる[3)]。聴力検査を実施することが困難な場合には，難聴などの臨床症状に加え，音叉などで感音難聴パターンを示すこと，鼓膜所見が正常であることなどから臨床診断を行う。

突発性難聴のほかに急性感音難聴をきたす疾患としては，急性低音障害型感音難聴，ムンプス難聴，音響外傷，メニエール病などがあるが，純音聴力検査による聴力像により鑑別を行う必要があり，救急外来での鑑別は困難である。

5 治　療

ステロイドの全身または局所（鼓室内）投与を行う。発症2週間以内の治療開始が推奨されている[3)]。そのため，できるかぎり早く耳鼻咽喉科受診につなぎ，聴力検査による確定診断を行い，ステロイド投与などの治療を開始することが望ましい。また，可能な施設は限られるが，高気圧酸素治療も有効である[6)]。そのほか，プロスタグランジン製剤やビタミン剤が慣習的に使用されることがある。

メニエール病

1 病態生理

内耳膜迷路には内リンパ液が充満しているが，内リンパ液の産生過剰または吸収障害により膜迷路の容積が腫張し，蝸牛においてReisner膜が膨張する。それにより難聴，耳鳴，耳閉感などの聴覚症状を伴うめまい発作の反復が生じる[7)]。

2 疫　学

発症は人口10万人当たり40人程度で，成人に多く，平均年齢は40～50歳である。精神的・肉体的過労や睡眠不足が発症誘因とされている[7)]。

3 症状

めまい発作を反復し，めまいに伴って難聴，耳鳴，閉塞感などの聴覚症状が変動する。めまいは誘因なく発症し，持続時間は10分～数時間程度である[7]。

4 検査・診断

純音聴力検査で感音難聴を確認するとともに，その聴力レベルがめまい発作に関連して変動することを確認する。内リンパ水腫を確認する方法として，浸透圧利尿効果のあるグリセロールやフロセミドを点滴投与して内リンパ水腫を軽減し，聴力が改善するかどうかを確認する方法がある。また，造影 MRI 検査で内リンパ水腫を確認することも可能である。

5 治療

急性期治療として，症状緩和のために第1世代抗ヒスタミン薬や制吐薬を用いる。めまいが高度の場合は入院として，経過観察する。炭酸水素ナトリウム溶液による治療は，エビデンスは確立されていないが，経験的に効果があると考えられており，ガイドラインにも記載がある[7]。発作の間欠期には発作予防として，ストレス回避を中心とした生活指導，イソソルビドなどの利尿薬投与，中耳加圧療法を行う。

良性発作性頭位めまい症

1 病態生理・疫学

良性発作性頭位めまい症（benign paroxysmal positional vertigo；BPPV）は内耳の前庭器（耳石器，半規管）の障害で，耳石器から剥離した耳石の半規管内の浮遊（半規管結石症）やクプラへの付着（クプラ結石症）がその病態とされる。年齢とともに増加し，閉経後の女性に多く，骨粗鬆症との関連も示されている。

2 症状

頭位変換により水平回旋性の眼振が生じ，それに伴ってめまいが生じる。半規管結石症では頭位変換からめまい・眼振の発現まで若干の潜時があり，しだいに増強した後，概ね1分以内に消失する。一方，クプラ結石症ではめまい・眼振は頭位変換後に潜時なく出現し，もとの頭位に戻ると概ね1分前後で消失するが，特定の頭位を維持すると1分以上持続する。半規管結石症，クプラ結石症ともに眼振や嘔気・嘔吐をきたすことがあるが，難聴や耳鳴などの聴覚症状やめまい以外の神経症状は伴わない[8]。

3 検査・診断

Frenzel 眼鏡などを装着し，頭位・頭位変換眼振検査によって耳石の病変に応じた特徴的な眼振を確認することで確定診断する。Frenzel 眼鏡などが使用できない場合には，病歴や特徴的な症状（頭位変換によって生じ，1分前後で消失するめまい）により，臨床診断を行う（p.212参照）。

4 治療

急性期治療として，症状緩和のため第1世代抗ヒスタミン薬や制吐薬を用いる。Frenzel 眼鏡を用いた頭位・頭位変換眼振検査で病変となる半規管が同定できれば，Epley 法をはじめとした耳石器置換法を考慮する。ただし，耳石器置換法は嘔気・嘔吐が生じるため無理に行わず，まずは対症療法を中心として経過をみる。

前庭神経炎

1 病態生理

聴覚障害を伴わない突発性の回転性めまいをきたす疾患で，原因は不明であるが，ウイルスによる内耳損傷が原因とも考えられている。

2 疫学

有病率は10万人当たり3.5人，男女比は1：1程度で，発症年齢は40～50歳代にピークがあるが，70歳代以降や10歳代未満であっても発症することがある[9)〜11]。

3 症状

頭位によらない固定性水平性眼振が特徴的で，第Ⅷ神

経以外の神経症状はみられず，難聴・耳鳴・耳閉塞感などの聴覚症状は認めない。急性に生じる重度のめまいであり，立位が保持できず，救急搬送となることも多い。

4 検査・診断

聴覚症状を伴わない突発的な回転性めまいであることに加え，温度刺激検査（カロリックテスト）で半規管機能低下があること，聴力検査で難聴がないこと，類似症状を呈する小脳梗塞などの他疾患を除外することにより診断を行う。上記の検査が行えない場合には，症状などから臨床診断を行う。

5 治療

急性期治療として，症状緩和のために第1世代抗ヒスタミン薬や制吐薬を用いる。慢性期治療としては，ベタヒスチン内服および前庭リハビリテーション（注視運動の反復，姿勢制御など）を行う[9]。

鼻出血

1 病態生理

鼻腔内を走行する血管が破綻することで生じる。出血部位として複数の血流が集合するKiesselbach部位（鼻中隔の前下方部）がもっとも多く，また止血困難な後方からの出血として蝶口蓋動脈周囲の出血がある。

2 疫学

わが国では，季節性アレルギー性鼻炎が流行し，鼻腔粘膜が乾燥する冬季に多い。高血圧や抗血栓薬（抗凝固薬，抗血小板薬）の使用が誘因となる場合がある。

3 症状

Kiesselbach部位をはじめ出血部位が前方の場合は外鼻孔から出血し，後方からの場合は咽頭への垂れ込みが多くなる。出血に加えて，止血のためのタンポンガーゼや鼻用鑷子操作により血管迷走神経反射を起こしやすい。また，血液を飲み込むことで，気分不良や嘔吐を訴えることも多い。

4 検査・診断

出血量が多量であれば，出血の程度，輸血の必要性および凝固能を評価するために血液検査を必要に応じて行う。

5 治療

出血の部位・程度に応じた圧迫止血を行う。

Kiesselbach部位からの前方出血の場合，鼻翼の圧迫による直接圧迫を行う。直接圧迫で止血が困難な場合は，外用ボスミン液付きタンポンガーゼなどを挿入し止血を試みる。動脈の破綻により圧迫のみで止血が得られなければ，焼灼による止血を行う。

後方出血の場合，鼻翼圧迫では止血が困難のため，外用ボスミン液付きタンポンガーゼなどを挿入し止血を試みる。それでも止血が困難であれば焼灼による止血を行うが，後方出血では出血部位を鼻鏡で肉眼的に確認することが難しいため，鼻腔ファイバーで出血部位を確認する。止血までに時間がかかり，かつ大量出血の場合には，バルーンカテーテルを用いて止血する（図3）。

扁桃周囲膿瘍

1 病態生理・疫学

急性扁桃炎による感染が扁桃周囲に及び膿瘍を形成すると，扁桃周囲膿瘍となる。口蓋扁桃は上咽頭収縮筋に接するが，その間は疎な組織になっており，その部位に膿瘍が形成されやすい。後述する咽後膿瘍をはじめとしたほかの頸部膿瘍では，膿瘍腔は頸部間隙を通じて広がりをみせるが，扁桃周囲膿瘍は扁桃周囲に限局することが多い。年間10万人当たり約30人の発症率で，青年期の発症が中心である[12]。

2 症状

急性扁桃炎と同様に，発熱，咽頭痛を生じる。膿瘍によって粘膜腫張を認めるほか，口蓋垂は健側に偏位し，患側前口蓋弓は下がってみえる（図4a）。膿瘍および炎症が周囲の筋肉まで波及すると開口障害がみられる。扁桃周囲膿瘍は口蓋扁桃の高さまたは頭側に生じることが多いが，尾側に進展するとふくみ声や呼吸困難が生じ

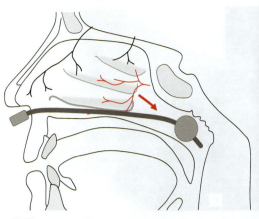
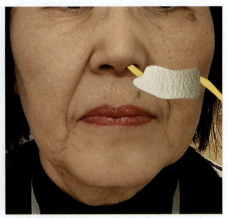

図3　バルーンカテーテルを用いた鼻出血の止血
鼻腔用止血バルーンカテーテルや尿道バルーンカテーテル（14〜16Fr）を使用する。外鼻孔からバルーンを挿入し，咽頭側からバルーンが咽頭内に到達したことを確認した後，バルーンを膨らませる（14Frの場合，規程量よりも多い8〜12mL）。拡張後のバルーンを引っ張り，頬にテープで固定したうえで，外鼻孔からタンポンガーゼを留置する。鼻出血の後方への流れ込みがバルーンにより防止され，また前方からガーゼを留置することによって血液の逃げ場がなくなり，強固な止血が得られる

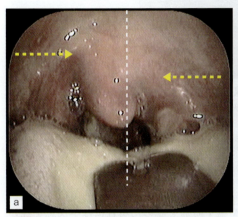
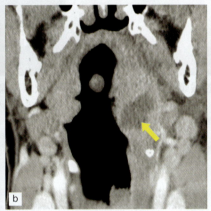
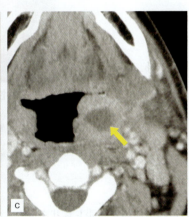

図4　左扁桃周囲膿瘍の咽頭・画像所見
咽頭所見で，口蓋垂は正中（点線）より健側に偏移し，口蓋弓頭側端（矢印）は患側で低くなっている（a）。冠状断，水平断の造影CTで膿瘍腔を認める（b，c）

る。とくに下極型扁桃周囲膿瘍はその解剖学的要因から緊急気道管理を要することがあり，注意を要する。

3　検査・診断

　咽頭所見から扁桃周囲膿瘍が疑われる場合，造影CT検査によって確定する（図4b, c）。膿瘍腔が口蓋扁桃からみて尾側にある場合には，感染により声門上組織が浮腫をきたすことがあるため気道の評価が重要になり，CT検査で臥位にした際に気道閉塞が生じないか注意する。

4　治　療

　起炎菌に応じた抗菌薬治療に加え，穿刺・切開排膿を行う。膿瘍腔が1.5cm以下など小さければ抗菌薬治療のみで改善できるが，膿瘍腔が大きければ排膿が必須となる。急性期の切開排膿術の代わりとして，また罹患後に落ち着いてからの再燃予防として，口蓋扁桃摘出術を行うことがある[13]。

急性喉頭蓋炎

1　病態生理・疫学

　主に細菌やウイルス感染により喉頭蓋およびその周囲

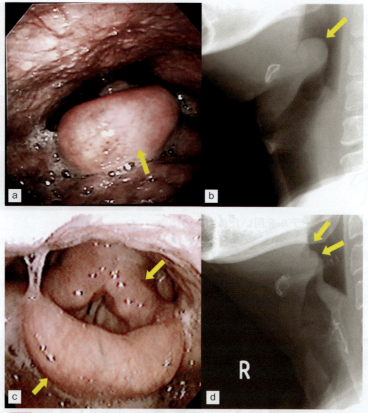

図5 急性喉頭蓋炎の内視鏡および頸部軟線X線所見
重症例（a, b）：頸部軟線X線で thumb sign を認め，内視鏡像で喉頭蓋の高度浮腫を認める。披裂は観察できない
軽症例（c, d）：頸部軟線X線で thumb sign および vallecula sign を認め，内視鏡像で喉頭蓋の軽度浮腫を認める。披裂の浮腫をわずかに認める

の声門上組織が腫脹し症状をきたす疾患で，急速に進行すると気道閉塞を起こし得る。古典的にはインフルエンザ菌による小児発症が多かったが，ワクチン導入により成人を中心とした疾患となっており，年間発症率は10万人当たり数人程度である[14)15)]。

2 症 状

咽頭痛，嚥下時痛，くぐもった声がもっとも多い症状であり，80〜90％の患者で認める。声門上組織の腫脹が重篤化すると吸気性喘鳴や呼吸困難，流涎が生じるが，腫脹が軽度であればこれらを伴わない場合もある。重度の呼吸困難の場合，体幹を前傾し首を過伸展させ，顎を突き出す姿勢（tripod position）が特徴的である。

3 検査・診断

急性喉頭蓋炎の病巣は喉頭蓋をはじめとした声門上組織であり，咽頭所見はほぼ正常となる。咽頭所見にあわない咽頭痛や嚥下時痛を認めた場合には本疾患を疑い，頸部軟線X線検査による評価を行って，内視鏡検査により確定診断を行う（図5）。頸部軟線X線検査は，重度浮腫を認める例であれば感度はほぼ100％となるが，軽度〜中等度の浮腫では感度が下がる点に留意する[15)]。呼吸困難や流涎，喘鳴などがあり，強く本疾患を疑う場合には，X線検査よりも内視鏡による評価を優先させる。頸部造影CT検査は頸部軟線X線に比べ詳細に声門上の腫脹が評価できるが，呼吸困難が強く臥位になることが困難な場合には避けるべきである。

4 治 療

気道閉塞回避のための気道確保と，感染源に対する抗菌薬治療を行う。声門上組織の高度浮腫がある場合，外科的気道確保（輪状甲状靱帯切開を含む）や気管挿管を要する場合が多い。気道確保の方法は施設の設備や医療者の技術によるが，自施設で対応困難な場合は転院搬送を考慮する。気管切開や気管挿管を行わない場合には，

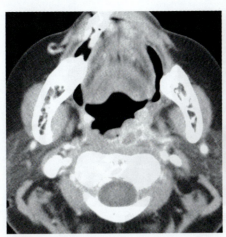
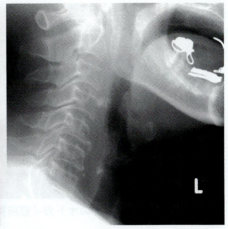

図6 咽後膿瘍の造影 CT および頸部軟線 X 線像

咽頭喉頭粘膜の浮腫抑制を期待してステロイドを投与する。

急性喉頭蓋炎は細菌性やウイルス性などさまざまな原因があるが，鑑別は困難である。そのため，細菌感染として報告されているインフルエンザ菌や肺炎球菌をカバーする形で，ペニシリン系，セフェム系の抗菌薬を投与する。

咽後膿瘍

1 病態生理・疫学

咽後膿瘍は咽頭後間隙に生じる膿瘍である。咽頭後間隙に位置する咽頭後リンパ節に咽頭炎からの炎症・感染が波及することで生じる。咽頭後リンパ節は小児で比較的よく発達し，加齢とともに退縮することから小児で多くみられる[16]。成人ではHIVや糖尿病など免疫能が低下した患者にみられることが多いが，魚骨などによる損傷や，内視鏡などの器具操作後の感染で生じる場合もある。

2 症 状

初期には発熱，咽頭痛，頸部痛を生じ，一般的な急性上気道炎との鑑別は困難である。咽頭後リンパ節の腫大，膿瘍形成が進行すると嚥下時痛や開口障害が生じ，頸部の回旋が困難になったり，疼痛により健側へ頭位を回旋する場合もある。また，膿瘍が尾側に進展すると嚥下困難や流涎のほか，気道閉塞による呼吸困難，tripod position もみられる。

3 検査・診断

画像検査として，補助的な役割で頸部軟線X線検査を，確定診断および治療法の判断のため頸部造影CT検査を行う（図6）。頸部軟線X線検査の診断精度は十分検証されておらず，積極的に咽後膿瘍を疑う場合には造影CT検査による判断が望ましい。気道閉塞が懸念される場合は，気管挿管などの気道確保を行った後でCT検査を行う。

4 治 療

起炎菌（化膿レンサ球菌，呼吸気嫌気性菌など）を想定した抗菌薬投与に加え，膿瘍の排膿を行う。排膿は膿瘍の進展具合に応じて経口腔的または頸部からの穿刺・切開により行う。膿瘍腔が小さければ抗菌薬のみで加療可能である。

Ludwig's angina（口腔底蜂窩織炎）

1 病態生理

歯（主に下顎大臼歯）の感染が急激に両側の口腔底および舌下腺周囲に進展する蜂巣炎である[17]。口腔底の裂創や感染，唾石によっても生じる。危険因子としては，糖尿病やHIVなど免疫不全，高血圧，歯の処置や口腔内ピアス，アルコール常飲などがある。

耳鼻咽喉科領域

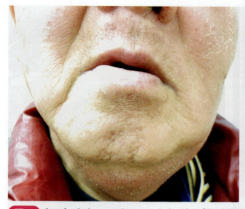
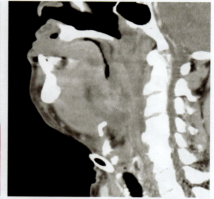

図7 Ludwig's angina のオトガイ部所見および造影 CT 像

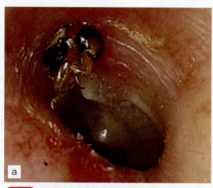
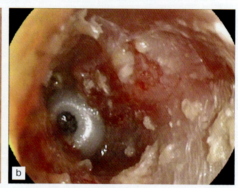

図8 外耳道異物の鼓膜・外耳道所見
a：生物（虫），鼓膜に炎症なし．b：無生物（ビーズ），鼓膜に炎症あり

2 症 状

初期には発熱，悪感，口腔内の疼痛などを訴える．炎症が波及し舌底が腫張すると，舌を口腔内にしまうことができず開口したままになり，嚥下困難，流涎，気道閉塞に至る．一般的に唾液腺組織やリンパ節腫脹などはきたさない．また，炎症は口腔底のみに限局するため開口障害は生じにくい．

3 検査・診断

進展範囲の評価および膿瘍形成の有無の評価のため，造影CT検査を行う（図7）．臥位により気道閉塞が懸念される場合は，気道確保を行ってからCT検査を行う．

4 治 療

口腔内常在菌が起炎菌であるため，経験的抗菌薬投与を行い，必要に応じて気管挿管・気管切開などの気道確保を行う．蜂巣炎であり古典的には膿瘍形成を伴わないとされ，外科的切開排膿などの適応にはならないことが多いが，経過中に膿瘍を認め，抗菌薬により改善が認められなければ排膿を検討する．

外耳道異物

1 病態生理・疫学

外耳道に異物（生物，無生物）が迷入した状態である（図8）．小児では誤って自分でおもちゃなどの異物を外耳道に入れることが，成人では虫が就寝中に入ってくるケースが多い．

2 症 状

無生物の迷入では症状がないこともある．生物が迷入した場合，耳の中で生物の動作音があり，外耳道を刺激し疼痛が生じる場合もある．異物反応により炎症が起き

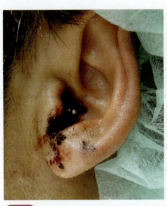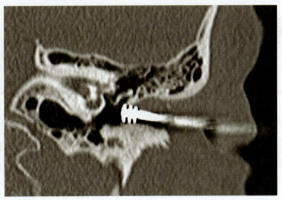

図9 耳かきによる外耳道異物
CT像で耳かき（金属製）が鼓膜近傍～中耳内腔に到達しているのが確認できる

ると疼痛が生じる。異物により鼓膜穿孔が生じる場合や，まれに異物が内耳まで到達し，めまいや眼振症状が生じることもある。

3 検査・診断

耳鏡により外耳道内の異物を確認する。異物の性質，鼓膜・外耳道の炎症の有無，鼓膜穿孔の有無を確認する。耳鏡による確認が困難な場合にはCT検査で異物の範囲などを確認する（図9）。

4 治療

異物の除去が治療となるが，生物で生きている場合には外耳道内に液体を充満させ殺したうえで除去する。異物除去後は外耳道損傷や鼓膜穿孔がないことを確認する。外耳道異物が動かない場合や，眼振・めまいがある場合には，鎮静下で外耳～内耳の構造物を確認しながら異物除去を行う。

▶文 献

1) Monasta L, et al：Burden of disease caused by otitis media：Systematic review and global estimates. PLoS One 7：e36226，2012.
2) 日本耳科学会，他（編）：小児急性中耳炎診療ガイドライン2018年版，金原出版，2018.
3) 日本聴覚医学会（編）：急性感音難聴の手引き2018年版，金原出版，2018.
4) Nakashima T, et al：Idiopathic sudden sensorineural hearing loss in Japan. Acta Otolaryngol 134：1158-63，2014.
5) 藤原崇志，他：愛媛県下における突発性難聴の疫学調査．愛媛医学 33：182-6，2014.
6) Chandrasekhar SS, et al：Clinical practice guideline：Sudden hearing loss（Update）. Otolaryngol Head Neck Surg 161（1_suppl）：S1-S45，2019.
7) 日本めまい平衡医学会（編）：メニエール病・遅発性内リンパ水腫診療ガイドライン2020年版，金原出版，2020.
8) 日本めまい平衡医学会診断基準化委員会：良性発作性頭位めまい症診療ガイドライン（医師用）．Equilibrium Res 68：218-25，2009.
9) 日本めまい平衡医学会（編）：前庭神経炎診療ガイドライン2021年版，金原出版，2021.
10) Sekitani T, et al：Vestibular neuronitis：Epidemiological survey by questionnaire in Japan. Acta Otolaryngol Suppl 503：9-12，1993.
11) 渡辺勇，他：「前庭機能異常」に関する疫学調査報告；個人調査票集計を中心に．耳鼻臨床 76（増刊）：2426-57，1983.
12) Herzon FS：Harris P. Mosher Award thesis：Peritonsillar abscess：Incidence, current management practices, and a proposal for treatment guidelines. Laryngoscope 105（8 Pt 3 Suppl 74）：1-17，1995.
13) Souza DL, et al：Comparison of medical versus surgical management of peritonsillar abscess：A retrospective observational study. Laryngoscope 126：1529-34，2016.
14) Briem B, et al：Acute epiglottitis in Iceland 1983-2005. Auris Nasus Larynx 36：46-52，2009.
15) Fujiwara T, et al：Diagnostic accuracy of radiographs for detecting supraglottitis：A systematic review and meta-analysis. Acute Med Surg 4：190-7，2016.
16) Craig FW, et al：Retropharyngeal abscess in children：Clinical presentation, utility of imaging, and current management. Pediatrics 111（6 Pt 1）：1394-8，2003.
17) Bridwell R, et al：Diagnosis and management of Ludwig's angina：An evidence-based review. Am J Emerg Med 41：1-5，2021.

15 婦人科領域

山岸　絵美

卵巣出血

　卵巣出血は，卵巣からの出血が腹腔内に貯留し，下腹部痛を主とした症状を呈する疾患である。腹腔内出血を認める婦人科急性腹症のなかで，異所性妊娠に次いで頻度が高い。

1 疫　学

　12～52歳と生殖可能年齢全般にわたって発症が報告されており，好発年齢や未妊産婦・経産婦の有意差を認めない。卵巣出血は片側発生が基本で，右側が60～80％と多い。これは，左卵巣は解剖学的に直腸およびS状結腸がクッションとなるためと考えられている[1]。

2 病態生理

　卵巣出血の原因は外因性，内因性，特発性に分類される。外因性の原因には，生殖補助医療における採卵や卵巣の手術，腹部外傷などの外傷性と，子宮内膜症や悪性腫瘍などの卵巣への波及などの非外傷性がある。内因性の原因は，抗血栓薬の使用や血液凝固能異常などであり，この場合は卵巣出血を繰り返すことが多い。特発性には，卵胞出血と出血性黄体嚢胞からの出血がある。排卵時の血管断裂による出血が卵胞出血であり，この血液が黄体内に貯留して血腫を形成し嚢胞化したものが出血性黄体嚢胞である。

　卵巣出血は出血性黄体嚢胞からの出血が多いため，一般的な月経周期の場合，発症時期は黄体期である月経15～28日目が多い。さらに，20％前後は性交渉がトリガーともいわれる[2]。

3 症　状

　主な症状は，突然生じ持続する下腹部痛である。少量の不正性器出血を伴うこともある。腹腔内出血量により症状の程度は異なり，少量では患側の下腹部痛を訴えるが，量が多くなると腹膜刺激徴候を呈し，下腹部全体の疼痛とともに，圧痛，反跳痛を訴える。嘔気・嘔吐，下痢などの症状を伴う場合もある。80％の症例では出血量500mL以下にとどまり，24時間未満で症状が軽快することが多い。しかし，循環血液量減少性ショックを生じる場合もある。6～21％の症例では1,000mL以上の出血をきたし，7％の症例では輸血が必要であったとの報告もある[2)3)]。

4 検査・診断

　問診で，発症時期，最終月経，性交渉の有無と時期，抗凝固薬の使用の有無，妊娠の有無，その他の既往歴を聴取する。妊娠の有無は異所性妊娠との鑑別に必要であり，場合により尿中・血中ヒト絨毛性ゴナドトロピン（human chorionic gonadotropin；hCG）値を検査する。ただし，尿中hCG定性法ではキットにより感度が異なり，妊娠初期では偽陰性を示す場合がある。また，異所性妊娠で陰性を示す場合もあり，定量検査が望ましい。

　診断は，①バイタルサイン，②血液検査で貧血の程度や血液凝固能を評価，③腹膜刺激徴候や外出血，付属器領域の圧痛・腫瘤触知の有無，④経腟・経腹超音波で腹腔内出血の程度，卵巣腫大の有無を評価して，総合的に行う。CT検査やMRI検査を併用する場合や，それらの結果から診断に至る場合もある。

　経腟・経腹超音波検査でDouglas窩にecho free spaceを認めれば腹腔内出血診断は容易である。膀胱が充満しているほうが経腹超音波で診断しやすい。CT検査では卵巣周囲から骨盤底のCT値の高い腹水貯留を認める。MRI検査では血液成分は出血からの時系列で多彩な像を示す。血性か判断に迷う場合はDouglas窩穿刺による非凝固性血液の吸引も有用である。

　出血性黄体嚢胞は，超音波検査で4種のエコー像を認める（図1）。造影CT，MRI検査では腹腔内出血同様の像を嚢胞内に認め，いずれも破綻後は緊満感のない不正型の円形となる（図2）。

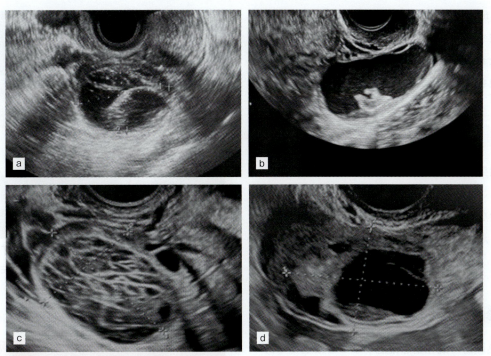

図1 出血性黄体囊胞の経腟超音波断層像
a：びまん性高輝度点状・線状像，b：境界明瞭な充実部分様，c：スポンジ状・網状，d：綿くず様

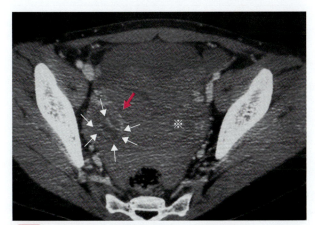

図2 卵巣出血の骨盤部造影CT水平断像
白矢印：破綻した黄体，赤矢印：extravasation
※：血性腹水

5 治 療

治療は出血量により異なるが，80％程度は自然に止血し，貯留血が吸収されるため，経過観察が可能である。循環動態が安定している場合は入院が検討され，血液検査や経腟・経腹超音波検査を行って，腹腔内に貯留した血液の増加や貧血の進行具合を定期的に評価する。

ショック状態や，貧血の増悪から出血の持続が疑われる場合は，輸血や緊急手術が必要となる。推定腹腔内出血量500mL以上，または Hb 8g/dL 未満で卵巣出血が持続し全身状態が悪化する場合には手術適応がある[4]。腹腔鏡下または開腹下に出血部位の焼灼や結紮による止血，卵巣部分切除などを行う。

卵巣囊腫茎捻転

卵巣囊腫茎捻転（以下，茎捻転）は比較的頻度の高い婦人科救急疾患である。

1 疫 学

茎捻転の80％は生殖可能年齢で発症する[5]。また，80％以上が卵巣腫大を合併するが，小児では正常卵巣でも生じ得る。妊娠による子宮増大もリスクとなる。

卵巣腫瘍の10〜20％で茎捻転を発症するといわれるが，そのほとんどは良性腫瘍で，成熟奇形腫がもっとも多い[6]。一方，内膜症性囊胞や卵巣がんは，周囲との癒着を生じやすいため茎捻転の頻度が低い。また，腫瘤は大きすぎても小さすぎても捻転を起こしにくく，直径5〜15cm 程度が捻転を起こしやすいといわれる[5]。

2 病態生理

卵巣を支持する卵巣固有靱帯や骨盤漏斗靱帯などを軸

に，伴走する卵管や卵巣動静脈，卵管間膜がねじれを生じ，血行障害を起こす。早期には静脈のみがうっ滞し，動脈血は保たれるため，卵巣はうっ血・浮腫を生じる。その後，動脈も障害されると壊死に至る。

3 症　状

多くは突然生じる下腹部痛を主訴とする。痛みは下腹部に限局することが多く，悪心・嘔吐を伴うこともある。捻転が不完全な場合は，痛みが間欠的であったり，発症と消失を繰り返す。不正性器出血や発熱は比較的頻度が低い。

4 検査・診断

問診で卵巣腫瘍の既往歴を確認することは重要である。また，後述する卵巣過剰刺激症候群でも茎捻転を起こす場合があり，不妊治療の有無もあわせて確認する。

血液検査に特筆すべき所見はないが，27〜50％は炎症反応の上昇をきたすともいわれる[7]。また，CA125，CA19-9が上昇することがある。

内診で腫大した卵巣を確認し，同部位に圧痛を認める，または付属器領域に可動痛を認める場合は茎捻転を疑いやすい。経腟・経腹超音波プローブで腫大した卵巣を圧迫することでも局在する圧痛を評価できる。さらに，経腟超音波検査ではカラードプラを用いることで卵巣への血流遮断も評価できる。

造影CTやMRIも有用である。これらの画像検査では，卵巣腫大だけでなく捻転部の渦巻き構造（whorled pattern，図3）や出血性梗塞に伴う血腫と造影効果の減弱，正常卵巣の間質浮腫（massive ovarian edema）などの特徴的な所見を得られる（表1）[2]。

5 治　療

茎捻転の確定診断は，開腹下もしくは腹腔鏡下での肉眼的評価による。また，早急な対応により正常卵巣部分の温存が可能となるため，基本的に緊急手術を行う。術式は年齢や挙児希望の有無など患者背景により，卵巣嚢腫摘出術，患側付属器切除術，両側付属器切除術などを選択する。

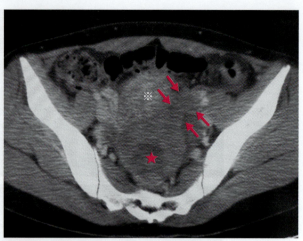

図3 左卵巣嚢腫茎捻転の骨盤部造影CT水平断像
矢印：whorled pattern，星印：出血壊死を伴う左卵巣
※：子宮

表1 茎捻転でみられる所見

所見	超音波	造影CT MRI
5cm以上の卵巣腫大	○	○
付属器に流入する血流異常	○	—
造影効果の減少	—	○
正常卵巣の浮腫	○	○
卵巣に流入する血管のねじれ	○	○
腹水貯留	○	○
捻転側への子宮偏位	—	○
卵巣周囲への脂肪の巻き込み	—	○

〔文献2）より引用・改変〕

骨盤内炎症性疾患

骨盤内炎症性疾患（pelvic inflammatory disease；PID）は，子宮頸管より上部の生殖器の感染症，具体的には子宮内膜炎，子宮留膿腫，付属器炎，卵管留膿腫，骨盤腹膜炎，Douglas窩膿瘍などの総称である。

1 疫　学

主なリスクファクターは，若年者（25歳以下），未婚，PIDの既往，複数の性交渉パートナー，腟炎/細菌性腟症，子宮内避妊具（intrauterine device；IUD）留置，経腟的な医療行為，免疫不全である[8]。一方，経口避妊薬の使用やコンドーム装着はリスクを軽減する。

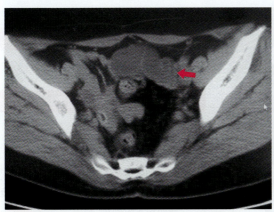
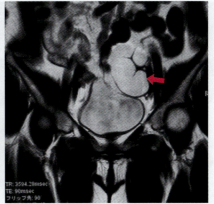

図4 卵管留膿腫の骨盤部造影CT水平断像（左）とMRI T2強調画像冠状断構築（右）

2 病態生理

　主には経腟的な上行感染であるが，虫垂炎などからの炎症波及による下行感染もある。性感染症である淋菌，クラミジアのほか，細菌性腟症で検出される大腸菌やブドウ球菌，バクテロイデスなどが起炎菌となり，多くはこれらの混合感染となる。近年は基質特異性拡張型βラクタマーゼ（extended spectrum β-lactamases；ESBLs）産生性大腸菌や，IUD長期留置による放線菌感染も増加傾向である[9]。また，妊娠・産褥期に特化する病態として，A群溶連菌やMRSA上行感染によるPIDからの敗血症も注意を要する。とくに劇症型A群溶血性レンサ球菌感染症は，急速に多臓器不全を引き起こし致死率も高い。

3 症　状

　急性期の主な症状は，発熱，下腹部痛，悪臭を伴う悪露，不正性器出血，子宮頸部可動痛や子宮付属器領域の圧痛であるが，必ずしもすべての症状を伴うわけではない。PIDが重症化しDouglas窩膿瘍を形成すると，周辺臓器が巻き込まれ，尿管閉塞，腸閉塞を引き起こし，大量の腹水貯留や麻痺性イレウスを併発して汎発性腹膜炎を呈するようになる。とくに内膜症の既往があると症状は増悪しやすい。また，淋菌，クラミジア感染症ではFitz-Hugh-Curtis症候群を引き起こし，右季肋部痛やMurphy徴候を示すことがある一方で，不顕性感染（silent PID）の場合もある。症例ごとに症状は異なるため注意が必要である。

4 画像検査

　早期のPIDである子宮頸管炎や子宮内膜炎では経腟超音波検査と内診所見で診断を行うこともあるが，炎症の波及の程度を判断するためには造影CT検査やMRI検査が有用である。

　子宮内膜炎では子宮内腔の拡大や液体貯留，また子宮留膿腫を生じると緊満感を伴う液体貯留を認め，筋層よりも強い造影効果を示す子宮内膜肥厚を認めることがある。卵管炎では5mm以上に肥厚した卵管壁の造影増強効果（tubal thickening sign）が特徴的であり，卵管留膿腫をきたすと腸詰様の管腔構造（cog-wheel sign）や卵管のくびれ（waist sign）を認めるようになる（図4）。

　膿瘍内容液は，MRI T2強調画像で高信号，T1強調画像で低信号〜軽度高信号，拡散強調画像で高信号を呈する。fluid-fluid levelを呈することもある。さらに，炎症が骨盤内に波及すると，子宮付属器周囲の脂肪織の混濁や周囲の靱帯・腹膜・腸管壁の肥厚，Douglas窩腹水貯留などを認める（図5）。

5 診　断

　わが国のPID診断基準を表2[9]に示す。性活動のある若年女性が下腹部痛を呈する場合，PIDは疑うべき疾患の一つであり，とくに性感染症既往のハイリスク女性ではPIDとして早期に治療を開始することが勧められる。

6 治　療

　PIDの治療法には，抗菌薬による保存的治療と外科的治療がある。治療のタイミングを逃すと骨盤内癒着によ

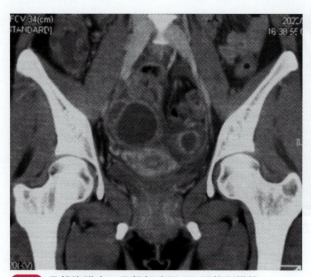

図5 骨盤腹膜炎の骨盤部造影 CT 冠状断構築
両側卵胞壁肥厚，骨盤内腹膜・S 状結腸壁肥厚，腹水貯留を認める

表2 骨盤内炎症性疾患の診断基準

必須診断基準
1. 下腹痛，下腹部圧痛
2. 子宮と付属器の圧痛

付加診断基準および特異的診断基準
1. 体温 ≧38.0℃
2. 白血球増加
3. CRP の上昇
4. 経腟超音波や MRI による膿瘍像確認
5. 原因微生物の培養もしくは抗原検査，遺伝子診断による同定

〔文献9）より引用〕

る異所性妊娠や不妊症などの後遺症を起こす可能性があり，早期の診断・治療開始が望ましい。

一般に，①体温38℃未満，②白血球11,000/μL 未満，③腹膜炎を発症していない，④腸蠕動の低下がない，⑤経口摂取が可能の5項目すべてを満たしている状態であれば外来管理可能である[10]。一方，入院適応となる場合として，①外科的な緊急疾患を否定できない，②妊婦，③経口抗菌薬が無効，④経口抗菌薬投与が不可能，⑤悪心・嘔吐や高熱を伴う，⑥卵管卵巣膿瘍を伴う，があげられる[10]。

抗菌薬は起炎菌に応じて選択する。クラミジアが原因の場合はマクロライド系，キノロン系を選択する。淋菌は現在，経口抗菌薬のみで治療することは推奨されておらず，第一選択薬はセフトリアキソン，スペクチノマイシンである[11]。これらが起炎菌の場合は，パートナーに検査・治療を勧めることも忘れてはならない。そのほかの起炎菌の場合，軽症ではセフェム系やニューキノロン系の内服薬を，中等症では第2世代までのセフェム系，β-ラクタマーゼ阻害薬配合ペニシリン系，アジスロマイシンの点滴静注を，重症では第3世代以降のセフェム系やカルバペネム系の点滴静注，メトロニダゾール併用を選択する[10]。

膿瘍を形成している場合，しばしば抗菌薬に抵抗性を示し，外科的治療が必要になる。経腟的，CT ガイド下洗浄ドレナージ，腹腔鏡下洗浄ドレナージや膿瘍切開，開腹下での洗浄ドレナージ，付属器切除術や単純子宮全摘出術などの手法がある。

卵巣過剰刺激症候群

卵巣過剰刺激症候群（ovarian hyperstimulation syndrome；OHSS）は，排卵誘発などで過剰に刺激された卵巣が，排卵後に腫大することで高エストロゲン血症状態となり，多彩な症状を呈する医原性の疾患である。

1 疫　学

ごくまれに妊娠経過中の自然発生も認めるが，通常は不妊治療に用いる排卵誘発薬が原因となる。経口排卵誘発薬投与例でも数％に発生するが，生殖補助医療による卵巣刺激例では約20％程度に発生する[12)~14)]。発症時期により，hCG 製剤投与後数日以内に発症する早期発症型と，投与後10日以上経ってから発症する晩期発症型に分けられる。前者は卵巣刺激後の hCG 製剤投与がトリガーとなる一方，後者は妊娠に伴う内因性 hCG が要因である。

国内の発症率は，軽症8～23％，中等症1～7％，入院を要する重症は0.8～1.5％，最重症は10万人に1人程度である[12)]。近年の OHSS 予防啓発効果か，中等症以上の発症率は低下傾向である。主なリスク因子を表3[14)]に示す。

2 病態生理

OHSS の病態および症状を図6[14)~17)]に示す。OHSS の主病態は，血管透過性の亢進に伴う血管内からいわゆる third space への体液の移動である。hCG 製剤投与に

表3 卵巣過剰刺激症候群の主なリスク因子

- 若年（35歳以下）
- 痩せ
- 多嚢胞性卵巣症候群
- 抗ミュラー管ホルモン（AMH）高値
- 卵巣過剰刺激症候群の既往
- ゴナドトロピン製剤投与量の増加
- 血中エストラジオール値の急速な増加
- 発育卵胞数増加と生殖補助医療における採卵数増加
- hCG製剤投与量の増加およびhCG製剤の反復投与
- 妊娠成立

〔文献14）より引用して作成〕

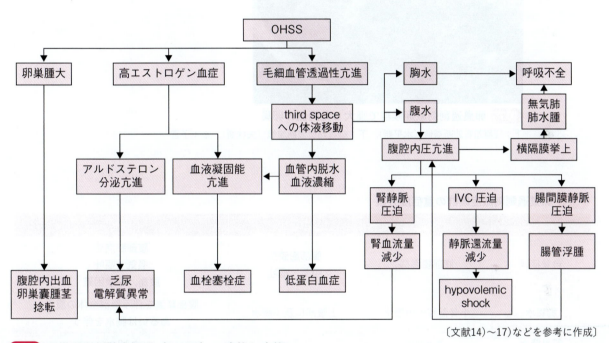

図6 卵巣過剰刺激症候群（OHSS）の病態と症状

〔文献14）〜17）などを参考に作成〕

より顆粒膜細胞における血管内皮増殖因子（vascular endothelial growth factor；VEGF）の発現が増大し，血中VEGF濃度が上昇することが報告されているが，このVEGFが血管透過性亢進と関係していると考えられている[18]。また，排卵誘発薬投与による多卵胞発育は高エストロゲン血症を引き起こし，レニン-アンジオテンシン系を介してアルドステロン分泌を刺激する。これにより，腎でのナトリウムおよび水再吸収が促進される。

3 症状

早期には，血管透過性亢進による胸腹水貯留のため，体重増加，腹囲増加，腹部膨満感，呼吸困難を生じる。また，卵巣腫大も相まって腹部膨満に伴う下腹部痛，悪心・嘔吐が起こる。重症化すると，血管内脱水による血液濃縮，乏尿，循環血液量減少性ショックや血液凝固能亢進により血栓塞栓症など症状が多岐にわたり，最悪死に至ることもある。卵巣腫大が卵巣出血や卵巣嚢腫茎捻転を引き起こすことも忘れてはならない。

4 検査・診断

OHSSは発症時より自覚症状が強く出現するため，比較的発見しやすい。自覚症状に加えて，超音波検査で胸水・腹水の有無や卵巣腫大の程度を，血液検査でHt値，TP，Alb濃度などを把握して診断に努める。腫大した

婦人科領域

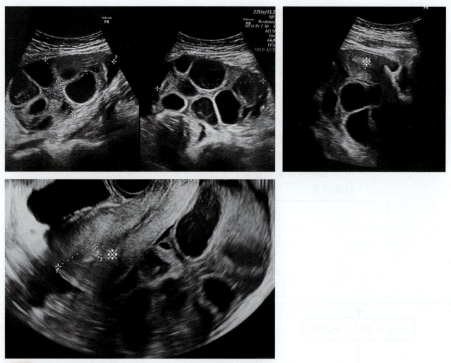

図7 卵巣過剰刺激症候群で腫大した両側の卵巣
上：経腹超音波断層像（水平断），下：経腟超音波断層像（矢状断），※：子宮

表4 卵巣過剰刺激症候群の重症度分類

	軽症	中等症	重症
自覚症状	腹部膨満感	腹部膨満感 嘔気・嘔吐	腹部膨満感 嘔気・嘔吐 腹痛，呼吸困難
胸腹水	小骨盤腔内の腹水	上腹部に及ぶ腹水	腹部緊満を伴う腹部全体の腹水 あるいは胸水を伴う
卵巣腫大	≧6 cm	≧8 cm	≧12 cm
血液所見	血算・生化学検査が すべて正常	血算・生化学検査が 増悪傾向	Ht ≧45% WBC ≧15,000/μL TP <6.0g/dL または Alb <3.5g/dL

〔文献14）より引用〕

1つでも該当する所見があれば，より重症なほうに分類する。卵巣腫大は左右いずれかの卵巣の最大径

卵巣は経腹超音波検査でも診断可能であり，多嚢胞性の卵巣を認める（図7）。重症度は，軽症・中等症・重症の3段階に分類され，管理方針決定の基準となる（表4）[14]。

OHSSは医原性疾患であり，発症予防はもちろんのこと，重症化の可能性を疑う際は高次医療機関への早めの紹介・搬送が望ましい。

5 治療・管理

早期診断・早期対応することで重症化を防ぐことが重要である。ここでは，発症予防法を除き，管理および治療法の概要を示す。治療は大きく，症状緩和，補液管理，血栓予防に分けられる。治療・管理に関する詳細は「重篤副作用疾患別対応マニュアル」を参照されたい[14]。

1）症状緩和

腹部膨満に伴う嘔気・嘔吐には制吐薬を使用する。痛

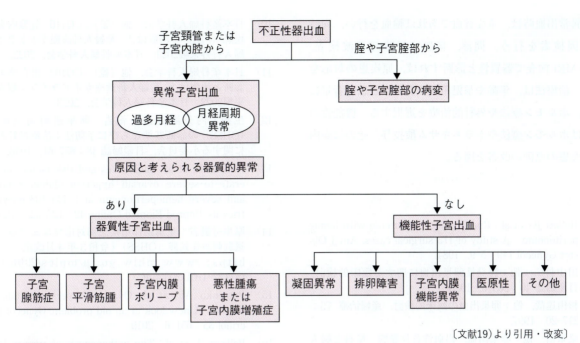

図8 不正性器出血の分類

〔文献19)より引用・改変〕

みはアセトアミノフェンまたはオピオイド系鎮痛薬を使用してコントロールする。非ステロイド性抗炎症薬（NSAIDs）は，プロスタグランジンを介した血管拡張によって腎血流量を低下させるリスクがあり，避けることが望ましい。また，腫大した卵巣による卵巣出血や卵巣囊腫茎捻転が疑われる場合には，卵巣囊腫摘出術，患側付属器切除術などが検討される。妊娠成立後に手術を要する場合は，卵巣欠落状態となり，黄体ホルモン補充を要することもある。

2）補液管理

補液管理が治療のメインである。循環血液量を確保し，血液濃縮の補正と乏尿を改善する血管内脱水の補正には，細胞外液補充液，デキストラン製剤あるいはヒドロキシエチルデンプンまたは25％アルブミン製剤などを用い，Ht値の改善と尿量増加（≧30mL/min）を図る。低アルブミン血症が進行する重症例では，尿量確保のために塩酸ドパミンの使用を検討する。腹水濾過濃縮再静注法も保険適用となる。利尿薬は，十分な血漿膠質浸透圧が確保されないかぎり原則使用しない。

3）血栓予防

血液濃縮補正と過凝固改善が血栓予防のメインである。

著しい血液濃縮（Ht 45％以上，WBC 15,000/μL以上，とくに20,000/μL以上），凝固線溶系の活性化（D-dimer上昇，ATⅢ低下）などを認める場合は，抗凝固療法を

考慮する。とくに肥満，高血圧，糖尿病，血栓症の既往，家族歴などの血栓性素因がある場合や，不育症（プロテインC，プロテインS，ATⅢ，抗リン脂質抗体異常）がわかっている場合には，早めに考慮する[14]。

その他の予防法としては，弾性ストッキング，間欠的空気圧迫法，低用量アスピリン療法，ヘパリン療法，低分子ヘパリン療法，ワルファリン療法などがあげられる。しかし，静脈血栓症例の多くが妊娠成立しているため，ワルファリンは禁忌になり得る。また，静脈血栓症は必ずしも下肢に発症せず，とくにOHSS急性期に深部静脈血栓症発症は少ない。そのため，治療法のメインは低用量アスピリン，低用量未分画ヘパリン療法，ATⅢ補充療法となる。

不正性器出血

性器出血も婦人科緊急疾患の症状である。

月経以外の性器出血は異常であるが，この出血を示す用語は「不正性器出血」「不正出血」「機能性出血」「器質性出血」「異常子宮出血」など数多い。ここでは，非妊娠時の不正性器出血をフローチャート（図8）[19]に沿って示す。

不正性器出血のうち，子宮頸管や子宮内腔からの出血を異常子宮出血といい，そのうち，さらなる失血を防ぐために早急な対応が必要な場合を急性異常出血という。

急性異常出血時は，重症貧血であれば輸血を行い，同時に原因検索を行う．問診，経腹・経腟超音波検査，CT・MRI検査で器質性と診断すれば，原疾患の対応を行う．治療法は，年齢や挙児希望の有無など患者背景により，ホルモン療法や外科的治療を選択する．機能性の場合はホルモン療法やトラネキサム酸投与，そのほか内科的疾患の原因の改善を図る．

▶文　献

1) Hallatt JG, et al：Ruptured corpus luteum with hemoperitoneum：A study of 173 surgical cases. Am J Obstet Gynecol 149：5-9, 1984.
2) 田中哲二, 他：特発性卵巣出血に関する臨床的検討. 日産婦誌 40：263-6, 1988.
3) 杉田達哉, 他：卵巣出血の臨床的検討. 産婦治療 75：217-20, 1997.
4) 梁栄治, 他：卵巣出血, 出血性黄体嚢胞. 産科と婦人科 97：365-70, 2022.
5) Varras M, et al：Uterine adnexal torsion：Pathologic and gray-scale ultrasonographic findings. Clin Exp Obstet Gynecol 31：34-8, 2004.
6) 井浦俊彦, 他：卵巣腫瘍茎捻転の疫学的考察. 産婦人科の実際 45：1247-51, 1996.
7) Sasaki KJ, et al：Adnexal torsion：Review of the literature. J Minim Invasive Gynecol 21：196-202, 2014.
8) Bakken IJ, et al：Incidence of pelvic inflammatory disease in a large cohort of women tested for Chlamydia trachomatis：A historical follow-up study. BMC Infect Dis 9：2334-9, 2009.
9) 日本産科婦人科学会, 他（監）：CQ109 骨盤内炎症性疾患（PID）の診断は？ 産婦人科診療ガイドライン；婦人科外来編2023, 日本産科婦人科学会, 2023.
10) 日本産科婦人科学会, 他（監）：CQ110 骨盤内炎症性疾患（PID）の治療は？ 産婦人科診療ガイドライン；婦人科外来編2023, 日本産科婦人科学会, 2023.
11) 日本産科婦人科学会, 他（監）：CQ102 淋菌感染症の診断と治療は？ 産婦人科診療ガイドライン；婦人科外来編2023, 日本産科婦人科学会, 2023.
12) 生殖・内分泌委員会報告：卵巣過剰刺激症候群（OHSS）の診断基準ならびに予防法；治療指針の設定に関する小委員会. 日産婦誌 48：857-61, 1996.
13) Kuroda K, et al：Incidences and risk factors of moderate-to-severe ovarian hyperstimulation syndrome and severe hemoperitoneum in 1,435,108 oocyte retrievals. Reprod Biomed Online 42：125-32, 2021.
14) 厚生労働省：重篤副作用疾患別対応マニュアル；卵巣過剰刺激症候群（OHSS）（令和3年4月改定）. https://www.mhlw.go.jp/topics/2006/11/dl/tp1122-1r01-r03.pdf
15) Petrenko AP, et al：Ovarian hyperstimulation syndrome：A new look at an old problem. Gynecol Endocrinol 35：651-6, 2019.
16) Pellicer A, et al：The pathogenesis of ovarian hyperstimulation syndrome：In vivo studies investigating the role of interleukin-1beta, interleukin-6, and vascular endothelial growth factor. Fertil Steril 71：482-9, 1999.
17) 生殖内分泌委員会報告：卵巣過剰刺激症候群の管理方針と防止のための留意事項. 日産婦誌 61：1138-45, 2009.
18) Geva E, et al：Role of vascular endothelial growth factor in ovarian physiology and pathology. Fertil Steril 74：429-38, 2000.
19) 日本産科婦人科学会, 他（監）：CQ301 性成熟期女性の不正性器出血における診察上の留意点は？ 産婦人科診療ガイドライン；婦人科外来編2023, 日本産科婦人科学会, 2023.

16 産科領域

山下　智幸

救急診療において，周産期医療との連携のなかで産科疾患を扱うときがある。ここでは，救急科専門医が把握しておくべき産科疾患と，産婦人科医などとの連携にあたり参考となる付加的事項について述べる。心肺蘇生についてはIII章-6（p.90），母体救急の基本事項と妊娠による変化，妊産婦の救急疾患などについてはVI章-2（p.835, 841）を参照されたい。

まず，妊娠第1三半期（初期）と妊娠第2三半期（中期）〜産褥期の産科疾患を取り上げ，その後に産科異常出血（obstetrical hemorrhage）に関連する疾患・病態について解説する。なお，妊娠期間の分類についてはVI章-2-1（p.835）を参照のこと。

【妊娠初期の疾病】異所性妊娠

異所性妊娠（ectopic pregnancy）とは子宮内腔以外に受精卵が着床して起こる妊娠をいい，妊産婦死亡に至る疾患である。着床部位に応じて，卵管（間質部，峡部，膨大部，采部）妊娠，卵巣妊娠，腹膜妊娠，子宮頸管妊娠，帝王切開瘢痕部妊娠に分類される。hCG は陽性であるが精査によっても着床部位が不明な着床部位不明異所性妊娠（pregnancies of unknown location；PUL）も存在する。

1 頻度

全妊娠の1〜2％に発生すると推定される[1]。従来，生殖補助医療による妊娠では発生頻度が2倍に増加するとされていたが，技術の進歩により頻度は有意に低下している[1]。帝王切開瘢痕部妊娠は2,000妊娠に1例程度で，頸管妊娠より頻度は高いと考えられている[2]。

2 診断

激しい腹痛や持続的な腹痛を訴えることが多い。意識消失を主訴に受診することもある。時に性器出血を伴う。頻脈を経て低血圧に至ることも少なくなく，出血性

表1　異所性妊娠を疑うべき所見

妊娠反応陽性かつ以下のいずれかを満たす場合
- 妊娠5週以降であるにもかかわらず，子宮腔内に胎嚢を確認できない
- 子宮腔外に嚢瘤像または胎嚢様構造を認める
- 腹腔内（Douglas窩など）に貯留液を認める
- 出血が疑われる（バイタルサインの異常，貧血，起立性低血圧など）
- 急性腹症

ショックに移行し得る。現在もわが国で死亡例が報告されており[3]，妊娠可能な女性の急性腹症では必ず考慮すべき疾患である。

妊娠反応陽性で子宮内腔に胎嚢を確認できないときには異所性妊娠を疑う（表1）。妊娠反応陽性かつ経腹壁超音波検査でecho-free spaceを認める場合には，異所性妊娠の確実な除外が必要である。正常妊娠の経過中に受診した急性腹症やバイタルサイン異常では，正所異所同時妊娠（heterotopic pregnancy）のこともあるので注意する。

産婦人科医による経腟超音波検査で着床部位を同定し確定診断される。経腟超音波検査でも確定診断できない場合，血中hCG濃度を測定し，1,500〜2,500mU/mLの場合は異所性妊娠を念頭に置き，経過観察入院が必要である。

3 治療

卵管妊娠の場合，腹腔鏡下または開腹手術による卵管切除術が適応になる。挙児希望があり，胎児心拍のない病巣が5cm未満かつ血中hCG濃度≦10,000mU/mLを満たす初回卵管妊娠の場合，未破裂卵管であれば卵管切開術も選択できる。

破裂の所見がなく，血中hCG濃度が1,000mU/mL未満の場合，待機療法も選択肢になる。破裂がなく血中hCG濃度が3,000〜5,000mU/mL未満の場合，保険適用外であるがメトトレキサートによる薬物療法が行われることがある[1]。

表2 妊娠高血圧症候群の分類の概要

臓器障害	高血圧の存在時期	
	妊娠20週以降	妊娠前 or 妊娠前半
臓器障害なし	妊娠高血圧（GH）	高血圧合併妊娠（CH）
臓器障害を伴う	妊娠高血圧腎症（PE）	加重型妊娠高血圧腎症（SPE）

CH：chronic hypertension, GH：de novo gestational hypertension, PE：preeclampsia, SPE：superimposed preeclampsia

【妊娠中期～産褥期の疾病】妊娠高血圧症候群

　妊娠高血圧症候群は，出産後に病状が改善するため，かつては「妊娠中毒症」と呼ばれていたが，高血圧が主徴であり，2005年以降は「妊娠高血圧症候群（pregnancy induced hypertension；PIH）」に呼称が変更された。その後，妊娠後に発生する高血圧に加え，妊娠以前の高血圧なども母子のリスクが高まるため，2017年以降に英語表記が「hypertensive disorders of pregnancy；HDP」に変更され，2018年には分類が改定された。

1 診　断

　妊娠中に高血圧（収縮期血圧140mmHg 以上または拡張期血圧90mmHg 以上）を認めれば HDP と診断できる[4)5)]。妊娠前または妊娠20週未満に高血圧を認めた場合は「高血圧合併妊娠（chronic hypertension；CH）」といい，妊娠20週以降に初めて高血圧を認め分娩12週までに正常血圧に復する場合は「妊娠高血圧（de novo gestational hypertension；GH）」というが（妊娠34週未満の発症は早発型で重症化リスクが高い）[5)]，救急外来ではいずれの場合も HDP ととらえればよい（表2）。

　収縮期血圧が160mmHg 以上または拡張期血圧が110mmHg 以上の場合，HDP の重症型であり入院を要するため[4)]，直ちに産婦人科にコンサルトし，胎児評価や妊娠中断（termination）の要否を検討する。

　HDP では，血液検査を実施し臓器障害を評価する。臓器障害（蛋白尿，肝障害，腎障害，神経障害，血液凝固障害，子宮胎盤機能不全）を伴う場合も入院が必要であり，妊娠高血圧腎症（preeclampsia；PE）または加重型妊娠高血圧腎症（superimposed preeclampsia；SPE）に分類される。いずれの場合も，けいれん，肺水腫，急性腎不全，肝機能障害，脳卒中，DIC，胎児死亡を生じ得て，時に母体死亡に至る。

2 治　療

　MFICU（maternal fetal intensive care unit）における入院管理を要する場合があるため，施設によっては母体搬送が必要になる。母体と胎児の状況によっては，迅速（30分以内を目標）に緊急帝王切開を実施すべき場合もあり，速やかに産婦人科にコンサルトする。

　重症域（160/110mmHg 以上）の血圧は，重症域を脱するように（140～159/90～109mmHg を目標に）ニカルジピンを用いて降圧する[4)]。ただし，過度な降圧は胎児機能不全（non-reassuring fetal status；NRFS）や胎児死亡を招く可能性があるため，胎児モニタリングを準備すべきである。また，子癇予防に硫酸マグネシウムの投与を検討する。

【妊娠中期～産褥期の疾病】子　癇

　妊娠20週以降に初めてけいれん発作を認め，てんかんや二次性けいれんが否定されたものを子癇（eclampsia）という。HDP の関連疾患と考えられている。

1 頻　度

　2,000～3,000分娩に1例とされ，妊娠子癇59％，分娩子癇20％，産褥子癇21％である。初産婦，10歳代妊娠，子癇既往，HELLP 症候群，双胎妊娠がリスク因子と考えられている[6)]。

2 診　断

　高血圧に加えて，頭痛，視覚異常，上腹部痛，嘔気・嘔吐などを認めるときは子癇の前駆症状の可能性があるが，25％は前駆症状なく発症する。HELLP 症候群（11％）や胎盤早期剥離（10％）を伴うことがあるので同時に注意する[6)]。

子癇を疑う状況では妊娠関連脳卒中の可能性を念頭に対応すべきであり，意識障害や神経学的異常所見があれば画像検査を行う。脳卒中やてんかん，感染性髄膜炎・脳炎，外傷，脳腫瘍，代謝異常，全身性エリテマトーデスや血栓性血小板減少性紫斑病などの自己免疫疾患を背景としたけいれんを考慮する。

子癇発作や妊娠高血圧腎症に視野障害を合併する場合に特徴的な画像所見は，MRIで認める後頭葉を中心とした血管原性の一過性脳浮腫（FLAIR高信号，DWI低〜等信号，ADC map高信号）であり，PRES/RPLS（posterior reversible encephalopathy syndrome / reversible posterior encephalopathy syndrome）と呼ばれる。

3 治 療

けいれんを頓挫させるためにジアゼパムやミダゾラムが使用できる。硫酸マグネシウムは子癇の再発予防に有効であるため，硫酸マグネシウム 4gを20分以上かけて静脈内投与し，1g/hrで持続注入する[7]。過量投与によるマグネシウム中毒（腱反射消失，呼吸停止，血圧低下の発生）に注意する。高血圧を伴う場合はニカルジピンで降圧し，脳出血の発生を予防する。

【妊娠中期〜産褥期の疾病】 HELLP症候群

溶血（Hemolysis），肝酵素上昇（Elevated Liver enzymes），血小板減少（Low Platelet）の頭文字からHELLP症候群と命名されている。妊娠高血圧腎症の関連疾患と考えられている。

1 頻 度

単胎妊娠の1%以下に発生する。DIC，子癇，胎盤早期剥離，急性腎不全，肺水腫，肝被膜下血腫を合併し得る。HELLP症候群の70%が妊娠後半に，30%が産褥期に発生する[8]。

2 診 断

妊婦および褥婦が上腹部症状（上腹部痛，心窩部痛，上腹部違和感），悪心・嘔吐，極度の倦怠感を訴えた場合に急性妊娠脂肪肝とともに鑑別すべきである[9]。妊婦・褥婦で胃腸炎を疑うような場合には必ず除外する。

表3 HELLP症候群の診断基準（Sibaiの診断基準）

1. 溶血：異常赤血球の出現，ビリルビン値≧1.2mg/dL，LDH値≧600U/L
2. 肝酵素上昇 AST≧70U/L
3. 血小板減少：血小板＜10万/μL

〔文献10)11)より作成〕
3項目満たす場合に診断，2項目のみの場合はpartial HELLP症候群とする

国際コンセンサスの得られた基準はないが，一般にSibaiの診断基準が用いられる（表3）[10)11)]。partial HELLP症候群の場合は，進行する可能性に留意して検査を反復し評価する。

3 治 療

急速遂娩による妊娠終結が必要である。高血圧を伴うことが多く（80%以上）[9]，HDPと同様に血圧コントロールを行い，子癇予防に硫酸マグネシウムを投与する。

【妊娠中期〜産褥期の疾病】 急性妊娠脂肪肝

急性妊娠脂肪肝（acute fatty liver of pregnancy；AFLP）は病理組織診により確定診断される疾患であるが，臨床的には肝生検はリスクが高いため行われないことが多い。

1 頻 度

6,000〜15,000妊娠に1例程度と考えられている。妊娠28週以降に発症し得るが，平均的には妊娠37週程度とされる[8]。腎不全，肝性脳症，DICを合併し得る。

2 診 断

HELLP症候群を疑う際には同時に鑑別すべき疾患である。時間経過によっては，黄疸，子宮内胎児死亡（intrauterine fetal death；IUFD），昏睡を伴う。凝固障害により肝生検が行えないときに，臨床的にAFLPを診断するためSwansea criteriaを用いることができる（表4）[12)13)]。HELLP症候群に比して，アンチトロンビン活性は減少し，血小板数は多くなる。

産科領域

表4 急性妊娠脂肪肝の臨床的診断基準（Swansea criteria）

臨床症状	1. 嘔吐 2. 腹痛 3. 多飲・多尿 4. 脳症
血液検査	5. 高ビリルビン ＞0.8mg/dL 6. 低血糖 ＜72mg/dL 7. 尿酸値上昇 ＞5.7mg/dL 8. 白血球増多 ＞11,000 /μL 9. 肝酵素上昇 AST かつ ALT ＞42U/L 10. 高アンモニア ＞27.5mg/μL or ＞47μmol/L 11. 腎機能障害 Cre ＞1.7mg/dL 12. 凝固障害 PT ＞14sec or APTT ＞34sec
画像検査	13. 超音波検査 腹水または高輝度肝像
病理検査	14. 肝生検 微小空胞変性（脂肪肝）

〔文献12）13）より作成〕

14項目のうち，6項目以上を満たした場合に診断

3 治療

急速遂娩により妊娠を終結する。肝不全に至れば，肝不全治療と同様に対応する。

【妊娠中期～産褥期の疾病】周産期心筋症

周産期心筋症（peripartum cardiomyopathy）とは，心疾患を指摘されていない妊産婦が妊娠後半から産後に拡張型心筋症に類似した病態によりうっ血性心不全を発症する，原因不明の心筋症をいう。したがって，除外診断により特定される多様な背景を含む症候群として認識すべきである。診断時期は概ね妊娠20週程度から分娩後6カ月以内が一般的である。リスク因子として，妊娠高血圧症候群，多胎，切迫早産治療（リトドリン投与などのβアゴニスト使用歴），高年妊娠が指摘されている[14]。

1 頻度

発症率に関するわが国の調査では20,000分娩に1例程度とされ，国際的にもっとも低い[15]。アフリカ系人種の発症率は高いことが知られ，最大100分娩に1例とする報告がある[14)16]。50～70％で1年以内に臨床的心機能が正常化するが，5～10％程度の症例で重症化が認められ，心臓移植を要する症例や妊産婦死亡に至る症例も存在する。死亡率は5％未満と考えられている[14]。

表5 周産期心筋症の診断基準

1. 妊娠中から分娩後6カ月以内に新たに心収縮機能低下・心不全を発症
2. ほかに心収縮機能低下・心不全の原因となる疾患がない
3. 発症まで心筋疾患の既往がない
4. 左室収縮機能の低下（LVEF ≦45％）

〔文献14）より引用〕

2 診断

妊産婦では，健常な状態であっても浮腫や息切れ，動悸，倦怠感，体重増加などの心不全徴候に似た症候が出現し得る。病歴聴取を丁寧に行って異常な病態を見極め，周産期心筋症を鑑別する。ほかの心疾患にも留意して，家族歴などを確認する。労作時呼吸困難はその程度を慎重に確認し，安静時呼吸困難，発作性夜間呼吸困難，起坐呼吸を確認する。

心不全に関連した症状や徴候を認める場合は，積極的に心エコー検査を実施すべきである。左室拡張末期径（LVDd）≧60mmと左室駆出率（LVEF）＜30％は予後不良に関連しているとする報告がある[17]。

国際的に画一的な診断基準は定まっていないが，国内の標準的な診断基準を表5[14]に示す。胸部X線検査や血液検査，12誘導心電図を施行する。特異的な心電図所見はないが，不整脈や経時変化に注意する。時に致死性不整脈も出現する。QRS幅が120ms以上は死亡予測因子とされている[18]。二次性心筋症の除外のために心筋生検が行われることがあるが，病理学的には拡張型心筋症に類似し，特異的な所見はない。

3 治療

通常の心不全治療に準じ，血行動態と臓器灌流の安定化・酸素化を図る。重症例ではV-A ECMOなどを用いた循環補助を考慮する。うっ血所見に対しては，利尿薬と血管拡張薬，非侵襲的陽圧換気を実施する。

妊娠中の場合，周産期心筋症の病態と妊娠週数を考慮し，緊急帝王切開術による妊娠終結時期を判断する必要がある。褥婦の場合，授乳がLVEFの改善と関連していたとの報告[19]から，臨床的に安定しているのであれば授乳が積極的な禁止とはされないが，母体の負担となる場合は断乳を検討する。

> **表6** 羊水塞栓症の診断基準（米国産婦人科学会）

- 突然の呼吸・循環停止，または血圧低下（＜90mmHg）と呼吸不全（呼吸困難，チアノーゼ，SpO_2＜90％）の両方を伴う
- 妊婦の overt DIC（出血する前に出現している必要があり，希釈性・消費性凝固障害とは異なっているもの）
- 分娩中または胎盤娩出後30分以内に発症している
- 体温38℃以上の発熱がない

〔文献21)25)より作成〕

> **表7** 妊婦の overt DIC の診断基準（世界血栓止血学会）

点数	0	1	2
血小板（/μL）	＞10万	＜10万	＜5万
PT-INR	＜1.25	1.25〜1.5	＞1.5
Fbg (mg/dL)	＞200	＜200	

3点以上で診断　　　　〔文献25)より引用〕

【妊娠中期〜産褥期の疾病】羊水塞栓症

羊水塞栓症（amniotic fluid embolism；AFE）は妊産婦が突然心停止する原因になり得るが，蘇生中に確定診断することは不可能であり，臨床診断に基づき対応せざるを得ない。また，国際的な分類と日本産科婦人科学会における分類に差異があるため，文献をあたる際には注意を要する。ここでは，まず国際的な分類を述べ，後半にわが国の分類について触れる。

正常分娩でも母体循環に羊水や胎児成分が流入しているが，何らかの理由で全身性炎症反応（systemic inflammatory response syndrome；SIRS）に類似した反応が起き，肺血管収縮と肺高血圧に伴って右心不全となり，心室中隔偏位と右室梗塞に引き続く左心不全により肺水腫とショック状態を呈すると考えられている[20)21)]。わが国では，アナフィラクトイド反応が関連し補体系・凝固系・キニン系が活性化され，血管透過性の亢進により肺水腫や子宮間質浮腫，弛緩出血に至るとされる[22)23)]。

1 頻度

発生率は40,000分娩に1例で，死亡率は20〜60％とされる[24)]。

2 診断

国際的な AFE の診断基準を**表6**[21)25)]に，妊婦の overt DIC の診断基準を**表7**[25)]に示す。

劇的に発症して，けいれんや呼吸器症状から心停止に至る。特異的な臨床検査は存在しないが，わが国では血清学的補助診断（日本産婦人科医会/羊水塞栓症登録事

> **表8** わが国における臨床的羊水塞栓症診断基準

1. 妊娠中または分娩後12時間以内に発症した
2. 以下のいずれかに対し集中治療が行われた
   - 心停止
   - 分娩後2時間以内の原因不明の大出血（1,500mL 以上）
   - DIC
   - 呼吸不全
3. 所見や症状がほかの疾患で説明できない

〔文献22)より引用・改変〕

これらすべてを満たす場合に診断。ただし，この基準はあくまで早期に治療を行うためにあり，基準を満たすものに羊水塞栓症以外のものが含まれる可能性がある

業）が行われており，発症直後に採血した全血をアルミホイルで遮光した生化学用スピッツに入れて，遠心分離後に−20℃で凍結したものを送付することで検査が可能である。後日判明する亜鉛コプロポルフィリン1（Zn-CP1，＞1.6pmol/L）と Sialyl Tn（STN，＞47U/mL）により胎児成分の流入が間接的に証明できる。

わが国では，羊水塞栓症の臨床的診断基準（**表8**）[22)]が存在するが，除外診断であることに留意する。とくに，重症の弛緩出血，子癇，アナフィラキシー，敗血症，肺塞栓症，心筋梗塞，心筋炎，吐物による化学性肺臓炎，局所麻酔薬中毒や全脊髄くも膜下麻酔などを除外すべきである。

また，わが国では，臨床的羊水塞栓症診断基準に基づき，心停止と呼吸不全を主体とするものは「心肺虚脱型羊水塞栓症」，出血と DIC を主体とするものは「子宮型羊水塞栓症」に細分類される。摘出子宮の病理検査で，子宮間質浮腫に子宮血管内の羊水成分または炎症細胞浸潤や免疫染色によるアナフィラクトイド反応の所見があれば，子宮型羊水塞栓症と診断される。死後の病理解剖で肺内に羊水胎児成分の存在を認めれば，心肺虚脱型羊水塞栓症と考えられる。

産科領域

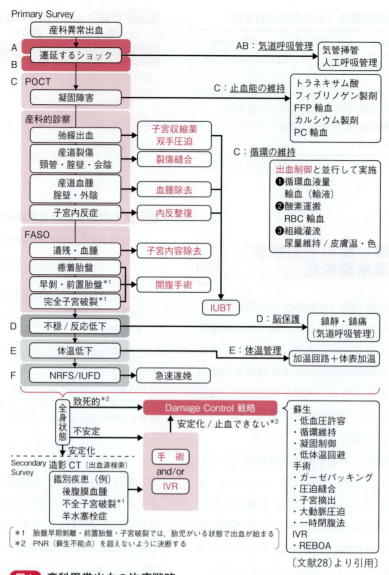

図1 産科異常出血の治療戦略

〔文献28）より引用〕

3 治療

　羊水塞栓症に対する特異的な治療はない。妊娠中に心停止に至った場合は妊婦蘇生を実施するが，用手的子宮左方移動や母体蘇生のための帝王切開が必要になる（p.90参照）。経腟分娩が可能な状況では器械分娩が選択されることもあり得る。多くが大量出血を伴うため，後述する産科危機的出血と凝固障害の項を参照されたい。集学的な治療が困難と考えられれば，早期に高次施設に搬送する。

分娩後に発生する。前述した羊水塞栓症も産科異常出血に移行し得る。分娩時に出血により生命危機にさらされるのは250人に1人とされ[26]，救急医は院内急変や分娩取り扱い施設からの転院搬送で産科異常出血に対応することが期待されている[27]。出血制御と凝固線溶制御を並行した全身管理が重要であるが，産科異常出血の鑑別診断と止血戦略を大まかに把握しておくことで，外傷の出血性ショックに準じて対応できる。産科異常出血の鑑別と治療の流れを図1[28]に示す。以下，産科異常出血となる疾患・病態について解説する。

産科異常出血の概要

　妊娠中に出血を生じる胎盤早期剝離と前置胎盤を除けば，多くの産科異常出血（obstetrical hemorrhage）は

【産科異常出血】産科危機的出血

　分娩後異常出血（postpartum hemorrhage；PPH）は，分娩後24時間以内に500mL以上出血した場合をいい，

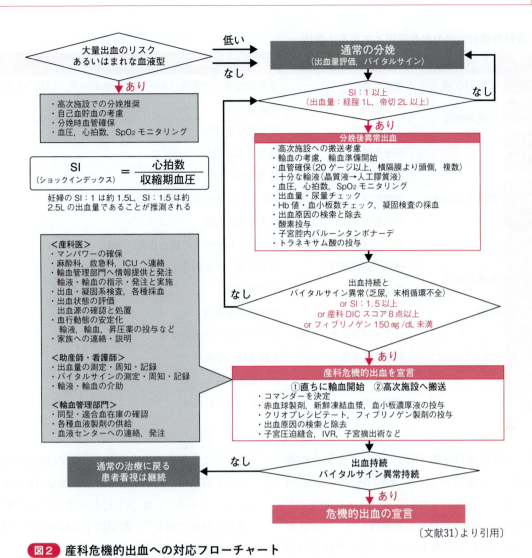

図2 産科危機的出血への対応フローチャート

〔文献31）より引用〕

1,000mL以上の出血をsevere PPHという（WHO基準）[29]。分娩時の出血量は過小評価されやすいことが知られており[30]，単に出血量のみで重症度を推定せず，バイタルサインや身体所見などを加味して判断する。

わが国では重症あるいは制御困難なPPHを含む産科異常出血を「産科危機的出血（critical obstetrical hemorrhage）」と呼称し，「産科危機的出血への対応指針」が定められている（図2）[31]。産科異常出血で生じやすい凝固障害を早期に発見し，輸血の遅延を回避し，全身管理と確実な止血が可能な高次施設への搬送が促されている。

1 頻度

2010〜2021年の妊産婦死亡517例のうち，産科危機的出血は93例（18％）であり，直近11年間の最大の死因である[3]。

2 診断

産科危機的出血では，出血原因を鑑別し止血戦略を決定する必要がある。鑑別は"4Ts"，すなわち，Tone（子宮の収縮），Trauma（子宮・産道の損傷），Tissue（遺残），Thrombin（凝固障害）に整理できる（表9）。出血原因が複数存在することも少なくないため，産婦人科医に出血原因の鑑別を随時確認しつつ，重症化とともに新たに出現し得る腹腔内出血や後腹膜血腫に注意する。

3 治療

出血性ショックに対する全身管理は外傷治療に準じる。止血戦略の詳細は原因ごとに後述する。遷延するショックでは気道・呼吸管理を実施し，十分な補充療法により酸素運搬量を維持する。

凝固線溶系の制御については後述するが，輸血は赤血

表9 産科危機的出血の出血原因と主たる止血法

分類		原因	止血法
Tone	子宮の収縮	弛緩出血	子宮収縮薬，子宮内バルーンタンポナーデ，TAE，子宮摘出術
Trauma	子宮の損傷	子宮破裂	開腹止血術
		子宮内反症	子宮内反整復術
	産道下部の損傷	頸管裂傷	縫合止血，TAE
		腟裂傷	縫合止血，TAE
		腟壁血腫	切開・ドレナージ，縫合止血，TAE
		会陰裂傷	縫合止血，TAE
		外陰血腫	切開・ドレナージ，縫合止血，TAE
Tissue	組織の遺残	胎盤・卵膜遺残	用手剝離，子宮内容除去術
		癒着胎盤	子宮摘出術
	血腫	血腫貯留	子宮内容除去術
Thrombin	凝固障害	低フィブリノゲン血症	フィブリノゲン製剤投与
		凝固因子欠乏	新鮮凍結血漿投与
		血小板減少	血小板製剤投与
		線溶亢進	トラネキサム酸投与

球液（RBC）：新鮮凍結血漿（FFP）を1：1以上が推奨されるが[32]，各施設のMTP（massive transfusion protocol）を活用・共有して対応する[33]。フィブリノゲン製剤が使用できるようになった現在は，フィブリノゲン1gがFFP 4単位に相当するため，RBC単位数の約2倍のFFP単位数から減量を考慮する。

出血速度の速い産科危機的出血では，病態の立て直しに急速輸血が不可欠である。ローラーポンプを備えるSL One®や，加圧機能のあるレベル1®システム1000を用いることが望まれる。

心停止が切迫した状態であれば，根本治療への橋渡しとしてREBOA（resuscitative endovascular balloon occlusion of the aorta）が選択肢になる。産科危機的出血は腎動脈下の腹部大動脈内でバルーン閉塞を実施するよい適応であるが，腎動脈分岐部直下の腹部大動脈や時に腎動脈から分岐する卵巣動脈の血流に注意する。REBOAに並行して根本治療として経カテーテル的動脈塞栓術（transcatheter arterial embolization；TAE）や開腹止血術（最終的には子宮摘出術）を計画する。

【産科異常出血】凝固障害

凝固障害とDICは病態が異なっていてもしばしば同義語として用いられ，わが国では「産科DIC」と表現されることもある。産科異常出血で最初に生じる凝固障害の主病態は，低フィブリノゲン血症（hypofibrinogenemia）である[34]。かつて行われていた抗DIC療法は推奨から外れており[31]，凝固因子の補充やトラネキサム酸の投与が重要である。

1 頻度

分娩の0.35%程度に生じるが[35]，救命救急センターなどに転院搬送される重症例では凝固障害の合併が少なくない。輸液やRBC輸血により希釈性凝固障害（dilutional coagulopathy）が生じ[36]，産科特有の胎盤早期剝離や羊水塞栓症では消費性凝固障害（consumptive coagulopathy）を引き起こす[20]。そのほか，線溶亢進（hyperfibrinolysis），イオン化カルシウム（ionized Calcium；iCa）の低下，アシドーシス，低体温に関連した凝固障害が発生し得る[37,38]。

2 診断

フィブリノゲン値は近年，血液凝固分析装置（Fib-Care®）により測定が可能になった。凝固検査用採血管（クエン酸ナトリウム含有）からのピペット操作により，2分程度でフィブリノゲン値を把握できる。妊産婦は

フィブリノゲン値が300〜600mg/dLまで上昇しており[39)40)]，基準値の解釈に注意する。フィブリノゲン低値は重症化に関連し，フィブリノゲン値が150mg/dL未満の場合，止血はきわめて困難になる[41)]。血液粘弾性検査（ROTEM sigma®，TEG 6s®，Sonoclot®）を用いれば凝固機能と線溶亢進の評価が可能である[42)]。

血算により血小板数を確認する（管理目標50,000/μL以上）。急速大量輸血では輸血用血液製剤に含まれるクエン酸の代謝が追いつかないため，血中に残存するクエン酸がiCaと結合し，低iCa血症をきたす。iCaは血液凝固第Ⅳ因子であるとともに，子宮収縮にも重要であり[43)]，血液ガス分析装置によりiCa値（管理目標1.0mmol/L）をモニタリングする。

3 治 療

1）線溶制御

「産科危機的出血への対応指針2022」では，トラネキサム酸の投与が推奨されている[31)]。出血を認めたときにトラネキサム酸 1gを静脈投与し，30分後にも出血が持続している（あるいは24時間以内に再出血を認める）場合にトラネキサム酸 1gを追加投与することで，有害事象（肺塞栓症，脳梗塞，心筋梗塞，臓器障害，敗血症，けいれんなど）の増加なく出血死亡リスクを低下させることがRCTで確認され，PPH全般でトラネキサム酸は有効とされている（WOMAN trial）[44)]。出血を認めてから3時間以内の投与が重要であり，投与が15分遅延するごとにトラネキサム酸の有効性が10％低下する[45)]。

2）凝固因子の補充

FFPにより補充するが，RBC：FFPの比は1：1〜2.5単位を参考にする[32)]。遺伝子組換え活性型血液凝固第Ⅶ因子（rFⅦa）製剤が有効とする報告[46)]もあるが，わが国では保険適用外である。

3）フィブリノゲンの補充

FFPにより凝固因子全般の補充は可能であるが，フィブリノゲンの十分な補充は難しい。フィブリノゲン値150mg/dL未満では，フィブリノゲン製剤が効果的である[47)]。フィブリノゲン製剤は2021年9月以降，周産期母子医療センターまたは大学病院に限り全数登録を前提として産科危機的出血に保険適用となっている[48)49)]。フィブリノゲン製剤 3gの投与によりフィブリノゲン値が100mg/dL程度上昇することを参考に投与量を決定する。院内でクリオプレシピテートを作製している場合，フィブリノゲン製剤 3gはFFP 12単位から作製したクリオプレシピテートに相当する。

4）低iCa血症の是正

塩化カルシウムやグルコン酸カルシウムを用いて補正する。経験的には血液製剤1単位当たりカルシウム製剤1mL程度の補充量を要する[28)]。

5）体温管理

急速大量輸血では十分な加温性能をもつ回路を用いる。加温水槽にコイル状チューブを挿入する装置は十分な加温ができない。体表加温を併用することも検討する。

6）血小板補充

血小板数が50,000/μLを下回らないよう管理し，必要に応じて血小板製剤（PC）を投与する[50)]。

【産科異常出血】弛緩出血

正常分娩では児を娩出すると引き続き子宮収縮が起こり，胎盤が子宮から自然に剥離される。子宮の胎盤剥離面のらせん動脈断裂部は子宮収縮に伴って子宮筋に圧迫され止血されるが，これを生物学的結紮と呼ぶ。弛緩出血（uterine atony）は，子宮収縮不全によりこの生物学的結紮がなされないために発生する異常出血である。妊娠末期の子宮血流量は700〜900mL/minであり[51)]，出血速度が速いので注意する。

1 頻 度

弛緩出血は全分娩の5％に発生する[52)]。過伸展した子宮（多胎妊娠，羊水過多，巨大児）や陣痛・分娩の異常（急速遂娩，微弱陣痛，遷延分娩），弛緩出血の既往は，弛緩出血のリスクになる[20)]。繰り返し発生することがあるため，弛緩出血の既往に注意する。

2 診 断

分娩後の子宮底は通常，臍下2〜3横指で弾性硬であるが，弛緩出血では軟化し子宮底が上昇するため腹部触診で診断できる。内診では子宮内腔の拡大を伴い，超音波検査では子宮内腔に血液貯留所見を認める。

3 治 療

出血を認めたら速やか（3時間以内）にトラネキサム

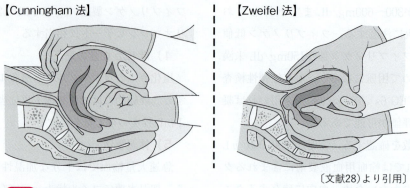

図3 双手圧迫の方法

Cunningham法：腟内に挿入した手拳で子宮頸部前腟円蓋側を圧迫し，腹壁上の他手で子宮後面を圧迫する方法
Zweifel法：腟内に挿入した手で子宮頸部（前後腟円蓋）を輪状につかみ圧迫し，他手で腹壁上から子宮体部を前屈させて恥骨部分に向かって強く圧迫させる方法

〔文献28）より引用〕

酸を投与する[44]。子宮収縮を促す目的で，子宮底輪状マッサージは有用である。子宮収縮が不良である場合，双手圧迫を実施し（図3）[28]，出血スピードを減じながら補充療法とほかの止血手段の準備を並行して実施する。

子宮収縮薬の第一選択はオキシトシンである。一般に1〜20U/hr相当が投与されるが，効果は用量依存性ではなく，概ね15U/hr以下で十分と考えられている[53]。オキシトシン受容体は急速に脱感作されるため，過度な投与は避ける。オキシトシンのボーラス投与は3Uにとどめ，低血圧を誘発しないようにする[54]。

オキシトシンが有効でない場合，第二選択としてエルゴメトリン 0.2mgを2〜4時間ごとに静注・筋注するが，高血圧を誘発し得るため妊娠高血圧症候群の患者には慎重に投与し，冠動脈攣縮に注意する。プロスタグランジン $F_2\alpha$ を $0.1\mu g/kg/min$ で投与することも選択肢であるが，わが国では保険適用外であることと，気管支喘息発作を誘発し得ることに注意する[52]。

子宮内バルーンタンポナーデ（intrauterine balloon tamponade；IUBT）を実施することも推奨される[55,56]。子宮内バルーンは産婦人科医による挿入が一般的であるが，バルーンに注入する蒸留水が350mLを超える場合や，挿入後も出血が多い場合は次の止血手段に移行する[57,58]。TAEも有効であるが[59]，子宮動脈塞栓後にも側副血行路（表10）から出血を認めることがある。

外科的介入として，子宮圧迫縫合（uterine compression suture）が可能であるが[60-63]，詳細は成書を参照されたい。効果がない場合には最終的に子宮摘出術による止血を図る。高度な凝固障害や低体温症を伴う場合にはダメージコントロール手術も選択肢になり得る。

表10 産科異常出血に関連する内腸骨動脈以外の分枝

- 卵巣動脈
- 外腸骨動脈分枝
  　下腹壁動脈/外腸骨動脈→子宮円索動脈
  　深大腿動脈分枝，深外陰部動脈，腸骨回旋動脈
- 下腸間膜動脈分枝
  　上直腸動脈
- 腰動脈
- 正中仙骨動脈

【産科異常出血】産道損傷

産道は，子宮，子宮頸部，腟壁，会陰部で構成される。陣痛や分娩による損傷は，外出血を伴う裂傷と外出血を認めない血腫に分けられ，ここでは産道損傷（birth canal injuries）のうち，まず下部産道裂傷（lower genital tract lacerations）を部位ごとに取り上げ，次に産褥血腫（puerperal hematomas）について述べる。いずれも腟内ガーゼによるパッキングが有効なことがあり止血戦術として重要であるが，生命を脅かす出血になることがあるため注意する。

1 頸管裂傷（cervical laceration）

外子宮口から子宮頸部に及ぶ裂傷をいう。急激な分娩の進行や吸引・鉗子分娩などで生じやすい。3時と9時の側壁が好発部位で，裂傷の多くは縦走する[64]。まれであるが，子宮頸部に輪状の裂傷を生じ，腟壁から子宮頸

部が切断されることがある。頸管裂傷が子宮下部や腟壁に延長することもあり，子宮動脈やその分枝の損傷，子宮からの腹腔内出血や後腹膜血腫に至ることがある。

1）診　断

子宮収縮が良好であるにもかかわらず，分娩直後から鮮紅色の持続出血を認める場合に疑う。腟鏡診により出血部位を直接確認し診断する。頸管裂傷が1cm以内であれば縫合は必要なく自然治癒するが，出血量が多い場合は縫合を要する。内診（Gruber法）により診断が可能なこともある。

裂傷が腟円蓋部に達する場合は，不全子宮破裂を合併していることがあるため，造影CTにより後腹膜への出血を検索する。

2）治　療

腟鏡を用いて視野を展開し，頸管把持鉗子で子宮頸部を把持牽引したうえで，頸管壁全層を2-0吸収糸により縫合間隔1cm，縫合幅0.5〜1cmで縫合するが，裂傷上端よりも頭側から頸管壁全層を縫合することで退縮した断裂血管の止血を図る。

2 腟壁裂傷（vaginal laceration）

1）診　断

頸管裂傷と同様に，子宮収縮が良好であるにもかかわらず持続出血を認める場合に疑う。腟鏡診により出血部位を直接確認し診断される。裂傷の上端と裂傷の深さを確認する。裂傷上端が腟円蓋部に近い場合，不全子宮破裂を合併していることがあるため，バイタルサイン異常を伴う場合には造影CTにより後腹膜への出血を確認する[65]。

2）治　療

2-0または3-0吸収糸を用い，死腔をつくらないように縫合する。動脈性出血を認める場合はZ縫合止血が選択肢になる[66]。裂傷上端よりも0.5〜1cm奥から縫合し，断裂血管が奥に退縮している場合にも止血が行えるようにする。裂傷が腟円蓋に達する場合，腟円蓋部への移行部を縫合し，縫合糸を牽引しながら腟円蓋と頸管・腟壁を縫合する。

縫合処置を行っても出血が持続する場合や縫合自体が困難な場合，静脈性出血であればヨードホルムガーゼを充塡し圧迫止血が可能なことがある。動脈性出血はヨードホルムガーゼを充塡したうえでTAEにより止血する。

3 会陰裂傷（perineal laceration）

1）診　断

直腸診を実施し，直腸の粘膜損傷を見逃さないことが重要である。

2）治　療

2度裂傷までは腟壁裂傷と同様に縫合する。3〜4度裂傷は肛門括約筋の修復を要し，4度裂傷は直腸粘膜の修復を要する。肛門括約筋の修復後は便失禁などを1年後も20〜40％認めるとする報告がある[67]。時に人工肛門を要する例もある。治療に関する詳細は成書を参照されたい。

4 腟壁血腫（vaginal hematoma）

産褥血腫では一般に血腫の増大に伴って疼痛を認めるが，無痛分娩では気づきづらい。器械分娩（吸引分娩や鉗子分娩）に伴い発生する場合に加え，遷延分娩，軟産道強靱，凝固障害などが発生リスクになる[68]。

産褥血腫のうち，尿生殖隔膜（深会陰横筋とその筋膜）よりも頭側に発生した腟壁周囲の血腫を腟壁血腫という。腟壁裂傷の縫合後に止血が不十分な場合にも発生する。腟傍結合組織を上方に進展して広間膜の前葉と後葉の間にまで広がり，外出血を認めないにもかかわらず出血性ショックに至ることもある。肛門挙筋よりも頭側の血腫はリスクが高い。また，後腹膜への出血に至る場合は重篤化しやすい一方で，診断と治療が遅れがちである。

1）診　断

骨盤の圧迫感や疼痛，排便感，膀胱刺激症状を認めるときには腟壁血腫を鑑別する。内診で腫瘤様に触れ，経腟超音波で腟粘膜下に血腫をみることで診断される。増大傾向を認めれば造影CTを実施し，血管外漏出像を確認する。血管外漏出像を伴う場合にはTAEの適応である。

2）治　療

血腫が小さく増大を認めなければヨードホルムガーゼを腟内に挿入し，強圧タンポナーデにより保存的治療が可能である[68]。増大傾向あるいは疼痛が著明な場合，血腫部位を切開し血腫を除去・洗浄したうえで，動脈性の出血は結紮止血する。静脈性の出血点同定が困難な場合，Z縫合により止血が試みられるが，盲目的な運針による血管や近傍の臓器損傷に注意する。ドレーンを留置して縫合し，腟内にヨードホルムガーゼを充塡し圧迫止血を

図る．外科的介入が困難で，血管外漏出像を伴う場合はTAEが選択される．

5 外陰血腫（vulvar hematoma）

尿生殖隔膜（深会陰横筋とその筋膜）よりも尾側に発生した血腫を外陰血腫あるいは会陰血腫という．

1）診　断

会陰部に疼痛を訴える場合に疑う．視診により膨隆した血腫を認めれば診断が可能である．内診や直腸診で有痛性硬結を認める．超音波検査はサイズを評価するのに有用であるが，増大傾向を認めれば造影CTを実施し，血管外漏出像を確認する．

2）治　療

腟壁血腫と同様に治療する．血腫除去および止血・縫合にあたり，疼痛コントロールが難しい場合も多く，脊髄くも膜下麻酔や全身麻酔も検討される．

【産科異常出血】子宮破裂

子宮破裂（uterine rupture）とは子宮に裂傷を起こしたものであり，母児ともに致死的な経過をたどり得るため，迅速な診断と時機を逸しない治療が重要である．救急領域では妊娠中の外傷に加えて，子宮の手術歴がある妊婦が突然腹痛を発症した際には子宮破裂を鑑別する．

子宮壁全層と子宮漿膜が破断し子宮内腔と腹腔が交通した完全子宮破裂（complete uterine rupture）と，子宮漿膜や子宮広間膜に裂傷が及ばず子宮腔と腹腔が交通しない不全子宮破裂（incomplete uterine rupture）に分類される[65]．

1 頻　度

2,500～5,000分娩に1例とされるが[69)70)]，実際の発生率は患者背景などに大きく影響される．過去の子宮損傷や子宮奇形など子宮に原因が存在する続発性子宮破裂と，子宮に瘢痕のない状態で発生する原発性子宮破裂に分けられ，いずれの場合も突然発生する（表11）[20]．原発性子宮破裂は子宮下部に好発するが，自然破裂は15,000分娩に1例とまれである[65]．

表11　子宮破裂の原因

続発性子宮破裂
- 既往帝王切開
- 子宮筋腫核出術後
- 卵管角切除術後
- 子宮破裂の既往
- 損傷歴（流産処置，外傷）

原発性子宮破裂
- 自然子宮破裂
- 外傷性（鈍的，穿通性）
- 強い子宮収縮（過強陣痛，分娩誘発）
- 外回転術
- 子宮筋の過伸展（羊水過多，多胎妊娠）
- 分娩中の圧迫（クリステル胎児圧出法）
- 胎盤用手剥離
- 癒着胎盤
- 子宮腺筋症，妊娠性絨毛疾患

〔文献20）より引用・改変〕

2 診　断

特異的な症状はなく，出現する症候も一定ではないが，急激な強い腹痛，出血，胎児徐脈，バイタルサインの異常が生じることが多い．完全子宮破裂では，腹部超音波検査により腹腔内のecho-free spaceや胎児が子宮外に脱出した状態を確認でき診断は容易である．一方，不全子宮破裂では後腹膜血腫となり，診断が困難なことも少なくない．

3 治　療

胎児救命には緊急帝王切開が必要である．完全子宮破裂から20分までは，1分経過するたび死産・新生児死亡が10％増加し，健常児が5％減少して，30分を超えると死産・新生児死亡のリスクは有意に増加する[71]．重度の神経学的障害のリスクも高まる．母体は出血性ショック，危機的出血に移行するため，産科危機的出血と同様に対応する．子宮の裂傷が軽微であれば修復が可能であるが，裂傷が大きければ止血を目的とした子宮摘出を要する．

【産科異常出血】子宮内反症

子宮内膜面が外方に反転し，子宮底は陥没あるいは下垂反転した状態を子宮内反症（uterine inversion）という．時に子宮内壁が腟内や外陰に露出する．内膜面は過

伸展し，胎盤の剥離面から大量に出血するため致死的経過をたどり得る。

1 頻度

2,000〜20,000分娩に1例程度と考えられている[20]。明確な原因は不明であるが，子宮底部の胎盤付着や，子宮弛緩，癒着胎盤，胎盤剥離前の臍帯牽引が影響すると考えられている。

2 診断

子宮の内反と同時に強い腹痛を生じることが多い。視診や腟鏡診により腟内や腟外に脱出した内反子宮の内膜面を認めることがある。腹部触診で子宮底が触れず，内診により腫瘤を触知すれば子宮内反症である可能性がある。

経腹壁超音波検査により，子宮のinside out, upside down像を認めれば，子宮内反症を確定診断できる（図4）。

3 治療

子宮を整復することが目標であるが，急激な出血に備えて人を集め，補充療法に必要な輸血用血液製剤を十分に確保する。

用手的整復は，子宮底部を手掌（Johnson法）ないしは手拳や指先（Harris法）により行う。子宮が完全に収縮していなければ腟壁の長軸方向に押し上げることで整復できる[72]。このとき，指先で過剰な圧を加えて子宮穿孔を起こさないように注意する。子宮収縮により整復は困難になるため，子宮収縮薬は中止すべきである。また，子宮を弛緩させ整復する場合，ニトログリセリンを20〜100μg投与するとよいが，循環血液量が低下した状態では重篤なショックに移行し得るため注意する。十分な鎮痛・鎮静により整復が行いやすくなることがある。発症から時間が経過している場合など状況によっては全身麻酔が必要になり，手術室で整復する。セボフルランの吸入により子宮が弛緩し整復が可能になることもある。

内反整復後には再発に注意し，観察を怠らないようにする。内反を繰り返す場合には子宮内バルーンの挿入を検討する。子宮整復後から弛緩出血に移行し得るため，

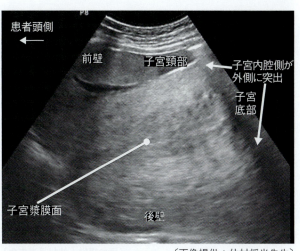

〔画像提供：仲村将光先生〕

図4 子宮内反症のinside out, upside down所見

内反に伴って子宮内腔が外側に突出し，子宮漿膜面が接している（inside out）。通常，画面左側を母体頭側とするが，子宮底部が子宮頸部側の画面右側に描出され（upside down），プローブを当てる方向を誤ったと誤認しないように注意が必要

子宮収縮薬を遅延なく投与する。

用手的な整復が困難であれば観血的整復に移行し，開腹下で円靱帯や卵巣固有靱帯を牽引し陥凹した子宮底部を頭側に引き上げる方法（Huntington法）や，子宮後壁を縦切開し内反部分を引き上げる方法（Haultain法）が実施される。

> 【産科異常出血】
> 胎盤卵膜遺残

子宮腔内に妊娠付属物（胎盤・卵膜などの妊娠組織）の一部または大部分が娩出されずに残留している状態を胎盤卵膜遺残（retained placenta）という。分娩第3期（児娩出から胎盤娩出まで）は，初産婦で20〜30分，経産婦で10〜20分とされるが[73]，その間に通常は子宮収縮に伴って胎盤などの妊娠付属部は子宮から自然に剥離し娩出される。しかし，胎盤が子宮内膜との付着が強い場合や癒着している場合に遺残し，出血の原因になる。

1 診断

超音波検査で，分娩直後には低輝度の腫瘤性病変として認められるが，時間経過により高輝度・不均一な腫瘤に描出される（図5）。

癒着胎盤を除外する必要がある。癒着胎盤は胎盤の絨毛が浸潤する程度により，単純癒着胎盤（accreta, 子宮筋層表面に付着），侵入胎盤（increta, 筋層内に浸潤），

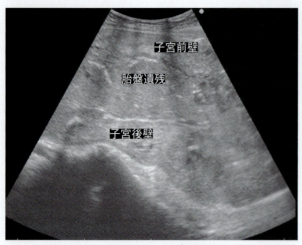

図5 胎盤遺残の超音波検査所見
子宮内腔に腫瘤が描出されている。本例は鉗子により遺残した胎盤の摘出が可能であった
〔画像提供：仲村将光先生〕

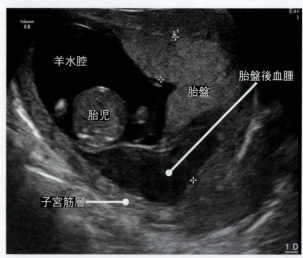

図6 胎盤後血腫の超音波検査所見
通常，胎盤は子宮壁に連続し付着しているが，本例では胎盤と子宮壁の間に低輝度の間隙を認め，血腫を確認できる
〔画像提供：仲村将光先生〕

穿通胎盤（percreta，子宮漿膜や周辺臓器まで浸潤）に分類されるが，超音波検査のみでは癒着胎盤を正確に分類するのは困難であるため，総称としてPAS（placenta accreta spectrum）が用いられる。PASではない胎盤卵膜遺残は，胎盤用手剥離術が実施される。

2 治 療

胎盤卵膜遺残に対する用手剥離は，手背を子宮壁側，手掌を胎盤側にして手指を挿入し丁寧に剥離を進める。超音波検査により遺残した胎盤などの位置をリアルタイムに確認しながら実施するとより確実である。分娩から時間が経過すると手の挿入は困難になるため，胎盤鉗子などが用いられるが子宮穿孔などの偶発症に注意する。

【産科異常出血】
胎盤早期剥離

胎盤早期剥離（placental abruption）とは，正常位置に付着している（すなわち前置胎盤ではない）胎盤が，胎児娩出前に子宮から剥離される病態をいう。前置胎盤の剥離と区別するため，正常位置であることを強調して常位胎盤早期剥離と表現することもある。剥離に伴って胎盤機能は低下し，NRFSやIUFDに至り得る。母体は出血性ショックや高度な凝固障害を伴い，母体死亡に至ることがある[74]。

1 頻 度

全妊娠の1％に生じるとされ，単胎妊娠では1,000分娩に5.9件，双胎妊娠では12.2件とされる[75]。胎盤早期剥離の既往はリスク因子であり，1回既往で5～15％，2回既往で20～25％が再び胎盤早期剥離となる[76]。妊娠高血圧症候群，喫煙，35歳以上の妊娠，切迫早産もリスク因子である。外傷により生じることもあるため，妊婦の腹部外傷では必ず鑑別すべきである。鈍的腹部外傷の40％，子宮に圧のかかる軽い打撲でも3％に生じる[77]。

2 診 断

妊娠中期以降の突然の腹痛では子宮破裂とともに必ず鑑別にあげる。性器出血は78％に認めるが，外出血を伴わないものもある。子宮の圧痛もしくは背部痛も66％に生じ，腰痛のこともある。60％にNRFSを伴い，繰り返す子宮収縮や持続的な子宮筋緊張亢進を認める[74]。IUFDを回避すべく緊急帝王切開を実施できるようにし，胎盤早期剥離を疑った時点で直ちに産婦人科にコンサルトする。

超音波検査により胎盤後血腫（図6）を認めれば診断可能であるが，明らかな異常所見を認めないこともある。胎児心拍数モニタリングにより胎児機能不全や異常な子宮収縮が検出される。血液検査で低フィブリノゲン血症（＜150mg/dL）やFDP，D-dimerの上昇を認める場合には，凝固障害や線溶亢進を伴う出血性ショックに至る

可能性に留意する。

腹部外傷による胎盤早期剥離は受傷直後に認める場合に限らず，数時間後に診断される場合もある。自然に発生する胎盤早期剥離と異なり，子宮の痛みや収縮，出血などに乏しい一方で，凝固障害が発生しやすいことに注意する[78]。胎児心拍数モニタリングを2～4時間程度実施し，子宮収縮と胎児心拍をモニターし早期発見に努める[79]。

3 治療

胎児徐脈などのNRFSでは，胎児救命のために緊急帝王切開が必要になる。児の後遺症なき生存（intact survival）を目指して診断から可及的速やかに（30分を目安として）児を娩出するために，手術室と新生児蘇生が可能な体制を直ちに確保するか，対応可能な医療機関に搬送する。転院搬送にあたり，搬送時間などの地域性を十分考慮し，急速遂娩後に新生児搬送や母体搬送を行うことも検討する[79]。外出血が少なくても出血性ショックに備え，十分な太さの静脈路を複数確保する。出血に対しては，前述した産科危機的出血・凝固障害と同様に対応する。

IUFDに至った場合，施設によっては経腟分娩が選択される。患者と家族の心情にも配慮しつつ，産婦人科医と十分にコミュニケーションしながら全身管理と凝固障害の是正を行う。

【産科異常出血】前置胎盤

胎盤が内子宮口の全部または一部を覆う状態を前置胎盤（placenta previa）という。妊娠週数の進行や子宮収縮を契機に警告出血を認め，大量出血に至ることがある。妊婦健診で診断されていることもあるため，病歴を聴取する。

1 頻度

全妊娠の0.3～0.5%に生じる。子宮の手術既往（帝王切開術，子宮内容除去術，子宮筋腫核出術），前置胎盤既往，多産，高年齢，多胎，喫煙がリスクと考えられている[80]。前置胎盤の5～24%に癒着胎盤が合併するとされ[81]，前置胎盤の際には癒着胎盤の存在を念頭に置く。

2 診断

妊娠20週以降に無痛性の性器出血を認める場合に前置胎盤を疑う。切迫早産や胎盤早期剥離の鑑別を要する。前置胎盤の出血は鮮紅色，胎盤早期剥離は赤ワイン色，切迫早産は粘稠な産徴様出血を認めることが多い[80]。大量出血を誘発し得るため，救急外来における内診は禁忌である。産婦人科にコンサルトし，経腟超音波により胎盤位置の評価を経て診断される。

3 治療

出血が多いときには妊娠継続が難しい。産婦人科にコンサルトし，胎児の発育（妊娠週数）との兼ね合いで妊娠終結時期が判断される。経腟分娩は不可能であるため，陣痛発来時（10分以内の規則的な子宮収縮，または1時間に6回以上の子宮収縮）には帝王切開術を前提として直ちに産婦人科にコンサルトすべきである。妊娠週数によっては，新生児の管理が可能な高次施設（地域周産期母子医療センターや総合周産期母子医療センター）に転院搬送が必要になる。

前置胎盤の場合，分娩後に弛緩出血を生じやすい。前置胎盤の付着している子宮下部は，一般的な子宮付着部位である子宮体部よりも子宮収縮が弱いためである。IUBTによる止血が奏効することがある。重症例では子宮動脈塞栓術や子宮摘出術を要する。

▶文献

1) 高井泰：異所性妊娠．日本産科婦人科学会（監），産婦人科専門医のための必修知識2020年度版，杏林舎，2020，pp B56-9.
2) Osborn DA, et al：Cesarean scar pregnancy：Sonographic and magnetic resonance imaging findings, complications, and treatment. J Ultrasound Med 31：1449-56，2012.
3) 妊産婦死亡症例検討評価委員会：母体安全への提言2021（Vol. 12），2022. https://www.jaog.or.jp/wp/wp-content/uploads/2022/06/botai_2021.pdf
4) 日本産科婦人科学会，他（監）：CQ309 2 妊娠高血圧症候群と診断されたら？ 産婦人科診療ガイドライン；産科編2023，日本産科婦人科学会，2023.
5) 齋藤滋：妊娠高血圧症候群．日本産科婦人科学会（監），産婦人科専門医のための必修知識2020年度版，杏林舎，2020，pp B66-70.
6) 青木茂：子癇．日本産科婦人科学会（監），産婦人科専門医のための必修知識2020年度版，杏林舎，2020，pp B70-2.

7) 日本産科婦人科学会, 他 (監)：CQ309-3 妊産褥婦が子癇を起こしたときの対応は？ 産婦人科診療ガイドライン；産科編2023, 日本産科婦人科学会, 2023

8) 森川守：HELLP症候群, 急性妊娠脂肪肝. 日本産科婦人科学会 (監), 産婦人科専門医のための必修知識2020年度版, 杏林舎, 2020, pp B76-9.

9) 日本産科婦人科学会, 他 (監)：CQ312 妊産褥婦にHELLP症候群・臨床的急性妊娠脂肪肝を疑ったら？ 産婦人科診療ガイドライン；産科編2023, 日本産科婦人科学会, 2023

10) Sibai BM, et al：Maternal morbidity and mortality in 442 pregnancies with hemolysis, elevated liver enzymes, and low platelets (HELLP syndrome). Am J Obstet Gynecol 169：1000-6, 1993.

11) Sibai BM：Diagnosis, controversies, and management of the syndrome of hemolysis, elevated liver enzymes, and low platelet count. Obstet Gynecol 103 (5 Pt 1)：981-91, 2004.

12) Ch'ng CL, et al：Prospective study of liver dysfunction in pregnancy in Southwest Wales. Gut 51：876-80, 2002.

13) Knight M, et al：A prospective national study of acute fatty liver of pregnancy in the UK. Gut 57：951-6, 2008.

14) 厚生労働科学研究 (難治性疾患政策研究事業)「周産期 (産褥性) 心筋症の, 早期診断検査確立研究の継続と診断ガイドライン作成」班・「特発性心筋症に関する調査研究」班 (編)：周産期心筋症診療の手引き, 中外医学社, 2019.

15) Kamiya CA, et al：Different characteristics of peripartum cardiomyopathy between patients complicated with and without hypertensive disorders：Results from the Japanese Nationwide survey of peripartum cardiomyopathy. Circ J 75：1975-81, 2011.

16) Isezuo SA, et al：Epidemiologic profile of peripartum cardiomyopathy in a tertiary care hospital. Ethn Dis 17：228-33, 2007.

17) McNamara DM, et al：Clinical outcomes for peripartum cardiomyopathy in North America：Results of the IPAC study (Investigations of Pregnancy-Associated Cardiomyopathy). J Am Coll Cardiol 66：905-14, 2015.

18) Ramaraj R, et al：Peripartum cardiomyopathy：Causes, diagnosis, and treatment. Cleve Clin J Med 76：289-96, 2009.

19) Safirstein JG, et al：Predictors of left ventricular recovery in a cohort of peripartum cardiomyopathy patients recruited via the internet. Int J Cardiol 154：27-31, 2012.

20) Cunningham FG, et al eds：Causes of obstetrical hemorrhage. In：Williams Obstetrics, 26th ed, McGraw Hill, 2022, pp 731-48.

21) Pacheco LD, et al：Amniotic fluid embolism：Principles of early clinical management. Am J Obstet Gynecol 222：48-52, 2020.

22) 小田智昭, 他：羊水塞栓症. 日本産科婦人科医会医療安全部会, 他 (監), 日本の妊産婦を救うために2020, 東京医学社, 2020, pp 226-32.

23) 田村直顕：羊水塞栓症 (臨床的, 古典的). 日本産科婦人科学会 (監), 産婦人科専門医のための必修知識2020年度版, 杏林舎, 2020, pp B162-5.

24) Clark SL：Amniotic fluid embolism. Obstet Gynecol 123 (2 Pt 1)：337-48, 2014.

25) Clark SL, et al：Proposed diagnostic criteria for the case definition of amniotic fluid embolism in research studies. Am J Obstet Gynecol 215：408-12, 2016.

26) 牧野真太郎：産後の過多出血への対応. 日本産科婦人科学会 (監), 産婦人科専門医のための必修知識2020年度版, 杏林舎, 2020, pp B165-6.

27) 妊産婦死亡症例検討評価委員会：母体安全への提言2014 (Vol. 5), 2015.
http://www.jaog.or.jp/wp/wp-content/uploads/2017/01/botai_2014.pdf

28) 日本母体救命システム普及協議会 (監)：J-MELS 母体救命 Advanced Course Text, 改訂第2版, へるす出版, 2024.

29) World Health Organization：WHO recommendations for the prevention and treatment of postpartum haemorrhage, 2012.
https://www.who.int/publications/i/item/9789241548502

30) Rath WH：Postpartum hemorrhage--update on problems of definitions and diagnosis. Acta Obstet Gynecol Scand 90：421-8, 2011.

31) 日本産科婦人科学会, 他：産科危機的出血への対応指針2022, 2022.
https://www.jsog.or.jp/modules/committee/index.php?content_id=236

32) 宮田茂樹, 他：大量出血症例に対する血液製剤の適正な使用のガイドライン. 日輸血細胞治療会誌 65：21-92, 2019.

33) 日本産科婦人科学会, 他 (監)：CQ418-1 分娩後異常出血の予防ならびに対応は？ 産婦人科診療ガイドライン；産科編2023, 日本産科婦人科学会, 2023

34) Collis RE, et al：Haemostatic management of obstetric haemorrhage. Anaesthesia 70 (Suppl 1)：78-86, 2015.

35) Erez O, et al：DIC score in pregnant women--a population based modification of the International Society on Thrombosis and Hemostasis score. PLoS One 9：e93240, 2014.

36) Gillissen A, et al：Association between fluid management and dilutional coagulopathy in severe postpartum haemorrhage：A nationwide retrospective cohort study. BMC Pregnancy Childbirth 18：398, 2018.

37) McLintock C：Prevention and treatment of postpartum hemorrhage：Focus on hematological aspects of management. Hematology Am Soc Hematol Educ Program 2020：542-6, 2020.

38) Vasudeva M, et al：Hypocalcemia in trauma patients：A systematic review. J Trauma Acute Care Surg 90：396-402, 2021.

39) Cunningham FG, et al eds：Serum and blood constituents. In：Williams Obstetrics, 26th ed, McGraw Hill, 2022, pp 1227-32.

40) Cunningham FG, et al eds：Maternal physiology. In：Williams Obstetrics, 26th ed, McGraw Hill, 2022, pp 51-79.

41) Charbit B, et al：The decrease of fibrinogen is an early predictor of the severity of postpartum hemorrhage. J Thromb Haemost 5：266-73, 2007.
42) Collins PW, et al：Management of postpartum haemorrhage：From research into practice, a narrative review of the literature and the Cardiff experience. Int J Obstet Anesth 37：106-17, 2019.
43) Muñoz M, et al：Patient blood management in obstetrics：Prevention and treatment of postpartum haemorrhage：A NATA consensus statement. Blood Transfus 17：112-36, 2019.
44) WOMAN Trial Collaborators：Effect of early tranexamic acid administration on mortality, hysterectomy, and other morbidities in women with post-partum haemorrhage（WOMAN）：An international, randomised, double-blind, placebo-controlled trial. Lancet 389：2105-16, 2017.
45) Gayet-Ageron A, et al：Effect of treatment delay on the effectiveness and safety of antifibrinolytics in acute severe haemorrhage：A meta-analysis of individual patient-level data from 40138 bleeding patients. Lancet 391：125-32, 2018.
46) Kobayashi T, et al：Recombinant activated factor VII (rFVIIa/NovoSeven®) in the management of severe postpartum haemorrhage：Initial report of a multicentre case series in Japan. Int J Hematol 95：57-63, 2012.
47) Collins PW, et al：Theoretical modelling of fibrinogen supplementation with therapeutic plasma, cryoprecipitate, or fibrinogen concentrate. Br J Anaesth 113：585-95, 2014.
48) 日本産科婦人科学会, 他：フィブリノゲン製剤の適正使用に関して, 2021.
https://www.jsog.or.jp/news/pdf/20210910_FBG_shuuchi.pdf
49) 厚生労働省医薬・生活衛生局医薬品審査管理課長, 他：新たに薬事・食品衛生審議会において公知申請に関する事前評価を受けた後天性低フィブリノゲン血症における乾燥人フィブリノゲンの使用に当たっての留意事項について（薬生薬審発0906第6号, 薬生安発0906第20号, 薬生血発0906第1号, 令和3年9月6日）.
50) Cunningham FG, et al eds：Management of obstetrical hemorrhage. In：Williams Obstetrics, 26th ed, McGraw Hill, 2022, pp 770-82.
51) Warwick D, et al：Uteroplacental blood flow. In：Chestnut DH, et al eds. Chestnut's Obstetric Anesthesia, 6th ed, Elsevier, 2020, pp 38-55.
52) 松永茂剛：弛緩出血. 日本産科婦人科学会（監）, 産婦人科専門医のための必修知識2020年度版, 杏林舎, 2020, pp B157-9.
53) Heesen M, et al：International consensus statement on the use of uterotonic agents during caesarean section. Anaesthesia 74：1305-19, 2019.
54) Kovacheva VP, et al：A randomized, double-blinded trial of a "Rule of Threes" algorithm versus continuous infusion of oxytocin during elective cesarean delivery. Anesthesiology 123：92-100, 2015.
55) World Health Organization：WHO recommendation on uterine balloon tamponade for the treatment of postpartum haemorrhage, 2021.
https://www.who.int/publications/i/item/9789240013841
56) Weeks AD, et al：World Health Organization recommendation for using uterine balloon tamponade to treat postpartum hemorrhage. Obstet Gynecol 139：458-62, 2022.
57) Park JE, et al：The association between intrauterine balloon tamponade volume and postpartum hemorrhage outcomes. Int J Gynaecol Obstet 148：325-30, 2020.
58) Leleu A, et al：Intrauterine balloon tamponade in the management of severe postpartum haemorrhage after vaginal delivery：Is the failure early predictable？ Eur J Obstet Gynecol Reprod Biol 258：317-23, 2021.
59) 日本IVR学会（編）：産科危機的出血に対するIVR施行医のためのガイドライン2017, 2018.
https://www.jsir.or.jp/about/sanka/sanka/
60) B-Lynch C, et al：The B-Lynch surgical technique for the control of massive postpartum haemorrhage：An alternative to hysterectomy？ Five cases reported. Br J Obstet Gynaecol 104：372-5, 1997.
61) Cho JH, et al：Hemostatic suturing technique for uterine bleeding during cesarean delivery. Obstet Gynecol 96：129-31, 2000.
62) Hayman RG, et al：Uterine compression sutures：Surgical management of postpartum hemorrhage. Obstet Gynecol 99：502-6, 2002.
63) Matsubara S, et al：Uterine compression sutures for postpartum hemorrhage：An overview. Acta Obstet Gynecol Scand 92：378-85, 2013.
64) 井上尚美, 他：頸管裂傷. 日本産科婦人科学会（監）, 産婦人科専門医のための必修知識2020年度版, 杏林舎, 2020, pp B153-4.
65) 田中博明, 他：分娩時母体損傷（子宮破裂・産道裂傷）. 日本産科婦人科学会（監）, 産婦人科専門医のための必修知識2020年度版, 杏林舎, 2020, pp B151-3.
66) 近藤英治, 他：腟壁裂傷, 会陰Ⅳ度裂傷. 竹田省（編）：産科大出血；危機的出血への対応と確実な止血戦略, メジカルビュー社, 2012, pp 72-8.
67) Royal Collage of Obstetricians and Gynaecologists：The management of third- and fourth-degree perineal tears（Green-top Guideline No. 29）, 2015.
https://www.rcog.org.uk/guidance/browse-all-guidance/green-top-guidelines/third-and-fourth-degree-perineal-tears-management-green-top-guideline-no-29/
68) 金井誠, 他：会陰裂傷・腟壁裂傷縫合術（外陰血腫・腟血腫を含む）. 櫻木範明（編）, 産科手術；必須術式の完全マスター, メジカルビュー社, 2010, pp 64-73.
69) Gardeil F, et al：Uterine rupture in pregnancy reviewed. Eur J Obstet Gynecol Reprod Biol 56：107-10, 1994.
70) Ofir K, et al：Uterine rupture：Risk factors and pregnancy outcome. Am J Obstet Gynecol 189：1042-6, 2003.
71) Al-Zirqi I, et al：Infant outcome after complete uterine rupture. Am J Obstet Gynecol 219：109, 2018.
72) 長田久夫：子宮内反. 日本産科婦人科学会（監）, 産婦人科専門医のための必修知識2020年度版, 杏林舎,

73) 千石一雄, 他：胎盤遺残, 用手剝離. 櫻木範明（編）, 産科手術；必須術式の完全マスター, メジカルビュー社, 2010, pp 114-21.
74) Cunningham FG, et al eds：Hemorrhagic placental disorders. In：Williams Obstetrics, 26th ed, McGraw Hill, 2022, pp 749-69.
75) Ananth CV, et al：Placental abruption among singleton and twin births in the United States：Risk factor profiles. Am J Epidemiol 153：771-8, 2001.
76) Tikkanen M, et al：Prepregnancy risk factors for placental abruption. Acta Obstet Gynecol Scand 85：40-4, 2006.
77) Brown HL：Trauma in pregnancy. Obstet Gynecol 114：147-60, 2009.
78) Cunningham FG, et al eds：Critical care and trauma. In：Williams Obstetrics, 26th ed, McGraw Hill, 2022, pp 881-901.
79) 日本産科婦人科学会, 他（監）：CQ308 常位胎盤早期剝離（早剝）の診断・管理は？ 産婦人科診療ガイドライン；産科編2023, 日本産科婦人科学会, 2023
80) 近藤英治：前置胎盤. 日本産科婦人科学会（監）, 産婦人科専門医のための必修知識2020年度版, 杏林舎, 2020, pp B80-1.
81) Clark SL, et al：Placenta previa/accreta and prior cesarean section. Obstet Gynecol 66：89-92, 1985.

17-1 敗血症

梅村 穣　小倉 裕司

敗血症の疫学

　近年の医療水準の向上にもかかわらず，全世界で年間約5,000万人が敗血症（sepsis）を発症し，1,000万人以上が死亡していると推定されている[1]。それに伴う経済的喪失も大きく，近年の疫学研究では，米国において敗血症治療に費やした医療費は年間約240億ドルと概算されており，すべての疾患のなかで最多であった[2]。患者の社会生活の破綻，家族の生活様式の変更，介護の必要性，長期間の療養，リハビリテーションなど，敗血症に関連した総費用を考慮した場合の社会的・経済的喪失は巨額に及ぶと推定される。

　日本においても敗血症患者数は経年的に増加しているとされる。近年公表された日本のDPCデータベースを用いた後方視的検証では，入院治療を要した敗血症患者数は経年的に増加傾向を示し，2017年には年間35万人に達した。一方で，敗血症患者の転帰に関しては経年的に改善しているとされており，前述したDPCデータにおける在院死亡率は2010年の約25％から，2017年には18％へと直線的に減少していた[3]。

　ただし，敗血症治療に関しては国家，地域，施設による較差が大きく，その治療成績も研究によって大きく異なる[1]。したがって，敗血症の疫学データに関しては，各研究における敗血症患者の重症度や年齢分布，医療システムや社会情勢などの背景を十分に考慮して，その結果を読み解く必要がある。

敗血症の定義，診断基準

　敗血症の定義と診断基準は時代とともに変遷してきた。

　現在の定義であるSepsis-3は，2016年2月に欧州集中治療医学会と米国集中治療医学会の合同特別委員会によって提唱された[4]。このなかで，敗血症は「感染に対する生体反応が調節不能となり，重篤な臓器障害が引き起こされた状態」と定義され，臓器障害の指標としてSOFA（sequential organ failure assessment）スコアの合計点数を用いることが示された。同時に，敗血症の予後予測に関して特異度の高いquick SOFA（qSOFA）という簡便なスクリーニングシステムが提唱された。しかし，このqSOFAを用いた診断アルゴリズムについては否定的な報告も相次ぎ，日本からも複数の大規模観察研究でqSOFAの予後予測精度（とくに感度）の低さが報告された[5,6]。

　このような知見を受けて2021年に改訂されたSurviving Sepsis Campaign Guideline（SSCG）の最新版（以下，SSCG2021）[7]では，敗血症のスクリーニングシステムとしてqSOFAを単独で用いないことが強く推奨された。SSCG2021では，qSOFAと比較されるスクリーニングシステムとしてNEWS（National Early Warning Score）やMEWS（Modified Early Warning Score）が紹介されたが，いずれも評価項目が多く，簡便性の観点でqSOFAに劣るうえに，敗血症の転帰に関する高い予測精度も示されていない。現時点では「迅速」かつ「精確」に敗血症を見極めるシステムは確立されておらず，さまざまな臨床指標や経験を生かした総合的な判断が求められる。

　また，敗血症の重症度は，敗血症（sepsis）と敗血症性ショック（septic shock）の2段階に分類される。敗血症性ショックとは，適切な輸液負荷にもかかわらず平均血圧を65mmHg以上に維持するために循環作動薬を要し，かつ血清乳酸値が2.0mmol/L以上の状態とされる[4]。

敗血症の診療指針

　Surviving Sepsis Campaignは，2002年に開催された米国集中治療医学会，欧州集中治療医学会，および国際敗血症フォーラムの合同カンファレンスにおいて，5年間で重症敗血症の死亡率を25％改善させることを目的として合意された国際的なプログラムである[8]。Surviving Sepsis Campaignは2004年に世界初の敗血症管理指針を示した国際的ガイドライン（SSCG2004）を発表し，以

降SSCGは4度の改訂を経て、前述したとおり2021年に最新版のSSCG2021が発表された[7]。

SSCGの普及は国際的な敗血症診療水準の向上に寄与し、経年的な治療成績改善の一因となった可能性があるが、一方で日本の実臨床現場では、SSCGで言及されていない独自の敗血症治療が行われることも多く、また日本と諸外国の間で見解の相違のある治療法に関して標準的な指針がないことが問題となっていた。この問題に対応すべく、日本集中治療医学会は日本独自の敗血症診療指針である、『日本版敗血症診療ガイドライン』（以下、J-SSCG）を作成し、2012年に初版を発表した。J-SSCGは2016年の第2版作成から日本集中治療医学会および日本救急医学会の合同委員会が組織され、2021年に最新版のJ-SSCG2020が発表された[9]。

SSCG2021は、経済状況の異なるさまざまな国や地域において、医療従事者だけでなく政策立案者も対象としたものである。このため医学的妥当性の観点以外に、国際的かつ社会的な視点を重視した推奨も多く、2016年版と比較してより長期的な転帰や退院後のフォローアップまで重視している点が特徴的である。一方、J-SSCG2020は日本の一般的な診療現場を想定し、多職種を対象として作成されている。そのため、両ガイドラインは取り上げている臨床課題やその推奨内容に相違点もみられる。

以下、SSCGとJ-SSCGの類似点・相違点を踏まえ、救急・集中治療現場における標準的な敗血症診療を中心に概説する。

初期蘇生

敗血症における初期蘇生（initial resuscitation）とは、適切なモニタリング下で輸液療法と血管収縮薬を組み合わせ、迅速な循環動態の安定化を図る治療を指す。

敗血症に対する系統的な初期蘇生のあり方は、2000年代初頭にEGDT（early goal-directed therapy）と呼ばれるプロトコル化された循環管理によって確立された[10]。EGDTはその後の大規模多施設RCTで生命転帰の改善に関する有効性が否定されたことから[11]～[13]、現在はSSCGとJ-SSCGの双方で推奨されていない。ただし、EGDTとともに普及した「複数の循環指標に基づく適切な循環管理」という概念は今日の敗血症診療に広く浸透し、重要な役割を果たしている。

SSCGは、2018年に公表した1時間バンドル[14]とSSCG2021のなかで、初期蘇生の循環目標として、①血圧が低下している場合には、最初の3時間に少なくとも30mL/kgの晶質液を投与すること、②循環管理の指標の一つとして乳酸値を用いること、③輸液反応性は身体所見や中心静脈圧、平均血圧などの静的指標だけで評価せず、pulse pressure variation（PPV）やstroke volume variation（SVV）などの動的指標を組み合わせて評価すること、④血管収縮薬を必要とする敗血症性ショックの患者では、平均血圧の目標値を65mmHg以上にすることといった推奨を提示した。J-SSCG2020でもこれらとほぼ同様の初期治療の循環管理目標を提唱しており、2022年に発表された「初期治療とケアバンドル」では、迅速なバイタルサイン評価とともに敗血症に対する初期蘇生が示され、主な急性期管理がまとめられている（図1）[15]。

このように標準的な循環管理の考え方が示される一方、近年では画一的な循環目標の設定や単独の指標による循環管理に警鐘が鳴らされている。例えばSSCG2021では、循環指標の一つに乳酸値を推奨しつつ、その数値の変化には循環動態以外の要因が関与している可能性もあるため、個々の症例の病態を十分に検討したうえで解釈する必要があるとしている。

単独の指標による循環管理には限界があることを理解し、血圧・心拍数・尿量などの古典的な循環指標に加えて、PPV・SVVなどの動的指標と心エコー所見や乳酸値など複数の循環指標を組み合わせ、経時的かつ総合的に初期蘇生に対する反応を評価することが重要である。

輸液療法

敗血症では、心血管系～組織代謝の複数の要素が複合的に関与し、しばしば循環不全（ショック）を発症する。典型的な敗血症性ショックは、血管透過性の亢進と末梢血管抵抗の減弱による血液分布異常（distributive shock）をきたすのが特徴であるが、病態が進行した場合には、心機能の低下や治療抵抗性の末梢血管抵抗減弱状態を伴う複合的な循環不全をきたす。したがって、敗血症性ショックに対しては、輸液療法と血管収縮薬、強心薬を組み合わせた循環管理が必要である。このためJ-SSCG2020では敗血症の循環不全に対して、まず心エコー検査を行い、その病型や原因を鑑別することが推奨された。

初期輸液療法に関してSSCG2021とJ-SSCG2020の見解はほぼ一致しており、敗血症による低血圧に対する初

日本版敗血症診療ガイドライン 2020 初期治療とケアバンドル（J-SSCG2022 バンドル）
日本集中治療医学会（JSICM） & 日本救急医学会（JAAM）

もし、感染と臓器障害を疑ったら
迅速評価と初期治療バンドルを行う。

バイタルサインの評価
- □ 意識　　　　（GCS＜15）
- □ 収縮期血圧　（≦100mmHg），
- □ 脈拍　　　　（＞90/min）
- □ 呼吸数　　　（≧22/min）
- □ 体温　　　　（＜36℃ or ＞38℃）

敗血症/敗血症性ショックの診断のために、SOFA スコアを算出し、乳酸値を測定する

初期治療バンドル（敗血症を疑った際には、直ちに開始する。）

培養（直ちに）
- □ 血液培養（×2）
- □ 感染巣（疑い）からの培養

抗菌薬（直ちに）
- □ 適切な抗菌薬投与

初期蘇生（直ちに）
- □ 初期輸液 ＊
- □ ノルアドレナリン
　（初期輸液開始後に低血圧が持続する場合）
- □ 乳酸値測定　　　　　　（繰り返す）
- □ 心エコー　　　　　　　（繰り返す）

感染巣対策（可及的速やかに）
- □ 感染巣の探索
- □ 感染巣のコントロール

ショックに対する追加投与薬剤
- □ バソプレシン　□ ヒドロコルチゾン
心不全を伴う敗血症性ショック
- □ ドブタミンかアドレナリンを考慮

＊敗血症に伴うショックが初期輸液で改善しない場合
- □ 患者を集中治療室など集中治療が安全に遂行できる場所に移すことを考慮する。

ICU における急性期介入

抗菌薬
- □ デエスカレーションと適切な中止

栄養
- □ 適切な早期栄養

リハビリ
- □ 可能であれば、早期導入
- □ PICS 予防を早期から開始
- □ **患者/家族中心のケア**

鎮静と鎮痛
- □ まず鎮痛、それから鎮静
- □ プロトコル化、浅めの鎮静

呼吸管理
- □ 肺保護戦略

DIC
- □ 鑑別と診断
- □ 必要に応じて、治療

PICS; post-intensive care syndrome

〔文献15）より引用〕

図1 日本版敗血症診療ガイドライン2020初期治療とケアバンドル（J-SSCG2022バンドル）

期輸液療法として，3時間で30mL/kg 以上の晶質液を投与することが示されている。しかし，近年では過剰輸液を避けるべきであるという観点から，この初期輸液量の目安が疑問視されることもある。実際，この投与量は観察研究の結果[16]や，過去の RCT における割り付け前の平均的な輸液量が約30mL/kg であったこと[11)～13)]を根拠としているが，現時点で質の高い介入研究は行われていない。実際には，必要な初期輸液量は患者によって異なるため，画一的な目標投与量にこだわらず，循環指標を総合的に評価して設定する必要がある。

初期輸液に使用する製剤に関しては，SSCG2008以前は，hydroxyethyl starch（HES）などの人工膠質液と生理食塩液，乳酸リンゲル液などの晶質液の間に効果の優劣はないとされていたが，SSCG2012以降は晶質液を第一選択とし，人工膠質液は用いるべきではないと推奨が変更された。この背景には，敗血症患者を対象とした複数の RCT[17)～20)] で，人工膠質液投与が晶質液と比較して生存率の改善に寄与せず，血液透析導入などの有害事象を増加させたことがある。

一方，アルブミン製剤に関しては，2004年に発表された RCT（SAFE study）のサブグループ解析[21)]において敗血症患者の死亡率の改善が示唆された。また，近年のメタ解析でも，対象を敗血症性ショックの患者に限定した場合に，アルブミン製剤の使用と死亡率の改善に関連

が示された[7]。このような結果を反映し，SSCG2021では，大量の晶質液投与を必要とする敗血症性ショックの場合に限って，晶質液に加えアルブミンを投与することが弱く推奨された。J-SSCG2020でも同様の推奨が提示されており，著しい循環不全をきたした症例に限定してアルブミン製剤を使用するという考え方が現在の主流と考えられる。

血管収縮薬，強心薬

適切な輸液負荷にもかかわらず循環動態が安定しない敗血症性ショックが存在する場合は，血管収縮薬の投与を検討する必要がある。近年，敗血症性ショックに対して血管収縮薬の投与が遅れることによって死亡率が上昇するという可能性が複数の観察研究[22)23)]で報告されたことから，より早期に血管収縮薬を投与する循環管理が主流となりつつある。

例えば，J-SSCG2020では初期輸液療法の開始と同時か，少なくとも3時間以内に血管収縮薬を開始することを推奨しており，同様の推奨が2018年に公表されたSSCGの1時間バンドルのなかにも含まれている[14)]。また，SSCG2021では中心静脈ルート確保を待って投与が遅れる（ショックが遷延する）よりは，末梢血管から血管収縮薬を投与することが推奨されている。いずれのガイドラインも，血管収縮薬の管理目標として平均血圧を65mmHg以上に維持することとしており，より早期にこの目標を達成することが重要視されている。

敗血症性ショックに対する血管収縮薬として，ノルアドレナリンとドパミンのいずれかを第一選択とするかに関しては，長年議論の対象となり，多くの臨床研究が行われてきた。2012年，De BackerらのRCTおよびメタ解析により，ノルアドレナリンは，ドパミンと比較して敗血症性ショック患者の死亡率を有意に改善することが示された[24)25)]。また，アドレナリンやバソプレシンなど，その他の血管収縮薬と比較してもノルアドレナリンが同等以上の有効性を発揮することが報告され，現在では敗血症性ショックに対してノルアドレナリンを第一選択薬とすることが，両ガイドラインで推奨されている。

十分な輸液負荷とノルアドレナリン投与を行っても循環動態の維持が困難な場合，第二選択の血管収縮薬としてバソプレシンを併用投与することが，両ガイドラインで推奨されている。それでも循環維持が困難な症例に限り，アドレナリンの追加投与を検討してもよい。

また，心機能低下を呈する敗血症性ショック患者では，強心薬としてドブタミン，アドレナリンの投与が推奨されている。なお，初期輸液と循環作動薬に反応しない敗血症性ショック患者に対しては，ショックからの離脱を目的として，低用量ステロイド（ヒドロコルチゾン）を投与することが両ガイドラインで推奨されている。ショックの原因に応じて循環作動薬を使い分け，経時的に効果を評価することが重要である。

抗菌薬，感染巣コントロール

1 抗菌薬投与のタイミング

適切な抗菌薬を可能なかぎり迅速に投与することは，感染症治療の原則である。とくに敗血症の場合は，抗菌薬初期投与の遅延が死亡率の上昇に関連することが報告されており[26)]，抗菌薬を1時間以内かつ可能なかぎり早期に初期投与することが強く推奨されてきた。

ただし，培養検査や静脈路確保などの抗菌薬治療の前提となる手技に要する時間も含めると，診断後1時間以内に抗菌薬投与を達成することは容易ではないという指摘もある。実際にその遵守率は，2015年のSterlingらの報告[27)]では3割程度，2022年の日本の報告[28)]でも5割程度とされている。また，早期投与にこだわることで適切な培養検体採取をおろそかにしてしまう可能性があり，感染症ではない例に対する過剰治療の危険が高まるため，近年では抗菌薬の早期投与に関しても利益と害の観点から必要性を検討することが重視されている。

近年の研究から，敗血症性ショックの患者では抗菌薬の早期投与と死亡率の関連が大きいのに対して，ショックではない患者では関連が小さいことが示された[26)29)30)]。また，2018年のRCT[31)]では抗菌薬投与まで両群で90分の時間差があったにもかかわらず死亡率に差がなかったと報告されたが，別の研究[32)]では抗菌薬投与の遅れが3時間以上となった場合，死亡率に顕著に影響する可能性が示されている。このような背景からSSCG2021では，ショックを伴わない敗血症に対する抗菌薬投与の目標時間は，従来の1時間から3時間に緩和されたが，敗血症性ショックに対しては1時間以内の抗菌薬投与を強く推奨する従来の方針が踏襲されている。

2 抗菌薬の選択

　初期投与した抗菌薬が敗血症の起因菌に対して十分な抗菌活性を有していることも，死亡率に影響を与え得る重要な要素である[33]。従来は真菌やウイルスを含めて想定し得るすべての病原体を網羅できるよう，1つまたは複数の抗菌薬を用いて，経験的（empiric）な広域スペクトラムに治療することが推奨されていたが，近年では可能なかぎり起因菌を想定し，抗菌薬の移行性や耐性菌の可能性を考慮した選択を行うことが重要視されている。

　迅速な初期投与までの限られた時間のなかで起因菌を想定するためには，感染臓器やその施設・地域における起因菌のサーベイランス，または迅速抗原検査を活用し，さらに患者の基礎疾患や病歴から耐性菌や真菌感染のリスクを個別に評価する必要がある。とくに敗血症の起因菌の種類と頻度は感染臓器によって大きく異なることが報告されており，迅速に経験的抗菌薬を選択するうえで重視すべきである[34]。

　経験的抗菌薬使用において可能なかぎり起因菌の種類や耐性菌のリスクを評価することが重視された背景には，広域抗菌薬の使用に伴う種々の有害事象や薬剤耐性菌発生のリスク上昇が問題視されたことがある。このような問題を最小限にすべく両ガイドラインでは，①起因菌や感受性が確認されるか，または十分に臨床症状の改善を認めた場合に，抗菌薬を最適な狭域スペクトラムに変更すること，②抗菌薬の投与量を，薬物動態，薬力学や薬剤特性に基づいて最適化すること，などが推奨されている。

3 抗菌薬の投与期間

　抗菌薬投与期間に関して，近年では比較的短期間の投与が推奨される傾向にある。これは，敗血症を対象とした複数のRCTで，短期間の抗菌薬投与が長期間投与と比較して，生存率は同等で有害事象がより少ないことが報告されたことを根拠としている[35)～40)]。ただし，本来抗菌薬の治療期間は感染臓器や起因菌，治療に対する反応を考慮して個々に設定されるべきであり，SSCG2021でも具体的な投与期間に関しては提示されていない。また，抗菌薬治療終了の一指標として，両ガイドラインともに血中プロカルシトニン（PCT）値を一般的な臨床所見に加えて用いることを推奨している。

4 感染巣コントロール

　病原微生物が増殖し，組織浸潤した感染症に対しては適切な感染巣コントロール（source control）として，経皮的ドレナージや外科的除去を行う。両ガイドラインでは腹腔内感染症，感染性膵壊死，血流感染，急性腎盂腎炎，壊死性軟部組織感染症に対してそれぞれ適切な方法による感染巣コントロールが推奨されており，またJ-SSCG2020では感染巣を診断するために全身CTを含めた画像診断を行うことが推奨されている。

栄養管理

　敗血症などの高度侵襲に曝露された生体では，感染防御能を高めて損傷を修復するために，侵襲の大きさに応じた代謝亢進が起こり，急速に体蛋白質が喪失する。生体が低栄養状態に陥った場合には感染に対する生体反応が鈍化し，組織損傷の治癒が遅延することが知られている。したがって，敗血症患者に対しては適切な外部からの栄養供給が必要不可欠である。

　経静脈栄養は，目標とする栄養投与量の供給が容易である一方，経腸栄養に比べて感染などの有害事象の増加も問題視されてきた。2014年のRCT[41)]でも経静脈栄養が経腸栄養に比べて死亡率などのアウトカムの改善につながる結果は示されなかったため，現在は敗血症患者に対して，可能な場合には経腸栄養を第一選択とすることが主流となっている。両ガイドラインでは，ICU管理を要する敗血症に対して早期（J-SSCGでは24～48時間以内）に経腸栄養を開始することが推奨されている。

　ただし，循環動態が不安定な患者に対する早期の経腸栄養開始に関しては否定的な見解もある。2018年のRCT[42)]で，敗血症性ショックの患者に対する早期の経腸栄養は，経静脈栄養と比較して生存率の改善に寄与せず，嘔吐や下痢などの有害事象の発生頻度を高くしたと報告された。病態，治療，画像所見，身体所見など腸管の機能に関連するさまざまな要素を総合して，経腸栄養を開始できる状態か否かを判断することが重要である。

鎮痛・鎮静管理

　人工呼吸管理を要する敗血症患者に対して，苦痛を和らげ，不穏・せん妄の発症を予防するために，適切な鎮静と鎮痛管理が必要となる。とくに鎮痛管理が不適切と

なった場合に患者への負担や転帰に対する悪影響が大きいとされ，近年では適切な痛みの評価に基づき，鎮静薬が考慮される以前に痛みの治療が行われるべきであるとする考え方が主流となっている。J-SSCG2020においても，人工呼吸中の敗血症患者に対して鎮痛優先の管理を行うことが推奨され，また前述した日本のケアバンドル[15]でも急性期治療で確認すべき項目の一つとして取りあげられ，重要視されている。

また，可能なかぎり浅い鎮静管理を行うことによって痛みやせん妄の正確な評価が可能となり，人工呼吸期間やICU滞在日数の短縮につながるとされている。安全に浅い鎮静を実施するための鎮静管理のプロトコル化や，1日1回の鎮静薬中止が推奨されている。

免疫グロブリン静注療法

敗血症患者に対する免疫グロブリン静注療法(intravenous immunoglobulin；IVIG)は，病原体の貪食促進，毒素の中和作用や免疫細胞の活性化などが期待できる治療とされる。日本でも1990年代より臨床応用されてきたが，その有効性に関しては過去の研究間で結果の乖離が大きく，評価が分かれるものとなっている。

これまでのRCTのなかでは，2007年に公表されたSBITS試験[43]が最大規模の研究であったが，IVIG投与による有意な死亡率の改善は示されなかった。近年行われた2つのRCTを含めたメタ解析[44)45)]では有意な死亡率の改善が示されたものの（リスク比 0.73，95%CI 0.51〜0.91），採用された研究の多くは単施設の小規模な研究であり，またバイアスリスクや投与量の異質性など多くの問題点が指摘された。

このような背景からSSCG2021では，敗血症および敗血症性ショック患者に対して標準治療としてIVIGを使用しないことが提案された。一方，J-SSCG2020では，敗血症全般に対してはSSCG同様にIVIGを投与しないことが推奨されたが，劇症型溶血性レンサ球菌感染症やトキシックショック症候群などIVIG投与がとくに有効と考えられる病態に限定したエビデンスの評価が行われ，その結果として劇症型溶血性レンサ球菌感染症に対してはIVIGを投与することが弱く推奨され（GRADE 2D），トキシックショック症候群に対しては現時点のエビデンスから投与しないことが弱く推奨された（エキスパートコンセンサス）。

現時点で，IVIGに関する両ガイドラインの推奨はいずれも決定的なエビデンスに基づくものではなく，今後も新たな研究の結果に注視する必要がある。

PMX-DHP

ポリミキシンB固定化カラムによる直接血液灌流法（polymyxin-B direct hemoperfusion；PMX-DHP）は，グラム陰性菌に強い抗菌活性を有し，エンドトキシンに親和性のある抗菌物質を固定化したカラムを用いて，敗血症患者の血中エンドトキシンを選択的に吸着除去する治療法である。

敗血症患者に対するPMX-DHPの有効性に関しては，いくつかの大規模RCTが行われたものの，いずれも生存率を改善する結果は示されなかった[46)〜48)]。2018年には過去最大規模の多施設RCT（EUPHRATES研究）[49]の結果が公表されたが，PMX-DHPによる生存率の改善は示されなかったことから，現在ではその有効性に関しては否定的な見解が主流となっている。このような背景から，両ガイドラインともPMX-DHPに関しては使用しないことが推奨されている。

SSCGとJ-SSCGの相違点と，日本の敗血症診療の独自性

SSCG2021とJ-SSCG2020はいずれも敗血症診療に関する最新のエビデンスを網羅的・系統的に評価し，各分野に関する複数の専門家の判断で推奨を決定している。したがって，両者の推奨は多くの部分で共通しているが，前述したとおりガイドラインの目的や対象に違いがあることや，日本における実臨床の独自性，それに関連したエビデンスの解釈の相違などを背景とし，取り上げる項目や推奨の内容に乖離が生じている分野もある[50)]。以下，日本の敗血症診療の独自性を理解するうえで重要と思われる項目について概説する（表1）。

1 DIC診療

諸外国と日本では歴史的に敗血症性DIC治療に対する姿勢が大きく異なっている。日本の臨床現場では，過去数十年にわたって敗血症性DICの診断や，DIC治療薬としての抗凝固療法が重要視されてきたのに対して，諸外国では敗血症性DICの疾患概念は希薄であり，特異的な治療対象とはみなされていなかった。

このような背景からSSCGでは長くDIC治療に関す

表1 J-SSCG2020とSSCG2021の主な相違点

	J-SSCG2020		SSCG2021	
対象	日本の多職種の医療従事者		さまざまな国・地域における医療従事者および政策立案者	
循環管理	毛細血管再充満時間（CRT）に関する記載なし	—	成人の敗血症性ショックにおいて、ほかの循環指標に加えCRTを循環指標として用いることを提案する	弱い推奨 エビデンスの質「低」
循環管理	末梢静脈からの循環作動薬投与に関する記載なし	—	成人の敗血症性ショックに対して、中心静脈ルートを確保することで循環作動薬の開始が遅れるよりは、末梢静脈から循環作動薬投与を開始することを提案する	弱い推奨 エビデンスの質「非常に低い」
循環管理	敗血症/敗血症性ショック患者に対する、血管収縮薬の第二選択としてアドレナリンを使用しないことを弱く推奨する	2D	成人の敗血症性ショックで、ノルアドレナリンとバソプレシンを投与しても適切な平均動脈圧が維持できない場合、アドレナリンを追加することを提案する	弱い推奨 エビデンスの質「低」
栄養管理	敗血症患者において、早期（重症病態への治療開始後24〜48時間以内）から経腸栄養を行うことを弱く推奨する	2D	経腸栄養が可能な成人の敗血症/敗血症性ショックにおいて、早期（72時間以内）に経腸栄養を開始することを提案する	弱い推奨 エビデンスの質「非常に低い」
栄養管理	敗血症患者に対する治療開始初期は経腸栄養を消費エネルギーよりも少なく投与することを弱く推奨する	2B	栄養投与量に関する記載なし。SSCG2016では「早期からの十分な量の経腸栄養を提案する」という推奨	—
DIC治療	敗血症性DIC患者に対してアンチトロンビン補充療法を行うことを弱く推奨する	2C	アンチトロンビンに関する記載なし	—
DIC治療	敗血症性DIC患者に対して、リコンビナント・トロンボモジュリン製剤を投与することを弱く推奨する	2C	リコンビナント・トロンボモジュリンに関する記載なし	—
VTE予防	敗血症患者において、深部静脈血栓症の予防として抗凝固療法を行うことを弱く推奨する	EC	成人の敗血症/敗血症性ショックにおいて、禁忌がない場合は薬剤による静脈血栓塞栓症予防対策を推奨する	強い推奨 エビデンスの質「中」
VTE予防	敗血症患者において、深部静脈血栓症の予防として機械的予防法（弾性ストッキング、間欠的空気圧迫法）を行うことを弱く推奨する	EC	成人の敗血症/敗血症性ショックにおいて、薬剤による静脈血栓塞栓症予防対策に加えて、機械的予防対策を追加しないことを提案する	弱い推奨 エビデンスの質「低」
PICS対策	敗血症患者において、PICSの予防に早期リハビリテーションを行うことを弱く推奨する	2D	PICSに関する十分な記載なし	弱い推奨 エビデンスの質「低」
長期的フォロー計画	長期フォロー計画に関する十分な記載なし	—	成人の敗血症/敗血症性ショックの回復者に対して、身体的・認知的・精神的な問題のフォローアップやアセスメントを、退院後も行うことを推奨する	BPS

BPS：best-practice statements、CRT：capillary refill time、EC：expert consensus

る推奨が提示されてこなかったが、SSCG2016で初めて、DIC治療として抗凝固療法に関して言及された。SSCG2016では敗血症や敗血症性ショックの治療にアンチトロンビン製剤を使用しないことが強く推奨され、ヒト遺伝子組み替えトロンボモジュリン製剤（recombinant human soluble thrombomodulin；rhTM）については推奨提示そのものが見送られた。一方、SSCG2021では抗凝固療法に関する項目自体が省かれている。

SSCGが抗凝固療法に対して否定的な見解を示す根拠は、これまでの大規模RCTのほとんどで抗凝固療法によって敗血症の生存転帰の改善が示されなかったことにある。一方、近年の日本の大規模観察研究やメタ解析から、抗凝固療法が有効な症例はDICを発症した重症例など敗血症のなかでも一部に限られる可能性が明確に示

されてきた[51)52)]。実際に，日本の実臨床でも抗凝固療法は敗血症症例全般に対して行われるものではなく，敗血症性DICに対する治療として行われるのが一般的である。これらのことから，J-SSCG2020では「敗血症性DIC」の症例に限定してRCTのシステマティックレビューが行われ，抗凝固療法の有用性を評価した。その結果，アンチトロンビン製剤とrhTMの使用が弱く推奨されている。

このように，抗DIC治療に関するSSCGとJ-SSCGの見解の相違は，歴史的な考え方の違いに加え，対象症例の相違（SSCGは敗血症，J-SSCGは敗血症性DIC）に起因しており，双方の推奨を理解するうえで重要な点である。敗血症は感染臓器，重症度，凝固障害の有無などによる異質性をもつ疾患であり，DIC治療も今後はprecision medicineの観点のもと，症例に応じた治療効果を評価する研究が必要である。

2 静脈血栓塞栓症の予防

敗血症では生体に強い侵襲が加わり凝固線溶障害が惹起されることに加えて，長期間の臥床を余儀なくされることが多く，深部静脈血栓症や肺塞栓症などの静脈血栓塞栓症（venous thromboembolism；VTE）のリスクが高い状態であるため，適切な予防策を検討する必要がある。

一般的にはVTEの予防策として，ヘパリンなどの抗凝固療法による薬剤的予防策と，弾性ストッキングやフットポンプによる機械的予防策が行われる。SSCGでは2016年版以降，原則として薬剤的予防策を第一選択として行うことが推奨され，さらに最新のRCT[53)]で薬剤的予防策に機械的予防策を併用してもVTEの発生率には差はなかったことを根拠に，SSCG2021では薬剤予防策に機械的予防策を併用しないことが推奨された。一方，J-SSCG2020では，機械的予防策に関するRCTの結果を踏まえつつも，VTEの発生リスクを考慮して，エキスパートコンセンサスとしてその使用が推奨された。

VTE対策の原則はリスク評価と日々のスクリーニングであり，そのうえで施設ごとに適切な予防対策のあり方を検討することが重要である。

3 PICS，PICS-F

近年，敗血症患者の生存退院率が向上したことにより，退院後に数カ月～数年単位で起こる長期的な筋力低下，神経学的異常，精神障害などの健康障害に注目が集まっている。2010年に米国集中治療医学会の国際会議で，このような病態をpost-intensive care syndrome（PICS）と総称し，集中治療の段階からその対策を協議していくことが提唱された[54)]。さらに，PICSのなかでも筋力低下など運動機能の低下はICU-acquired weakness（ICU-AW）と呼ばれ，敗血症患者の約半数で発症するという報告もある[55)]。

敗血症におけるPICS，ICU-AWの発症に関与する因子として，重症度，医療・ケア介入，ICUの環境，患者の精神的要因があり，これらが相互に影響することでPICSのリスクが高まるとされる。とくに治療介入の要因には鎮静薬，副腎皮質ステロイドの使用，身体拘束，人工呼吸管理などが含まれ，これらの介入を最適化することがPICSの発症予防に重要とされる。

また，PICSは患者のみならず患者家族の精神にも影響を及ぼす病態であり，PICS-F（post intensive care syndrome-family）と呼ばれ注目されている。PICS-Fの発生率は患者の重症度と相関し，ICU入室から1年以内に最大で50％近くにも及ぶとされている[56)]。

このような観点から，J-SSCGでは急性期治療におけるPICSおよびPICS-Fの予防策として，早期リハビリテーションに加えて，ICU日記をつけること，身体拘束（抑制）を避けること，睡眠ケアとして換気補助の追加を行うこと，耳栓・アイマスク・音楽療法などの非薬物的睡眠管理を行うこと，家族の面会制限を緩和することなどが推奨されている。一方，SSCGではPICS，PICS-Fの予防対策に関して十分な議論は行われておらず，これはSSCGがさまざまな国・地域の医療者のみならず，政策立案者も含めた読者を想定し，長期的かつ社会的な観点を重視しているのに対して，J-SSCG2020は集中治療領域における多職種の医療従事者を対象とし，より急性期の実臨床に即した推奨の設定を目指したという違いに起因すると思われる。

対照的に，SSCG2021では患者やその家族に対する経済的・社会的支援や退院後のフォローアップ，リハビリテーションプログラムに対して多くの項目で言及されている。このような提言の多くは十分なエビデンスに裏づけられているものではないものの，長期的な後遺症サポートなど，日本の臨床現場においても参考にすべきものが多く含まれている。

標準的な診療指針と個別医療のバランスの重要性

　主に標準的な敗血症診療の考え方について，国内外の最新のガイドラインに沿って解説した。ガイドラインは，最新の知見に基づいて診断・治療を標準化することで敗血症診療成績の向上を目指すものであり，その役割は非常に重要である。一方で近年，診療の標準化と同時に，個々の患者の状態に応じた個別化治療の重要性も指摘されている[57]。実際に，敗血症においても遺伝子発現など病型（フェノタイプ）の違いにより，転帰が大きく左右されることが報告されている[58]。個々の患者の状態に応じた最適な診療を行ううえでも，標準的治療と個別化医療の双方のバランスが今後ますます重要になると考えられる。

▶文　献

1) Rudd KE, et al：Global, regional, and national sepsis incidence and mortality, 1990-2017：Analysis for the Global Burden of Disease Study. Lancet 395：200-11, 2020.
2) Torio CM, et al：National inpatient hospital costs：The Most Expensive Conditions by Payer, 2011：Statistical Brief #160. In：Healthcare Cost and Utilization Project (HCUP) Statistical Briefs [Internet] Rockville (MD)：Agency for Health Care Policy and Research (US) 2006-2013.
3) Imaeda T, et al：Trends in the incidence and outcome of sepsis using data from a Japanese nationwide medical claims database-the Japan Sepsis Alliance (JaSA) study group. Crit Care 25：338, 2021.
4) Singer M, et al：The third international consensus definitions for sepsis and septic shock (Sepsis-3). JAMA 315：801-10, 2016.
5) Umemura Y, et al：Assessment of mortality by qSOFA in patients with sepsis outside ICU：A post hoc subgroup analysis by the Japanese Association for Acute Medicine Sepsis Registry Study Group. J Infect Chemother 23：757-62, 2017.
6) Umemura Y, et al：Prognostic accuracy of quick SOFA is different according to the severity of illness in infectious patients. J Infect Chemother 25：943-9, 2019.
7) Evans L, et al：Surviving Sepsis Campaign：International guidelines for management of sepsis and septic shock 2021. Intensive Care Med 47：1181-247, 2021.
8) Slade E, et al：The Surviving Sepsis Campaign：Raising awareness to reduce mortality. Crit Care 7：1-2, 2003.
9) Egi M, et al：The Japanese clinical practice guidelines for management of sepsis and septic shock 2020 (J-SSCG 2020). Acute Med Surg 8：e659, 2021.
10) Rivers E, et al：Early goal-directed therapy in the treatment of severe sepsis and septic shock. N Engl J Med 345：1368-77, 2001.
11) ProCESS Investigators：A randomized trial of protocol-based care for early septic shock. N Engl J Med 370：1683-93, 2014.
12) Peake SL, et al：Goal-directed resuscitation in septic shock. N Engl J Med 372：190-1, 2015.
13) Mouncey PR, et al：Trial of early, goaldirected resuscitation for septic shock. N Engl J Med 372：1301-11, 2015.
14) Levy MM, et al：The Surviving Sepsis Campaign bundle：2018 update. Intensive Care Med 44：925-8, 2018.
15) 日本版敗血症診療ガイドライン2020（J-SSCG2020）バンドル版．https://www.jsicm.org/news/news220518.html
16) Levy MM, et al：The Surviving Sepsis Campaign：Results of an international guideline-based performance improvement program targeting severe sepsis. Intensive Care Med 36：222-31, 2010.
17) Finfer S, et al：A comparison of albumin and saline for fluid resuscitation in the intensive care unit. N Engl J Med 350：2247-56, 2004.
18) Brunkhorst FM, et al：Intensive insulin therapy and pentastarch resuscitation in severe sepsis. N Engl J Med 358：125-39, 2008.
19) Perner A, et al：Hydroxyethyl starch 130/0.42 versus ringer's acetate in severe sepsis. N Engl J Med 367：124-34, 2012.
20) Myburgh JA, et al：Hydroxyethyl starch or saline for fluid resuscitation in intensive care. N Engl J Med 367：1901-11, 2012.
21) Finfer S, et al：The SAFE study：Saline vs. albumin for fluid resuscitation in the critically ill. Vox Sang 87 (Suppl 2)：123-31, 2004.
22) Beck V, et al：Timing of vasopressor initiation and mortality in septic shock：A cohort study. Crit Care 18：R97, 2014.
23) Black LP, et al：Time to vasopressor initiation and organ failure progression in early septic shock. J Am Coll Emerg Physicians Open 1：222-30, 2020.
24) De Backer D：Comparison of dopamine and norepinephrine in the treatment of shock. N Engl J Med 362：779-89, 2010.
25) De Backer D, et al：Dopamine versus norepinephrine in the treatment of septic shock：A meta-analysis. Crit Care Med 40：725-30, 2012.
26) Kumar A, et al：Duration of hypotension before initiation of effective antimicrobial therapy is the critical determinant of survival in human septic shock. Crit Care Med 34：1589-96, 2006.
27) Sterling SA, et al：The impact of timing of antibiotics on outcomes in severe sepsis and septic shock：A systematic review and meta-analysis. Crit Care Med 43：1907-15, 2015.
28) Umemura Y, et al：Hour-1 bundle adherence was associated with reduction of in-hospital mortality among patients with sepsis in Japan. PLoS One 17：e0263936, 2022.

29) Seymour CW, et al：Time to treatment and mortality during mandated emergency care for sepsis. N Engl J Med 376：2235-44, 2017.
30) Liu VX, et al：The timing of early antibiotics and hospital mortality in sepsis. Am J Respir Crit Care Med 196：856-63, 2017.
31) Alam N, et al：Prehospital antibiotics in the ambulance for sepsis：A multicentre, open label, randomised trial. Lancet Respir Med 6：40-50, 2018.
32) Bloos F, et al：Effect of a multifaceted educational intervention for anti-infectious measures on sepsis mortality：A cluster randomized trial. Intensive Care Med 43：1602-12, 2017.
33) Kumar A, et al：Initiation of inappropriate antimicrobial therapy results in a five-fold reduction of survival in human septic shock. Chest 136：1237-48, 2009.
34) Umemura Y, et al：Current spectrum of causative pathogens in sepsis：A prospective nationwide cohort study in Japan. Int J Infect Dis 103：343-51, 2021.
35) Chastre J, et al：Comparison of 8 vs 15 days of antibiotic therapy for ventilator-associated pneumonia in adults：A randomized trial. JAMA 290：2588-98, 2003.
36) Choudhury G, et al：Seven-day antibiotic courses have similar efficacy to prolonged courses in severe community-acquired pneumonia：A propensity-adjusted analysis. Clin Microbiol Infect 17：1852-8, 2011.
37) Kalil AC, et al：Management of adults with hospital-acquired and ventilator-associated pneumonia：2016 clinical practice guidelines by the infectious diseases society of America and the American Thoracic Society. Clin Infect Dis 63：e61-111, 2016.
38) Vaughn VM, et al：Excess antibiotic treatment duration and adverse events in patients hospitalized with pneumonia：A multihospital cohort study. Ann Intern Med 171：153-63, 2019.
39) Yahav D, et al：Seven versus 14 days of antibiotic therapy for uncomplicated gram-negative bacteremia：A noninferiority randomized controlled Trial. Clin Infect Dis 69：1091-8, 2019.
40) Sawyer RG, et al：Trial of short-course antimicrobial therapy for intraabdominal infection. N Engl J Med 372：1996-2005, 2015.
41) Harvey SE, et al：Trial of the route of early nutritional support in critically ill adults. N Engl J Med 371：1673-84, 2014.
42) Reignier J, et al：Enteral versus parenteral early nutrition in ventilated adults with shock：A randomised, controlled, multicentre, open-label, parallel-group study (NUTRIREA-2). Lancet 391：133-43, 2018.
43) Werdan K, et al：Score-based immunoglobulin G therapy of patients with sepsis：The SBITS study. Crit Care Med 35：2693-701, 2007.
44) Madsen MB, et al：Immunoglobulin G for patients with necrotising soft tissue infection (INSTINCT)：A randomised, blinded, placebo-controlled trial. Intensive Care Med 43：1585-93, 2017.
45) Welte T, et al：Efficacy and safety of trimodulin, a novel polyclonal antibody preparation, in patients with severe community-acquired pneumonia：A randomized, placebo-controlled, double-blind, multicenter, phase II trial (CIGMA study). Intensive Care Med 44：438-48, 2018.
46) Vincent JL, et al：A pilot-controlled study of a polymyxim B-immobilized hemoperfusion cartridge in patients with severe sepsis secondary to intra-abdominal infection. Shock 23：400-5, 2005.
47) Cruz DN, et al：Early use of polymyxin B hemoperfusion in abdominal septic shock：The EUPHAS randomized controlled trial. J Am Med Assoc 301：2445-52, 2009.
48) Payen DM, et al：Early use of polymyxin B hemoperfusion in patients with septic shock due to peritonitis：A multicenter randomized control trial. Intensive Care Med 41：975-84, 2015.
49) Dellinger RP, et al：Effect of targeted polymyxin B hemoperfusion on 28-day mortality in patients with septic shock and elevated endotoxin level：The EUPHRATES randomized clinical trial. JAMA 320：1455-63, 2018.
50) Yatabe T, et al：New avenues of sepsis research：Obtaining perspective by analyzing and comparing SSCG 2021 and J-SSCG 2020. J Intensive Care 10：11, 2022.
51) Umemura Y, et al：Efficacy and safety of anticoagulant therapy in three specific populations with sepsis：A meta-analysis of randomized controlled trials. J Thromb Haemost 14：518-30, 2016.
52) Yamakawa K, et al：Benefit profile of anticoagulant therapy in sepsis：A nationwide multicentre registry in Japan. Crit Care 20：229, 2016.
53) Arabi YM, et al：Adjunctive intermittent pneumatic compression for venous thromboprophylaxis. N Engl J Med 380：1305-15, 2019.
54) Elliott D, et al：Exploring the scope of post-intensive care syndrome therapy and care：Engagement of non-critical care providers and survivors in a second stakeholders meeting. Crit Care Med 42：2518-26, 2014.
55) Hermans G, et al：Clinical review：Intensive care unit acquired weakness. Crit Care 19：274, 2015.
56) Fumis RR, et al：Emotional disorders in pairs of patients and their family members during and after ICU stay. PLoS One 10：e0115332, 2015.
57) Vincent JL, et al：Equilibrating SSC guidelines with individualized care. Crit Care 25：397, 2021.
58) Seymour CW, et al：Derivation, validation, and potential treatment implications of novel clinical phenotypes for sepsis. JAMA 321：2003-17, 2019.

17-2 緊急対応を要する感染症

工藤　大介

破傷風

1 疫学

低・中所得国ではいまだに破傷風発症数は多いが（ウガンダで3,550人/year，新生児発症を除く）[1]，先進国ではワクチン接種や環境の整備により少ない（イギリスで2～7人/year）[2]。わが国では年間約100人が発症し，5～9人が死亡しているが[3]，発症者の多くはワクチン接種の義務化前である1968年以前に産まれた者である。2010～2016年の入院患者の年齢中央値は74歳であり，新生児および妊産婦の例はない[4]。現在のわが国において破傷風は，破傷風菌に対する免疫が不十分な高齢者の感染症といえる。

2 病態生理

偏性嫌気性グラム陽性桿菌である破傷風菌（*Clostridium tetani*）が産生する破傷風毒素（tetanospasmin）によって生じる病態である。破傷風菌は有芽胞菌であり，芽胞の状態で土壌などの環境に広く存在する。創傷から破傷風菌が侵入することが原因となるが，20～50％の患者では侵入経路となる創傷が同定されない[2]。

破傷風毒素は強力な神経毒であり，神経筋接合部のシナプス前膜に結合して細胞内に入り，運動神経内を逆行して中枢側に移動する。破傷風毒素により運動神経の抑制システムが減弱し，特徴的な筋攣縮が生じる。また，交感神経のアドレナリン作動性神経に結合し興奮させることにより，自律神経調節障害が生じる。破傷風は，脱抑制された末梢運動神経，脳神経，交感神経が過活動となり，臨床症状を引き起こす病態である。

3 症状

潜伏期間は3～21日（平均10日）である。破傷風に特徴的な症状は，運動神経系の活動亢進，あるいは自律神経系の異常によるものである（表1）[2]。臨床経過により，I～IV期に分類される（表2）。I期の開口障害出現からIII期の全身性けいれんが起こるまでがオンセットタイムであり，これが48時間以内の場合は予後不良とされている。

表1　破傷風患者入院時の症状

- 開口障害（93～98％）
- 構音障害（83％）
- 全身性の筋緊張（94～95％）
- 筋硬直（96％）
- 筋攣縮（46～80％）
- 呼吸困難（7％）
- 体温38.4℃以上（76％）
- 脈拍数120回/min以上（34％）

〔文献2）より引用・改変〕

運動神経系活動亢進による症状は，筋のけいれん（spasm），硬直である。脳神経支配の筋では，開口障害（trismus, lockjaw），痙笑（risus sardonicus，顔面筋のけいれんにより笑っているようにみえる），喉頭けいれん，嚥下困難などとして認められる。開口障害は初期症状として多い。四肢や体幹の筋では，四肢，腹部，傍脊柱の筋群における硬直および疼痛を伴うけいれん，さらには後弓反張（opisthotonos）として認められる。

交感神経系の過活動による症状として，自律神経不安定性を発症早期より生じる。高血圧と頻脈が起こるだけでなく，突然の血圧低下と徐脈が起こり，これを繰り返す。さらに，腸管や膀胱の機能障害や気道分泌過多を引き起こす。

これらの症状は聴覚，接触，視覚刺激により引き起こされる。一方，破傷風では意識障害や知覚障害は生じない。

また，臨床的に下記の3タイプに分けられる。

1）全身性破傷風（generalized tetanus）

大半が本タイプである。脳神経支配の筋および全身の筋のけいれん，硬直がみられる。自律神経不安定性もみられることが多い。

表2 破傷風の病期

Ⅰ期	開口障害が出現する．交換神経亢進症状として，落ち着きのなさ，発汗，頻脈もみられる
Ⅱ期	開口障害が強くなって，発語，嚥下が困難になり，痙笑がみられる
Ⅲ期	四肢，腹部，傍脊柱の筋群における硬直および疼痛を伴うけいれん，さらには後弓反張が出現する．けいれんの持続により，無呼吸が生じる．腱反射の亢進，気道分泌過多もみられる
Ⅳ期	上記の症状が時間経過とともに軽快していく

2）局所性破傷風（localized tetanus）

創傷部に近い部位に限定してけいれんが起きる．部分免疫のある患者に認められることが多く，症状は比較的軽症であるが，全身性破傷風に進行することもある．

3）頭部破傷風（cephalic tetanus）

頭部外傷後，脳神経支配筋に症状が認められる，まれなタイプである．潜伏期間は短く，1～2日である．局所性破傷風と同様,全身性破傷風に進行することもある．

4 検査・診断

特異的検査はなく，臨床症候から診断する．破傷風患者の創部からの破傷風菌（*Clostridium tetani*）培養検査は陰性であることが多く，また破傷風菌は破傷風を発症していない患者の創部からも培養されることがあるため，破傷風菌の存在だけでは診断できない．臨床症状としての開口障害は，咽頭，口腔，下顎の疾患でも生じ，全身性の筋攣縮はストリキニーネ中毒やフェノチアジン，メトクロプラミドなどの薬剤によるジストニアなどが鑑別疾患としてあげられる．軽症あるいは局所型の破傷風の診断は慎重を要するが，除外できるまで本症を念頭に置くことが肝要である．

5 治 療

エビデンスに基づいた診療ガイドラインは存在しない．下記6つの柱による治療，および発症予防を行う[2]．

1）毒素の取り込み，産生予防

創部を同定できる場合は，十分に洗浄し，デブリドマンを行う．抗菌薬は，ペニシリンとメトロニダゾールに感受性があり[5)6]，メトロニダゾールのほうが有効性が高いことが示唆されている[7]．

2）毒素の中和

神経細胞に結合していない毒素の中和として，抗毒素を投与する．わが国では，破傷風抗毒素を含むヒト免疫グロブリンG（抗破傷風人免疫グロブリン）が使用可能である．

3）気道・呼吸管理

咽頭・喉頭けいれんや気道分泌過多となるため，気管挿管による人工呼吸管理を要する．人工呼吸管理を行えば，筋攣縮制御のために筋弛緩薬投与や深鎮静となる多量の鎮静薬を投与することができる．人工呼吸管理は3～5週間に及ぶことが多く，抜管後の気道狭窄のリスクを減らすために気管切開を行うことが多い．

4）筋攣縮制御

筋攣縮の制御には，多くの国でベンゾジアゼピン系薬（ジアゼパムやミダゾラム）が第一選択薬として使用されている．カルシウムのアンタゴニストである硫酸マグネシウムも用いられる．気管挿管による人工呼吸管理中は，鎮静薬と筋弛緩薬の併用により，筋攣縮を制御する．

5）自律神経調節障害の管理

自律神経障害に対する管理は確立されていないが，高血圧や頻脈に対してはカルシウム拮抗薬やβブロッカーを投与する．

6）支持療法

一般的な電解質や栄養の管理，院内感染，とくに人工呼吸器関連肺炎の管理，血栓予防，リハビリテーションなどを行う．

6 予 防

破傷風は自然に免疫を獲得することはなく，ワクチン接種による予防が重要である．わが国では，第1期：四種混合ワクチン（破傷風トキソイド，ジフテリアトキソイド，百日咳ワクチン，不活化ポリオワクチン）を標準的には生後3～12カ月に3回初回接種，初回接種後6カ月以上空けて12～18カ月後に1回追加接種，第2期：二種混合ワクチンを11～12歳に1回接種する．創傷処置の際の沈降破傷風トキソイドの接種は，創部の汚染程度やワクチン接種歴に応じて行う．国立感染症研究所の推奨

表3 創傷に対する予防的沈降破傷風トキソイド投与

1. 創傷部の状態から破傷風発症のリスクが低いと考えられる場合

- 第1期初回免疫3回接種完了，かつ最後の接種から10年以内
  → 接種不要
- 第1期初回免疫3回接種完了，かつ最後の接種から10年以上
  → 1回の接種を推奨
- ワクチン未接種，もしくは接種歴不明
  → 積極的な接種を推奨

2. 創傷部の状態から破傷風発症のリスクが高いと考えられる場合

- 第1期初回免疫3回接種完了，かつ最後の接種から5年以内
  → 接種不要
- 第1期初回免疫3回接種完了，かつ最後の接種から5年以上
  → 1回の接種を推奨
- 第1期初回免疫3回接種完了していない，もしくは接種歴不明
  → 沈降破傷風トキソイド：3～8週の間隔で2回投与，6～18カ月後に1回の追加接種
  　抗破傷風人免疫グロブリン：250IU 投与

〔文献3）より引用して作成〕

重篤な免疫不全患者の場合，ワクチン接種歴とは関係なく，抗破傷風人免疫グロブリンを投与する
破傷風発症のリスクが高いのは汚染創，壊死創，挫滅創，剝離創，凍傷創，熱傷創などである

を表3[3)]に示す。破傷風予防のための抗菌薬投与は不要である。

わが国では，1968年から破傷風トキソイド，ジフテリアトキソイド，百日咳ワクチンが組み合わされた三種混合ワクチンが定期接種となった。そのため前述したとおり，わが国における発症者の多くは，ワクチン接種の義務化前である1968年以前に産まれた者である。1968年以前に産まれた者は破傷風に対する基礎免疫がない可能性が高い。外傷による創傷がある場合は，通常よりも破傷風発症のリスクが高いと考えて対応する必要がある。

壊死性軟部組織感染症

壊死性軟部組織感染症には，壊死性筋膜炎，壊死性蜂窩織炎，クロストリジウム属によるガス壊疽などの病態や起因菌による感染症が含まれる。しかし，国際的に統一された疾患分類がなく，ここではわが国で一般的な分類を用いる。

1 壊死性筋膜炎の分類・特徴など

1）分類

壊死性筋膜炎は，複数菌に起因するⅠ型と，単一菌に起因するⅡ型に分類される。

(1) Ⅰ型壊死性筋膜炎

複数の好気性および嫌気性細菌による混合感染症であり，高齢者や糖尿病などの基礎疾患をもつ患者に発症することが多い。非クロストリジウム属嫌気性菌による蜂窩織炎や壊死性蜂窩織炎はⅠ型壊死性筋膜炎の亜型としてとらえることができる。また，感染部位や臨床的特徴により個別の疾患名により表記される病態があり，頭頸部では Ludwig's angina（顎下隙の筋膜の感染，わが国では口腔底蜂窩織炎と呼ばれる）や Lemierre 症候群（内頸静脈血栓性静脈炎を伴う感染）が含まれる。Fournier 壊疽は，会陰部を中心に感染が拡大する。手術後に結腸瘻部位周囲などに生じる進行性細菌性相乗性壊疽（progressive bacterial synergistic gangrene，あるいは large phagedenic ulcer という名称もある）は，皮膚・皮下組織に限局するものである[8)]。

粘膜の裂傷部位（直腸，腟，尿道など）から細菌が侵入することに起因する。腸管，泌尿生殖器，婦人科手術にも関連する。末梢血管障害を有する糖尿病患者では，粘膜の裂傷部位ではない部位に生じることもある。細菌が筋膜まで到達し，筋膜に沿って拡大する。しばしば組織内にガスがみられ，ガス壊疽との鑑別が難しい。

(2) Ⅱ型壊死性筋膜炎

単一細菌に起因するものである。もっとも頻度が高い起因菌は化膿レンサ球菌（A群β溶血性レンサ球菌）であり，次いで黄色ブドウ球菌である。Ⅰ型と異なり，す

べての年齢の患者，背景疾患のない患者にも生じる。*Aeromonas hydrophila*, *Vibrio vulnificus* による壊死性感染症は，Ⅲ型壊死性筋膜炎と分類されることもある。発症機序は2通りで，明らかな細菌の侵入門戸を伴うタイプと，創や裂傷がなく深部組織から自然に発症するタイプがある[8]。

(3) その他の壊死性筋膜炎

単一のグラム陰性桿菌（バクテロイデスや大腸菌）による筋膜炎は，通常はⅡ型壊死性筋膜炎には分類されず，別に扱われる。免疫機能低下，糖尿病，肥満，手術後，あるいは慢性の臓器障害をもつ患者で発症する。

2）疫学

壊死性筋膜炎に関しては，タイでは年間10万人当たり15.5人[9]，そのほかの地域からは年間10万人当たり0.3～5人が発症したという報告がある[10]。Ⅰ型とⅡ型の発症割合は，報告によりさまざまである。

3）症状

壊死性筋膜炎においては，軟部組織の浮腫，紅斑，熱感，皮膚の水疱あるいは壊死がみられ，強い疼痛や圧痛があることが多い。全身的には，ショックや臓器障害を伴う敗血症となる。創や裂傷がなく自然に発症するタイプでは，初期には皮膚所見がなく，発熱と徐々に強くなる痛みのみが症状として表れることもある。倦怠感，筋肉痛，下痢，食思不振などの症状が24時間以内に生じる。初期には皮膚所見が乏しいこともあり，誤った診断（食中毒，筋挫傷，血栓性静脈炎など）を受ける，あるいは正確な診断を受けるまでに時間を要することがある。皮膚の出血斑や水疱が生じるときには，すでに軟部組織の壊死は進行し，循環障害や臓器障害が進行している。

2 ガス壊疽（クロストリジウム性筋壊死）の特徴など

クロストリジウム属による壊死性感染症である。外傷を契機に，あるいは外傷などの起因がなく生じる。初期感染の治癒から数十年後に再発として生じたという報告もある[11]。穿通性の深部損傷により血流が不十分になった組織は嫌気環境となり，芽胞形成や細菌増殖には適した環境である。ガス壊疽の70％は，このような穿通性の深部損傷が原因となる[12]。そのほかには，腸管や胆管の外科手術，アドレナリンの筋肉注射，胎盤遺残，前期破水，子宮内胎児死亡などに続いて生じることもある。

起因菌の80％は *Clostridium perfringens* であり，*C. septicum*, *C. novyi*, *C. histolyticum* も起因菌となる。非外傷性ガス壊疽では，*C. septicum* の頻度が高く，腺がんなどの消化管に侵襲門戸がある患者や先天性および周期性好中球減少症の患者に生じる[8]。

ガス壊疽の感染部位は皮膚，筋肉，子宮，会陰部が多い。発熱がなく，高度の低血圧，全身の毛細血管漏出，血液濃縮（Ht 50～80％），白血球増多（50,000～15,000/μL）などの臨床徴候を呈し，死亡率は70～100％に及び，入院後2～4日の急激な経過で死亡することが多い[8]。

3 病態生理

1）創や裂傷があるタイプ

化膿性レンサ球菌，*Aeromonas hydrophila*, *Vibrio vulnificus*, 混合感染，クロストリジウム属によるガス壊疽がこれにあたる。皮膚や粘膜の裂傷部位，穿通性外傷部位などから細菌や芽胞が侵入し，局所で細菌は増殖し，外毒素を産生する。外毒素により組織が傷害され，ホストの炎症反応が減弱される。外毒素により血小板と白血球の凝集が生じ，毛細血管を閉塞し，血管内皮細胞を傷害する。それにより水分の血管外漏出，組織の腫脹・紅斑が生じる。紅斑と浮腫は広がり，出血斑や水疱も生じてくる。さらに，深部組織にも感染は進展する。外毒素はさらに細静脈，細動脈も閉塞し，組織壊死が真皮から筋組織まで広がる。

2）創や裂傷がなく自然に発症するタイプ

化膿レンサ球菌がこれにあたる。深部軟部組織で筋挫傷や血腫が生じると，白血球の集積，活性化や筋原性前駆細胞の増殖などの修復反応が始まる。とくに易感染性の患者では，咽頭の定着菌として存在している化膿レンサ球菌が血流により損傷部位に移動する。損傷部位で増加しているマクロファージや筋原性前駆細胞と化膿レンサ球菌が結合する。化膿レンサ球菌は損傷部位で増殖し，外毒素を産生する。外毒素により血管内では後毛細管小静脈，細動脈，大きな血管と順に血小板と好中球の凝集が生じ，血管閉塞を引き起こす。虚血により軟部組織の壊死が進行していく。皮膚表面の出血斑や水疱などの所見は，上記の病態が進行した後に遅れて生じる。

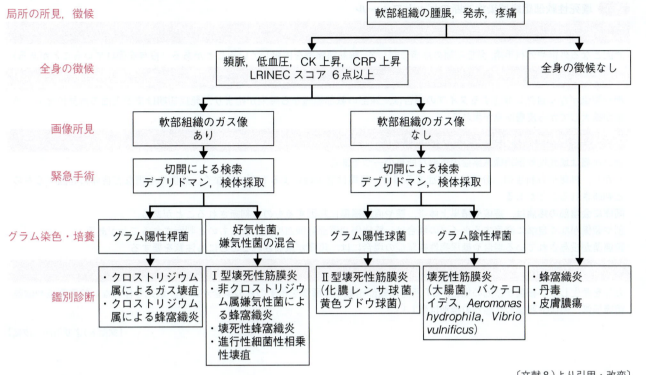

図1 壊死性軟部組織感染症の診断アルゴリズム
局所所見と全身の徴候があれば，壊死性軟部組織感染症を疑う．CTなどによりガス像の有無がわかれば，ある程度起因菌を想定できる．壊死性軟部組織感染症の診断は手術所見で行う．手術により検体を採取し，起因菌を確定する

〔文献8〕より引用・改変〕

4 検査・診断

診断アルゴリズムを図1[8)]に示す．壊死性筋膜炎に特異的な検査や診断基準はなく，確定診断は外科的手術時の肉眼所見，すなわち筋膜および軟部組織の壊死所見による．

まずは皮膚所見，発熱や意識の変容，ショックなどの敗血症の徴候から壊死性筋膜炎を疑うが，さまざまな原因により症状を呈さない，あるいはマスクされているというピットフォールがあるため注意を要する（表4）[8)]．

画像検査としてはCT検査を行うことが多い．Ⅰ型壊死性筋膜炎やガス壊疽では，軟部組織にガス像を呈することが多く，これにより外科的介入が必要と判断できる．Ⅱ型壊死性筋膜炎ではガス像は呈さず，軟部組織の浮腫像がみられるのみであり，外傷や非感染性炎症によるものとの鑑別は難しい．

血液検査値を組み合わせた LRINEC（Laboratory Risk Indicator for Necrotizing Fasciitis）スコアは，壊死性筋膜炎である可能性を予測するものであり，診断の補助となる（表5）[13)]．

壊死性筋膜炎を強く疑うときは外科的切開による観察が必要となる．それにより感染の範囲を把握し，デブリドマンや四肢切断術の必要性を判断でき，組織検体を得ることができる．組織検体のグラム染色および培養は，初期の抗菌薬選択および起因菌の同定に重要である．

5 治療

可及的早期の外科的デブリドマンが必要である．外科的デブリドマン後も壊死や感染範囲が拡大することがしばしばあるため，壊死組織をすべてデブリドマンできるまで1～2日ごとの観察およびデブリドマンを行う．

同時に抗菌薬投与も可及的早期に開始する．起因菌同定前の経験的投与では，とくに最近の入院歴や抗菌薬投与歴がある患者に対しては，耐性菌も考慮した広域抗菌薬を選択する必要がある．化膿レンサ球菌によるⅡ型壊死性筋膜炎あるいはクロストリジウム属細菌によるガス壊疽と診断がついた場合は，ペニシリンとクリンダマイシンの併用投与を行う．そのほかの壊死性軟部組織感染症は起因菌に応じた抗菌薬を選択する．

補助的治療としては高気圧酸素治療や免疫グロブリン投与があるが，その効果についての結論は出ていない．

17. 感染症

表4 壊死性軟部組織感染症診断のピットフォール

1．発熱がない

原因となる外傷や外科手術，発症初期の疼痛に対して，解熱鎮痛薬を内服していることがある（投与を受けていることがある）

2．皮膚所見がない

創や裂傷がなく自然に発症するタイプの場合は，深部の軟部組織から感染が始まり，発症初期は皮膚表面の所見はなく，感染が拡大してから皮膚所見が表れる

3．強い疼痛がほかの原因によるものと判断される

強い疼痛は壊死性軟部組織感染症の重要な所見の一つである
しかし，外傷や外科手術，分娩後に発症する場合，疼痛は感染症によるものではなく，外傷や手術など自体に起因するものと判断されることがある
同様に会陰部の疼痛は，痔核や精巣上体炎，腟や直腸損傷に起因するものと判断されることがある
創や裂傷がなく自然に発症するタイプの場合は，筋挫傷や深部静脈血栓症によるものと判断されることがある
鎮痛薬が投与されている場合や糖尿病性神経症の場合には，疼痛が減弱されることにも注意を要する

4．特異的な画像所見がない

ガスを産生しない細菌が原因の場合，CT 所見は軟部組織の浮腫像を示すのみの場合がある。壊死を伴わない蜂窩織炎や軟部組織損傷，術後や産後の状態との鑑別は難しい

〔文献8）より引用・改変〕

表5 LRINEC スコア

項目		スコア
CRP (mg/dL)	<15	0
	≧15	4
白血球 (/μL)	<15,000	0
	15,000〜25,000	1
	>25,000	2
Hb (g/dL)	>13.5	0
	11.0〜13.5	1
	<11.0	2
Na (mEq/L)	≧135	0
	<135	2
クレアチニン (mg/dL)	≦1.59	0
	>1.59	2
血糖値 (mg/dL)	≦180	0
	>180	1

〔文献13）より引用・改変〕

最大スコアは13点。6点以上で壊死性筋膜炎疑い，8点以上で壊死性筋膜炎の可能性が非常に高い

急性感染性電撃性紫斑病

感染により急速に進行する四肢末端優位の出血性壊死（紫斑）が特徴（近位の動脈閉塞は伴わない）であり，全身的にはショックと DIC を併発する。

1 疫学

起因菌として多いのは髄膜炎菌，肺炎球菌であり，そのほかにはレンサ球菌属，インフルエンザ桿菌，大腸菌，クレブシエラなどである。小児では，猩紅熱や水痘にも続発する。わが国では肺炎球菌が最多である。菌血症に合併するものが主であるが，イヌ咬傷やネコ咬傷（Capnocytophaga canimorsus）に合併することもある。健常者でも発症し得るが，とくに脾摘出後や免疫抑制状態がリスク因子となる。死亡率は40％に及ぶ[14]。

2 病態生理

四肢末端優位の出血性壊死は，微小血管や深部血管の血栓症による虚血や DIC が進行した病態と考えられている。幼小児期の発症例では，血栓症の原因としてプロテインC欠乏の関与が考えられている。幼小児期にはプロテインC生成量が少ないため，感染症に伴い欠乏状態となり，凝固過剰から血栓形成により四肢末端の虚血が生じる。また，プロテインSの一過性欠乏が関与している症例の報告もある[15]。病理学的には，①びまん性の広範な出血，血管周囲への細胞集簇，血管内血栓を認める，②病変部位に細菌は認めない，③抗原抗体複合体の組織への沈着を伴う，といった特徴がある[16]。

3 症 状

　四肢末端優位の出血性壊死は，手，指，足趾，鼻尖部など，血流が障害されやすい遠位部に多い。発症初期は境界鮮明の紅斑が出現するが，急速に中心が不整で青黒い出血性壊死に進展する。真皮壊死部への出血により，疼痛が生じ，黒く膨隆し，小胞や水疱を伴うこともある。初期の局所病変は早期治療により回復することもあるが，出血性壊死が完成した部位は全層あるいは皮下組織に広範に壊死が拡大する。全身的には，発熱，ショック，DIC，多臓器障害を呈する。

4 検査・診断

　特徴的な四肢末端優位の紫斑，出血性壊死の存在により診断する。血液検査では，血小板数減少，フィブリノゲン低値，FDP高値などの血液凝固系の異常がみられるが，本症に特異的なものではない。プロテインCやプロテインSも減少していることが多いが，小児ではもともと少なく，また感染症のみでも減少することがあるため，先天性プロテインC（S）欠乏症の診断については，専門家に相談するなど慎重な対応を要する。

5 治 療

　初期治療は，敗血症に準じた呼吸・循環管理，起因菌に対する抗菌薬投与を行う。特異的治療としてプロテインCおよびプロテインSの補充を行う。迅速に利用しやすいのは新鮮凍結血漿である[17]。わが国においてヒト血漿由来活性化プロテインC製剤の適応は，先天性プロテインC欠乏症患者の電撃性紫斑病，深部静脈血栓症，肺血栓塞栓症のみである。ヘパリン，アンチトロンビン製剤が奏効したとする報告もある[18]。壊死部位は外科的デブリドマン，筋膜切開や切断を要することが多い。急性期に遠位から全身に広がる紫斑は，再び限局して乾性壊死となるため，壊死領域が確定してからの切断がよいという報告もある[19]。コンパートメント症候群を合併した場合は，筋膜切開などの早期の外科的介入を要する。

劇症型溶血性レンサ球菌感染症

　侵襲性化膿レンサ球菌（侵襲性溶血性レンサ球菌）感染症は，本来は無菌である部位への化膿レンサ球菌（Streptococcus pyogenes）の感染と定義される。そのうちショックと多臓器障害を呈する重症型が，劇症型溶血性レンサ球菌感染症（Streptococcal toxic shock syndrome；STSS）である。

　化膿レンサ球菌は，菌によりさまざまな病原性（毒性）をもつが，そのうちの一部がSTSSの起因菌となる。レンサ球菌は細胞液の多糖体の抗原性によりLancefield A～V群（I，Jは除く）に分類される。化膿レンサ球菌はA群に属し，ヒツジ赤血球加血液寒天培地上でβ溶血（完全溶血）を起こすため，A群β溶血性レンサ球菌（溶連菌）とも呼ばれる。

1 疫 学

　侵襲性化膿レンサ球菌感染症の先進国における発症率は10万人当たり2～4人，死亡率は8～16％であるが，開発途上国では10万人当たり10人以上が罹患し，死亡率は25％以上に及ぶ[20]。STSSでは，先進国・開発途上国を含めて死亡率は50％に及ぶ[21]。

　罹患リスクが高いのは，乳幼児，高齢者，心疾患，糖尿病や悪性腫瘍，インフルエンザ罹患後，水痘罹患後の患者である。外傷や手術による皮膚や軟部組織に損傷がある場合や，慢性的な皮膚疾患がある場合に罹患リスクは高いが，多くの場合，感染経路は同定されない[22]。わが国では全数報告対象（5類感染症）であり，診断した医師は7日以内に最寄りの保健所に届け出なければならない。

2 病態生理

　化膿レンサ球菌のうち10％が外毒素（Streptococcal toxin）を産生し，この外毒素がスーパー抗原となる。スーパー抗原は宿主（ヒト）のT細胞を非特異的に多数活性化させ，多量のサイトカインが放出され，ショックや多臓器不全となる。

3 症状

　侵襲性化膿レンサ球菌感染症の感染部位としては，軟部組織感染が約50％ともっとも多い（詳細は「壊死性軟部組織感染症」の項で述べた）。感染源不明の菌血症は侵襲性化膿レンサ球菌感染症の15％を占める。そのほかには，肺炎や骨髄炎，髄膜炎を生じる。

　STSSは，発熱と日焼けのような紅斑が広範囲に及ぶ初期症状が特徴的で，急速に進行するショックと多臓器障害が生じる。初期症状として，発熱や紅斑に加えて結膜炎や粘膜炎を呈することもある。皮膚病変は2週間ほどで落屑となる。

4 検査・診断

　侵襲性化膿レンサ球菌感染症の確定診断は，無菌部位の液体や組織から化膿レンサ球菌が培養されることによる。初期症状として，発熱や広範囲の紅斑のみを認め，ショックと多臓器障害に進行した場合はSTSSを疑う。

5 治療

　蘇生と経験的な広域抗菌薬投与を行う。STSS診断後はペニシリンが第一選択薬であり，クリンダマイシンを併用投与する。クリンダマイシンには，外毒素産生の抑制，食作用（オプソニン作用）の増強作用，良好な組織移行性という特徴がある。また，免疫グロブリン療法は，外毒素によるT細胞活性化とサイトカイン産生の抑制効果が in vivo で示されており[23]，RCTで有効性を証明されていないものの，観察研究では有効性が示唆されている[24]。

侵襲性肺炎球菌感染症

　侵襲性肺炎球菌感染症は，血液や髄液など通常無菌である部位で肺炎球菌が同定される感染症と定義される。

1 疫学

　年齢，社会経済的状況，地域およびワクチン接種率などにより発症頻度は異なるが，どのような地域においても小児と高齢者で発症率は高い。5歳未満の小児では，4.7〜280/10万人と報告されている[25]。世界的動向をみると，肺炎球菌結合型ワクチンにより，この20年間における発症数や高発症率地域数は劇的に減少している。しかし，死亡率は20〜25％と高く，合併症をもっている患者や免疫抑制状態の患者に罹患するためと考えられている[26]。

　わが国では2013年から小児に対して13価結合型ワクチンが定期接種となり，2014年から2歳以上で免疫不全などのハイリスク者と65歳以上の高齢者に対して23価肺炎球菌多糖体ワクチンが定期接種となっている。2019年度の国内発症は人口10万人当たり2.65人であり，4歳以下では11.05人であった[27]。

2 病態生理

　肺炎球菌は乳児や小児の鼻咽頭に常在菌として存在している。感染経路は飛沫感染であり，菌血症を伴う肺炎，髄膜炎，菌血症などを生じる[28]。

3 症状

　肺炎，髄膜炎，菌血症による発熱，咳，痰，呼吸困難，意識障害，けいれんなどを呈する。

4 検査・診断

　通常は無菌である血液や髄液の細菌培養によって診断する。尿中肺炎球菌抗原検査は，菌血症を呈している患者においては精度が高い（感度82.5％，特異度96％）[29]。

5 治療

　早期の適切な抗菌薬投与が重要である。髄膜炎や菌血症などの侵襲性肺炎球菌感染症を疑う場合は，ペニシリン耐性株も考慮して経験的抗菌薬投与（バンコマイシンとセフトリアキソンの併用など）を開始し，培養および感受性試験の結果をみて変更する。耐性がなければペニシリン系抗菌薬が基本となる。髄膜炎では，髄液への移行性を考慮してセファロスポリン系を選択する。肺炎球菌肺炎に対するコルチコステロイド投与については，重症患者では投与を推奨するガイドラインもあるが，推奨の根拠となる研究のエビデンスレベルが高くない。副作用も考慮して判断する[28]。

　髄膜炎患者に対する抗菌薬投与期間は10日間，β-ラ

クタム薬耐性である場合にはセファロスポリンにリファンピシンを併用投与することも推奨されており，14日間投与する[30]。また，抗菌薬投与前あるいは投与と同時にコルチコステロイドを投与することが標準である[31]。

脾摘出後重症感染症

脾摘出後あるいは脾機能低下例において発症する重症感染症であり，急激な経過と高い死亡率を特徴とする。

1 疫学

脾摘出後患者での発症率は0.23%/yearという報告があり[32]，生涯の発症リスクは5%程度とされる[33]。脾摘から発症までの期間は，小児では2年以内が多くを占め，成人も含めると13日から59年後までに及ぶ。莢膜を保有する細菌が主な起因菌であり，肺炎球菌がもっとも多く，髄膜炎菌，インフルエンザ桿菌のほかに大腸菌や黄色ブドウ球菌なども起因菌となる。死亡率は38〜70％にも及ぶ[34]。発症のリスク因子は，2歳以下における脾摘，脾摘後2年以内，血液疾患（サラセミア，遺伝性球状赤血球症など）に対する脾摘，免疫機能低下状態（リンパ腫や化学療法中）などである[35,36]。

2 病態生理

脾は全身の約25％のリンパ組織を構成し，免疫機能として食作用，特異的免疫応答（抗体産生），オプソニン産生を担っている。脾摘によりこれらの機能が低下し発症につながると考えられており，急速に重症化し，敗血症となる。

3 症状

発症初期は軽い感冒様症状，発熱，悪寒，嘔気，嘔吐，腹痛などを呈する。しかし，数時間のうちに敗血症性ショックとなり，治療抵抗性のものも多い。

4 検査・診断

特異的な検査や診断方法はない。脾摘出後であることを早期に認識し，病態の急速な進行を念頭に置いた対応が重要である。

5 治療

感染の予防と敗血症に至る前の早期介入が重要である。

1）感染予防
脾摘後患者にはワクチン（とくに肺炎球菌に対するワクチン）を投与することが重要である。詳細は他項（p.684）も参照されたい。

2）早期治療介入
脾摘後の患者の感冒様症状は敗血症の早期徴候ととらえ，早期に抗菌薬を投与する。とくに発症リスクが高い患者に対しては，stand-by antibioticsという考え方で，主治医が内服抗菌薬を常備させ，発熱などの感染徴候があれば症状が軽微であっても直ちに内服し，その後に医療機関を受診してもらうことが推奨されている[36]。重症化の徴候があれば，敗血症として早期の広域抗菌薬投与と呼吸・循環管理を行う。

▶文献

1) Nanteza B, et al：The burden of tetanus in Uganda. Springerplus 5：705, 2016.
2) Yen LM, et al：Tetanus. Lancet 393：1657-68, 2019.
3) 国立感染症研究所：破傷風とは，2021. https://www.niid.go.jp/niid/ja/kansennohanashi/466-tetanis-info.html
4) Nakajima M, et al：Clinical features and outcomes of tetanus：Analysis using a National Inpatient Database in Japan. J Crit Care 44：388-91, 2018.
5) Campbell JI, et al：Microbiologic characterization and antimicrobial susceptibility of Clostridium tetani isolated from wounds of patients with clinically diagnosed tetanus. Am J Trop Med Hyg 80：827-31, 2009.
6) Hanif H, et al：Isolation and antibiogram of Clostridium tetani from clinically diagnosed tetanus patients. Am J Trop Med Hyg 93：752-6, 2015.
7) Ganesh Kumar AV, et al：Benzathine penicillin, metronidazole and benzyl penicillin in the treatment of tetanus：A randomized, controlled trial. Ann Trop Med Parasitol 98：59-63, 2004.
8) Stevens DL, et al：Necrotizing soft-tissue infections. N Engl J Med 377：2253-65, 2017.
9) Khamnuan P, et al：Necrotizing fasciitis：Epidemiology and clinical predictors for amputation. Int J Gen Med 8：195-202, 2015.
10) Naseer U, et al：Epidemiology of invasive group A streptococcal infections in Norway 2010-2014：A retrospective cohort study. Eur J Clin Microbiol Infect Dis 35：1639-48, 2016.
11) Stevens DL, et al：Spontaneous gas gangrene at a site of remote injury：Localization due to circulating

antitoxin. West J Med 148：204-5, 1988.
12) Stevens DL：Clostridial myonecrosis and other clostridial diseases. In：Bennett JC, et al eds, Cecil Textbook of Medicine, 20th ed, W.B. Saunders, 1996, pp 2090-3.
13) Wong CH, et al：The LRINEC (Laboratory Risk Indicator for Necrotizing Fasciitis) score：A tool for distinguishing necrotizing fasciitis from other soft tissue infections. Crit Care Med 32：1535-41, 2004.
14) Chalmers E, et al：Purpura fulminans：Recognition, diagnosis and management. Arch Dis Child 96：1066-71, 2011.
15) Kay's SK, et al：Localized thrombotic purpura：A rare complication of chickenpox. J Pediatr 130：655-7, 1997.
16) 岡敏明, 他：電撃性紫斑病. 日血栓止血会誌 12：154-60, 2001.
17) Marlar RA, et al：Diagnosis and treatment of homozygous protein C deficiency：Report of the Working Party on Homozygous Protein C Deficiency of the Subcommittee on Protein C and Protein S, International Committee on Thrombosis and Haemostasis. J Pediatr 114 (4 Pt 1)：528-34, 1989.
18) Gerson WT, et al：Severe acquired protein C deficiency in purpura fulminans associated with disseminated intravascular coagulation：Treatment with protein C concentrate. Pediatrics 91：418-22, 1993.
19) Johansen K, et al：Symmetrical peripheral gangrene (purpura fulminans) complicating pneumococcal sepsis. Am J Surg 165：642-5, 1993.
20) Steer AC, et al：High burden of invasive beta-haemolytic streptococcal infections in Fiji. Epidemiol Infect 136：621-7, 2008.
21) Hoge CW, et al：The changing epidemiology of invasive group A streptococcal infections and the emergence of streptococcal toxic shock-like syndrome. A retrospective population-based study. JAMA 269：384-9, 1993.
22) Steer AC, et al：Invasive group a streptococcal disease：Epidemiology, pathogenesis and management. Drugs 72：1213-27, 2012.
23) Norrby-Teglund A, et al：Plasma from patients with severe invasive group A streptococcal infections treated with normal polyspecific IgG inhibits streptococcal superantigen-induced T cell proliferation and cytokine production. J Immunol 156：3057-64, 1996.
24) 江木盛時, 他：日本版敗血症診療ガイドライン2020. 日救急医会誌 32：S1-9, 2021.
25) Feikin DR, et al：Serotype-specific changes in invasive pneumococcal disease after pneumococcal conjugate vaccine introduction：A pooled analysis of multiple surveillance sites. PLoS Med 10：e1001517, 2013.
26) Lexau CA, et al：Changing epidemiology of invasive pneumococcal disease among older adults in the era of pediatric pneumococcal conjugate vaccine. JAMA 294：2043-51, 2005.
27) 国立感染症研究所：侵襲性肺炎球菌感染症の届出状況（2014年第1週～2021年第35週）. https://www.niid.go.jp/niid/ja/pneumococcal-m/pneumococcal-idwrs/10779-ipd-211126.html
28) Fitzgerald D, et al：Invasive pneumococcal and meningococcal disease. Infect Dis Clin North Am 33：1125-41, 2019.
29) Smith MD, et al：Diagnosis of Streptococcus pneumoniae infections in adults with bacteremia and community-acquired pneumonia：Clinical comparison of pneumococcal PCR and urinary antigen detection. J Clin Microbiol 47：1046-9, 2009.
30) McGill F, et al：The UK joint specialist societies guideline on the diagnosis and management of acute meningitis and meningococcal sepsis in immunocompetent adults. J Infect 72：405-38, 2016.
31) Brouwer MC, et al：Nationwide implementation of adjunctive dexamethasone therapy for pneumococcal meningitis. Neurology 75：1533-9, 2010.
32) Ejstrud P, et al：Risk and patterns of bacteraemia after splenectomy：A population-based study. Scand J Infect Dis 32：521-5, 2000.
33) Lynch AM, et al：Overwhelming postsplenectomy infection. Infect Dis Clin North Am 10：693-707, 1996.
34) Waghorn DJ：Overwhelming infection in asplenic patients：Current best practice preventive measures are not being followed. J Clin Pathol 54：214-8, 2001.
35) Sinwar PD：Overwhelming post splenectomy infection syndrome：Review study. Int J Surg 12：1314-6, 2014.
36) 橋本直樹：脾摘後重症感染症の予防と対策. 日門脈圧亢進症会誌 2：16-8, 2014.

17-3 新興感染症，再興感染症

大曲 貴夫

感染症はこれまで，個人の健康の問題であるととらえられてきた。しかし，感染の問題は「国レベルの安全保障の問題」へと変わりつつある。

大きな影響を及ぼした事柄として記憶されているのは，鳥インフルエンザと重症急性呼吸器症候群（severe acute respiratory syndrome；SARS）である。H5N1鳥インフルエンザは1998年に最初の感染例が香港で報告されたが，2003年から再び東南アジアを中心に発生した。H5N1鳥インフルエンザの出現は，インフルエンザのパンデミックへの懸念を呼び，感染症に対する世界的な危機意識を高めた。さらに大きな影響を与えたのが，2002〜2003年にかけて世界で大きな問題となったSARSの世界的な流行である。これ以降，感染症は国際的に対応すべき危機管理問題として認識されるようになった。SARSの経験は，2005年の国際保健規則（International Health Regulations；IHR）改訂につながった。

SARS，鳥インフルエンザの問題を契機に，各国のコンプライアンスを確保する機序の欠如，世界保健機関（WHO）と各国との協力体制の欠如，現実の脅威となったテロリズムへの対策強化の必要性が指摘され，IHRの大規模な改訂が行われた。これに基づいてWHOは感染症危機管理の専門家のネットワークである「地球規模感染症に対する警戒と対応ネットワーク（Global Outbreak Alert and Responder Network；GOARN）」を形成し，専門家による国際的な感染症危機管理を担うようになった。2014〜2015年の西アフリカでのエボラ出血熱のアウトブレイクでも，このGOARNの枠組みをもとに，わが国からも感染症対策の専門家が現地の支援に派遣された。

しかし，エボラ出血熱のアウトブレイクでは，国際社会の初動の遅れにより感染が拡大し，長期化したとの批判がなされた。加えて，感染症の流行は現地の脆弱な医療システム，ひいては脆弱な国家体制に深刻な影響を及ぼすため，感染症対策上の支援のみならず，医療システム全体への支援，そして国家規模の社会支援が必要なことが明らかになった。これに立ち向かうための国際社会としてのあるべき枠組みが検討されはじめている。

そして，2019年末に新型コロナウイルス感染症（COVID-19）が中国で発生し，瞬く間に世界中に拡散した。2022年6月の段階で世界で累計5.44億人が感染し，633万人が亡くなっている。これまで，パンデミックが起こるとすればインフルエンザであると考えられてきた。しかし，コロナウイルスでもこれほどのパンデミックが起こることが示された。今後はインフルエンザやコロナウイルス感染症以外の感染症でも同様の事態が生じ得ることを想定すべきであろう。

海外から新興・再興感染症が持ち込まれるリスクも年々高まっており，一般の医療機関でもこのような感染症に対応する必要がある状況となっている。

重症熱性血小板減少症候群

1 概要

重症熱性血小板減少症候群（severe fever with thrombocytopenia syndrome；SFTS）は，2011年に中国の研究者らによって発表された新規のウイルス感染症である[1]。SFTSウイルスは，ブニヤウイルス科フレボウイルス属に分類される新しいウイルス，ダニ媒介性感染症であり，わが国ではフタトゲチマダニ，タカサゴキララマダニなどのマダニがこの疾患を媒介している。一方，わが国では飼い犬から飼い主に感染した事例も報告されており，動物を媒介した感染もあると考えられている。2013年1月に国内で初めて報告されて以降，西日本を中心に患者報告が相次いでいる[2]。感染症法による4類感染症に指定されている。

2 臨床像

SFTSの潜伏期は6〜14日間である。発熱や倦怠感などの非特異的症状で発症することが多く，病勢が進むとともに消化器症状（食欲低下，嘔気・嘔吐，下痢，腹痛）が認められることが多い。そのほか，頭痛，筋肉痛，意識障害や失語などの神経症状，リンパ節腫脹，皮下出血

や下血などの出血症状が報告されている[3]。現状では致死率6.3～30%とされている[2]。

3 検査所見

検査所見では白血球減少，血小板減少，AST・ALT・LDHの血清逸脱酵素の上昇，血清フェリチンの上昇が認められることが多い。CRPは正常範囲のことが多い。凝固系では，活性化部分トロンボプラスチン時間（APTT）のみ延長する場合が多い。骨髄検査では血球貪食像がみられることがある。

4 治 療

SFTSを疑ってから行政に確定検査を依頼するが，結果が得られるまでに時間がかかる。患者は臓器非特異的な症状・所見を呈する敗血症の状態を呈していることが多く，初期段階では細菌などによる敗血症の可能性も十分にあるため，これらを考慮して経験的治療を開始する。とくに日本紅斑熱やツツガムシ病の常在地で診療をする場合には，これらも考慮しテトラサイクリン系の抗菌薬を併用する。SFTSウイルスに対する特異的抗ウイルス療法は存在しない。

5 院内感染対策

中国および韓国より，血液などの患者体液との接触によりヒトからヒトへの感染が報告されている[3〜5]。患者の血液や体液で汚染された環境や呼吸器飛沫から感染する可能性があるため，接触および飛沫感染予防策を実施することが推奨されている。SFTSウイルスはエンベロープをもつRNAウイルスであるため，次亜塩素酸ナトリウム，エタノールなどが有効である。

鳥インフルエンザ

鳥インフルエンザは，鳥インフルエンザウイルスを原因として主にトリの間で流行するインフルエンザである。このウイルスはトリ型の遺伝子をもつA型インフルエンザウイルスである。トリ-トリ間でのみ感染するものと，トリ-ヒト間でも感染するものがあるが，ここでは医療機関で問題となるトリ-ヒト間でも感染する鳥インフルエンザについて取り上げる。これまで主なものとして，H5N1亜型，H7N7亜型，H7N9亜型，H9N2亜型が報告されている。以下，鳥インフルエンザA（H7N9）について述べる。

1 疫 学

鳥インフルエンザA（H7N9）は2013年2月に中国を中心に発生し，同年夏に収まったかに思えたが，同年秋以降に再度患者が発生し，発生国も中国以外に広がった。2013年末〜2014年の春には，第一波（2013年前半）で報告されたよりも多くの感染例が報告された。2014〜2015年シーズンではこれがさらに地域的に拡大し，感染者を増やすのではないかと懸念されたが，実際には陽性患者数は前シーズンよりは少なかった。しかし，2016〜2017年シーズンでは再び患者が増加した。2019年3月に中国内モンゴル自治区で確認されたのを最後に，それ以降のヒト感染例は確認されていない（2023年5月現在）。しかし，日本国内に持ち込まれるリスクも想定して動向を追っていく必要がある。

2 臨床像

これまでの報告例におけるH7N9は男性に多い（68.5%）。男女の生物学的な差異だけでなく，生鳥の市場で勤務する者には男性が多いことが関係している可能性がある。年齢分布は3〜88歳（中央値61歳）である。致死率は27.0%と高い。しかし，無症候〜軽症の患者がいることが知られており，この数値にはそのような軽症者は含まれていないことに注意が必要である。症状としては発熱と咳の頻度が高い[6]。

3 治 療

死亡のリスク因子の一つにオセルタミビル投与の遅延があげられている[6]。したがって，抗インフルエンザ薬であるノイラミニダーゼ阻害薬の早期治療（理想的には発症後48時間以内）により重症化を防ぐ効果が期待できると考えられている。

4 院内感染対策

国立感染症研究所および国立国際医療研究センターでは，中東呼吸器症候群・H7N9の疑似症，患者（確定例）

に対し，以下の院内感染対策を推奨している[7]。

1）外来では呼吸器衛生/咳エチケットを含む標準予防策を徹底し，飛沫感染予防策を行うことがもっとも重要と考えられる。入院患者については，湿性生体物質への曝露があるため，接触感染予防策を追加し，さらにエアロゾル発生の可能性が考えられる場合（患者の気道吸引，気管挿管の処置など）には，空気感染予防策を追加する。具体的には，手指衛生を確実に行うとともに，N95マスク，手袋，眼の防護具（フェイスシールドやゴーグル），ガウン（適宜エプロン追加）を着用する。

2）入院に際しては，陰圧管理できる病室もしくは換気の良好な個室を使用する。個室が確保できず複数の患者がいる場合は，同じ病室に集めて管理することを検討する。

3）患者の移動は医学的に必要な目的に限定し，移動させる場合には可能なかぎり患者にサージカルマスクを装着させる。

4）目に見える環境汚染に対して清拭・消毒する。手が頻繁に触れる部位については，目に見える汚染がなくても清拭・消毒を行う。使用する消毒剤は，消毒用エタノール，70v/v％イソプロパノール，0.05～0.5w/v％（500～5,000ppm）次亜塩素酸ナトリウムなどである。なお，次亜塩素酸ナトリウムを使用する際は，換気や金属部分の劣化に注意する。

5）衣類やリネンの洗濯は，通常の感染性リネンの取り扱いに準じる。

6）中東呼吸器症候群・H7N9の疑似症患者または患者（確定例）と必要な感染予防策なしで接触した医療従事者は健康観察の対象となるため，保健所の調査に協力する。MERSの健康観察期間は最終曝露から14日間，H7N9の健康観察期間は最終曝露から10日間である。なお，H7N9に関しては，必要な感染防護策なく接触した医療従事者には抗インフルエンザ薬の予防投与を考慮し，投与期間は最後の接触機会から10日間とする。

中東呼吸器症候群

1 疫 学

コロナウイルスは，ベータコロナウイルスに属するエンベロープを有する陽性一本鎖RNAウイルスである。中東呼吸器症候群（Middle East respiratory syndrome；MERS）のヒトにおける発生は2012年6月に起き，同年9月に第1例目として報告された。発生国は主に中東の国々であるが，中東以外の地域への輸入例も報告されている。感染経路としては，ラクダなどの動物との直接的あるいは間接的な接触（ラクダのミルクの喫食や，民間療法としてのラクダの尿の摂取など），院内感染としてのヒト-ヒト感染が報告されている[8]。

2 臨床像

MERSの潜伏期は2～13日である。発症から入院までの期間の中央値は4日で，発症から人工呼吸管理が始まるまでの時間は平均7日，発生から死亡までの時間は11.5日である[8]。これまで報告されているMERSの事例では，75％程度の患者で何らかの基礎疾患を有しており，これには免疫不全や糖尿病，心疾患，呼吸器疾患などが含まれる。

呼吸器症状は，鼻汁や咽頭痛などウイルス性急性上気道炎様の軽微なものから，咳嗽・呼吸困難までさまざまである。典型的には，発熱，咳，咽頭痛，筋肉痛，関節痛などで発症し，やがて呼吸困難が出現して，1週間程度で肺炎に進行する。ただし，免疫不全患者の場合，最初は呼吸器症状が前面に出ず，悪寒と下痢で発症し，やがて肺炎になる例がある。

3 検査所見

血液検査では末梢血のリンパ球数・血小板数の低下，LDHの上昇などがみられる。胸部X線ではウイルス性肺炎様の所見やARDSの所見を示すことが多い[9]。

4 診 断

MERSに対しては，咽頭ぬぐい液などの気道の分泌物を対象としたPCR法で診断を行う。具体的には，リアルタイムPCR法でウイルス遺伝子のE蛋白質領域上流（upE）およびORF1a領域（ORF1a）を検出するための2種類のプライマーが用いられている。わが国の地方衛生研究所および政令指定都市の保健所，そして検疫所16ヵ所にはこのPCR法のキットが配布されており，検査体制が整っている。

5 治療

呼吸不全およびその他の臓器障害に対して支持療法を行う。加えて，人工呼吸管理中には細菌による院内肺炎を起こすこともあるため，この出現に注意し適宜治療を行う。

これまでにインターフェロンα-2bとリバビリンの併用が重症患者を対象に検討されているが，14日死亡率は低下したものの，28日死亡率は同等であった。ヒト型モノクローナル中和抗体や生存患者の回復期血清についても効果が期待されている。コルチコステロイド投与はSARS流行の折に検討されたが，予後不良との関連が示された。

ただし，これらはCOVID-19発生以前の知見であり，実際にMERSが発生した場合には，同じβコロナウイルスによる感染症であるCOVID-19の治療に関する知見に基づいて治療が行われるであろう。

6 予後

2015年5月に，韓国で1例の海外からの輸入例を発端とした院内感染に起因するアウトブレイクが発生した。その際のヒト感染の確定例は合計186例で，死亡は38例（20.4％）であったと報告されている[10]。

7 院内感染対策

前述した鳥インフルエンザA（H7N9）の項を参照のこと。

新型コロナウイルス感染症（COVID-19）

1 疫学

従来，感冒を含む急性気道感染症の原因ウイルスとして，4種類のコロナウイルスおよびSARSコロナウイルス（severe acute respiratory syndrome coronavirus；SARS-CoV）とMERSコロナウイルス（MERS-CoV）が報告されていた。COVID-19は，2019年12月に中国の武漢市で初めて患者が報告され，武漢でのアウトブレイクで患者から検出されたコロナウイルスがSARS-CoVとウイルス学的に類似していたため，SARS-CoV-2と命名された[11]。また，WHOは本ウイルスによる感染症の呼称を"coronavirus disease 2019（COVID-19）"とした。

本疾患は世界中に広がり，WHOは2020年1月30日に，国際的に懸念される公衆衛生上の緊急事態（public health emergency of international concern；PHEIC）を宣言した。同年2月1日には，COVID-19はわが国の感染症法に基づき指定感染症に指定された。また，その後の本疾患の世界的な拡大を受け，同年3月12日にWHOは本疾患の流行を「パンデミックである」と宣言した。

わが国では，2020年1月に国内で最初の事例が確認された。同年1月にはすでに国内でのヒト-ヒト感染が起こっていたと考えられる。同年1月29日〜2月上旬にかけては，日本政府のチャーター便によって主に武漢に在住していた日本関係者の受け入れが行われた。同年2月にはクルーズ船であるダイヤモンド・プリンセス号内でCOVID-19の集団感染が発生し，横浜港に受け入れて検疫を行うとともに，関東・中部・東海の医療機関でその患者を受け入れた。

同年3月には，おそらくは2〜3月に受け入れた海外からの帰国者を発端として国内で感染が広がり，同月中旬以降，感染者数が急増した。同年4月7日には日本政府より緊急事態宣言が発され，「新型インフルエンザ等対策特別措置法」に基づく対応が行われた。その後，COVID-19は日本中に拡大し，2023年3月までに計8回の大きな流行を経験した。その都度に感染者数は増加している。

2 臨床像

まず，日本国内でワクチン接種が開始される2021年以前に得られたCOVID-19の臨床的な特徴に関する知見を記載する。これらは主に，武漢株，α株，δ株による感染の知見である。

COVID-19の潜伏期は平均5.2日で，感染源の発症から二次感染者の発症まで7.5日と報告されている[12]。発症の2日程度前から他者への感染性があり，発症後7〜10日程度まで感染性が持続する。

軽症例では，一般的な感冒と同様に咽頭痛，咳などの気道症状をきたす。通常の感冒は発症後3〜4日目に症状のピークを迎え，発症後7〜10日程度の間に徐々に軽快していくが，COVID-19では発症後3〜4日を過ぎても症状が改善しないのが特徴である。軽症者の病悩期間

の平均が16.7日であったとの報告がある[13]。また，軽症でも胸部単純CT検査などで精査すると肺に陰影が認められることがある[12]。

88人のCOVID-19患者のうち，問診可能であった59人を調査したところ，33.9％に嗅覚または味覚障害のいずれかがあったとの報告がある[14]。一部の患者では発症後7～10日の間に呼吸不全を発症する。呼吸不全の重症化が著しい場合には，人工呼吸や体外式膜型人工肺（extracorporeal membrane oxygenation；ECMO）による治療が必要になる。また，呼吸器系以外の問題として，COVID-19患者では血液凝固の異常により，肺胞周囲の微小血管から大きな静脈・動脈にまで血栓を起こすことが知られている。

日本国内でワクチン接種が本格的に開始された2021年夏以降，COVID-19の重症化率や死亡率は低下している。これに加えて，2021年12月に国内に初めて持ち込まれたオミクロン株の流行以降，さらに重症化率や死亡率が下がっている。オミクロン株とデルタ株の感染の重症化率や死亡率を比較した疫学研究では，ワクチンの接種の有無などの因子を調整しても，やはりオミクロン株のほうが低いことが示されている[15)～17)]。

オミクロン株による感染では，鼻汁，頭痛，倦怠感，咽頭痛などの感冒様症状の頻度が高まり，2022年はじめの第6波では咽頭痛を訴える患者の増加が指摘された。オミクロン株での感染例については日本耳鼻咽喉科頭頸部外科学会からも注意喚起がなされ，咽頭，喉頭，気管の発赤や腫脹，白苔など高度な炎症がみられる症例や，急性喉頭蓋炎，喉頭浮腫，急性声門下喉頭炎により上気道狭窄を呈して気道確保を要した症例が複数報告された[18]。また，オミクロン株の流行に伴って味覚・嗅覚障害の症状がある頻度は著しく低下した。

3 診 断

一般に診断に用いられるのは，RT-PCR法やLAMP法などの遺伝子検査法である。検体としては鼻咽頭，鼻腔，唾液などがあるが，感度の観点からは鼻咽頭の拭い液から採取するのがもっともよいとされている。

抗原検査はわが国でも体外診断用医薬品として認可され，保険収載もされている。抗原検査は迅速に結果が出るが，検体内のウイルス量が低いと陰性となる場合がある。抗原検査で陽性と出た場合には診断はきわめて確からしいが，とくに検査前確率が高い事例で陰性となった場合には，PCR検査で確認するなどの対応が必要である。

抗体検査については，さまざまな抗体検査キットが研究用試薬として流通しているが，「医薬品，医療機器等の品質，有効性及び安全性の確保等に関する法律」上の体外診断用医薬品として国内で承認を得たものはない。そのため，抗体検査は個人の患者の診断に用いるのではなく，疫学的な調査研究の目的で使用されている。

検査に関する指針として，厚生労働省が『新型コロナウイルス感染症（COVID-19）病原体検査の指針』を公開している[19]。検査についての最新の知見と正しい実践方法を知るためには，この指針を確認することを勧める。

4 治 療

1）抗ウイルス薬（低分子化合物）

レムデシビルは，RNAウイルスに対して広く活性を示すRNA依存性RNAポリメラーゼ阻害薬である。国際共同研究として実施され，1,063人が登録されたプラセボを対照としたランダム化比較試験[20]では，臨床的改善に要した時間がプラセボ群では15日，レムデシビル群では11日と，31％短縮された。また，本剤は重症化ハイリスク患者に3日間点滴投与することで入院および死亡のリスクを下げることも示された。

モルヌピラビルは，リボヌクレオシドアナログであり，SARS-CoV-2におけるRNA依存性RNAポリメラーゼに作用することにより，ウイルスRNAの配列に変異を導入し，ウイルスの増殖を阻害する。発症から時間の経っていない重症化ハイリスク因子を有する軽症例において，重症化および死亡のリスクを下げる効果が示されている。

ニルマトレルビルはプロテアーゼ阻害薬であり，SARS-CoV-2メインプロテアーゼ（Mpro）を阻害することでウイルス複製を抑制する。ニルマトレルビルの有効血中濃度を維持するために，CYP3A4阻害薬であるリトナビルを併用する。重症化ハイリスク因子を有する軽症～中等症ⅠまでのCOVID-19患者を対象とした研究[21]では，入院や死亡の相対リスクが88％減少したことが示された。ただし，リトナビルを併用することから，ほかの併用薬の相互作用に留意する必要がある。

2）抗ウイルス薬（抗体製剤）

モノクローナル抗体製剤であるカシリビマブ/イムデビマブは，重症化リスク因子を1つ以上もつCOVID-19

外来患者4,057人を対象としたランダム化比較試験[22]において，プラセボと比較して入院または全死亡のリスクがそれぞれ71.3％，70.4％有意に減少したことが示された。ただし，カシリビマブ/イムデビマブはオミクロンBA1株などに対する中和活性が著しく低下していることが指摘されており，オミクロン株感染例での使用は避けるよう厚生労働省からも情報提供がなされた。

同じくモノクローナル抗体であるソトロビマブは，カシリビマブ/イムデビマブと同様に，発症から時間の経っていない軽症例において，重症化および死亡のリスクを下げる効果が示されている。

抗体製剤については，変異株によってはその中和活性が低下するため，その時々の流行株に対する各抗体製剤の中和活性のデータなどを参考に今後選択されていくであろう。

3）免疫調整薬

COVID-19では，発症後7〜10日目頃から急速に肺炎の状態となり，呼吸不全が悪化することが知られている。この機序として，II型肺胞上皮細胞などにウイルスが感染し，患者の免疫が十分に機能していないために多くの細胞に歯止めなく感染が起こり，感染した細胞の壊死が進行してさまざまな物質が体内に放出され，これを刺激として免疫系が活性化して呼吸器系を中心として強い炎症が起こり，この炎症の全身的な影響としてさまざまな臓器の障害が進行すると考えられている。そこで，この過程に介入するための治療として，免疫調整薬による治療が行われている。

デキサメタゾンについては，RECOVERY（randomised evaluation of COVID-19 therapy）試験[23]が行われ，デキサメタゾンを投与された人工呼吸を受けている患者では死亡リスクが1/3減少し（RR 0.65, 95% CI 0.48〜0.88, p = 0.0003），さらに酸素を投与されている患者では死亡リスクが1/5減少した（RR 0.80, 95%CI 0.67〜0.96, p = 0.0021）。

バリシチニブは，COVID-19に関係するサイトカインであるIL-2, IL-6, IL-10, IFN-γおよびG-CSFなどのシグナル伝達を阻害する。COVID-19と診断された入院成人を対象として検討したAdaptive COVID-19治療試験（ACTT-2試験）[24]では，バリシチニブ＋レムデシビルによる治療とプラセボ＋レムデシビル治療（対照群n＝518）と比較して評価がなされた。その結果，バリシチニブ＋レムデシビルの投与を受けた被験者の回復までの期間の中央値は7日（95%CI 6〜8日）で，対照群のプラセボ＋レムデシビルの投与患者（8日，95%CI 7〜9日）よりも短かった（RRR 1.16, 95%CI 1.01〜1.32, p = 0.03）。また，併用投与群は15日目までに臨床改善が得られる可能性が対照群よりも30％高かった（OR 1.3, 95%CI 1.0〜1.6）。バリシチニブは米国では緊急使用許可の対象に認定され，わが国でもCOVID-19に対して適応拡大がなされた。

また，わが国ではトシリズマブも免疫調整薬として使用が認可されている。

5 予 後

オミクロン株による感染では，デルタ株による感染と比較して重症化・死亡のリスクが低い。英国からの報告では，オミクロン株による感染はデルタによる感染と比較して，入院と死亡の調整後ハザード比の推定値はそれぞれ0.41（0.39〜0.43）と0.31（0.26〜0.37）であった[15]。ほかの国からの複数の報告でも，同様の結果が示されている。

6 院内感染対策

感染経路として，主に飛沫感染，接触感染，エアロゾルが伝播に関与していると考えられている。飛沫とエアロゾルは，咳やくしゃみ，会話などで放出され，粒子の大きさはさまざまであるが連続性をもっている。粒子の径が小さければ，放出されても一定時間は空気中に滞留する。これが，飛沫感染よりもさらに長距離での感染の成立に関係していると考えられている。

院内での感染防止策としては，標準予防策に加えて，接触・飛沫予防感染策を行う。エアロゾルが発生する可能性のある手技（気道吸引，気管挿管，下気道検体採取など）を行う場合には，空気感染予防策と同じくN95マスク（またはDS2など，それに準ずるマスク），眼の防護具（ゴーグルまたはフェイスシールド），長袖ガウン，手袋を装着する。

滞留するエアロゾルに対しては，医療機関においては患者・医療従事者ともに症状の有無にかかわらず不織布マスクを着用して対応する（universal masking）。これにより飛沫を捕捉するだけでなく，咳やくしゃみや荒い呼吸をマスクで遮蔽し，エアロゾルの空間への滞留を減らすことが期待される。加えて，部屋の換気を十分に行うことでエアロゾルの滞留を防ぐなどの現実的な方法を

採用する。

SARS-CoV-2の環境での残存期間は，プラスチックやステンレスの表面では72時間までという報告がある。医療機関では，患者周囲の高頻度接触部位などは，アルコールあるいは0.05％の次亜塩素酸ナトリウムによる清拭で高頻度接触面や物品などの消毒を行う。

デング熱

1 概　要

デング熱はフラビウイルス科に属するデングウイルスによる感染症であり，ネッタイシマカやヒトスジシマカが媒介する。世界的には熱帯・亜熱帯地域を中心に毎年3億9,000万人がデング熱に感染していると推定され，東南アジアや中南米で流行が認められる。近年はアフリカ大陸からの報告も散見される。デング熱は都市部の短期滞在でも罹患するリスクが十分ある。

国内の報告数は，2008年には100件を超え，2010年と2012年には200件を超えており，近年大幅に増加傾向を示している。世界的にも2000～2007年の平均は90万例と報告されているが，1990～1999年の約2倍と増加傾向を示している。2014年夏の国内デング熱の流行では，代々木公園で感染した患者が大半を占めた。これは，多くの人が集まり，かつ蚊も多く生息している公園という場所の特性に起因すると考えられる。

病原体はフラビウイルス属のRNAウイルスで，Ⅰ～Ⅳ型までの4型に分けられており，主に *Aedes aegypti*（ネッタイシマカ）が媒介する。

2 臨床像

発熱を主訴に発症する急性熱性疾患である。潜伏期は4～10日であり，多くの場合，症状が2～7日持続して改善する。頭痛（眼窩後部痛），嘔気・嘔吐，筋肉痛，関節痛，咽頭痛などの非特異的症状が多く，ほかの発熱性疾患との鑑別は難しい。

デング熱の事例は経過中に重症化する場合がある。症状が増悪するタイミングも発熱期間の終わる発症後4～7日目頃であるため，この時期には慎重に経過を観察する。腹痛，遷延する嘔吐，意識の変容，粘膜出血や胸水貯留，肝機能障害による臓器障害などは重症化を示唆するサインであり，速やかに補液などの対応が必要である。

表1 デング熱のwarning sign
- 腹痛または圧痛
- 遷延する嘔吐
- 体液貯留
- 粘膜出血
- 倦怠感
- 2cm以上の肝腫大
- 急速な血小板減少を伴うHt値上昇

3 診　断

2009年に改訂されたWHOのガイドラインで診断基準，重症度判定が示されている[25]。デング熱を疑う基準は，デング熱流行地域に居住または渡航しており，①発熱＋嘔気・嘔吐，②発疹，③腹痛，④ターニケットサイン陽性，⑤白血球減少，⑥warning sign（表1）のいずれかのうち2つを満たすことである。また，上記から臨床上デング熱を疑う例および血液検査で診断されたデング熱（疑いを含む）例で，warning signを伴う場合には重症デング熱と分類される。重症デング熱は，重症血漿漏出，重症出血，重症臓器障害に分類される。

血液検査では，病期によって行うべき検査が異なる。医療機関では抗原NS1抗原検査，IgMおよびIgG検査がセットになった迅速診断キットが有用である。NS1抗原は発症直後～7日目前後まで陽性となるため，急性感染の診断に重要である。IgMおよびIgG検査も診断の参考になるが，チクングニア熱やジカウイルス感染症でも偽陽性を示すことがあるため，とくにNS1抗原陰性でこれらの抗体検査のみが陽性となった場合には解釈に注意が必要である。確定診断は，保健所に依頼する。保健所では血液検体を都道府県の衛生研究所に送付し，PCR法による確定検査が行われる。

4 治　療

対症療法が基本であり，治療の中心は輸液になる。前述したwarning signの有無とともに，バイタルサイン，とくに収縮期血圧と拡張期血圧の圧差（脈圧）を慎重に観察する。warning sign出現時や，脈圧が減少していく場合にはそのままショックに移行する可能性があるため，急速輸液を行う。血液検査では，Ht値と血小板の評価を日々行う。Ht値が上昇する場合には血管内脱水の可能性がある。

エボラ出血熱

1 概要

エボラウイルスは，粘膜や傷のある皮膚から侵入し，単球，樹状細胞に感染し，その後に全身の多様な細胞に感染する．潜伏期は2～21日間である．

2 臨床像

発症当初は発熱，倦怠感，食欲低下，頭痛などの非特異的症状で発症し，発症後7日前後になるとしだいに嘔吐，下痢，腹痛といった消化器症状が出現する．下痢は1日に8Lを超える場合もあり，脱水，電解質異常，代謝性アシドーシスなどが起こる．

回復する例では発症6～11日目頃から回復がみられるが，回復しないまま増悪する例もみられ，この場合，血圧低下や意識障害などの神経学的障害，出血などの所見がみられるようになって死に至る．

また，発症後の病態の進行とともに，歯肉などの粘膜からの出血傾向を認める．従来はその名のとおり出血傾向が主たる臨床像であると考えられてきたが，2014～2015年の西アフリカにおけるアウトブレイクでは，出血症状が認められた患者は全体の18%にとどまったと報告されている[26]．

3 治療

致死率はアウトブレイクの原因となるエボラウイルス亜属によって異なることが示されており，そのなかでもザイールエボラウイルスによる感染では最高で90%前後の死亡率が報告されている[27]．2014～2015年の西アフリカでのアウトブレイクに関する検討では，死亡率は69.0～72.3%と推測され，なかでも血中ウイルス量が高い群および年齢40歳以上の群で致死率が高いと報告されている[26]．

しかし，欧米で治療を受けた患者の死亡率はこれより低かった．このことから，エボラ出血熱では下痢や嘔吐による脱水・電解質異常によって病態が形成されており，これらに対して早期から支持療法を開始し，必要に応じて人工呼吸や血液浄化療法といった支持療法を行うことで死亡率の低減が期待できると推測されている．

結核症

1 疫学

結核は世界の三大感染症（エイズ，結核，マラリア）として現在でも大きな問題である．2022年にわが国で新たに結核患者として登録された者の数（新登録結核患者数）は10,235人で，2021年より1,284人（11.1%）減少した．結核罹患率（人口10万対）は8.2で，これも2021年より1.0減少し，わが国は結核低まん延国となっている．一方，わが国では患者の高齢化が進んでいることと，外国出生者の新登録結核患者が1,000人を超えて増加傾向にあることが特徴であり，国際化が進むなかで，結核の輸入の問題は今後さらに大きくなっていくと予想される．また，首都圏，中京，近畿地域などの大都市で罹患率が高い傾向にある．

2 臨床像

結核症の患者は発熱および寝汗を呈することが多い．ほかの症状は罹患している臓器に依存する．肺結核であれば咳嗽や喀痰がみられるため，このような慢性の呼吸器症状がみられる患者では肺結核を疑うべきである．ただし，無症状に近い患者もいるため，症状の強弱のみでは結核の有無を判断することはできない．

3 診断

肺結核患者の胸部X線所見はさまざまである．典型的には空洞影がみられるが，これはかなり進行した肺結核症の患者にみられるものであり，このような所見がみられる頻度は高くない．結核のリスクの高い患者に新規に出現した肺野の陰影があり，ほかの疾患ですぐに説明がつかない場合や，亜急性から慢性の経過で出現してきた陰影がある場合などには，結核症の可能性に留意して診療を行うべきである．

結核の微生物学的検査として重要なのは，抗酸菌塗抹検査である．肺結核を疑う場合には，少なくとも1回の早朝空腹時に採取した喀痰を含む合計3回の塗抹検査を施行する．これにより，塗抹検査陽性の結核患者はほぼ100%診断可能である．しかし，喀痰中の菌量が少ない場合には，抗酸菌塗抹検査では菌を確認することができ

ない。そのため，抗酸菌の培養検査も必ず行う。ただし，培養が陽性となるには少なくとも1週間，通常は数週間の時間が必要である。

結核を含む抗酸菌に対するPCR法は迅速に結果が得られ，塗抹検査陽性で十分な菌量を含む検体では感度・特異度ともに高い。しかし，塗抹検査陰性の検体ではその感度は著しく低下する。そのため，PCR法の結果の解釈は塗抹検査の結果も踏まえて慎重に行う。

4 現場での対処法

時間の限られた救急医療の現場で，短い時間で結核症の可能性を除外することは現実的には不可能である。したがって，診療の過程で結核症の可能性を意識した場合には，結核症があるものとして適切な感染防止対策を行いながら診療を進めていく。結核は，空気感染で罹患する疾患である。結核疑いの患者および確定例の患者にはサージカルマスクを着用させ，対応する医療者はN95マスクを着用する。また，診断においては結核診療の経験を有する医師の力を得て行うべきである。

マラリア

1 疫　学

2010年における世界のマラリア患者数は2億1,900万人で，死亡者数は66万人である。アフリカやアジア，中南米の熱帯地域で流行しており，流行地域の情報はCDC（Centers for Disease Control and Prevention）やPublic Health Scotlandのホームページに詳しい[28)29)]。わが国では年間50例程度の輸入マラリア患者が発生し，熱帯熱マラリアが大多数を占める[30)]。

熱帯熱マラリア原虫（*Plasmodium falciparum*）と三日熱マラリア原虫（*P. vivax*），卵形マラリア原虫（*P. ovale*），四日熱マラリア原虫（*P. malariae*），*P. knowlesi*による感染がマラリアの原因である。

2 臨床像

潜伏期は熱帯熱マラリアと三日熱マラリア，卵形マラリアでは1～4週間程度，四日熱マラリアでは2～6週間程度である。三日熱マラリア原虫と卵形マラリア原虫は肝内でヒプノゾイトを形成して休眠期に入り，感染から数カ月～数年後に発症・再発することもある。また，マラリア予防内服を行った場合，潜伏期がより長くなる場合がある。

マラリアは急激に進行する致死的疾患である。わが国での死亡例の多くが診断と治療開始の遅れが原因で不幸な転帰をたどっている。発熱患者の診察では渡航歴の聴取を必ず行い，マラリア流行地域への渡航者では常にマラリアの可能性も考慮する。

主な症状は，発熱や頭痛，筋肉痛，嘔吐，下痢などである。身体所見では肝脾腫や眼球結膜の黄染がある。重症マラリアに移行すると，意識障害やけいれん，腎不全，血尿，呼吸不全，黄疸，出血傾向，ショックなどを呈する。

3 診　断

基本は，通常の検査室でも対応可能なギムザ染色による血液塗抹標本の検鏡である。8～24時間ごとの3回の陰性を否定の判断材料の一つとする。熱帯熱マラリア原虫に含まれるhistidine rich protein 2（HRP2）とマラリア原虫のparasite lactate dehydrogenase（pLDH）を検出するイムノクロマトグラフィ法による迅速診断も有用である。ただし，イムノクロマトグラフィ法の感度は「非」熱帯熱マラリアでは低いため，偽陰性を呈する場合があることに注意する。

4 治　療

重症マラリアへの急速な移行を防ぐため，診断後に速やかに治療を開始する。通常の合併症を伴わない熱帯熱マラリアは，アトバコン/プログアニル（マラロン®配合錠）にて治療する。高原虫血症または黄疸のみ伴う熱帯熱マラリアは，重症マラリアへの移行がとくに懸念され，アルテミシニン誘導体を含むアルテメテル/ルメファントリン（リアメット®錠）にて治療する。

重症マラリアと消化器症状による内服困難時は静注用キニーネ（キニマックス®）にて治療を開始し，キニーネ単剤による72時間以上の治療で改善がみられ，経口摂取可能であれば，経口抗マラリア薬に変更する。

三日熱マラリアと卵形マラリアはアトバコン/プログアニルで急性期治療を行い，急性期治療終了後に再発予防のためプリマキンを追加する。

重症マラリアの治療には国内未承認薬が必要で，その

麻疹

1 疫学

　麻疹の原因ウイルスは，パラミクソウイルス科麻疹ウイルスである。エンベロープを有するRNAウイルスであり，消毒薬への抵抗性は弱い。麻疹はわが国の感染症法上，5類感染症に指定されており，2008年に全数届け出になった。2008年の届出数は11,013例であったが，その後，2019年まで35～744例の間で推移し，2020年には12例と大きく減少してきている[32]。

2 臨床像

　感染後に，カタル期，発疹期を経て回復する。典型的には経過中に二峰性の発熱をきたす。カタル期には，2～3日の発熱とともに咳，鼻汁，くしゃみ，眼瞼結膜充血，眼脂といったカタル症状が出現する。口腔粘膜にはコプリック班が出現する。コプリック斑は典型的には，頬粘膜に白色の小斑点という形でみられる。1回目の発熱期を過ぎると一過性に解熱するが，発熱とともに発疹が出現する。これが発疹期である。この時期にはカタル症状がさらに激しくなり，赤く小さな丘疹が耳介後部，頸部，顔面，上肢，下肢の順に出現し，やがて癒合して斑状となる。発疹は出現した順序によって退色していく。ただし，ワクチンを接種した者に起こる麻疹，いわゆる修飾麻疹の場合には，上記のような典型的な症状が出ないことが多い。

　また，麻疹に罹患すると，中耳炎，腸炎，脳炎，肺炎などの合併症を引き起こす場合があり，肺炎や脳炎の合併例では死亡する場合がある。まれな合併症として亜急性硬化性全脳炎（subacute sclerosing panencephalitis；SSPE）があるが，これは感染後数～十数年後に発症し，予後不良である。

3 診断

　現状，麻疹・風疹・水痘などの発熱性発疹性ウイルス性疾患を診る機会は，以前よりきわめて少なくなっている。これにより多くの医師は，これらの流行性疾患の診療の経験がない。加えて，過去に接種したワクチンの影響などにより，患者の発症の仕方は従前の教科書に書かれていた典型的な臨床像とは異なる場合が多い。したがって，医師による臨床診断のみで麻疹を診断する，あるいは除外することは困難である。

　また，麻疹は感染力が高く，院内や地域での拡散を防ぐことが重要視される。そのため，発熱と発疹で受診した事例，感冒様症状で受診したが眼が赤い，あるいはカタル症状が強いなど通常の感冒とは様相が違うといった，少しでも麻疹を疑う事例に遭遇した場合には，麻疹を想定して対処する。麻疹が疑われる例を診療した場合には，地域の保健所に連絡し，その後の検査の進め方や感染症法上の届け出などについて相談する。

　厚生労働省の「麻しんに関する特定感染症予防指針」では，原則すべての麻疹疑い症例に対してIgM抗体検査とウイルス遺伝子検査を実施することが求められている[33]。IgM抗体検査用検体は，医療機関から民間検査機関に送られて検査が行われる。遺伝子検査用検体は，医療機関から主に都道府県の地方衛生研究所に送られ，検査が行われる。

4 治療

　麻疹の治療は対症療法のみである。

5 院内感染対策

　感染防止対策については，原則として各施設の定めた対策に従う。以下，一般的に行われる対応を参考までに示す。

　潜伏期は曝露後最短5日～最長21日である。ただし，曝露後に免疫グロブリンを投与された場合には，潜伏期は曝露後28日まで延長する。麻疹の疑いがある時点で感染防止対策を開始し，空気感染予防策を行う。感染可能期間は麻疹発症前1日～解熱後3日を経過するまでといわれているため，解熱した日を0日とした場合，4日目には隔離を解除し，感染防止対策を終了することができる。

濃厚接触者については，麻疹罹患歴および麻疹含有ワクチン接種歴を確認する．麻疹罹患歴がある，もしくは麻疹含有ワクチンを1歳以上で2回接種している場合には，発症予防策は不要である．それ以外の場合には直ちに緊急予防接種を検討する．また，曝露から6日内であれば，人免疫グロブリンにより発症を予防できる可能性がある．

発症予防策の詳細については国立感染症研究所の「医療機関での麻疹対応ガイドライン」（2024年1月時点で第7版）を参照されたい[34]。

▶文　献

1) Yu XJ, et al：Fever with thrombocytopenia associated with a novel bunyavirus in China. N Engl J Med 364：1523-32, 2011.
2) 国立感染症研究所：重症熱性血小板減少症候群（SFTS）．
https://www.niid.go.jp/niid/ja/sfts/3143-sfts.html
3) Gai Z, et al：Person-to-person transmission of severe fever with thrombocytopenia syndrome bunyavirus through blood contact. Clin Infect Dis 54：249-52, 2012.
4) Liu Y, et al：Person-to-person transmission of severe fever with thrombocytopenia syndrome virus. Vector Borne Zoonotic Dis 12：156-60, 2012.
5) Kim WY, et al：Nosocomial transmission of severe fever with thrombocytopenia syndrome in Korea. Clin Infect Dis 60：1681-3, 2015.
6) Gao HN, et al：Clinical findings in 111 cases of influenza A（H7N9）virus infection. N Engl J Med 368：2277-85, 2013.
7) 国立感染症研究所：中東呼吸器症候群（MERS）・鳥インフルエンザ（H7N9）に対する院内感染対策, 2014.
https://www.niid.go.jp/niid/ja/id/2186-disease-based/alphabet/hcov-emc/idsc/4853-mers-h7-hi.html
8) Kang CK, et al：Clinical and epidemiologic characteristics of spreaders of middle east respiratory syndrome coronavirus during the 2015 outbreak in Korea. J Korean Med Sci 32：744-9, 2017.
9) Zumla A, et al：Middle East respiratory syndrome. Lancet 386：995-1007, 2015.
10) Kim KH, et al：Middle East respiratory syndrome coronavirus（MERS-CoV）outbreak in South Korea, 2015：Epidemiology, characteristics and public health implications. J Hosp Infect 95：207-13, 2017.
11) Huang C, et al：Clinical features of patients infected with 2019 novel coronavirus in Wuhan, China. Lancet 395：497-506, 2020.
12) Li Q, et al：Early transmission dynamics in Wuhan, China, of novel coronavirus-infected pneumonia. N Engl J Med 382：1199-207, 2020.
13) Thompson MG, et al：Prevention and attenuation of covid-19 with the BNT162b2 and mRNA-1273 vaccines. N Engl J Med 385：320-9, 2021.
14) Yan CH, et al：Self-reported olfactory loss associates with outpatient clinical course in COVID-19. Int Forum Allergy Rhinol 10：821-31, 2020.
15) Nyberg T, et al：Comparative analysis of the risks of hospitalisation and death associated with SARS-CoV-2 omicron（B.1.1.529）and delta（B.1.617.2）variants in England：A cohort study. Lancet 399：1303-12, 2022.
16) Hladish TJ, et al：Updated projections for COVID-19 omicron wave in Florida. medRxiv, 2022.［Preprint］
17) Wolter N, et al：Early assessment of the clinical severity of the SARS-CoV-2 omicron variant in South Africa：A data linkage study. Lancet 399：437-46, 2022.
18) 日本耳鼻咽喉科頭頸部外科学会：新型コロナウイルス感染症（オミクロン株）による上気道狭窄への注意喚起, 2022.
https://www.jibika.or.jp/modules/covid19/index.php?content_id=3
19) 厚生労働省：新型コロナウイルス感染症（COVID-19）病原体検査の指針.
https://www.mhlw.go.jp/stf/seisakunitsuite/bunya/0000121431_00111.html
20) Beigel JH, et al：Remdesivir for the treatment of Covid-19：Final report. N Engl J Med 383：1813-26, 2020.
21) Hammond J, et al：Oral nirmatrelvir for high-risk, nonhospitalized adults with Covid-19. N Engl J Med 386：1397-408, 2022.
22) Weinreich DM, et al：REGN-COV2, a neutralizing antibody cocktail, in outpatients with Covid-19. N Engl J Med 384：238-51, 2021.
23) RECOVERY Collaborative Group, et al：Dexamethasone in hospitalized patients with covid-19. N Engl J Med 384：693-704, 2021.
24) Kalil AC, et al：Baricitinib plus remdesivir for hospitalized adults with covid-19. N Engl J Med 384：795-807, 2021.
25) World Health Organization：Dengue guidelines, for diagnosis, treatment, prevention and control, 2009.
https://www.who.int/publications/i/item/9789241547871
26) WHO Ebola Response Team, et al：Ebola virus disease in West Africa：The first 9 months of the epidemic and forward projections. N Engl J Med 371：1481-95, 2014.
27) World Health Organization：Fact sheets：Ebola virus disease.
https://www.who.int/news-room/fact-sheets/detail/ebola-virus-disease
28) Centers for Disease Control and Prevention：Travelers' Health.
http://wwwnc.cdc.gov/travel/
29) Public Health Scotland：Fit for travel.
http://www.fitfortravel.nhs.uk/home.aspx
30) 国立感染症研究所：感染症発生動向調査におけるマラリア報告症例の特徴；2006年〜2014年前期, 2015.
https://www.niid.go.jp/niid/ja/malaria-m/malaria-

iasrd/4979-kj4152.html
31) 熱帯病治療薬研究班オーファンドラッグ中央保管機関.
https://www.nettai.org/
32) 国立感染症研究所：麻疹（2021年7月現在）.
https://www.niid.go.jp/niid/ja/measles-m/measles-iasrtpc/10654-499t.html
33) 厚生労働省：麻しんに関する特定感染症予防指針（平成31年4月19日一部改正・適用）.
https://www.mhlw.go.jp/content/000503060.pdf
34) 国立感染症研究所感染症疫学センター：医療機関での麻疹対応ガイドライン第七版, 2018.
https://www.niid.go.jp/niid/images/idsc/disease/measles/guideline/medical_201805.pdf

V 疾患領域別の救急診療　18. 外傷

18-1 重症多発外傷の蘇生戦略

渡部　広明

　重症多発外傷患者の治療の基本は，JATEC™（Japan Advanced Trauma Evaluation and Care）に沿った初期診療である[1]。患者の生理学的徴候の安定化に主眼を置き，派手な損傷にとらわれることなく，primary surveyを実施して生理学的異常を見つけしだい，蘇生を実施する。ここでいう蘇生とは，心停止時の蘇生のみではなく，外傷初期診療における気道，呼吸，循環，中枢神経の異常を回避するための処置全般を意味する。この蘇生を正しく実施することが患者救命につながる。

　ここでは，救急科専門医が理解し実施すべき重症多発外傷患者における治療戦略の考え方と，それを実現するために行われる戦術について述べる。

外傷初期診療の基本

　JATECにのっとった外傷初期診療で優先すべきは，患者の生理学的状態を評価するprimary surveyである。ここで発見された生理学的異常は患者の生命危機へと直結するため，これを迅速に解決しなければならない。primary surveyではABCDEアプローチが採用されている（表1）[1]。

1　A：Airway（気道）

　気道の異常は緊急度が高く，これを放置すると低酸素血症から心停止へと移行するリスクがある。顔面外傷による口腔内出血や腫脹は気道閉塞の危険因子であり，迅速な気道確保が必要となる。外傷患者の気道確保には，用手的な頭部後屈あご先挙上は原則として実施しない。気道確保の際には，下顎挙上法など頸椎・頸髄保護を念頭に置いた気道確保法を実施する。口腔内出血は初療室で口腔内吸引により除去する。頸椎骨折などに起因する後咽頭血腫は，入院後に徐々に気道を閉塞する可能性がある。出血などにより腫脹した気道では，気管挿管による確実な気道確保が必要となるケースが少なくない。気道の腫脹が高度であり気管挿管が容易でない場合などには，外科的気道確保（輪状甲状靱帯切開）を実施する。

2　B：Breathing（呼吸）

　呼吸の異常は，フレイルチェスト，緊張性気胸，開放性気胸などに代表される。フレイルチェストは陽圧補助換気を必要とし，呼吸の安定には気管挿管を必要とする

表1　Primary surveyにおいて必要とされる代表的な蘇生

損傷・病態	異常	行うべき蘇生
心タンポナーデ	C	心囊穿刺，心囊開窓術，止血
気道閉塞	A，B	確実な気道確保（気管挿管，外科的気道確保）
フレイルチェスト	B	気管挿管，陽圧補助換気
緊張性気胸	B，C	胸腔穿刺，胸腔ドレナージ
開放性気胸	B，C	創閉鎖，胸腔ドレナージ
大量血胸	B，C	胸腔ドレナージ，止血術
腹腔内出血	C	止血
後腹膜出血　骨盤骨折	C	止血，骨盤創外固定術
切迫するD	D	ABCの安定化による二次性脳損傷の回避（気管挿管，適切な換気，ショックの早期離脱など）
低体温	E	保温，加温

〔文献1）より引用・改変〕

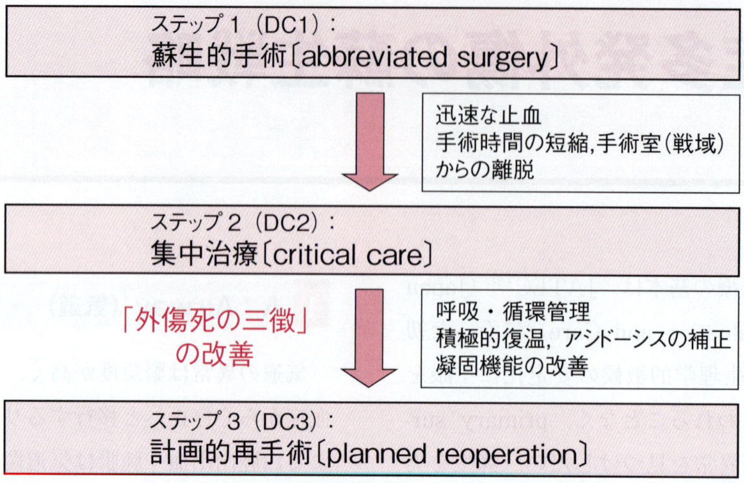

18. 外傷

```
ステップ1 (DC1):
蘇生的手術 [abbreviated surgery]
    ↓ 迅速な止血
      手術時間の短縮, 手術室 (戦域)
      からの離脱
ステップ2 (DC2):
集中治療 [critical care]
    ↓ 「外傷死の三徴」の改善
      呼吸・循環管理
      積極的復温, アシドーシスの補正
      凝固機能の改善
ステップ3 (DC3):
計画的再手術 [planned reoperation]
```
〔文献2）より引用〕

図1 Damage control surgery の概念
"damage control surgery" を構成する3つのステップを示す。わが国においては保険診療上、「ダメージコントロール手術」を初回に行う手術（DC1）としているが、本来、"damage control surgery" は上記3つのステップを総称して呼称する用語である点に注意する

ケースが多い。緊張性気胸は致死的な病態であり、身体所見から確実に評価し迅速に対応することが重要である。

3 C: Circulation（循環）

循環異常の約9割は出血性ショックであり、残りが閉塞性ショックといわれる。閉塞性ショックである心タンポナーデは見逃されると心停止をきたすため、FAST (focused assessment with sonography for trauma) で早期にその有無を評価する。出血性ショックを引き起こす致死的な出血は、胸腔、腹腔、後腹膜腔の3つの領域に生じるとされており、FAST および胸部・骨盤X線で迅速に出血源を同定する。ショックが継続する場合は、速やかに止血術を行って循環の安定を図る。

4 D: Dysfunction of CNS（中枢神経）

中枢神経異常の評価のため、意識レベルを GCS で評価するなどし、「切迫するD」の有無を確認する。二次性脳損傷を防止する観点から、確実な気道確保や脳神経外科医のコールと早期の頭部 CT 検査準備を進める。

5 E: Exposure & Environmental control（脱衣と体温管理）

全身の脱衣を行って外出血や損傷の有無を確認する。あわせて、患者の生理学的異常を悪化させる低体温を防止するため積極的な保温を行う。

ダメージコントロール戦略

重症多発外傷の治療において生命危機を生じる代表的病態が出血性ショックである。出血性ショックの治療戦略の基本は、迅速で確実な止血である。とくに体腔内への内出血（胸腔、腹腔、後腹膜腔）が多い場合には蘇生的手術を必要とする。この際、止血をはじめ損傷臓器に対して根本的治療をすべて実施することができれば理想的であるが、患者の生理学的状態が破綻し重篤な場合には、手術を継続すること自体が患者の生命を危うくすることがある。とくに重症外傷患者は、「外傷死の三徴」と呼ばれる独特の生理学的異常をきたし、致死的となり得る。このような患者における外科的治療においては、理想的な根本治療ではなく、患者の有するダメージを一時的にコントロールして生理学的状態の悪化を改善する戦略がとられる。このような戦略を "damage control surgery" と呼ぶ[2]。

damage control surgery は重症外傷救命のための効果的な治療戦略であり、①蘇生的手術（abbreviated surgery, DC1）、②集中治療（critical care, DC2）、③計画的再手術（planned reoperation, DC3）という3つのステップで構成されている（**図1**）[2]。患者の生命を維持するために出血と汚染の回避のみに特化した短時間の手技で速やかに手術を終了し、外科的集中治療管理に

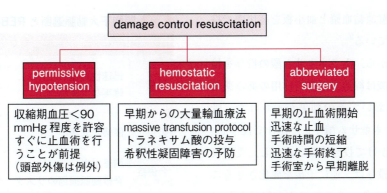

図2 Damage control resuscitation を構成する要素
〔文献2）より引用・改変〕

おいて呼吸・循環管理と「外傷死の三徴」を改善する。全身状態が改善後に，根治的治療を目的とした計画的再手術を行い，一連の治療を完結する。また，近年ではDC1〜DC3の3ステップに加えて，病院前（DC0）と計画的再手術後の腹壁閉鎖（DC4）を含む5ステップと考えることも多い。

このような damage control surgery は今日，循環動態が破綻した重症外傷患者を救命するための標準的治療戦略となっている。救急科専門医はこの一連の治療戦略を理解し，各診療科をはじめとした外傷チームを率いて治療を行うことが求められる。

しかし，重篤な外傷患者の救命は damage control surgery のみでは達成することができず，damage control surgery を支える蘇生法とされる damage control resuscitation（DCR）の実施が重要であるとされている。この両者を包括した戦略概念を"ダメージコントロール戦略（damage control strategy）"と呼ぶ。

Damage control resuscitation（DCR）

DCR は根本的止血までの間の出血量を最小化し，外傷急性期の血液凝固異常を改善させて止血する治療戦略であり，EAST（Eastern Association for the Surgery of Trauma）のガイドラインでその実施が強く推奨されている[3]。DCR は，主には①低血圧の許容（permissive hypotension），②止血機能の強化（hemostatic resuscitation），③早期止血（abbreviated surgery）の3つからなる（図2）[2]。外傷初期診療において DCR の役割はきわめて大きく，救急科専門医がチームリーダーとして主導的立場で実施することが求められる。

根本的止血が行われるまでは，積極的血圧上昇は避け

表2 ABC スコア

項目	点数
穿通性外傷	1点
救急外来での収縮期血圧90mmHg 以下	1点
救急外来での心拍数120回/min 以上	1点
FAST 陽性	1点

2点以上でMTPを発動　　〔文献5）より引用・改変〕

て，一定の低血圧を許容した管理を行う。具体的には収縮期血圧90mmHg 以下で管理する。ただし，重症頭部外傷を合併している場合は，脳灌流圧を維持するために少なくとも収縮期血圧＞110mmHg，平均動脈圧＞90mmHg を維持する[4]。

重症多発外傷では大量輸血を必要とするケースが多い。とくに血液凝固障害を伴う重症外傷では，新鮮凍結血漿を中心とした血液凝固対策が重要となる。大量輸血の必要性を早期に評価して，可能なかぎり早期から投与を行うことが重要である。大量輸血を行うにあたっては，massive transfusion protocol（MTP）を整備して実行することが推奨されている[3]。MTP は各施設で事前に定めておく必要がある。輸血部と協議をして，外傷蘇生の間，輸血供給が途切れることのないような供給体制を構築する。可能であればアクションカードを作成しておくとよい。また，院内独自の発動および中止基準も明確にしておく。MTP 発動の基準としては，ABC スコア（assessment of blood consumption score）（表2）[5]，TASH スコア（trauma associated severe hemorrhage score）[6]，TBSS（trauma bleeding severity score）[7]などがある。MTP では早期から赤血球，新鮮凍結血漿，血小板の投与を行うが，投与すべき輸血の組成として，

赤血球輸血に対して新鮮凍結血漿と血小板を高比率で投与することが推奨されている[3]。

止血機能の強化の点から，トラネキサム酸の投与を検討する。トラネキサム酸は線溶亢進阻害作用のある薬剤で，CRASH-2試験[8]においてその効果が示された。受傷後3時間以内にトラネキサム酸1gを10分で投与し，引き続き1gを8時間かけて投与する。ただし，受傷後3時間を過ぎてからの投与は，逆に予後を悪化させることを知っておくべきである。その他の止血製材としてフィブリノゲン製剤があるが，保険適用でないことから使用は難しい。クリオプレシピテートは各施設で製造し使用するため，使用できる施設に制限がある。

外傷蘇生の戦術

大量出血により生命危機のある場合は，速やかに止血を行い循環の維持を図ることが重要である。ダメージコントロール戦略をとるべき重症多発外傷では，蘇生のための緊急止血術を要する症例が多い。ここでは，ダメージコントロール戦略のなかで行われることの多い蘇生的戦術について述べる。

1 蘇生的開胸術

蘇生的開胸術は心停止が間近に迫る症例に対して，生命を危うくする体幹部の出血と閉塞性ショックを解除するために行われる戦術である。その目的は，①心タンポナーデの解除，②心損傷の止血，③胸腔内出血の止血，④空気塞栓への対処，⑤胸部下行大動脈遮断，⑥開胸心マッサージである[2]。心停止の回避を目指して実施されるが，心停止に至った場合には開胸心マッサージを中心とした外科的蘇生が可能となる。その適応は，生命徴候，受傷機転などの状況による総合判断で決定される（p.999参照）。

蘇生的開胸術は胸部外傷に対してのみ実施されるものではなく，横隔膜より尾側の体腔内出血の一時的制御を目的に実施されることもある。胸部下行大動脈遮断がそれに該当し，本手技は心停止が迫る症例に対して心停止を回避して，次の蘇生的手技へとつなぐための重要な意味をもつ。大動脈遮断を行う手技としては，ほかにREBOA（resuscitative endovascular balloon occlusion of the aorta）がある（p.1006参照）。開胸下の胸部下行大動脈遮断とREBOAは，いずれも大動脈を遮断して

表3 開胸下大動脈遮断とREBOAの比較

	開胸下	REBOA
利点	迅速性に優れる 確実な大動脈遮断	低侵襲 遮断度合いの調整性に優れる
欠点	侵襲が大きい	迅速性に欠ける 大腿動脈の穿刺困難
合併症	胸壁出血 脊椎動脈損傷のリスク	下肢虚血・壊死 腹部血管損傷

〔文献2）より引用・改変〕

一時的に循環を維持する，もしくは一時的止血を行うtemporaryな手技であり，手技の後に根本的止血を速やかに行うことが前提となっている。開胸下大動脈遮断とREBOAの比較を表3[2]に示す。心停止が迫っている症例では迅速性の優れたRTでの実施が望ましい。心停止までの時間に余裕がある場合は低侵襲なREBOAが選択される。

2 蘇生的開腹術

蘇生的開腹術は蘇生的観点から腹部の止血を緊急に行うための開腹術で，多くはダメージコントロール戦略の一環として行われ，damage control laparotomyとも呼ばれる。蘇生的開腹術で達成すべき目的は，腹腔および後腹膜腔の出血コントロール（根治的止血）と腹腔内の汚染の回避である。ダメージコントロールとして実施されるため短時間で目的を達成し，速やかに次のステップである集中治療へと移行する。

蘇生的開腹術の目的は早期止血に力点が置かれているため，開腹の手技も迅速性が求められる。開腹は電気メスなどを用いず，メスのみで迅速に開腹するcrash laparotomyで行われる。数秒で開腹して出血点を同定し，用手圧迫による一時的止血を行う。開腹したら，腹腔内の5点にタオルガーゼなどのパッキング（5点パッキング）を行う。これにより一時的止血が得られるとともに，腹腔内に貯留した血液が吸収され除去される。腹腔内の拍動性の大出血がある場合は，腹部大動脈の一時的圧迫で止血を得て出血源を確認する。腹腔内を観察し出血源を確認したら，それに対する適切な止血法（結紮，パッキング，臓器摘出など）を選択し，早期に手術を終了するよう努める。後腹膜出血で止血が必要な場合は，後腹膜展開法（左側臓器正中翻転術：Mattox法，右側臓器

正中翻転術：Cattell-Braasch 法）によりアプローチする。

止血と汚染のコントロールが完了したら一時的閉腹法にて閉腹する。多くは vacuum packing closure 法や AbThera™ を用いた閉腹が一般的に行われる。

3 外傷蘇生に必要な IVR

外傷止血においては手術のみならず，経カテーテル止血の有用性も報告されており，重要な止血オプションの一つとなっている。外傷 IVR 領域の進歩はめざましく，今日では手術とともに外傷止血の両輪と考えられるようになった[9]。

外傷 IVR は従来，循環動態が安定している症例が対象であるとされてきたが，近年ではそれを安定させるための一手法と考えられるようになっている。とくに骨盤内後腹膜出血など手術より IVR が有用とされる領域においてその役割は大きく，なかでもダメージコントロール戦略の一環として行うべき IVR 手技として，DCIR（damage control interventional radiology）という概念が登場した[10]。DCIR では，IVR チームを早期に召集し，処置も早く始めて早く終えるという時間を意識した damage control surgery と同様のコンセプトで IVR を実施する。Damage control surgery の DC1 に相当する手技を IVR で行うものである。また，CT を中心とした画像情報の正しい読影とその情報をもとにした戦術実施が重要視されている。DCIR の適応は明確ではないが，蘇生的な止血が必要で，かつ手術よりも IVR における止血が望ましいと考えられる病態が適応と考えられる。

DCIR で行われる手技では，致死的な出血を速やかに制御するという観点から，最短時間で責任血管に到達し，その血流を遮断する。救命の観点から選択的塞栓にこだわらない。短時間で止血ができない，または循環動態が急速に悪化する場合は，蘇生的手術へと移行する。常に手術が直ちに実施できる環境下で行うことが必要である。

▶文 献

1) 日本外傷学会, 他（監）：外傷初期診療ガイドライン JATEC, 改訂第 6 版, へるす出版, 2021.
2) 日本外傷学会（監）：外傷専門診療ガイドライン JETEC, 改訂第 3 版, へるす出版, 2023.
3) Cannon JW, et al：Damage control resuscitation in patients with severe traumatic hemorrhage：A practice management guideline from the Eastern Association for the Surgery of Trauma. J Trauma Acute Care Surg 82：605-17, 2017.
4) 日本脳神経外科学会, 他（監）：頭部外傷治療・管理のガイドライン第 4 版, 医学書院, 2021.
5) Nunez TC, et al：Early prediction of massive transfusion in trauma：Simple as ABC（assessment of blood consumption）？ J Trauma 66：346-52, 2009.
6) Yucel N, et al：Trauma Associated Severe Hemorrhage（TASH）-Score：Probability of mass transfusion as surrogate for life threatening hemorrhage after multiple trauma. J Trauma 60：1228-36, 2006.
7) Ogura T, et al：Predicting the need for massive transfusion in trauma patients：The Traumatic Bleeding Severity Score. J Trauma Acute Care Surg 76：1243-50, 2014.
8) CRASH-2 trial collaborators, et al：Effects of tranexamic acid on death, vascular occlusive events, and blood transfusion in trauma patients with significant haemorrhage（CRASH-2）：A randomised, placebo-controlled trial. Lancet 376：23-32, 2010.
9) 比良英司, 他：これからの重症体幹部外傷の治療戦略はどうあるべきか？：DCS と DCIR のコラボレーション体制の構築. 日外傷会誌 36：39-46, 2022.
10) Matsumoto J, et al：Damage control interventional radiology（DCIR）in prompt and rapid endovascular strategies in trauma occasions（PRESTO）：A new paradigm. Diagn Interv Imaging 96：687-91, 2015.

18-2 頭部外傷

外傷のなかでも，とくに頭部外傷の頻度は高い。日本外傷データバンク（Japan Trauma Data Bank；JTDB）の報告[1]でも，わが国の外傷センターに搬送された外傷患者のうち，頭部外傷は下肢外傷に次ぐ頻度であると示されている。わが国において，いかに頭部外傷がcommon injuryであるかがうかがえる。また，頭部外傷は意識障害の鑑別の一つとしても必ず想起されるべき疾患であり，頭部外傷診療は救急医にとって習得すべき基本知識の一つである。

頭部外傷の病態は複雑であるが，個々の患者病態を把握し，外傷初期診療の手順に従い，低酸素や低血圧，高二酸化炭素血症に伴う，いわゆる二次性脳損傷を増悪させない努力が重要である。的確な病院前救護，初期診療，専門的治療，神経集中治療，そして早期離床のためのリハビリテーションへの絶え間ない連携が，患者の生命転帰，機能転帰を改善させ得ることを常に意識する。そのために，救急医のみならず，脳神経外科医，脳神経内科医，集中治療医や，リハビリテーションスタッフなどとの多職種連携が肝要となる。

疫　学

頭部外傷は外傷診療のなかでの頻度だけでなく，重症度や緊急度も高い。実際，JTDBのデータによると全頭部外傷の約67％がAIS 3以上の重症例である[1]。

年齢別発生頻度をみると，以前は若年者層と高齢者層に2つのピークを認めていたが，この10年で若年者層の減少と高齢者層の著増を反映した単峰性（高齢者層）を示している。日本頭部外傷データバンク（Japan Neurotrauma Data Bank；JNTDB）の報告では，50％以上の登録症例が65歳以上の高齢者となっている[2]。

受傷機転は，以前は交通事故が最多であったが，現在は高齢化を反映し，転倒・転落が上回っている[3]。治療内容については，手術やICPモニタリングなどの積極的治療施行率が上昇し，死亡率は減少しているものの，転帰良好の割合は減少している。機能的転帰を見据えた初期診療が重要となっている所以である。

また，世界的には，頭部外傷は若年層における死亡・後遺症罹患の主要因であるとの報告もある[4]。若年者に重篤な後遺症が残ると，社会的負担はさらに増えることとなる。

解　剖

脳を包む頭蓋は，頭蓋冠と頭蓋底に分けられる。頭蓋冠は，主として前頭骨，頭頂骨，後頭骨，側頭骨によって構成され，円蓋部または穹窿部とも呼ばれる。強い外力によって線状骨折，陥没骨折，縫合離開などを生じる。頭蓋底は，前頭蓋底（前頭葉下面を支える），中頭蓋底（側頭葉を包む），後頭蓋窩（小脳を包む）に分けられる。

頭蓋骨のすぐ内側には，硬膜，くも膜，および軟膜に包まれた脳実質がある。厚い硬膜に接して薄く透明なくも膜があり，脳表に密着した軟膜との間にくも膜下腔を形成し，髄液が灌流している。硬膜の外側の表面に外頸動脈からの枝である中硬膜動脈が走行しており，急性硬膜外血腫の出血源となる。大脳鎌は，大脳半球を左右に分け，小脳テントは大脳（テント上）と小脳・脳幹（テント下）を上下に分ける。テント切痕中央には中脳が位置し，辺縁を動眼神経が走行している。このためテント切痕ヘルニア（鉤ヘルニア）の際には通常，同側の動眼神経麻痺をきたす。まれに偏位した中脳が反対側のテント切痕に圧迫され，同側の麻痺をきたす（Kernohan's notch）。

硬膜と大脳鎌，小脳テントの移行部は2層に分かれて静脈洞（上矢状洞，横静脈洞）を形成し，上矢状洞に脳表から流入する架橋静脈（bridging vein）が破綻すると急性硬膜下血腫を生じる。頭蓋骨骨折が静脈洞を横切り損傷すると急性硬膜外血腫の原因となる。

なお，大脳は大脳鎌によって左右大脳半球に分けられるが，言語中枢に代表される高次機能が存在する側を優位半球と称する。言語中枢は左利きの一部の人を除き，左大脳半球にある。前頭葉は実行機能や感情，運動機能にかかわっており，とくに中心前回には随意運動中枢が存在する。また，優位半球前頭葉には運動性言語中枢が

存在する。頭頂葉には感覚や空間認知中枢が存在し，後頭葉には視覚中枢が存在する。側頭葉は聴覚や記憶にかかわる。間脳は視床と視床下部からなり，知覚の中継点や内分泌機能，体温調節や自律神経機能の中枢として機能している。脳幹は中脳，橋，延髄からなり，呼吸や循環，意識状態や覚醒状態に深く関与している（上行性網様体賦活系）。小脳は協調運動や平衡機能を司っている。

髄液は，外見上は水様透明で脳室内の脈絡叢で1日当たり500mL産生され，髄腔内を循環し〔側脳室→モンロー孔→第三脳室→中脳水道→第四脳室→マジャンディ孔（正中孔），ルシュカ孔（外側孔）→脊髄や脳表のくも膜下腔〕，くも膜顆粒から上矢状洞内へと吸収される。髄腔内にある髄液量は約150mLであり，1日3回ほど入れ替わる計算となる。この経路に血腫などで閉塞をきたすと急性閉塞性水頭症を生じ，急激な頭蓋内圧亢進が生じる。

病態生理

1 頭部外傷の発生機序

1）外力方向と脳損傷

頭部に衝撃が加わったとき，打撲直下の頭蓋内に生じる損傷を直撃損傷（coup injury），打撲部位の対角線上に生じる頭蓋内損傷を反衝損傷（contre-coup injury）という。後頭部受傷による前頭葉や側頭葉の損傷，側頭部受傷による反対側側頭葉の損傷が典型的である。

2）直達損傷と加速度損傷

外力が頭蓋の特定部位に直接作用する直達損傷は局所性脳損傷の原因となる。これに対して，頭蓋の特定部位に外力が作用しなくとも回転角加速度により脳損傷をきたす場合がある。例えば，自動二輪車走行中の転倒など強い回転角加速度が加わった場合，脳組織全体にズレの力（剪断力）が発生する。脳組織は不均一で複雑な構造をしており，脳脊髄液に満たされた頭蓋腔内にあるため，大脳白質，脳室上衣下，脳梁部，大脳基底核あるいは脳幹部背側などにズレの力が集中し，びまん性脳損傷をきたす。広範囲に神経線維（軸索）が損傷された場合がびまん性軸索損傷であり，架橋静脈が損傷されると急性硬膜下血腫をきたす。

3）病態的分類

頭部外傷の病態は一次性脳損傷と二次性脳損傷に分類される。一次性脳損傷は受傷時に脳組織が受ける器質的

表1 二次性脳損傷をきたす原因

全身性因子	・低血圧 ・低酸素 ・貧血 ・高体温 ・高二酸化炭素血症 ・低血糖 ・酸塩基異常・代謝異常 ・全身炎症・感染 ・血液凝固異常
頭蓋内因子	・頭蓋内圧亢進 ・頭蓋内占拠性病変 ・脳浮腫 ・脳血管攣縮 ・水頭症 ・頭蓋内感染症 ・てんかん ・脳血流低下 ・脳代謝障害 ・電解質異常 ・フリーラジカル産生

障害を意味する。一方で，二次性脳損傷は，その後に全身あるいは頭蓋内の要因が悪化することで付加的に加わる脳損傷と理解されている。

一次性脳損傷は受傷時のインパクトの大きさによって受傷の程度が決まり，患者が医療機関を受診する際にはすでに完成していることが多い。一次性脳損傷に直接的な治療介入が難しい所以である。一方，二次性脳損傷は，一次性脳損傷にさらに増悪因子が加わることで脳損傷がさらに進行し，悪化するものである。

二次性脳損傷をきたす原因は，頭蓋内因子と全身性因子（頭蓋外因子）に分類される（表1）。頭蓋内因子は占拠性病変（頭蓋内血腫や脳浮腫）による周囲脳実質への圧迫や破壊，脳ヘルニアによる脳幹障害，脳灌流圧の低下による脳実質の虚血などである。頭蓋内因子による二次性脳損傷は，血腫除去術や減圧開頭術を含めた頭蓋内圧（intracranial pressure；ICP）と脳灌流圧（cerebral perfusion pressure；CPP）の管理により軽減が可能である。また，てんかん，髄膜炎なども頭蓋内因子による二次性脳損傷の原因となるため，時期を逸さない治療が必要である。

一方，呼吸の異常も二次性脳損傷の全身性因子として重要である。すなわち，不十分な換気による高二酸化炭素血症では，脳血管拡張に起因する血管床の増大によるICP上昇がみられる。また，過換気による低二酸化炭素

血症では，脳血管収縮による脳血流低下が生じ，脳虚血の増悪を認める．低酸素血症や，出血性ショックなどによる脳組織の低灌流状態も脳虚血をきたす一因となる．出血による貧血状態や高体温も頭蓋外因子として重要である．これらの頭蓋外因子による二次性脳損傷を防ぐには，適切なモニタリングによる厳密な呼吸・循環管理，すなわち脳指向型の全身管理が必要である．

2 頭蓋内圧と脳灌流圧

1）頭蓋内圧（ICP）

持続的にICPをモニタリングし，リアルタイムに頭蓋内環境を把握することが，二次性脳損傷を予防するために重要である．

ICPの正常値は年齢により大きく異なり，新生児は1.5〜6mmHg，小児は3〜7mmHg，思春期〜成人では10〜15mmHg以下とされている．ICPの治療閾値は明確なものはないが，わが国の『頭部外傷治療・管理のガイドライン』では，治療を開始する閾値は15〜25mmHg程度とするように推奨されている[5]．

ICP亢進症状として自覚的には頭痛，嘔吐，視力障害，他覚的にはうっ血乳頭，意識障害，外転神経麻痺，徐脈，血圧上昇があげられる．ICP値のみにとらわれるのではなく，意識や症状増悪の有無を経時的に観察し，治療のタイミングを逃さないことが重要である．

なお，ICPが20mmHg以上に上昇しても，脳血管の自動調節能（autoregulation）が正常であれば，CPPが50〜150mmHgの間で脳血流は保たれる．ICPが40〜50mmHg以上になると臨床的に頭痛，呼吸・脈拍異常，意識障害を呈する．ICPが60mmHg以上になると脳血管の自動調節能が消失し，血管運動麻痺の状態となる．ICPが上昇するにつれて，血圧上昇，徐脈，呼吸不整（Cushingの3徴），さらには意識昏睡から脳ヘルニアに至る．さらにICP上昇が進行すると脳血流は途絶し，最終的に呼吸停止に至る．

2）脳灌流圧（CPP）

CPPは，平均動脈圧（mean arterial pressure；MAP）からICPを除することで計算できる脳循環の間接的指標である．したがって，CPPを維持するためにはMAPを高く保つ，あるいはICPを低く保つことが重要である．米国の頭部外傷ガイドラインでは，CPPの治療閾値は60〜70mmHgとされている[6]．また，わが国のガイドラインでも50〜70mmHgを目安に管理するよう推奨されている[5]．とくにCPPが50mmHg以下になる場合，脳虚血の徴候や予後不良例が多いという報告がある[7]．一方，人為的な容量負荷や昇圧薬使用でCPPを70mmHg以上に上昇させた場合，呼吸不全のリスクになるとの報告があり[8]，頭部外傷患者においては，50〜70mmHgの範囲内でCPPの至適範囲が存在すると考えられている根拠となっている．

3 脳血管の自動調節能

脳血管には，そのほかの体血管と異なり，圧自動調節能（pressure autoregulation）という生理的機能が存在する．

正常であれば，CPPが大きく変化しても，脳血流量（cerebral blood flow；CBF）が一定に保たれるように，脳血管は拡張，あるいは収縮する．これは脳機能を保つためには理想的な生理学的機構である．例えば，体血圧が急激に上昇しても，脳血管は収縮することで，脳血液容積（cerebral blood volume；CBV）の増加によるICP亢進を予防している．また，血圧が急激に低下した場合も，脳血管は拡張し，ある一定の閾値を超えるまで脳虚血を予防することができる．異常高血圧により頭痛やけいれん発作を起こす高血圧性脳症や全身血圧低下に伴う一過性意識消失などは，この調節機構が限界となった，閾値の上限，下限を超えた病態といえる．

この圧自動調節能では，頭部外傷などの一次性脳損傷のインパクトの大きさにより機能障害が起こるといわれており，障害の程度が患者機能転帰や生命転帰にも関連するといわれている（図1）[9]．過度の高血圧により，CPPが高くなるとCBFも直線的に上昇し，CBVの増加に伴う脳腫脹，ICP上昇，脳腫脹が起こる．したがって，適切なCPPレベルは自動調節能に依存するところが大きく，CPPは高すぎても，低すぎても不適である．また，患者ごとに異なる自動調節能の存在は，患者すべてに一様に適正なCPPが決められない理論的根拠でもある．

これと同じように，血中二酸化炭素濃度や酸素の変化に対応する自動調節能も存在する．すなわち，血中二酸化炭素が低下する場合，脳血管は収縮し，CBVは減少，ICPは低下する．一方，二酸化炭素が上昇する場合，脳血管は拡張し，CBVは増加，ICPは上昇する．この機構はICP亢進症に対する一時的，かつ回避的治療法としての過換気療法の理論的根拠となっている．

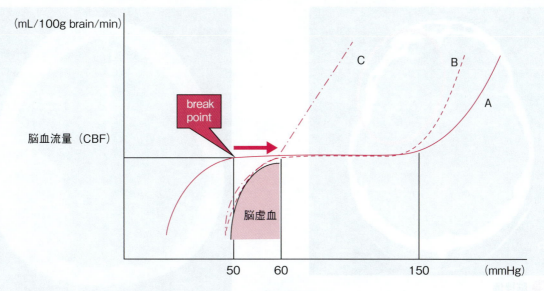

図1 脳灌流圧と脳血流量の関係
通常の状態（A 実線）から自動調節能が障害されると，自動調節能の下限（break point）が高い CPP レベルにシフトする（B 点線）。そのため，虚血を引き起こさないためにはより高い CPP が必要となる。しかし，完全に自動調節能が障害されると CPP と CBF の関係は完全に直線的な比例関係になる（C 破線）

このように CBF は，体血圧，CPP，ICP，二酸化炭素，あるいは脳血管の自動調節能に大きく左右される。頭部外傷患者において全身管理が重要である所以である。

頭部外傷の症状

1 呼 吸

中枢神経障害では，障害部位によりさまざまな呼吸の異常をきたす。過換気性無呼吸（大脳半球深部や間脳の障害），Cheyne-Stokes 呼吸（大脳皮質または間脳・橋上部），中枢神経性過呼吸（中脳下部から橋上部被蓋），吸気時休止性呼吸（橋），失調性呼吸（延髄）などの障害が知られている。

2 血圧，脈拍

血圧および脈拍は頭蓋内病態を反映する指標として有用である。著明な徐脈と血圧上昇は Cushing 現象として知られ，ICP 亢進を疑う所見である。

3 意識レベル

意識レベルは Glasgow Coma Scale（GCS）で評価するのが一般的である。圧迫刺激は爪床や眼窩上，僧帽筋などに加え，胸骨への圧迫は緊急時以外は控えるべきである。頭部外傷の重症度は来院時の GCS により評価する。GCS 合計点 3〜8 を重症とするのが一般的で，JATEC™ では 9〜13 点を中等症，14 点と 15 点を軽症と定義している[10]。一方，わが国の頭部外傷のガイドラインにおいては，9〜12 点を中等症，13〜15 点を軽症と定義しており[5]，GCS の合計点と頭部外傷の重症度の解釈には注意が必要である。

また JATEC™ では，①来院時 GCS 合計点が 8 以下，②意識レベルの急速な低下（GCS 合計点が 2 以上低下），③瞳孔不同や片麻痺，Cushing 現象などから脳ヘルニアを疑う場合を「切迫する D」と表現する[10]。この場合，頭蓋外因子による二次性脳損傷を防ぐため，ABC の安定を再確認し，確実な気道確保（気管挿管），脳神経外科医のコール，secondary survey の最初に頭部 CT 検査を行う対応をとる。

形態的分類

頭部外傷の形態は古典的に大きく以下の 4 つに分けられる。臨床的には混在することもあるが，病態と治療判断の単純な理解にはこの分類が適している。

18. 外傷

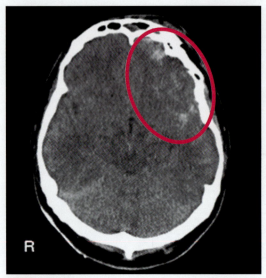

図2 脳挫傷
低吸収域の脳浮腫のなかに高吸収域の出血が混在するパターンを示す（丸印）

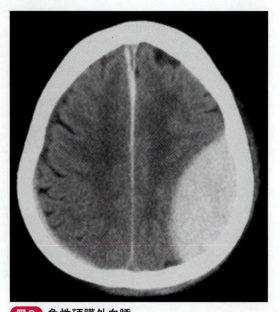

図3 急性硬膜外血腫
CT上両側凸レンズ型の高吸収域を特徴とする

1 局所性脳損傷

　局所性脳損傷はいずれも占拠性病変がICPを亢進させることで脳ヘルニアを招く危険性があり、その際は外科手術による血腫除去が必要になる。

1）脳挫傷

　病理学的には実質組織の破壊と微小血管の破綻である。浮腫と出血が混在し、頭部CTでは血管支配に関係ない低吸収域（脳浮腫）のなかに高吸収域（小出血）が散見される所見（いわゆる"ごま塩状"所見, salt and pepper appearance）を呈する（**図2**）。CTで血腫や挫傷性浮腫により脳幹の圧迫所見を呈する症例のうち、神経症状が進行性に悪化する症例や、保存的治療でもICPが制御不能な症例は手術適応になる。必要に応じて挫傷脳の切除によるmass reductionが考慮される。

2）急性硬膜外血腫

　CT上の凸レンズ型の高吸収域を特徴とする。打撲により頭蓋骨骨折が生じ、その直下の硬膜動脈からの出血により硬膜外に血腫を生じる。硬膜を剥がすように血腫増大が起こるため、両側が凸のレンズ形を呈する（**図3**）。臨床的には意識清明期（lucid interval）の存在が特徴的であるが、これがなくても否定はできない。意識障害や巣症状が出現する場合、緊急開頭術の適応となる。わが国のガイドラインでは、厚さ1〜2cm以上の血腫あるいは20〜30mLの血腫が存在する場合には開頭血腫除去術が推奨されている[5]。

3）急性硬膜下血腫

　CTでは硬膜と脳表の間に血腫が広がり、三日月状の形状をとることが特徴である（**図4**）。急速に進行し、脳表面を圧迫することで虚血性脳障害を併発し、減圧術後の脳腫脹もしばしばみられる。脳の回転加速度による剪断力により脳表架橋静脈が破綻することで、硬膜下血腫を呈する場合はいわゆるsimple typeといわれ、脳挫傷が少ない場合が多い。一方、脳挫傷に合併し脳表の小動脈や脳実質から出血する場合はcomplicated hematoma typeといわれ、外傷初期から強い意識障害や片麻痺を有することが多い。血腫の厚さが1cm以上の場合や、意識障害があり正中偏位5mm以上の場合、明らかなmass effectがあり血腫による神経症状を呈する場合などには、大開頭による血腫除去術が推奨されている[5]。

4）外傷性脳内血腫

　脳挫傷による小出血が癒合すると脳内血腫に進展する。脳内の穿通枝が外傷によって破綻して生じることもあり、この場合は受傷早期から血腫の形成がみられる。受傷後に遅れて脳内血腫が出現する場合を遅発性外傷性脳内血腫（delayed traumatic intracranial hematoma；DTICH）というが、これは凝固系の消費により出血傾向に陥ったことによる出血や、外傷性動脈瘤の破裂などの機序が考えられる。

　ガイドラインにおける手術の推奨は脳挫傷に準じているが[5]、近年のRCTでは、手術に迷う症例の場合は積極的に開頭血腫除去術を施行することで生命転帰が改善

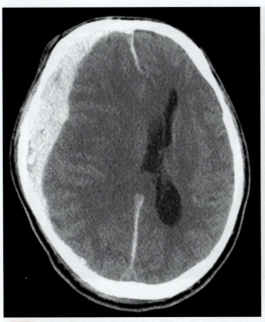
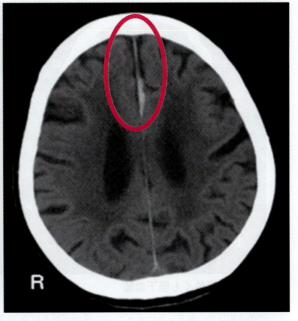

図4 急性硬膜下血腫
三日月型の高吸収域が典型的である（左図）。大脳鎌や小脳テントに沿う場合もある。この場合，少量の血腫を見落としてはならない（右図）。丸印は大脳鎌に沿う急性硬膜下血腫

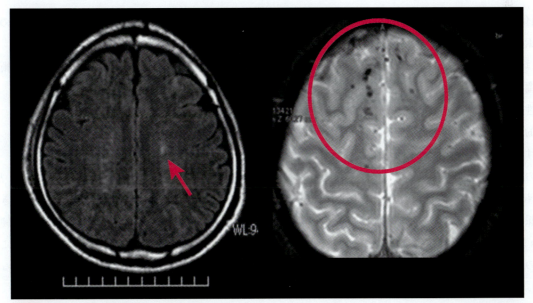

図5 びまん性軸索損傷の MRI 像
びまん性軸索損傷や細かい脳挫傷は，FLAIR 像（左図）では白く高輝度に（矢印），T2*像（右図）では黒く低輝度に（丸印）見える

したと報告されており（非手術群死亡率33% vs 手術群15%)[11]，救命のためにはより積極的な手術も許容される。

2 びまん性脳損傷

治療は ICP 亢進に対する対症療法や全身管理が主体となり，外科的減圧を含めて手術になるケースは少ない。

1）びまん性軸索損傷

脳組織全体に強い回転加速度が加わり，剪断力がかかることでびまん性に神経線維が断裂する病理学的概念である。臨床的には，頭部 CT の微細な所見（小出血の散在）のみにもかかわらず，意識障害が遷延するのが特徴である。確定診断は頭部 MRI 検査によることが多く，大脳基底核や脳室周囲などの比較的脳深部に T2強調画像で高信号が描出される。現在では T2*画像（図5）

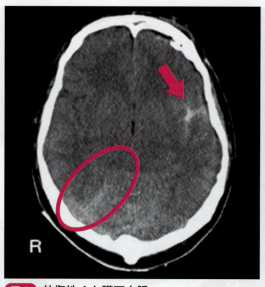 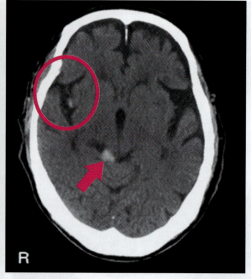

図6 外傷性くも膜下血腫
左図：左 Sylvius 裂に外傷性くも膜下出血を認める（矢印）。左右差を比較して判断することで，診断精度が増す。この症例は右小脳テントに沿って，淡い高吸収域を認め，小脳テントに沿う薄い硬膜下血腫をも合併している（丸印）
右図：右 Sylvius 裂（丸印）と中脳背側の四丘体槽（矢印）に高吸収域を認める。くも膜下出血の所見である

や SWI 画像にて，微小出血が高感度に描出される。びまん性軸索損傷そのものに対する外科的治療は現在，有効なものはない。

2）外傷性くも膜下出血

びまん性脳損傷に合併することが多く，びまん性脳損傷の間接的所見ともいわれている。くも膜下出血が脳底槽に存在する場合や脳底槽から円蓋部に広がる場合は，不良転帰の徴候と考えられている。外傷性くも膜下出血においても脳血管攣縮の合併が数多く報告されているが，脳動脈瘤の破裂によるくも膜下出血が脳底槽や両側の Sylvius 裂に広範囲に濃く存在するのに対して，外傷局所やその対側，脳底槽の一部に薄くみられることが多く（図6），一般的には内因性に比べて脳血管攣縮を起こす率は低いとされている。

3）びまん性脳腫脹

血管床増大による頭蓋内血液量の増加や血管性浮腫，細胞性浮腫の病態が関与しているといわれる。急激なびまん性脳腫脹，ICP 亢進をきたし，内科的治療に抵抗性を示すことが多い。一度発生すると予後不良である。ICP 亢進を伴うびまん性脳損傷やびまん性脳腫脹に対しては従来，積極的な減圧開頭術が施行されてきた。しかし，2011年の DECRA trial によると，ICP 亢進に対する両側前頭部の減圧開頭術施行群は，有意に ICP を低下させるものの転帰の改善は得られず，むしろ減圧開頭術施行群の転帰が不良であった[12]。この要因として，急速な減圧による脳のねじれ現象に伴う二次性の軸索断裂の可能性が指摘されている。この結果を受け，ガイドラインでは，びまん性脳損傷に対して減圧開頭術は推奨しないとされている[5)6)]。

3 頭蓋骨骨折

頭蓋骨骨折自体が意識障害の原因となることはなく，急性硬膜外血腫や視神経損傷など合併損傷をきたした場合に治療の対象となる。従来，骨折は頭部単純 X 線撮影で診断されてきたが，最近は MDCT の普及により三次元構成 CT 画像にて診断される機会が多くなっている。

1）頭蓋骨円蓋部骨折

線状骨折と陥没骨折に分類される。頭蓋骨円蓋部骨折が血管溝や静脈洞を横断する場合，直下を走行する硬膜動静脈や静脈洞が損傷され，急性硬膜外血腫を合併する可能性が高いため，中等症として対応する。陥没骨折では，手術適応となる 1 cm 以上の陥没の場合を重症とする。

2）頭蓋底骨折

頭部単純 X 線撮影での診断は困難で，髄液漏やバトルサイン（battle sign：中頭蓋窩の骨折を示唆），パンダの眼徴候（raccoon eyes：前頭蓋底の骨折を示唆）など臨床症状が診断に有用である（図7）。感染や脳神経損傷など続発症を考慮して中等症として対応するが，大量

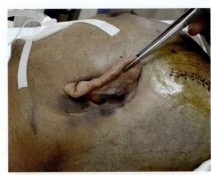 

図7 頭蓋底骨折の臨床症状
バトルサイン（左），パンダの眼徴候（右）

の耳出血や鼻出血を伴う場合は頭蓋内血管損傷の合併を考慮し，重症として緊急対応を要する。

4 頭部軟部組織損傷

頭皮は血流が豊富であるため，しばしば多量の出血を伴う。触診では，頭髪に隠れた頭皮挫創や皮下血腫，異物の存在，陥没骨折などに注意する。

1）閉鎖性損傷

損傷部位が外界と交通していない頭皮の損傷をいう。閉鎖性損傷の場合，血腫の存在部位によって皮下出血，帽状腱膜下血腫，骨膜下血腫に分類される。皮下血腫は硬い"たんこぶ"であり，小さい場合が多く放置してよい。巨大な場合は直下に頭蓋骨骨折を伴っていることが多い。帽状腱膜下血腫や骨膜下血腫は大きく，触診するとやわらかい。圧迫で容易に陥没するため，頭蓋骨の陥没骨折と見誤ることがある。骨膜下血腫は頭蓋骨縫合線を越えて広がることはない。

2）開放性損傷

損傷部位が外界と交通する開放性損傷の場合には，その深達度を調べ，創処置に際して骨折がないかをよく観察する。頭蓋骨骨折を伴って脳実質と交通している場合は開放性頭蓋骨骨折であり，髄膜炎などの頭蓋内感染の危険性がある。

診断のためのモダリティ

1 CT

頭部CT検査は頭部外傷の診断と治療に欠かせないものであり，重症度に応じて時期を失せず安全に行う必要がある。CT所見において重症度や患者転帰を予測する際に注目すべき項目に，脳底槽の圧排もしくは消失，5mmを超える正中偏位，硬膜外病変，脳室内出血や外傷性くも膜下出血の有無などがある。

2 単純X線

MDCTの普及により，頭蓋骨骨折の診断のための頭部単純X線の意義はきわめて低くなった。頭部CTの軸位断で頭蓋骨骨折の確認が困難な場合は，三次元再構築画像にて骨折の有無を判断する。三次元構築が不可能な場合は，頭部単純X線にて正面像，側面像，Towne撮影を行う。

3 MRI

MRI検査はびまん性軸索損傷の診断には有用であるが，安全性などの問題により初期評価では行わない。CT検査で責任病変を明らかにできない場合に，時機をみて撮影を考慮する。

4 脳血管撮影，CTA，MRA

CTで局所的に強いくも膜下出血や後から増強するくも膜下出血，脳梗塞所見がある場合に，脳血管撮影，CTA（CTアンギオグラフィ），MRA（MRアンギオグラフィ）などにより主要血管の異常を検索しておくことは，より多くの情報を得るうえで有用である。また，鈍的外傷においても外傷性頭頸部血管損傷を合併することがあり，頸動脈付近までかかる頭蓋底骨折や頸部過伸展など，リスクが高い場合は脳血管撮影やCTAによるスクリーニングを考慮する。

穿通性頭部外傷でも，既知の血管分布領域に創が及ん

でいる場合や，遅発性の脳内出血をきたした場合は，直接の血管損傷や仮性動脈瘤の検索のため脳血管の評価が必要である。

外傷初期診療における頭部外傷診療

高リスク受傷機転による外傷患者は，解剖学的・生理学的重症度が高い可能性がある。迅速な処置を行い，根治的止血手術までの時間を短くすることで防ぎ得る外傷死（preventable trauma death；PTD）を予防し得る。救急隊は現場の状況把握や初期観察で傷病者の重症度と緊急度を把握し，現場にて最小限の処置を行い，迅速に搬送すること（ロード＆ゴー）が重要である。また，高リスク受傷機転のエピソードのみでも高次医療機関へ搬送する，オーバートリアージが容認される。

外傷診療においては初期の段階から多発外傷の可能性を念頭に置き，総合的に判断して治療優先順位を決定することがきわめて重要である。そのためには部位ごとの確定診断や治療に固執せず，生理学的異常を重視し，生命にかかわる損傷に対する蘇生処置を最優先とする。

JATEC™では，生理学的異常の評価のなかで，中枢神経の異常の評価を行う。GCSによる正確な意識レベルの評価，および瞳孔不同や片麻痺などの脳ヘルニア徴候を的確にとらえ，重症度評価を行う。前述した「切迫するD」の場合にはsecondary surveyの最初で頭部CTを施行する。一般的に，重度の意識障害，瞳孔不同，対光反射の消失，Cushing現象，異常肢位（徐皮質硬直や除脳硬直）などは切迫脳ヘルニアの状態で多くみられ，緊急性が高い。どのフェーズでも，開頭術の根治治療が難しい場合や切迫脳ヘルニアを疑わせる病態をもつ場合で根治的対応ができなければ，高次医療機関への迅速な転送を考慮すべきである。

また中等度頭部外傷であっても，talk and deteriorate（後述）に注意を払い，いつでも手術対応できるようにするために，緊急手術が可能である高次医療機関への転院搬送が望ましい。とくに脳出血を伴うGCS合計点13以下の患者では，積極的に高次医療機関に搬送するほうが生命転帰良好であったという報告[13]もあり，患者救命のためには転院のオーバートリアージも容認されるべきである。

患者の移動時には，容態急変を常に念頭に置く。とくに舌根沈下，呼吸抑制，嘔吐による誤嚥の危険など，気道・呼吸の異常には注意を要する。重症頭部外傷患者は，転院搬送前に確実な気道確保を施行して搬送すべきである。また，頸椎・頸髄損傷は常に念頭に置き，頸椎骨折・頸髄損傷が除外されるまではネックカラーを継続して搬送する。転院時はできるかぎり医師が同乗し，患者管理を継続すべきである。

搬送先には，年齢や受傷機転，内服歴，CT所見，初回のGCSや神経学的脱落症状の程度，施行された処置，凝固能，血液検査，他部位の外傷などを的確に伝達する。一方で紹介状や画像所見などの準備に固執し，やみくもに時間を浪費すべきではない。

重症頭部外傷の管理・治療

確実な気道確保を要し，原則として経口気管挿管を選択する。気道緊急でなければ，十分な鎮痛・鎮静のもとで気管挿管を行う。不十分な鎮静下での喉頭展開や気管挿管は，ICP亢進を誘発するため十分な注意が必要である。プロポフォールやミダゾラムなど短時間作用発現型の鎮静薬を選択することが望ましい。

呼吸管理は以下を目標とする[5]。

- SpO_2 ＞98％
- PaO_2 ＞80mmHg
- $PaCO_2$ またはEtCO$_2$
  ICP亢進時：30～35mmHg
  ICP正常時：35～45mmHg
  緊急で減圧開頭術を待つ間：一時的に25mmHgまで下げることが許容される

$PaCO_2$が上昇するとCBFが増加しICPが亢進するので，$PaCO_2$を指標に人工呼吸器の条件を設定する。$PaCO_2$の低下はICPを下降させるが，脳虚血をきたすため，過度な過換気は禁忌である。

循環管理は以下を目標とする[5]。

- 収縮期血圧＞110mmHg
- 平均動脈圧＞90mmHg
- CPP＞50mmHg（ICPを測定している場合）
- ヘモグロビン＞10g/dL

ICP亢進があれば，CPP維持のため血圧の管理目標が通常よりも高くなる。低血圧はCPPを急激に低下させ，転帰の悪化に関連するため迅速な対応が必要である。初期輸液では，血糖上昇をきたさないように，ブドウ糖を含まない細胞外液補充液が原則である。

高体温があれば速やかに平熱まで冷却する。低体温で大量出血の可能性があれば，血液凝固機能の維持のため

積極的な保温・加温が望ましい。

除去すべき占拠性病変が存在し，ICP亢進所見，脳ヘルニア徴候が進行する場合には，手術までの間，上半身を30°挙上し，浸透圧利尿薬（マンニトール 0.25〜1.0g/kg）を急速に点滴投与する。循環動態の変化に注意が必要である。頭部外傷急性期のステロイド療法の有効性は否定されている。

頭蓋内圧亢進への対応

1 全身状態の評価と補正

1）頭位挙上と正中位の維持

ICPをコントロールする目的での頭位挙上は有用である。ただし，過剰な挙上は脳灌流を低下させるため，15〜30°が推奨されている[5]。また，頸部が屈曲して静脈還流が障害されると，脳組織の充血に伴いICPが上昇するため頭位を正中位に維持する。

2）鎮静，鎮痛，筋弛緩

疼痛や不穏状態を回避しICPの上昇を防ぐ。鎮静についてはミダゾラムやプロポフォールが用いられるが，プロポフォールはミダゾラムより短時間での覚醒が得られる反面，小児には禁忌とされるため注意する。一般的に鎮痛にはフェンタニル，筋弛緩にはロクロニウムやベクロニウムが使用される。

3）血圧，中心静脈圧の適正化

収縮期血圧＞90mmHg，中心静脈圧 8〜12mmHg を目標にする。

4）呼吸状態の適正化

$PaCO_2$ 30〜35mmHg，SaO_2＞95％を目標に調節する。必要に応じて気管挿管，呼吸が弱ければ補助換気を行う。

5）高血糖の補正

血糖値100〜200mg/dLを目標とする。急性期は高血糖が脳浮腫を助長するといわれている。

6）体温の適正化

体温37℃以下を目標とする。

2 第一段階の治療（first-line treatment）

全身状態改善にもかかわらずICP亢進が持続する場合，以下の治療を考慮する。

1）高浸透圧利尿薬

グリセオール：200〜300mL/1〜1.5時間を間欠的に点滴静注する。効果は3〜4時間持続する。1,800mL/dayまで投与可能である。

マンニトール：200〜300mL/0.5〜1時間を間欠的に投与する。効果は2〜3時間持続する。1,200mL/dayまで投与可能である。

2）高張食塩液投与

高張食塩液はナトリウム濃度がさまざまなものが報告されている[14]。とくに循環血液量減少や低血圧を呈したICP亢進患者はマンニトールが使用しにくく，高張食塩液のほうが血圧上昇効果も期待でき有効である。CPPを上昇させ脳酸素化も改善させる。高張食塩液の副作用や合併症として注意すべきは，血小板凝集障害による出血，血液凝固時間（PT，APTT）の延長，低カリウム血症や低塩素性アシドーシスである。また，理論上はナトリウムの20mEq/L/day以上の上昇で浸透圧性脱髄症候群（橋中心髄鞘崩壊症）を起こす可能性がある。

3）脳室ドレナージ

少量の髄液除去でもICP制御の効果は大きい。ただし，脳室圧排や狭小化があるとドレナージが困難になる。

3 第二段階の治療（second-line treatment）

第一段階の治療を行ったにもかかわらずICP上昇が持続する場合，CTを再検するとともに下記の治療を考慮する。

1）体温管理療法

脳代謝を抑えICPを低下させる効果があるが，感染症，不整脈，低カリウム血症，血小板減少など合併症の発生頻度が高くなる可能性がある。

2）外減圧術，内減圧術

ICPのコントロールが不能の場合，減圧開頭や脳挫傷切除術を考慮する。

3）バルビツレート療法

ほかの治療でICPコントロールが不可能な場合，循環動態が安定している患者に対してはペントバルビタールやチオペンタールの投与が有効な可能性がある。しかし，呼吸・循環抑制が強く，肺，肝，腎機能障害が発生する可能性もあり，厳重な管理が必要である。

軽症・中等症頭部外傷の対応・治療

頭部外傷の約90％を軽症・中等症が占め，救急外来で頻繁に遭遇する病態である。多くの症例では頭部外傷に

よる症状が短期間に消失するため軽視されがちであるが，頭痛や高次機能障害などの後遺症から日常生活や社会生活の適応に困難を有することがある。軽症であっても頭蓋内病変を合併する危険因子を有する患者にはCT検査が必須である。

入院による観察の基準としては，①CTで異常所見（頭蓋骨骨折，頭蓋内血腫，くも膜下出血，脳挫傷，脳浮腫，気脳症など）を認める，②CTで異常所見を認めなくても危険因子を伴う，③GCS合計点14以下の場合が推奨されている[5]。入院は少なくとも24時間の経過観察とし，最初の数時間は繰り返し神経症状をチェックして，神経症状の悪化があれば再度のCT検査が勧められる。入院による観察の主目的は，急性硬膜下血腫や急性硬膜外血腫などの病変を早期にみつけることである。急性硬膜外血腫の血腫増大は通常6時間で終了するため，最初の数時間は繰り返し神経症状をチェックし，神経学的悪化を認めればCTを再検する。

頭部外傷の注意書きを持たせて帰宅させてよい基準としては，①GCS合計点15で，意識消失，外傷性健忘，危険因子のいずれもない場合，②CT所見に異常がなく凝固異常や多発外傷などがない場合，③帰宅の許可は受傷後少なくとも6時間以後，が推奨されている[5]。

職場や学校への復帰は，外傷後の症状からの回復を確認することで判断する。とくに疲労感や高次機能障害の有無を確認する。軽症頭部外傷後に復職や就労継続に失敗する原因として，記憶障害，注意障害，遂行機能障害などの社会適応能力の障害があげられる。

小児・高齢者における頭部外傷の特徴

小児では頭蓋骨が成人に比較してやわらかいため，頭蓋骨の陥没骨折，とくにピンポンボール骨折を生じやすい。また，骨と硬膜が剥がれやすいため硬膜外血腫を生じやすい。また，小児でとくに注意すべき脳損傷として，若年性頭部外傷症候群と被虐待児頭部外傷がある。

若年性頭部外傷症候群は軽微な外傷後，意識清明期を経て，頭痛，嘔吐のほかに失語，片麻痺，視野障害などの脳局所症状（巣症状）が出現することがある。症状は4～6時間持続し，その後は後遺症を残さず回復する病態をいう。発症機序として異常な脳波活動の伝播であるspreading depression説が有力である[15]。

被虐待児頭部外傷は2歳以下に多く，ほとんどが急性硬膜下血腫である。全身観察とともに眼底出血の有無を確認する。乳幼児揺さぶられ症候群（shaken baby syndrome）では，架橋静脈の破綻により急性硬膜下血腫やくも膜下出血をきたす。

一方，高齢者の頭部外傷では受傷機転として交通事故が少なく，転倒・転落が多いのが特徴的である。急性硬膜下血腫，脳挫傷・脳内出血が多く，急性硬膜外血腫の頻度は低い。Talk and deteriorateの経過をとることが多い。

合併症への対応

1 外傷性頭頸部血管障害

外傷性頭頸部血管障害は全頭部外傷患者の1～3%に起こるとされ，まれであるものの，発症すると転帰不良のことが多い[16]。精査の適応基準に合致する項目があれば，CTAやMRAなどでスクリーニングを行う。適応基準として普及しているものにデンバー基準[17]がある。脳血管撮影はさらなる精査や血管内治療が必要なときに施行される。遅発性に外傷性脳動脈瘤や内頸動脈-海綿静脈洞瘻が明らかになることがある。鼻腔，口腔などから大量出血を認める場合は，内頸動脈損傷や外頸動脈分枝の損傷が疑われ，治療は一刻を争う。早急に脳血管外科医や脳血管内治療医に連絡して専門的治療を行う。

2 外傷性髄液漏

漏出部位により髄液鼻漏，あるいは髄液耳漏と記載される。鈍的頭部外傷において受傷後48時間以内に発生する例が多い（60%）が，受傷後数週間～数カ月後に生じることもある[18]。

非外傷性髄液漏に比較すると，外傷性髄液漏は自然治癒することが多い，70%は1週間以内に停止し，残り30%は6カ月以内に自然停止するとされる[16]。したがって，少なくとも最初の数週間は保存的に治療するのが一般的である。頭位挙上の程度においてはベッドフラットにする，あるいは30°までの頭位挙上を行うなど，さまざまな意見がある。また，予防的抗菌薬の使用についてもその有効性は定まっていない。遷延する場合や再発性・遅発性の場合などには外科的治療を行う。

3 外傷後発作と外傷性てんかん

直後発作（immediate seizures）：外傷24時間以内に起こるもので，晩期発作（外傷性てんかん）の発症因子とはならないとされる。

早期発作（early seizures）：1週間以内に発症するもので，ICPを亢進させる危険性があり，二次性脳損傷の予防として抗てんかん薬を要することがある。

晩期発作（late seizures）：受傷後8日以降に生じるもので，てんかん原性が存在する可能性があることから，外傷性てんかん（post traumatic epilepsy；PTE）といわれる。

早期発作の頻度を下げるためフェニトイン（できればホスフェニトイン）の投与が推奨されている。一方で，晩期てんかんを予防するためのフェニトインやバルプロ酸の投与は推奨されない[6]。最近では外傷性てんかんの治療において，レベチラセタムがフェニトインに代わり多く使用されるようになってきている。この2つを比較したシステマティックレビューではPTEの予防効果は同等であるとされている[19]。

外観上は明らかなけいれんを認めないが，画像に比して覚醒状態が不良のときには，非けいれん性てんかん重積状態（nonconvulsive status epilepticus；NCSE）の可能性がある。診断には持続脳波モニタリングが必要である。

頭部外傷に関連する特殊な病態

1 脳振盪

1）概要・症状

脳振盪は，外傷による一過性の脳機能障害と定義される。通常，短期間の意識消失を伴うことが多いが，健忘（逆行性・順行性）や記銘力障害などの認知機能障害や，頭痛，めまい，耳鳴り，悪心，視覚障害，平衡感覚障害などの脳振盪関連症状があるときも脳振盪の可能性が高い。これらの諸症状は2週間以内に改善することが多い。また，脳振盪の重症度は意識消失や健忘の有無よりも，諸症状の継続時間により判断するのが望ましい。高齢者や小児は脳振盪関連症状が継続することがあり，注意が必要である。とくにスポーツや転倒による頭部打撲で上記の脳振盪症状をあわせもつ場合は，頭部の精査が可能である医療機関の受診が勧められる。また，意識障害などをきたしている場合には，救急要請し適切な初期対応を行うことが必要となる。

2）診 断

脳振盪の客観的診断法として確定的なものはない。スポーツの現場で使用されるものとして，Sports Concussion Assessment Tool（SCAT）と呼ばれる管理ツールが推奨されている。このなかでも，脳振盪を疑う諸症状（複視，嘔吐，けいれん，意識障害，意識変容，頭部痛，四肢の運動感覚障害，不穏，攻撃的態度，頭痛など）を認めた場合には，迅速かつ安全にスポーツ競技から離れるべきであるとされている[20]。軽度意識障害を伴う場合，主観的評価が難しい場合がある。病歴聴取と神経学的診察が必須である。

3）対 応

スポーツ中に脳振盪を起こしたときは，競技や練習はすぐに中止させる。また，受傷時に症状がごく軽微であっても1時間程度の安静臥床を要する。その間も症状を頻回に確認することが勧められている。

競技復帰，学業復帰に関しての注意点としては，自覚的・他覚的所見が消失するまでは競技復帰を許可しないことが重要である。また，所見消失後の競技復帰は徐々に負荷を加える段階的復帰が推奨されている。段階的復帰の例として，①活動なし（身体と認知機能の完全な休息），②軽い有酸素運動（ウォーキングなど），③スポーツに関連した運動（ランニングなど頭部への衝撃がないもの），④接触プレーのない運動，訓練，⑤メディカルチェックを受けた後に接触プレーを含む訓練，⑥競技復帰があげられる[16]。このように徐々に運動負荷を高め，それぞれの間に24時間の間隔を入れ，メディカルチェックを受けたうえでコンタクトスポーツへの復帰が許可される。脳振盪症状が再燃する場合は一つ前の段階に戻り，24時間の休息後に再度レベルアップを図る。

2 Talk and deteriorate（T and D）

中等症頭部外傷は頭部外傷の10％程度といわれているが，そのうち1～2割の患者では意識障害が悪化して昏睡状態になる可能性がある。また中等症頭部外傷でも，その7％に外科的治療が必要になるといわれている[21]。とくに注意すべきは，頭部外傷後，来院時には話ができる程度の軽い意識障害の患者が，その後に急激な意識障害をきたす場合である。これを"talk and deteriorate"（T and D）という。この病態は高齢者に多く，脳浮腫や遅

発性外傷性脳内血腫の進展により急変するため注意が必要である。

抗血小板薬や抗凝固薬を服用している患者もT and Dのハイリスクとなる。高齢化に伴い心房細動をもつ患者が増加し、ワルファリンや直接経口抗凝固薬（direct oral anticoagulant；DOAC）の内服患者も増えている。このような患者は、たとえGCSで中等度患者と分類されていても入院・経過観察を企図したうえで、入院中に頭部CT検査を行う。

また、軽症患者にあっても必要に応じてCT検査を要する。CT検査を行う基準として、意識清明でも60～65歳以上の高齢者や、アルコール・薬物服用者、頭痛、嘔吐、健忘やけいれんが認められた場合は、CTによる精査を行うべきである[5]。

CT所見で出血や骨折がみられた場合は観察入院とし、24時間以内に再度CT検査を行い、増悪の有無を確認する。CT所見で異常がない場合でも、上記のハイリスク症例に当てはまる場合は経過観察入院が望ましい。

抗血栓薬の中和の知識

社会の高齢化に伴い、心房細動や心筋梗塞を持病にもつ患者が増加していることから、抗血小板薬や抗凝固薬などの抗血栓薬を内服している患者が増加している[22]。JNTDBのデータにおいても頭部外傷患者の18％が抗血栓薬（抗凝固薬や抗血小板薬）を内服しており、頭部外傷の初期診療において的確な抗血栓薬の中和を心がけることも、T and D、ひいてはPTDの予防につながるといえる。

ワルファリンを内服している患者では、PT-INR値が2.0以上であれば、4因子含有プロトロンビン複合体濃縮製剤（4F-PCC）をワルファリンの中和に使用する。これにより、より迅速に、かつ容量負荷をかけることなくワルファリンの中和が可能となる。また、DOACの一つであるダビガトランは、イダルシズマブの投与により中和が可能である。近年では、わが国でも第Xa因子阻害薬（エドキサバン、アピキサバン、リバロキサバン）の中和薬であるアンデキサネットアルファが保険収載され、臨床使用が可能となっている。

適切な中和を行うためには、本人や家族、救急隊などの関係者から、既往歴や内服例の聴取を積極的に行い、服薬状況を確認しておくことが重要である。また平時より、患者に対して抗血栓薬を処方する場合も、抗血栓薬の種類が何であるか、そしてそれが中和し得るものであるかなど、抗血栓薬に関する適切な情報共有を行うことが重要である。

頭部外傷における血液凝固障害

頭部外傷後、脳組織の損傷により凝固障害が生じる。まず、脳組織が損傷することで組織因子（tissue factor）が血中に放出され、受傷直後には一時的に過凝固状態になる。その後、過凝固状態を抑えようと働き、線溶系が過剰亢進する。この過線溶（hyperfibrinolysis）の病態は受傷後3時間まで継続することが明らかになっており、D-dimer値がバイオマーカーとして上昇することが知られている[23]。

頭部外傷による凝固線溶系障害（線溶亢進状態）を抑える薬剤として、トラネキサム酸の使用が議論されている。トラネキサム酸は、プラスミノゲンのフィブリンへの結合およびプラスミノゲンの活性化を阻害することによりフィブリン分解を防ぎ止血作用を発揮するものであり、外傷診療においても、受傷後早期からの投与（1gを10分かけて静注＋1g/8時間で投与）の有効性が強調されてきた[24]。

近年、頭部外傷の分野でも同様にその有効性が示されており[25]、とくに軽症・中等症症例の頭部外傷においては、受傷からトラネキサム酸投与までの時間が早ければ、有意に早期死亡を改善させる効果が示されている[26]。

トラネキサム酸投与群5,076例と対照群4,968例を比較したメタアナリシスでは、トラネキサム酸投与群では914例（18.0％）が、対照群では961例（19.3％）が死亡しており（RR 0.93, 95％CI 0.86～1.01, $p=0.09$）、トラネキサム酸の非劣性が確認された。転帰良好率、出血拡大率、梗塞性（虚血性）合併症、脳出血の拡大など、重大な副作用に関しては有意な差はみられなかった[26]。

また、トラネキサム酸は安価で、WHOのessential drug listにも記載されている薬剤であり、開発途上国などでも十分に使用可能である。これらのことから、トラネキサム酸はT and Dの予防手段の一つとして世界的に普及する薬剤となる可能性がある。今後は適応病態をさらに明確にすることで、頭部外傷におけるトラネキサム酸の効果についてのさらなる検証が必要である。

▶文 献

1) 日本外傷データバンク：日本外傷データバンクレポート2022（2019-2021），2022. https://www.jtcr-jatec.org/traumabank/dataroom/data/JTDB2022.pdf
2) 横堀將司，他：我が国における高齢者重症頭部外傷の変遷；頭部外傷データバンクプロジェクト1998-2015からの検討．神経外傷 41：71-80，2018.
3) 末廣栄一，他：日本頭部外傷データバンクから読み解くわが国の頭部外傷診療の現状．救急医学 38：746-50，2014.
4) GBD 2016 Traumatic Brain Injury and Spinal Cord Injury Collaborators：Global, regional, and national burden of traumatic brain injury and spinal cord injury, 1990-2016：A systematic analysis for the Global Burden of Disease Study 2016. Lancet Neurol 18：56-87，2019.
5) 日本脳神経外科学会，他（監）：頭部外傷治療・管理のガイドライン第4版，医学書院，2021.
6) Carney N, et al：Guidelines for the Management of Severe Traumatic Brain Injury, Fourth Edition. Neurosurgery 80：6-15，2017.
7) Nordstrom CH, et al：Assessment of the lower limit for cerebral perfusion pressure in severe head injuries by bedside monitoring of regional energy metabolism. Anesthesiology 98：809-14，2003.
8) Contant CF, et al：Adult respiratory distress syndrome：A complication of induced hypertension after severe head injury. J Neurosurg 95：560-8，2001.
9) Zeiler FA, et al：Univariate comparison of performance of different cerebrovascular reactivity indices for outcome association in adult TBI：A CENTER-TBI study. Acta Neurochir（Wien）161：1217-27，2019.
10) 日本外傷学会，他（監）：外傷初期診療ガイドラインJATEC，改訂第6版，へるす出版，2021.
11) Mendelow AD, et al：Early Surgery versus Initial Conservative Treatment in Patients with Traumatic Intracerebral Hemorrhage（STITCH [Trauma]）：The first randomized trial. J Neurotrauma 32：1312-23，2015.
12) Cooper DJ, et al：Decompressive craniectomy in diffuse traumatic brain injury. N Engl J Med 364：1493-502，2011.
13) Adzemovic T, et al：Should they stay or should they go? Who benefits from interfacility transfer to a higher-level trauma center following initial presentation at a lower-level trauma center. J Trauma Acute Care Surg 86：952-60，2019.
14) Mekonnen M, et al：Hypertonic saline treatment in traumatic brain injury：A systematic review. World Neurosurg 162：98-110，2022.
15) Somjen GG：Mechanisms of spreading depression and hypoxic spreading depression-like depolarization. Physiol Rev 81：1065-96，2001.
16) 太田富雄（原著），松谷雅生，他（編）：脳神経外科学，第13版，金芳堂，2021.
17) Fusco MR, et al：Cerebrovascular dissections：A review. Part II：Blunt cerebrovascular injury. Neurosurgery 68：517-30，2011.
18) Lewin W：Cerebrospinal fluid rhinorrhoea in closed head injuries. Br J Surg 42：1-18，1954.
19) 稲次基希，他：重症頭部外傷後けいれんの検討；日本頭部外傷データバンクプロジェクト2015の分析．神経外傷 42：189-94，2019.
20) 荻野雅宏，他：スポーツにおける脳振盪に関する共同声明；第5回国際スポーツ脳振盪会議（ベルリン，2016）；解説と翻訳．神経外傷 42：1-34，2019.
21) Yokobori S：Head trauma：Surgical issues. In：Charles ES eds, Trauma Anethesia, 2nd ed. 2013, pp353-63.
22) Yokobori S, et al：Treatment of geriatric traumatic brain injury：A nationwide cohort study. J Nippon Med Sch 88：194-203，2021.
23) Nakae R, et al：Time course of coagulation and fibrinolytic parameters in patients with traumatic brain injury. J Neurotrauma 33：688-95. 2016.
24) CRASH-2 collaborators, et al：The importance of early treatment with tranexamic acid in bleeding trauma patients：An exploratory analysis of the CRASH-2 randomized controlled trial. Lancet 377：1096-101, 101 e1-2，2011.
25) CRASH-3 collaborators：Effects of tranexamic acid on death, disability, vascular occlusive events and other morbidities in patients with acute traumatic brain injury（CRASH-3）：A randomised, placebo-controlled trial. Lancet 394：1713-23，2019.
26) Yokobori S, et al：Efficacy and safety of tranexamic acid administration in traumatic brain injury patients：A systematic review and meta-analysis. J Intensive Care 8：46，2020.

18-3 顔面・頸部外傷

角山　泰一朗

顔面・頸部外傷は緊急度の高い状態に陥る可能性が高く，病態の十分な理解とpreventable trauma death（PTD）を回避するための手技が求められる[1]。顔面・頸部は解剖学的に狭い範囲にあるが，重要器官が集中しており，体表面の損傷や骨傷のみにとらわれることなく，各器官の機能障害の有無を評価しなければならない。また，顔は個人の識別や感情表現において重要な意味をもつため，機能のみならず整容を考慮した診療が求められる。顔面外傷の頻度は7～10％程度といわれている[2]。

顔面外傷

1 解　剖

前頭骨，上顎骨，頬骨，鼻骨，篩骨，涙骨，口蓋骨，蝶形骨などが上中顔面，オトガイ部，体部，下顎枝，関節突起からなる下顎骨が下顔面を構成する。顎関節により開口運動が行われる。表情筋は顔面神経による支配を受け，臨床的には鼻翼と外耳孔を結んだ線が重要で，この線より尾側に軟部組織損傷があれば顔面神経損傷を強く疑う。主要な動脈は外頸動脈系である。

2 病　態

顔面は露出部位であり，外力によって外傷を受けやすい。緊急度の高い病態は，気道閉塞と制御困難な出血である。

1）気道閉塞
吸気時のstridorがあれば，上気道の浮腫，出血を疑う。舌の損傷・腫脹も気道閉塞の原因となり，多くの場合で上顎骨下顎骨の骨折を伴う。歯牙や歯科的人工物などの異物も気道狭窄の原因となり得る。

2）出　血
大量出血も緊急度の高い病態である。原因としては鼻骨骨折，上顎骨骨折，Le Fort型骨折，頭蓋底骨折合併などの骨折に伴う血管損傷が多い。とくにLe Fort型骨折では骨折線が鼻中隔から背側へ横走し翼口蓋窩に至るため，下口蓋動脈などの顎動脈領域の動脈損傷をきたし大量出血となる。頭蓋底骨折合併例では内頸動脈や海綿静脈洞の損傷が加わり致死的となる。また，下顎骨体部骨折による下歯槽動脈損傷，舌裂創による舌動脈損傷も大量出血の原因となり得る。

3）機能障害
顔面上2/3の外傷では，眼球および網膜・視神経損傷，外眼筋群の機能障害など，視機能に関する障害を伴いやすい。耳外傷では髄液耳漏，鼓膜損傷などによる聴力障害を伴うことがある。また，爆傷による鼓膜損傷も典型的である。頬骨弓骨折では骨折で頬骨弓が内方に陥凹することにより，下顎の咀嚼運動に関与する側頭筋ならびに下顎枝の動きが妨害され開口できなくなる。下顎骨関節突起骨折は，関節突起が付着する外側翼突筋に牽引されることにより内側へ転位し，開口運動が障害される。一方，顔面下2/3の外傷では，骨折や歯牙損傷により咬合障害をきたす可能性がある。

4）感　染
骨折や出血が前頭洞，篩骨洞，蝶形骨洞，上顎洞などの副鼻腔に及んだ場合，感染を生じることがある。とくに頭蓋底骨折に髄液漏を伴う場合には髄膜炎に注意する。破傷風の感染予防も考慮する。

3 治療の原則

原則として，顔面外傷の診療手順もJATEC™に沿って行うべきである。

1）Primary surveyと蘇生
顔面外傷において緊急度がもっとも高いのは「気道閉塞」であり，ABCDEアプローチの最初に評価する。

気道閉塞の原因としては，下顎骨骨折による開口障害，口腔鼻腔からの血液大量，嘔吐物，凝血塊または損傷脱臼歯牙や脱落義歯などがある。これら閉塞物の吸引および除去や用手的気道確保によっても改善を認めない気道緊急では，確実な気道確保が求められる。

気道緊急では，まず直視下の経口気管挿管を試みる。開口障害や患者の協力が得られない場合にはRSI（rapid

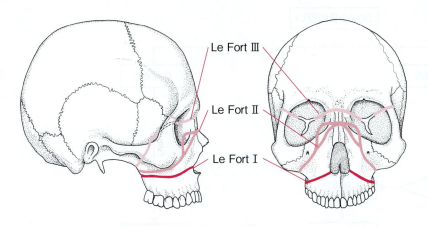

図1 Le Fort 型骨折

【Ⅰ型（transverse fracture）】
上顎骨歯槽突起の頭側で骨折が起こり，上顎歯列が一塊となって転位するもの
【Ⅱ型（pyramidal fracture）】
顔面中央部がピラミッド状に骨折し，転位するもの
【Ⅲ型（craniofacial dysjunction）】
顔面頭蓋と脳頭蓋との骨性連結が離断されたもの
【参考：縦骨折（vertical fracture）】
上顎骨に縦に骨折線が入り，歯槽骨が左右に二分されるもの。Le Fort 型骨折ではないが，付け加えられることが多い

〔文献1）より引用・改変〕

sequence intubation）を考慮する。明らかに気管挿管が不可能な場合は，直ちに外科的気道確保（輪状甲状靱帯切開）を行う。

著しい出血に対してはまず，直接圧迫やガーゼタンポンで止血する。咽頭側鼻腔の出血に対してはベロックタンポンやバルーンカテーテル（Foley カテーテルなど）で圧迫止血する。舌動脈（外頸動脈の枝）損傷による著しい出血に対しては舌尖を鉗子または縫合糸で口外に牽引し，直視下に止血する。骨折による出血は整復により軽減することがある。圧迫による止血操作が及ばない部位からの出血に対しては，IVR による動脈塞栓術を考慮する。

2）Secondary survey

顔面外傷においてとくに注意すべき愁訴は，呼吸困難，嚥下障害，構音障害，視覚異常，聴覚異常，平衡感覚異常，開口障害（開口2横指以下），咬合不全などである。視診では左右非対称性の観察が重要で，骨の触診においても骨隆起を左右同時に触れ，その対称性を骨縁における凹凸，可動性の異常，圧痛の有無とともに評価する。顔面骨骨折部位は，長管骨に比して圧痛の程度が軽い場合が少なくない。顔面中1/3領域の骨格の不安定性，あるいは髄液漏を認める場合には頭蓋底骨折を疑う。その際は，経鼻での胃管挿入は頭蓋内への迷入のおそれがあるため禁忌である。胃管挿入が必要なときは口から挿入・留置する。

4 Secondary survey で注意すべき損傷

1）骨 折

顔面骨骨折は交通事故，暴行，スポーツなどで起こりえる。顔面骨骨折には，鼻骨骨折，鼻中隔骨折，頬骨弓骨折，頬骨骨折，眼窩壁骨折，上顎骨骨折，下顎骨骨折，下顎骨関節突起骨折，歯槽骨骨折，Le Fort 型骨折，顔面骨広範粉砕骨折（panfacial fractures）などがある。

(1) 骨折の画像診断

顔面骨骨折の診断として現在ではCTによる画像診断が標準である。とくに高解像度CT撮影（軸位，冠状断，3D，ヘリカルなど）により診断がより簡便となった。CT撮影はウィンドウレベルを変化させることにより，軟部組織条件や骨条件の画像を作成することが可能となり，診断能が向上する。

(2) Le Fort 型骨折

Le Fort 型骨折は実験的に顔面骨に外力を与え，骨折を作成し，骨折しやすい型を分類したもので，AISコーディングでも使用されている（図1）[1]。実臨床においては図1のような Le Fort 型骨折はまれで，多くの例で骨折形態が混在する。視診上，顔面中央の隆起の陥凹傾向（dish face deformity）を認める。Le Fort Ⅲ型の場合は顔面全体が著しく腫脹することがある。

(3) 下顎骨骨折

正中部（オトガイ），体部，角部，下顎枝，関節突起部の骨折がある。下顎骨が正中部や体部で骨折した場合，同部に付着し開口に働く咀嚼筋群が，骨折片を舌側に転位させようと作用するために，下顎部に変形が生じるとともに，舌の転位ならびに浮腫により気道閉塞症状が起こる場合がある。関節突起骨折は介達外力で生じることが多く，正中部・体部骨折に合併するものが約半数あり，見落としに注意する。骨折した関節突起は，付着している外側翼突筋により内前方に牽引され，転位するために開口障害を生じる。

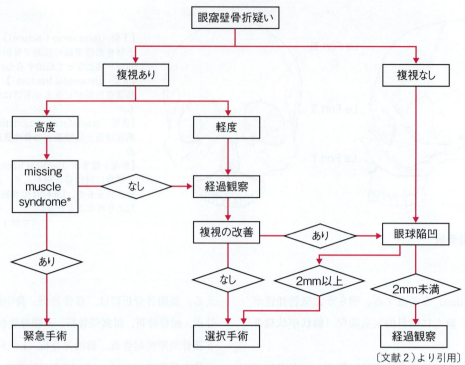

図2 眼窩壁骨折の治療；臨床症状からみたフローチャート
＊CTなどの画像診断上，眼窩内に下直筋が確認できなくなっている状態で高度の筋絞扼を示唆する状態

〔文献2）より引用〕

(4) 鼻骨骨折

比較的頻度の高い骨折である．鼻出血，鼻閉，変形，疼痛を認める．

(5) 眼窩壁骨折

眼窩を構成する骨の骨折である．眼窩吹き抜け骨折は外力により眼窩内圧が上昇した結果生じる．その典型例では，眼窩下壁が患側上顎洞側に凸に骨折し，脱出した周囲軟部組織が骨片に固定され，眼球運動制限をきたし，複視を生じる．治療のフローを図2[2)]に示す．

(6) 頬骨弓骨折

側方からの外力により生じることが多い．頬骨弓の内側には下顎骨が存在し，頬骨弓が内側に陥凹するような骨折では開口障害が生じる．

2）神経損傷

顔面表情筋の随意運動を司るのは顔面神経で，運動根と中間神経の感覚根を有する．ほぼ耳朶の下端の高さ（茎乳突孔）から頭蓋外に出て，耳下腺神経叢を作り，皮下浅層に現れ，耳前部で顔面表情筋へ分布する．顔面神経前枝（側頭枝）の走行はほぼ耳珠1cm前方と眉毛外側1cmを結ぶ線となり，その線上の軟部組織の損傷では顔面神経が損傷する可能性がある．顔面神経損傷の評価では，額のしわ寄せが可能か，閉眼でしわが寄るか，鼻翼は動くか，口を尖らせることができるかなど，さまざまな表情・動作を評価し，その左右差も比較する．顔面神経の走行する領域に明らかな外傷がないにもかかわらず顔面神経麻痺が存在する場合は，頭蓋内や側頭骨内顔面神経管の損傷（顔面神経管，Fallopius管の損傷）が疑われる．この場合，中間神経の損傷は味覚線維と，涙腺，舌下腺，顎下腺の分泌を司る副交感性の分泌線維の損傷を意味し，涙や唾液分泌障害，味覚障害を伴う．顔面神経麻痺は味覚・分泌能の有無から中枢性か末梢性かの鑑別診断ができる．また，運動根にはアブミ骨筋を有するため聴覚障害も伴う．

三叉神経の損傷では顔面皮膚粘膜の知覚異常がみられ，骨折に伴うことが多い．眼窩下縁付近に位置する眼窩下孔から分布する眼窩下神経の損傷では，支配領域である同側頬部から上口唇のしびれと上歯列の違和感をきたす．下顎骨のオトガイ孔から出るオトガイ神経の損傷により，同側下口唇のしびれなどがみられる．Le Fort Ⅲ型骨折などにより顔面頭蓋にずれを生じた場合には，嗅覚脱失がみられる場合がある．

眉毛外側部に強い衝撃が加わることにより視神経への間接外力が生じ，視神経損傷が生じる場合がある．失明，視力障害，片側の瞳孔散大，直接対光反射消失かつ間接対光反射正常などの症状を呈する．視神経管の損傷による視神経損傷でも同様の所見を呈する．典型例では眼窩

CTにおいて，視神経管部の骨折・変形・狭窄像を認める。

3）眼外傷，眼周囲の外傷

眼の損傷は重篤な機能障害をもたらす可能性があり，疑われる場合には視力障害，眼球運動障害などの有無，その原因と対応について専門医へのコンサルトが必須である。眼外傷の評価として，視力（指数弁，手動弁，光覚弁など）障害の有無，瞳孔所見，眼球周囲所見，眼球運動異常，視野異常，複視などが必要である。もっとも緊急性が求められる眼外傷は眼球破裂である。眼球破裂においては視力障害に加え，眼圧低下や瞳孔変形（peaked pupil）を認める場合が多く，疑った場合は眼球に圧がかからないような患側の眼球保護が必須である。視力障害は外傷性網膜剥離でも生じる。眼瞼内側の裂創では涙小管損傷の可能性がある。複視を伴う眼球運動障害は，眼窩の骨折により眼球周囲の組織が骨折部位に挟まることで発症する場合が多い。頭蓋底正中骨折に伴う外傷性視交叉症候群（traumatic chiasmal syndrome）により，両耳側半盲を認める場合がごくまれにある。

4）歯牙損傷

歯の動揺・脱落，歯肉出血・裂創，咬合不全などがみられる。成人歯牙は32本ある。受傷前の歯牙数や義歯に関して聴取するとともに，欠損と動揺性を評価する。触診時には指を噛まれないように注意が必要である。脱落した歯牙は気管に迷入することもあるので，疑わしい場合はX線検査で確認する。歯牙は脱臼脱落しても整復により生着する可能性がある。脱落歯は牛乳や生理食塩水，または本人の唾液に浸し，歯科専門医に相談する。

5）耳外傷

耳外傷は耳介から内耳に至る領域の外傷である。中耳や内耳は構造上頑強であるが，爆傷や頭部外傷に合併することがある。聴力喪失，めまい，外耳からの出血，髄液耳漏，顔面神経麻痺などの症状を認める。外耳道からの出血は，鼓膜破裂を伴う中耳の損傷および側頭骨骨折などでみられるが，下顎骨関節突起骨折の骨折部による外耳道損傷の際にみられることもある。外耳道の損傷において迷走神経耳介枝が損傷すると，外耳道の感覚障害に加え，嘔吐や咳が生じることがある。耳介前方の深い裂創では耳下腺，耳下腺管，顔面神経を損傷する可能性がある。耳介軟骨の骨折・離断は吸収糸などで縫合する。耳介は三次元構造を有するため，創の安静や圧迫が難しく，術後血腫を形成しやすい。このため耳介変形の著しい損傷や広範囲の剥離創などの場合には，ボルスター固定が必要である（図3）。

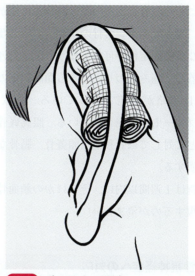

図3 ボルスター固定

6）耳下腺管損傷

耳下腺と耳下腺管（Stensen管）は皮下の比較的浅い層を走行し，損傷を受けやすい。耳下腺管は耳朶と上口唇を結ぶ線に平行に走行する。頬部の創から透明な液体の漏出を認めた場合には耳下腺管の損傷を疑う。また，顔面神経頬枝と併走し，合併損傷により同側上口唇の下垂を伴うことがある。

5 骨折の治療

骨折治療の基本は解剖学的に正しく整復することにあるが，顔面骨骨折の特異性は機能の再建修復と同時に整容的にも十分に配慮する点にある。止血術に比較すれば骨折の整復の緊急度は高いとはいえないが，視神経管骨折に対する治療や眼窩底骨折の眼輪筋が骨片に嵌入し，固定されてしまうような場合は早期に手術が必要となる。

前頭洞骨折に伴う髄液鼻漏の多くは保存加療で改善するが，1週間以上継続する鼻漏や著明な変位を認める骨折に対しては手術が必要となる[3]。

鼻骨骨折では鼻腔粘膜麻酔と局所麻酔を併用し，エレバトリウムなど表面平滑な器具を用い，可能なかぎり愛護的に鼻腔側から前方へ変形や陥凹が改善するように整復し（通常はクリック音を感じる），ワセリン基剤などで浸軟させたガーゼを両側鼻腔にパッキングして，鼻骨骨折用の副木固定を追加する。

上下顎にわたる骨折治療の際は咬合の再建が非常に重要である。現在はチタン素材のプレートの普及により早期に強固な整復固定術が可能となり，上下歯列にアーチバーを装着し，噛み合わせ固定する顎間固定の期間の短縮もしくは省略が可能となっている。吸収型のスクリューとプレートも開発されている。眼窩底骨折による骨欠損などに対しては骨移植（頭蓋骨，腸骨など）や人工骨を補塡する。

鼻骨骨折は1週間以内に，そのほかの顔面骨は2週間以内に整復するのが望ましい。

6 外傷性視神経症への対応

鋭利な物や骨片による直接的な視神経損傷と，前頭部への外力による間接的な視神経損傷に分けられる。直接的な損傷の場合はCT検査を行い，視神経管骨折や異物を認める場合は手術を行うが，視力回復は非常にまれである。より一般的な損傷は間接的な視神経損傷であり，意識障害を伴うことが多く，急速もしくは意識回復後の視力障害を認める。間接的な視神経損傷においては57％が自然回復すると報告されている[4)5)]。

一般にステロイド大量療法が行われるが，それを支持する根拠はなく，頭部外傷に対するステロイド大量療法は死亡率が高いという報告がある[6)]ことを踏まえると，間接的視神経損傷に対するステロイド大量療法は議論が多い。外科的減圧術に関しても保存加療に対する優位性は示されていない[7)]。

7 開放創の処置

流水洗浄により迷入異物を徹底的に除去する。擦過創に付着する細かい砂などは外傷性刺青の原因となる。挫滅した皮膚軟部組織でも可及的に温存する。出血は電気凝固器により丁寧に止血する。標識点である眉毛縁，眼瞼縁，口唇縁，鼻翼などに段差やずれのないよう一次縫合閉鎖を行う。粘膜と口唇は吸収糸による縫合が基本である。顔面神経，涙小管，耳下腺管などの損傷は，受傷後早期に再建修復が必要であり，専門医にコンサルトする。

耳下腺管断裂は自然治癒が望めないため，早期診断および治療介入を行い，晩期合併症で治療に難渋する唾液腺囊胞や唾液皮膚瘻を防ぐことが重要である。穿通性顔面神経損傷の場合には，全身状態が問題なければ，早期に神経損傷に対して神経縫合を行うことにより回復する可能性がある。涙小管損傷はその損傷程度により，その後の症候性流涙症の発生頻度が予測できないため，修復が推奨される。

唾液腺損傷に対する縫合閉鎖術後に唾液腺囊腫や皮膚瘻を形成することがあるが，保存的治療が可能である場合が多い。耳介や鼻尖なども完全に組織が切断された場合でも再接着可能なことがあるため，組織片を生理食塩液ガーゼで包み，滅菌ビニール袋に入れ，氷水により冷却保存するが，組織を直接氷に接触させたり凍結させることは避けなければならない。

頸部外傷

1 解剖

頸部は解剖学的に頭側が下顎下縁，後頭骨下縁，尾側が上胸骨切痕から鎖骨上縁に囲まれた領域を指す。構造的に保護されにくく，気道，血管，神経，食道，頸椎などの多くの重要器官が密集している。とくに，頸部の正中線（気管），胸鎖乳突筋と下顎骨体部下縁を三辺とする，前頸三角と呼ばれる領域に主要器官が集中している。

損傷部位の診断には，体表面から触知可能な構造物が指標となる。広頸筋を貫く穿通性頸部損傷においては，頸動脈などの血管や気管，食道などの重要臓器損傷を念頭に置かなければならない。

損傷に対するアプローチの相違から，頸部を尾側より頭側へ3つのゾーンに分けて評価する（図4）[1)]。

ZoneⅠは輪状軟骨より尾側の領域で，同部の損傷は主要血管（鎖骨下動静脈，腕頭動静脈，総頸動脈，大動脈弓，頸静脈），気管，食道，肺尖，甲状腺，頸椎，頸髄，頸椎神経根などの損傷の可能性がある。

ZoneⅡは輪状軟骨から下顎角（下顎体下縁）までの領域で，頸動静脈，椎骨動脈，喉頭，下咽頭，気管，食道，頸椎，頸髄，10～12番の脳神経が含まれ，直視可能な損傷となりやすい。頸動脈損傷ではもっとも多い領域である。

ZoneⅢは下顎体下縁から頭蓋底までの領域で，唾液腺，耳下腺，食道，気管，椎体，頸動静脈，椎骨動脈，7番および9～12番の脳神経を含む神経系が含まれる。直視下での検索が困難である。

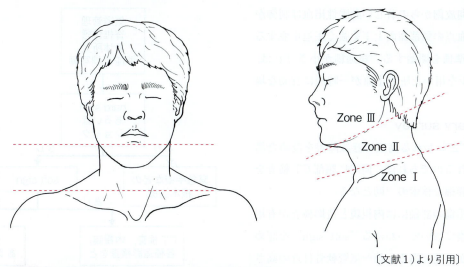

図4 穿通性外傷を対象とする頸部の解剖学的区分
Zone I：鎖骨と輪状軟骨との間（椎骨動脈と総頸動脈近位側，肺，気管，食道，胸管，脊髄，主要な頸髄神経幹）
Zone II：輪状軟骨と下顎角との間（頸静脈，椎骨動脈，頸動脈，気管，食道，脊髄，喉頭）
Zone III：下顎角から頭蓋底までの間（咽頭，頸静脈，椎骨動脈，内頸動脈遠位部）

〔文献1）より引用〕

2 病態

　穿通性損傷と鈍的損傷に大別される。穿通性損傷は刃物，銃弾などによる開放創を有する。わが国ではナイフなどの鋭利な刃物による加害・自損などが大部分を占め，銃創はまれである。

　穿通性損傷の病態の評価には身体（創）所見がもっとも有用であり，緊急度・重症度判定の指標として広頸筋を貫く創の有無が非常に重要となる。広頸筋を貫く創はそれより深層に存在する重要器官損傷の可能性が高い。一方，鈍的損傷は鈍器や索状物などの頸部への強打，縊頸などにみられる。頸部外傷，とくに鈍的外傷では頸椎・頸髄損傷の合併に注意が必要で，穿通性損傷でも銃創などの高リスク受傷機転では頸椎の破砕などによる頸髄損傷を合併する。

　頸部外傷でもっとも緊急度が高い病態は気道閉塞である。喉頭・気管損傷では気道狭窄や完全閉塞が生じる。血管損傷により形成された血腫が増大し，気道を圧排閉塞することもある。次いで大量出血による循環不全があげられる。頸動脈損傷による外出血では，急激に重篤なショックに陥り，受傷現場で失血死する危険性が高い。頸動脈や椎骨動脈への鈍的外傷では内膜損傷や血栓形成により脳梗塞を生じる。穿通性頸静脈損傷では空気塞栓をきたす場合がある。重症度が高いものとしては，咽頭・食道損傷，頸髄，腕神経叢，反回神経などの神経損傷があげられる。

表1 頸部外傷の hard sign, soft sign

hard sign
気道閉塞，著しい活動性外出血，拍動性血腫，thrill の触知，頸部血管雑音の聴取，創部からの気泡，ショック，広範囲の皮下気腫
soft sign
血腫，硬結，皮下気腫，喉頭・気管の位置異常，頸動脈拍動の左右差，声の変調，嗄声，喀血，吐血，咽頭痛，嚥下困難，意識障害あるいは片麻痺

3 治療の原則

1）Primary survey と蘇生

　主要血管損傷や気道・消化管損傷における緊急度の高い蘇生を必要とする身体所見をいわゆる"hard sign"と称し，そのいずれかを認めた場合は緊急手術の適応になる（表1）。

　穿通性頸部外傷における気体の漏出（air bubbling）や高度の皮下気腫は緊急度が高く，気管断裂を強く疑う所見である。気管断裂を疑う場合はファイバースコープを用いた意識下気管挿管（awake intubation）が推奨され，開放性の気管断裂では断端からの気管挿管を選択する場合もある。鈍的外傷においても気管断裂では確実な気道確保の適応となる。緊急気道確保への対応は顔面外傷と同様である。圧迫により止血を得られない著しい出血に対しては，躊躇なく止血術を優先させる。とくに頸

動脈損傷による開放創からの著しい動脈性出血は制御が困難であり，出血点の頸部側面上下を強く圧迫止血すると同時に手術の準備を開始する。穿通創が小さければ，Foleyカテーテルを用いた圧迫止血が一時的に有効な場合がある。

2）Secondary survey

「切迫するD」[1]といわれる高度の意識障害を認めた場合，状況が許されるのであれば，同時に頸部CT検査を施行することは詳細な検索の一助となる。

気道・消化管損傷の評価には内視鏡と造影検査が有用である。身体観察においていわゆる"soft sign"を認める場合には注意が必要である。第一気管軟骨付近の高さでは，開放創を伴わなければ完全気管断裂であっても自発呼吸が保たれる場合がある。血管損傷を合併している場合，検査手技による刺激などにより止血された損傷血管から再出血する可能性がある。頸部の腫脹の進行は血腫の増大ならびに気道閉塞の危険性を念頭に置く。中枢神経障害を認める場合には，頸部の動脈の解離性病変や血栓も疑う。

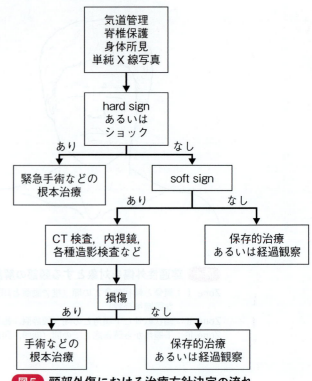

図5 頸部外傷における治療方針決定の流れ

4 治療方針

治療方針決定の流れを図5に示す。穿通性損傷では，広頸筋を貫通するか否か，hard signの有無の評価が重要となる。広頸筋を貫く場合，hard signがなければ，創処置の前に主要臓器，血管損傷に関する検索は必須である。広頸筋を貫く穿通性創は原則として手術室で処置を行うこととされてきたが，非侵襲的他検査により不必要な手術を避けることができる。hard signを認めた場合は，緊急手術の適応となる。soft signを有する場合はさらなる検索を行い，頸部血管，咽頭，喉頭，気管，食道の損傷を疑う場合は各専門医へコンサルトする。いずれの所見も有さない場合には，初療室にて創洗浄や縫合処置を行う。Demetriadesらの報告によれば，頸部の銃創の約17％と穿通創の10％が根治術の対象となる[8]。

頸部外傷では解剖学的な区分（Zone）によるアプローチの違いも存在する。ZoneⅠおよびⅢの損傷器官へのアプローチは解剖学的に難しく，直視下での手術は複雑で，血管損傷などに対しては血管内治療が行われることが多い。損傷所見が明らかでなければ，保存的に治療する。これに対し，ZoneⅡは解剖学的にアプローチが容易である。損傷部位の検索にはCT検査（ヘリカルCT，CTAなど），血管造影，食道造影，内視鏡（気管および食道）などが有用である。

従来は広頸筋を穿通した場合はneck explorationが必須であったが，negative explorationの率が高く，入院日数や創部感染合併の増加を認めたため，Zoneによらない治療戦略も提唱されている[9)~12)]。Zoneによらず，ショックもしくはhard signを認める場合は緊急にneck explorationを行い，循環動態が安定しsoft signのみ認める場合は，マルチスライス造影CTを行う。マルチスライス造影CTを用いれば，すべての血管，気道，食道損傷に対して感度100％，特異度95.5～97.5％との報告がある[13)14)]。

鈍的頸部損傷においては，頸動脈や椎骨動脈への鈍的外傷（blunt cerebrovascular injury；BCVI）で，内膜損傷や血栓形成により脳梗塞を引き起こす可能性がある。神経学的異常を伴う場合や動脈性出血を疑う鼻出血を伴う鈍的外傷患者はBCVIのリスクが高いため，頸部血管損傷の精査が必要である。またGCS合計点8以下，錐体骨骨折，Le Fort型骨折（ⅡまたはⅢ型），第1～3頸椎骨折，亜脱臼もしくは転位を伴う頸椎骨折，頸動脈管に及ぶ頭蓋底骨折，びまん性軸索損傷では，神経症状を認めていない鈍的頭部外傷患者においてもBCVIのリスクが高いため，スクリーニングを考慮すべきである[15)16)]。

5 主な損傷の特徴と治療

1）喉頭・気管損傷

喘鳴，嗄声，自発痛・圧痛，発声困難，喉頭部腫脹，嚥下困難，喀血，吐血などの症状を呈する。重症の場合，急速に進行する気道閉塞による呼吸不全をきたす。気道閉塞に対する迅速な気管挿管が必要となるが，鎮静薬・筋弛緩薬の使用により気道閉塞・呼吸不全がさらに増悪する危険があり，可能であれば内視鏡を用いた意識下気管挿管（awake tracheostomy）を選択する。緊急時は輪状甲状靱帯切開（または穿刺）の適応になることもあるが，大量の皮下気腫や甲状軟骨・輪状軟骨の骨折転位があるときわめて難しい。

画像診断として，ポータブル頸椎単純X線撮影は頸椎前面軟部組織の肥厚や皮下気腫の評価に有用である。所見を有する場合は喉頭鏡，食道鏡，軟性鼻咽腔喉頭鏡，CT検査などが必要となる。意識障害のない，上気道閉塞症状を伴う鈍的喉頭損傷に対しては，坐位での軟性（気管支）鏡による検査と，意識下気管切開が行われる場合がある。

甲状軟骨・輪状軟骨などの骨折・転位があれば整復固定術を行い，広範な粘膜欠損があれば修復縫合術が必要となる。保存的に治療する場合，頭部高位，発声禁止，加湿（乾燥防止）を行い，ステロイド，制吐薬，H_2ブロッカーやプロトンポンプ阻害薬などを投与する[17]。

2）頸動脈損傷

頸動脈損傷はすべての血管損傷の5〜10%を占める。多くは穿通性外傷であるが，10%弱が鈍的外傷による。致死率は10〜30%であり，脳神経障害合併率は40%ほどである[18)19]。また，胸部または頸部のシートベルトサインを認める患者の3%に頸動脈損傷を認めるとの報告がある[20]。

開放創では，致死的な出血性ショックから失血死に至ることもまれではない。皮下に急激に増大する血腫を形成した場合には気道閉塞を起こすこともある。血管内膜損傷や血栓形成により血流障害が生じた場合には，脳血流は頭蓋内側副血行に依存し，無症状から大脳半球梗塞まで幅広い中枢神経症状を呈する。診断には造影CTあるいはCTA，超音波カラードプラが有用である。

血行の温存と再建を前提とした血管修復術が治療の原則である。一時的に外シャントの作成を行う場合もある。血行再建時には虚血・再灌流障害や出血性梗塞の可能性がある。

3）頸静脈損傷

内頸静脈でも外出血がコントロールできなければ，容易に出血性ショックに陥る。循環動態が安定していれば，吻合やパッチグラフトなどが行われる。循環動態が不安定な場合，静脈形成術あるいは結紮を考える。術後の血栓形成は一般的で，空気塞栓の可能性もある。外頸静脈損傷は結紮可能である。

4）椎骨動脈損傷

椎骨動脈は鎖骨下動脈の第1分枝で，4つに区分される。第1区分は分岐直後からC7までの近位側（Zone Ⅰ），第2区分はC6〜C1の横突孔通過部分，第3区分はC1の横突孔を出てから分枝を出すまで，第4区分は分岐後以降である。第2区分は頸椎損傷に合併して内膜損傷を生じることがあり，血栓形成により脳底動脈領域の梗塞を呈することがある。穿通性損傷では第1区分での損傷が生じやすく，鎖骨下動脈，内頸静脈損傷合併例が存在する。活動性出血に対しては血管内治療あるいは手術が必要である。

5）食道損傷

ほとんどが穿通性損傷によるものである。特異的症状に乏しいが，咽頭痛，頸部皮下気腫，吐血などがみられることがある。頸椎単純X線検査（側面）や頸部CT検査で深頸部皮下気腫像，食道造影での造影剤漏出を認める。食道内視鏡が有用である。治療の基本は適切なデブリドマン，層々吻合術である。診断的検査は迅速に行う必要があり，24時間以降に修復した場合は合併症発生率が高くなる。

6）腕神経叢損傷

腕神経叢は第5頸神経〜第1胸神経の前枝から構成される。本損傷は通常，ほかの血管損傷に合併するため見逃されやすい。穿通性頸部損傷の約10%に脊髄あるいは腕神経叢の損傷を合併するとされる。損傷神経支配領域の肩や上肢に知覚運動障害を認める。予後は外傷形態に依存し，鈍的損傷，銃創では比較的予後が悪い。診断には知覚検査，運動麻痺検査，頸部MRI検査などが有用である。

▶文献

1) 日本外傷学会，他（監）：外傷初期診療ガイドラインJATEC™，改訂第6版，へるす出版，2021.
2) 日本外傷学会，他（監）：外傷専門診療ガイドラインJETEC，改訂第3版，へるす出版，2023.
3) Strong EB：Frontal sinus fractures：Current concepts. Craniomaxillofac Trauma Reconstr 2：161-75,

2009.
4) Levin LA, et al : The treatment of traumatic optic neuropathy : The International Optic Nerve Trauma Study. Ophthalmology 106 : 1268-77, 1999.
5) Lessell S : Indirect optic nerve trauma. Arch Ophthalmol 107 : 382-6, 1989.
6) Roberts I, et al : Effect of intravenous corticosteroids on death within 14 days in 10008 adults with clinically significant head injury (MRC CRASH trial) : Randomized placebo-controlled trial. Lancet 364 : 1321-8, 2004.
7) Yu-Wai-Man P, et al : Surgery for traumatic optic neuropathy. Cochrane Database Syst Rev 4 : CD005024, 2005.
8) Demetriades D, et al : Evaluation of penetrating injuries of the neck : Prospective study of 223 patients. World J Surg 21 : 41-7 ; discussion 47-8, 1997.
9) Shiroff AM, et al : Penetrating neck trauma : A review of management strategies and discussion of the 'No Zone' approach. Am Surg 79 : 23-9, 2013.
10) Roepke C, et al : Penetrating neck injury : What's in and what's out? Ann Emerg Med 67 : 578-80, 2016.
11) Low GM, et al : The use of the anatomic 'zones' of the neck in the assessment of penetrating neck injury. Am Surg 80 : 970-4, 2014.
12) Prichayudh S, et al : Selective management of penetrating neck injuries using "no zone" approach. Injury 46 : 1720-5, 2015.
13) Inaba K, et al : Prospective evaluation of screening multislice helical computed tomographic angiography in the initial evaluation of penetrating neck injuries. J Trauma 61 : 144-9, 2006.
14) Inaba K, et al : Evaluation of multidetector computed tomography for penetrating neck injury : A prospective multicenter study. J Trauma Acute Care Surg 72 : 576-83 ; discussion 583-4 ; quiz 803-4, 2012.
15) Biffl WL, et al : Blunt carotid arterial injuries : Implications of a new grading scale. J Trauma 47 : 845-53, 1999.
16) Cothren CC, et al : Cervical spine fracture patterns predictive of blunt vertebral artery injury. J Trauma 55 : 811-3, 2003.
17) Verschueren DS, et al : Management of laryngo-tracheal injuries associated with craniomaxillofacial trauma. J Oral Maxillofac Surg 64 : 203-14, 2006.
18) Martin RF, et al : Blunt trauma to the carotid arteries. J Vasc Surg 14 : 789-93 ; discussion 793-5, 1991.
19) Weaver FA, et al : The role of arterial reconstruction in penetrating carotid injuries. Arch Surg 123 : 1106-11, 1988.
20) Rozycki GS, et al : A prospective study for the detection of vascular injury in adult and pediatric patients with cervicothoracic seat belt signs. J Trauma 52 : 618-23 ; discussion 623-4, 2002.

18-4 脊椎・脊髄損傷

岩瀬　弘明

脊髄損傷は患者に永続的で重度な神経学的後遺症をもたらすおそれがある。とくに呼吸・循環に影響を及ぼす頸髄損傷では，しばしば生命の危機にさらされる。初期診療時に明らかな神経症状を呈する脊髄損傷例では，その存在を疑うことは困難ではないが，意識障害を伴った症例やほかの重篤な臓器損傷を合併した症例では，脊椎・脊髄損傷を見過ごしてしまう可能性がある。そのため，外傷診療においては脊椎・脊髄損傷が否定されるまでそれらが存在するものとして扱い，見逃しや過小評価による破局的な後遺症を避けなければならない。

急性期の治療や管理は，患者の予後に大きな影響を与えるため，全身状態を評価したうえで，速やかに的確な治療を開始することが重要である。初期診療から手術治療，集中治療管理，早期リハビリテーション，麻痺の告知，慢性期の合併症への対応，社会復帰に至る切れ目のない医療を提供できる診療体制が望ましい。そのためには，整形外科，集中治療部門，泌尿器科，精神科，リハビリテーション部門などの複数の診療科の医師や看護師，理学療法士，作業療法士，ケースワーカー，臨床心理士といった関連職種の協力も不可欠となる。

疫　学

わが国における脊髄損傷の全国調査は，1990～1992年に行われたのが最初であり，発生頻度は人口100万人当たり年間40.2人と推計され，全体の75％が頸髄損傷であった。受傷時の平均年齢は48.6歳で，20歳と59歳にピークをもつ二峰性の分布を示した。原因は交通事故（43.7％）がもっとも多く，次いで転落（28.9％），転倒（12.9％）の順であった[1]。

2006年のデータでは，60歳代を中心とする一峰性の年齢分布となり，60歳以上の割合が40％を超えるに至っている[2]。その後は都道府県単位での調査が行われており，福岡県（2013年）や北海道（2009年）での発生頻度は人口100万人当たり年間30～40人であったが[3]，高齢化の進んでいる高知県（2009～2012年）や徳島県（2011～2012年）では120～130人程度であり，大きな地域差があった[4,5]。いずれの地域においても，高齢者の頸髄不全損傷が増加していた。

日本外傷データバンクのデータを用いた報告（2004～2013年）[6]によると，受傷時の平均年齢は53.5歳，男女比は2対1であった。受傷原因は，交通外傷（39.8％）よりも，転倒・転落がもっとも多く（52.4％），自殺企図や労災事故による受傷も増加していた。受傷部位は頸椎が49.7％でもっとも多かった。日本外傷データバンクのデータは，脊椎外傷すべてを含んでいるため単純比較はできないが，高齢者の転倒による受傷が増えていることは間違いない。

解　剖

1 脊　椎

脊柱は7個の頸椎，12個の胸椎，5個の腰椎，仙椎，尾骨からなり，各脊椎骨が椎間板，椎間関節，靱帯によって連結され脊柱を形成する。側面配列は，頸椎と腰椎は前彎，胸椎と仙椎は後彎し，全体として緩いS字カーブを呈する。脊椎骨の後方には椎孔があり，上下に連続して脊柱管を形成し，脊髄とそこから出る脊髄神経根を含んでいる。

第1頸椎と第2頸椎はその形態と機能の特性から，環椎，軸椎と呼ばれる。それらが形成する環軸関節は，回旋運動に適した構造で，回旋可動域は平均47°で頸椎の側方回旋域（90°）の約半分を担う。前後屈可動域は，後頭環椎関節，C4/5，C5/6で大きい。第6頸椎から第2頸椎の左右に横突孔があり，鎖骨下動脈から分岐した椎骨動脈が走行する。

胸椎は肋骨を支え，胸骨とともに胸部を形成する。頸椎・腰椎に比較して，前後屈の可動域は小さいが，左右の回旋可動域は比較的大きい。胸腰椎移行部は，胸椎で大きい回旋可動域が胸腰椎移行部で大きく減じること，後彎から前彎に変化する部位にもなるため，機能的ストレスが集中しやすい。

頸椎は椎骨動脈や上行頸動脈，胸腰椎は大動脈からの

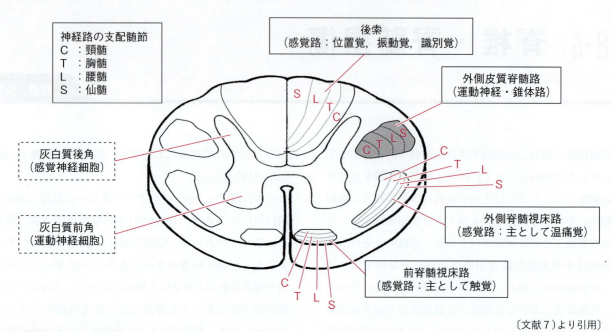

図1 脊髄の神経路

〔文献7〕より引用〕

分枝である肋間動脈と腰動脈により栄養されている。それらの動脈は分節動脈となり，脊柱表面および脊柱管内に多くの分枝を出して上下の分節動脈が互いに吻合する動脈叢を形成している。椎体の破裂骨折では，分節動脈から大量出血を伴うことがある。

2 脊　髄

　脊髄は長い円柱状の構造で，脊髄液に満たされた硬膜に包まれ，脊柱管内にある。大孔から始まり，脊柱管内を下降し，L1高位で終わる。脊髄には前根と後根が合流してできる神経根が左右31対あり，椎間孔から脊柱管外へ出る。後頭骨とC1の椎間孔から出る神経根はC1神経根で，C7とT1の椎間孔から出る神経根はC8神経根である。腰髄・仙髄・尾髄からの脊髄神経は馬尾神経と呼ばれ，硬膜内を下降し同じ番号の脊椎骨の尾側の椎間孔から硬膜外へ出る。

　脊髄横断面は外側に白質，中央にH字型の灰白質がある。白質には脳・脊髄・末梢を連絡する上行性および下行性神経線維束が存在し，灰白質には多くの神経細胞が存在する。

　随意運動を行うための神経経路は皮質脊髄路（椎体路）と呼ばれ，大脳皮質体性運動野を出た一次ニューロンは内包を通り，延髄部で75〜90％の線維が交差し（錐体交差），反対側の脊髄側索を下行する。脊髄前角部で前角細胞を介して末梢運動神経につながる。

　末梢からの温痛覚を伝える脊髄視床路は，後根経由で脊髄内に入り，対側の側索を上行する。それらの神経線維束は，脊髄中心から頸髄，胸髄，腰髄，仙髄と層状に配列しており，不全型脊髄損傷の病態理解において重要となる（図1）[7]。

病態生理

1 脊椎損傷

　頭部や体幹・下肢に加わった外力が間接的に脊椎に作用し，生理的可動域以上のストレスが加わる場合や体幹に対して頭が加速度的に運動を強制されたとき（自動車の追突など）に損傷をきたす。非連続多発脊椎骨折もまれではなく，頸椎損傷の約10％は遠隔部位に脊椎損傷が同時に発生する。診療においては，受傷機転・臨床所見・検査所見から，脊椎の不安定性の有無を判断することが大切になる。

1）上位頸椎損傷

　上位頸椎損傷には，環椎後頭関節脱臼，環椎破裂骨折（Jefferson骨折），環軸関節脱臼，歯突起骨折，軸椎関節突起間骨折（Hangman骨折）などがある（図2）[7]。頸椎脱臼骨折や骨折線が横突孔に及ぶ症例では，椎骨動脈損傷（vertebral artery injury；VAI）を合併することがあり注意が必要である（後述）。

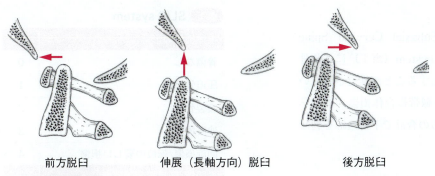

a：環椎後頭関節脱臼
　　前方脱臼　　　伸展（長軸方向）脱臼　　　後方脱臼

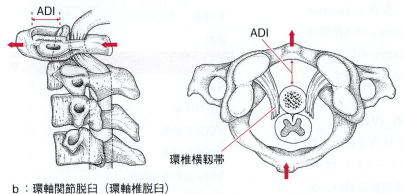

b：環軸関節脱臼（環軸椎脱臼）
　環椎横靱帯断裂による環椎の前方脱臼では，環椎歯突起間距離（atlanto-dens interval；ADI）が拡大する

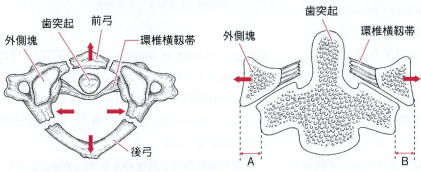

c：環椎破裂骨折（Jefferson 骨折）
　両側の前弓・後弓が骨折して前後左右に広がる（左図）．正面開口位像で環椎外側塊の側方転位の合計（A＋B）が 6.9mm 以上であれば環椎横靱帯断裂を伴う破裂骨折を疑う（右図）

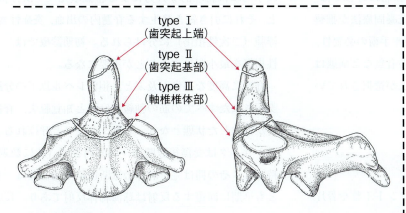

type Ⅰ（歯突起上端）
type Ⅱ（歯突起基部）
type Ⅲ（軸椎椎体部）

d：歯突起骨折

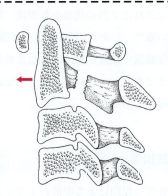

e：軸椎関節突起間骨折（Hangman 骨折）
　軸椎の両側椎弓根部（上・下関節突起間）で骨折し，椎体の前方すべりを生じる

図2　上位頸椎損傷の分類

〔文献 7）より引用・改変〕

2）下位頸椎損傷

下位頸椎損傷に関しては，Subaxial Cervical Spine Injury Classification（SLIC）system（**表1**）[8]により骨折型を分類し，治療方針を決定することが推奨されている。椎体損傷の形態，椎間板-靱帯複合体損傷，神経学的所見をポイント化し，それらの合計で手術適応を判断する。

3）胸腰椎損傷

胸腰椎損傷の分類に関してもっとも広く使用されてきたのは Denis 分類[9]である（**図3**）[7]。椎体を anterior column, middle column, posterior column の3種類の組み合わせと定義し，主に middle column の損傷の有無により脊椎不安定性や脊髄損傷のリスクを評価するものである。

4）頸椎損傷に合併する椎骨動脈損傷（VAI）

VAI は頸椎外傷の約1/4に合併し，VAI 合併症例の約1/4が椎骨動脈循環不全症状を呈し，そのうち約1/4が致死的になるといわれている[10]。とくに椎間関節脱臼，横突孔にかかる骨折，上位頸椎損傷に VAI が合併しやすい。VAI の形態学分類としては Denver grading scale が使用されている（**表2**）[11]。内頸動脈損傷では Grade が上がるに従い脳卒中の発生率が上昇するのに対して，VAI では（Grade Ⅴ を除外すると）Grade Ⅱ がもっとも脳卒中リスクが高いと報告されている[12]。受傷直後には無症状のことが多く，24時間以降2週間以内に，遅発性に突然症状が出現する。そのためハイリスク症例に対しては，CT アンギオグラフィによるスクリーニング検査が推奨される。

治療に関しては，内膜損傷や仮性動脈瘤に対しては，禁忌がなければ早期の抗血小板療法，抗凝固療法が推奨されている[13]。しかし，頸椎の脱臼整復や手術の必要性，対側椎骨動脈の血流状態，脳虚血徴候の有無など病態はさまざまであり，各施設の判断で治療法が選択されているのが現状である。

2 脊髄損傷

脊椎骨折や脱臼による脊椎のアライメント不整や骨片突出などにより，脊髄が圧迫され脊髄損傷が生じる。頸椎症や後縦靱帯骨化症などによる脊柱管狭窄がある高齢者においては，転倒などの軽微な外力により頸椎が過伸展することで骨傷を伴わずに脊髄損傷を起こすことがあり，非骨傷性頸髄損傷（spinal cord injury without radiologic evidence of trauma；SCIWORET）と呼ばれる。軟部組織のやわらかい小児にみられる，X線写真上で異常がない脊髄損傷（spinal cord injury without radiographic abnormality；SCIWORA）とは病態が異なり，区別する必要がある。

脊椎の損傷程度と麻痺の重症度，予後は必ずしも一致せず，また急性期において麻痺は経時的に変化する。病理学的には物理的な外力による組織壊死（一次性損傷）と，それに引き続き発生する脊髄内の出血，炎症性変化，浮腫（二次性損傷）に分けられる。初期診療では，二次性損傷を最小限にすることが重要になる。

脊髄に高度な損傷が及ぶと，損傷レベル以下の分節に支配されたすべての筋の弛緩性麻痺と知覚脱失，脊髄反射が消失した状態となり，脊髄ショックと呼ばれる。脊髄ショックは受傷後数時間〜48時間程度（時に数週間）持続し，その間は完全麻痺の診断は不可能となる。もっとも早期に回復する反射は球海綿体反射であり，反射が出現した時点で完全麻痺でなければ不全麻痺と判断でき，麻痺の回復が期待できる。

脊髄損傷の評価においては，障害されている髄節の高位診断と，脊髄横断面での局在診断が重要となる。脊髄損傷の高位診断は，急性期の呼吸・循環管理のうえでも

表1 SLIC system

椎体損傷の形態	点数
骨傷なし	0
圧迫骨折	1
破裂骨折	2
伸展損傷	3
回旋損傷/転位の著しい損傷	4
椎間板-靱帯複合体損傷	**点数**
損傷なし	0
不明確	1
破断	2
神経学的所見	**点数**
異常なし	0
神経根損傷	1
脊髄完全損傷	2
脊髄不全損傷	3
脊髄圧迫要因の存在	+1

〔文献8）より引用・改変〕
合計0〜3点：保存治療，4点：保存または手術治療，5点以上：手術治療

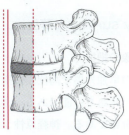 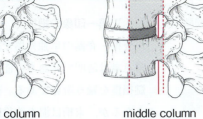 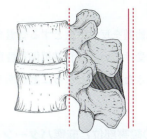

図3 Denis 分類

anterior column：前縦靱帯＋椎体前方＋線維輪前方部
middle column：後縦靱帯＋椎体後方＋線維輪後方部
posterior column：椎弓＋椎間関節＋棘突起＋後方の靱帯組織
middle column の損傷があれば，不安定脊椎と考える

〔文献7）より引用・改変〕

表2 Denver grading scale

Grade I	25％以下の狭窄
Grade II	25％以上の狭窄を伴った解離または壁内血腫
Grade III	仮性動脈瘤
Grade IV	閉塞
Grade V	血管離断

〔文献11）より引用〕

重要である．各髄節と脊椎高位には高位差があることに留意する（図4）．

3 脊髄損傷による各種障害

1）呼吸障害

C4髄節より頭側の脊髄損傷では横隔膜神経麻痺により，自発呼吸が著明に障害される．頸部筋が呼吸筋として働くが，十分な換気量を維持することは難しい．下位頸髄損傷では横隔膜神経は損傷から免れるが，肋間筋と腹筋の麻痺により換気量は低下し，奇異性呼吸（吸気時に胸郭が挙上せず腹部が膨れる）を呈する．受傷後数日以内に，呼吸筋の筋疲労，胸郭のコンプライアンスの低下による吸気能力の低下，自律神経障害による気道内分泌物増加，気管支けいれん，血管透過性亢進による肺水腫が起こり，咳能力の低下もあり気道分泌物の貯留から無気肺・肺炎を併発することが多い．

2）循環障害

T5髄節より頭側の脊髄損傷では交感神経が遮断されるため，副交感神経優位の状態となり，徐脈と末梢血管拡張による低血圧をきたす（神経原性ショック）．気管

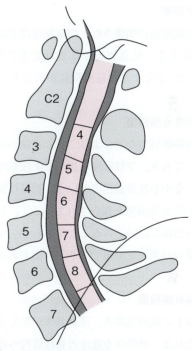

図4 脊椎・脊髄の高位差
脊髄内の数字が脊髄髄節高位を示す．脊髄髄節高位と脊椎高位との間には高位差がある

内吸引操作などにより迷走神経反射が誘発され，突然の心停止をきたすこともある．さらに，内臓神経は上位中枢からの抑制が失われるため，膀胱内圧の上昇や肛門部への刺激などの麻痺領域への侵害刺激により交感神経の過剰な興奮を誘発し，高血圧発作を起こすことがある．

3）消化管障害

交感神経と仙髄副交感神経遮断により，消化管の蠕動運動と分泌が障害される．胃・十二指腸潰瘍は急性期にも慢性期にも発症する．穿孔を起こしていても患者の訴えがないこともある．

4）排尿障害

膀胱と尿道は仙髄を反射中枢とする骨盤自律神経と陰部神経の支配を受けている．脊髄損傷急性期には，膀胱は弛緩性麻痺をきたし尿閉となることがある．

4 脊髄損傷の障害部位と麻痺パターン

脊髄横断面での障害部位により麻痺パターンが異なる．主には完全損傷，中心性損傷，前部損傷，Brown-Sequard型損傷があるが，移行型が多い．頸髄の横断面において仙髄神経束は最外側に位置していることから，もっとも損傷を受けにくく，また最初に回復してくる部位であることが知られている（sacral sparing）．

1）完全損傷

脊髄の全横断面が損傷され，損傷髄節以下に完全横断麻痺が出現する．随意運動や知覚は完全に失われる．S4〜S5分節に感覚または運動機能が残存していない状態である．

2）中心性脊髄損傷

頸椎の過伸展外力などにより，主に脊髄の中心部に損傷が限局しており，下肢麻痺に比べて上肢麻痺のほうが重篤なものを中心性脊髄損傷という．頸髄損傷例の16〜25％が中心性頸髄損傷と報告されている[14]．しばしば非骨傷性脊髄損傷と混同されることがあるが，中心性頸髄損傷は麻痺のパターン分類であり，骨傷があるものも含む．

3）前部脊髄損傷

損傷部以下に温痛覚障害，運動麻痺が生じるが，深部感覚は保たれる．椎間板や骨片の脊柱管内への突出により生じる．

4）Brown-Sequard型損傷

脊髄横断面の片側のみが障害された場合，障害側の運動麻痺・深部知覚障害，反対側の温痛覚障害を呈する．刺傷や銃創など穿通性外傷によることが多い[15]．

初期診療

外傷患者の初期診療では，生理学的評価と蘇生処置により生命維持を保障したうえで，各身体部位の損傷を系統的に探し出し，根本治療の必要性を決定する．とくに高リスク受傷機転での受傷患者では，脊椎・脊髄損傷が潜在しているものとして脊椎保護を継続し，脊髄の二次損傷予防に努める必要がある．

1 Primary surveyと蘇生

1）第一印象の把握

脊椎・脊髄の単独外傷で高位頸髄損傷でなければ，通常意識は清明で発語も可能である．奇異性呼吸は下位頸髄損傷を疑う所見である．神経原性ショックでは低血圧となるが，末梢は温かく徐脈となる．

2）気道の評価・確保と頸椎保護

頸椎カラーの装着は継続して観察を行う．頸部の観察や気道確保を行う場合は，用手的に頸椎を中間位に保持した状態で，頸椎カラーの前面のみ外す．用手的気道確保を行う場合は，頸椎の動揺を最小限に抑えるために下顎挙上法で行う．気管挿管を行う場合も頸椎保護に努めるが，必要な気道確保を犠牲にしてまで優先されるものではない．ビデオ喉頭鏡を用いると，通常の喉頭鏡よりも頸部伸展させることなく気管挿管することができる．気道緊急でなければ，気管チューブに内視鏡を通した状態で，気管内へ挿入した内視鏡をガイドに挿管する方法もある．

3）呼吸の評価

上位頸髄損傷では，頸部筋を使用した努力呼吸がみられるが十分な換気量は保てないため，人工呼吸管理が必須となる．下位頸髄損傷では，吸気時に胸郭が挙上せず腹部が膨れる奇異性呼吸となる．

4）循環の評価

ショックを呈する外傷患者で，大量出血，緊張性気胸，心タンポナーデを除外しても血圧低下と徐脈があれば神経原性ショックを疑う．神経原性ショックに出血性ショックや閉塞性ショックを合併すると，これらを代償する働きが障害され重篤なショックに陥るおそれがあるので注意する．低血圧は脊髄灌流圧の低下により脊髄の二次損傷を助長する可能性があるため，初期診療では収縮期血圧90mmHg未満を回避し，受傷後7日までは血圧を85〜90mmHg程度に維持することが推奨されている[16]．過剰な容量負荷とならないように輸液を行い，低血圧が持続する場合はカテコラミンを使用する．徐脈に対しては硫酸アトロピンが必要になることもある．

5）意識の評価

GCSのEスコアを評価する際に，四肢・体幹へ圧迫刺激に反応がない場合は，眼窩上切痕（三叉神経領域）に刺激を加えて評価する．四肢麻痺のある脊髄損傷患者では，GCSのMスコアを四肢で評価することはできない．三叉神経領域の筋肉を指示に従って動かすことがで

きればM6, できなければM1と評価する。評価不能の場合はNTと表記する。

2 Secondary survey

　全脊椎の自発痛, 圧痛, 変形の有無を確認し, 受傷機転も加味し脊椎損傷が疑われれば, 画像検査を行う。背面を観察する際は, log roll法またはflat lift法で行う。画像診断の一次スクリーニングの手段としては, CTが推奨されている[17]。再構成像を作成することで, 不連続な多発脊椎骨折を検索することもできる。CTが撮像できない場合には頸椎3方向（正面, 側面, 開口位）, 胸腰椎は2方向（正面, 側面）でX線撮影を行うが, 可能となった時点でCTを追加する。CTは骨折に対する診断精度は高いが, 靱帯や椎間板などの軟部組織, 脊髄損傷の有無は診断できない。頸椎側面X線やCTで確認可能な後咽頭間隙血腫は, 頸椎骨折や靱帯損傷を疑う所見である。必要に応じてMRIや機能撮影を追加する。MRIでは, 脊髄損傷や軟部組織損傷, 脊髄硬膜外血腫の有無を確認する。意識障害がある場合は身体所見を正確に評価することは困難であるが, 表3[7]に示す身体所見は脊髄損傷を疑う所見である。

3 頸椎固定の解除基準

　頸椎・頸髄損傷を除外し, 頸椎カラーの除去を行う場合は以下の手順に従う。
　頸椎CTを撮影する基準は, GCS合計点13以下, 頸部痛や脊髄損傷を疑う神経障害の存在, 受傷機転が階段転落, バイク事故, 高所墜落（3m以上）である。CTを撮影する必要がないと判断した場合, または画像検査にて異常がない場合は, 患者に能動的に頸椎を左右45°ゆっくりと動かしてもらい, 痛みがないことを確認する。さらに坐位で前後屈をしてもらい, 痛みがなければカラーを除去する。

4 麻痺の評価

　脊髄損傷の麻痺を正確に評価することは患者の病状を把握するうえできわめて重要である。麻痺の評価法としてはFrankel分類とAmerican Spinal Injury Association（ASIA）が定めたInternational Standards for Neurological Classification of Spinal Cord Injury（ISNC-

表3 意識障害患者で脊髄損傷を疑う所見

・鎖骨より上部のみの範囲で圧迫刺激に反応する
・肘を屈曲するものの, 伸展しない
・奇異性呼吸（横隔膜呼吸）
・深部腱反射消失, 四肢弛緩, 肛門括約筋緊張低下
・持続勃起症
・血圧低下, 徐脈, 皮膚が温かい（神経原性ショック）

〔文献7）より引用・改変〕

SCI）がある（表4）[7]。Frankel分類は簡便である利点はあるが, 国際的にはASIAの評価表が使用されている（図5）[18]。
　障害された脊髄機能は, 障害高位と横断面での重症度によって分類される。障害高位を標記するためにmotor levelとsensory levelを評価し, 横断面での重症度はASIA impairment scale（AIS）でA〜Eの5段階に分類する。
　筋力は上肢・下肢各々5つの筋群（key muscle）を評価する。それぞれ徒手筋力テスト（manual muscle test；MMT）で0〜5の6段階で評価し, 左右10のkey muscleの点数を合計して100点満点で表す。感覚は触覚と痛覚を評価する。C2〜S4/5の片側28カ所のkey pointsをそれぞれ0〜2点で評価し, 左右を合計して112点満点で表す。
　motor levelはMMTが3以上のkey muscle高位で, それより頭側がすべてMMT 5以上である最尾側と定義されている。肘伸展（C7）がMMT 3で, 手関節伸展（C6）, 肘屈曲（C5）がともにMMT 5であれば, motor levelはC6となる。sensory levelは, 触覚と痛覚の両方が正常である最尾側のkey sensory point高位と定義される。motor levelとsensory levelのそれぞれを左右別々に表記し, 4つのlevelのうちもっとも頭側のlevelをneurological levelとする。

急性期の治療戦略

1 全身管理

　脊髄損傷患者における呼吸器合併症の発生頻度は高く, その合併率は36〜83％と報告されている。とくに頸髄損傷では, その死亡原因の80％は呼吸器合併症からの続発症が原因とされている[19]。受傷時に呼吸・循環に問題がない症例でも, 急性期には致死的な循環不全や呼吸

18. 外傷

表4 脊髄損傷の重症度評価

Grade	Frankel 分類	ASIA 機能障害スケール
A	完全麻痺 損傷部以下の運動・感覚の完全麻痺	完全麻痺 S4〜5髄節まで運動・感覚が完全に喪失
B	運動喪失，感覚残存 損傷部以下の運動は完全に失われているが，仙髄域などに感覚が残存するもの	不全麻痺 損傷部以下の運動完全麻痺 感覚はS4〜5髄節を含む障害髄節で残存
C	運動残存（非実用的） 損傷部以下にわずかな随意運動機能が残存しているが，実用的運動（歩行）は不能なもの	不全麻痺 損傷部以下の運動機能は残存しているが，key muscle*の半分より多数でMMT 3/5未満
D	運動残存（実用的） 損傷部以下に，かなりの随意運動機能が残存し，歩行も補助具の要否にかかわらず可能	不全麻痺 損傷部以下の運動機能は残存しており，key muscle*の半分以上がMMT 3/5以上
E	回復 神経脱落症状を認めない（反射異常は残ってもよい）	正常 運動・感覚ともに正常

*key muscle：C5〜S1の10髄節を代表する筋　　　　　　　　　　　　　　　　　〔文献7）より引用〕

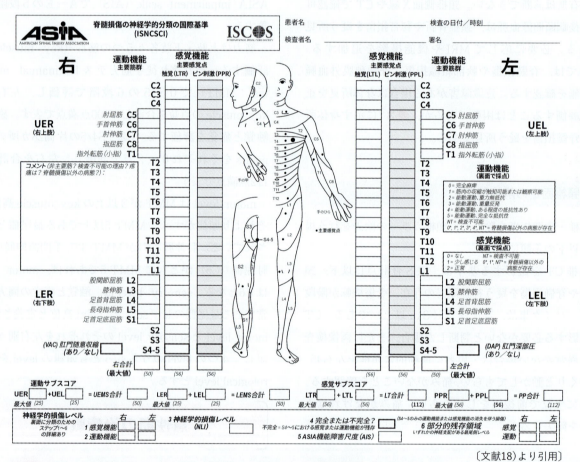

図5 International Standards for Neurological Classification of Spinal Cord Injury（ISNCSCI）

〔文献18）より引用〕

不全を発症する場合がある。とくに頸髄損傷患者に対しては、受傷から7〜10日までは集中治療室で呼吸・循環のモニタリングを行い、急変時にすぐに対応できる体制が望ましい。

2 整形外科的治療

脊椎・脊髄損傷に対する治療は、①神経組織に対する圧迫を除去すること、②損傷された脊椎支持機構を再構築し安定性を得ることの2つが主眼となる。

1）神経除圧

骨傷を伴う脊髄損傷に対しては、脊髄の二次損傷を最小限にするために受傷後できるだけ早期の神経除圧が推奨される。受傷後早期の神経除圧が神経学的予後の改善をもたらすとの報告は多い[20]。外傷性脊髄損傷に対して、24時間以内の除圧は24時間以降の除圧に比べて麻痺の改善が有意に高いことが、多施設前向き研究にて示されている[21]。頸椎脱臼に対する非観血的脱臼整復は、早期に除圧効果が得られるため速やかに実施する。多くの症例で、脱臼整復後に頸椎固定手術と除圧手術が必要となる。一方、非骨傷性頸髄損傷に関しては、麻痺の自然回復がみられる症例も多く、早期除圧手術の有効性に関して明確なエビデンスは得られていない[22]。

2）脊椎の安定化

損傷脊椎に対する早期の脊椎固定は、麻痺改善に加えて急性期からの体位変換や離床を可能とし、全身合併症を予防するうえできわめて重要である。安定型脊椎損傷に対しては、外固定（頸椎カラー、コルセット）が選択される。麻痺を伴わない上位頸椎損傷に対してはハローベストによる治療も選択肢となるが、多発外傷や高齢者に対する適応は合併症も多いため、適応を慎重に判断する必要がある[23]。

早期の神経除圧と脊椎固定手術は、神経学的回復と合併症予防の両面に効果が期待できる。手術適応と判断された症例に対しては、全身状態や全身合併症などを考慮しながら、受傷後24時間以内を目標に可及的速やかな手術が望まれる。脊椎低侵襲手術手技およびinstrumentationの進歩により、多発外傷に伴った不安定型の胸腰椎骨折に対しても受傷後早期に脊椎固定手術が可能となり、呼吸器合併症の減少や入院期間の短縮に寄与している。

3 リハビリテーション

急性期には残存機能の評価と機能回復の予測を行い、合併症の発生予防と治療に重点を置いた加療が行われる。急性期に起こり得る主な合併症としては肺炎、尿路感染、褥瘡、下肢静脈血栓症、関節拘縮があり、それらの発生予防を目的に、早期からリハビリテーションを導入すべきである。脊髄損傷では、損傷高位から最終的に獲得し得るADLがある程度予想される。大まかな最終ゴールの設定から機能回復リハビリテーションプログラムを作成し、排尿・排便、運動、日常生活動作へと訓練を進めていく。その後、残存機能に応じた生活関連動作訓練を開始する。慢性期には、患者の多くが障害を認知・受容するようになり、職業訓練や居住環境整備を含めた退院や社会復帰への方向づけを行う。社会復帰までに、胸腰髄損傷で約6カ月、頸髄損傷で約1年の期間を要する[24]。

4 心理的サポート

患者や家族への病状説明は、わかりやすい用語を使って受傷早期にできるだけ正確に行う。機能予後に関しても、患者背景などを考慮しながらできるだけ早期に行い、障害の受容を進めていく。患者本人による障害の受容は、治療への積極的な姿勢を得るためにも重要である。しかし、不眠、せん妄、パニック反応、抑うつ状態などの症状をきたすことも多いため、専門医による精神医学的アプローチが望まれる。

5 再生医療

近年、脊髄神経そのものに治療を行い、神経回路を再構築する脊髄再生の研究が行われている[25)26]。自家骨髄間葉系幹細胞の静脈内投与やiPS細胞から作成した神経前駆細胞の損傷脊髄への移植などが試みられている。脊髄再生医療により厳しい予後を改善させる可能性があるが、麻痺に対する直接的な治療はまだ確立されていない。

18. 外傷

▶文献

1) Shingu H, et al：A nationwide epidemiological survey of spinal cord injuries in Japan from January 1990 to December 1992. Paraplegia 33：183-8, 1995.
2) 全国脊髄損傷データベース研究会（編）：脊髄損傷の治療から社会復帰まで，保健文化社，2010.
3) 中尾弥起，他：北海道における新規脊髄損傷発生調査（2009年）．北海道整災外会誌 52（120th suppl）：34, 2011.
4) 時岡孝光，他：高知県の外傷性脊髄損傷の疫学調査 2009年から2012年連続4年間．日脊髄障害医会誌 27：158-9, 2014.
5) Katoh S, et al：High incidence of acute traumatic spinal cord injury in a rural population in Japan in 2011 and 2012：An epidemiological study. Spinal Cord 52：264-7, 2014.
6) Tafida MA, et al：Descriptive epidemiology of traumatic spinal injury in Japan. J Orthop Sci 23：273-6, 2018.
7) 日本外傷学会，他（監）：外傷初期診療ガイドライン JATEC™，改訂第6版，へるす出版，2021, pp163-76.
8) Vaccaro AR, et al：The subaxial cervical spine injury classification system：A novel approach to recognize the importance of morphology, neurology, and integrity of the disco-ligamentous complex. Spine 32：2365-74, 2007.
9) Denis F：The three column spine and its significance in the classification of acute thoracolumbar spinal injuries. Spine 8：817-31, 1983.
10) Biffl WL, et al：The devastating potential of blunt vertebral arterial injuries. Ann Surg 231：672-81, 2000.
11) Biffl WL, et al：Blunt carotid arterial injuries：Implications of a new grading scale. J Trauma 47：845-53, 1999.
12) Cothren CC, et al：Blunt cerebrovascular injuries. Clinics 60：489-96, 2005.
13) Kim DY, et al：Evaluation and management of blunt cerebrovascular injury：A practice management guideline from the Eastern Association for the Surgery of Trauma. J Trauma Acute Care Surg 88：875-87, 2020.
14) McKinley W, et al：Incidence and outcomes of spinal cord injury clinical syndromes. J Spinal Cord Med 30：215-24, 2007.
15) Roth EJ, et al：Traumatic cervical Brown-Sequard and Brown-Sequard plus syndromes：The spectrum of presentations and outcomes. Paraplegia 29：582-9, 1991.
16) Ryken TC, et al：The acute cardiopulmonary management of patients with cervical spinal cord injuries. Neurosurgery 72：84-92, 2013.
17) Ryken TC, et al：Radiographic assessment. Neurosurgery 72（Suppl 2）：54-72, 2013.
18) American Spinal Injury Association：International standards for neurological classification of SCI（ISNCSCI）worksheet 2019.
 https://asia-spinalinjury.org/international-standards-neurological-classification-sci-isncsci-worksheet/
19) Berlly M, et al：Respiratory management during the first five days after spinal cord injury. J Spinal Cord Med 30：309-18, 2007.
20) Badhiwala JH, et al：The influence of timing of surgical decompression for acute spinal cord injury：A pooled analysis of individual patient data. Lancet Neurol 20：117-26, 2021.
21) Fehlings MG, et al：Early versus delayed decompression for traumatic cervical spinal cord injury：Results of the Surgical Timing in Acute Spinal Cord Injury Study（STASCIS）. PLoS One 7：e32037, 2012.
22) Fehlings MG, et al：A clinical practice guideline for the management of patients with acute spinal cord injury and central cord syndrome：Recommendations on the timing（≤24 hours versus >24hours）of decompressive surgery. Global Spine J 7（3 Suppl）：195S-202S, 2017.
23) Sharpe JP, et al：The old man and the C-spine fracture. Impact of halo vest stabilization in patients with blunt cervical spine fractures. J Trauma Acute Care Surg 80：76-80, 2016.
24) 日本外傷学会（監）：外傷急性期リハビリテーション・社会復帰戦略．外傷専門診療ガイドライン JETEC, 改訂第3版，へるす出版，2023, pp503-33.
25) Honmou O, et al：Intravenous infusion of auto serum-expanded autologous mesenchymal stem cells in spinal cord injury patients：13 case series. Clin Neurol Neurosurg 203：106585, 2021.
26) Kitagawa T, et al：Modulation by DREADD reveals the therapeutic effect of human iPSC-derived neuronal activity on functional recovery after spinal cord injury. Stem Cell Reports 17：127-42, 2022.

18-5 胸部外傷

久志本 成樹

生命の維持に重要な役割を果たしている主要臓器である肺および心・大血管が存在する胸部の外傷は，気道・呼吸・循環の異常をきたす原因となる。直ちに酸素化および組織灌流障害につながる緊急度・重症度の高い病態を生じることから，迅速な対応を必要とする。

Primary survey においては，身体所見と最小限の画像診断（胸部X線，超音波）から致死的病態を把握し，同時に蘇生を行う。Secondary survey では，生理学的徴候に明らかな異常を示さないが見逃してはならない損傷を，各種診断方法を組み合わせて検索・診断する。

日本外傷データバンクのレポート（2001〜2019年）をみると，全322,817例中，胸部に AIS 2以上の損傷を有する患者は約26％であり，下肢，頭部に次いで多い。重症度別にみると，最大の AIS スコア3：44.1％，4：33.8％，5：10.5％となっており，重症から重篤の外傷の比率が高い。主な胸部臓器の損傷頻度は（全外傷比，単独胸部外傷比），多発肋骨骨折（16.8％，61.9％）や肺挫傷（9.6％，25.3％）が高く，胸部大動脈損傷（0.8％，2.6％），心損傷（0.7％，5.4％），気管・気管支損傷（0.2％，1.0％）である[1]。

受傷機転

1 鈍的外傷

直達外力，急激な内圧の上昇，急激な速度変化による剪断力に大別できる。

1）直達外力

直達外力の作用した胸壁部位では，内方に向かい偏位が生じる。胸壁には歪みが生じ，直接的な外力が加わっていない部位の肋骨骨折をきたし得る。胸壁への直達外力は肺に間接的に影響を及ぼし，肺内での小さな歪みやずれ，圧変化が肺実質に作用し，肺挫傷の原因となる。

2）急激な内圧の上昇

胸郭の急激な変形は，胸腔内の組織・臓器内圧を上昇させる。呼吸をこらえることも含めた肺や気道などの含気腔の急激な内圧上昇は，肺胞や胸膜を破綻し，気胸や肺破裂の原因となる。前方からの強力な外力による心内圧の上昇は心破裂をきたす。

3）急激な速度変化による剪断力

急激な減速は，胸郭内臓器の固定部位と非固定部位間に剪断力を生じる。胸郭内の固定部位は胸郭とともに急激にその動きが停止し，非固定部位では固定部位と同期することなく動きつづけるために剪断力が加わる。典型例として，椎体に固定された下行大動脈に対して非固定部である心臓と大動脈弓が水平方向の運動を続け，鎖骨下動脈分岐部直下を好発部位として生じる胸部大動脈損傷がある。また，気管・気管支損傷は，固定された気管に対して固定性の弱い肺に水平・垂直方向の剪断力が加わることによって起こる。

2 穿通性外傷

刺創では，胸郭近傍の臓器のみならず，刃先の移動により広い範囲の損傷を起こし得る。銃創では，射入部位と貫通方向で損傷臓器を推定する。刺入・射入部位により臓器損傷に特徴があり，「Sauer の危険域」といわれる心・大血管損傷の可能性が高い領域や[2]，横隔膜を経て腹腔内臓器を損傷する可能性が高い領域がある（図1）[3]。

解剖

胸壁は骨性胸壁と軟部胸壁に分類される。前者は12本の肋骨と胸骨，脊椎，後者は大胸筋，小胸筋，広背筋などの浅胸筋群と内外肋間筋などの深胸筋群により構成される。

胸骨縁で鎖骨の尾側に確認できるのは第１肋間である。胸骨柄と胸骨体の結合部分を胸骨角といい，第２肋軟骨が付着する。第１〜７肋骨はそれぞれの肋軟骨を介して胸骨に連結する。第８〜10肋骨の肋軟骨はそれぞれ上位の肋軟骨に結合し，前方で第７肋軟骨へ融合し肋骨弓を形成する。第11・12肋骨は肋骨弓に融合することなく遊離端となる。これらは体表から肋骨や肋間を確認す

18. 外傷

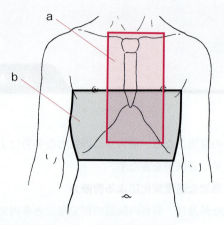

図1 穿通性外傷による臓器損傷の特徴

a：Sauerの危険域。穿通性外傷における心・大血管損傷危険域で，この範囲に刺入口がある場合は心・大血管損傷の危険性が高い
 ・上縁：胸骨上窩
 ・左縁：左鎖骨中線
 ・右縁：右鎖骨近位1/3
 ・左下縁：左鎖骨中線第6肋骨
 ・正中下縁：心窩部で囲まれた領域
b：胸腹部臓器の合併領域。胸腔内臓器と腹腔内臓器とが重なって存在するため，穿通性外傷では胸腔内臓器損傷のみならず横隔膜を介した腹腔内臓器損傷の可能性が高い

る指標となる。

　胸部大動脈からの直接分枝である肋間動脈は，肋間静脈，肋間神経とともに肋骨下縁を走行する。頭側から静脈，動脈，神経の順に位置し，胸腔ドレナージチューブ挿入に際しては，これらの血管や神経を損傷することのないように注意する。また，胸骨縁には鎖骨下動脈の分枝である内胸動脈が縦走する。肋間動脈とともに，その損傷は出血性ショックの原因となる。

病　態

　胸部外傷で生じる重篤な病態としては，気道閉塞と呼吸不全，閉塞性ショック，循環血液量減少性ショックがある。また，心破裂にまで至らない非全層性鈍的心損傷は心原性ショックの原因となる。まれな病態として，前胸部への比較的軽微な衝撃による心臓震盪（commotio cordis）がある。

Primary surveyと蘇生

　Primary surveyにおいて同定すべき致死的胸部外傷とその検索方法を**表1**[3]に示す。緊急処置を要する致死的病態を認めたならば，直ちに蘇生を行う。

1 Primary surveyにおける画像診断

1）胸部X線検査

　Primary surveyにおける胸部X線検査は，A・B・C・Dに異常を認める場合や高リスク受傷機転患者に対する必須の検査である。読影すべき病態とポイントは，①大量血胸，②肺挫傷，③フレイルチェストの原因となる多発肋骨骨折，④陽圧換気を要する場合の気胸の存在，さらに，⑤挿入されているチューブ・カテーテル類の位置確認である[3]。とくに，ショックと呼吸不全の原因検索のための胸部X線検査は重要である。

2）FASTと超音波検査による気胸評価

　体腔への液体貯留を評価することを目的としたFAST（focused assessment with sonography in trauma）とと

表1 Primary surveyで同定すべき致死的胸部外傷とその検索方法

	身体所見	FAST（EFAST）	胸部X線
気道閉塞	◎		
肺挫傷を伴うフレイルチェスト	◎		○
開放性気胸	◎	○	○*
緊張性気胸	◎	○	○*
大量血胸	○	○	◎
心タンポナーデ	○	◎	

◎：もっとも信頼性の高い検索方法　　　　　　　　〔文献3）より引用・一部改変〕
○：補助的検索方法
*：X線撮影をすることなく身体所見から診断することを原則とする

もに，気胸の存在を評価する。FASTと同時に行うことでEFAST（extended FAST）と呼ばれる。

胸腔内の液体貯留の診断において，超音波検査は迅速性と簡便性でポータブルX線検査より優れ，ほぼ同等の診断能であることが報告されている[4)5)]。

心嚢液貯留の評価は必須であり，迅速性・簡便性に加えて，診断能も優れている。FASTによる一定量の心嚢液貯留の正診率は90％程度である[5)6)]。ただし，大量血胸の存在や心嚢内の血液が凝固している際には診断が困難となる場合があり，偽陰性となり得ることも報告されている[7)]。

超音波検査と胸部X線検査による気胸の診断精度を比較したメタ解析では，超音波検査が優れていることが示されている（感度：78.6～90.9％ vs 39.8～52％，特異度：98.2～99％ vs 99.3～100％）[8)]。ただし，皮下気腫が存在する場合や著しい肥満患者では，診断能が低下することに注意が必要である。

2 Primary survey で同定すべき致死的外傷

1）気道閉塞をきたす外傷

(1) 病態

肺挫傷や穿通性外傷による気道内出血は進行性に呼吸障害を生じる。持続的な出血による気道への血液の流れ込みは，損傷を受けていない部位あるいは対側の換気と酸素化を障害する。

(2) 症候・診断

気管チューブから大量の血液が吸引され，低酸素・高二酸化炭素血症を認める。胸部X線検査で出血部位を推測することが可能である。

(3) 治療

気管チューブから大量の血液が吸引される場合には，緊急の対応が必要である。以下のような方法がある[3)]。

- 健側の主気管支まで気管チューブを進め，健側肺のみを換気する。気管支鏡を用いて誘導するのが一般的である。
- ダブルルーメン気管チューブを用いて左右の分離換気を行う。
- 気管支ブロッカー付きチューブや気管チューブ内に気管支ブロック用カテーテル（**図2**）[3)]を挿入し，出血側気管支を閉塞する。これらを用いて損傷側気管支をバルーンにて閉塞し，健側肺のみを換気する。

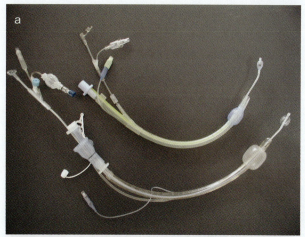
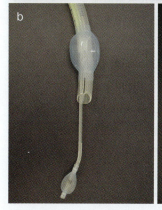

〔文献3）より引用〕

図2　気管支ブロッカー付きチューブ
a：気管支ブロッカー付きチューブ（上）と，通常の気管チューブ内にブロッカーチューブを挿入したもの（下）
b：気管支ブロッカー付きチューブの先端
c：気管チューブ先端よりブロッカーチューブを出した状態

2）フレイルチェスト

(1) 病態

2ヵ所以上の肋骨・肋軟骨骨折が上下連続して複数本存在し，胸壁が吸気時に陥没し呼気時に膨隆する奇異な胸郭運動をいう。胸骨骨折を合併する場合もある。骨折によって正常な胸郭と連続性を失った胸郭部分をフレイルセグメントという。奇異性胸壁運動は自発吸気時の胸腔内陰圧によって生じるため，陽圧換気下では消失する。フレイルチェストは胸壁の前面・側面で生じやすく，比較的頑強な筋肉で覆われている背部でみられることはまれである[9)10)]。

フレイルチェストでは高率に呼吸障害を伴うが，胸壁の不安定性そのものが換気・酸素化障害の原因となることは少ない。肺挫傷の合併とその程度が重症度を左右する。肺挫傷によるガス交換能低下とともに，気管支・細気管支への出血や分泌物貯留による気道抵抗の増加が生じるために，自発呼吸下での吸気に強い胸腔内陰圧が必

要となる。そのため，胸郭の奇異運動はより悪化する。また，多発肋骨骨折に伴う疼痛により1回換気量は減少し，気道内貯留物の排泄が障害される。すなわち，フレイルチェストに併発する呼吸不全は，併存する肺挫傷に伴う低酸素血症と呼吸運動の低下に起因する換気障害が関与することによるものである。

(2) 症候・診断

フレイルチェストの診断は身体所見から行う。胸郭の奇異運動を視診で確認するとともに，触診で両手を胸壁に当てて奇異性運動をする胸郭部分の存在を評価する。同時に，低酸素血症や高二酸化炭素血症をパルスオキシメータや血液ガス分析によって評価する。

(3) 治療

換気不全と低酸素血症を認める場合，初期治療においては気管挿管下陽圧換気を行う。根本治療としては，陽圧換気管理の継続（internal pneumatic stabilization）や肋骨骨折に対する観血的整復固定術を選択する[9)~11)]。

気管挿管下陽圧換気を行わない場合には厳重な経過観察が必要である。十分な換気と排痰を促すために，持続硬膜外ブロックや麻薬などの鎮痛薬の全身投与による除痛が必須である。近年，フレイルチェストや肺挫傷に対する非侵襲的陽圧換気の有効性が報告され，気管挿管下陽圧換気法に代わる治療法として期待される。

3）開放性気胸

(1) 病態

胸壁に気管径の2/3以上の大きさの欠損があると，抵抗の少ない胸壁欠損部から吸気時に胸腔内へ空気が流入する。胸腔と大気の圧レベルが同じになり，肺は直ちに虚脱することから低換気と低酸素血症が生じる。

(2) 症候・診断

胸壁開放創と胸腔の交通が認められることにより診断する。開放創が大きくないときには，吸気時に創から血液と空気が胸腔内に吸い込まれる現象が認められる（sucking chest wound）。

(3) 治療

胸腔ドレーン留置後に開放創を閉鎖することが基本である。胸腔ドレナージチューブの挿入は，胸壁開放創からではなく創から離れた清潔な部位からとする。胸腔ドレナージを施行することなく開放創を単純閉鎖することは，肺損傷を合併する場合に緊張性気胸を招くおそれがあるので行ってはならない。胸壁欠損が大きく創閉鎖が困難な場合は，気管挿管下の陽圧換気が必要となることが多い。

4）緊張性気胸

(1) 病態

閉塞性ショックを呈する気胸を緊張性気胸といい，もっとも緊急度の高い病態の一つである。肺もしくは胸壁の損傷が一方向弁となり，胸腔内に空気が閉じ込められて発生する。肺損傷や胸腔内気管・気管支損傷によって生じることが多い。胸腔内圧上昇により静脈還流が障害されて循環不全に陥るとともに，患側肺の虚脱と縦隔の偏位による対側肺の圧排のために呼吸不全を生じる。

(2) 症候・診断

胸痛，呼吸促迫などの症候とともに，循環不全の所見として頻脈や低血圧などを認める。身体所見では，視診における患側胸郭膨隆，頸静脈怒張，聴診での一側呼吸音の減弱・消失，触診での皮下気腫，頸部気管の健側への偏位，打診上の鼓音を特徴とする。呼吸音の聴取は両側の腋窩において行うことが重要で，これによって左右差をより正確に判断できる。一方，人工呼吸管理中に生じる緊張性気胸では，気道内圧の上昇や突然の低血圧が特徴的である。

緊張性気胸は身体所見と超音波検査による気胸の評価を組み合わせて迅速に診断すべきであり，胸部X線写真による確定診断を待つことで治療が遅れることがあってはならない。ただし，皮下気腫を伴う患者における超音波検査による評価は困難であり，超音波検査による診断に固執すべきではない。

(3) 治療

治療は，胸腔穿刺または胸腔ドレナージによる迅速な胸腔内の減圧である。胸腔穿刺は病態が切迫している場合の第一選択である。胸腔ドレナージを行うためのチューブや器材が直ちに準備できないなど，物理的・時間的余裕のないときに選択される。胸腔穿刺後は脱気と臨床症状の改善を確認し，緊張性気胸の再発を回避するために可及的速やかに胸腔ドレナージを行う。

5）大量血胸

(1) 病態

ショックの原因となる血胸を大量血胸として区別する。受傷機転によらず，血管損傷（胸部大動脈，肺動静脈，肋間動脈，内胸動脈，上大静脈，無名静脈，奇静脈），心損傷，肺損傷，横隔膜破裂を伴う腹部臓器損傷などで生じる。成人では一側胸腔内に2,000～3,000mLの血液が貯留し得るが，1,000mL以上の出血が急速に起こると，循環血液量の減少や，胸腔内圧上昇による静脈還流障害により，循環不全に陥る。また，大量の血液による

肺の圧迫から呼吸不全も合併する。

(2) 症候・診断

循環の異常とともに呼吸の異常が認められることから，大量血胸の存在を疑う。患側胸部の呼吸音は減弱し，打診上濁音となる。これらの所見とともに，胸部X線写真における患側肺野のびまん性透過性低下，FASTにおける胸腔内液体貯留所見により診断する。

(3) 治療

まず胸腔ドレナージを行う。虚脱した肺を再膨張させ呼吸状態の改善が期待されるが，一方で再膨張に伴う肺血管床の増大により循環血液量はさらに減少することになる。通常1,000mLの血液が急速に回収された場合，早い段階での開胸止血術を考慮する。胸腔ドレナージ施行後の出血量からみた手術適応の目安を**表2**[3]に示すが，ドレナージからの出血量そのものより，生理学的異常に基づく治療介入が推奨される[12)13)]。

6）心タンポナーデ

(1) 病態

心嚢内に貯留した液体または空気により心臓の拡張が障害され，心腔内への血液還流が妨げられるために循環障害をきたす。慢性疾患の場合と異なり，60～100mL程度の少量の血液や凝血塊の貯留で発症し得る。

(2) 症候・診断

出血によって説明できないショックを呈する場合には，心タンポナーデを常に念頭に置く。診断は循環不全の症候とFASTによる心嚢内の液体・凝血塊貯留所見により行う。しかし，大量血胸の合併時など，FASTは偽陰性となることもあり，循環の異常を認める場合には繰り返し実施する。

(3) 治療

心タンポナーデの治療は可及的速やかに心嚢内の血液を排除し，心臓拡張障害を解除することである。心嚢穿刺，熟練した医師による剣状突起下心膜開窓術，あるいは緊急開胸術による心膜切開を行う。心嚢穿刺により15～20mLの血液が吸引できれば症状の改善が期待できる。しかし，これは心停止を回避するための一時的な処置であり，根本治療ではない。穿刺陽性の場合には，原因である心損傷に対して直ちに手術療法が必要となることが多い。また，心嚢内が凝血塊で充満している場合は心嚢穿刺では吸引ができずに循環動態の改善が期待できないため，直ちに剣状突起下心膜開窓術または緊急開胸術に移行しなければならない。

表2 血胸に対する開胸術の適応

1. 胸腔ドレナージ施行時1,000mL以上の血液を吸引
2. 胸腔ドレナージ開始後1時間で1,500mL以上の血液を吸引
3. 2～4時間で200mL/hr以上の出血の持続
4. 持続する輸血が必要

〔文献3）より引用〕

Secondary survey

胸部大動脈損傷，気管・気管支損傷，肺挫傷，鈍的心損傷，横隔膜損傷，食道損傷，気胸，血胸など，見逃すと致死的となる損傷を診断する必要がある。受傷機転の把握，身体所見とともに，胸部X線，心電図，CT，血管造影，内視鏡などの検査手段を駆使して診断する。

1 Secondary surveyにおける身体所見

primary surveyにおける診察は，気道・呼吸・循環の異常を早期から確実にとらえることが肝要である。secondary surveyにおいては，気道・呼吸・循環の異常の観察とともに，致死的となる可能性を有し，根本治療を要する胸部外傷を確実に診断するために身体所見を評価する。

呼吸困難，胸背部痛，血痰などの有無を問診し，視診で創傷や穿通創，打撲痕やシートベルト痕，呼吸様式，胸郭変形および頸静脈の状態などを再評価する。聴診も繰り返し行い，両側中腋窩線や鎖骨中線など2カ所以上で呼吸音を聴診し左右差をみる。打診も必ず施行し，鼓音・濁音，左右差を確認する。触診では握雪感（皮下気腫），肋骨・胸骨・鎖骨の圧痛や変形，軋音の有無をみる。圧痛はまず胸骨中央部を押して確認し，次いで両側胸郭を圧迫し，痛みがあれば肋骨を1本ずつ詳細に触診して痛みの位置を確かめる。あわせて，鎖骨部の観察も行う。体位変換に伴う危険性を評価しつつ，背部の観察も行う。

2 画像診断

1）胸部X線検査

secondary surveyでは，①気管・気管支，②胸腔と肺実質，③縦隔，④横隔膜，⑤骨性胸郭と鎖骨，肩甲骨，⑥軟部組織，⑦チューブと輸液ライン（位置確認）の7つの解剖学的視点に沿って詳細な読影を行う。患者の臨

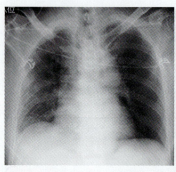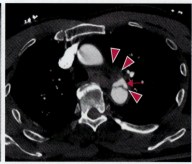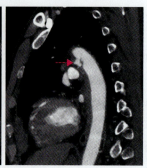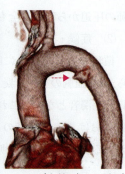

〔文献3〕より引用

図3 胸部大動脈損傷の画像所見

胸部X線上，上縦隔開大，右方への気管偏位，大動脈陰影の不鮮明化などの縦隔血腫の存在を示唆する所見が認められる。造影CTでは，縦隔血腫（矢頭）とともに大動脈損傷（仮性動脈瘤）が確認できる（矢印）。とくに，MPRの矢状断および3D-CTでは大動脈峡部の仮性瘤が明瞭である（破線矢印）

床所見とX線所見を相互に関連づけて，見落とすと致死的となる胸部外傷の検索を行う[3]。

2）超音波検査

超音波検査は，液体貯留の検出のみならず気胸の検出に用いることができる。5〜10MHzのリニアプローブを用いて前胸壁の肋間より胸腔を走査する。正常では壁側胸膜の下方で臓側胸膜が呼吸運動に合わせてスライドする様子（lung slidingまたはpleural sliding）や，肺表面でのcomet tail artifactが観察される。気胸が存在すると臓側胸膜に超音波が到達しないために，スライドする臓側胸膜を確認することができない。さらにMモード表示にするとバーコードのような直線（barcode sign）が認められる。気胸が存在しないと考えられる胸腔を先に観察したほうが異常を指摘しやすい。

3）CT検査

胸部外傷におけるCT検査は，縦隔内臓器，とくに大動脈とほかの主要血管損傷の診断においてもっとも有力な手段である。胸部大動脈損傷を疑わせる胸部X線所見や急激な減速作用機序をきたす高リスク受傷機転であれば，造影CT検査は必須である。また，矢状断や冠状断像を構成することにより，横隔膜損傷の診断能も向上する。単純X線写真と比較して，肺挫傷，血胸，気胸，脊椎損傷，胸腔ドレナージチューブの位置異常の診断に優れている[14)15)]。しかし，CTにより診断した軽微な肺挫傷などの外傷は病態に影響を与えない可能性があり[16)]，脊椎の不安定性の評価にも限界がある。

根本治療を必要とする胸部外傷

胸部外傷の多くは気管挿管を含む呼吸管理と胸腔ドレナージや疼痛管理などで対処可能であり，開胸術が必要とされるのは，穿通性外傷では15〜30%，鈍的外傷では10%未満とされる[13)17)]。

1 胸部大動脈損傷

1）病態

胸部大動脈損傷は約80%が現場で死亡し，病院到着後も未治療であれば，24時間以内に約半数が死亡する。約40%にほかの損傷を合併している[18)]。主に水平方向または垂直方向の急激な減速作用機序による剪断力が作用する外傷で認められ，好発部位は左鎖骨下動脈を分岐した直後の下行大動脈（大動脈峡部）である。

胸腔内大量出血患者の救命は困難であるが，損傷が内膜にとどまる，あるいは中膜にとどまり，外膜と周囲の結合織による限局した縦隔血腫となっている患者では，適切な治療による良好な治療成績が期待できる。

2）症候・診断

本外傷に特徴的な症候はなく，受傷機転とともに胸部X線写真が唯一の診断の手がかりとされてきた。大動脈損傷に伴って上縦隔に形成された血腫を示唆する所見として，縦隔構造物の境界不鮮明化，周囲構造物の圧排，上縦隔開大やaortic knobの不鮮明化などがある。

しかし，胸部X線写真で異常を認めなくても，大動脈損傷があることが示されている[19)]。急激な減速作用機序などが強く作用したと考えられる場合は，造影CT検査を行うべきである。胸部造影CT検査はスクリーニング検査としてだけでなく，確定診断としても有用性が高い[20)]。MDCTによる診断感度は95%を超え，陰性的中率はほぼ100%である[21)]。胸部大動脈損傷の画像所見を図3[3)]に示す。

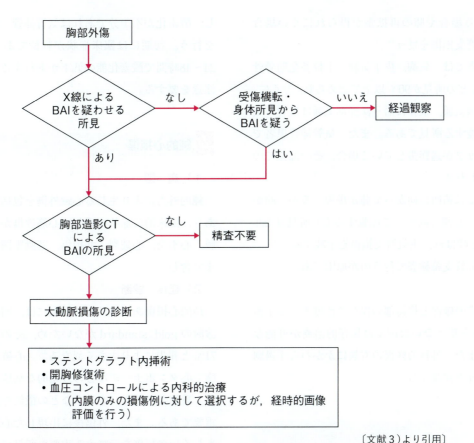

図4 胸部大動脈損傷が疑われる患者に対する診断・治療のアルゴリズム
〔文献3）より引用〕
BAI：blunt aortic injury

3）治 療

胸部大動脈損傷の診断・治療のアルゴリズムを図4[3]に示す。大動脈損傷に対する治療は，開胸による一期的修復術，もしくはステントグラフト内挿術が選択される。わが国の全国調査においてもステントグラフト内挿術の普及が目覚ましく（ステント126例，手術76例，修復なし415例），その治療成績が向上している（死亡率：ステント5.6％，手術15.8％，修復なし45.3％）[22]。ステントグラフト内挿術は，手術療法に比較して脳梗塞合併の頻度には差を認めないものの，死亡率と対麻痺発生率は有意に低い[23)～25)]。2015年のEAST（Eastern Association for the Surgery of Trauma）ガイドラインにおいても，ステントグラフト内挿術の禁忌でないかぎり，手術よりステントグラフト内挿術が強く推奨されている[26)27)]。

胸部大動脈損傷に対しては，診断確定後直ちに根本治療を行うことが原則とされてきた。しかし，緊急度の高い腹腔内・後腹膜出血や頭部外傷，あるいは呼吸不全を伴う肺損傷が存在する場合には待機的治療が選択され，比較的安全に待機的治療が施行可能であることが示されている[23)～25)]。また，いずれの治療法を選択する場合でも，治療までは血圧のコントロールが必要である。

さらに，画像診断精度の著しい向上により，これまで診断できなかった軽微な大動脈損傷の存在が示されている。MDCTで診断される胸部大動脈損傷の10％を占め，破裂リスクの比較的低い病態であるとされるが，その定義および未治療での自然経過などは明らかにされていない[19)26)27)]。

2 気管・気管支損傷

1）病 態

穿通性外傷では80％が頸部気管損傷である。一方，鈍的外傷では，固定された気管と固定されていない肺の間に加わる剪断力により発生するため，75～80％が気管分岐部より2.5cm以内の気管や気管支に生じる[28]。

2）症候・診断

主症状は呼吸困難，血痰などである。損傷が縦隔内にとどまると広範な縦隔気腫，とくに前頸部における皮下気腫が認められる一方，損傷が胸腔に穿破すると緊張性気胸となる。胸腔ドレナージ施行後も持続的な大量の空

18. 外傷

気漏出を認める場合や肺の再拡張が得られにくい場合は，気管・気管支損傷を疑う[29]。

胸部X線写真では，気胸，皮下気腫，上位多発肋骨骨折，縦隔気腫などの所見が90%以上で認められ，とくに，気管周囲の縦隔気腫，椎体に沿う深頸部気腫は気管・気管支損傷を示唆する所見である。また，気管挿管患者ではチューブのカフが過膨張している場合，その部位での気管損傷が疑われる。

通常の気胸では肺門に向かって肺が虚脱するが，肺が肺門から離れて背側に向かって虚脱するCT所見はfallen lung signと呼ばれ，主気管支損傷を示唆する[30)31)]。

確定診断は気管支鏡検査で行うのが原則である。

3）治療

治療は，気道の確保と損傷部の保存的治療または手術である。1/3周を超えない裂創では保存的治療が可能なことがあり，また，外科的修復の有無にかかわらず過剰な気道内圧上昇を回避する。

3 肺挫傷

1）病態

肺挫傷は，肺胞毛細血管構造の断裂や破壊で生じる肺間質や肺胞への出血と，これに伴う周囲の浮腫や微小無気肺によって形成される。直達外力だけでなく，急激な内圧の上昇によっても生じる。そのため，病変の分布はさまざまであり，弾性の高い骨性胸郭を有する小児などでは，肋骨骨折などの胸壁の外傷が明らかでないこともまれではない。

2）症候・診断

酸素化の低下と血痰（気道出血）が主症候である。胸部X線写真では肺の区域に従わない境界不明瞭な斑状・網状陰影などが認められるが，初期には酸素化能の低下があっても明らかな異常陰影を描出しないことがある。X線上，受傷1時間以内に85%の患者で斑状陰影が認められ，数時間以内に明らかになることが多い。典型例では，3～4日以内には胸部X線写真の所見は消退する。受傷直後からX線所見が明確な腫瘤様高濃度陰影を呈するのは肺内裂傷部への出血による肺内血腫形成例であり，早期の気道内出血からの窒息と後期の感染が問題となる。胸部CT検査は鋭敏に肺挫傷の所見を描出することができる[16)]。

3）治療

治療は呼吸困難や低酸素症などの臨床所見から判断し，酸素化が不十分であれば気管挿管下に人工呼吸管理を行う。初期には臨床症状が軽微であっても，受傷後24～48時間で酸素化能の低下が進行することがあるため注意を要する。

4 鈍的心損傷

1）病態

鈍的外力により生じる心臓外傷を包括して示すものであり，臨床的に症状の乏しい心筋挫傷から，重篤な不整脈，心不全，心破裂，弁損傷，冠動脈閉塞などの重症例まで含む。

2）症候・診断

鈍的心損傷あるいは心筋挫傷には，明確な診断基準や診断のgold standardがないため，その発生頻度は8～71%と報告により大きく異なる[32)]。心破裂による大量血胸や心タンポナーデなどの致死的な病態への対応に加えて，重篤な不整脈，心不全などの徴候を把握することが重要である。また，外傷後に出現した心雑音は，乳頭筋もしくは弁損傷を示唆する重要な所見である。

鈍的心損傷が疑われる場合の初期スクリーニングとしてもっとも重要な検査は，12誘導心電図検査である。来院時心電図異常は心合併症発生と関連し[33)]，全例に必須である。多発する心室期外収縮やほかの原因からは説明のできない洞頻脈，心房細動，右脚ブロック，ST変化などがみられる。ただし，来院時心電図のみでは本外傷を十分に除外できないため，①心電図異常がないこととともに，②トロポニン値が上昇していないことの確認が必要である。いずれにも異常を認めなければ陰性的中率100%とされるが，いずれかに異常を認める場合は入院による経過観察が必要である[32)]。心エコーはスクリーニング検査としての意義は低いが，心室収縮，壁運動，弁・乳頭筋異常の評価に有用である。

ほかに明らかな原因を認めない低血圧や中心静脈圧の上昇も鈍的心損傷を疑わせる所見である。

3）治療

心破裂などの致死的病態を除き，重篤な不整脈や心不全などの危険性の高い患者を同定し，モニタリングと症状に応じた治療を行う。来院時心電図に異常があれば，24～48時間の持続モニタリングを行う[32)]。

5 横隔膜損傷

1）病態

穿通性外傷による発生頻度が高い。鈍的外傷では胸郭のひずみや急激な腹腔内圧の上昇により生じ，損傷部位は左横隔膜が多くを占める。横隔膜損傷には腹腔内臓器損傷を高率に合併し，右横隔膜損傷では肝損傷を合併しやすい。鈍的外傷によるものでは半数以上がショックを呈する。横隔膜が損傷を受けると，陰圧を呈する胸腔に腹腔内臓器が嵌入する（横隔膜ヘルニア）。胃，脾，大網，肝，大腸などの腹腔内脱出臓器による肺，縦隔の圧排・偏位の結果，呼吸・循環不全が生じるとともに，消化管が損傷部で絞扼されると腸閉塞や壊死に陥る。

2）症候・診断

上記病態に伴う症候を呈するが，明らかな症候を認めないことも少なくない。受傷直後には横隔膜損傷が明らかでなく，数時間〜数日，あるいは外傷後遺症として長期間経過後に診断されることもある。

受傷機転と胸部X線が診断の手がかりとなるが，横隔膜損傷の存在を示唆する所見を呈するのは25〜50%とされる。胸腔内消化管ガス像，胃管の位置異常などの所見が認められれば横隔膜損傷の診断は困難ではないが，横隔膜挙上，下葉無気肺を伴う横隔膜陰影の不鮮明化などの所見でも横隔膜損傷を疑う。右横隔膜損傷では，横隔膜挙上と血胸が唯一の所見であることが多い。心嚢と交通する横隔膜損傷では，心陰影拡大や心嚢内消化管ガス像が認められる。CTによる評価が有用であるが，横断像のみでは胸腔内への消化管の脱出がない患者では見落とす可能性がある。冠状断や矢状断像によるCT画像評価を行えば確定診断に有用である。

3）治療

外科的修復を行う。左横隔膜損傷に対する急性期手術では，腹腔内臓器損傷の確認のため，通常，腹腔内からアプローチする。右側の修復は経胸腔あるいは経腹腔のいずれも選択される。

6 食道損傷

1）病態

食道損傷の大部分は穿通性外傷による。鈍的外傷によることはまれであるが，発症メカニズムは直達外力と食道内圧の急激な上昇（特発性食道破裂と同様）によるとされる。

2）症候・診断

症候は，損傷部位・程度，汚染および受傷からの経過時間に依存し，嚥下困難，背部痛，吐血，口腔咽頭出血，皮下・縦隔気腫，血気胸，膿胸，縦隔膿瘍などが認められる。受傷部位と自他覚所見から本損傷が疑われれば，水溶性消化管造影剤（ガストログラフイン®）による食道造影あるいは内視鏡検査を施行する。これらによる診断感度は，頸部食道で47〜67%であるが，胸部食道では89〜100%，正診率95%以上である[34]。

3）治療

受傷早期に診断された場合は，外科的に損傷部位を直接縫合閉鎖する。しかし，診断が遅れて縦隔への汚染や広範な組織の壊死が進んでいるときは，一次縫合による治癒は期待できないため，胸腔および縦隔ドレナージなどが選択される。

▶文献

1) 日本外傷データバンク：日本外傷データバンクレポート2022（2019-2021），2023.
   https://www.jtcr-jatec.org/traumabank/dataroom/data/JTDB2022.pdf
2) Sauer PE, et al：Immediate surgery for cardiac and great vessel wounds. Arch Surg 95：7-11，1967.
3) 日本外傷学会，他（監）：胸部外傷．外傷初期診療ガイドライン JATEC，第6版，へるす出版，2016，pp75-97.
4) McEwan K, et al：Ultrasound to detect haemothorax after chest injury. Emerg Med J 24：581-2，2007.
5) Sisley AC, et al：Rapid detection of traumatic effusion using surgeon-performed ultrasonography. J Trauma 44：291-6，1998.
6) Rozycki GS, et al：The role of ultrasound in patients with possible penetrating cardiac wounds：A prospective multicenter study. J Trauma 46：543-51，1999.
7) Huang YK, et al：Traumatic pericardial effusion：Impact of diagnostic and surgical approaches. Resuscitation 81：1682-6，2010.
8) Chan KK, et al：Chest ultrasonography versus supine chest radiography for diagnosis of pneumothorax in trauma patients in the emergency department. Cochrane Database Syst Rev 7：CD013031，2020.

9) Simon B, et al : Management of pulmonary contusion and flail chest : An Eastern Association for the Surgery of Trauma practice management guideline. J Trauma Acute Care Surg 73 : S351-61, 2012.
10) Swart E, et al : Operative treatment of rib fractures in flail chest injuries : A meta-analysis and cost effectiveness analysis. J Orthop Trauma 31 : 64-70, 2017.
11) Schuurmans J, et al : Operative management versus non-operative management of rib fractures in flail chest injuries : A systematic review. Eur J Trauma Emerg Surg 43 : 163-8, 2017.
12) Mowery NT, et al : Practice management guidelines for management of hemothorax and occult pneumothorax. J Trauma 70 : 510-8, 2011.
13) Atls Student Course Manual : Advanced Trauma Life Support. 9th ed, American College of Surgeons, 2012.
14) Guerrero-Lopez F, et al : Evaluation of the utility of computed tomography in the initial assessment of the critical care patient with chest trauma. Crit Care Med 28 : 1370-5, 2000.
15) Omert L, et al : Efficacy of thoracic computerized tomography in blunt chest trauma. Am Surg 67 : 660-4, 2001.
16) Deunk J, et al : The clinical outcome of occult pulmonary contusion on multidetector-row computed tomography in blunt trauma patients. J Trauma 68 : 387-94, 2010.
17) Mattox KL, et al : Trauma Thoracotomy : Principles and Techniques. In : Mattox KL, (eds), Trauma.7th ed, McGraw-Hill, 2013, pp461-7.
18) Demetriades D : Blunt thoracic aortic injuries : Crossing the Rubicon. J Am Coll Surg 214 : 247-59, 2012.
19) Neschis DG, et al : Blunt aortic injury. N Engl J Med 359 : 1708-16, 2008.
20) Dyer DS, et al : Thoracic aortic injury : How predictive is mechanism and is chest computed tomography a reliable screening tool? A prospective study of 1,561 patients. J Trauma 48 : 673-82, 2000 ; discussion 682-3.
21) Bruckner BA, et al : Critical evaluation of chest computed tomography scans for blunt descending thoracic aortic injury. Ann Thorac Surg 81 : 1339-46, 2006.
22) Tagami T, et al : Thoracic aortic injury in Japan : Nationwide retrospective cohort study. Circ J 79 : 55-60, 2015.
23) Demetriades D, et al : Operative repair or endovascular stent graft in blunt traumatic thoracic aortic injuries : Results of an American Association for the Surgery of Trauma Multicenter Study. J Trauma 64 : 561-70, 2008 ; discussion 570-1.
24) Hoffer EK, et al : Endovascular stent-graft or open surgical repair for blunt thoracic aortic trauma : Systematic review. J Vasc Interv Radiol 19 : 1153-64, 2008.
25) Xenos ES, et al : Meta-analysis of endovascular vs open repair for traumatic descending thoracic aortic rupture. J Vasc Surg 48 : 1343-51, 2008.
26) Fox N, et al : Evaluation and management of blunt traumatic aortic injury : A practice management guideline from the Eastern Association for the Surgery of Trauma. J Trauma Nurs 22 : 99-110, 2015.
27) Fox N, et al : Evaluation and management of blunt traumatic aortic injury : A practice management guideline from the Eastern Association for the Surgery of Trauma. J Trauma Acute Care Surg 78 : 136-46, 2015.
28) Prokakis C, et al : Airway trauma : A review on epidemiology, mechanisms of injury, diagnosis and treatment. J Cardiothorac Surg 9 : 117, 2014.
29) Kushimoto S, et al : Bronchofiberoscopic diagnosis of bronchial disruption and pneumonectomy using a percutaneous cardio-pulmonary bypass system. J Trauma 62 : 247-51, 2007.
30) Magu S, et al : Fallen lung sign (on chest radiograph). J Trauma 70 : 1012, 2011.
31) Wintermark M, et al : Blunt traumatic rupture of a mainstem bronchus : Spiral CT demonstration of the "fallen lung" sign. Eur Radiol 11 : 409-11, 2001.
32) Clancy K, et al : Screening for blunt cardiac injury : An Eastern Association for the Surgery of Trauma practice management guideline. J Trauma Acute Care Surg 73 : S301-6, 2012.
33) Maenza RL, et al : A meta-analysis of blunt cardiac trauma : Ending myocardial confusion. Am J Emerg Med 14 : 237-41, 1996.
34) DuBose JA, et al : Lung, Trachea, and Esophagus. In : Mattox KL, (eds), Trauma. 7th ed, McGraw-Hill, 2013, pp468-84.

18-6 腹部外傷

森下　幸治

疫　学

日本外傷データバンク（Japan Trauma Data Bank；JTDB）のレポート（2019年1月～2021年12月）[1]によれば，鈍的外傷が約9割を占め，高齢者の転倒・転落・墜落がもっとも多く，穿通性外傷は非常に少ない．穿通性外傷としては，刺創が多く，銃創はまれである．腹部および骨盤内臓器外傷は7,600例と，四肢外傷（56,122例）や頭部外傷（29,311例）に比べると少ないが，JTDBに登録された腹部・骨盤内臓器外傷のAISコードが3以上の重症症例は48.3%であり，腹部重症外傷の対応を理解することは重要である．

解　剖

両側乳頭を結ぶラインから鼠径靭帯，恥骨結合までの高さで，体幹の前面を前腹部といい，腹筋のみで覆われた全腹部のやわらかい部分を真性腹部という．

腹膜で囲まれた閉鎖性の自由腔が腹腔である．肝などの実質臓器，消化管の大半，大網などを含む．

後腹膜には，腹部大動脈，下大静脈，十二指腸の大部分，膵，腎，尿管，消化管（上行結腸・下行結腸の一部）などが含まれる．

病態生理

1 鈍的腹部損傷

外力の直接作用，加速度が作用する剪断力により外傷が引き起こされる．ハンドル外傷では前方から脊椎方向に外力が加わり，その間にある実質臓器の肝，膵などが外傷を受ける．側腹部に外力が加わった場合には，椎体との間にある臓器が障害されるため，右側腹部では肝右葉や右腎が，左側腹部では脾や左腎が損傷を受けやすい．加速度が作用する剪断力により引き起こされる実質臓器損傷として，墜落外傷で下肢から着陸した場合の肝損傷，腎損傷（茎部）などがある[2]．鈍的小腸穿孔は，自動車事故などによりシートベルトで小腸と椎体との間に挟まれたり，急な減速により腸間膜固定部の小腸が裂けるなどして生じる．シートベルト痕は小腸穿孔の21%にみられるといわれている[3]．鈍的結腸・直腸損傷は比較的まれであるが，鈍的直腸損傷は骨盤骨折に合併することが多い[4]．

2 穿通性腹部外傷

穿通性損傷には，ナイフなどによる刺創，銃創，偶発的機転による先端が鈍な異物が身体を貫通する杙創がある．腹部実質臓器としては肝，脾，膵，腎などに，腸管としては胃，小腸，結腸，直腸に損傷が起こる．刺創では成傷器の長さ，刺入深度が損傷に影響し，銃創では銃の種類，銃器と生体の距離，銃弾の射入部位，射出部位，貫通方向など弾道の予測とその周囲の組織の損傷も考慮する．刺入口が胸部に存在する場合は，胸郭腹部の臓器損傷や経横隔膜的に腹部臓器損傷をきたすことがある．

症状・症候

受傷早期には腹部外傷の存在が視診，触診で明らかでない場合がある．また，患者がショックの状態であったり，頭部外傷や脊髄損傷を合併している場合には，患者の訴えや腹部所見を正確に評価することが困難となる．さらに，受傷早期には視診や触診上腹部膨満を認めなくても，後に大量腹腔内出血をきたすこともある．そのため，患者の訴えや腹部所見を経時的に繰り返し把握することが重要である．

身体所見としては，胃・直腸からの出血の有無，会陰部や外尿道口を含めた外性器などの腫脹，皮下出血，出血の有無，皮下気腫，腹壁血腫や腹壁の連続性の途絶（腹壁損傷の所見）も忘れず観察する．

18. 外傷

検査・診断・評価

1 Primary survey と蘇生

まず，primary survey（PS）で循環不安定の要因となる腹腔内出血や後腹膜出血の存在を評価する。PSにおける，循環動態が不安定な場合の評価アルゴリズムを図1[2]に示す。

生理的状態の安定が得られない場合は，CT検査などで解剖学的異常所見を把握せずに蘇生的開腹術を行う。その際は，「出血」と「汚染」の制御に焦点が置かれる。そのため，PS では，FAST（focused assessment with sonography for trauma）による腹腔内液体貯留の検出が重要である。しかし，腹部血管損傷や腎損傷などによる後腹膜出血は FAST 上明らかなエコーフリースペースとして描出されないことに注意が必要である。穿通性外傷では体表創部から体外へ出血していることもあり，FAST negative でも腹腔内出血は否定できない。FAST は経時的に繰り返し行うことが重要で，短時間のうちに腹腔内出血量が増加する場合は，循環が早期に破綻する可能性があり注意が必要である。

一方，「汚染」に関しては，緊急度としては出血に比べ多少の時間的猶予がある。しかし，放置すれば腹膜炎や敗血症に至るため，受傷後約6時間以内に処置・手術が必要となる。腹膜炎は，損傷部より消化管内容物，尿，胆汁，膵液が漏出することで起こる。

2 Secondary survey

ショックから離脱して PS をクリアできれば，secondary survey（SS）に移る。受傷機転，症状，身体所見などにより腹部に損傷が想定される場合，通常は SS において採血や腹部 CT 検査を行う。呼吸・循環が安定している場合の評価アルゴリズムを図2[2]に示す。

1）腹部 CT の適応

腹部外傷（呼吸・循環が安定している場合）に対する CT 検査の適応を表1[2]に示す。腹部 CT 検査の適応は，「即座に緊急処置を行わなくてもよい患者」であり，PS で CT 検査を実施するという試みはあるものの[5]，原則として PS が完了している患者が適応となる。CT は外傷診療において有用であるが，失われる時間が少なからず存在する。とくにダメージコントロール戦略では，数

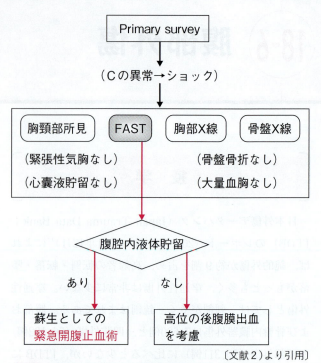

図1 循環の不安定な腹部外傷評価アルゴリズム
〔文献2）より引用〕

分以内に確実に腹腔内に到達し処置を行うことが求められるため，CT を撮影することに固執してはならない。MDCT（multidector-row CT）は短時間で全身の CT を撮影することが可能であり，有用性が高いといわれている[6]。

2）腹部 CT の撮影条件

通常，高リスク受傷機転の患者は，外傷全身 CT 撮影プロトコルにて撮影されることが多い。Tillou ら[7]は，撮影不要と思われた部位であっても17％で有意な所見が認められたと報告している。Salim ら[8]は，明らかな外傷の徴候がない患者であっても受傷機転を考慮して全身 CT を行うと，腹部には7.1％で臨床的に重要な異常所見がみられたと報告している。

腹部外傷に焦点を置いた CT 検査は，横隔膜上縁より坐骨結節までを撮像範囲とし，造影剤の使用に禁忌がなければ，動脈優位相と実質相の2相で撮影する。活動性出血の評価には動脈優位相，臓器損傷の評価には実質相が，その形態をとらえやすい。しかし，循環動態が不安定な場合には，造影剤が血管内に流れる速度が遅く，時に不適切なタイミングでの撮影となることもあり，注意を要する。活動性出血がある場合には，動脈優位相から実質相にかけて血管外漏出像が観察される。水平断像に加え，陽性所見（活動性出血や臓器損傷）が疑われる場合には，冠状断像も確認することが重要である。

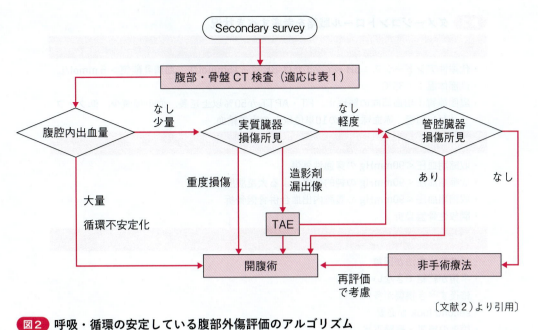

図2 呼吸・循環の安定している腹部外傷評価のアルゴリズム

〔文献2〕より引用〕

表1 腹部外傷に対するCT検査の適応

1. FAST陽性（腹腔内液体貯留）
2. FAST所見があいまい
3. 腹膜刺激徴候など腹部所見の異常
4. 腹部所見が信頼できない状況
5. 腹部外傷を示唆する受傷機転
6. 腹部単純X線写真の異常所見
7. 近接する部位の外傷

〔文献2〕より引用〕

呼吸・循環が安定していることが前提条件となる
腹部所見が信頼できない状況として，意識障害，脊髄損傷の合併，アルコール，薬物の服用などがある

3）腹部CTの読影

CT撮影後に循環動態が不安定化する場合もあり，検査実施後にいち早く画像を評価することが重要である。そのため，撮影中や，撮影直後に即座に画像を評価できるシステムを構築することが望ましい。近年，全身CTにおいて必要な部位に焦点を絞って迅速に読影するFACT（focused assessment with CT for trauma）が推奨されている[6]。

4）診断的腹腔洗浄，診断的腹腔穿刺

管腔臓器損傷において，①頭部外傷による意識障害，脊髄損傷合併例などでは腹膜刺激徴候がはっきりしない場合，②腹部CTで受傷早期には管腔臓器損傷の所見がはっきりしない場合，③FASTは陽性であるが既存腹水との鑑別が必要な場合，④FAST陽性で腹腔内血液や内容物を調べる必要がある場合に，診断的腹腔洗浄（diagnostic peritoneal lavage；DPL）や診断的腹腔穿刺（diagnostic peritoneal aspiration；DPA）が考慮される[2]。

DPL/DPAのデメリットとしては，①DPL後，腹部所見があてにならなくなること，②CT再検時に腹腔内遊離ガスや腹水の経時的な変化の評価が困難になること，③十二指腸など後腹膜での病変が検出できない可能性があることがあげられる。

治療・処置

1 循環動態が不安定な場合

穿通性外傷・鈍的外傷ともに，PSで循環に異常があり，1～2Lの急速輸液を行っても循環不全が改善せず，FASTにて腹腔内出血を認めれば，CT撮影は行わず蘇生的開腹術に移行する。前述したように，穿通性外傷ではFAST陰性のこともあるので注意が必要である。輸液療法，輸血療法を行う際は急速輸液・輸血加温装置を用いて低体温の回避に努める。開腹に先立ち，大動脈遮断用バルーン（resuscitative endovascular balloon occlusion of the aorta；REBOA）の挿入や胸部下行大動脈遮断などの補助手段導入の必要性を検討する。ただし，REBOAの留置に成功したとしても，一刻も早くIVRや手術などの根本的治療を開始すべきである[9]。

表2 ダメージコントロール戦略を考慮すべき状況

1．生理学的機能の破綻（外傷死の三徴）
- 代謝性アシドーシス：pH＜7.2またはBE＜-15mmol/L，血清乳酸値＞5mmol/L
- 深部体温：＜35℃
- 凝固障害：出血傾向の顕性化，PT・APTTが50％以上延長，血小板減少，低フィブリノゲン血症，赤血球製剤の10単位以上の大量輸血

2．損傷形態よりの適応
- 収縮期血圧＜90mmHgの穿通性外傷
- 収縮期血圧＜90mmHgの鈍的外傷による大量腹腔内出血
- 収縮期血圧＜90mmHgの腹腔内出血合併骨盤骨折
- 開放性骨盤骨折

3．手術状況より考慮
- 標準的止血法が困難
- 手術が終結できない
- 修復すべき損傷が多い
- second lookが必要
- 術者の技量・経験不足

4．医療環境より考慮
- 転送のための安定化
- 医療機関の未整備
- 供血不足
- 戦陣外傷，災害医療

〔文献10）より引用・改変〕

1）蘇生的開腹術

蘇生的開胸術やREBOAの挿入などがいつでも可能なように，胸部から大腿に至る広範な清潔野を確保する。麻酔導入時や術中に血圧の低下が起こることがあるため，麻酔科医とのコミュニケーションは重要である。

皮膚切開は腹部正中切開（trauma incision）を基本とする。蘇生的開腹で重要なことは，前述したとおり「出血」と「汚染」の制御である。開腹後は直ちに用手圧迫とガーゼパッキングによる一時的な出血制御を行う。消化管の損傷（穿孔）を認めた場合には，手縫いでの穿孔部の仮閉鎖や自動吻合器で部分切除を行い，腹腔内汚染の拡大を最小限とする。その後，出血源の検索と臓器損傷の程度ならびに修復の必要性，術式を決定する。その際に重要なことは，根治的手術遂行の可否を判断することである。

手術継続が危険と判断した場合は，すべての損傷に対する根本的治療は行わず，いち早く損傷臓器に到達し，迅速かつ単純な手技で出血と汚染を制御するダメージコントロール手術（damage control surgery）に移行する（表2）[10]。ダメージコントロール手術は短時間で終わらせる必要があり，術後は腹腔内圧の上昇/腹部コンパー

表3 腹部外傷における腹部開放管理の適応

- 循環動態不安定
- 高度な臓器損傷
- 切除範囲の決定時期や吻合を遅らせる
- 腹腔内汚染コントロール不良
- 血管損傷の根治的修復未完了
- 腹壁損傷の修復不能
- 腹部コンパートメント症候群（懸念も含む）

〔文献11）より引用・改変〕

トメント症候群のリスクが高いため，一時的閉腹や腹部開放管理（open abdominal management；OAM）を考慮する（表3）[11]。理想的な一時的閉腹を行うには，①腸管脱出の予防，②腸管保護，③腹腔内の感染性滲出液の除去，④腹壁を損傷しない，⑤再手術を行いやすい，⑥早期の定型的手術の補助が重要である[12]。

2）腹部コンパートメント症候群への対応

ショックを呈する腹部外傷では大量輸液の影響などにより腸管や後腹膜の高度の浮腫をきたし，閉腹後に腹腔内圧が上昇して腹部コンパートメント症候群（abdominal compartment syndrome；ACS）が生じやすい。腹腔内圧（IAP）が12mmHg以上になった場合を腹腔内

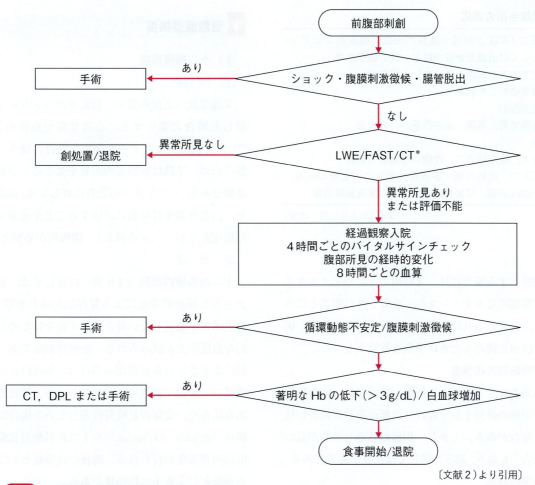

図3 腹部刺創の診断・治療アルゴリズム
* LWE や FAST で評価ができず，高度な肥満や創が深い場合は CT 検査を行う
LWE：local wound exploration

〔文献2）より引用〕

圧上昇（IAH）という．さらに IAP が20mmHg で，臓器障害が出現した場合を ACS という．ACS は，腹腔内圧の上昇により呼吸機能の悪化，心拍出量の低下，腎機能障害，腸管虚血をきたし，放置すれば多臓器不全に至る予後不良の病態であり，膀胱内圧モニターで管理を行う．IAH や ACS への対応については他項（p.1099, 1161）を参照のこと．

2 循環動態が安定している場合

1）鈍的外傷の場合

呼吸・循環の安定している腹部鈍的外傷においては，身体所見や FAST，腹部造影 CT などから，止血操作と腹膜炎の治療の必要性を考慮する．肝・脾・腎の腹部 CT 所見として，単純 CT では急性の血腫は実質よりやや CT 値が高くなる．活動性動脈出血は造影 CT にて評価する．実質内の出血や臓器被膜外への造影剤噴出の有無を評価する．

腹部 CT にて大量の腹腔内出血を認め，循環が不安定となる場合には，開腹術が優先される．実質臓器などに造影剤の漏出像を認めれば，IVR による塞栓術で止血を行うが，手技中に循環が不安定になる場合には開腹止血への移行を考慮する．身体所見，CT 所見，DPL や DPA などにより管腔臓器損傷を疑った場合にも手術が必要となる．

2）穿通性外傷の場合

腹部刺創の診断・治療アルゴリズムを**図3**[2]に，ATLS ガイドラインにおける開腹手術の適応を**表4**[13]に示す．

腸管が脱出していたり，成傷器が刺さったままの場合には緊急開腹手術を行う．そうでない場合には局所麻酔下に local wound exploration（LWE）を行い，創の深さを確認し，腹膜を貫通していなければ創処置で様子をみることが可能である．LWE で腹膜の貫通が確認できない場合や疑わしい場合には，腹部 CT にて評価を行う．腹膜を貫通している場合には原則手術にて確認する．

18. 外傷

表4 開腹手術の適応

- 低血圧でFASTが陽性や腹腔内出血の臨床的エビデンス，もしくは出血源がほかにない鈍的腹部外傷
- 低血圧で前方の筋膜を貫いている腹部創
- 腹腔内を横断した銃創
- 内臓臓器脱出
- 穿通外傷で胃，直腸，泌尿器系からの出血
- 腹膜炎
- 遊離ガス，後腹膜ガス，片側の横隔膜の破裂
- 造影CTで，鈍的外傷・穿通性外傷後の消化管の破裂，腹腔内膀胱破裂，腎茎部損傷，重症の実質臓器損傷

〔文献13）より引用・改変〕

経過観察とする場合には，4時間ごとにバイタルサインおよび腹部所見をチェックし，血算を8時間ごとにモニターし，異常があれば開腹手術を行う。胃，直腸，尿管からの出血を認めるときは手術を検討する。

3）診断的腹腔鏡検査

循環動態の安定した穿通性損傷で腹膜穿通，横隔膜損傷，腸管損傷の診断を行う際に，診断的腹腔鏡検査が施行される場合がある。しかし，損傷の見逃しの率が高いという報告[14]もあり，適応に関しては注意が必要である。

4）非手術療法

腹腔内臓器損傷が存在しても一定の条件を満たせば直ちに手術を行うのではなく，経過観察とすることがある。主として鈍的外傷による実質臓器損傷が対象となり，止血の補助手段としてIVRが併用される。このような非手術療法（non-operative management；NOM）の適応としては，①循環が安定していること，②管腔臓器損傷（穿孔）の可能性がないこと，③CT検査などで実質臓器損傷の評価ができていること，④患者の状況にあわせ入院中に諸検査，画像診断がいつでも利用できること，⑤外傷診療の経験が豊富な外科医が常勤し緊急手術が可能なこと，とされている[2]。穿通性外傷・鈍的外傷ともに，NOMを選択した場合にはバイタルサイン，身体所見，腹部超音波検査，CT検査，DPLやDPAなどを繰り返し行い，可能なかぎり早期に損傷に気づくことが重要である。

損傷臓器別の診断・治療

以下，損傷臓器別に診断・治療などを解説する。なお，臓器損傷形態・分類は「日本外傷学会臓器損傷分類2008」[15]に準拠する。

1 管腔臓器損傷

1）十二指腸損傷

(1) 診　断

交通事故の正面衝突や，自転車のハンドルで腹部を受傷した場合に発生する。心窩部痛や血性の胃液排液，CTにて後腹膜にエアーを認めた場合に疑う。後腹膜臓器のため，早期は腹膜炎の所見を欠くことがあり注意が必要である。ハイリスクの患者に対しては，血清アミラーゼ，白血球数を経時的に評価することが重要である。上部消化管造影，二重造影CT，開腹術が必要となる。

(2) 治　療

十二指腸壁内血腫（Ⅰb型）に対しては，胃内容ドレナージと経静脈栄養による保存的治療が原則であるが，通過障害が改善しない場合は，手術をはじめとする積極的な血腫除去が試みられる。全層性損傷であっても，早期に診断され汚染が軽度の場合は，単純縫合閉鎖や空腸漿膜パッチ法で対処可能である。一方，隣接臓器損傷がある場合や，受傷後長時間経過している場合は，幽門閉鎖術（pyloric exclusion）や十二指腸憩室化術による損傷部の空置化が行われる。術後の合併症としては，縫合不全などによる十二指腸瘻がある。

2）小腸損傷，結腸・直腸損傷

(1) 診　断

小腸・結腸損傷（穿孔）の診断には，腹膜刺激徴候の出現が重要となるが，これは腹腔内血液貯留や腹壁損傷のみでも認められる。一方，結腸・直腸の後腹膜穿通などで後腹膜が炎症の主座となった場合は，腹膜刺激徴候に乏しく見逃される可能性がある。CT検査で腸管損傷を疑う所見として，遊離ガスの検出（図4），腸管自体（壁肥厚や虚血など）や腸間膜（腸間膜脂肪濃度の上昇，腸間膜間液体貯留，血種，造影剤血管外漏出など）の所見，腸管周囲や小腸ループ間に認められる限局性の液体貯留などがある。そのほか，必要に応じてDPAやDPLを行い診断する。小腸・結腸・直腸の損傷が疑われる場合，緊急で開腹術が必要となる。手術のタイミングが遅れると腹膜炎から敗血症に至るため，的確な診断と治療が必要である。

(2) 治　療

小腸損傷の術式として，半周以内の穿孔部にはデブリドマンと縫合閉鎖を，半周以上の穿孔や局所の血流不全を伴う腸間膜損には切除吻合術を行う。

結腸穿孔の場合も，半周以内の穿孔部で血流不全がな

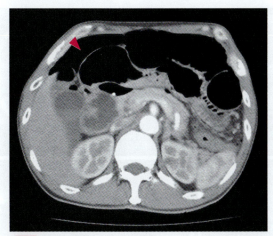

図4 小腸損傷のCT所見
遊離ガス像を認める

ければデブリドマンと縫合閉鎖を，半周以上の穿孔や局所の血流不全を伴う腸間膜損には切除吻合術を行う。ショック状態，腹膜炎，基礎疾患のある患者では人工肛門も考慮する[16]。

大腸全層性損傷の場合も，受傷早期の手術で腹腔内汚染が少なく血流障害もみられなければ，一期的縫合修復や損傷部切除端々吻合が可能である。しかし，基礎疾患や合併損傷がある場合や，ショックが遷延する場合は，一時的人工肛門造設を考慮したほうが安全である。

直腸損傷の場合には，損傷部が小さく縫合可能な場所であれば単純縫合を行い，位置や損傷程度により縫合が困難である場合には人工肛門造設を考慮する。ドレーンチューブは，結腸穿孔や汚染が広範囲であったり，縫合不全のリスクがある場合に留置する。

術後の管理としては，術後出血，縫合不全，創感染，腹腔内膿瘍などに留意する。また，手術により残存小腸が200cm以下となった場合には，吸収不良，下痢，脂肪便，水分，電解質異常，低栄養などを呈する短腸症候群の管理が必要となる。

2 実質臓器損傷

1）肝損傷

(1) 診断

身体所見としては，右上腹部のわずかな痛みから，腹膜炎や循環血液量減少性ショックまで多彩である。FASTでMorrison窩の液体貯留を認めることがある。循環動態が安定していれば，造影CTにて評価する。CT検査では，肝損傷の形態，活動性出血，腹腔内出血量，仮性動脈瘤，動静脈瘻，胆汁性嚢胞などの所見が得られる（図5）。

(2) 治療

循環動態が安定しており，CTにて活動性出血を認める場合にはIVRが選択され得る。手術としては，解剖学的損傷形態と患者の生理的状態変化に基づき，肝ガーゼパッキング，肝縫合術，大網充填，電気焼灼・凝固・止血，肝切除術（解剖学的・非解剖学的）などの選択肢がある。

循環動態が不安定な場合には，パッキングを行う。状況によりその後にIVRを行う。通常，パッキングガーゼの24～72時間後に再手術を行う。循環動態が安定しており縫合が可能な場合には，肝縫合術を行う。肝の被膜が裂けそうな場合にはフェルトを用いて縫合する。深在性の損傷の場合には，大網をつめて縫合する方法や肝切開にて出血部を止血する方法もある。そのほか，損傷部位，形態に応じて非解剖学的肝切除術，解剖学的切除術を考慮する。

肝損傷の合併症として胆汁漏がある。胆汁漏は，術後ドレーンから胆汁が50mL/day以上が2週間以上継続することをいい，その場合にはMRCP（magnetic resonance cholangiopancreatography）やERCP（endoscopic retrograde cholangiopancreatography）などを施行する。肝内胆管損傷による難治性胆汁漏に対しては，内視鏡的逆行性胆道ドレナージを検討する。胆汁性嚢胞は胆汁が肝内あるいは腹腔内に貯留し被包化されたものをいい，CTで評価可能で，保存的療法を行っても感染徴候，胆汁性嚢胞の拡大などが軽快しない場合，経皮穿刺ドレナージを行う。治療抵抗性の場合は胆汁の流れの改善を目的にERCPによるドレナージチューブ，ステント留置を併用することもある。非手術療法にて改善しない場合や胆汁性腹膜炎になった場合には，開腹手術を行い洗浄・ドレナージを考慮する。

そのほか，肝動脈-門脈シャント（APシャント），仮性動脈瘤の胆管内穿破による胆道出血からの下血，仮性動脈瘤の腹腔内への破裂に伴う遅発性腹腔内出血などが起こり得るが，いずれもIVRにより対処可能な場合が多い。また，外傷後の脈管損傷やIVR後に肝壊死が起こることがある。壊死に感染が被ると膿瘍となる。肝壊死・胆汁漏で難渋した場合には肝切除を行う場合もある。

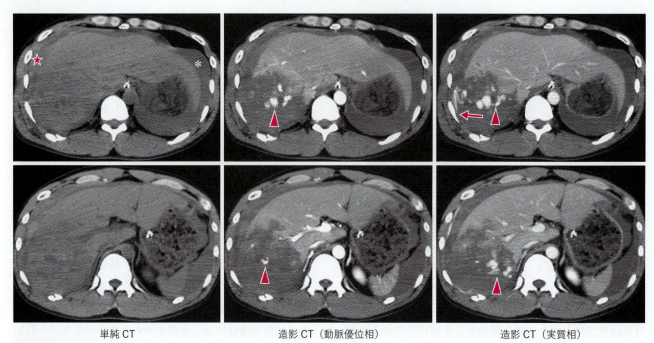

|単純CT|造影CT（動脈優位相）|造影CT（実質相）|

図5　肝損傷のCT所見
造影剤漏出が，肝内のみならず遊離腹腔内にも達している

2）脾損傷

(1) 診　断

身体所見としては，典型的には左肩に放散する左上腹部痛であるが，無症状のこともある。造影CTは，脾の損傷形態・腹腔内出血量，活動性出血の有無，仮性動脈瘤の評価ができ，有用な検査である。

(2) 治　療

循環動態が不安定でFASTにて腹腔内出血を認めたら開腹し，脾損傷を認めた場合には，もっとも確実で短時間に止血できる方法は脾摘出術である。循環動態が安定している場合は腹部造影CTで評価した後，開腹（脾縫合止血，部分切除，摘出）もしくはIVRにて止血を行う。手術における脾の温存は，①循環動態が安定している，②重症頭部外傷がない，③ほかに致死的な外傷がない，などの条件の際に考慮する。その場合には，損傷の程度により，電気メスの凝固による焼灼や，マットレス縫合（必要に応じてプレジェット付きで）を行う。

脾摘出術の合併症である脾摘出後重症感染症（overwhelming post splenectomy infection；OPSI）は脾摘症例の5％に発生する劇症型の感染症で，急激かつ重篤な経過をたどり，数時間から数日で死に至り，死亡率が高い[17]。起因菌としては，莢膜を有する細菌が多く，肺炎球菌，髄膜炎菌，インフルエンザ菌，大腸菌，ブドウ球菌，レンサ球菌がある。OPSIの予防には，23価肺炎球菌莢膜多糖体ワクチン（PPSV23）接種が推奨されている。接種時期に関しては議論が分かれるところであるが，近年では，術後開腹早期または退院時が推奨されている[18]。また，脾摘出後は血小板が増加する。血小板が100万/μL以上になると血栓ができやすいため，アスピリンなどの投与を考慮する[19]。

NOMを行った場合には，脾が残存しているため上記の合併症は起こさないが，保存的加療が行われた患者の1〜2％で再出血を起こすことが知られており，遅発性脾破裂は1〜2％といわれている。5日以内の発生が多い[6]。遅発性出血は，実質内や被膜下の血腫の融解や仮性動脈瘤の破裂により発症する。仮性動脈瘤の診断や治療方針決定には造影CTが有用である。仮性動脈瘤破裂時や瘤の増大傾向の際はIVRにて対処する。

3）膵損傷

(1) 診　断

膵損傷は膵と椎体の間に挟まれて発症することが多い。上腹部の痛みは軽度であることが多く，受傷早期には血漿のアミラーゼのレベルは上昇せず，また，血漿アミラーゼの上昇は膵以外の原因でも起こるため注意が必要である。

造影CTにより評価することが多いが，MDCTによる膵損傷（主膵管損傷）の感度は52.4〜54.0％で，特異度は90.3〜94.8％であり[20]，診断に苦慮することがある。

したがって，早期に診断が困難な場合には，腹部所見の増悪や血漿アミラーゼの上昇の有無を参考にしながら適宜 CT 検査の再検を行うことが重要である。二重造影 CT では，8 時間までは有意な所見が得られないことがあるため，繰り返し検査が必要となる場合がある。

膵損傷は主膵管損傷の合併の有無が治療方針に大きくかかわるため，CT にて主膵管損傷の有無が確定できず，患者の状態が安定していれば内視鏡的膵管造影（endoscopic retrograde pancreatography；ERP）や MRCP を考慮する。ERP は膵炎などの合併症が起こり得るため注意が必要である。

(2) 治 療

患者の状態が安定していて主膵管損傷を伴っていなければ，保存的に経過をみる。検査時に膵管ステントを留置することで手術を回避できることがある。ほかの腹部臓器損傷で開腹適応となった場合には，膵損傷部（体尾部部位）に閉鎖式ドレナージを留置する。

主膵管損傷を伴った膵損傷は，膵切除の適応となる。循環動態が不安定な体尾部損傷の場合には膵体尾部切除を行う。膵頭部の損傷で循環動態が不安定な場合には，手術時間がかかるため，切除，ドレナージ，再建を一度にすべて行わず，全身状態をみながら段階的に行う。循環動態が安定している場合には，膵損傷の部位とその他の状況を考慮しながら，尾側膵切除（＋脾温存），Letton-Wilson 法（尾側膵切除，膵空腸吻合），Bracey 法（尾側膵切除，膵胃吻合），主膵管縫合，膵頭十二指腸切除術を行う。単純深在性損傷（Ⅲa 型）や表在性損傷（Ⅱ型）では，膵縫合＋ドレナージ術が，被膜下損傷（Ⅰ型）では保存的治療が行われる。

術後の合併症として，膵液漏は膵空腸吻合や膵胃吻合に縫合不全を生じることがある。膵液漏は一般的にはドレーンの排液のアミラーゼ値が血清の 3 倍以上であった場合に診断される。膵液漏は，仮性動脈瘤を作り，術後しばらくしてから腹腔内出血を起こすことがあり注意を要する。また，上腸間膜静脈の右側を越えて拡大尾側膵切除を行った場合や，糖尿病や慢性膵炎の既往がある場合には，血糖コントロールが不良になることがある。その場合には 144〜180mg/dL を目標に管理する[21]。

4）腎損傷

(1) 診 断

側腹部の痛みおよび時に血尿を呈し，臨床的に明らかなことがある。造影 CT は，腎損傷の重症度，範囲などに有用である。

(2) 治 療

急性期の病態として，腎実質や腎茎部血管からの出血と後腹膜腔への尿溢流が問題となる。腎損傷により循環動態が不安定な場合には，緊急開腹にて腎摘出を考慮する。循環動態が安定している場合には IVR などによる NOM を選択できることが多い。活動性出血，仮性動脈瘤や動静脈瘻の治療においては IVR が有用なことが多い。手術療法には，腎縫合や腎部分切除がある。

合併症としては，腎では尿路系への穿通による突発的な高度の血尿が出現する。尿瘤が生じ自然軽快しない場合には，逆行性尿管ステントや経皮的ドレナージを行う。外傷後の腎動脈閉塞，高血圧が生じた場合には ACE 阻害薬を投与する。尿管狭窄，水腎症により遅延する症状がある場合には，尿管ステント（double J stent）や経皮的ドレナージを考慮する。

3 尿管損傷

腹部の穿通性損傷の約 4％，鈍的損傷の 1％以下と非常にまれな損傷である[22]。身体所見にて側腹部に銃創や刺創を認めれば，尿管損傷を考慮する。その他の所見として，肉眼的血尿を認める場合は尿管損傷を疑う。ただし，肉眼的あるいは顕微鏡的血尿を認めない場合もあるため注意が必要である。

画像診断では，経静脈的腎盂尿管造影にて尿管外への漏出像を認めれば診断の根拠となる。逆向性腎盂造影では，尿管の断裂像が描出されることが多い。CT 所見としては損傷部位に滲出液貯留像がみられる。造影 CT の 5〜8 分後の遅延相での撮影は，鈍的外傷における尿管損傷の描出感度が高まる[23]。造影 CT 後の腹部単純 X 線写真（kidney ureter bladder；KUB）の有用性も報告されている[24]。

damage control surgery 時の対応としては，初回手術を短時間で終える必要があれば尿管損傷は放置可能であり，根治的手術のために手術室に戻るまではステント挿入，もしくは結紮でよい。経皮的腎瘻造設は尿管結紮術後の補助療法として用いられる。バイタルサインが安定している場合には，手術中に尿管損傷を診断するために，インジゴカルミンやメチレンブルーなどの色素の静注を行うこともある。尿管壁の損傷が軽度の挫傷であれば NOM も可能である。尿管が全層で断裂している場合には端々吻合を行うが，診断が遅れた場合には炎症で手術が困難となるため，経皮的腎瘻を考慮する。

4 膀胱損傷

膀胱が充満している状態では，突然の圧迫による剪断力や骨盤骨折などにより膀胱損傷が引き起こされることが多い。膀胱損傷の多くで骨盤骨折を合併しているとされる。肉眼的血尿が主な徴候で95％以上のケースで認められるが，認められないケースもある[25]。画像所見では，逆向性膀胱造影で350〜400mL程度の希釈した造影剤を注入し，膀胱を充満させた状態で撮影を行う。膀胱損傷の分類としては腹腔外・腹膜外膀胱破裂，腹腔内膀胱破裂がある。

腹腔内破裂の場合は外科的手術による損傷部位の修復を行う。腹腔外破裂の場合は，尿道カテーテル留置のみでドレナージを中心としたNOMを行う。7〜10日後に逆向性膀胱造影を行い，尿溢流がなければ尿道カテーテルの抜去を考慮する。

5 後腹膜血腫

後腹膜血腫では，解剖学的特徴から後腹膜をZone Ⅰ〜Ⅲに分類する（**図6**）[6]。各Zoneにおいて受傷機転（鈍的/穿通性），血腫の性状（拍動，増大）などを考慮し治療方針や手術手技のアプローチを判断する。多くの腎損傷による血腫はZoneⅡに認められ，鈍的腎外傷で血腫が拍動・増大しない場合には開放せず，TAEを含めたNOMで管理に成功することが多い。穿通性損傷の場合には，拍動・増大がなくても，精査する必要があることが多い。

6 腹部主要血管損傷

腹部主要血管損傷は，受傷機転，循環動態，損傷と血腫形成の位置により止血方法，術野の展開が異なる。損傷部に対して直接縫合修復，人工血管や大伏在静脈などを用いた血行再建が必要となるが，術前から死の三徴を呈しダメージコントロール戦略下に蘇生的開腹術が施行されることも多い。このような場合，シャント留置や結紮で対処可能なこともある。また，結紮により生じる臓器・組織損傷を理解しておくことが重要となる。近年では，大動脈損傷や下大静脈損傷に対するステントグラフト内挿術や腎動脈や腸骨動脈などに対するステント留置といった，IVR手技により対処されることもある。

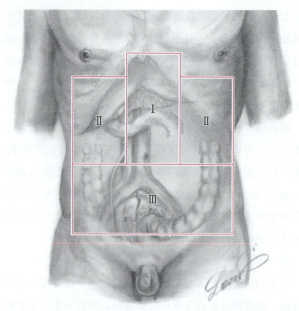

〔文献6）より引用〕

図6 後腹膜血腫のZone
Zone Ⅰ：正中，横行結腸頭側
Zone Ⅱ：外側
Zone Ⅲ：大動脈分岐部から腸骨動静脈領域

▶文 献

1) 日本外傷データバンク：日本外傷データバンクレポート2022（2019-2021），2023．
https://www.jtcr-jatec.org/traumabank/dataroom/data/JTDB2022.pdf
2) 日本外傷学会，他（監）：腹部外傷．外傷初期診療ガイドラインJATEC™，改訂第6版，へるす出版，2021，pp99-111．
3) Chandler CF, et al：Seatbelt sign following blunt trauma is associated with increased incidence of abdominal injury. Am Surg 63：885-8，1997．
4) Swaid F, et al：Israel Trauma Group：A comparison study of pelvic fractures and associated abdominal injuries between pediatric and adult blunt trauma patients. J Pediatr Surg 52：386-9，2017．
5) Kanz KG, et al：Trauma Registry of the German Trauma Society：Trauma management incorporating focused assessment with computed tomography in trauma（FACTT）：Potential effect on survival. J Trauma Manag Outcomes 4：4，2010．
6) 日本外傷学会（監）：腹部外傷．外傷専門診療ガイドラインJETEC，改訂第3版，へるす出版，2023，pp191-262．
7) Tillou A, et al：Is the use of pan-computed tomography for blunt trauma justified? A prospective evaluation. J Trauma 67：779-87，2009．
8) Salim A, et al：Whole body imaging in blunt multisystem trauma patients without obvious signs of injury：Results of a prospective study. Arch Surg 141：468-73，2006．

9) Inoue J, et al：Resuscitative endovascular balloon occlusion of the aorta might be dangerous in patients with severe torso trauma：A propensity score analysis. J Trauma Acute Care Surg 80：559-66, 2016.
10) Duchesne JC, et al：Damage control resuscitation. In：Saverio SD (eds), Trauma Surgery. Volume 1,Springer, 2014, pp27-42.
11) Chiara O, et al：International consensus conference on open abdomen in trauma. J Trauma Acute Care Surg 80：173-83, 2016.
12) Demetriades D, 他（編著）, 大友康裕（監訳）：外傷外科手術手技アトラス, ぱーそん書房, 2018.
13) American College of Surgeons：Advanced Trauma Life Support Course. 10th ed, AMERICAN COLLEGE OF SURGEONS, 2018.
14) Zantut LF, et al：Diagnostic and therapeutic laparoscopy for penetrating abdominal trauma：A multicenter experience. J Trauma 42：825-9；discussion 829-31, 1997.
15) 日本外傷学会：日本外傷学会臓器損傷分類2008. https://www.jast-hp.org/archive/sonsyoubunruilist.pdf
16) Sharpe JP, et al：Applicability of an established management algorithm for colon injuries following blunt trauma. J Trauma Acute Care Surg 74：419-24, 2013.
17) Di Sabatino A, et al：Post-splenectomy and hyposplenic states. Lancet 378：86-97, 2011.
18) Melles DC, et al：Prevention of infections in hyposplenic and asplenic patients：An update. Neth J Med 62：45-52, 2004.
19) 日本 Acute Care Surgery 学会（監）：Acute Care Surgery 認定外科医テキスト. へるす出版, 2021.
20) Phelan HA, et al：An evaluation of multidetector computed tomography in detecting pancreatic injury：Results of a multicenter AAST study. J Trauma 66：641-6, 2009.
21) Finfer S, et al：Intensive versus conventional glucose control in critically ill patients. N Eng J Med 230：1283-97, 2009.
22) 日本泌尿器科学会（編）：腎外傷診療ガイドライン2016年度版. 金原出版, 2016.
23) Brown SL, et al：Limitations of routine spiral computerized tomography in the evaluation of blunt renal trauma. J Urol 160：1979-81, 1998.
24) Ortega SJ, et al：CT scanning for diagnosing blunt ureteral and ureteropelvic junction injuries. BMC Urol 8：3, 2008.
25) Gonzalez RP, et al：Surgical management of renal trauma：Is vascular control necessary？ J Trauma 47：1039-44, 1999.

18-7 骨盤外傷

上田　泰久

骨盤骨折は全骨折の0.3～6.0％ほどに発生するとされ，多発外傷においては20％に合併するとされる[1]。死亡率は5～16％という報告もあり[2]，患者の状態により初期治療から確定的治療まで多くの診療科がかかわる多角的な治療が必要になることがある。

骨盤部外傷は，骨折の面から骨盤輪損傷と寛骨臼骨折に大別される。骨盤輪損傷はringとしての骨性構造の破綻であり，体幹の支持や歩行機能，下肢や会陰部の神経学的機能に関与する。また，骨性の損傷のみならず，血管の損傷により出血性ショックを呈し，生命の危機に瀕する可能性がある。一方，寛骨臼骨折は股関節の屋根にあたる臼蓋の骨折で，関節内骨折である。寛骨臼骨折において出血性ショックを呈することは少ないが，その予後は関節機能にかかわり，より精密な関節面の再建を要する。

また，高齢人口の増加により，立位からの転倒など，低エネルギー外力による骨盤輪損傷，寛骨臼骨折が増加している。このような例では一般的に血行動態に影響を与えることは少なく，高リスク受傷機転に伴う骨盤骨折とは様相を異にする[3]。

骨盤の解剖

1 骨盤の構造と靱帯

骨盤は，腸骨，恥骨，坐骨からなる左右の寛骨と後方の仙骨からなる環状構造をしている。これらの骨が前方は恥骨結合，後方は仙腸関節で連結することで強靱な構造を成している。高リスク受傷機転の場合，骨傷だけでなく，これらの骨を連結する靱帯の損傷が不安定性に大きく関与する。骨盤輪前方には恥骨結合，後方には前後の仙腸靱帯，仙棘靱帯，仙結節靱帯，腸腰靱帯があり，これらの損傷により骨盤輪の水平，垂直方向の不安定性が生じる（図1）[4]。

恥骨結合の離開を進めていくと，2.5cmを超えたところで仙棘靱帯，前仙腸靱帯が破綻し，回旋方向への骨盤輪の不安定性が発生する（図2）。さらに，仙結節靱帯や後仙腸靱帯，腸腰靱帯などが破綻すると垂直方向への不安定性が出現する。通常，垂直不安定性を有する場合は回旋方向にも不安定である。

骨盤には運動器として，上体の荷重を仙腸関節および股関節を介して下肢へ伝達する役割があるとともに，腹

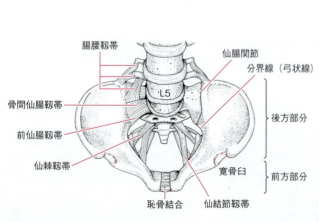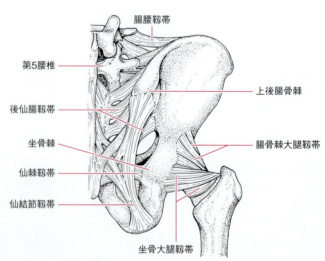

〔文献4）より引用〕

図1 骨盤輪の靱帯構造

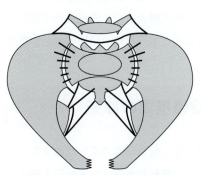 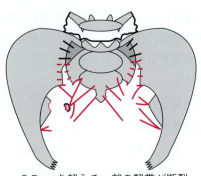 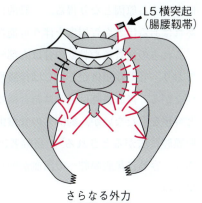

離解が 2.5cm まで靱帯は温存

2.5cm を超える一部の靱帯が断裂
水平方向の不安定性

さらなる外力
全靱帯が断裂
垂直方向にも不安定性

図2 靱帯損傷と不安定性の発生機序

部骨盤内臓器を保護する役割がある。寛骨は骨盤の後方・側方を形成し，腸骨が側面の主な構成体で，両翼は腸骨翼と呼ばれる。恥骨と坐骨が骨盤の前方部分を，仙骨が後面を構成する。骨盤の内腔は恥骨上面から仙骨翼まで続く弓状線を境に，下部の小骨盤腔（true pelvis）と，上部の大骨盤（false pelvis）に分けることができる。小骨盤は主に膀胱や子宮などの泌尿生殖器を含み，大骨盤は腹部の下部に位置し腹部内臓が含まれている。

2 骨盤内の血管走行

骨盤内は豊富に血管が走行しており，その特徴を理解することは骨盤骨折に伴う血管損傷，出血性ショックを治療するうえで重要である（**図3**）。

下大動静脈は腹部を下行した後に左右の総腸骨動静脈に分岐し，骨盤腔内で内外腸骨動静脈に分岐する。内腸骨動静脈は主に骨盤腔内外の筋肉，臓器，骨に分枝を出し栄養している。また，外腸骨動静脈は腸骨筋表面を弓状線に沿って下降し，鼠径靱帯を通って下肢に向かう。これら内腸骨動静脈の分枝・本幹は，外腸骨動静脈も含めて，骨盤骨折に伴い損傷し得る。なかでも内腸骨動脈から分岐する上殿動脈は，骨盤骨折でよく損傷する大坐骨切痕から回旋し骨盤腔外に出るため，損傷を受けやすい。また，恥骨骨折に伴って閉鎖動静脈も損傷を受けることがある。

さらに，外腸骨動静脈の分枝である深下腹壁動静脈と内腸骨動静脈の分枝である閉鎖動静脈を交通する死冠（corona mortis）が恥骨枝を横断している（**図4**）。この死冠も，恥骨骨折に伴い損傷を受けやすい。また，仙骨前面には豊富な静脈叢があり，仙骨骨折に伴い大量出

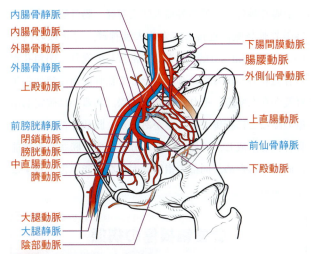

図3 骨盤内の主な動静脈

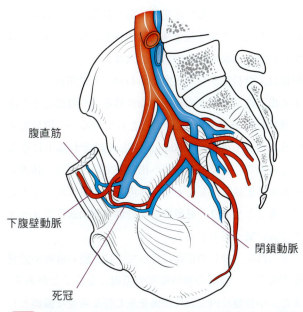

図4 死冠（corona mortis）と外腸骨動静脈・下腹壁動静脈，閉鎖動静脈の関係

血を呈する原因となり得る。一般的には不安定な損傷であればあるほど血管損傷を伴う可能性は高くなる。

これらの血管叢や骨盤の骨は大部分が後腹膜腔に接しており，骨盤輪損傷がしばしば後腹膜腔への大量出血につながる。後腹膜腔は通常は結合織で接着され，ほとんど容積をもたないが，約60％の骨盤由来の出血は高位後腹膜腔に広がるとされる[5]。高齢者ほど結合織が脆弱であり，容易に後腹膜腔への出血が助長され，ショックを呈する。

3 骨盤周囲の神経

骨盤周囲には神経も豊富に走行している。腸骨翼から上前腸骨棘付近を通る外側大腿皮神経，腸骨筋の表層で外腸骨動静脈に近接して走る大腿神経，弓状線の内側（quadrilateral surface）を骨に密接して通り，閉鎖孔から骨盤腔外へ出る閉鎖神経，そして仙骨前面に腰仙骨神経叢が存在する。それぞれ受傷の際，あるいは確定的治療の際などに損傷することがあるが，腰仙骨神経叢は坐骨神経を形成し，骨盤内臓器に分枝して，膀胱直腸機能に直結するため，同部の損傷は大きな機能障害を残すことがある。

骨盤輪損傷の病態

骨盤輪損傷の重要な病態は骨傷と軟部組織損傷である。骨傷は歩行機能などの機能障害に大きく影響するもので，骨折型に応じて確定的治療を行う必要がある。これに対して，生命予後と神経学的機能予後に大きく影響するのが軟部組織損傷である。大血管やその分枝からの損傷は，骨折部からの出血とあわせて大量出血とそれによる出血性ショックの原因になり得る。一般的にその出血量は1,000〜3,000mL程度とされているが，開放創を伴う場合は4,000〜5,000mL，もしくはそれ以上になることもある。とくに後腹膜へ出血している場合，体表上の出血の徴候に乏しくとも，体内では大量に出血を生じていることもあり，骨盤骨折に合併する出血性ショックでは常に疑う必要がある。

そのほか，神経の損傷に伴って主に下肢の麻痺や感覚障害を呈し，長期の機能障害の原因になることがある。また，小骨盤腔内で合併損傷を生じ得る重要な臓器として膀胱，尿道，直腸，生殖器（男性であれば精巣，女性であれば子宮，腟，まれに卵巣）があげられる。膀胱や直腸，腟の損傷は，開放性骨盤骨折と同義となる。さらには直腸損傷の場合，腸内細菌叢による感染の可能性が生じ，治療を複雑なものとするため，早期の診断が重要となる。

骨盤輪損傷の診断

身体所見から生理学的・解剖学的異常を認知することはもちろんのこと，受傷機転などの病歴も損傷を疑う重要な要素になる。歩行者と乗用車の衝突，高所からの墜落，機械などに体幹を挟まれたなどは，骨盤輪損傷を疑う受傷機転である。

1 Primary survey

腰部や殿部，鼠径部の痛み，会陰部の腫脹などは骨盤輪損傷を疑う身体所見である。股関節を他動的に動かしたときの疼痛や異常可動性も確認する。外尿道口，肛門，腟からの出血は，腸管・泌尿生殖器外傷を合併した開放性骨盤骨折の可能性がある。直腸診で前立腺の高位浮遊がみられる場合は，尿路損傷の可能性を考える。

病院到着後の診察では，骨盤輪損傷を疑う場合，不安定性を確かめるための徒手検査は可能なかぎり行わないほうがよい。徒手検査によって血餅が壊れ，出血を助長する可能性があるためである。行うとしても，圧痛を確認し，損傷部位を推定できるようにして，後の画像読影の助けとするのがよい。

画像診断として，primary surveyでは骨盤正面X線を撮影する。JATEC™における骨盤X線の読影手順を図5[4]に示す。重症であればあるほど詳細な読影を行う余裕はないため，まずは出血性ショックをきたす原因になる確率が高い，大きな転位を伴う骨折・損傷がないかどうかに着目する。また，後方骨盤輪の損傷はX線では不鮮明であることが多いため，X線で後方骨盤輪の損傷がないように見えても，CTで確認するまでは疑いをもっておく。

2 Secondary survey

secondary surveyではより詳細に所見をとり，治療方針を含めた診断を下せるようにする。また，骨盤骨折に伴う神経損傷の有無についても身体所見として確認する。

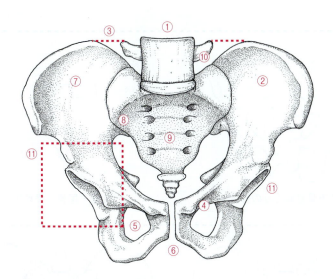

1. 全体
    1) 正面性：腰椎棘突起の位置①
    2) 対称性：腸骨翼の大きさ②，高さ③
2. 前方
    1) 恥骨・坐骨骨折の有無④
    2) 閉鎖孔の左右差⑤
    3) 恥骨結合の幅⑥
        ≧2.5cm の離開→後方靱帯損傷
3. 後方
    1) 腸骨骨折の有無⑦
    2) 仙腸関節の幅，左右差⑧
    3) 仙骨骨折の有無⑨
    4) L5横（肋骨）突起骨折の有無⑩
4. 寛骨臼⑪

〔文献4〕より引用〕

図5 骨盤単純X線の読影手順

画像診断では primary survey で撮影した単純X線をより詳細に読影するとともに，inlet view と outlet view を撮影して骨盤輪の転位様式を確認する。X線で骨折が明らかな場合や疑わしい場合，腹部臓器の諸検査を必要とする場合などにはCT検査を実施する。X線のみでは後方骨盤輪の損傷を診断しにくいため，X線で前方骨盤輪の損傷を認める場合は，CT検査は必須と考えてよい。

3 確定的治療に向けた検査

骨盤の損傷をCTで診断することは比較的容易であり，前方・後方骨盤輪の損傷を詳細に診断することが可能であるが，CT検査だけで損傷評価を終えることは推奨されない。患者の状態が安定したところで単純X線を撮影するか，麻酔下ストレス検査（evaluation under anesthesia；EUA）を行うことが望ましい。その理由として，CTでは骨盤輪損傷を本来の不安定性よりも軽く見積もる可能性がある[6]。とくに前後圧迫型の骨盤輪損傷では，CT撮影時に体幹や下肢をベルトで固定することが，骨盤輪転位の整復につながっている可能性がある。

また，X線やCTなどの静的な画像検査が，本来の転位量を必ずしも反映していない可能性もあるため，手術適応や手術術式を決定する際には，明らかに不安定な場合を除き，EUAを行うことが望ましい。さらに，骨盤骨折では周囲の軟部組織や筋肉によって，最大転位からやや整復された状態になっている場合もある（recoil reduction）[7]。

骨盤輪損傷の分類

骨盤輪損傷には多くの分類が提唱されているが，ここでは頻用される分類について述べる。

環状構造の破綻の程度と不安定性の方向で分類したものとして，AO/OTA 分類がある[8]。環状構造の破綻がない筋肉の付着部の裂離骨折や前方骨盤輪のみの損傷は，不安定性が低い Type A とされる。それに対して，後方骨盤輪の損傷は部分的なものと完全なものに分けられ，部分的な損傷は回旋方向の不安定を有する Type B に，完全損傷は回旋不安定性と垂直方向の不安定性を有する Type C に分類される。それぞれの Type でさらに1～3に分類され，一般的にはAからCに向かうほど，1から3に向かうほど不安定性が強くなる（図6）。

受傷外力と骨盤輪の不安定性で分類される Young-Burgess 分類も頻用される[9]。この分類では，受傷外力を側方圧迫型（lateral compression；LC），前後圧迫型（anterior-posterior compression（APC），垂直剪断型（vertical shear；VS）の3つに分け，それぞれがさらに細分化される（図7）[10]。LC，APC は回旋不安定性が主体となるが，いずれの場合も損傷が重度になると垂直不安定性を有する。VS は回旋・垂直両方の不安定性を有する。

一般的に，不安定性が大きくなればなるほど，大量出血をきたす可能性も高くなるといえる。骨折型をみることである程度の出血量を予測し，次の初期治療の戦略を考える。

Type A

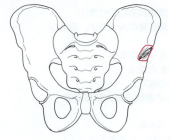
裂離骨折

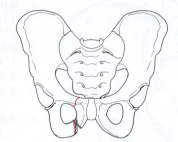
前方骨盤輪のみの骨折

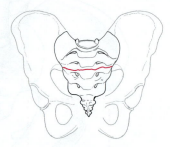
仙骨・尾骨の横骨折

Type B

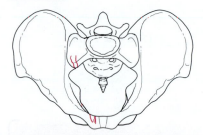
骨盤輪の不安定性のない後方損傷

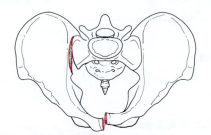
後方骨盤輪片側の不完全損傷
（水平方向の不安定性あり）

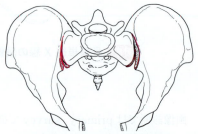
後方骨盤輪両側の不完全損傷
（水平方向の不安定性あり）

Type C

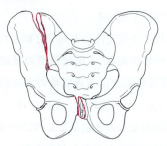
後方骨盤輪片側の完全損傷

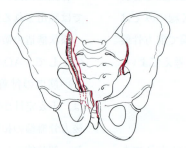
後方骨盤輪片側の完全損傷
対側の不完全損傷

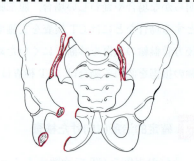
後方骨盤輪両側の完全損傷

図6 骨盤輪損傷のAO/OTA分類

骨盤輪損傷の初期治療

骨盤輪損傷の初期治療は，骨盤輪の骨性の安定化と大量出血に対する止血に大別される．骨盤輪に損傷を認めた時点で，骨盤内とその周囲からの出血の制御と骨盤輪の安定化を考え，2つの治療を同時に進めていく．

1 骨盤輪の安定化

1) シーツラッピング

両側の大腿骨転子部を目印に大きなタオル，またはシーツを敷き込み，前方にまわし交差させ，愛護的に緊縛する（図8）[11]．タオルは大きなペアン鉗子などでクランプする．このとき，両下肢を内旋位とすることが重要で，補助的に膝上部にタオルまたはシーツを巻き同様に固定する．

2) Pelvic binder

市販されている骨盤外固定器具で，サムスリング®やT-POD®がある．シーツラッピングより簡便で，効果的に行うことができる．サムスリング®は一定の圧迫力がかかるように設計されており，T-POD®は1人でも施行できることが利点である．これらを使用する際も，下肢が内旋するよう膝上部にはシーツなどを巻くとよい（図9）[11]．

シーツラッピングやpelvic binderはプレホスピタル

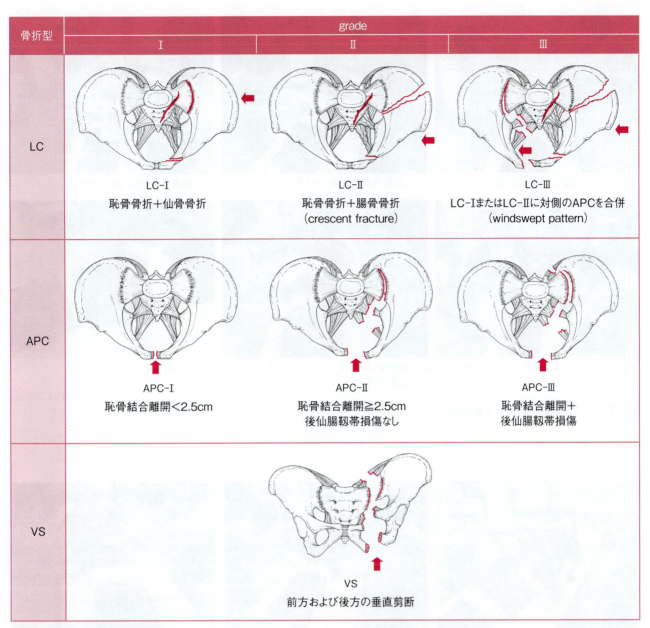

図7 骨盤輪損傷のYoung-Burgess分類　　　　　　　　　　　〔文献10)より引用〕
LC：lateral compression, APC：anterior posterior compression, VS：vertical shear

でも施行可能で，装着も迅速に可能である．開いた骨盤輪を閉じることで骨盤の容積を減らし，安定化と止血を目的とするため，Young-Burgess分類のAPCタイプにもっとも効力を発揮する．逆にLCタイプやVSタイプでは，過度に締めた場合に骨盤の転位が増悪し，骨折部による骨盤内臓器の損傷や骨盤内を走行する神経の損傷などを生じる可能性がある．そのため，出血性ショック例では，画像検査で装着の継続を判断するのが望ましい．また，長時間の使用で皮膚障害を生じることがあるため，確定的治療まで一時的固定を要する場合は，創外固定に置き換えることが望ましい．

3）創外固定

骨に直接ピンを挿入し，それを連結することで骨折部を整復して安定化させ，止血効果や徐痛効果を期待する．開大した骨盤腔を閉じ，不安定な骨折部を安定化させることで血餅を形成しやすくすることがその背景としてあげられる．基本的に創外固定は後方骨盤輪の安定化にはほとんど寄与しないとされており，垂直方向の転位を制御することもできないため，pelvic clampを併用するか，下肢鋼線牽引を併用する必要がある．

4）Pelvic clamp

後方骨盤輪が完全に不安定で，出血性ショックを伴う場合に，後方骨盤輪の安定化による止血を目的として行

18. 外傷

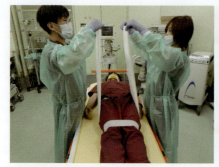
a：シーツを同じ長さにする

b：同等の力で締めつける

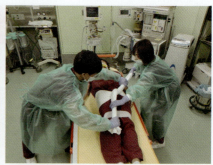
c：前方で十字に90°締める

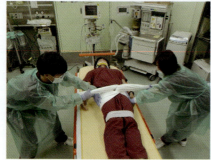
d：手を持ちかえてさらに90°締める

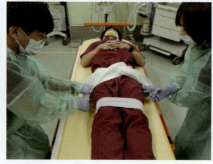
e：緩まないようにシーツを鉗子で固定する

f：固定後

〔文献11）より引用〕

図8 シーツラッピングによる固定

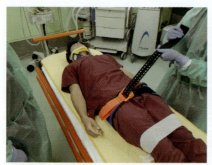
a：ストラップをバックルに通す

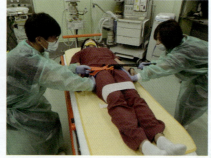
b：同じ力で水平に引っ張り「カチッ」と音がするまで引く

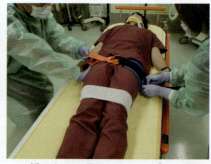
c：緩めないで黒のストラップをマジックテープに固定する。このとき「カチッ」と音がする

〔文献11）より引用〕

図9 Pelvic binder（サムスリング®）による固定

う。両側の殿部から経皮的に専用のピンを挿入し，左右の腸骨外板を圧迫することで安定化させる（**図10**）。ブラインドで設置することも可能ではあるが，透視下で設置するほうが安全である。誤刺入によって骨盤内への穿破をきたしたり，誤刺入あるいは骨折部の過度な圧迫により神経や血管損傷を生じる可能性もあるため，はじめは経験のある術者とともに行うほうがよい。ピン刺入部の感染の問題から長期の装着は避けるべきで，可及的速やかに内固定に変更する。

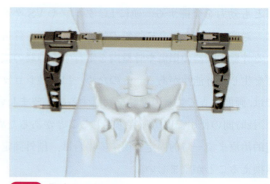

図10 Pelvic clamp

2 止血操作

1）経カテーテル的動脈塞栓術（TAE）

経カテーテル的動脈塞栓術（transcatheter arterial embolization；TAE）は動脈性出血に対して低侵襲に，かつ有効に止血を得られる方法である。通常は受傷と反対側の鼠径部からアクセスしカテーテルを挿入する。血管造影を行い，造影剤の血管外漏出（extravasation）を認めたら，ゼラチンスポンジなどの塞栓子を用いて止血する。骨盤輪損傷に伴う動脈損傷の多くは内腸骨動脈系で起こるが，重症度などによって，どれくらいの範囲に塞栓術を施行するか，どの塞栓子を用いるかなどを決定する[12]。合併症として殿筋壊死などが報告されており，その手技には習熟を要する。

2）骨盤（後腹膜）ガーゼパッキング

下腹部正中を通常は縦切開し，腹膜外経路で小骨盤腔に達して，タオルガーゼなどを詰めて圧迫止血を図る。一般的に静脈性出血に対して適応があるとされるが，厳密に適応を分けることは難しい。盲目的にガーゼを詰めるのではなく，仙骨前面から大坐骨切痕付近，閉鎖孔付近など目的をもって詰めることが重要である。手技に慣れれば10分ほどで施行可能であるが，一般的にはTAEより侵襲的であり，各施設で適応の基準を設けることが望ましい。また，完全な清潔野で行うことは難しく，異物留置による感染の危険性があるため，止血が完遂したところで速やかに除去することが望ましい。

3）大動脈遮断（開胸，IABO，REBOA）

TAEやガーゼパッキングよりも，よりショックの程度が重度で，near CPAの際に選択される。大動脈を遮断することにより骨盤部からの出血を制御する方法で，開胸による大動脈遮断がもっとも古典的である。IABO（intra-aortic balloon occlusion）やREBOA（resuscitative endovascular balloon occlusion of the aorta）は，大腿動脈から挿入した専用のバルーンカテーテルを下行大動脈レベルで膨らませて骨盤部の血流を遮断する方法である。いずれの方法であれ，大動脈遮断は根本的な止血操作ではなく，あくまで蘇生のための一時的な血流の遮断である。遮断部以下は阻血になっていることを理解し，根本的な止血を行うことと，早期遮断解除を行うことが重要である。

骨盤輪損傷に対する根本治療

出血性ショックを呈している場合，蘇生処置により全身状態の安定が得られたら，早期に骨盤輪の確定的な内固定を行う。ショックを呈していない場合にも，速やかに内固定を計画する。

1 根本治療のタイミング

初療時にショックに陥っていない骨盤輪損傷に対して，可及的速やかに十分な治療を行うことに議論はない。一方で，出血性ショックを呈し，蘇生処置を必要とするような場合は，初期治療として創外固定を施行し，ある程度の骨盤輪の安定化を図ったうえで，受傷から1～2週間以内に内固定を行うことが目標とされてきた。しかし近年，骨盤を含む体幹・大腿骨の骨折に対して受傷から36時間以内に内固定することで予後を改善できることが報告された[13]。このような治療戦略はEarly Appropriate Care（EAC）と呼ばれている。

2 手術治療の適応

骨盤を含む体幹の骨折は疼痛が強く，患者の体位変換や坐位獲得などの早期離床，早期ADL訓練に大きく影響する。そのため，不安定な骨折は内固定の適応となる。一般的に，後方骨盤輪が完全に不安定なAO/OTA分類Type Cの骨盤輪損傷や，開放骨折については，手術適応となる。一方，後方骨盤輪が部分的に不安定なものについては不安定性の程度によって意見が分かれ，保存治療の適応となることもある。多発外傷例ではその後のリハビリテーションやADL改善を早期に行うことを考慮し，単独損傷よりも適応を下げて内固定が行われることがある。

合併臓器損傷などへの対応

骨盤輪損傷の治療においては，骨やその周辺の神経・血管の損傷のみならず，骨盤内臓器の損傷にも注意を要する。とくに，直腸や腟の損傷は見逃されることもあり，骨盤骨折において直腸診や内診は必須である。

1 膀胱損傷

　膀胱損傷は骨盤輪損傷に合併する臓器損傷として頻度が高い。一般的に2/3は腹膜外損傷で，1/3は腹膜内損傷である。前方骨盤輪の破綻した骨折部断端によって生じることもある。腹膜内損傷は手術適応で，腹膜外損傷はバルーン留置による保存治療の適応とされてきたが，近年では前方骨盤輪の安定化が重要であるとされ，腹膜外損傷であっても早期の外科的修復と前方骨盤輪の内固定が推奨される。

2 下部尿路損傷

　不安定型骨盤輪損傷の約25％に合併するとされ，尿道の解剖学的特性からほとんどが男性である[14]。外尿道口から出血を認めたら本損傷を疑い，逆行性尿道造影を施行する。完全断裂の場合，鏡視下あるいは透視下でガイドワイヤーを進めてバルーンカテーテルを留置する方法や，膀胱瘻を造設した後に尿道再建を行う方法がとられる。不全損傷ではバルーンカテーテルを留置できれば保存的に治療可能なことが多い。

3 腟損傷

　骨盤輪損傷を生じる直達外力や転位した恥骨枝により損傷し得る。その頻度は5％未満とされる[15]が，見逃しが多いため注意を要する。損傷部を縫合することで治療可能であるが，直腸損傷を合併することもあり，注意深い診察を要する。その他の女性付属器（子宮，卵管，卵巣）の損傷はきわめてまれである。

4 直腸損傷

　直腸損傷を有する骨盤輪損傷では，骨盤腔内が便汚染されるため，緊急の対応が必要となる。通常，人工肛門を造設して汚染を防ぐが，損傷の程度によってより高度な対応を要することもあり，集学的治療を必要とする。また，周囲の軟部組織も高度に損傷されていることが多く，生命予後に大きく影響する。

5 開放性骨盤骨折

　骨盤輪損傷に伴い，骨折部が皮膚，直腸，腟などを通じて外界と交通した状態であり，全骨盤輪損傷の約2～4％に発生するとされる[16]。鼠径部や殿部の開放創がある場合は注意が必要である。死亡率は重症度によって異なるが，50％にのぼることがある[17]。Jones らが提唱した開放性骨盤輪損傷の分類では，Class 1が骨盤輪が安定しているもの，Class 2が骨盤輪が不安定であるが便汚染のないもの，Class 3が不安定骨盤輪かつ便汚染のあるもの，とされる[17]。Class 3はとくに死亡率が高くなるため注意を要する。

　開放性骨盤輪損傷では出血リスクも高くなる。開放創部から多量の出血を認める場合は同部からパッキングして止血を図るが，主要血管を損傷している可能性もあり，止血操作に難渋することがある。止血と機能再建に加え，感染症の合併に対する予防・治療も必要である。一般的に周囲の軟部組織の損傷も大きいことが多く，骨盤神経叢や肛門周囲筋の損傷による排泄・生殖機能障害が残存する可能性があり，長期にわたって集学的な治療が必要になる。

6 Morel-Lavallée lesion

　Morel-Lavallée lesion（ML-lesion）は，骨盤輪損傷などに伴い骨盤周囲から大腿周囲に生じる internal degloving 損傷である。高リスク受傷機転のなかでもとくに骨盤周囲軟部組織への外力が強いものに発生する傾向があり，筋膜上に血腫を形成するが，筋そのものの挫滅を伴うことも多い。とくに高齢者では皮膚への穿通枝の損傷から止血に難渋し，出血性ショックに至ることもある。また，貯留した血腫への感染は，血腫にとどまらず周辺の軟部組織へ広がり，時に生命予後を左右する。ML-lesion の存在は骨盤輪の確定的内固定術の手術方法にも影響を与えるため，ML-lesion がある場合には血腫のドレナージと壊死組織のデブリドマンを要する。骨傷が治癒した後で皮下に腫瘤様のものが遺残することを患者が訴えて発見されることもあり，注意を要する。

寛骨臼骨折の診断・治療

　寛骨臼骨折は骨盤輪損傷と異なり，一般的には生命予後に関与する大量出血を生じることは少ないが，関節内骨折であり，その重症度と治療の成否は関節予後に直結するため，患者の ADL に大きく関与する骨盤輪損傷と寛骨臼骨折を生じる外力を厳密に分けることは難しい

が，多くは大腿骨頭を介した外力とその方向によって寛骨臼骨折の種類が決定される。

1 診 断

骨盤輪損傷と同様に，身体所見をとることが重要である。骨折型によって患側下肢の肢位や疼痛部位も異なる。例えば，後壁骨折に伴う股関節脱臼があれば，患側股関節は屈曲内転内旋肢位をとる。圧痛部位も，腸骨翼に骨折が及ぶ前柱骨折があれば，両側腸骨翼に圧迫を加えると疼痛を訴える。

診断の基本は骨盤正面X線であり，いくつかのランドマークをもとに系統的にX線読影を行えば，多くの場合に診断可能である（図11）[4]。通常はこれに骨盤両斜位像を加えて診断を行う。また，X線のみでは診断が困難なものとして荷重面の陥没骨片（roof impaction）や後壁骨折に伴う辺縁の陥没骨片（marginal impaction）があり，これらはCTのaxial像や再構成像を用いて診断する。

2 分 類

寛骨臼骨折においてもAO/OTA分類は用いられるが，治療方針と直結する分類としてもっとも頻用されるのはJudet-Letournel分類である（図12）。この分類では寛骨臼骨折を5つの基本骨折と5つの複合骨折に分けており，正確に分類することで，手術的治療を行う際にどのようなアプローチを用いるべきか整理することができる。

3 初期治療

寛骨臼骨折において止血のための初期治療を要することは少ない。そのため，初期治療の役割は，脱臼した関節を整復する，骨折部の転位を減少させる，あるいは大腿骨頭や臼蓋関節面の軟骨損傷を助長させないようにすることにある。

後壁骨折に伴う股関節後方脱臼や前柱骨折などがある場合，骨頭の整復は急を要する。また，骨折を伴っているため，いったん整復位を得られても再脱臼を生じることがある。再脱臼や，亜脱臼位に大腿骨頭があると，骨頭軟骨の損傷を助長するため，求心位が得られない場合は患側大腿骨遠位で鋼線牽引を行う。

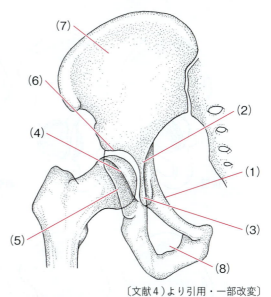

〔文献4）より引用・一部改変〕

図11 寛骨臼骨折における骨盤正面X線像の読影手順

secondary surveyでの寛骨臼の評価においては，以下の箇所に異常がないか左右を比較しながら読影する
(1) 恥骨腸骨線，(2) 坐骨腸骨線，(3) 涙痕，(4) 臼蓋前縁，(5) 臼蓋後縁，(6) 臼蓋荷重面，(7) 腸骨翼，(8) 閉鎖孔

寛骨臼骨折においては通常，創外固定は行わない。転位のある寛骨臼骨折では後に観血的治療を行うことが多いため，腸骨稜あるいはその周辺にピンが刺入されていると，後の手術時にコンタミネーションの原因になることがある。

4 根本治療

根本治療には保存的治療と手術治療がある。一般的な手術適応として，関節面の転位が2mm以上のもの，大腿骨頭の求心位が得られない脱臼骨折，関節の不安定性の残る後壁骨折などがあげられる。一般的に寛骨臼骨折に対する手術は時間を要し，術中出血量も多くなる傾向にあるため，とくに多発外傷例の場合は，手術のタイミングに留意しなければならない。また，高齢者の寛骨臼骨折では，粗鬆骨であることや，臼蓋荷重面の陥没を伴うことなどにより，通常の骨接合術による手術治療が奏功しない場合もある。そのため，場合によっては骨接合術に加えて，一期的な人工関節置換術を要することがある。

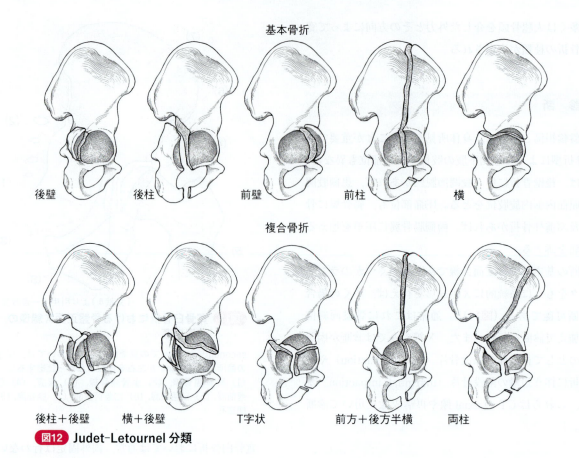

図12 Judet-Letournel 分類

▶文　献

1) G änsslen A, et al：Epidemiology of pelvic ring injuries. Injury 27：13-20, 2004.
2) Wang H, et al：Predictors of mortality among initially stable adult pelvic trauma patients in the US：Data analysis from the National Trauma Data Bank. Injury 46：2113-7, 2015.
3) Krappinger D, et al：Hemorrhage after low-energy pelvic trauma. J Trauma Acute Care Surg 72：437-42, 2012.
4) 日本外傷学会, 他（監）：外傷初期診療ガイドラインJATEC™, 改訂第6版, へるす出版, 2021.
5) Uludag N, et al：Anatomic distribution of hematoma following pelvic fracture. Br J Radiol 91：1-7, 2018.
6) Gibson PD, et al：Inadvertent reduction of symphyseal diastasis during computed tomography. J Orthop Trauma 30：474-8, 2016.
7) Gardner MJ, et al：Displacement after simulated pelvic ring injuries：A cadaveric model of recoil. J Trauma 68：159-65, 2010.
8) Meinberg E, et al：Fracture and dislocation classification compendium 2018. J Orthop Trauma 32：1-170, 2018.
9) Young JW, et al：Pelvic fractures：Value of plain radiography in early assessment and management. Radiology 160：445-51, 1986.
10) 日本外傷学会（監）：骨盤外傷. 外傷専門診療ガイドライン JETEC, 改訂第3版, へるす出版, 2023, pp297-314.
11) 日本救急看護学会（監）：循環障害（C）に対する基本的処置と対応. 外傷初期看護ガイドライン JNTEC, 改訂第4版, へるす出版, 2018, pp218-232.
12) 日本IVR学会（編）：骨盤骨折に対するIVR施行医のためのガイドライン2017, 2017.
https://www.jsir.or.jp/docs/gl/gl_201808.pdf
13) Vallier HA, et al：Early appropriate care：A protocol to standardize resuscitation assessment and to expedite fracture care reduces hospital stay and enhances revenue. J Orthop Trauma 30：306-11, 2016.
14) Andrich DE, et al：Proposed mechanisms of lower urinary tract injury in fractures of the pelvic ring. BJU Int 100：567-73, 2007.
15) Li P, et al：Management and outcome of pelvic fracture associated with vaginal injuries：A retrospective study of 25 cases. BMC Musculoskelet Disord 20：1-7, 2019.
16) Grotz MRW, et al：Open pelvic fractures：Epidemiology, current concepts of management and outcome. Injury 36：1-13, 2005.
17) Jones AL, et al：Open pelvic fractures：A multicenter retrospective analysis. Orthop Clin North Am 28：345-50, 1997.

V 疾患領域別の救急診療　18. 外傷

18-8　四肢外傷

黒住　健人

疫　学

　四肢外傷は頻度の高い損傷であるが，致死的になることは少ない。しかし，四肢外傷を伴う患者では，派手な開放創や著しい変形，または患者の訴えに気をとられ，致死的な臓器損傷の治療開始が遅れることがある。一方で，四肢外傷は外傷初期診療において見落としの多い損傷でもあり，とくに重度の損傷では早期に的確な処置が行われなければ永続する機能障害を残すことがある[1]。初期診療での見落としや不適切な治療が原因で機能障害を残すことを preventable trauma disability と呼び，それを回避することは救命の次に重要である。したがって，四肢機能の温存に着目した処置を迅速に行うことも外傷診療に携わる者の重要な使命である[2]。

　また，重症多発外傷の集中治療において，早期の体位変換や坐位保持は呼吸器合併症の予防に重要であるが，四肢外傷の早期安定化はそのためにも必要で，局所および全身の状態にあわせて適切な固定方法の選択肢をもって初期治療にあたるべきである。

病態生理と対応の基本

　四肢外傷の主たる病態は，出血に伴う循環障害と，運動器としての機能障害である。primary survey として，出血に伴う循環障害に関する症状は，ほかの出血性ショックと同様である。ただし外出血だけでなく，四肢においても閉鎖性皮下出血で大量出血を起こし得ることを常に念頭に置く。四肢の腫脹が激しい場合には，骨折に伴う出血を疑うことは当然であるが，骨折がなくとも拍動性や進行性に増大する血腫を認めるときには主要動脈損傷を疑うべきである。さらに，高リスク受傷機転による外傷や軟部組織が脆弱な高齢患者では，non-cavitary hemorrhage と呼ばれる四肢軟部組織内への出血にも留意する。

　四肢からの外出血に対しては，まず圧迫止血を行う。切断肢や広範囲の軟部組織損傷など圧迫でコントロール困難な外出血に対しては，駆血帯を用いることがある。近年，四肢外傷に伴う出血に対して病院前における駆血帯の使用は安全かつ有効性が高いと報告されているが[3]，不適切な駆血帯の使用は出血を助長するため，駆血部位と駆血の方法や時間には注意が必要である。病院到着後は，駆血圧が調節可能な空気駆血帯を用いて駆血した後，速やかに専門医にコンサルトする。駆血帯の安全な駆血時間は 2 時間までとされているが，可能なかぎり短時間（30分程度）にとどめる。病院前で使用されたものも含め，環境が整うまでは安易に駆血帯は解除しない。

　secondary survey において，骨・関節の硬組織では骨折・脱臼の診断が，筋組織・血管・神経などの軟部組織では各々の損傷が問題となる。すべてにおいて損傷組織の修復をもたらすには，周囲の健常な軟部組織による被覆が必要である。もっとも緊急性が高いのは主要血管損傷であるが，この場合には阻血により損傷される組織そのものの問題だけでなく，後述するクラッシュ症候群などの病態と同様に，虚血再灌流障害に伴う不整脈や腎障害などの全身症状に影響を与える因子についても考慮しつつ，治療にあたる必要がある。

　以下，個々の損傷に対する症状・症候，検査・診断・評価，治療・処置などについて述べる。

骨折・脱臼

1　症状・症候

　骨折・脱臼は，疼痛，外見上の腫脹，変形，異常可動性などを示し，通常診療であれば見逃すことは少ない。しかし，意識障害や麻痺を伴う患者においては見逃されることがあるため注意を要する。secondary survey において通常の診察と同様に，順を追って丁寧に診察し，診療録に記載することで見逃しは少なくなる。一つの工夫として，各項目を埋めるようにしたテンプレートを用意して診療にあたることが勧められる。さらには，tertiary survey を習慣とすることも必要である。

2 検査・診断・評価

primary surveyでは，四肢の単純X線撮影は不要である．骨折が身体所見で明らかであれば，骨折部において転位や動揺性が疼痛や出血を増強させ，二次的な神経・血管損傷を引き起こすことがあるため，外固定を行いprimary surveyとしての蘇生を優先する．

secondary surveyにおいては，可能なかぎり受傷機転を聴取することから始める．受傷機転から外力の加わった方向，大きさ，部位を類推することで，主たる損傷部位とその合併症が予測可能である．例えば高所からの墜落などでは，踵骨骨折や足関節周囲の骨折に骨盤骨折や脊椎損傷を合併することが多い．意識清明な患者では，痛みの部位と程度を聴取する．

次に全身を観察し，変形，腫脹，皮膚の色調変化，打撲痕，擦過傷，開放創の有無，圧痛部位や関節内血腫の有無を確認する．明らかな変形や腫脹，強い圧痛を認める部位では骨折・脱臼を疑う．関節内血腫の存在は関節内骨折や靱帯損傷を疑う．自動運動で疼痛なく四肢を動かすことができれば，骨折・脱臼や重篤な軟部組織損傷の可能性は低い．疼痛のために自動運動が制限される場合は，再度触診し圧痛の局在部位を調べる．転位のわずかな骨折や靱帯損傷では，受傷早期には腫脹が明らかでないため，とくに意識障害や麻痺のある患者においては繰り返し身体所見を観察する必要がある．

骨折・脱臼の診断には，少なくとも前後および側面の2方向X線撮影が必要である．2方向撮影で骨折が明らかではないが，身体所見で疑わしいときには両斜位撮影を追加する．小児は軟骨成分が多く骨端線損傷の診断が難しいため，健側の撮影を行い比較するとよい．単純X線検査は整復操作の前に施行するが，変形が著しく血管・皮膚損傷の危険性が高いと考えれば，整復を優先する．この場合，患肢はできるだけ愛護的に扱い，単純X線撮影時には医師も立ち会うべきである．単純X線検査で明らかな異常所見がない場合にも，腫脹や強い圧痛などの身体所見がある場合は骨傷があるものとして対処する．診断確定のためには，適宜CT検査やMRI検査などの追加を考慮する．

3 治療・処置

骨折・脱臼に対する初期治療としては外固定を行い，脱臼では可及的に整復し，骨折では腫脹が消退するのを

表1 骨折・脱臼で注意すべき神経・血管損傷

骨折・脱臼	動脈損傷	神経損傷
鎖骨骨折	鎖骨下動脈	腕神経叢
肩関節脱臼		腋窩神経
上腕骨骨幹部骨折		橈骨神経
肘関節脱臼 肘関節周囲骨折	上腕動脈	尺骨・正中・橈骨神経
肘関節後方脱臼		尺骨神経
上腕骨顆上骨折	上腕動脈	正中神経
橈骨頭脱臼 （Monteggia骨折）		橈骨神経
橈骨遠位端骨折		正中神経
股関節脱臼		坐骨神経
膝関節脱臼	膝窩動脈	腓骨神経
腓骨頭脱臼・骨折		腓骨神経

〔文献2）より引用〕

数日〜数週間程度待機してから内固定に変更する．しかし，多発外傷における四肢外傷は，長期間待機すると体位変換ができず肺炎などの合併症を引き起こし，生命予後に大きな影響を与えるため，骨折単独症例とはまったく異なる観点での治療戦略が必要となる．患者の全身状態や局所の状態に応じて，早期に適切な固定方法を選択すべきである．骨折に対する固定法は，内固定による根本治療や創外固定による一時的固定などがある．

骨折整復の基本は，徒手的に緩徐に牽引することである．いきなり強い力で牽引すると激しい痛みのため筋緊張が増し，整復を妨げ疼痛をさらに増強させる．このため，患者に十分に説明して不安を取り除き，必要に応じて鎮痛・鎮静を図るなど筋弛緩を促すようにする．外固定の際に注意しなければならないことは，副子の圧迫によって生じる神経障害や褥瘡形成である．このため，副子装着時には綿包帯などを使用して圧迫を緩和するとともに，装着後は経時的な観察が必要である．

脱臼に対する徒手整復法は関節および脱臼の種類によって異なるため，整復手技を熟知していない場合は専門医にコンサルトする．乱暴な整復操作は新たな骨折や関節軟骨の二次損傷の原因となるため，整復は愛護的に1回の操作で完了させる．骨片や軟部組織などの嵌入が疑われ徒手整復ができない場合は，観血的整復が必要となる．整復時には神経損傷が起こる可能性もあるため注意を要する．骨折・脱臼の際に注意すべき神経・血管損傷を**表1**[2)]に示す．

骨折・脱臼に対する治療手技については他項（p.1066, 1070）も参照のこと。

血管損傷

1 症状・症候

　血管損傷，とくに動脈損傷は primary survey において生命予後に影響するだけでなく，その診断が遅れれば患肢を失う可能性がある．血管損傷は，受傷機転から銃弾，ガラス，ナイフなどによる穿通性損傷と，骨折・脱臼に合併した鈍的損傷に分けられる．また，血管の損傷程度により，内膜損傷（動脈），部分断裂，完全断裂から四肢切断までさまざまな形態がある．転位の著しい骨折や脱臼に合併した末梢循環障害があれば，骨片による動脈の圧迫を考え速やかに整復する．整復後も虚血症状の改善がなければ動脈損傷を疑う．鈍的損傷では，動脈の連続性が保たれているが内膜が損傷され，血栓形成により末梢の虚血症状を呈する内膜損傷に注意を要する．この場合は動脈性出血を認めず，虚血症状は受傷後数時間もしくは数週間経過してから出現することもある．すべての骨折患者では，随伴する血管損傷の有無について注意深い経過観察を行うことが重要である．

2 検査・診断・評価

　主要動脈の損傷を積極的に疑う徴候として hard sign と soft sign がある（表2）[2]．局所所見のうち，疼痛，冷感，蒼白，脈拍の減弱あるいは消失は阻血後比較的早期に認められるが，感覚異常や運動麻痺はやや遅れて出現する．

　前述したように，主要動脈損傷の初期には末梢動脈拍動の減弱のみがみられる場合もある．末梢循環の異常を評価するための鋭敏な指標として，四肢の収縮期血圧を測定し，損傷肢と非損傷肢の上肢または下肢との比を計算する方法（arterial pressure index；API）がある．血圧の測定には，ドプラ血流計が有用である．API のうち，足関節部と手関節部の収縮期血圧の比（ankle-brachial index；ABI）が0.9より低値，もしくは実測値で20mmHg 以上の差であれば動脈損傷を疑う[4]．そのほか，四肢末梢動脈の拍動を確認し毛細血管再充満時間（capillary refill time；CRT）を測定する方法もある．循環動態の安定した患者での末梢動脈拍動の減弱（左右

表2 血管損傷の hard sign と soft sign

hard sign：外科的介入が必要な徴候
- 拍動性の出血
- 進行性に増大する，あるいは，拍動を触れる血腫
- thrill の触知
- 血管雑音の聴診
- 局所的な虚血所見（6つのP）
　　pain　疼痛
　　poikilothermia　冷感
　　pallor　蒼白
　　pulselessness　拍動の減弱または消失
　　paresthesia　感覚障害
　　paralysis　運動麻痺

soft sign：追加の検査を行うべき徴候
- 出血の現病歴
- 損傷形態（骨折，脱臼や穿通性損傷）
- 拍動の減弱
- 末梢神経の脱落所見

〔文献2）より引用〕

差）や消失，CRT の2秒以上の遅延は主要動脈損傷の可能性を示唆する[5]．手指・足趾の不全切断などでは，簡易に針刺しテスト（pin prick）で血流を確かめる場合もある．いずれにせよ，繰り返し評価を行って主要動脈損傷を見逃さないように努める．

3 治療・処置

　primary survey において，血管損傷を合併した四肢損傷に対する止血はまず局所圧迫を試みる．これによってコントロールできない場合には空気駆血帯を用いるが，四肢血流を完全に遮断するためできるかぎり短時間にとどめる．鉗子を用いて開放創内の血管を直接止血する方法は，伴走する神経を損傷する危険性があるため，決して盲目的に行ってはならない．

　動脈損傷に対する評価と治療の考え方を図1[2]に示す．主要動脈の損傷を積極的に疑う徴候があれば，それ以上の検査に時間をかけることなく修復を優先する．soft sign のみを認める場合やドプラ ABI＜0.9のときには血管造影を考慮する．CTアンギオグラフィ（CTA）は，短時間に施行でき，三次元再構成を用いることで四肢の主要動脈損傷の診断に有用である．しかし，CTA を用いて評価する場合には，従来の血管造影と違い血管が造影されているからといってその血管の血流に問題がないとは言い切れない[6]．身体所見において脈拍の左右差が

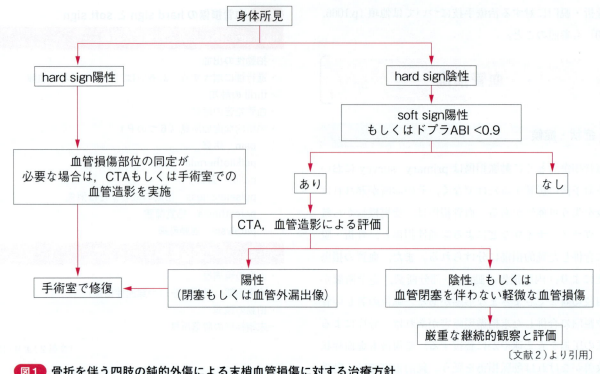

図1 骨折を伴う四肢の鈍的外傷による末梢血管損傷に対する治療方針

〔文献2〕より引用〕

あるような場合にも，CTA像では血管が造影されていることもある。CTA像はあくまでも補助診断であり，身体所見とあわせて評価すべきで，画像のみで診断を確定するのは危険である。一方，血管造影検査は側副血行路や血流遅延の評価に有用であるとともに，手術室でも施行可能である。四肢の穿通性動脈損傷や開放骨折で，動脈損傷部が特定できる場合には血管造影は必要ないが，非開放性鈍的損傷の場合には損傷部を同定したほうが血行再建のアプローチなどの方針が立てやすい。超音波検査は術中や術後の評価に有用であるが，検者の技量にも依存するため，動脈損傷急性期診断のための検査としては一般的には用いられていない。

完全阻血の場合，筋肉は約4時間で非可逆的な変性を生じるとされており，末梢神経はaxonotmesis（軸索断裂）の状態となり回復の可能性が低下する。したがって，機能障害を残さず回復を目指すには，完全虚血後早期に血行再建を完了する必要がある。骨折に合併した主要動脈損傷の治療は，骨折の根本的治療よりも優先される。したがって，骨折は創外固定などで簡単に固定した後，血管修復術を行うのが一般的である。血行再建法には，穿通性損傷などで損傷範囲が狭い場合には血管同士を直接吻合する端々吻合が，鈍的損傷では損傷範囲が広いことが多いため間置術が選択される場合が多い。間置術に用いられる代用血管として自家静脈と人工血管があるが，多くは大伏在静脈などの自家静脈が用いられる。

大腿動脈近位部の損傷で，血行再建までに時間を要した症例では，大量の骨格筋が細胞死に陥るため，血流再開後にクラッシュ症候群と同様な病態が生じる（血行再開後の血液再灌流傷害，myonephropathic metabolic syndrome；MNMS）。この場合，全身管理とともに進行するコンパートメント症候群の予防と治療のために筋膜切開が必須となる。また，動脈損傷に起因する壊死は，上肢に比べ下肢に発生率が高く，上腕動脈損傷で4〜26％，膝窩動脈損傷で40％といわれている。阻血に不利な筋肉などを含まない手指切断などの場合には，（気温・湿度などの条件がよければ）時間的に比較的余裕があるとされている[7]。

臨床上は動脈損傷が問題となることが多いが，四肢（指）完全切断の場合には，静脈吻合も行わなければうっ血による循環障害を起こすことになる。通常，一本の動脈に対して，複数の静脈吻合が行われることが望ましい。

神経損傷

1 症状・症候

鋭的・圧挫・引き抜きなどの外力により局所の神経が傷害され，感覚脱失・運動麻痺などを起こす。神経損傷

はその損傷形態により，①圧迫や打撲による一過性神経麻痺（neurapraxia），②神経鞘の連続性はあるが軸索が断裂し，回復に長期間を要するか完全回復には至らない場合もある軸索断裂（axonotmesis），③そして神経線維，神経鞘の完全断裂で修復しないかぎり回復は望めない神経断裂（neurotmesis）に分ける，Seddonの分類が用いられてきた[8]。さらに細かく5段階に分類したSunderlandの分類も広く用いられている[9]。

2 検査・診断・評価

臨床的には，明らかな鋭的断裂以外の損傷は疼痛などの関与で正確な診断が難しいことが多い。primary surveyで神経損傷が問題となることはないが，知覚・運動障害の診察を進める場合，主要動脈損傷やコンパートメント症候群による虚血に起因するものか，または神経損傷によるものかの鑑別が必要である。各末梢神経の知覚・運動支配に照らし合わせながら診察し，筋力については徒手筋力検査で評価し記載する。筋・腱損傷でも運動障害が生じるため，注意が必要である。いずれにせよ，明らかな鋭的神経断裂以外は経過をみて判断を要する場合が多い。

3 治療・処置

神経損傷の修復は，骨折部や脱臼部位に巻き込まれるなどのまれな例を除けば，時間的な猶予がある。経過をみて判断を要するため，まずは保存的治療を選択する場合が多い。一方，手術的に治療を行う場合には，一次的に縫合を行う場合と，二次的に縫合・再建を行う場合がある。一次的に縫合する場合，とくに運動神経と知覚神経が混在する部位では過誤支配（misdirection）が生じるため，回旋をしっかり合わせて縫合する必要がある。挫滅・欠損などを生じており緊張が強く一次的に縫合できない場合は，二次的に神経移植などを選択せざるを得ないことがある。その場合には，供与部（donor site）の神経脱落症状が生じること，過誤支配が生じる可能性があることなどを十分に説明してから手術に臨む必要がある。いずれにせよ，神経損傷が疑われる場合は専門医にコンサルトして判断を仰ぐ。

表3　開放骨折の重症度分類（Gustilo分類）

Type Ⅰ	軟部組織損傷の程度が低く，汚染のない1cm以内の開放創
Type Ⅱ	TypeⅠに比較して軟部組織損傷の程度が強いもの。具体的には，開放創は1cmを超えるが，広範囲の軟部組織損傷やフラップ状または引き抜かれたような軟部の損傷を伴わないもの
Type ⅢA	開放創の大きさに関係なく，高リスク受傷機転による軟部組織損傷を伴うもの。一般的には，広範囲の軟部組織損傷，フラップ状または引き抜かれたような軟部の損傷を伴う。ただし，骨折部を十分な軟部組織で被覆可能なもの
Type ⅢB	軟部組織損傷が強く，通常，重篤な骨膜剥離，骨の露出，高度の汚染を伴うことが多い。骨折部を十分な軟部組織で被覆ができず，何らかの軟部組織再建が必要になる可能性が高いもの
Type ⅢC	修復が必要な血管損傷を伴うもの

〔文献2）より引用〕
分類の最終決定はデブリドマン終了後に行うのが原則である

開放骨折

1 症状・症候

皮膚が損傷され，骨折部が外界と交通した状態が開放骨折であり，本来無菌である骨・軟部組織が細菌に曝露される。深部感染（骨髄炎）が成立すると長期の入院が余儀なくされ，機能的予後の悪化のみならず，患者に多大な精神的・経済的負担を強いることになる。このため，汚染の強い開放骨折は緊急手術の適応となり，感染を予防するための積極的な治療が必要となる。開放骨折に対する処置は専門医に委ねるべきであり，早期に専門医にコンサルトできない場合は，対応可能な施設へ転送する。

2 検査・診断・評価

開放骨折の重症度を表す分類としてGustilo分類[10]が用いられることが多い（**表3**）[2]。この分類は，主として軟部組織損傷の程度に基づいて，TypeⅠ，Ⅱ，Ⅲの3つに大きく分けられ，銃創や泥などで汚染された農場外傷，そして分節骨折などは高リスク受傷機転による外傷として，創の大きさにかかわらずTypeⅢに位置づけ

られる．さらに，TypeⅢは3つのサブタイプに分けられている．Gustilo分類は比較的単純で簡便な分類法ではあるが，主観的な要素が入りやすく，同一症例でも判断する医師によって必ずしも分類の一致をみないことが欠点である．そのため，このほかに，Hannover Fracture Scale '98[11]，GHOIS（Ganga Hospital Open Injury Score）[12]，OTA-OFC（Orthopaedic Trauma Association Open Fracture Classification）[13]などのさまざまな分類が提唱され，その精度が評価されている．

3 治療・処置

開放骨折の治療目標は，まずは感染の防止であり，次に骨癒合の完成，四肢運動機能の回復となる．primary surveyにおいて，汚染の強い開放骨折で骨片が開放創から脱出している場合，整復操作による汚染物の体内侵入や拡大予防のため，末梢循環障害や神経症状を認めないかぎりそのまま外固定を行う．開放創に対しては，汚染度，深達度，軟部組織損傷の程度を評価するが，損傷を受けた最深部まで直視下に汚染を確認することが原則である．筋膜を越える開放創に対する不十分な処置は感染の危険性を高め，起因菌によっては致死的あるいは重篤な機能障害の原因となることがある．感染率減少のためにもっとも重要なことは，早期に徹底したデブリドマンを行うことである．

デブリドマンはブラッシング，洗浄，デブリドマンの3つの操作からなるが，一般的には，この3つを含めて広義にデブリドマンと呼称される．デブリドマンの原則は，挫滅・汚染されたすべての組織を除去することであるが，切除範囲の決定は必ずしも容易でない．十分なデブリドマンは局所麻酔下では不可能であるため，全身麻酔，腰椎麻酔，伝達麻酔などの適切な麻酔を使用して行うべきである．閉鎖方法は血行豊富な軟部組織で被覆することが原則である．しかし，挫滅・汚染や緊張の強い開放創では一次縫合を行わず，むしろ積極的に開放創とすべきである．初回手術時に挫滅された組織の生死判定が困難な場合，受傷から24～48時間後に再度手術室でデブリドマンを行うことも必要となる．そのため，二期的手術を待機する間，局所陰圧閉鎖療法（negative pressure wound therapy；NPWT）を併用することが多い．

また，骨折部の不安定性は，出血による血腫形成と組織の循環障害を引き起こし感染のリスクとなるため，専門医による適切なデブリドマンに加えて，骨折部の固定が必要である．患者の全身状態，骨折部位と形態，開放骨折分類などを総合的に判断し，適切な固定法を選択する．

開放骨折では，治療目的で抗菌薬を早期に静脈内投与し，同時にデブリドマンが適切に施行されれば追加投与は不要である．使用する抗菌薬は，開放創の挫滅・汚染の程度によって適切な種類を選択する．農園や田畑での損傷の場合，クロストリジウム属感染によるガス壊疽の発症も考慮する．また，原則として破傷風予防のための処置も行う．破傷風の予防的免疫療法は，患者の免疫状態（破傷風トキソイド接種歴）によって決定する．一次縫合した開放創は経時的に観察し，感染を疑わせる所見を認めれば躊躇することなくデブリドマンを追加し，開放療法とする．

切断肢

1 症状・症候

外傷性四肢切断に至る例は高リスク受傷機転によることが多い．一見派手な四肢外傷に目をとらわれることなく，JATEC™に沿って外傷初期診療を進めるべきである．ほかに生命を脅かす外傷がある場合には，それらの優先順位を判断し，四肢外傷の治療を開始できないこともある．その際にも，四肢の損傷部位から問題となる出血がある場合には，圧迫止血もしくは駆血帯による止血が必要となる．その後は全身状態により，手術室にも移動できない状況であれば四肢の再建は断念せざるを得ない．切断を判断すれば，最初の数時間で生命の危機を脱した段階で四肢損傷部位を確認し，動脈性の出血や主血管損傷部位を同定し，結紮止血などを行う．これにより止血を確実にするだけでなく，損傷部位の近位に巻かれた駆血帯の解除を行うことができ，切断範囲を少なくすることにもつながる．

虚血時間が長く皮膚・筋肉の壊死が明らかな場合や，広範な軟部組織の挫滅・汚染を伴うなど適応が明らかな場合を除き，全身状態が安定している場合の再接着の適応は専門医に委ねる．その適応判断は，年齢，既往歴，受傷からの時間などの因子のほか，上肢か下肢か，切断のレベル，切断肢の挫滅と汚染の程度などによって決定される．

2 検査・診断・評価

　全身状態が安定し四肢損傷部位の確認が可能となれば，創洗浄を行いながら温存可能かを評価する．一見して切断の適応と思われる例以外，手術室に移動して行われることが多い．損傷が激しい，阻血時間が長い，もしくは汚染が強いなどにより，切断もしくは温存の判断を行う．さまざまな指標が提唱されてきたが近年，開放骨折のために作られたHannover Fracture Scale '98，GHOIS，OTA-OFCなどを切断か温存かの指標として用いた報告も増えている．また，切断の適応を考えるとき，本来の四肢機能や義肢装着後の機能が大きく異なる上肢と下肢を同列に評価決定することはできない．上肢は下肢に比較してより積極的な温存を試みる価値がある．上肢の切断肢再接着の各レベルでの予後について知っておくことが，切断か温存かの決定の目安となる．いずれの指標を用いるにしても，最終的には現場の医師の判断となる．

3 治療・処置

　四肢切断に対する再接着は，多発外傷患者など循環動態の不安定な患者で，重要臓器損傷の治療が優先される場合には適応とならない．一方，今日では積極的に患肢温存が行われる機会が増えている．これは微小血管外科技術の進歩・発達に伴い，切断肢再接着の成功率が向上したためである．従来，切断術の適応であるとされてきた後脛骨神経断裂に対しても，再接着術の成績のほうがよいとされ，遊離筋・皮弁移植術も安定した成績が得られるようになり，高度に挫滅された四肢外傷に対して積極的に温存手術が行われるようになった．自施設で対応できない場合は転送を考慮するが，再接着を目的に患者を他施設へ転送する際は，切断肢を乾燥と細胞組織の凍結から防ぐために生理食塩液に浸したガーゼでくるみビニール袋に入れ，氷水に浸けて搬送する．

　温存が難しいと判断した場合，切断高位を決定する．轢断などでは断端が不整で，周囲の軟部組織損傷の範囲が初療時には判断できないことが多い．定型的切断に持ち込もうとすると，もっとも近位の確実に正常な軟部組織の高位にあわせることとなり，必要以上に短い断端となることがある．そのようなことを避けるため，初回手術時には明らかに壊死に陥る組織と汚染の強い組織のみを切除し，そのほかの判断できない組織はいったん温存し，切断端を開いたまま，もしくは寄せられる組織はある程度寄せて，陰圧閉鎖療法で待機する方法が選択される．無理に閉創すると，術後の浮腫のために皮膚壊死の範囲が広がる，もしくは創内で筋阻血が起こり壊死筋肉に感染を助長するといったことが起こり，結果としてさらに短い断端とせざるを得なくなる．

　高齢者などで複数回の手術に絶えられないと判断する場合には，多少断端が短くなっても十分に正常な高位で定型的切断に持ち込むという判断もあり得る．広範囲の挫滅や非常に汚染の強い創の場合には，いわゆる断裁切断術（guillotine amputation）が行われることもある．しかしこの方法は，迅速に行うことができる反面，骨・筋・皮膚の切断高位が同等となり，最終的に断端形成をする際にかなり短い断端にせざるを得なくなる．戦場での爆傷などでは適応となるが，通常診療で用いる機会は少ない．

　いずれにせよ，外傷性切断は非定型的切断で複数回の手術を要することも多い．しかし，患者のADLに応じた義肢の提案をしながら良好な軟部を再建し，早期理学療法の積極的介入が必要であることは，ほかの切断と同様である．個々の症例においてゴールはさまざまであり，頭部外傷や脊髄損傷などで麻痺を伴う場合や高齢者の場合には車椅子がゴールのこともある．切断決定については，指標の点数により明確に区別・決定されるものではなく，知識と経験を集約し，切断に至った患者の社会復帰をサポートすべきである．

　そして，外傷肢に対する切断か温存かの決定は，温存することにより得られる機能と切断後の義肢装着により得られる機能を考慮し，十分に検討することがもっとも重要である．例えば，積極的に温存を試みた結果，機能しない四肢を作り出し，患者および家族に身体的・精神的・経済的負担をかけることもあるため，温存の決定を行う際にも十分な検討が必要である．

デグロービング損傷

1 症状・症候

　デグロービング（剝脱）損傷は，回転体による巻き込みや車による轢過などによって生じる（図2）．開放創がない場合でも，皮下と筋膜の間が剝離されていることがあり，closed degloving injuryと呼ばれる．これらのうち，骨盤周囲外傷に伴って発生する背部から殿部，大

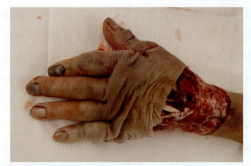

図2 デグロービング損傷
そのまま縫合するだけでは広範囲の皮膚壊死が生じる

腿部にかけて起こるものをとくにMorel-Lavallée lesionと呼ぶ[14]。また，軟部組織が脆弱な高齢者では，同様の損傷で軟部組織内への出血を起こし，non-cavitary hemorrhageと呼ばれる。時にショックの原因となることがあり，過小評価しないことが重要である。

2 検査・診断・評価

開放創である場合には見逃されることは少ないが，closed degloving injuryの場合は一見打撲痕のみのように見えることもあり見逃されやすい。損傷部位の皮膚の異常可動性や皮下の波動など身体所見を確認する。超音波などを用いて皮下の液体貯留を確認し，その部位を穿刺することで新旧の出血を確認する。皮下組織の厚い部位や背側では，初診時のCT検査などで明らかになることもある。

3 治療・処置

剝脱の程度によるが，薄く剝脱した皮膚はそのまま縫合しても壊死に陥ることが多い。皮膚の活性を十分に評価し切除すればよいが，初期には判断が困難で，迷った場合には温存して二期的切除となることもある。皮膚の損傷程度の他覚的な判断については，形成外科領域などを中心に，インドシアニングリーン蛍光造影法を応用して皮膚血流を評価する方法なども報告されているが[15]，現状では一般的には用いられてはいない。一方，剝脱した皮膚をむしろ一期的に薄くしてしまい，植皮として損傷部位を覆う方法も報告されている[16]。closed degloving injuryでは，局所切開を置き皮下の血腫を十分に洗浄除去した後に持続吸引を留置し，感染を防ぎつつ治癒を待機する方法も有用である。

コンパートメント症候群（筋区画症候群）

1 症状・症候

骨折や動脈損傷，時には単なる打撲によって強固な骨間膜や骨，筋膜に囲まれた筋区画内圧が上昇し，筋および神経への虚血が起こることで発生する。ギプス装着時や急激なスポーツなどでの過使用による血管透過性の亢進でも起こり得る。骨折がなくとも発生する可能性が十分にあることに注意すべきである[17]。下腿と前腕での発生が多いが，四肢，殿部のいずれの部位にも起こり得る。

いったん本症が発生すると進行性に阻血性壊死が生じ，これは虚血により組織の浮腫が進行し，さらに筋区画内圧が上昇するという悪循環によるものと考えられる[18]。虚血後4時間で軸索断裂が発生し，6時間を超えると不可逆的な変化が起こるとされている。小児上腕骨顆上骨折に伴う前腕屈筋群でのVolkmann拘縮は，適切な治療が行われなかった場合の最終像である。

2 検査・診断・評価

初発症状は，通常の打撲や骨折では説明できない痛みとしびれ感であり，遅れて神経の虚血症状としての知覚異常と運動麻痺が出現する。この時点でも四肢末梢の血流は保たれており，冷感や蒼白，末梢動脈の拍動消失が出現するのは末期で，これらの症状がすべて揃ってからの治療開始では手遅れである。四肢の著しい腫脹を呈する外傷患者が激しい痛みやしびれ感を訴え，包帯やギプスを除去してもそれらの症状が軽減しないときは直ちに本症を疑う。早期から冷感や蒼白，疼痛，末梢動脈の拍動消失を呈する場合は，動脈損傷を鑑別する必要がある。

補助診断法として内圧測定が推奨され，筋区画内圧が30mmHg以上の場合，治療を考慮する。しかし，筋区画内の組織血流は全身血圧の影響を受けるため，血圧が低い場合には低い内圧値でも発症する。このため，拡張期血圧より20～30mmHg低い筋区画内圧を治療開始の適応とする場合もある。筋区画内圧測定の際には，部位による値のバラツキがあるため，異なる数カ所で測定し，測定誤差のないように努める。血液検査での筋逸脱酵素の上昇やミオグロビン尿も参考となる。

3 治療・処置

治療は筋膜切開であるが，コンパートメント症候群が完成する前に筋膜切開を行い，筋区画内圧を下げることにより循環障害を回避する。筋膜切開は，神経の虚血症状である知覚鈍麻が出現する前に行われるべきであり，6時間以内に行うことが望ましいとされているが[19]，そのタイミングを判断することは難しい。したがって，本症を疑えば遅滞なく筋区画内圧を測定し，筋膜切開の適応を決定する。筋区画内圧からみた筋膜切開の適応について明確な基準値は確定していないが，内圧測定値のみでは偽陽性率が高いと報告されている[19]。骨折や血管損傷を伴っていれば，同時に骨の固定，血管に対する処置も必要である。

クラッシュ症候群（圧挫症候群）

1 症状・症候

クラッシュ症候群（crush syndrome）とは上肢，下肢，殿部などが長時間にわたり圧迫され，その圧迫解除後に生じる全身的な症候群である。病態は，骨格筋の圧迫と虚血による筋組織傷害に圧迫解除後の虚血後再灌流障害が加わって横紋筋融解が生じるもので，筋細胞内容物の血管内への流出と血管透過性の亢進による体液シフトにより説明することができる[20]。1941年のBywatersらの報告[21]が最初のまとまった報告である。

急性期には，急激な高カリウム血症と代謝性アシドーシスに起因する致死性不整脈による死亡例が多く，大量の体液シフトの結果として循環血液量減少性ショックを呈する。骨格筋から流失するミオグロビンによる腎毒性に脱水やアシドーシスなどが加わると急性腎不全を合併する。一方，細胞死に陥った骨格筋細胞内に体液が移動することによって筋細胞が急速に膨張し，新たに局所の循環障害と細胞虚血を発生させ，コンパートメント症候群を引き起こす。

日常診療で経験し得るのは，意識障害のために長時間の同一体位を余儀なくされた後に生じる体位性圧挫症候群（postural crush syndrome）である。災害時では，倒壊した家屋や重量物に下肢などを挟まれて救出に時間を要した場合に発症する。阪神・淡路大震災の際に多くの患者が発生し，外傷入院患者のうち13.7％が本症候群であったと報告されている[22]。

2 検査・診断・評価

早期には意識清明で循環動態も安定しており重篤感はなく，身体所見に乏しいのが特徴である。局所も名称から抱く印象とは異なり，圧迫部の挫傷がみられる程度であり，筋の腫脹や圧挫を疑わせるような外表上の所見は認められない場合が多い。末梢動脈の拍動はほぼ全例で触知され，知覚・運動麻痺が認められる。殿部から両大腿部を圧迫された場合には両下肢の麻痺がみられ，脊髄損傷や末梢神経損傷と誤診されることがある。しかし，知覚・運動麻痺の領域が脊髄神経領域に一致しないことや，肛門括約筋反射が保たれていることから鑑別は容易である。したがって，長時間にわたる骨格筋の圧迫が疑われる患者では，クラッシュ症候群を念頭に置き診療にあたる。クラッシュ症候群の発症に必要な圧迫時間は圧迫の強さと圧迫された領域によって異なるが，2時間を超える場合は本症を疑う。圧迫部は時間経過とともに腫脹が著しく増強する。

血液検査異常所見としては，代謝性アシドーシス，血液濃縮，高ミオグロビン血症，高クレアチンキナーゼ血症，高カリウム血症がある。また特徴的な尿所見として，ミオグロビンによる暗褐色尿がある。ミオグロビン尿は輸液の負荷後にはポートワイン尿と称される。血尿との鑑別として，尿試験紙で潜血が陽性であるが尿検査上では赤血球が少量か，みられないことである。

3 治療・処置

1）高カリウム血症

圧迫解除後に高カリウム血症による致死的不整脈で死亡する危険があるため，救出（圧迫解除）前より末梢静脈路を確保し，等張電解質輸液（カリウムを含まない）を投与する。静脈路の確保が難しければ，骨髄輸液を行う。心電図モニターは高カリウム血症を疑うのに有用であり，テント状T波の出現に注意する。高カリウム血症が疑われる場合は直ちに血液浄化療法などによる治療を開始する。

2）循環動態の管理

圧迫解除後，全身の血管透過性が亢進し循環血液量が著しく減少する。適切に治療が行われなければ圧迫解除後，数時間以内にショックに陥る。ショックにより，さらに組織障害が進行し，病態を悪化させる。細胞外液補充液（乳酸・酢酸リンゲル）による大量輸液を行う。代

謝性アシドーシス，カリウムやカルシウムといった電解質の定期的なモニタリングを行う。

3）急性腎不全の予防および治療

横紋筋融解により生じる急性腎不全を回避するためには，輸液負荷が有効である。まず，適正尿量の2倍以上を目標として十分な輸液を行う。過剰な輸液は避けるべきである。急性腎不全の合併を回避することが不可能な場合は血液透析を導入する。クレアチンキナーゼは横紋筋融解の程度と相関し，5,000U/Lを超えると急性腎不全の発生を考慮すべきであり，25,000U/Lを超えると急性腎不全をきたす可能性が高いとされている[23]。なお，血中のミオグロビンはクレアチンキナーゼよりも迅速に代謝されるため，横紋筋融解の指標とはなりにくい[24]。

4 二次的なコンパートメント症候群への対応

体液シフトによる急激な浮腫形成の結果，四肢の骨格筋は急激に腫脹し，二次的にコンパートメント症候群を生じる。クラッシュ症候群ではすでに知覚脱失や運動麻痺などの虚血症状を呈しており，臨床症状から筋膜切開の適応を判断することはできない。完全虚血が8時間以上持続した場合，骨格筋細胞の機能は不可逆的であり，筋膜切開を行っても回復が望めない可能性が高く，逆に筋膜切開を行うことにより大量の滲出液に対する体液管理が必要となる。また，壊死に陥った筋組織は感染合併率が高く，全身状態を悪化させるばかりか切断を余儀なくされる危険性もある。このため，早期の筋膜切開が推奨されている一方で，時期を逸した筋膜切開の適応については慎重な判断が求められる[25)26]。

▶文献

1) Pape HC, et al：Predictors of late clinical outcome following orthopedic injuries after multiple trauma. J Trauma 69：1243-51, 2010.
2) 日本外傷学会, 他（監）：外傷初期診療ガイドラインJATEC™, 改訂第6版, へるす出版, 2021.
3) Schroll R, et al：A multi-institutional analysis of prehospital tourniquet use. J Trauma Acute Care Surg 79：10-4, 2015.
4) Sise MJ, et al：Peripferal vascular injury. In：Trauma. 7th ed, Mattox KL, et al eds, McGraw-Hill, 2012, pp816-47.
5) Pickard A, et al：Capillary refill time：Is it still a useful clinical sign? Anesth Analg 113：120-3, 2011.
6) Maehara H, et al：Using a hybrid approach to management of a common femoral arterial dissection. Trauma Surg Acute Care Open 5：e000485, 2020.
7) 長野昭, 他（編）：外傷に伴う合併症. 整形外科専門医テキスト, 南江堂, 2010, pp67-72.
8) Seddon HJ：A classification of nerve injuries. Br Med J 2：237-9, 1942.
9) Sunderland S：A classification of peripheral nerve injuries producing loss of function. Brain 74：491-516, 1951.
10) Gustilo RB：The management of open fractures. J Bone Joint Surg Am 72：299-304, 1990.
11) Krettek C, et al：Hannover Fracture Scale '98：Reevaluation and new perspectives of an established extremity salvage score. Injury 32：317-28, 2001.
12) Rajasekaran S, et al：A score for predicting salvage and outcome in Gustilo type-IIIA and type-IIIB open tibial fractures. J Bone Joint Surg Br 88：1351-60, 2006.
13) Orthopaedic Trauma Association：Open Fracture Study Group：A new classification scheme for open fractures. J Orthop Trauma 24：457-64, 2010.
14) Hak DJ, et al：Diagnosis and management of closed internal degloving injuries associated with pelvic and acetabular fractures：The Morel-Lavallée lesion. J Trauma 42：1046-51, 1997.
15) Driessen C, et al：How should indocyanine green dye angiography be assessed to best predict mastectomy skin flap necrosis? A systematic review. J Plast Reconstr Aesthet Surg 73：1031-42, 2020.
16) Sakai G, et al：Primary reattachment of avulsed skin flaps with negative pressure wound therapy in degloving injuries of the lower extremity. Injury 48：137-41, 2017.
17) Hope MJ, et al：Acute compartment syndrome in the absence of fracture. J Orthop Trauma 18：220-4, 2004.
18) Matsen FA 3rd：Compartment syndrome：An unified concept. Clin Orthop Relat Res 113：8-14, 1975
19) Wall CJ, et al：Clinical practice guidelines for the management of acute limb compartment syndrome following trauma. ANZ J Surg 80：151-6, 2010.
20) Bartels SA, et al：Medical complications associated with earthquakes. Lancet 379：748-57, 2012.
21) Bywaters EGL, et al：Crush injuries with impairment of renal function. BMJ 1：427-32, 1941.
22) Oda J, et al：Analysis of 372 patients with crush syndrome caused by the Hanshin-Awaji earthquake. J Trauma 42：470-475, 1997；discussion 475-476.
23) Shimazu T, et al：Fluid resuscitation and systemic complications in crush syndrome：14 Hanshin-Awaji earthquake patients. J Trauma 42：641-6, 1997.
24) Zimmerman JL, et al：Rhabdomyolysis. Chest 144：1058-65, 2013.
25) von Keudell AG, et al：Diagnosis and treatment of acute extremity compartment syndrome. Lancet 386：1299-310, 2015.
26) Matsuoka T, et al：Long-term physical outcome of patients who suffered crush syndrome after the 1995 Hanshin-Awaji earthquake：Prognostic indicators in retrospect. J Trauma 52：33-9, 2002.

19-1 熱傷診療の基本

織田　順

熱傷とは，火炎，高温物質，化学物質，電撃，落雷，放射線，紫外線などによって起こる生体組織の損傷の総称である。

疫学と受傷機転

外来診療のみの軽症例の正確な数は不明であるが，日常的に遭遇する傷病である。重症例は時代とともに減少してきており，日本熱傷学会の「熱傷入院患者レジストリー」に登録された熱傷症例のうち，急性期治療目的での入院数は18,626例，熱傷面積が30%以上の症例は1,845例であった（2011〜2020年度）[1]。また，時に事故や災害により多数熱傷傷病者が発生することがある。

病態生理

組織の損傷程度は，加わったエネルギー量に規定される。熱による損傷であれば温度と曝露時間，化学損傷では物質の濃度と接触時間などである。

皮膚組織が熱により強い損傷を受けると，皮膚蛋白の壊死・変性をきたす。これにより血流が途絶した壊死組織（zone of coagulation, zone of necrosis）の周囲には，血流が低下しているものの壊死には至っていない領域（zone of stasis）ができ，さらにその外側には炎症に伴って血流の増加した領域（zone of hyperemia）ができる（図1）。zone of stasisは，回復する可能性はあるものの，循環不全や血管内皮の障害・浮腫などによって血流が途絶えると容易に壊死に陥り，結果として熱傷深度が深くなる。

損傷組織およびその周囲組織では，マクロファージが活性化され，放出されたヒスタミンに反応してIL-1，IL-6，IL-8などの炎症性サイトカインやTNF-α（腫瘍壊死因子）が放出され，好中球やリンパ球などが活性化して炎症性細胞浸潤が起こる。さらに毛細血管の透過性亢進，結合組織のコラーゲンやその他のマトリックスが分解されることにより血漿成分が急速に間質へ移動し，浮腫が進行する。創部およびその周囲組織における血漿

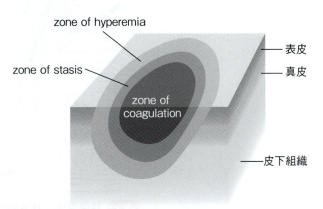

図1　Jacksonの熱傷モデル（分類）

成分の間質への移動と同時に，非熱傷部においても毛細血管透過性が亢進する。とくに広範囲熱傷では，全身的炎症から毛細血管の透過性亢進も全身性となり，広範囲に浮腫を生じる。

熱傷深度

1　熱傷深度の分類（日本熱傷学会熱傷深度分類）

表皮内に限局した熱傷をⅠ度熱傷（epidermal burn；EB），表皮を越えるが皮膚全層に及ばない熱傷をⅡ度熱傷，皮層全層に及ぶ熱傷をⅢ度熱傷（deep burn；DB）と呼ぶ[2]。Ⅱ度熱傷は比較的浅いもの（浅達性Ⅱ度熱傷，superficial dermal burn；SDB）と比較的深いもの（深達性Ⅱ度熱傷，deep dermal burn；DDB）に分類される（図2）。

2　熱傷深度の判定

熱傷深度の判定法として創面の血流を観察・測定する方法があり，レーザードプラ血流測定法やビデオマイクロスコープが用いられ，感度・特異性・正確性が高い[3)4]。一方，多くの施設では肉眼的な創面の色調や状態から熱傷深度を診断しており，現時点での標準といえる。熱傷の深度と臨床的特徴を表1[2]に示す。

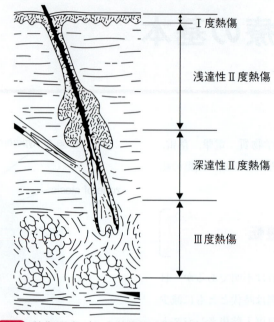

図2 熱傷深度（日本熱傷学会熱傷深度分類）

表1 熱傷深度と臨床的特徴

熱傷深度		局所所見	治癒
Ⅰ度熱傷（EB）		受傷部皮膚の発赤のみ	瘢痕を残さず治癒する
Ⅱ度熱傷	浅達性Ⅱ度熱傷（SDB）	水疱が形成され，水疱底の真皮が赤色を呈している	通常1～2週間で表皮化し治癒する　一般に肥厚性瘢痕を残さない
	深達性Ⅱ度熱傷（DDB）	水疱が形成され，水疱底の真皮が白色で貧血状を呈している	およそ3～4週間で表皮化し治癒するが，肥厚性瘢痕ならびに瘢痕ケロイドを残す可能性が大きい
Ⅲ度熱傷（DB）		皮膚全層の壊死で白色レザー様，または褐色レザー様となったり完全に皮膚が炭化した熱傷も含む	受傷部位の辺縁からのみ表皮化するため治癒に1～3カ月以上を要し，植皮術を施行しなければ肥厚性瘢痕，瘢痕拘縮をきたす（大きなものは自然治癒しない）

〔文献2）をもとに作成〕

熱傷深度判定には誤差を伴うほか，受傷後数日間は深度が変化するため，判定は経時的に反復して行うことが望ましい。熱傷深度の判定は，上皮化が期待できるかどうか，植皮術を要するかどうかを判断するためにも重要である。

熱傷面積

熱傷面積は，患者の体表面積に対する熱傷面積の百分率（percent total body surface area；%TBSA）で表記する。重症度評価の際には，Ⅰ度熱傷は熱傷面積には含めず，Ⅱ度熱傷とⅢ度熱傷の合計を熱傷面積とする。

主な熱傷面積の推定法を図3[5)～7)]に示す。概算推定法として，9の法則（成人），5の法則が簡便で広く用いられている。Lund and Browderの法則は，年齢により正確に熱傷面積が推定できる。手掌法は，患者の手掌（全指腹を含む）を1%として計測する方法で，形状の複雑な熱傷や小範囲の熱傷，多部位に生じた熱傷面積の推定に有用である。

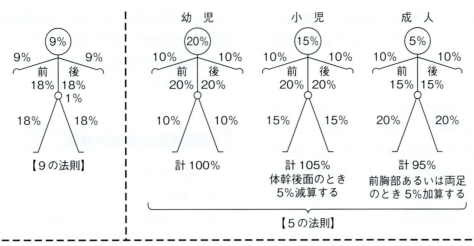
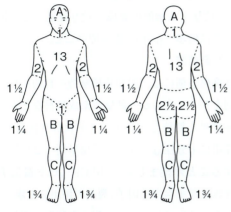

図3 熱傷面積の推定法

〔文献5）〜7）をもとに作成〕

初期診療

1 受傷直後から受診まで

　まず熱源との接触を断つ。熱傷面積が5％以下であれば受傷部位を流水（水道水）で冷却する。氷や冷水による冷却や長時間の冷湿布貼付は低体温症合併のリスクがある[8]。受傷部位に氷や氷嚢を当てると時に凍傷を生じるため行わない。水疱が認められる場合には愛護的に扱う。初療室では，少なくとも20％ TBSA以上の患者に対しては，原則として滅菌手袋を用いて標準予防策（standard precautions）を実施する[9]。

2 初期診療の手順

　外傷患者と同様にprimary surveyから診療を進める。ほかの外傷を合併していることもあり，重症外傷と熱傷が併存する場合には外傷診療に必要な蘇生を優先する。secondary surveyでは必要な初期治療を開始するとともに，熱傷面積・深度の推定，併存する損傷の評価を詳細に行いつつ重症度判定を行う。専門的な熱傷診療が可能な施設への転送が必要かどうか判断し，必要な場合には患者の状態を安定化させたうえで転送する。軽症〜中等症例では，主に局所療法を行うとともに，必要に応じて入院の要否を判断する。社会的な背景や虐待の有無の考慮が必要な場合がある。

3 Primary surveyと蘇生

1) A：気道

　顔面や口腔の熱傷，煙の吸入によって咽頭や喉頭が腫脹し，上気道の閉塞をきたし得る。気道狭窄音，嗄声などの身体所見などから気道閉塞が明らかであれば，迅速に気道確保を行う。受傷機転によっては頸椎保護に留意する。切迫窒息にもかかわらず気管挿管が困難であれば，速やかに輪状甲状靱帯切開を行う。この際に頸部に熱傷があっても気道確保が優先される。なお，primary surveyの時点で気道閉塞を認めなくても，輸液開始後に上気道の腫脹や浮腫が進行する可能性があるため，気道の

評価は繰り返し行うか，気道閉塞を予見した気道確保を行っておく必要がある。気道損傷や頸部全周性の熱傷を有する場合はとくに注意する。

2）B：呼吸

外傷診療に準じた呼吸の評価を行う。CO-Hb が高値の場合は酸素投与を継続する。胸部に全周性またはそれに近い熱傷がある場合，胸部可動が制限される。拘束性換気障害を生じれば気管挿管による人工呼吸管理に加えて，胸部熱傷創の減張切開が必要になる。また，輸液開始後に急速に肺水腫を生じる場合がある。

3）C：循環

受傷機転によっては合併損傷が隠れていることがあるため，FAST（focused assessment with sonography for trauma）や胸部・骨盤 X 線検査を primary survey で行う。熱傷性ショックを考えるあまり出血性の合併損傷が見逃されることがあり，注意する。静脈路確保を可能なかぎり熱傷創のない部分で行うが，熱傷が軽症で経口摂取可能であればこの限りではない。四肢の全周性熱傷では，熱傷創より遠位部での脈拍と知覚の有無を確認する。

4）D：意識

皮膚にのみ熱傷を受傷した患者は意識清明である。意識障害があれば，ショック，一酸化炭素中毒，シアンなどの有毒ガス中毒，薬物やアルコールの影響，頭部外傷の合併などを考慮する。

5）E：脱衣と体温管理

脱衣のうえ，指輪などのアクセサリーやコンタクトレンズは除去して致死的合併症の有無を確認する。衣服に付着した化学物質や高温物質による熱傷の進行を止める。創が衣服に固着していることがあるので，皮膚を剥離しないよう注意する。熱傷面積が広範囲かどうかを大まかに把握する。体温を測定し，乾いた滅菌ガーゼまたはシーツを使用して，創面を被覆し低体温を防止する。

4 Secondary survey

1）病歴聴取

受傷の状況，熱傷の原因となった物体や物質についての情報を詳細に聴取する。既往歴，アレルギー，服用中の薬剤，破傷風の免疫状況などの情報を得るのは外傷診療と共通である。また，身長，体重を聴取しておく。

2）重症度評価

重症度評価は熱傷深度，熱傷面積に基づいて行う。そのほかの判断基準に年齢，部位，気道損傷の有無，運動機能障害の可能性，基礎疾患などがあり，これらを勘案して，熱傷の専門的な治療が可能な施設へ転送するかどうかを考慮する。

5 初期輸液と初期局所療法

1）初期輸液

熱傷面積が成人で 15％ TBSA 以上，小児で 10％ TBSA 以上の場合には初期輸液を行う。熱傷面積が明らかに 20％TBSA を超える場合には蘇生輸液を開始する[8]。投与する輸液の組成や投与速度，その指標などについては他項（p.715）を参照のこと。

2）創処置

Ⅱ度熱傷創には，湿潤環境維持を目的にワセリン軟膏基剤を基本とするが，熱傷や形成外科などの専門医が抗炎症効果を期待してステロイド軟膏を使用する際には，副作用に十分注意しながら受傷早期（2 日間程度）に使用することが望ましい[9]。bFGF（ヒト遺伝子組換型塩基性線維芽細胞増殖因子）製剤の併用を考慮してもよい。またⅡ度熱傷に対しては，銀含有創傷被覆材などの各種創傷被覆材を用いてもよい。創部の観察を行って，密閉による感染リスクに留意して適切に交換する。

広いⅢ度熱傷創に対しては，異物を除去し創を清浄化したうえで，感染予防と壊死組織の浸軟化を期待してスルファジアジン銀クリームによる外用療法を行う。手術療法については他項（p.715）を参照のこと。なお，新鮮熱傷の場合，創部感染予防目的での抗菌薬全身投与は一般的に不要である。ただし，広範囲熱傷の周術期や免疫不全などの高リスク症例などには考慮してもよい。

施設の専門性や重症度によりほかの専門施設へ速やかに転送する場合には，専門施設に移動した後に局所の評価と処置が行われるため，転送元施設においては軟膏使用などの処置は行わず，滅菌ガーゼやシーツによる被覆のみ行って転送する。

入院・転送の判断

熱傷治療が外来的に可能か，入院加療を行うか，また自施設での対応が困難かを判断する。Artz の基準（表 2）[10]や米国熱傷学会（American Burn Association；ABA）による熱傷センターへの紹介基準（表 3）[11]が参考になる。

表2 Artzの基準

重症度	対応	熱傷の臨床所見
重症	総合病院あるいは熱傷専門病院に転送し，入院加療を必要とする	・Ⅱ度熱傷で30％TBSA以上 ・Ⅲ度熱傷で10％TBSA以上 ・顔面，手，足の熱傷 ・気道損傷が疑われる ・軟部組織の損傷や骨折を伴う
中等症	一般病院に転送し，入院加療を必要とする	・Ⅱ度熱傷で15％TBSA以上30％TBSA未満 ・Ⅲ度熱傷で顔面，手，足を除く部位で10％TBSA未満
軽症	外来治療可能	・Ⅱ度熱傷で15％TBSA未満 ・Ⅲ度熱傷で2％TBSA未満

〔文献10）より引用・改変〕

表3 熱傷センターへの紹介基準（米国熱傷学会）

- 10歳以下もしくは50歳以上で，10％TBSA以上のⅡ度熱傷
- 20％TBSA以上のⅡ度熱傷
- 顔面，手，足，性器，会陰部，大きな関節の熱傷
- Ⅲ度熱傷
- 電撃傷
- 化学損傷
- 気道損傷
- 重大な既往歴あり（治療を困難にする，回復を遅延させる，死亡率に影響する）
- 合併症や生命予後に重大な影響のある外傷を伴う熱傷
- 小児の診療に十分な人材・機器のない医療機関における小児の熱傷
- 社会的・経済的または長期リハビリテーションに関する介入が必要な患者の熱傷

〔文献11）より引用・改変〕

　Artzの基準は，熱傷の生命・機能予後に関与する因子を組み合わせて熱傷重症度を分類し，それぞれへの対応を定めているもので，1957年に作られて以降改訂が加えられ，現在も広く用いられている。一方，米国熱傷学会の熱傷センターへの紹介基準は，比較的幅広い基準で専門施設への紹介を促している。

　「Ⅲ度熱傷面積（％TBSA）＋Ⅱ度熱傷面積（％TBSA）×0.5」は熱傷指数（burn index；BI）と呼ばれ，重症度の指標に用いられている。BI 10〜15以上を重症とする。さらに，BIに年齢を加えたものは熱傷予後指数（prognostic burn index；PBI）と呼ばれ，生命予後の指標として用いられている。PBIが70以下では生命予後良好，100以上では不良とされる。

　自施設での診療継続が困難と判断した場合には，受傷後24時間以内に専門治療可能な施設へ搬送する。搬送中の気道・呼吸・循環の安定化はとくに重要である。重症熱傷では輸液路や気管チューブが逸脱すると再確保は時にきわめて困難である。体温管理にも留意し，鎮痛は十分に行う。前述したとおり，転送元施設では，局所への軟膏使用や抗菌薬投与は原則として行わなくてよい。投与した輸液の種類と量は記録して申し送る。転送に際して不明な点のないよう，転送先施設と十分にコミュニケーションをとる。

虐待のスクリーニング

　熱傷症例では，とくに小児事例のなかに被虐待児が存在し得る。表4[12]に示すように，児童福祉施設介入の既往，Ⅲ度熱傷の有無，年齢，保護者の不審な説明，監視・監督の不十分さ，受傷部位，両側性といった項目に重みづけをしてスコアリングすることで，児童相談所への相談や通報の基準とするという報告もある。熱傷症例に限らず虐待の有無を確認する際には，院内の虐待防止に関する委員会などがチームで対応することが多いと思われるが，このような簡便なスクリーニングツールは現場でのチェックの際に有用であると思われる。

表4 小児熱傷患者の虐待スクリーニングツールの一例（BuRN Tool）

項目	点数
児童相談所への相談または通報歴あり	3点
全層性熱傷（Ⅲ度熱傷）	2点
保護者の説明が不審[*1]	2点
年齢5歳未満	2点
保護者の監視・監督が不十分[*2]	1点
非典型的な受傷部位[*3]	1点
一側ではなく両側の手や足に受傷あり	1点

〔文献12）より引用・改変〕

合計3点以上で児童相談所へ相談または通報する
[*1] 受傷状況が児の発達段階に合わない，受傷状況と受傷部位や大きさが矛盾する，浴室での受傷，など
[*2] 担当医が保護者の監視・監督に対して疑問を抱く，5歳未満の児が受傷したとき保護者が同室内にいない，など
[*3] 背部，殿部，鼠径部，毛髪内，など

▶文　献

1) 日本熱傷学会：熱傷入院患者レジストリー2021年度年次報告．
http://www.jsbi-burn.org/
2) 日本熱傷学会用語委員会，他（編）：熱傷用語集，改訂版，2015.
3) Riordan CL, et al：Noncontact laser Doppler imaging in burn depth analysis of the extremities. J Burn Care Rehabil 24：177-86, 2003.
4) Isono N, et al：Early assessment of second degree burn depth by means of video microscope. J J Burn Inj 24：11-8, 1998.
5) Wallace AB：The exposure treatment of burns. Lancet 1：501-4, 1951.
6) Blocker TG：Burns. In：Converse JM ed, Reconstructive Plastic Sugery. 1st ed, WB Saunders, 1964, pp208-65.
7) Lund CC, et al：The estimation of areas of burns. Surg Gynecol Obstet 79：352-8, 1944.
8) American Burn Association：Chapter 2 Initial Assessment and Management. In：Advanced Burn Life Support Course：Provider Manual 2018 Update. 2018, pp7-22.
9) 日本熱傷学会学術委員会：熱傷診療ガイドライン（改訂第3版）．熱傷 47（Suppl）：S1-108, 2021.
10) Artz CP, et al：The Treatment of Burns, 2nd ed, WB Saunders, 1969, pp94-8.
11) American Burn Association：Chapter 9 Stabilization, Transfer and Transport. In：Advanced Burn Life Support Course：Provider Manual 2018 Update. 2018, pp68-72.
12) Kemp AM, et al：Raising suspicion of maltreatment from burns：Derivation and validation of the BuRN-Tool. Burns 44：335-43, 2018.

19-2 広範囲熱傷

松嶋 麻子

定 義

広範囲熱傷は，Ⅱ度以上かつ30% TBSA（percent total body surface area）以上の熱傷を指す。その根拠は，熱傷の重症度分類である Artz の基準において「総合病院あるいは熱傷専門病院に転送し，入院加療を必要とする重症熱傷」として「Ⅱ度熱傷で30% TBSA 以上」があげられていることによる。実際，広範囲熱傷では受傷後の熱傷性ショックやその後の感染・敗血症で死亡する患者が多く，熱傷の創処置に加え全身管理（集中治療）を要することが大きな特徴である。さらに，全身状態が不安定な状態で複数回の手術を要することから，受傷早期より診療経験とマンパワーが豊富な熱傷専門施設で診療することが重要とされている。

疫 学

日本熱傷学会「熱傷入院患者レジストリー」の2021年度年次報告によると，10年間に30% TBSA 以上の広範囲熱傷患者の登録数は全体の11.5%である（図1）[1]。熱傷患者の予後には熱傷面積とともに年齢も大きく影響するため，日本では予後予測式として年齢に Burn Index（BI）を加えた Prognostic Burn Index（PBI）がよく用いられる。従来，PBI 100が救命の限界といわれてきたが，2011年以降の日本熱傷学会レジストリーではPBI 100〜110の死亡率は46%まで低下している（図2）[1]。一方，熱傷面積に注目すると40% TBSA 以上では死亡率は40%を超え，70% TBSA 以上になると死亡率は約90%と高くなる（図3）[1]。全身管理の進歩と熱傷創治療の発展により，比較的狭い範囲の熱傷では救命率も改善しているが，広範囲熱傷の予後は依然として厳しいものとなっている。

熱傷患者の死亡原因を分析した結果では，30% TBSA 未満では一酸化炭素中毒や熱傷以外の疾病による死亡が多いのに対し，30% TBSA を超えると熱傷面積の上昇とともに受傷後早期のショック・多臓器不全による死亡が増加している（図4）[1]。また，20% TBSA を超えると感染に起因する死亡の割合も増加しており，広範囲熱傷では受傷早期の熱傷性ショックの管理とともに感染管理が重要であることがわかる。

このように，広範囲熱傷の診療には多くの知識と経験を必要とするが，一施設で経験する広範囲熱傷の患者数が減少するなかで，その診療経験や技術をどのように伝え，発展させていくかが課題である。

〔文献1〕より作成

図1 熱傷面積ごとの登録症例数

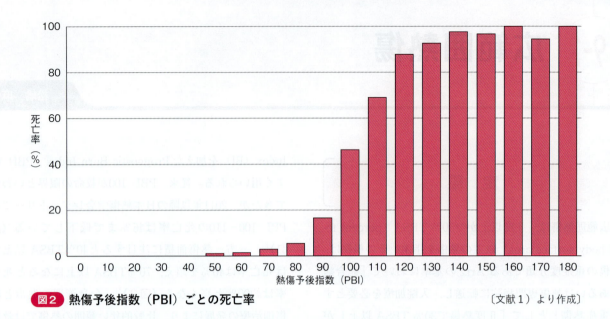

図2 熱傷予後指数（PBI）ごとの死亡率 〔文献1〕より作成〕

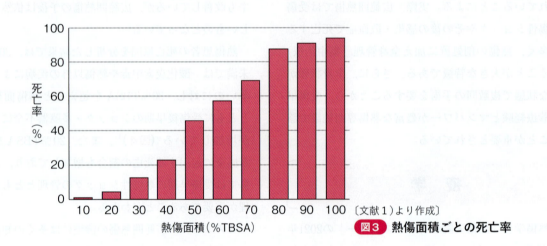

図3 熱傷面積ごとの死亡率 〔文献1〕より作成〕

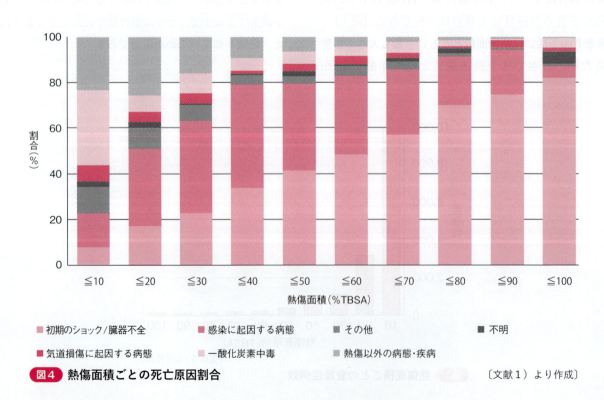

■ 初期のショック/臓器不全　■ 感染に起因する病態　■ その他　■ 不明
■ 気道損傷に起因する病態　■ 一酸化炭素中毒　■ 熱傷以外の病態・疾病

図4 熱傷面積ごとの死亡原因割合 〔文献1〕より作成〕

病態生理

熱傷では熱で損傷した皮膚とその周囲に受傷直後より強い炎症反応が生じる。毛細血管の透過性亢進によって血管内の血漿成分が損傷周囲の皮膚と軟部組織の間質に広がり浮腫を生じる。広範囲熱傷では熱傷面積が広いため，この浮腫は全身に及び，循環血液量減少性ショック（熱傷性ショック）となる。循環血液量の減少を補うために受傷直後から大量の輸液を必要とするが，この輸液によってさらに浮腫は増強し，四肢の全周性Ⅲ度熱傷部位ではコンパートメント症候群を，前胸部のⅢ度熱傷では拘束性換気障害を，腹部のⅢ度熱傷では内臓の浮腫により腹腔内圧が上昇して腹部コンパートメント症候群を呈する。また，気道および肺の浮腫が進行すると換気障害や低酸素血症にも陥る。

このような血管透過性の亢進は受傷後24～48時間程度続き，その後，間質に貯留した水分はリンパ管などを介して徐々に血管内へ再吸収され，尿として体外へ排出される（利尿期）。50％TBSAを超える広範囲熱傷では，受傷後48時間以上経っても血管透過性の亢進が治まらず，熱傷性ショックから離脱できずに死亡することも多い。また，熱傷性ショックの間に急性腎不全や急性呼吸促迫症候群（acute respiratory distress syndrome；ARDS），呼吸器感染やカテーテル感染などの感染症を合併した場合も熱傷性ショックを乗り切れず，多臓器不全で死亡することがある。

熱傷性ショックを乗り切った後も広範囲熱傷では大量の壊死組織（焼痂）が残っているため，壊死組織を除去して創部を植皮などで閉鎖するまでは常に創部からの感染の危険性がある。広範囲熱傷の患者では外傷とは異なる免疫の過剰応答が長期間にわたり続くことが報告されており，熱傷性ショックを乗り切った後の敗血症の発症と死亡にかかわると考えられている[2]。

初期診療の基本

広範囲熱傷の治療には熱傷の創部管理だけでなく，熱傷性ショックや敗血症に対する全身管理が必要である。連日の熱傷創処置には多くのマンパワーを必要とし，手術の適切なタイミングや方法の選択には豊富な知識と経験が求められる。このため，熱傷専門施設以外で広範囲熱傷患者を受け入れた場合には，初期診療のみを行い，Artzの基準やAdvanced Burn Life Support（ABLS）の基準にのっとって，速やかに熱傷専門施設へ患者を転送することが望ましい（p.713参照）。

広範囲熱傷の初期診療では，まず外傷診療と同様に呼吸・循環の評価と管理を行う。熱傷創は被覆のみにとどめ，保温に努めながら合併する外傷や中毒の有無を検索する。広範囲熱傷ではその受傷機転から外傷や中毒を合併することが多いが，初期診療で発見されなかった場合には，その後の長期間の集中治療のなかで発見することが難しくなる。外傷や中毒の合併がある場合は，その緊急度・重症度に応じて熱傷と並行した治療が必要である。

初期診療における熱傷創の処置は，熱傷専門施設以外では生理食塩液または水道水による洗浄とガーゼなどによる被覆のみにとどめ，速やかに熱傷専門施設へ転送する。広範囲熱傷では洗浄処置の間に容易に体温が低下し，その後の循環管理や止血処置に難渋するため，処置を開始する前に準備を整え，短時間で洗浄処置を行うことが重要である。

四肢の全周性Ⅲ度熱傷で末梢の血流が障害されている場合や，前胸部のⅢ度熱傷で拘束性換気障害を呈している場合には，転送前に減張切開を行う。熱傷の減張切開は，熱により変性して硬くなった皮膚を切開するが，外傷によるコンパートメント症候群と異なり，通常，筋膜の切開は必要としない（p.1082参照）。

初期輸液療法

初期評価の結果，成人で15％TBSA以上，小児では10％TBSA以上の熱傷と判断した場合は速やかに初期輸液を行う。初期輸液の組成と速度についてはさまざまな公式が提唱されているが，大量輸液を要する広範囲熱傷では乳酸リンゲル液を基本とした公式を用いることが多い（表1）[3]。小児では成人に比して体重・熱傷面積当たりの輸液量は多くなり，体内のグリコーゲン貯蔵量が少ないため低血糖に陥りやすいという特徴がある。このため，乳酸リンゲル液にデキストロース入りの維持輸液を含めた公式が提唱されている（表2）[3]。

血管透過性の亢進が著しい広範囲熱傷では細胞外液の過剰輸液により浮腫が増強し，四肢および腹部のコンパートメント症候群や肺水腫などfluid creepと呼ばれる合併症の発生が懸念される。これを避けるため，膠質浸透圧を上げて血管内容量を保持するようにアルブミン

表1　成人熱傷患者に対する一般的な初期輸液の方法（初期24時間の輸液）

Parkland（Baxter）
- 乳酸リンゲル液　4 mL/kg/% burn
- 半量を最初の8時間で，残り半量を次の16時間で投与

ABLS
- 熱傷面積計算前：乳酸リンゲル液 500mL/hr で開始
- 熱傷面積計算後：乳酸リンゲル 2 mL/kg/% burn の半量を最初の8時間で，残りを16時間で投与
  時間尿量が2時間連続で指標尿量（0.5mL/kg/hr）よりも
  →多い場合：輸液速度を1/3ずつ減らす
  →少ない場合：輸液速度を1/3ずつ増やす

〔文献3）より引用・改変〕

表2　小児熱傷患者に対する一般的な初期輸液の方法（初期24時間の輸液）

Cincinnati formula
- older children：4 mL/kg/%TBSA ＋1,500mL/m² BSA の乳酸リンゲル液
  半量を最初の8時間で，残り半量を次の16時間で投与
- younger children：4 mL/kg/%TBSA ＋1,500mL/m² BSA の乳酸リンゲル液
  最初の8時間で半量を50mEq/L の重炭酸ナトリウムを加えて投与
  次の8時間で1/4量，最後の8時間で1/4量を5％アルブミンを加えて投与

Galveston formula
- 5,000mL/m² BSA burn（蘇生輸液）＋2,000mL/m²（維持輸液）の乳酸リンゲル液を投与
  半量を最初の8時間で，残り半量を次の16時間で投与
  5％アルブミン，および必要に応じて5％デキストロースを投与

ABLS
- 熱傷面積算定前の開始速度
  5歳以下 125mL/hr，6〜13歳 250mL/hr，14歳以上 500mL/hr
- 熱傷面積算定後
  13歳以下は3 mL/kg/%TBSA，半量を最初の8時間で，残り半量を次の16時間で投与
- 輸液開始後
  時間尿量が，体重30kg 未満の小児で1 mL/kg，体重30kg 以上の小児で0.5mL/kg となるよう，輸液速度を1時間ごとに調整
- 幼児および体重30kg 未満の小児
  5％デキストロースを含んだ維持輸液を投与（投与量下記）
  体重のはじめの10kgに対して4 mL/kg/hr，次の10kgに対して2 mL/kg/hr，残りの体重分に対して1 mL/kg/hr を合算

〔文献3）より引用・改変〕

製剤や人工膠質液の投与が行われてきた。これらが熱傷患者の生存率を改善するというエビデンスはないが，膠質浸透圧を一時的にでも維持することで総輸液量が減少し，fluid creep を防ぐことが期待できるため，大量輸液が必要な場合には細胞外液の一部をアルブミン製剤や人工膠質液に置き換えて投与する[3]。ただし，新鮮凍結血漿については，わが国の血液製剤の使用指針において凝固因子の補充目的で使用することとされており，循環血漿量の補充目的での投与は認められていない[4]。

そのほかの初期輸液製剤として，高張乳酸加食塩液は総輸液量を減らす効果が期待できるものの，市販の製剤がないことと，投与に一定の経験を必要とすることから，一般的な初期輸液としては勧められない。アスコルビン酸（ビタミンC）は抗酸化作用により総輸液量の減少と人工呼吸期間の短縮が期待されるが，熱傷には保険適用がなく，投与に際して注意を要する[3]。

初期輸液の速度と指標については，表1および表2に示した公式にのっとり，尿量を指標に速度を調節する方法が行われてきたが，広範囲熱傷では腎機能障害が高率に発生するため，尿量を指標にした輸液では過剰輸液になることが多い。近年は経肺熱希釈法や動脈圧波形解析によって血管内容量をモニタリングすることが可能となっている。専用のモニターやカテーテルの挿入は必要となるが，集中治療を要する広範囲熱傷ではこれらのモ

ニターを活用し，過剰輸液を避けた循環管理を行うことが推奨されている[3]。

呼吸管理

広範囲熱傷では，血管透過性の亢進とそれに対する大量輸液によって，熱傷性ショックの期間に気道の浮腫と肺水腫による低酸素血症に陥る。さらに，連日の熱傷創処置では全身麻酔や鎮静を要するため，長期間の気道確保と人工呼吸管理が必要になる。人工呼吸の方法については広範囲熱傷を対象としたエビデンスは乏しく，ARDSに準じた管理が行われることが多いが，気管・気管支の浮腫が強い場合や胸部熱傷または全身の浮腫により胸郭コンプライアンスが低下している場合には，患者の状態に応じた呼吸管理が必要である。

長期間の気道確保と人工呼吸管理が必要な場合は気管切開を行うが，頸部に熱傷があると気管切開部の感染や固定の難しさがある。気管切開に備え，頸部の植皮術を優先させるなど先を見越した治療計画が必要である。

熱傷創処置

真皮が残るⅡ度の熱傷創は創部感染を防ぎながら皮膚の再生を促す。皮膚の再生が見込めないⅢ度以上の熱傷創は適切な時期に壊死組織のデブリドマンを行い，植皮術によって創を閉鎖する。手術治療と，軟膏や創傷被覆材を用いた保存的治療の見極めが重要である。

1 消毒剤

熱傷創の創処置において洗浄にヨウ素製剤やクロルヘキシジングルコン酸塩などを用いることには議論があるが，感染を伴う広範囲熱傷では石けんや消毒剤を用いることが多い。広範囲熱傷に消毒剤を用いる場合には，接触性皮膚炎のほか，ヨウ素製剤では創面からの吸収による腎機能障害や甲状腺機能障害に注意を要する。

2 軟膏

Ⅲ度の熱傷創には化学的デブリドマンと抗菌作用を期待してスルファジアジン銀クリームを使用する[3]。スルファジアジン銀はグラム陰性桿菌，グラム陽性球菌に幅広い抗菌効果を示すため，数週間にわたり壊死組織が残存する広範囲熱傷では感染制御に欠かせない。しかし，副作用として白血球減少があるため，広範囲に使用する場合には注意が必要である。そのほか，褥瘡など感染を伴う慢性創傷に対して用いられるポリヘキサニド・ベタインゲルやカデキソマー・ヨウ素は皮下に至る熱傷創にも有効とされている[3]。また，化学的デブリドマンが可能な軟膏として，ブロメライン含有軟膏，ソルコセリル含有軟膏などがある。いずれも外来レベルの小範囲の熱傷で使用されており，広範囲熱傷への使用は費用対効果と副作用について検討を要する。

3 創傷被覆材

銀含有ハイドロファイバー創傷被覆材は，スルファジアジン銀クリームと比較して疼痛の軽減や創傷治癒期間の短縮が示されている[3]。小範囲のⅡ度熱傷では創処置と被覆材交換の頻度が下がり，患者および医療従事者の負担軽減，医療コスト低下の利点があることから推奨されている[3]。しかし，Ⅲ度熱傷に適応はなく，広範囲Ⅱ度熱傷では費用対効果は十分に検討されていない。

4 トラフェルミン（bFGF）

Ⅱ度熱傷では，トラフェルミンを使用することによって創傷治癒期間は短縮し，瘢痕の性状も優れていることが報告されており，創処置の際に噴霧することが推奨されている[3]。しかし，高額であるため広範囲熱傷への使用は限定的である。

手術療法

広範囲熱傷の手術は壊死組織の連続分層切除や採皮で大量に出血するうえ，体表面を広範に露出して行うため低体温症に陥りやすい。また，広範囲熱傷では受傷直後の熱傷性ショックやその後の熱傷創感染からの敗血症で全身状態が非常に不安定になるが，その状態で複数回の手術を行う場合もある。全身状態の安定化を図りながら，適切な手術のタイミングと手術範囲を計画することが広範囲熱傷患者の救命のカギとなる。広範囲熱傷の治療では，できるだけ早期に壊死組織を除去して植皮により創を閉鎖することが基本である。しかし，自家植皮に使用する恵皮部が限られ，壊死組織のデブリドマンを行っても創部を覆うことが困難な場合が多い。そのため，同種

皮膚や人工真皮，自家培養表皮を駆使して，限られた恵皮部を有効活用しながら創閉鎖を進めていく．

1 デブリドマン（焼痂切除）

デブリドマンには壊死した焼痂を脂肪組織とともに筋膜上で切除する「筋膜上切除」と，壊死した焼痂のみを切除して真皮の一部と皮下組織を残す「連続分層切除」がある．筋膜上切除は出血量が少なく，手術時間も短いため，広範囲熱傷のⅢ度の部位でよく用いられるが，焼痂とともに皮下脂肪も切除するため術後の整容面は劣る．連続分層切除は真皮が残存する深達性Ⅱ度熱傷に用いられ，整容面に優れるものの術中の出血量は多く，手術時間も長くなる．広範囲熱傷においては熱傷創の部位と全身状態を鑑みてデブリドマンの方法を決めるが，四肢のⅢ度以上の熱傷では，その治療にかかる恵皮部と時間を考慮して，救命のために切断を行う場合もある．

2 同種皮膚移植

焼痂切除を行った際に同種皮膚で一次的に創閉鎖を行うことにより疼痛の軽減，体液・体温の保持，移植床の準備の効果が得られる．このため，広範囲熱傷の手術では同種皮膚を用いることが多いが，わが国では同種皮膚の提供が限られており，適応を慎重に判断する必要がある．わが国では日本スキンバンクネットワークがドナーから提供された皮膚を凍結保存し，管理している．

3 人工真皮移植

人工真皮は皮膚の全層が欠損した創に対して使用されるが，感染に弱く，広範囲熱傷で使用する場合には感染が比較的少ない早期の手術で使用することが推奨される[3]．人工真皮の移植後は，感染を予防しながらの管理に多くの経験と知識を要するが，近年は自家培養表皮との併用で広範囲熱傷患者の救命にも役立っている．

4 自家培養表皮移植

自家培養表皮は，表皮細胞の培養によりわずかな皮膚から広範囲の表皮が作成できるため，わが国では30％TBSA以上で保険適用となっている．当初，同種皮膚移植によって移植床を構築した後に自家培養表皮を移植する方法が推奨されていたが，同種皮膚の供給が限られていることに加え，培養表皮が感染に弱く，生着には課題が多かった．近年は人工真皮の普及や自家植皮との併用（ハイブリッド法）で良好な生着が得られるようになり，広範囲熱傷患者救命に役立つと期待されている．

感染対策

広範囲熱傷の患者では長期間にわたり免疫力が低下しており，創部やカテーテルの感染から容易に敗血症に陥る．日本熱傷学会レジストリーにおいても，20％TBSA以上では熱傷性ショックを乗り切った後の主な死亡原因は感染に起因する病態であり，感染対策は広範囲熱傷患者の救命のカギである．

1 感染予防策

広範囲熱傷の患者は，免疫力が低下した易感染患者であり，院内感染から保護する「予防隔離」の対象である．しかし，連日の創処置に多数の医療スタッフと物品がかかわるため，多剤耐性菌などの院内感染を受けやすく，いったん多剤耐性菌に感染すると，長期間にわたり入院と処置が必要となるため，容易に周囲へ感染を広げる感染源となる．このため，広範囲熱傷患者は入院時から個室で管理することが望ましく，処置やケアで患者に接触する際には手袋，ガウンなどの接触感染予防策により院内感染を防ぐ．

2 抗菌薬の予防投与

広範囲熱傷の受傷直後において，抗菌薬の予防的全身投与は推奨されていない．Ⅲ度熱傷がある場合には受傷後よりⅢ度熱傷の創面に抗菌作用のあるスルファジアジン銀クリームを使用し，破傷風予防の目的で破傷風トキソイドの投与を行う．

3 水治療

水治療には，浴槽のお湯につかる入浴療法とシャワーなどで身体にお湯を流す方法がある．熱傷患者では，水治療により創部の血流を改善し，創表面の壊死組織や膿を除去することによって創傷治癒が促進することから積極的に行われてきた．しかし，水治療で使用する浴槽や

シャワーを介した多剤耐性菌のアウトブレイクが報告され，感染対策の面からは推奨されなくなった。広範囲熱傷の患者において水治療を行う場合は，全身状態が安定し，植皮により創閉鎖が進んだ時期において，十分な感染予防対策のもとに行うことが重要である。

栄養管理

熱傷患者の栄養投与量にはさまざまな計算式が提唱されている。もっとも一般的なものは Harris-Benedict の式で求められる安静時エネルギー消費量（resting energy expenditure；REE）であるが（p.1183参照），広範囲熱傷患者では熱傷面積や病態によって実際の REE と計算上の REE が乖離することが多い。そのため，可能なかぎり間接熱量計で REE を測定し，その結果に応じて栄養投与量を決定することが望ましい。

栄養の投与は受傷後24時間以内に経口または経腸で開始する。広範囲熱傷の患者では，熱傷性ショック期には腸管の浮腫や腹腔内圧の上昇により経腸栄養が困難になることもある。また，熱傷性ショック期を脱した後も毎日の創処置や手術により，栄養の投与が中断することが少なくない。栄養の中断を最小限にとどめるとともに，十分量の栄養を経口・経腸で投与できない場合は経静脈栄養を併用する。栄養の評価には血中のトランスサイレチン（プレアルブミン）や窒素バランスが用いられるがまだ議論が多く，定まった評価方法はない。

リハビリテーション

熱傷患者においても，ほかの重症患者と同様に早期のリハビリテーションが推奨される。受動的可動域訓練だけでなく，自動的可動域訓練や歩行訓練など，より積極的な運動療法を加えたほうが集中治療期間や入院期間が短縮し，関節可動域も改善することが示されている[3]。ただし，広範囲熱傷患者では，植皮後の創部は確実な生着を得るために術後数日間の安静が必要である。リハビリテーションを行う際には植皮部に力を加えないような手技が要求されるため，熱傷専門施設でトレーニングを受けた理学療法士が介入することが望ましい。

リエゾンと緩和的治療

広範囲熱傷患者では，長期間にわたり苦痛を伴う処置が続き，救命された後も瘢痕拘縮による後遺症や整容面からの精神的苦痛が継続する。患者本人だけでなく家族の精神的動揺も大きいため，受傷早期から患者と家族に対する精神科リエゾン（精神科医とともに精神的治療を行うこと）が有効とされている[3]。

日本熱傷学会レジストリーのデータでは80％TBSA以上または PBI 130以上の患者では死亡率が90％を超えており[1]，広範囲かつ高齢者の予後は非常に厳しい。そのため，予後がきわめて厳しい患者に対しては緩和的治療を考慮するという考え方がある。緩和的治療を行うためには，治療を担当する医療チームによって，患者にできるだけの熱傷治療を続けても救命の見込みがなく，侵襲的処置や治療が患者の尊厳を損なう可能性があると判断される必要がある。そして，患者と家族にその事実を十分に説明し，理解を得たうえで治療に対する意向を確認する。可能であれば患者本人に意向を確認するが，広範囲熱傷では難しい場合も多い。患者・家族が積極的な治療を望まず，緩和的治療を選択した段階で侵襲的な処置や治療を中止し，痛みや精神的苦痛を取り除く緩和的治療に切り替える。

広範囲熱傷の患者では受傷状況や外観の変化により家族の精神的衝撃も大きいため，緩和的治療においては，患者自身の苦痛の緩和とともに残される家族に対しても精神的なケアを要する。

▶文 献

1) 日本熱傷学会：熱傷入院患者レジストリー2021年度年次報告.
2) Korkmaz HI, et al：The complexity of the post-burn immune response：An overview of the associated local and systemic complications. Cells 12：345, 2023.
3) 日本熱傷学会学術委員会：熱傷診療ガイドライン（改訂第3版）．熱傷 47（Suppl）：S1-108, 2021. http://www.jsbi-burn.org/members/guideline/pdf/guideline3.pdf
4) 厚生労働省医薬・生活衛生局：血液製剤の使用指針, 2017. https://www.mhlw.go.jp/file/06-Seisakujouhou-11120000-Iyakushokuhinkyoku/0000161115.pdf

19-3 気道損傷

清住 哲郎

定　義

気道損傷は，高温の煙や水蒸気，有毒ガスを吸入することによって生じる呼吸器系の障害である[1]。従来，気道熱傷（inhalation burn）と呼ばれることが多かったが，損傷の原因は熱に限らず，化学物質の作用による損傷も含まれること，皮膚の熱傷とは病態が異なることから，日本熱傷学会では気道損傷（inhalation injury）の用語を推奨している[2]。ここでは，統計や文献における原文の表記が気道熱傷である場合を除き，気道損傷の表記で統一する。

疫　学

日本熱傷学会の「熱傷入院患者レジストリー」[3]によれば，2011年4月1日〜2020年3月31日の間にレジストリーに新規登録された16,995例を対象とした解析の結果，来院時心肺停止症例の71.2％，来院時心肺停止症例を除く急性期治療症例22.6％に気道熱傷が合併していた。非心肺停止症例における気道熱傷の原因は，火災（75％），煙・高温気体吸入（15％），爆発（7％），化学物質を除く高温液体（1％）であった。気道熱傷例の転帰は，56％が軽快・治癒退院，24％が軽快転院，20％が死亡であり，気道熱傷を合併していない例の死亡率（5％）の約4倍に上った。また，気道熱傷は熱傷による死亡総数の3％を占めた。

病態生理

気道損傷の病態生理は，鼻腔・口腔・咽喉頭から声門に至る上気道の損傷（上気道型）と，気管・気管支および肺胞の損傷（肺実質型）に区分することができる。

1 上気道型

鼻腔・口腔・咽喉頭から声門に至る上気道が炎症と浮腫を呈し，咽喉頭部の違和感，疼痛，嚥下痛，嗄声，局所の発赤，水疱がみられる（図1）。時間とともに浮腫が増強することで気道閉塞をきたし，喘鳴，呼吸困難から窒息に至る。浮腫の増強は受傷後約24時間程度で最大となるのが一般的であるが，72時間までは慎重な経過観察が必要である。純粋な上気道型は気道の異常であるため，酸素化は窒息の直前まで保たれる。

2 肺実質型

熱または吸入した化学物質により気管および気管支の粘膜が炎症，浮腫，壊死をきたし，受傷後数日から脱落した粘膜が炎症性滲出物とともに偽膜を形成する（図2）。偽膜は気道の狭窄や閉塞をきたし，無気肺を生じ得る。気管を偽膜の塊が閉塞すれば，突然の窒息をきたすことがある。粘膜再生まで2〜3週間を要する。

また，吸入した化学物質が肺胞上皮を直接損傷し，炎症，浮腫をきたす。アルデヒド類や塩基性ガス，ホスゲンなどによる気道粘膜や肺胞末梢組織の障害が代表例である。受傷後数時間から肺水腫を呈することがあり，換気血流不均衡から酸素化が悪化する。受傷後数日から肺

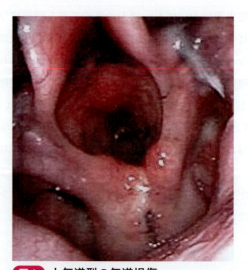

図1 上気道型の気道損傷
軽度の腫脹を認めたが，気管挿管は必要とならなかった例

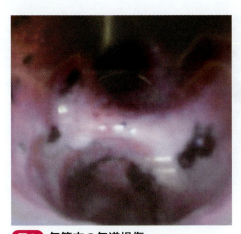

図2 気管支の気道損傷
粘膜の発赤とすすの付着を認める

表1	気道損傷を疑う状況・所見
受傷機転	・閉鎖空間（とくに室内や車内など）で火災による熱気や煙を吸入した場合 ・有毒な化学物質に起因する場合
臨床所見	・意識障害がある ・口や鼻周囲に熱傷がある ・鼻毛が焦げている ・口腔や咽頭、鼻腔内にすすなどがある ・すすの混じった痰 ・喉の痛み ・嗄声

〔文献4）より引用〕

炎を合併しやすくなり、1週間以内に3〜4割が急性呼吸促迫症候群（acute respiratory distress syndrome；ARDS）を呈する。

実際の症例においては、これらの型が混在していることも多く、受傷時の状況を的確に把握して、気道損傷の全体像を把握することが重要である。とくに、受傷後の時間経過に沿って注意すべき病態が変化することに留意する。

検査・診断，重症度評価

気道損傷の診断は、受傷機転と病歴、臨床所見（表1）[4]、気管支ファイバースコープの所見から総合的に行う。現在のところ国際的なコンセンサスが得られた単独で確定的な診断方法はない。また、重症度の指標として信用に足るものも存在しない。

1 受傷機転と病歴

第一に、病歴から気道損傷を疑うことが重要である。閉鎖空間での火災、逃げ遅れ、煙に巻かれた、ガスを吸入した、などの受傷機転や病歴があれば、気道損傷を疑う。一方で、受傷機転や病歴に特記すべきものがない場合に気道損傷が否定できるわけではない。

2 臨床所見

鼻腔、口腔のすす、嗄声、肺雑音、鼻毛が焦げている、などの所見があれば気道損傷を疑う。喉頭の観察を行い、粘膜の発赤、腫脹、出血があれば気道損傷と診断する。

3 検査所見

気管支ファイバースコープで気管壁のすす付着、発赤、浮腫があれば、気道損傷と診断できる。一方で、不必要な診断的気管支ファイバースコープは死亡率、入院期間、肺炎合併症などを増やす可能性があるとの報告[5]もあり、注意が必要である。

画像検査については、単純X線所見による気道損傷の診断は困難であるが、経時的に撮影することで、肺実質型気道損傷による呼吸障害の発見を期待できる。また、胸部CT所見で気管分岐部2cm下の気管支粘膜厚計測による気道損傷の病態把握の報告[6]があるが、その診断能について定まったものはない。

治療

1 気道の確保

気道の閉塞またはそのおそれがあれば、直ちに気管挿管を行う。経口気管挿管を選択することが一般的であるが、顔面・頸部の熱傷など患者の状態により、開口制限、頸部の後屈困難、マスクフィットの不良などがみられ、挿管困難が予測される場合には、経鼻気管挿管、ビデオ喉頭鏡を用いた気管挿管、気管支ファイバーを用いた気管挿管を考慮する。気道緊急で気管挿管できない場合は、外科的な気道確保として輪状甲状靱帯切開を実施する。

図3　吸引除去された偽膜

気道の閉塞が切迫していない場合であっても，意識レベルの低下がある場合や，大量輸液により喉頭の浮腫が危惧される場合，処置のための麻酔・鎮静が必要な場合には気管挿管を考慮する。気道閉塞症状が出現する前に予防的に気管挿管を行うのか，気道閉塞症状が出現した場合に気管挿管するのかは，担当する医療スタッフの経験や施設の状況を踏まえて選択する[7]。

気管挿管を実施した後は，チューブの固定にも留意する。熱傷部位を勘案しつつ，固定器具の活用や，皮膚への縫合など確実な固定を企図する。気道確保が長期にわたり必要となる場合には，気管切開を考慮するが，適切な実施時期に関するコンセンサスは存在しない。

2 呼吸管理

吸引による気道の清浄化を行う。気管支ファイバーを用いた偽膜の吸引除去が頻回に必要となる（図3）。人工呼吸は最高気道内圧を抑えて肺を保護することを企図し，ARDSに準じた呼吸管理や，高頻度パーカッション換気法（high-frequency percussive ventilation；HFPV）などを行うという意見もあるが，気道損傷に効果的な呼吸療法として定まったものではない[7]。重篤な呼吸不全に体外式膜型人工肺（extracorporeal membrane oxygenation；ECMO）を導入した報告[8)9)]があるが，効果と適応については今後の検討課題である。

3 初期輸液

気道損傷合併例，P/F比350未満の疑い症例では輸液量が増える[10]。

4 薬物治療

偽膜の形成を防ぐ目的で，ヘパリンやN-アセチルシステインのネブライザー吸入療法が推奨されている[7]。ヘパリン使用時は出血の合併が危惧されるため，凝固能をモニターしながら実施する[11]。人工呼吸器を介してネブライザーを使用する場合には，フィルターの閉塞が生じないよう注意する。なお，本治療法におけるヘパリンの投与は保険適用はない。

肺実質型の気道損傷では肺炎の合併が危惧されるが，抗菌薬の予防的投与に関する見解は確立していない。

5 リハビリテーション

呼吸器合併症予防を目的として呼吸理学療法，体位ドレナージ法，早期離床を行う。有効な呼吸理学療法の方法は定まっていないが，痰の喀出を促すために，患者の胸郭に手掌面を当てて呼気に合わせて圧迫し，吸気には圧迫を解放することを繰り返す呼吸介助法や，深呼吸，咳嗽，調節呼吸を組み合わせて痰の喀出を促すactive cycle of breathing technique（ACBT）法が有用であるとの報告がある[12]。

▶文 献

1) 日本救急医学会医学用語解説集：気道熱傷. https://www.jaam.jp/dictionary/dictionary/word/0905.html
2) 日本熱傷学会用語委員会（編）：熱傷用語集2015 改訂版（含，用語解説，用語説明），2015.
3) 日本熱傷学会：熱傷入院患者レジストリー2020年度年次報告. http://www.jsbi-burn.org/members/login/file.cgi?2020_nenjihokoku.pdf（会員専用ページ）
4) 日本外傷学会，他（監）：熱傷・電撃傷．外傷初期診療ガイドラインJATEC™, 改訂第6版，へるす出版，2021, pp 191-6.
5) Ziegler B, et al：Impact of diagnostic bronchoscopy in burned adults with suspected inhalation injury. Burns 45：1275-82, 2019.
6) Yamamura H, et al：Chest computed tomography performed on admission helps predict the severity of smoke-inhalation injury. Crit Care 17：R95, 2013.
7) 日本熱傷学会学術委員会：熱傷診療ガイドライン（改訂第3版）．熱傷 47（Suppl）：S1-108, 2021.
8) Dadras M, et al：Extracorporeal membrane oxygenation for acute respiratory distress syndrome in burn patients：A case series and literature update. Burns Trauma 7：28, 2019.
9) Eldredge RS, et al：Effectiveness of ECMO for burn-related acute respiratory distress syndrome. Burns 45：317-21, 2019.
10) Endorf FW, et al：Inhalation injury, pulmonary perturbations, and fluid resuscitation. J Burn Care Res 28：80-3, 2007.
11) Zieliński M, et al：Is inhaled heparin a viable therapeutic option in inhalation injury? Adv Respir Med 87：184-8, 2019.
12) Kubo T, et al：Chest physical therapy reduces pneumonia following inhalation injury. Burns 47：198-205, 2021.

19-4 化学熱傷

諸江 雄太

「化学熱傷／損傷（chemical burn/ injury）」については，国際熱傷学会（International Society for Burns Injuries；ISBI）のガイドライン[1]や米国熱傷学会（American Burn Association；ABA）の熱傷初期診療コース（Advanced Burn Life Support Course；ABLS Course）のプロバイダーマニュアル[2]において，「化学熱傷（chemical burns）」として項目が設けられているが，その本文中では「化学損傷（chemical injury）」という表記も使用されている。また，日本熱傷学会による『熱傷診療ガイドライン（改訂第3版）』[3]では，特殊熱傷の項目内で「化学損傷」という用語を使用している。さらに日本皮膚科学会のガイドライン[4]では「化学熱傷」という用語が使用されている。それらを踏まえたうえで，ここでは総称して化学熱傷（chemical burns）と表記する。

なおICD（International Statistical Classification of Diseases and Related Health Problems）に関して，わが国では「基本分類表及び内容例示表」（平成27年2月13日総務省告示第35号，令和3年4月19日総務省告示第159号一部改正）の定めにより，ICD-10（2013年版準拠）が死因統計や診療報酬請求で広く使用されているが，ここでは「化学熱傷」という表記が使用され，「熱傷及び腐食（T20－T32）」に分類されている。

化学熱傷とは

化学熱傷とは，化学物質が皮膚・粘膜に一次性に接触した際，その物質固有の化学反応によって惹起される急性組織反応で，原則として熱作用は伴わないとされている。国や地域によって発生頻度は異なるものの，Hardwickeらは文献的検索で化学熱傷の発生率は2.4～10.7％の範囲であり，男性が多いと報告している[5]。またABAは，1999～2008年までに米国の熱傷センターに入院した熱傷の3％を化学熱傷が占めていたと報告している[2]。このように，化学熱傷の頻度は高くないものの，労働災害や職業曝露，通常の生活のなかで意図せず発生する可能性がある。

初期治療の原則

病院前からの診療の流れを表1に示す。化学熱傷の初期治療において，以下の5点が重要である。

1 化学熱傷の認知と化学物質の同定（情報収集）

外来受診時や救急搬送前の情報から，化学熱傷を認知することと化学物質を同定することはきわめて重要であり，情報収集が必要である。化学物質の正確な同定は不可能であっても，酸性物質かアルカリ性物質か，有機化合物かなどを同定することが望ましい。また，性状も液体か気体か粉末か，あるいは臭いや色などの特徴も参考となる。消防や警察などからの情報（分析結果を含む）や，受傷機転も有力な情報となる。とくに小児の化学熱傷は家庭内で遭遇することが多いとされ[6]，虐待の有無も含めて注意が必要である。

2 二次災害の防止

初期診療にあたる医療従事者などへの曝露（二次災害）を予防する。基本的な標準予防策（standard precautions）はもとより，場合により動線確保や十分な換気に配慮する。除染の際にも十分な防護が必要となる。

3 除 染

最初に行うべきは，化学物質の曝露からの離脱と除去である。曝露環境から一刻も早く離脱し，付着した化学物質が粉末であれば払い落とし，液体であれば付着した衣類などをすべて脱衣してから流水などで十分に洗い流す（少なくとも20分間）。とくに灼熱感などが残存している場合には，さらに10～15分程度流水で洗い流す[1]。症状や物質によっては，医療機関到着まで洗浄を要することもある。除染の方法としては大量の流水が主流であるが，化学物質ごとに適した方法もある（後述）。

表1 化学熱傷診療の基本的な流れ

1．病院前
- 救助者などの二次災害防止（NBC災害などの場合はその対応）。除染と，継続的で十分な洗浄
- ABCDEの評価。外傷があれば，その対応を優先
- 可能な範囲で原因化学物質の同定と推測。情報発信（現場から）と収集（搬送先医療機関などで）

2．primary survey
- 医療従事者，施設などの二次災害の防止（NBC災害などの場合はマニュアルなどに従う）
- 必要に応じ，除染と十分な洗浄を継続（あわせて原因化学物質などに関する情報収集）
- ABCDEの生理学的評価と安定化。外傷があれば，その対応を優先

3．secondary survey
- 引き続き，二次災害の防止，必要に応じて除染や洗浄を継続
- 全身の解剖学的評価とともに，化学熱傷部位の評価（面積と深達度，口腔，粘膜，眼球など）と処置を実施
- 外傷があれば，その根本的治療を優先

4．専門的治療など
- 障害を受けた臓器に対する根本的治療やリハビリテーションなどを実施
- 必要に応じ，専門医コンサルテーション，集中治療などが可能な施設への転院を考慮

化学熱傷部位が全身に及ぶ場合は，低体温に注意する。化学性質が酸性かアルカリ性かがわかっていても，中和熱でさらに悪化する可能性があるため，決して中和を試みない。

医療機関で処置を行う前には，必ず除染されたことを確認する。二次災害を予防するために重要であり，発生現場からの情報に懸念がある場合には再度除染することも考慮すべきである。なお，除染の際にはプライバシーに配慮することも忘れてはならない。

4 Primary/secondary survey

化学熱傷患者であってもその初期診療は，外傷と同様である[7]。すなわち気道（Airway），呼吸（Breathing），循環（Circulation）の評価，中枢神経障害（Dysfunction of CNS）の有無と外出血や体温の管理（Exposure and Environmental Control）などの生理学的評価（いわゆるprimary survey）と蘇生を開始して，生理学的な異常をもたらす外傷があればその蘇生処置を優先し，あらゆる致死的な状況を回避する。primary surveyで全身状態が安定化した後に，詳細な解剖学的評価（secondary survey）を行う。病歴聴取などを行いつつ，化学熱傷に対する評価を行う。外傷があればその対処を優先する。primary/secondary surveyにおいても医療者に対する二次災害を予防すべく，可能なかぎり除染を行う。熱傷創に対しては，一般的な熱傷の評価，処置，治療を行う。

5 専門医へのコンサルテーション

化学熱傷と診断し全身状態を安定させた後は，必要に応じて適切な専門医（熱傷，外傷，消化器内科/外科，集中治療，皮膚科，形成外科，眼科など）へのコンサルテーションを検討する。専門医が不在の場合には，適切な医療機関へ転院させる。

受傷形態

1 皮膚・粘膜からの吸収と障害

化学物質が付着した皮膚，粘膜への直接障害と，吸収され血中に移行して引き起こされる全身障害がある。とくに眼球の化学熱傷は視覚的障害を起こし得るため，予防（保護）と早期の洗浄が重要である。化学物質に曝露された眼球に対しては，流水または生理食塩液で長時間の洗浄を行うが，確立された洗浄時間や推奨される方法はない[8,9]。重要なのは，全例眼科専門医へのコンサルテーションを行うことである。

2 経口摂取による障害

化学物質を経口摂取したことで口腔粘膜から咽頭，食道などの消化管粘膜が障害される。粘膜の発赤やびらん程度のものから，腐食性潰瘍，瘢痕狭窄，穿孔などを生じ，外科的治療を要することもある[10,11]。

3 吸入による障害

化学物質を吸入することで急性肺障害（acute lung injury；ALI）や急性呼吸促迫症候群（acute respiratory distress syndrome；ADRS）を起こし得る．気道管理，人工呼吸管理による肺保護換気，および肺水腫予防のための体液管理などを行う．

4 複合障害

受傷機転やその化学物質の性質上，皮膚・粘膜のみならず吸入による障害も同時に起こり得る．皮膚などに付着した場合は化学物質が経皮吸収され，中毒症状を呈する場合もあり注意が必要である．とくに小児の場合は曝露の詳細がわからないことがあるため，積極的に受傷部位を検索する．顔面（とくに口唇付近）に化学熱傷などを認めた場合には，口腔内を必ず観察する．

重症度

化学物質による障害の程度を軽減するには，素早い原因物質からの離脱と除染が重要であることはいうまでもない．皮膚・粘膜の重症度の評価は，熱傷に準じた評価（熱傷面積と深達度）でよい．また吸入による ALI や ARDS に関する重症度は各病態の評価に準じる．

一般的に化学熱傷の重症度はさまざまな要素に関連する．化学物質の「組成（性質）」によって皮膚や粘膜組織への作用，浸透が決まる．化学物質の「濃度」や化学物質と「接している時間」は，損傷の深達度に影響を与える．化学物質の「温度」は一般的に反応速度に影響を与え，「量」は障害を受ける範囲（面積）に関係する．通常，化学物質が皮膚や粘膜へ作用しつづける間は障害が進行するため，化学物質の濃度や温度，接触している時間によっては，除染を行ってもなお深達度の診断は困難となり得る．

化学物質別の特徴・対応など

代表的な酸性物質（acids：pH＜7）とアルカリ性物質（alkalis：pH＞7），有機化合物（organic compounds）による化学熱傷に分けて解説する．代表的な原因物質について，診療上の要点のみ表2に示す．

1 酸性物質

一般的に酸性化学物質による作用機序の主体は蛋白質の変性と凝固壊死である．真皮が酸に触れると痂皮化する性質から，損傷の範囲はアルカリより深く及ばないとされる．

1）塩 酸

漂白作用で創面が灰白色に変化する．付着した場合には直ちに大量の流水で洗浄する．創部については一般的な熱傷の評価と治療に準じる．

2）硫 酸

付着すると強い腐蝕作用を示し，創部には激しい疼痛を伴い，白色〜黄褐色の痂皮形成を伴う．硫酸の濃度によっては強い脱水作用で組織は炭化して，後日黒褐色へと変化することがある．付着直後は大量の流水で十分に洗い流す．創部については一般的な熱傷の評価と治療に準じる．蒸気の吸引で ALI を生じることがある．

図1に硫酸による化学熱傷例を示す．受傷直後は灰白あるいは灰黄色であったが，その後に痂皮形成とともに一部炭化し黒褐色となっている．最終的に熱傷としての深達度評価はⅡ度（deep dermal burn；DDB）であった．治療は一般的な熱傷に準じて行い，軟膏などによる保存的治療とした．一部ケロイド瘢痕となったが，すべて完治した．

3）硝 酸

付着すると強い腐蝕作用を示し，激痛を伴う．付着した組織の蛋白質と反応してキサントプロテイン反応を起こし，白色から黄色，さらに進むと黄褐色へと変化する．創部については一般的な熱傷の評価と処置，治療を行う．蒸気の吸引で ALI をきたすことがある．

4）フッ化水素酸

フッ化水素酸は弱酸で，局所的な影響は限定的であるが，フッ化物イオンは非常に毒性が強い．フッ化物イオンは血中の遊離カルシウムと急速に結合し，低カルシウム血症を惹起して不整脈を誘発する．

付着すると即時の激しい痛みと液化壊死による高度の腐蝕を引き起こす．とくに，この過程で遊離したフッ素イオンは組織内のカルシウムイオンと容易に結合し，難溶性フッ化カルシウムを形成して，すべてのフッ化物イオンが不溶塩化するまで組織の液化壊死を起こしつづけるため，深達度も深くなる．

付着した場合には，大量の流水で少なくとも30分以上洗い流す[2]．また，フッ化物イオンをカルシウムに結合

表2 代表的な化学物質ごとの症状・障害・処置など

原因物質	曝露時の症状など	接触部位の障害など	曝露初期の主な処置
酸性物質			
塩酸	疼痛（硫酸や硝酸ほどではない）	灰白色に変性	即時に大量の流水で洗浄
硫酸	激しい疼痛	黄褐色の痂皮形成と炭化	即時に大量の流水で洗浄
硝酸	激しい疼痛	白色，黄色から黄褐色に壊死（腐蝕）	即時に大量の流水で洗浄
フッ化水素酸	即時の激しい疼痛	壊死（腐蝕） 低カルシウム血症に伴う不整脈	即時に大量の流水で洗浄 カルシウム製剤全身・局所投与
アルカリ性物質			
水酸化ナトリウム 水酸化カリウム	疼痛は比較的少ない	蛋白質の鹸化と液化壊死（腐蝕）	即時に大量の流水で洗浄
炭酸水素ナトリウム	無症状〜疼痛	同上	即時に大量の流水で洗浄
無水アンモニア	特異的な刺激臭	水疱形成 吸入時の呼吸障害 粘膜びらん	即時に大量の流水で洗浄 呼吸障害時には酸素投与など
酸化カルシウム	発赤とびらん	遅発性の潰瘍形成	即時に大量の流水で洗浄
石灰硫黄合剤	ほぼ無症状	遅発性の潰瘍形成	即時に大量の流水で洗浄
有機化合物			
ガソリン ディーゼル燃料	特徴的な刺激臭 灼熱感，疼痛	発赤とびらん	大量の水（流水）や石けんによる洗浄
灯油	特異的な刺激臭	発赤とびらん 水疱形成	大量の水（流水）や石けんによる洗浄
フェノール	特異的な刺激臭	遅発性の壊死（腐蝕）	大量の水（流水）や石けんによる洗浄 ポリエチレングリコールやグリセロールなどによる除染

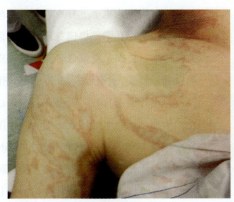
受傷直後

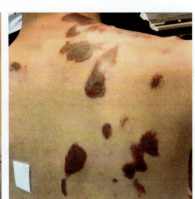
受傷48時間後

図1 硫酸による化学熱傷

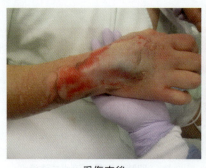
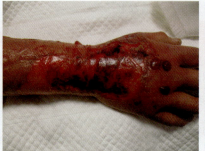
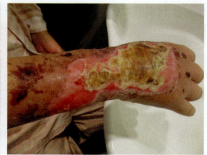

受傷直後　　　　　　　　　受傷3日後　　　　　　　　　受傷10日後

図2 炭酸水素ナトリウムによる化学熱傷

させて不活化するために，局所にカルシウムゲルを使用して壊死の進行を抑制することができる。市販のゲルなどが手元にない場合にも，カルシウムゲルは容易に作成できる（1アンプルのグルコン酸カルシウムと100gの水溶性潤滑ゼリー）が，カルシウムゲルの塗布は受傷後3時間以内が有効との報告もある[12]。

グルコン酸カルシウム以外に第4級アンモニウム製剤も有効で，塩素イオンがフッ素イオンを非イオン化すると考えられている。また，局所へのグルコン酸カルシウム製剤の注射のほか，動脈内・静脈内からのグルコン酸カルシウム投与も行われる。創部についてはデブリドマンや植皮，皮弁術など外科的な治療を必要とすることが多い。

付着物質がフッ化水素酸と判明した場合には，一刻も早い除染と積極的なカルシウム製剤の使用，厳重な不整脈の監視などの全身管理と，外科的治療も考慮した専門的な創部治療が必要である。

2 アルカリ性物質

一般的にアルカリ性化学物質による作用機序の主体は蛋白質の鹸化による液化壊死である。そのためより深い部分まで浸透・拡散し，深達度は予想以上に深くなり重症化する。また，経口摂取の場合は損傷のないごく軽症から，食道や胃などの上部消化管の全層壊死を生じる重症例までさまざまである。Chiricaらは緊急手術の必要性などを判断する方法として，従来の上部消化管内視鏡よりもCT検査のほうが優れていると報告している[13]。

1）水酸化ナトリウムなど

水酸化ナトリウムは苛性ソーダとも呼ばれ，アルカリ性物質による化学熱傷のなかでもっとも多い。皮膚に付着した場合も酸性の物質より痛みや炎症も少ない。皮膚などに付着した場合は大量の流水で洗浄する。創部については通常の熱傷治療を行う。水酸化カリウムも強力なアルカリ性化学物質であるが，対応は同じである。なお，このような腐食性物質を経口摂取した際に，牛乳を飲ませることがあるが，極早期であれば牛乳や水は希釈療法として上部消化管への損傷を軽減できる可能性がある[14]。

2）炭酸水素ナトリウム

重曹ともいわれる。炭酸水素ナトリウムは弱アルカリ性であるが医療用製剤としても汎用されており，さまざまな副作用が報告されている。なかでも血管外漏出による皮膚障害は化学熱傷と同等であり，広く認知されるべきである[15,16]。予防策としては注意深い観察と血管痛を含めた早期発見が重要で，血管外漏出を認めた場合には投与の中止と点滴の抜去，疼痛管理を行う。また，障害の程度にあわせて熱傷と同様の治療を行う。

図2に炭酸水素ナトリウムを点滴静注した際に血管外漏出を生じた化学熱傷例を示す。受傷直後は発赤と腫脹のみであったが，受傷3日後では表皮の一部壊死と全体的な発赤腫脹，水疱形成（Ⅱ度DDB相当）を生じた。徐々に液化壊死が進行し，受傷10日後にはⅢ度熱傷と診断した。治療は壊死組織切除，局所陰圧閉鎖療法を行い，良質な肉芽組織を作製した後，自家分層植皮で創閉鎖を行った。手指の運動に若干の可動域制限が認められたものの，生活に支障のない程度に治癒した。

3）無水アンモニア

アンモニアは水分と反応して活性化され，とくに皮膚への付着で水疱形成をきたす。評価と治療は一般的な熱傷に準じる。易刺激性で角膜に接すると重度の障害となる。低濃度のアンモニアの吸入では上気道などの浮腫を起こすことがあるが，高濃度の吸引はALIを惹起する。いずれにしても特異的な刺激臭があり，危険を察知する

ことは容易である。付着部位は大量の流水で除染を行い，皮膚障害の際は熱傷の評価と治療に準じる。必要に応じてALIを念頭に置いた治療を行う。

4）酸化カルシウム

いわゆるセメントの主成分で，生石灰ともいわれる。水と反応して水酸化カルシウムとなり強アルカリ（pH＞12）を呈し，化学熱傷を起こす。付着した際には発赤やびらん程度であるが，徐々に壊死が進み，数時間後に潰瘍や全層痂皮形成などに至ることがある。初期対応として，大量の流水で洗い流す。創部については一般的な熱傷と同様の評価と治療を行う。

5）石灰硫黄合剤

石灰硫黄合剤は広く農薬や殺虫剤として現在でも使用され，成分としては多硫化カルシウムで構成されているが，五硫化カルシウムが主成分である。強アルカリの性質をもち，自覚症状が乏しいため，皮膚などに付着しても放置されることが多いとされる。時間が経過すると乳灰白色の痂皮形成と深達度の深い潰瘍となる。深達度が深いために外科的治療が行われた報告が散見され[17)18)]，注意を要する。付着した場合は大量の流水で洗浄し，創部は一般的な熱傷に準じて治療を行う。とくに酸性物質と反応すると硫化水素を発生するので，注意が必要である。

3 有機化合物

一般的に有機化合物による障害は，その化合物との接触による化学熱傷と，気化した化合物による肺障害，経皮・経口吸収されて生じる臓器障害である。有機化合物は皮膚や粘膜の細胞膜の脂肪に対する溶媒作用により，脂肪組織を溶解・浸透し容易に吸収される。ここでは化学熱傷に相当する皮膚・粘膜障害を中心に，代表的な有機化合物について解説する。

1）ガソリン，ディーゼル燃料

ガソリンは灯油よりも揮発性が高く，皮膚刺激性も強く容易に皮膚より吸収される。そのため，接触による化学熱傷のみならず，経皮吸収や吸引したことによる多臓器障害に注意しなければならない。ガソリンもディーゼル燃料も，曝露されている時間が長いほど化学熱傷になりやすく，発赤とびらん，灼熱感を伴う疼痛が主体であり，皮膚は水疱形成を伴いⅡ度熱傷の様相を呈する。汚染された衣服などは取り去り，石けんと水または大量の流水で表面を洗うとされている[19)20)]。創部については一般的な熱傷評価と治療を行う。神経抑制作用や多臓器障害に注意し，必要に応じて対症療法を中心とした集中治療を行う。

2）灯 油

灯油による化学熱傷では，ガソリンほど刺激性は強くないが，ガソリン同様に皮膚に発赤やびらん，水疱形成などをきたし，Ⅱ度熱傷相当となる。曝露されている時間が長いほど深達度も深くなる。付着した衣服などを除去し，大量の流水や石けんなどで洗浄する。創部については，一般的な熱傷の評価と治療に準じる。容易に経皮または吸入で吸収されるため，ALIや臓器障害に注意する。

3）フェノール

フェノールは医薬品や染料などの原料として広く用いられ，希釈して消毒剤などにも利用されている。弱酸性アルコールであり，酸性物質と同様に蛋白質の変性を伴う凝固壊死をきたす有機化合物である。付着した場合には大量の流水で洗い流した後，ポリエチレングリコールやエタノール，グリセロールなどで皮膚から取り除く。化学熱傷としては酸性物質による症状と似ており，疼痛と灼熱感を伴う。創部の評価と治療については，一般的な熱傷に準じて行う。

化学物質に関する情報

常に新しい化学物質が誕生し，依然として危険な化学物質を作業工程などで必要としている現場も多い。近年ではacid attackが増加し，日常でも犯罪行為として遭遇する機会も増えるであろう[21)22)]。それゆえ，初期治療を担当する救急医は，化学熱傷について知っておくべきである。多くの化学物質は，2003年7月に国連勧告として採択された「化学品の分類および表示に関する世界調和システム（The Globally Harmonized System of Classification and Labelling of Chemicals；GHS）」に基づき，危険有害性を世界的に統一された一定の基準に従って分類され，安全データシート（Safety Data Sheet；SDS）にさまざまな情報が反映されている[23)]。また，化学物質の情報は厚生労働省の「職場のあんぜんサイト」で検索することができるので，あわせて活用されたい[24)]。

▶文 献

1) ISBI Practice Guidelines Committee ; Advisory Subcommittee ; Steering Subcommittee : ISBI Practice Guidelines for Burn Care, Part 2. Burns 44 : 1617-706, 2018.
2) American Burn Association : Advanced Burn Life Support Course : PROVIDER MANUAL 2018 UPDATE, 2018.
3) 日本熱傷学会学術委員会 : 熱傷診療ガイドライン（改訂第3版）. 熱傷 47（Suppl）: S1-S108, 2021.
4) 吉野雄一郎, 他 : 創傷・褥瘡・熱傷ガイドライン-6 ; 熱傷診療ガイドライン. 日皮会誌 127 : 2261-92, 2017.
5) Hardwicke J, et al : Chemical burns : An historical comparison and review of the literature. Burns 38 : 383-7, 2012.
6) Nguyen ATM, et al : Paediatric chemical burns : A clinical review. Eur J Pediatr 180 : 1359-69, 2021.
7) 日本外傷学会, 他（監）: 熱傷・電撃傷. 外傷初期診療ガイドラインJATEC™, 改訂第6版, へるす出版, 2021, pp191-6.
8) Sharma N, et al : Treatment of acute ocular chemical burns. Surv Ophthalmol 63 : 214-35, 2018.
9) Bizrah M, et al : An update on chemical eye burns. Eye (Lond) 33 : 1362-77, 2019.
10) Tettey M, et al : Pattern of esophageal injuries and surgical management : A retrospective review. Niger J Clin Pract 23 : 686-90, 2020.
11) Scapa E, et al : Chemical burns of the upper gastrointestinal tract. Burns Incl Therm Inj 11 : 269-73, 1985.
12) Yasuda H, et al : Therapeutic effectof topical calcium gluconate for hydrofluoric acid burn : Time limit for the start of the treatment. J UOEH 21 : 209-16, 1999.
13) Chirica M, et al : Caustic ingestion. Lancet 389 : 2041-52, 2017.
14) Homan CS, et al : Therapeutic effects of water and milk for acute alkali injury of the esophagus. Ann Emerg Med 24 : 14-20, 1994.
15) Gaze NR : Tissue necrosis caused by commonly used intravenous infusions. Lancet 2 : 417-9, 1978.
16) 進来塁, 他 : 皮膚全層壊死に至った小児血管外漏出の3症例. 創傷 7 : 99-104, 2016.
17) 木村知己, 他 : 石灰硫黄合剤による化学熱傷の3例. 熱傷 48 : 47-51, 2022.
18) 佐藤勇樹, 他 : 石灰硫黄合剤による化学熱傷の2例. 西日皮 75 : 11-3, 2013.
19) Binns H, et al : Gasoline contact burns. JACEP 7 : 404-5, 1978.
20) Hansbrough JF, et al : Hydrocarbon contact injuries. J Trauma 25 : 250-2, 1985.
21) Sugrue R, et al : The discordant relationship between acid attack incidence and advances in management. Burns 44 : 236-7, 2018.
22) Rasouli HR, et al : Raising awareness against acid attacks. Lancet 385 : 772-3, 2015.
23) 厚生労働省 : 職場のあんぜんサイト ; GHSとは. https://anzeninfo.mhlw.go.jp/user/anzen/kag/ankg_ghs.htm
24) 厚生労働省 : 職場のあんぜんサイト ; 化学物質. https://anzeninfo.mhlw.go.jp/user/anzen/kag/kagaku_index.html

19-5 低温熱傷

佐藤 幸男

定義・疫学

日本熱傷学会の用語集[1]によれば，短時間の接触では熱傷とならない程度の温度が，長時間にわたって接触部に作用して熱傷を生じるものを低温熱傷（moderate temperature burns）という。通常では熱傷が起こり得ない程度の温度，約44〜50℃以上の温度でも，数時間にわたって同一皮膚に接触していると，皮下組織まで壊死をきたすほどの熱傷となる。凍傷（cold burn, frostbite）は含まない。一般的に，接触部位だけが損傷するので熱傷範囲は限局的であるが，深達度が深くなりやすく，治癒までに時間を要することを特徴とする。

わが国における低温熱傷の発生数に関する医学的統計データはないが，消費者庁の事故情報データバンク[2]で「低温」「やけど」で検索すると，2009年9月の登録開始から2022年6月までで606件が検出され，原因として湯たんぽ，コタツ，ストーブ，カイロ，電気あんか，サウナ，スマートフォン，脱毛器などの使用による低温熱傷が報告されている。

病態生理

低温熱傷をきたすもっとも低い温度は何度であるのか，ということが臨床疑問として存在する。頻繁に引用されるMoritzらの研究[3]はブタの皮膚を用いたもので，44℃では約6時間で表皮に不可逆的変化が生じ，44〜50℃の間では，1℃上昇することでその変化をきたす時間は約1/2に短縮することが示されている。注意すべきは，44℃未満のデータがないことである。同時に一定の温度下では曝露時間とともに熱がより蓄積しやすいことも報告されている[4]。なお，湯たんぽなどの製品の注意喚起ではしばしば山田の報告[5]が引用されているが，これもMoritzらの研究を引用している。

その後，Suzukiらのラットを用いた研究[6]では，浅達性Ⅱ度熱傷が起こるのは37.8℃，深達性Ⅱ度熱傷は41.9℃，全層熱傷は47.9℃で起こると報告された。彼らは，熱傷は熱源の温度と曝露時間に対する熱そのものによる影響だけでなく，局所の圧迫と虚血との相乗作用によって生じるため，家庭内の暖房器具など通常の状態では問題とならないような温度でも，短時間であっても圧着されていることで低温熱傷が生じる，と考察している。さらに，低温熱傷の肉眼所見は発赤と灰色の壊死であり，組織学的には表皮下に水疱を形成しているが，肉眼的に明らかな水疱（いわゆる水膨れ）形成はせず，深達性Ⅱ度熱傷であっても肉眼所見は発赤のみであると述べており，これらはヒトの症例報告とも合致し，低温熱傷の特徴と考えられる。

その後も同様の報告が散見され，近年のレビュー[7]では43℃を超えるとヒトの皮膚は痛みを感じ，表皮の基底層の温度が44℃に達すると熱傷が起こり，浅達性Ⅱ度熱傷では温度に対して皮膚は対数的に損傷を受ける，とまとめている。

症　状

通常は熱傷を受傷していると考えられる状況ではないため，肉眼的に気づかなければ，疼痛を伴わないこともあり，自覚症状は乏しいことが多い。受傷機転に気づかずに局所の発赤や黒色壊死で受診することもある。前述のとおり，創の肉眼所見は発赤程度で軽症にみえるが，実際の深達度はⅣ度（筋，腱，骨）まで到達していることがある。したがって経過としては，初期は限局性の発赤・水疱を認める程度で，しだいに黒色に変化して組織は壊死していく。黒色に変性した痂皮が剝がれて潰瘍を形成することもあり，褥瘡と似たような創を形成する。

原　因

わが国では学会発表を含めると，湯たんぽ，電気あんか，電気毛布，コタツ，ストーブ，使い捨て式カイロ，床暖房，温便座などの報告があり，医療機器でも，パルスオキシメータプローブ，ホットパック，手術中に用いる保温ブランケットでの受傷報告がある[8)9)]。消費者庁

の事故情報データバンクでは，スマートフォン，脱毛器などによる受傷報告もある[2]。湯たんぽ，使い捨てカイロなどは夜間就寝中に使用され，多くは小範囲であるが，深達度は容易にⅡ度を超える。岩井らは「普通これらは30〜40℃くらいで使用されるが，圧迫部位では50℃以上になることが多い」と述べている[10]。

患者側の要因としては血管障害や血液循環不全がある。すなわち，糖尿病などに伴う末梢神経障害，肥満などがあげられる。

検査・診断

湯たんぽなどでは，下腿伸側外側面に接触させていることが多いため，同部位を受傷する。このように病歴が明らかな熱傷創であれば診断に迷うことはないが，低温熱傷と認識せずに時間が経過して黒色壊死した状態で受診をする場合があり，可能なかぎり受傷機転を確認すべく病歴聴取を行う。鑑別診断は接触性皮膚炎，褥瘡である。低温熱傷の診断に特異的な検査はない。創感染の併発が疑われる場合は培養検査を行う。

治　療

低温熱傷に限定した臨床研究はないが，受傷後3時間以内であれば，一般的な熱損傷に対する first aid と同様に，少なくとも10分以上の流水による冷却が損傷範囲の縮小に有効である可能性がある。局所軟膏療法としては，エビデンスレベルの高い科学的根拠はないが，ほかの熱傷創と同様にⅠ度およびⅡ度熱傷ではワセリン基剤の局所療法を，Ⅲ度熱傷を疑う場合はスルファジアジン銀を使用することが多い。一般的にⅢ度熱傷は外科的な壊死組織の除去が原則であるが，小範囲の場合は局所療法を実施することがある。また，日本熱傷学会のガイドラインでは「化学的壊死除去剤（ブロメライン含有軟膏，ソルコセリル含有軟膏）などを用いるとする意見がある」と，推奨度なしの back ground question として記載がある[11]。しかし，低温熱傷の特徴は深達性の熱傷となることであり，局所軟膏治療に固執すると治癒が遷延する可能性がある。壊死組織と正常皮膚の境界線（demarcation line）が明瞭となれば，デブリドマンおよび植皮術による外科的治療を積極的に検討する。Choi らの観察研究では，低温熱傷で治療開始が遅れた群ではより長い治療期間を有したと報告されている[12]。

予　防

予防の方策は，湯たんぽなどを含め熱を発生する機械を使用する際はこまめに皮膚の状態を観察する，長時間使用は避けることであり，啓発がなされている。

診療上の注意点

一般的には深達性の熱傷となることが多く，治癒までに時間を要する。糖尿病や末梢神経炎などの知覚障害を合併した患者で受傷のリスクが高い。繰り返しになるが，皮膚所見が軽症であっても，実際には深達度が深い，あるいは深くなり，長期治療が必要であったことが多数報告されており，治療方針の決定には慎重を要する。

また，本人に受傷の自覚がなく，疼痛が乏しいため受診が遅れて適切な治療時期を逃してしまう場合，ほかの主訴で救急受診をした際に合併している場合，すなわち何らかの急病の発症により動けなくなり身体が低温固体に長時間接触して受傷した場合，などがある。さらには，パルスオキシメータやブランケットなどの医療機器による受傷など，入院中の患者にも起こり得ることに留意する。

▶文　献

1) 日本熱傷学会用語委員会（編）：熱傷用語集2015改訂版（含・用語解説，用語説明），2015, p 54.
2) 消費者庁：事故情報データバンクシステム．https://www.jikojoho.caa.go.jp/ai-national/
3) Moritz AR, et al：Studies of thermal injury：Ⅱ．The relative importance of time and surface temperature in the causation of cutaneous burns. Am J Pathol 23：695-720, 1947.
4) Henriques FC, et al：Studies of thermal injury：Ⅰ．The conduction of heat to and through skin and the temperatures attained therein：A theoretical and an experimental investigation. Am J Pathol 23：530-49, 1947.
5) 山田幸生：低温やけどについて．製品と安全 72：2-8, 1999.
6) Suzuki T, et al：Experimental studies of moderate temperature burns. Burns 17：443-51, 1991.
7) Martin NA, et al：A review of the evidence for threshold of burn injury. Burns 43：1624-39, 2017.
8) 岡田清春：低温熱傷の治療．外来小児科 16：57-9, 2013.

9) 米田真理, 他：パルスオキシメータによる小児の低温熱傷の 3 例. 臨床皮膚科 63：892-95, 2009.
10) 岩井雅彦, 他：いわゆる低温熱傷に対するデュオアクティブドレッシングの使用経験. Therapeutic Research 9：485-90, 1988.
11) 日本熱傷学会学術委員会：日本熱傷学会診療ガイドライン（改訂第 3 版）. 熱傷 47（Suppl）：S1-108, 2021.
12) Choi MS, et al：Early intervention for low-temperature burns：Comparison between early and late hospital visit patients. Arch Plast Surg 42：173-8, 2015.

19-6 凍傷

伊藤 岳

定義・分類

凍傷とは，極度の低温への曝露によって生じる組織傷害を指す。発症の誘因として一般的に多いのは寒冷環境であるが，冷却剤や冷たい金属との接触，冷媒ガスへの曝露などでも罹患することがある。組織傷害の程度は，環境（気温，風，高度など）および個人（既往症，服薬歴，衣類や装備など）に関連する，さまざまな因子の複雑な相互作用によって決定する。

古典的な分類は，解凍前や解凍後急性期における患部の所見に基づいたものである（表1）[1]。この分類は簡便ではあるが，将来的な組織欠損の可能性や機能予後を正確に予測できるものではない。また，自然経過だけでなく，解凍の手法やタイミング，外傷の合併，感染などによっても損傷の程度が変化することがある。これらの第一度と第二度を表皮までの傷害である「浅在性凍傷」，第三度と第四度を真皮以下に傷害の及ぶ「深在性凍傷」と呼ぶ場合もある。

また，臨床所見に骨シンチグラフィによる評価を加えた分類を行うことで，患部切断の危険性を予測し，凍傷の最終転帰を早期に予測できるという報告もある[2]。

病態生理・症状

1 病態生理

凍傷の病態生理は，凍結によって生じる直接的な組織傷害と，血管攣縮や血栓形成に伴う虚血によって生じる間接的な組織傷害の組み合わせである。前者は組織の凍結によって細胞膜の損傷や細胞内代謝の異常が生じることで起こる。後者は血管攣縮や血栓形成によって組織の虚血や再灌流が生じ，微小循環系の内皮細胞傷害をきたすことで起こる。

2 症状

凍傷の好発部位は，衣類や防寒具に覆われることなく低温に曝露しやすい部分である顔（耳，鼻，頬，顎など）や，血管攣縮の影響を受けやすい末梢部位である手指やつま先などである（図1）。初期には，主観的には患部の冷感や刺すような痛み，感覚鈍麻，動かしにくさといった訴えがみられる。客観的には白や灰色を帯びた皮膚の色調変化（もともとの皮膚の色によってはわかりにくいこともある）や，蝋やワックスに例えられる，正常皮膚よりもやや硬い触感の変化が認められる。また，深度によっては，解凍後に漿液性または血性の液体を含む水疱が形成されることもある。

発症に関連する因子

疫学上，凍傷の多くは寒冷環境下で生じており，歴史的には軍事行動や極地・高所での活動に伴う報告例が多い。また，近年の一般的な社会生活における発症例は，その多くが寒冷環境に加えて個人の社会的不利や精神疾患，泥酔状態などの要因を背景としている。ここでは，時に重篤な凍傷に至る登山などの野外活動に重点を置いて，発症に関連する因子やその予防について述べる。

表1 凍傷の分類

第一度	感覚鈍麻や皮膚の蒼白，または紅斑を呈する
第二度	透明または乳白色の液体を含む，表在性の水疱を形成する。解凍に伴い疼痛が生じる
第三度	暗血性の液体を含む，より深い水疱を形成する。組織傷害は真皮に及び，解凍に伴い疼痛が生じる
第四度	解凍後も疼痛はない。真皮を越えてさらに下部の組織にまで傷害が及ぶ。比較的早期に黒色壊死に移行することがある

〔文献1）より引用・改変〕

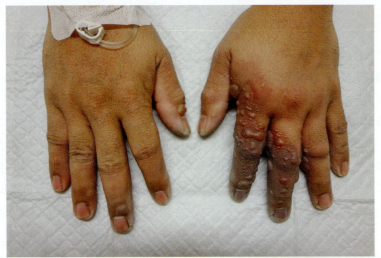
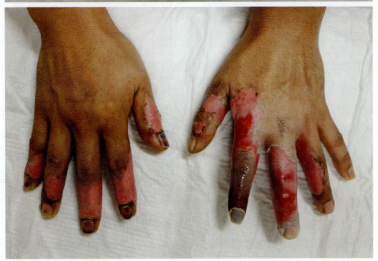

図1 手指の凍傷例

上：受傷当日，解凍後。エアコンの修理作業中に，冷媒ガスに曝露して受傷
下：受傷から2週間後。色調不良が遷延している左示指はこの後に黒色壊死を呈し，約2カ月後に断端形成術を行った。また，初診時わずかに水疱を呈するのみであった右手指にも広範な表皮脱落が生じている

1 低温と風

凍傷が生じる危険性は，低温と風が組み合わさった状況下では，低温単独の場合よりもはるかに高くなる。これは，空気の熱伝導率は比較的低いものの，風が当たることで対流による熱喪失が生じるためである。防風性に加えて，体表に空気の層を維持できるような衣類や装備を選定することが対策の一つとなる。

2 伝導に伴う熱喪失

凍傷による組織傷害の程度を決定する大きな要因の一つは，熱伝導率の高い，低温の物質に触れることによって生じる熱喪失である。野外においては地面や雪面への身体の接触がこれにあたる。とくに接地面積が大きくなる臥位や坐位の状態では，断熱性の高いものを敷いて熱喪失を防ぐよう努めるべきである。

3 標高

高所においては，気温が下がること，脱水状態を呈しやすいことがリスクとなる。一般的に標高が100m上がると気温は0.6℃低下するとされる。脱水についてはいくつかの要因が関与しており，乾燥した高所環境においては皮膚や粘膜からの水分蒸発が増えるだけでなく，呼吸数の増加に伴う呼気からの水分喪失も増多する。また，排泄に手間や体力を要すること，負荷軽減のために携行する水を減らしたりすることも水分摂取を控える傾向につながる。さらに，長期的な高所滞在に伴う赤血球増加も，血液粘度の上昇を介して発症に関連し得る。

4 衣類，装備

　サイズの小さい衣類や装備は，血液循環を妨げることがあるほか，皮膚の外側に十分な空気の層を保つことができず，保温効果が低下する危険性をはらんでいる。また，水は空気よりもはるかに熱伝導率が高いため，濡れた衣類が肌に密着していると体表からの熱喪失が亢進する。これを防ぐためには，水分を含みにくい素材や速乾性素材の製品を肌の上に着用するなどの配慮が必要である。

5 皮膚の湿潤や露出

　皮膚が露出した面積に比例して熱が失われるため，とくに露出しやすい頭，顔，首などの保護には注意を要する。また，皮膚が湿潤していると，蒸発による熱喪失が増加することに加え，皮膚に含まれた水分が組織内で凍結することも，凍傷の発症や重症化に関連する要因である。

6 薬　物

　薬物による判断力や行動力の低下は，適切な対応を妨げることがある。また，血管拡張作用を有する薬剤は熱喪失を増大させる。アルコールの摂取は，これら双方の理由から有害となり得る。一方で，同じく有害であるとされている喫煙は血管収縮を引き起こす。一見矛盾しているようにもみえるが，喫煙中および喫煙直後に皮膚血流が減少することが示されており，これも凍傷のリスクを高めるとされている。もちろん，一般的に広く用いられている各種医薬品においても同様の注意を要する。

7 飢餓や疲労

　飢餓や疲労は熱産生の低下につながる。また，精神状態や注意力にも影響を及ぼすことで，衛生や衣類，装備などへの配慮が損なわれる，行動の判断を誤るといった問題につながり得る。

8 既往症

　糖尿病，動脈硬化，動脈炎などの疾患は組織還流を低下させていることがあり，凍傷の素因となり得る。また，一度凍傷に罹患していると，以後の寒冷曝露の際により組織傷害を起こしやすくなる。

9 運動量の低下

　寒冷環境で運動量が低下すると，体温や組織血流が低下し，低体温症や凍傷の発症につながる。可能であれば行動を継続したほうがよいが，疲労などの問題から安全地帯まで到達できないと判断した場合には，テントやツェルト，雪洞といったシェルターへの一時的退避を検討すべきである。

現場での応急対応と病院前診療

　寒冷な現場で登山者自身によって行われるべき応急対応については，International Commission for Alpine Rescue（ICAR）による勧告がその指針となる（表2）[3]。凍傷を発症するおそれのない安全な環境に退避すること，温かい水分の摂取，濡れた衣類や装備の交換，薬剤の服用，体温による10分間の復温といった現場での対応，および安全な環境に退避してからの急速解凍の手法などについて言及されている。

　さらに一歩踏み込んで，医療従事者による病院前診療についてまとめたものが，アラスカ州の寒冷障害ガイドラインである（表3）[4]。厳しい環境で患部の解凍を優先すると，いったん融解した組織が再凍結し，組織傷害が著しく悪化することがある。傷病者の置かれた状況や医療機関までの搬送時間に留意しつつ，急速解凍を行うタイミングを判断する必要がある。そのほか，患部の被覆，処置や搬送の間の再凍結予防や外力からの保護を行うといった，一連の対応についても述べられている。

医療機関での診療

　凍傷を負った組織は3つに大別されるという考え方がある。すなわち，死んだ（救えない）組織，正常な組織，そして境界領域の組織である。境界領域は動的な要素をもっていると考えられており，受傷からの時間経過とともに縮小し，前者のいずれかに収束していく。適切な評価と介入により，この境界領域の組織を救済し，正常な組織の悪化を防ぐことが，凍傷診療の目標となる[4]。

表2 登山者による現場での凍傷応急対応に関する勧告（ICARによる）

応急対応

1. 風を避け，行動中止と撤退を考慮する。できれば温かい水分を摂る
2. 足の凍傷においては靴を脱ぎたいが，患部の腫れによって履き替えられなくなる可能性を考慮する
3. 靴下や手袋が湿っていたら，乾いたものに換える
4. 患肢を仲間の腋窩や股間に挟んで10分間温める
5. 替えの靴があれば履き替える
6. 禁忌でなければ，アスピリンかイブプロフェンの1回量を服用する
7. 組織傷害を防ぐため，患部は擦らない
8. 患部を直接加熱しない
9. 足の感覚があれば，あるいは戻れば，歩行は可能である
10. 感覚が戻らない場合は，直近のシェルター（山小屋やベースキャンプなど，凍傷発症のおそれのない環境）に退避して治療を開始する。または，医療機関を受診する
11. 高所においては，可能であれば酸素を投与する

凍傷発症のおそれのない環境に退避したら

- 靴を脱ぎ，濡れた衣類を乾いたものに換える。指輪は外す。温かい水分を摂る
- 禁忌でなければ，アスピリンかイブプロフェンの1回量を服用する
- 浸漬による急速解凍を行う。直接加熱しない。擦らない。37℃の湯（あれば消毒薬を加える）に患部を浸し，足し湯をして温度を保つ。患部が身体のほかの部分と同じ程度の温度になるまで，もしくは色調が改善するまで温める（足の場合は約1時間）。乾燥させ，できれば滅菌された包帯を緩く巻いて挙上する
- 足の解凍を行った傷病者は歩かせてはならず，搬送が必要である
- 一連の過程で大きな水疱形成をきたすことがあるが，破らないよう注意する

〔文献3）より引用・改変〕

1 全身状態の評価と併存病態の確認

可能であれば，病歴の聴取を含めた全身状態の評価を行う。低体温症を呈している場合には，深部体温を指標とした全身の復温を開始する。発症状況や身体所見から外傷の併存が否定できない場合には，系統立った外傷の評価に基づく介入を行う。

2 局所の解凍

組織の凍結が残存しているときは，37～39℃の湯に浸漬して患部の解凍を行う。湯の温度が低いと効果が低下し，高いと組織傷害の悪化につながるため，適宜温度を確認しながら，湯の継ぎ足しや交換を行う必要がある。

解凍は，凍傷の最末端部で皮膚がやわらかくなり，血色が改善することを目標として行うが，30分間継続してもこのような状態に至らなかった場合には終了する。短時間で皮膚の温かさや感覚が戻り，色調が改善するのはよい徴候であるが，冷感や感覚脱失，皮膚の色調不良が改善しないのは好ましくない徴候である。

なお，凍傷を負った組織は脆弱であるため，浸漬や移動などの際に局所の圧迫や損傷が生じないよう注意する。痛みが強い場合には鎮痛薬を投与する。

3 解凍後の処置と感染対策

破れていない水疱への対応については意見が分かれるところであり，維持に努める，内容物を吸引する，水疱上皮を除去するという3つの方針に大別される。デリケートな水疱を破らずに維持することは，とくに水疱が大きいケースでは非常に難しいため，内容物の吸引もしくは水疱上皮の除去を行ったほうが，以後の創傷管理は容易になることが多い。

患部は洗浄し，腫脹が悪化しても強い圧迫が生じないよう配慮して被覆する。この時点では特殊な軟膏や被覆材を選択する必要性は概して高くなく，ワセリンやアズノール®など，多くの医療機関で使用可能なものを塗布した非固着性ガーゼを用いるとよい。皮膚の破綻を呈している患者には原則として破傷風予防処置が必要であり，経過中に感染徴候を認めた際には培養検体の提出や抗菌薬投与を行う。

表3 アラスカ州寒冷障害ガイドラインの要点

病院到着までの対応

- 低体温症やその他の障害の併存が疑われる場合は，その評価と治療を行う
- 患部に接触しているアクセサリーや衣類を除去する
- 感覚脱失により傷病者本人が組織損傷に気づかないことがあるため，患部を注意深く評価する
- 体温を含むバイタルサインを把握する。凍傷患者の多くは血管内容量低下をきたしているため，温かい生理食塩液を静注もしくは骨髄投与する
- 病歴を聴取する（破傷風予防接種歴を含む）
- 凍傷の近位側に骨折が疑われるときは，抵抗がなければ肢位を整復するように努め，末梢循環が保たれるように配慮して患肢を固定する。搬送中も末梢循環を継続的に監視する
- 患部の解凍を医療機関で行う場合は，患部がさらに損傷しないよう保護して搬送する
- 患部の解凍を現場で行う場合は，患部が直接容器の内側に触れないような大きさの容器を用いて，37～39℃の湯に浸漬する。温度を保つため，足し湯ができる体制が必要。湯の温度を保った状態で，患部全体が洗い流されるようにそっと湯をかき混ぜる
- 必要に応じて鎮痛薬や抗不安薬を投与する。解凍後の痛みは通常，解凍が成功していることを示唆する
- 解凍後，患部を暖かい空気の中で乾燥させる。タオルで擦って乾かしてはならない
- 深度が深いと，復温後に水疱形成やチアノーゼを呈することがある。大きな水疱は通常透明もしくは混濁した液体を内包しており，時に緊満している。被覆や搬送の妨げとなる場合は内容物を穿刺吸引してもよい。小さな血性の水疱は吸引してはならない
- 患部が圧迫されないように注意して，やわらかい滅菌済被覆材で患部を覆う。指の間にはパッドを挟む
- 解凍後は，可能であれば患部を心臓よりも高い位置に保つ
- 搬送の際には患部を再凍結や外力から保護する。患部が毛布によって直接圧迫されないよう，周りに枠を設けるとよい
- 足に凍傷を負った傷病者は，復温前であれば救助過程で必要が生じた際に歩いてもよい。いったん凍傷を負った足を解凍してしまうと，歩くことができなくなる可能性が高い
- 状況によっては，局所神経ブロックやその他の薬剤投与を行ってもよい

禁忌

- 凍結した部位を擦る
- 傷病者にアルコールやたばこを与える
- 患部に氷や雪を当てる
- 患部を冷水に浸漬する
- ストーブや焚火，排気ガスなどによる高い温度での解凍

〔文献4）より引用・改変〕

4 血流評価と血栓溶解療法

解凍後の虚血時間が24時間未満であり，解凍後の評価において色調やCRT（capillary refill time），SpO$_2$，ドプラなどを指標に末梢循環が失われていると判断された場合は，血栓溶解療法の適応となり得る。ほかの病態における適応と同様に，出血性病態の合併がなく，全身状態が安定していることが求められる。海外ではrt-PAやイロプロストによる治療成績が報告されているが[5)6)]，わが国では保険や剤型の制限により，実際に使用できる薬剤やその用量がかなり制限されている。

解凍後も血流が不良であると判断された時点で，禁忌がなければ速やかに未分画ヘパリン5,000単位もしくは70～100単位/kgの静注を行う。パパベリン塩酸塩50mgを動注し，血管造影で血流を評価する。血流障害があればカテーテルを留置し，60,000～240,000単位/dayのウロキナーゼ動注を開始する。12～24時間ごとに血管造影を施行し，血流が回復した場合には動注を終了する。経過中に重篤な出血性合併症が生じた場合や，血流の改善がなく投与開始から48時間経過した場合にも動注を終了する[7)8)]。

5 外科的介入

急性期の患部切断は，感染のコントロールがつかない場合を除いては一般的に推奨されない。タイミングとしては，壊死組織の境界が明瞭になってから施行されることが望ましい。また，解凍後に組織の腫脹からコンパートメント症候群を呈した際には，迅速な筋膜切開を要する[9)]。

文献

1) Mills W : Clinical aspects of freezing cold injuries. In : Pandolf K, et al eds. Medical Aspects of Harsh Environments, Office of the Surgeon General, 2001.
2) Cauchy E, et al : Retrospective study of 70 cases of severe frostbite lesions : A proposed new classification scheme. Wilderness Environ Med 12 : 248-55, 2001.
3) International Commission for Alpine Rescue (ICAR), Alpine Emergency Medicine Commission : On Site Treatment of Frostbite for Mountaineers, 2000.
4) State of Alaska, Department of Health and Social Sevices : Cold Injuries Guidelines, 2014
https://health.alaska.gov/dph/Emergency/Documents/ems/documents/Alaska%20DHSS%20EMS%20Cold%20Injuries%20Guidelines%20June%202014.pdf
5) Bruen KJ, et al : Reduction of the incidence of amputation in frostbite injury with thrombolytic therapy. Arch Surg 142 : 546-51, 2007.
6) Groechenig E : Treatment of frostbite with iloprost. Lancet 344 : 1152-3, 1994.
7) Sheridan RL, et al : Case records of the Massachusetts General Hospital : Case 41-2009 : A 16-year-old boy with hypothermia and frostbite. N Engl J Med 361 : 2654-62, 2009.
8) 日本循環器学会，他：2022年改訂版末梢動脈疾患ガイドライン，2022.
https://www.j-circ.or.jp/cms/wp-content/uploads/2022/03/JCS2022_Azuma.pdf
9) Mills WJ Jr : Frostbite : A discussion of the problem and a review of the Alaskan experience : 1973. Alaska Med 35 : 29-40, 1993.

19-7 電撃傷，雷撃傷

柳川　洋一

電撃傷

1 定　義

電撃傷とは，体外で発生した電流（感電，落雷，電気スパーク，アークなど）が人体を通過することによって生じる損傷である[1]。電撃傷はArtzにより，①電流が組織を通過するために生じる損傷で，通過する際に生じた熱により血管や神経，筋肉が損傷される true electric injury，②電源に近接しアーク放電が起こり，そのスパーク熱により起こる損傷である arc burn，③アーク放電やスパークの際に衣服などに引火・炎上することで生じる熱傷である flame burn の3つに分類されている[2]。

2 疫　学

厚生労働省の労働災害統計[3]によれば，2020年の感電によるわが国の労働災害死は1人であった。2006～2015年の10年間で感電による労働災害死は139人であったため，労働環境での安全対策が進んだことなどにより，死亡事故が著減していると考えられる。電撃傷の原因として，成人では電気作業中や災害での受傷，小児では家庭内でのコンセントでの受傷が多いとされる。

3 病態生理・症状

電撃傷の重症度はKouwenhovenの因子，すなわち①電流の種類〔直流（DC）または交流（AC）〕，②電圧およびアンペア数，③曝露の持続時間，④身体の抵抗，⑤電流の通過経路に基づく。

低周波の交流は広範囲の筋収縮を引き起こし，手が電源に固着して曝露が長引くことがある。一方，直流への曝露は単回のけいれん性収縮を引き起こし，感電した人は電源からはね飛ばされ，外傷を受傷することがある。はね飛ばされなくとも強い筋収縮により，脱臼，脊椎またはほかの骨折に至ることがある。

電撃傷の病態としては電流の直接作用による障害とジュール熱による障害があり，前者では心臓に通電すると心室細動が生じて心停止する場合がある。直流より交流のほうが心臓の不応期に電流が流れる可能性が高く危険である。交流が胸部を何分の1秒か通過しただけでも，低アンペア数で心室細動が生じることがある[4]。

ジュール熱（Q）は，電流値（I），電気抵抗値（R），通電時間（t）に比例する（$Q = I^2 \cdot Rt$）ため，電気抵抗の大きい組織ほどジュール熱による障害も大きくなる傾向がある。組織の電気抵抗は骨，脂肪，皮膚，筋肉，血管，神経の順で低いとされ，抵抗が大きい組織ほど通電による損傷は大きくなる。一方で，電気は体内の電気抵抗の少ない組織を選択するため，筋肉，血管，神経が通電されやすい。

電流が体内を通過する通電によって，どの構造が損傷するかが決まる。もっとも一般的な流入部は手，次いで頭部で，もっとも一般的な流出部は足である。左右の腕の間または腕と足の間を流れる電流は心臓を通過する可能性が高く，不整脈を引き起こす可能性がある。頭部への電流は中枢神経系を損傷させ，呼吸麻痺や意識障害が生じることがある。通電により血管内皮が障害されると，血栓形成により血行障害を生じ，進行性壊死や出血が生じることがある。

1）皮膚病変

電撃傷で電流の皮膚流入部（接触部）にできる創を流入創といい，流出部（接地部）にも電流破壊作用による特有の組織欠損（流出創）がみられる（図1）。これらの創を電流斑と呼ぶ。皮膚が厚く乾燥していると抵抗が増し，皮膚の抵抗が高いと広範囲の皮膚に熱傷が生じるが，内部損傷は少ない。一方，皮膚の抵抗が低いと皮膚の熱傷は小さいが，より大きな電気エネルギーが内部構造に伝わる。したがって，外部熱傷の重症度で電撃傷の重症度は予測できない。

2）四肢病変

低電流に接触した場合は，感電している感覚が生じるものの，重篤な損傷が起こることはまれである。高電流が通電した場合は，熱性または電気化学的な損傷が内臓

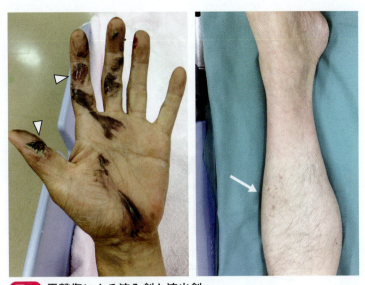

図1 電撃傷による流入創と流出創
台風で切れた電線を素手で触った際に受傷した例の，流入創（矢頭）と流出創（矢印）。6,000V，1秒未満

に生じ，溶血，蛋白質凝固，筋肉やほかの組織の凝固壊死，血栓症，脱水，筋肉および腱の剥離が生じることがある。手・足関節などの細くくびれた関節部は電流密度が高くなり損傷を受けやすい。筋肉の破壊により横紋筋融解症，ミオグロビン尿，電解質異常，コンパートメント症候群が生じることがある。ミオグロビン尿，循環血液量減少，および低血圧により，急性腎障害のリスクが増大する。

3）神経系

中枢神経系の損傷または筋肉麻痺による，重度の不随意筋収縮，けいれん，心室細動，または呼吸停止が起こる可能性がある。脳，脊髄，および末梢神経の損傷により，さまざまな神経脱落症状が起こる可能性がある。後述の雷撃傷の項も参照のこと。

4）循環器系

心室細動，心静止，そのほかさまざまな不整脈，心筋虚血，心筋逸脱酵素の上昇が起こり得る。後述の雷撃傷の項も参照のこと。

4 評価・検査

患者を電流から離した後，直ちに心停止および呼吸停止がないかを評価する。また，同時に必要な蘇生を行う。初期蘇生の後，体表面上の流入部と流出部を中心とした皮膚の熱傷所見の有無を観察し，通電経路を推測する。通電経路にあたる四肢は運動麻痺や知覚障害がないか，動脈拍動の有無を確認する。コンパートメント症候群の発生にも留意する。患者に外傷機転が働いた場合，外傷の評価も行う。

心電図，血算，心筋逸脱酵素を含めた生化学検査，および尿検査（主にミオグロビン尿），四肢障害が疑われる場合は軟部組織評価のためのMRIや血管評価のための検査を考慮すべきである。意識障害や神経脱落症状のある患者では，CT検査またはMRI検査が必要になる。顔面の電撃傷では眼球破裂，白内障などの視覚障害，聴覚障害に留意する。

軟部組織壊死の進行，多彩な中枢・末梢神経障害，動脈瘤形成，白内障，消化性潰瘍などが遅発性に起こり得る。動脈瘤破裂による出血は致死的なことがある。受傷早期には比較的軽傷と考えていても時間経過とともに深部組織が壊死することがあり，注意が必要である。

5 治療

(1) まず電流を遮断する。

(2) 必要に応じて心肺蘇生や，外傷または広範囲熱傷に伴うショックを治療する。標準的な熱傷輸液の公式は皮膚熱傷の面積に基づくものであり，電気熱傷における補液必要量が低く評価されることがあるため，使用しない。代わりに十分な尿量（成人では約100mL/hr，小児では1.5mL/kg/hr）を維持するように輸液量を調節する。

(3) 必要な鎮痛を行う。

(4) 電流が心臓を通過したことが疑われる，不整脈，

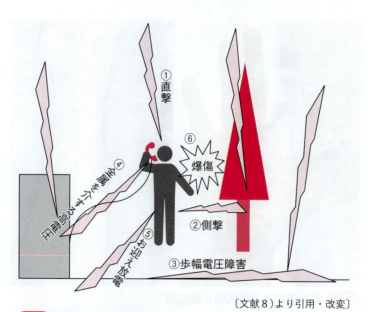

図2 落雷による損傷機序
①直撃，②落雷を受けた物体からの側撃，③地表面に流れる電流で損傷する歩幅電圧障害，④電線や金属を伝わる高電圧による障害，⑤お迎え放電，⑥落雷に伴う爆傷がある

〔文献8）より引用・改変〕

胸痛を訴える例では，6～12時間の心電図モニタリングが必要となる。

（5）重症度などに応じて熱傷の治療・管理を行う。

（6）電撃傷に特有な問題として進行性壊死がある。血管内皮障害に伴う血行障害であり，壊死範囲が明らかになった時点でデブリドマン，植皮，四肢切断などを適宜行う。

雷撃傷

1 定　義

落雷によって感電することによる障害である。

2 疫　学

落雷は地球規模で毎秒50程度発生し，年間24,000人の死傷者が発生しているとの報告がある[5]。地球温暖化により，今後落雷数は増加することが予測されている[6]。野外活動で被雷しやすいため，野外活動が盛んな若年者や男性に多い。野外活動では，ゴルフ，釣り，水泳，ボート，キャンプ，ハイキング，登山の際に被雷の危険性が高い[7]。

3 病態生理

落雷は，雷雲と地面の間に2百万V毎メートル以上の電圧差が形成された場合に生じる。主に直流であるが，交流も生じ得る。落雷による損傷機序は，①直撃（5％程度），②落雷を受けた物体からの側撃，③地表面に流れる電流で損傷する歩幅電圧障害（約半数），④電線や金属を伝わる高電圧による障害（落雷時に電気器具・ガス・水道のコックなどに接触することで，金属を伝わる電流により受傷），⑤お迎え放電（地表からの放電）による障害，⑥落雷に伴う爆傷（鼓膜損傷や爆風により身体が何かに叩きつけられる際の損傷）がある（**図2**）[8]。1例報告ではあるが，落雷で砕け散ったコンクリート片で死亡した例もある[9]。

落雷電流は数マイクロ秒以内に最高値3万Aに達し，約40マイクロ秒で半減する衝撃波である。直撃の場合，体内を電流が通過し，骨折，脳内出血，肺出血，実質臓器破裂を生じることもあるが，瞬時のため大きな損傷を受けないこともある。直撃では大部分の電流は体表をはう沿面放電として流れ，体表に樹枝状の皮膚病変が生じる。これを電紋と称し，電流の流れた方向の推測に役立つ（**図3**）[10]。電紋の発生機序には諸説あるが，熱傷ではないことが組織学的に確認されており，自然治癒する。

雷撃傷では多彩な臨床症状が生じるが，頻度的に高いのは循環器・中枢神経障害, 皮膚病変と blast injury（爆

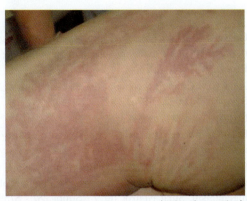

図3 電紋の臨床像
被雷時に生じた体表の樹枝状の皮膚病変。電流の流れた方向の推測に役立つ

〔文献10)より引用〕

傷）である。ほとんどの死亡原因は不整脈もしくは呼吸不全であり，生存者の74%程度は何らかの後遺症を残すとの報告もある[5]。

4 臨床的特徴

1）循環器系

心臓には，脱分極による一時的な心停止のほか，不整脈，ST変化やQT延長などの心電図変化，高血圧，心筋挫傷，心筋梗塞，再発性心膜炎，たこつぼ心筋症が生じ得る。不整脈では心房細動や心室不整脈が出現しやすい。雷撃傷例では全例，心電図検査を行うべきである。多くの場合，24時間以内に正常化する。雷撃は瞬間的かつ高エネルギーな直流電気ショックとして作用し，心筋が一瞬にして脱分極して心静止に至る。多くの症例では心筋の自動能により秩序立った電気的活動が再開する。しかし，心拍再開後も呼吸中枢抑制による呼吸麻痺が続くため，人工呼吸が行われなければ，低酸素状態の持続時間により再度心停止に至る。被雷によりすべての組織の機能が一時的に停止に陥り，低酸素による組織障害が遅れるため，ほかの原因による心停止よりも蘇生に成功する確率が高く，蘇生開始まで時間が経過していても心肺蘇生を行うべきである[5)7]。雷撃により多数の傷病者が発生した場合には，呼吸停止・心停止の傷病者の治療を優先する（リバーストリアージ）。瞳孔散大は予後不良の徴候とは限らないため注意が必要である。

2）神経系

神経の障害としては，意識障害，興奮，健忘，脳内出血（好発部位は基底核と脳幹），脊髄損傷，末梢神経障害が生じ得る。80%の症例に麻痺が生じるが，数時間で消失することが多い（keraunoparalysis）[7]。脳内出血や脊髄損傷例では後遺症を残すこともある。機序は不明であるが，遅発性に運動・感覚障害が生じることもある。

3）皮膚病変

線状・点状熱傷，樹枝状電紋形態の熱傷が生じ得る。線状熱傷は皮膚表面の水分の蒸発に伴う熱傷と考えられ，多汗領域に生じやすい。好発部位は胸下部，胸中央部，腕である。点状熱傷は1cm未満の小さく多発する円状の熱傷で，体内を通過した電流が放電された部位と考えられている。通常の熱傷は被災者が金属を身に着けていた場合，そこで熱傷を生じるものである。

4）感覚器系

電流通過，外傷，爆傷，熱などにより，網膜損傷，白内障，聴覚障害（鼓膜損傷を含む）を生じ得る。屋内でも電話中に被雷したことで聴力障害が発生することがある。視力・聴力障害も，一過性のこともあれば，解剖学的損傷を伴うと後遺症として残存することもある。

5）精神症状

睡眠障害，注意障害，めまい，慢性疲労，焦燥感，抑うつ気分，頭痛など心的外傷後ストレス障害（post traumatic stress disorder；PTSD）の症状に類似した症状が出現しやすい。

6）妊婦例

母体が死亡した報告例はないが，胎児の50%は死亡する。伝導性の高い羊水内で生存しているため，被雷の影響を受けやすいと考えられている。したがって，妊婦が被雷した場合，産科のある施設への搬送が求められる[5]。

5 評価・検査・治療

前述した電撃傷に準じる。

6 予防

避難する場合は，鉄筋コンクリート製の建築物内や自動車などの車内，配電線・送電線の下（鉄塔近辺ではない）などが適した場所である。建築物内ではすべての金属物質，電気器具，有線の電話器，天井，壁から2m以上離れる。屋内でも，金属物質に触れていた男性がお迎え放電で死亡したと推定された報告がある[11]。屋外でこのような避難場所がなければ，深い洞窟，峡谷，深い

森の中，高い岩壁脇の2m以上離れた場所に避難する。山頂や峰からは速やかに離れる。森の中では，高い木は被雷しやすく，落雷を受けた木からの側撃を受けやすくなるため，高い木は避けて，幹から2mは離れる[12]。

雷鳴または雷光が確認されたときに開けた場所で周囲に避難場所がまったくない場合，集団で固まっていると落雷電流は人から人へ4.5mは飛び移って集団被雷する確率が上昇するため，少なくとも6m以上の間隔をあけて散らばる必要がある[5]。

もし，被雷で心停止例が発生した場合には，直ちに蘇生行為を開始する。通常，一度落雷した場所から100m以内に再度落雷する可能性は少ない。周囲の物体や人に「セントエルモの火」と呼ばれる放電現象，立毛現象，オゾン臭，ぱちぱちという音が確認された場合，被雷切迫徴候のため，直ちに落雷姿勢（lightning position）をとる。

時計などの金属物は被雷した際に電流を吸収する役目を果たし，心臓や脳の損傷程度を少なくする可能性があるが，装着部に熱傷を合併することもある[13]。

▶文　献

1) Gentges J, et al：Electrical injuries in the emergency department：An evidence-based review. Emerg Med Pract 20：1-20，2018.
2) Artz CP：Changing concepts of electric injury. Am J Surg 128：600-2，1974.
3) 厚生労働省：職場のあんぜんサイト．
https://anzeninfo.mhlw.go.jp/user/anzen/tok/anst00.html
4) Gutierrez-Aceves GA, et al：Brain hemorrhage after electrical burn injury：Case report and probable mechanism. Surg Neurol Int 7（Suppl 28）：S759-62，2016.
5) Jensen JD, et al：Lightning Injuries. StatPearls [Internet]. StatPearls Publishing，2022.
6) Romps DM, et al：Climate change. Projected increase in lightning strikes in the United States due to global warming. Science 346：851-4，2014.
7) Pfortmueller CA, et al：Injuries, sequelae, and treatment of lightning-induced injuries：10 years of experience at a Swiss trauma center. Emerg Med Int 2012：167698，2012.
8) 柳川洋一，他：雷撃症．順天堂医学 57：395-402，2011
9) Blumenthal R：Secondary missile injury from lightning strike. Am J Forensic Med Pathol 33：83-5，2012.
10) 臼元洋介，他：側撃雷が生死を分けた雷撃傷の2例．日救急医会誌 19：174-9，2008.
11) Ventura F, et al：A unusual lightning death in an indoor setting：A case report. Am J Forensic Med Pathol 38：1-4，2017.
12) Jitsuiki K, et al：Lightning injury caused by a side flash. Am J Med Case Rep 8：538-40，2020.
13) Davis C, et al；Wilderness Medical Society：Wilderness Medical Society practice guidelines for the prevention and treatment of lightning injuries：2014 update. Wilderness Environ Med 25（4 Suppl）：S86-95，2014.

V 疾患領域別の救急診療　20. 急性中毒

20-1 中毒診療の基本

伊関 憲

中毒とは，「生体に対して毒性をもつ物質が許容範囲量を超えて体内に取り込まれることにより，生体の正常な機能が阻害されること」とされる[1]。古くは中毒の父とよばれるパラケルススが「すべての物質には毒性があり，毒性のないものは存在しない。服用量が毒か薬かを区別する」と述べている。われわれの身の回りに存在する物質，例えば水であっても，服用量が許容範囲を超えれば中毒となることを念頭に置かなければならない。

救急外来で経験する「急性中毒」の多くは，医薬品中毒などの個々の中毒事例である。しかし，急性中毒の概念は大きく広がってきており，1995年の地下鉄サリン事件に代表される化学災害・化学テロや，2008年頃の硫化水素中毒や昨今のカフェイン中毒などインターネットを背景とした情報の拡大によるものまでが含まれる。

一方で，急性中毒治療の標準化については，1997年に米国臨床中毒学会（American Academy of Clinical Toxicology；AACT）と欧州中毒学会（European Association of Poisons Centres and Clinical Toxicologists；EAPCCT）が position statement[2]を発表し，その後も position paper[3]，position paper update[4]を公表した。わが国でも日本中毒学会が『新版 急性中毒標準診療ガイド』[1]として最新の急性中毒診療をまとめており，標準化に基づく治療が一般的となっている。

急性中毒の疫学

わが国において急性中毒症例のレジストリー事業は行われていない。急性中毒の動向を知るためには「人口動態統計」（厚生労働省）や「薬物による中毒事故等の発生状況」（科学警察研究所），「受信報告」（日本中毒情報センター）などが用いられる。「人口動態統計」は死亡診断書・検案書に基づく分類であり，「薬物による中毒事故等の発生状況」は東京都の値を除いた警察検視の情報で，ともに中毒死亡の数値である。これらによると，急性中毒の死亡はどの年度においても一酸化炭素中毒がもっとも多い。急性一酸化炭素中毒での死亡は男性が女性の2倍以上多いのが特徴であるが，年々減少傾向にある[5]。

急性中毒治療の原則は，①安全確保，②全身管理と対症療法，③吸収の阻害，④排泄の促進，⑤解毒・拮抗薬の投与，⑥再発防止，と整理される（図1）[1]。以下，それぞれについて解説する。

安全確保，情報収集と除染

急性中毒を疑う事例においては，救助者と医療従事者の安全を最優先とする。現場に入る前に必ず中毒事例が想定されるか否か，情報を確認する。現場活動での救助者や医療従事者の二次被害は避けなければならない。化学災害など二次被害を及ぼし得る中毒が想定される場合はゾーニングを行い，個人防護具（personal protective equipment；PPE）を準備して現場に入る必要があるが，化学災害では正確な情報が入手できないこともある。日本中毒情報センターへの支援依頼が必要な場合もある。

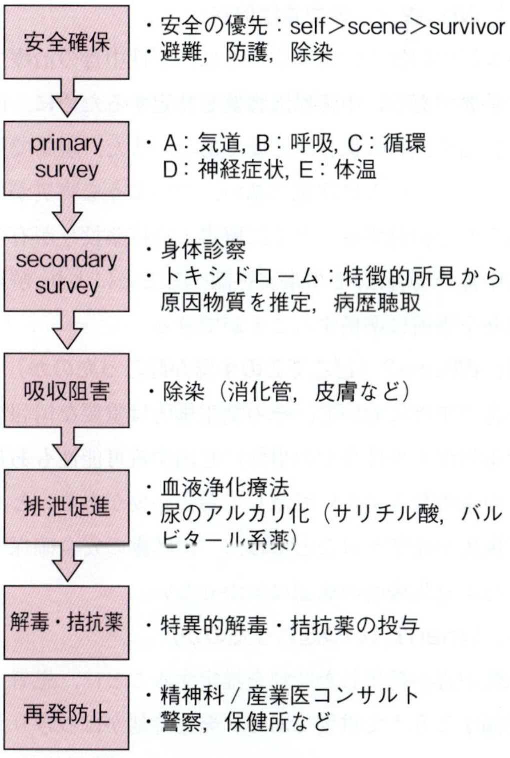

〔文献1）より引用・一部改変〕

図1 急性中毒の治療手順

救急車内やドクターヘリ，救急外来は閉鎖空間となるため，搬送中や治療中も換気などに気を配る。

1 情報収集

急性中毒の診察の第一歩は中毒を疑うことである。原因不明の意識障害や呼吸不全，循環不全，腎不全を呈している症例では急性中毒を念頭に置く。

患者や家族，関係者からの問診を通して事例が起こった原因を推定する。急性中毒の多くは意識障害で搬送されるため，まず現場の状況や症状が起こるまでの状況，発症時間や患者の既往歴などを聴取する。患者の周囲に医薬品の薬包や農薬の容器が落ちていることもある。さらに，現場での異臭や患者の衣服などへの付着物を調べる。例えば，パラコート中毒ではパラコート臭があり，吐物により口唇や衣服が青色に着色する。有機リン中毒では石油臭がある。現場の状況は中毒原因物質同定への手がかりとなり，さらには安全確保のために重要な情報となる。

得られた情報は以下の"5W1H"にまとめる。

1）Who?（誰が関与したのか）

服用した患者だけでなく，家族，処方医や薬局など，中毒事例にかかわった人物を調べる。現場を目撃した救急隊や警察なども対象とする。

2）What?（この中毒は何か）

中毒原因物質を特定することは，急性中毒の治療で非常に重要である。中毒原因物質を特定するために，関連する物品や試料の保存が必要である。また，現場で患者のトキシドロームに注意を払い，どのような物質が原因であるかを検討する。とくに解毒・拮抗薬投与が有効である中毒の場合は，その事実を調べることにより，解毒・拮抗薬を事前に準備することができる。

3）Where?（どこでこの中毒が起こったのか）

中毒の事例において，その発生場所は重要な情報である。毒物混入事件などの事件に起因する可能性もあるため，中毒の発生場所は確認しておく必要がある。とくに化学災害や化学テロなどでは，二次曝露の安全確保の見地からも発生場所の確認は欠かせない。

4）When?（いつ起こったのか）

急性中毒が発生した時刻を推定することは，患者予後を評価するうえで重要である。発生時刻がはっきりしない場合であっても，患者の健常が確認されたもっとも直近の時刻は把握しておく必要がある。

5）Why? and How?

中毒の再発を防ぐためには，その中毒が「なぜ」「どのように」起こったのかを知ることが重要である。

2 曝露経路

安全確保や除染作業のためにも曝露経路を確認することが重要である。急性中毒における曝露経路には，吸入，経口摂取，皮膚接触などがある。さらに静脈注射，筋肉内注射，皮内注射，眼球を通じた経路も存在する。中毒原因物質の形態は，気体，液体，固体のいずれでもあり得る。また，中毒原因物質は蒸発（液体が気体になること）や昇華（固体が気体になること）という形態変化を伴って中毒症状を起こすことがある。例えば地下鉄サリン事件では液体のサリンが気体になり，広くサリン曝露が発生した結果，多数の死傷者が出ている。

3 除　染

二次被害を最小限にするために除染を行う。除染には乾的除染，拭き取り除染，水除染がある[1]。これらの除染の前に行わなければならないのは，脱衣（disrobe）である。脱衣で90％，その後の拭き取り除染で99％の曝露物質が除去できるとされる[6]。また，衣服だけではなく時計，靴，宝石などを現場で外しておく。

拭き取り除染は皮膚や髪をタオルなどの吸収性素材で拭き取ることである。水除染は水または石けん水で皮膚を洗い流す除染であるが，汚染物質が水と反応する物質のときには行ってはならない。具体的な水除染の方法としてrinse-wipe-rinse法（水または石けん水で皮膚を洗い流し，タオルまたはスポンジで皮膚を拭き，その後に再び水で皮膚を洗い流す方法）などが知られている。

これらいかなる除染を行う際にも患者のプライバシーに十分配慮する。

全身管理と対症療法

急性中毒患者の初期診療では，まずバイタルサイン，すなわち意識レベル・呼吸・循環・体温などの安定化を図る。同時に身体所見からトキシドロームを見極め，解毒・拮抗薬投与が有効な中毒であるかを調べる。

1 急性中毒患者への初期診療手順

　急性中毒患者への対応はA（Airway；気道），B（Breathing；呼吸），C（Circulation；循環）の安定化が優先される．どの急性中毒の患者でも気道閉塞，呼吸停止，不整脈や血圧低下の可能性があり，高濃度の酸素投与を含めた対応を行う（パラコート中毒を除く）．次いで，D（Disfunction of CNS；神経学的異常）を確認する．急性中毒では意識レベルのほかに，中枢神経症状としてのけいれん，瞳孔異常などの症状がある．また，末梢神経症状として振戦などの症状を呈することがある．最後に，E（Exposure and environmental control：中毒物質に曝露された環境からの解放）に注意を払う．対症療法として，気道閉塞，呼吸停止，意識レベルの低下に対しては気管挿管を行う．

　循環の評価には心電図モニターを装着し，不整脈や徐脈，頻脈を監視する．とくに，中毒原因物質によってはtorsade de pointesと呼ばれる多形性心室頻拍が起こることもある．torsade de pointes発生時には血圧低下が起こり，また不整脈によりけいれんが起こることがある．心電図モニターをつけていなければけいれん発作と見誤ることもある．循環の安定化には低酸素血症，代謝性アシドーシス，体液バランス電解質異常の是正が重要である．それでも循環が保てない場合にはV-A ECMOの使用を検討する．また，呼吸状態の評価にSpO₂モニターを使用する．高体温，低体温に対しては体温管理療法を行う．

　画像診断として，意識レベルの原因検索に頭部CT，MRIが有用である．呼吸の評価として胸部X線や胸部CTも考慮する．胃内に停留する薬毒物の評価や腐食性物質による消化管穿孔の評価に腹部CTを用いることができる．中毒診療においても，ショックの鑑別にはRUSH（rapid ultrasound in shock）やPOCUS（point-of-care ultrasound）など超音波検査が有用である．

2 全身観察としてのトキシドローム

　中毒症状や徴候をグループ化して，中毒原因物質のカテゴリーを推定するものとして，toxic syndromeを略して，トキシドローム（toxidorome）という造語が用いられるようになった．トキシドロームを用いることで，薬毒物を正確に同定する前に，症状に応じて治療を進めることができる．トキシドロームでは，バイタルサイン，皮膚・粘膜所見，瞳孔，心血管系，消化器系および泌尿生殖器系，意識状態，神経学的所見などの身体所見に着目して異常を生理学的に分類する（表1）[7]．トキシドロームで早期治療を開始するのと同時に，後述する臨床検査や簡易分析法を併用することにより，より正確な中毒原因物質を推定することができる．

　例えば，縮瞳，流涎，徐脈を認める患者においては，コリン作動性の中毒を疑う．そして臨床検査でコリンエステラーゼ（ChE）の低下が得られたら，有機リン中毒を疑いアトロピンを投与する．

3 中毒原因物質の同定

　急性中毒の治療には，中毒原因物質の同定が有用である．患者からの情報や現場の状況は中毒原因物質を推定する重要な情報となり得る．さらに，トキシドロームから中毒原因物質を推定することができる．定性検査による薬毒物の推定も中毒診療において有用である．患者の血液，尿，胃液などを用いた薬毒物の定性検査は，中毒原因物質に対する解毒・拮抗薬の使用を判断する一助となり得る．

　臨床現場で中毒分析を行う目的は，①原因不明症例が急性中毒であることを診断する，②服用物の情報がある中毒疑い症例に対して，その情報が正しいかどうか確認する，③服用物の情報がある中毒疑い症例に対して，その情報とは違う中毒であることを診断する，ことである[8]．可能であれば機器分析を行い，確定診断やノモグラムを用いた治療方法決定，予後推定の判断材料とする．

　急性中毒でとくに注意すべきこととして，複合した中毒を見逃さないことがあげられる．一つの中毒に目が奪われてしまうと，潜在する別の中毒を見逃してしまうことがある．急性中毒の多くは自殺企図であり，複数の中毒原因物質を内服していることは珍しくない．農薬などと向精神薬を同時に服毒している症例もある．また，有機リン製剤のディプテレックス®はメタノールを含有するためメタノール中毒も合併する．

1）臨床検査

　院内で施行する臨床検査における異常値の存在から中毒を疑うことができる（表2）[9]．メタノール中毒では著明なアシドーシスをきたし，有機リン中毒ではChEの低下が起こる．

2）簡易検査法

　高速液体クロマトグラフィーや質量分析計などの機器

表1 代表的なトキシドローム

トキシドローム	意識	呼吸	瞳孔	その他	想定される薬毒物
コリン作動薬	昏睡	↑↓	ピンポイント	線維束性攣縮, 失禁, 流涎, 流涙, 喘鳴, 徐脈, 発汗	有機リン系殺虫剤, カーバメート系殺虫剤, ニコチン
抗コリン薬	興奮, 幻覚, 昏睡	↑	散瞳	発熱, 紅潮, 皮膚・粘膜乾燥, 尿閉	アトロピン, 抗ヒスタミン薬, Jimson weed（シロバナヨウシュチョウセンアサガオ）
オピオイド	昏睡	↓	ピンポイント	注射痕, 低体温, 低血圧	ヘロイン, モルヒネ, フェンタニル誘導体（チャイナホワイト）
三環系抗うつ薬	昏睡（初期興奮）	↓	散瞳	不整脈, けいれん, 低血圧, 心電図QRS延長	クロミプラミン, アミトリプチリン
鎮静薬・睡眠薬	昏睡	↓	正常もしくは軽度縮瞳	低体温, 反射減弱, 低血圧	ベンゾジアゼピン系薬, バルビタール
交感神経作動薬	興奮, 幻覚	↑	散瞳	けいれん, 頻脈, 高血圧, 発汗, 代謝性アシドーシス, 振戦, 反射亢進	コカイン, テオフィリン, アンフェタミン, カフェイン
サリチル酸	興奮ないし嗜眠	↑	正常もしくは軽度縮瞳	発汗, 耳鳴, アルカローシス（初期）, アシドーシス（晩期）	アスピリン, ウィンターグリーンオイル
錐体外路症状惹起薬	不眠	↑		多動, 頭頸部捻転	フェノチアジン, ハロペリドール, リスペリドン

〔文献7〕を参考に作成〕

表2 中毒を疑う臨床検査の異常値・異常所見

ChE活性値の低下	有機リン系殺虫剤, カーバメート系殺虫剤, 抗コリンエステラーゼ薬
代謝性アシドーシス	ショック, 心停止など重症度反映 メチルアルコール, エチレングリコール, フェノール ホルマリン, サリチル酸, 重症低酸素症（一酸化炭素, 青酸）
低血糖	糖尿病治療薬
PT, APTT延長	クマリン誘導体, サリチル酸, 黄リン（重症肝不全）
CO-Hb	一酸化炭素中毒
メトヘモグロビン	血液の色調異常（チョコレート色） アニリン, アニリン系除草剤, フェナセチン, ニトロベンゼン, 亜硝酸塩, 塩素酸塩

〔文献9〕より引用・一部改変〕

を用いた分析は，機器が高価であり配備施設が限られていること，高度な手技が必要であること，時間がかかるなどの理由から臨床に直結しにくい。このため，迅速性と簡便性を備えた尿中薬物スクリーニングキットが広く用いられている（**表3**）[1]。

定性検査キットとしては，主に抗原抗体反応を利用したイムノアッセイ（イムノクロマト）法を利用した尿中薬物簡易検査キットが市販されている。それらは尿や体液を試料とし，簡単に結果を得ることができる。感冒薬によるアセトアミノフェン中毒やサリチル酸中毒に対する検出キットや検知管なども開発されている。

これらのキットを用いた簡易検査法では，偽陽性・偽陰性などが生じることを理解しなければならない。また，どのキットも保険収載されていないため，保険算定できないことを認識しておく必要がある。

表3 検査キットと薬物検出感度（ng/mL）

薬物名	グループ内の代表的な物質	商品名	トライエージ®DOA（販売終了）	シグニファイ™ER	MEDICAL STAT®	アイペックススクリーン®M-1pro	DRIVEN-FLOW®M8-Z	Status DS 10
		取扱い会社	シスメックス	シスメックス	アイテム	バイオデザイン	関東化学	関東化学
アンフェタミン	AMP, d-AMP		1,000	1,000	1,000	―	―	1,000
メタンフェタミン	METH		―	―	1,000	500	500	1,000
メチレンジオキシメタンフェタミン	3,4-MDMA		―	500	―	―	―	―
バルビツール類	アモバルビタール ペントバルビタール		300	300	300	200	200	300
ベンゾジアゼピン類	フルニトラゼパム		300	300	300	300	300	300
ゾルピデム			―	―	―	50	50	―
コカイン系	ベンゾイルエクゴニン		300	300	300	300	300	300
大麻	11-ノル-Δ9-テトラヒドロカンナビノール-9-カルボン酸		50	50	50	50	50	50
モルヒネ系麻薬	モルヒネ, コデイン		300	300	300	―	300	300
メサドン			―	―	300	―	―	300
オキシコドン類	オキシコドン		―	100	―	―	―	―
フェンシクリジン類	フェンシクリジン		25	25	25	―	―	25
三環系抗うつ薬	ノルトリプチリン		1,000	1,000	1,000	1,000	1,000	1,000
プロポキシフェン類	d-プロポキシフェン		―	300	―	―	―	―

〔文献1）より引用・一部改変〕

提示した最小検出感度（ng/mL）で陽性となるグループ内の代表的物質の1例を示す。例えば三環係抗うつ薬は，ノルトリプチリン（ノリトレン®）は1,000ng/mLで陽性となるが，クロミプラミン（アナフラニール®）の最小濃度は12,500ng/mLである。同じ三環係抗うつ薬だからといって，すべてが必ず陽性になるわけではない

3）機器分析

トキシドロームや検査値，簡易分析法からの診断はあくまで推定によるものであり，確定診断とはなり得ない。確定診断のためには必要に応じて高速液体クロマトグラフィーや質量分析計などの機器を用いた中毒原因物質の定量分析を行う。しかし，機器分析は患者の予後判定や治療法の決定に有用であるものの，一部の専門施設でしか行えないうえに即時性に欠けるため，現場の臨床判断に反映しづらいという側面がある。ただし，その後の学術的検討のためにも，重症やまれな中毒症例では検体（血液，尿，胃液など）を保存しておき，可能なかぎり後日の定量検査を行うべきである。検体を凍結保存しておくとよい。

吸収の阻害

消化管除染は吸収の阻害を目的とした中毒診療に特異的な治療として行われてきた。1997年のAACT/EAPCCTのposition statement[2]では，トコンシロップを用いた催吐や胃洗浄は無効であり，かえって合併症を増加させるとしている。消化管除染の適応は薬毒物服用1時間以内とされた。その後の2004年のposition paper，2013年のposition paper updateでは厳密な時間設定が後退した[3)4)]。2021年に活性炭投与の有効性を検証したAACT，EAPCCT，Asia Pacific Association of Medical Toxicologyの3学会からなるワーキンググループの報告では，薬毒物服用から1時間という時間設定を見直し，中毒原因物質を限定するものの，1時間を超えての有効性について高いエビデンスレベルの評価をしている[10)]。

一方，日本中毒学会の『新版 急性中毒標準診療ガイド』[1]では，消化管除染について厳密な時間設定は行われておらず，独自に腹部CTなどの画像検査の有用性や上部消化管内視鏡を利用した適応判断と治療への応用について述べている。

1 胃洗浄

経口摂取した薬毒物が，胃内に残存していることが確認できる，もしくは推定できる場合，残存薬毒物が生体に重篤な影響を及ぼす可能性がある場合に胃洗浄の実施を検討する。適応，手技など詳細は他項（p.1047）を参照のこと。

2 活性炭

活性炭は，木炭，石炭，植物繊維などを600～900℃で加熱した炭化物をガスや薬剤で活性化してできた微粉粒炭化物である。活性炭には多数の吸着孔があり，中毒原因物質を吸着する。この活性炭の吸着は可逆的であり1分以内に結合していき，緩徐に離脱する。

1）適 応

活性炭の吸着に関する因子は，中毒原因物質の分子量，疎水性，酸・塩基，イオン化能，酸解離度（pKa）である。また，消化管内の環境も影響し，食物残渣の有無やpHも関与する。活性炭が吸着する中毒原因物質には，アスピリン，アセトアミノフェン，ジギタリスなどがある。一方，吸着しない物質としては強酸・強アルカリ，リチウム，アルコール類などがある（**表4**）[11]。活性炭投与は，中毒原因物質およびその代謝産物を腸管内で吸着させて排泄させる。活性炭の投与は，①脂溶性，②血中でイオン化しない，③蛋白結合率が低い，④腸肝循環する，⑤体内分布容量（volume of distribution；Vd）が小さい，⑥活性炭に吸着が良好，⑦腸溶剤や徐放剤，⑧薬物塊を作る，などの中毒原因物質に有効である。

薬毒物を経口的に中毒量摂取した場合，吸収阻害を目的に活性炭に吸着する物質に対して単回投与が可能である。活性炭の繰り返し投与（multiple-dose activated charcoal；MDAC）は中毒量を服用し，生体に重篤な影響を及ぼすと思われる限られた薬毒物に対して考慮される。ただし，施行の際は確実な気道確保を行えるようにするなど，合併症の発生に十分注意する。活性炭の単回投与および繰り返し投与の適応薬毒物を**表5**[1]に示す。

表4 活性炭が有効/無効な薬毒物

活性炭が有効	
・アスピリン	・アセトアミノフェン
・ジギタリス	・三環系・四環系抗うつ薬
・テオフィリン	・カルバマゼピン
・バルビタール	・フェノバルビタール
・パラコート	・バルプロ酸

活性炭が無効	
・強酸・強アルカリ	・リチウム
・アルコール	・鉄剤
・ナトリウム	・カリウム
・炭化水素	・水銀
・ハロゲン化合物	・シアン化合物

〔文献11）より引用〕

腸粘膜血管から濃度勾配により腸管内に拡散分泌させ，血中濃度を減少させることを腸管透析（gastrointestinal dialysis）という。MDACなどにより腸管内に投与された活性炭が腸管内に拡散分泌された中毒原因物質を吸着し体外排泄を促進させる。

肝でグルクロン抱合を受けた中毒原因物質が胆汁とともに十二指腸へと排泄された後，腸内細菌により脱抱合されて再び腸管から吸収され門脈を経て肝に戻る現象を腸肝循環と呼ぶが，この腸肝循環が起こると中毒原因物質は長期間体内に存在することになる。MDACは腸管内で中毒原因物質を吸着することにより，腸肝循環の抑制に有効である。MDACはフェノバルビタールやジゴキシンなどの血中濃度低下の効果がある。

2）方 法

活性炭は初回，成人では50～100gを微温湯300～500mLに溶解して投与する。緩下剤を併用することもある。小児では25～50g（1歳以下であれば1g/kg）を生理食塩液10～20mL/kgに溶解して投与する。細い胃管で投与する場合，胃管内で固まることがあるため注意する。緩下剤の併用により薬毒物と結合した活性炭の短時間での体外排出が期待できるが，ルーチンの施行は推奨されていない。緩下剤を併用する場合の薬剤としては，ソルビトール溶液やクエン酸マグネシウム，硫酸マグネシウム，硫酸ナトリウムなどが頻用されている。

MDACでは4時間おきに初回投与量の半量を微温湯に混ぜて投与する。2回目以降は緩下剤を併用しない。

3）禁 忌

腸管閉塞や消化管穿孔があるときには，活性炭の投与は行うべきではない。

表5 活性炭の単回投与および繰り返し投与の適応薬毒物

単回投与の主な適応

- ACE阻害薬
- アンフェタミン
- 抗うつ薬（三環系・四環系，シタロプラムなど）
- 抗てんかん薬（バルプロ酸など）
- 抗ヒスタミン薬
- サリチル酸塩
- アセトアミノフェン
- フェノバルビタール
- ベンゾジアゼピン系
- β遮断薬
- カルシウム拮抗薬
- キニン，キニジン
- テオフィリン
- ジゴシン，ジゴキシン
- 利尿薬（フロセミド，トラセミド）
- 非ステロイドリウマチ薬
- 抗精神病薬（クエチアピンなど）
- 経口糖尿病薬
- オピオイド
- 抗マラリア薬（クロロキン，プリマキン）
- テトラサイクリン系
- ピロキシカム
- サルファ薬
- 植物性自然毒の一部*

繰り返し投与の主な適応

- カルバマゼピン
- テオフィリン徐放性製剤
- フェノバルビタール
- ジゴシン，ジゴキシン
- キニン，キニジン
- クエチアピン
- 三環系抗うつ薬
- フェニトイン
- サリチル酸塩
- バルプロ酸
- ピロキシカム
- ソタロール
- オクスカルバゼピン
- シタロプラム
- ベンラファキシン

〔文献1）より引用〕

*マトキシン（タマゴテングタケ），アコニチン（トリカブト），コルヒチン（イヌサフラン），ニコチン（たばこ），ジギタリス，エルゴタミン，ククルビタシン（ユウガオ），イボテン酸（テングタケ），リシン（トウゴマ），ストリキニーネ（マチン）

3 腸洗浄

腸洗浄（whole bowel irrigation）は，多量の洗浄液を上部消化管から投与して全腸管を洗い流し，未吸収薬毒物の排出を速める方法である。洗浄液はポリエチレングリコール電解質液（polyethylene glycol electrolyte solution；PEG-ES）が使用される。

1）適応

重篤な中毒症状を起こす可能性がある場合で，①活性炭などほかの治療の効果が乏しく，②吸収が比較的遅いと予想される物質，例えば金属類（鉄，鉛，亜鉛など），医薬品の徐放剤，腸溶剤の大量服用の場合，さらに③麻薬のボディーパッカーで考慮される。以上の条件を満たさなくても，有効な治療法が確立されていない致死的中毒（パラコートなど）に対してはできるだけ早期に施行する価値がある。腸洗浄は服用から2時間を超えても適応となる。一方，活性炭との併用は，活性炭の吸着作用を減ずるため避けるべきである。

2）方法

胃管またはバルーン付き十二指腸チューブを経鼻挿入する。注入中は，坐位または半坐位とするが，不可能であれば頭高位の右側臥位とする。38℃に温めた洗浄液を6歳以下の患者では500mL/hr，学童では1,000mL/hr，12歳以上では1,500〜2,000mL/hr以下の流量で持続注入する。洗浄液の注入は，少なくとも透明な水様便が排泄されるまで行う。

3）禁忌

腸管閉塞や消化管穿孔，消化管出血があるときには，活性炭の投与は行うべきではない。

4 緩下剤投与

1）適応

中毒診療では塩類下剤と糖類下剤（ソルビトール）が使用される。緩下剤の効果として，①活性炭・中毒原因物質複合体の消化管通過時間を短縮させる，②活性炭による便秘を防止する，③消化管通過時間の短縮により，活性炭からの中毒原因物質の解離を少なくし，解離した中毒原因物質が再吸収される時間を短くすることがあげられる。中毒原因物質の除染を目的とした単独での使用

> **表6** 急性中毒に対する血液浄化療法の適応
>
> 中毒原因物質が以下の条件を満たす場合,血液浄化療法の適応と考える
> ①分子量が小さい
> ②体内分布容量が小さい
> ③蛋白結合率が低い(血液吸着では高くてもよい)
> ④脂溶性が低い(水溶性が高い)
> ⑤原因薬毒物の血中濃度が中毒域に達した可能性が高い
> ⑥症状が重篤である,または今後悪くなる可能性が高い
> ⑦有効な解毒・拮抗薬や特異的治療薬が存在しない
>
> 〔文献1)より引用〕

は効果がない。また,活性炭との併用は必ずしも有効とされていない。使用する場合,単回使用に限られるべきである。

2)方 法

ソルビトールは,D-ソルビトール液(65%または75%)を2倍希釈して約35%溶液とする。粉末製剤は水に溶解して35%程度の溶液として使用する。投与量は,成人で1~2g/kg,小児で0.5~1g/kgとする。

クエン酸マグネシウム(マグコロール®内用液13.6%分包250mL:1包250mL中クエン酸マグネシウム34g含有。マグコロール®散68%:1包50g中クエン酸マグネシウム34g含有)は24mL/kg,または27~34gを1回投与する。硫酸マグネシウムは成人で15~20g,小児で250mg/kgを使用する。

3)禁 忌

麻痺性イレウス,腸管閉塞,腹部外傷,腐食性物質の服用,重症の電解質異常においては禁忌である。

5 催 吐

明らかなエビデンスはなく,中毒治療としての適応はない。

薬毒物の排泄促進

血液中や消化管内から体内に取り込まれた中毒原因物質を取り除く必要がある。尿のアルカリ化と血液浄化療法が行われる。

1 尿のアルカリ化

糸球体での濾過や尿細管から分泌された薬毒物は,水が遠位尿細管に吸収されると,尿細管内での濃度が上昇し,濃度勾配に従って再吸収を受ける。この際,イオン型になっている物質は再吸収を受けず(イオン・トラッピング),薬毒物のイオン化率が増加した状態では吸収されず排泄が促進する。

1)適 応

イオン化率は物質のpKaと尿細管のpHで規定されるため(Henderson-Hasselbalchの式),弱酸性の物質は尿がアルカリ化することにより,弱塩基性の物質は酸性化することにより,イオン化率が上昇する。尿はもともと酸性であるため,弱酸性の物質の中毒に対して尿をアルカリ化する治療が行われる。この適応となるのはサリチル酸,フェノバルビタール,バルビタールであるが,フェノバルビタール,バルビタールは活性炭の繰り返し投与のほうが有効である[10]。このためAACT/EAPCCTのposition paperでは,尿のアルカリ化の適応となるのはサリチル酸中毒としている[3,4]。

2)方 法

尿のpHを測定して7.5~8.5に維持するため,炭酸水素ナトリウム(8.4%メイロン®)250mLを1時間かけて静注する。さらに,必要に応じて20mLずつ投与する。

2 血液浄化療法

中毒診療において用いられる血液浄化療法には,血液透析,持続的腎代替療法,直接血液灌流などがある。このなかでも血液透析は除去効率がもっとも高い。

急性中毒で血液浄化療法が有効となるのは,中毒原因物質の分子量が小さく,蛋白結合率が低く,体内分布容量(Vd)が小さいときである(表6)[1]。Vdは「Vd(L/kg)=摂取量(mg/kg)/血漿濃度(mg/L)」で表せる。中毒原因物質が体液中に均等に分布すればVdは0.6となる。Vdが大きくなると血漿内の中毒原因物質量が少なくなり,血液浄化療法は有効とならない。一般的に,

表7 EXTRIPで提唱されている有効な血液浄化療法

原因物質	分子量	蛋白結合率（％）	Vd（L/kg）	適応となる程度（推奨度）	治療法（推奨度）
アセトアミノフェン	151	25	0.8〜1.0	severe（2D）	HD（1D）
バルビツール酸系	232[*1]	20〜60	0.25〜1.2	severe long-acting（1D）	HD（1D）
カルバマゼピン	236	75	0.8〜1.4	severe（2D）	HD（1D）
ジゴキシン	781	25	4〜8	not（NA）	
リチウム	7	0	0.7〜0.9	severe（1D）	HD（1D）
メトホルミン	165	0	1〜5	severe（1D）	HD（1D）
メタノール	32	0	0.6	severe（1D）	HD（1D）
フェニトイン	252	90	0.6〜0.8	selected of severe（3D）	HD（1D）
サリチル酸	180	90（過量服用時30）	0.2	severe（1D）	HD（1D）
タリウム	204	0	3〜10	severe（1D）	HD（1D）
テオフィリン	180	50	0.5	severe（1C）	HD（1C）
三環系抗うつ薬	314[*2]	95	15	not（NA）	
バルプロ酸	144	15〜94（過量服用時15）	0.1〜0.5	severe（1D）	HD（1D）

[*1] フェノバルビタール　[*2] アモキサピン　HD：血液透析　〔文献11）より引用・一部改変〕

Vd＜1 L/kgの物質が血液浄化療法の適応となる。

また，中毒原因物質は，血漿の蛋白と結合した結合型と遊離型になる。この遊離型により中毒症状が出るため血液浄化療法により除去する。このため蛋白結合率が低いほど血液浄化療法は有効であり，結合率50％以下が適応となる。蛋白結合率がゼロであるリチウムやアルコールなどは血液浄化療法のよい適応になる（**表7**）[11]。

なお，米国，欧州など35の学会などが参加するEXTRIP（Extracorporeal Treatments in Poisoning）では急性中毒における血液浄化療法の方法や適応について有用性が検討されている。詳細はEXTRIPのホームページを参照のこと。

解毒・拮抗薬

急性中毒において，解毒・拮抗薬は有用な治療法である。投与には適切なタイミングがあることから，トキシドロームや簡易検査法などを用いて早期に適応となる中毒を診断する。International Programme on Chemical Safety（IPCS）では，世界各国で使用されている解毒・拮抗薬の緊急性（投与推奨時間）と有効性を評価し，48剤について公表している[12]。中毒原因物質ごとの解毒・拮抗薬と，そのIPCS評価を**表8**[1]に示す。

解毒・拮抗薬にはそれぞれの投与量や投与方法があるため，各種ガイドラインや医薬品インタビューフォームを確認して使用する。また，副作用，投与中止，終了時期などそれぞれの解毒・拮抗薬による使用方法の特徴を理解する必要がある。

例えば，一酸化炭素中毒では酸素が拮抗薬となり，高気圧酸素治療もしくは高濃度酸素吸入が行われている。シアン中毒に対するヒドロキソコバラミンは，投与後数日にわたり赤色尿を起こす。また，亜硝酸アミル，亜硝酸ナトリウムでは血管拡張による血圧低下が起こる。毒性アルコール中毒で用いるホメピゾールは，血液浄化療法により排泄されるため併用する場合には投与時期，投与量を変更しなければならない。このような解毒・拮抗薬の作用機序や副作用を理解して，投与時期を逃さずに投与する。

再発の防止

1 患者への対応

多くの中毒事例は自殺企図によるものである。再企図を防止するためには，精神科専門医などと連携して，メンタルヘルスケアに努める。また，化学災害などでは事例を検証して，再発防止を検討しなければならない。

表8 中毒原因物質の解毒・拮抗薬とIPCS評価

中毒原因物質		解毒・拮抗薬	IPCS評価
アセトアミノフェン		アセチルシステイン	B1
シアン化合物		亜硝酸アミル	A2
		亜硝酸ナトリウム（未承認薬）	A1
		チオ硫酸ナトリウム	A1
		ヒドロキソコバラミン	A1
有機リン系殺虫剤		プラリドキシム	B2
		アトロピン	A1
ベンゾジアゼピン系薬		フルマゼニル	B1
麻薬		ナロキソン	A1
メタノール エチレングリコール		ホメピゾール	メタノール：B2 エチレングリコール：A1
		エチルアルコール（未承認薬）	A1
メトヘモグロビン血症		メチレンブルー	A1
タリウム		ヘキサシアノ鉄（Ⅱ）酸鉄（Ⅲ）水和物（不溶性プルシアンブルー）	B2
重金属	ヒ素ほか	ジメルカプロール	B3
	鉄	デフェロキサミンメシル酸塩	B1
	鉛ほか	ペニシラミン	C2
	鉛	エデト酸カルシウム二ナトリウム	C2
フッ化水素		グルコン酸カルシウムゼリー（未承認薬）	A1
		グルコン酸カルシウム/塩化カルシウム	A1
イソニアジド		ビタミンB_6製剤	A2
ギンナン		ビタミンB_6（適応外使用）	—
ヘビ毒		はぶウマ抗毒素	—
		まむしウマ抗毒素	—
		ヤマカガシウマ抗毒素（未承認薬）	—
抗凝固薬	ビタミンK拮抗薬	ビタミンK	C1
		4因子含有プロトロンビン複合体	—
	ヘパリン	プロタミン硫酸塩	A1
局所麻酔薬		静注用脂肪乳剤（適応外使用）	—
ジギタリス強心配糖体		抗ジゴキシン抗体（未承認薬）	A1
一酸化炭素		酸素	A1

〔文献1）より引用・一部改変〕

IPCS評価
緊急性（投与推奨時間）　A：required to be immediately available（within 30 min），B：required to be available within 2 hours，C：required to be available within 6 hours
有効性　1：effectiveness well documented，2：widely used, but requiring further research concerning effectiveness and/or indications，3：questionable usefulness

2 家族への説明

　急性中毒の原因が自殺であれ災害であれ，患者の家族は突発的に起こった事例に対してパニックに陥っていることが多い。患者とも意思疎通がとれないことがあり，患者家族はやり場のない気持ちになっていることもある。中毒についての説明は専門的であり，一般の人には理解しづらいこともある。予後やこれから起こり得る合併症について説明し，患者家族が患者の治療に参加できるよう精神的な援助を行う必要がある。

▶文　献

1) 日本中毒学会（監）：新版 急性中毒標準診療ガイド，へるす出版，2023.
2) Vale JA：Position statement：Gastric lavage. American Academy of Clinical Toxicology：European Association of Poisons Centres and Clinical Toxicologists. J Toxicol Clin Toxicol 35：711-9, 1997.
3) Vale JA, et al：European Association of Poisons Centres and Clinical Toxicologists：Position paper：Gastric lavage. J Toxicol Clin Toxicol 42：933-43, 2004.
4) Benson BE, et al：Position paper update：Gastric lavage for gastrointestinal decontamination. Clin Toxicol（Phila）51：140-6, 2013.
5) 伊関憲：中毒医療における現在の問題点．医学のあゆみ 263：875-81, 2017.
6) Chilcott RP, et al：Primary Response Incident Scene Management（PRISM）：Guidance for the Operational Response to Chemical Incidents：Volume 1：Strategic Guidance for Mass Casualty Disrobe and Decontamination, 2nd ed, Biomedical Advanced Research and Development Authority, 2018.
7) Shannon MW：A general approach to poisoning. In：Shannon MW（eds），Haddad and Winchester's Clinical Management of Poisoning and Drug Overdose. 4th ed, Saunders, 2007, pp 13-30.
8) 堀寧, 他：中毒分析をしてわかること，期待される診断，治療上の役割，中毒分析のストラテジー．中毒研究 18：269-73, 2005.
9) 田勢長一郎：薬物中毒の初期治療．救急医学 27：1526-30, 2003.
10) Hoegberg LCG, et al：Systematic review on the use of activated charcoal for gastrointestinal decontamination following acute oral overdose. Clin Toxicol（Phila）59：1196-227, 2021.
11) 伊関憲：排泄の促進．矢崎義雄（監），新臨床内科学，第10版，医学書院，2020, pp 1844-46.
12) Pronczuk de Garbino J, et al：Evaluation of antidotes：Activities of the International Programme on Chemical Safety. J Toxicol Clin Toxicol 35：333-43, 1997.

20-2 中毒原因別の対応

上條 吉人

ここでは，救急医療施設に搬送される中毒性疾患のなかで，頻度の多いもの，頻度にかかわらず重要なものを中心に，毒性のメカニズムと症状，治療のポイントについて最近の知見，エビデンスを含めて解説する。

農薬中毒

1 有機リン系殺虫剤，カーバメート系殺虫剤

1）毒性のメカニズムと症状

神経終末から遊離されたアセチルコリン（ACh）はアセチルコリンエステラーゼ（AChE）によってコリンと酢酸に分解されるが，有機リン化合物は非可逆的にAChEをリン酸化することによってAChEを失活させる。一方，カーバメート化合物はAChEをカルバモイル化することによってAChEを失活させるが，可逆的であり，比較的短時間で加水分解されてAChEは再活性化する。

(1) 急性コリン作動性症候群

AChEが失活すると神経終末で過剰になったAChがムスカリン受容体およびニコチン受容体を過剰に刺激して，ムスカリン様症状，ニコチン様症状，中枢神経症状が出現する（図1，表1）。有機リン中毒では血清コリンエステラーゼ（ChE）が低値となるが，カーバメート中毒では正常値であることもある。

(2) 中間症候群（intermediate syndrome）

有機リン中毒では，曝露後24～96時間で横隔膜・肋間筋などの呼吸筋や頸部屈筋の筋力低下・麻痺，四肢近位筋や運動性脳神経の支配している筋の筋力低下・麻痺などが突然に生じることがある。通常は7～21日で回復する。急性コリン作動性症候群が回復してから生じることもあれば，急性コリン作動性症候群が発症しない状態で生じることもある。また，急性コリン作動性症候群の再燃に継続して生じることもある。発症のメカニズムとしては，持続的なニコチン受容体の過剰刺激によるニコチン受容体の機能低下などが疑われている。

(3) 遅発性多発神経炎（delayed polyneuropathy）

有機リン中毒では，曝露後2～5週間で末梢神経系および中枢神経系の軸索の変性によって多発神経炎が生じることがある。予後はさまざまである。

2）治療のポイント

気道分泌物の増加，または気管支攣縮による喘鳴を認めればアトロピン硫酸塩を投与する。有機リン中毒では，有効性については争点となっているがAChEの再活性

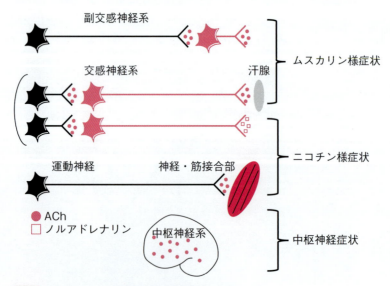

図1 急性コリン作動性症候群の発生イメージ

表1　急性コリン作動性症候群の症状

ムスカリン様症状
縮瞳，徐脈，流涎，流涙，下痢，便失禁，悪心・嘔吐，排尿，尿失禁，発汗，気道分泌物の増加，気管支攣縮，喘鳴

ニコチン様症状
散瞳，頻脈，高血圧，筋線維束攣縮，脱力，横隔膜不全

中枢神経症状
運動失調，振戦，構音障害，錯乱，せん妄，精神病症状，昏睡，けいれん発作，呼吸抑制・呼吸停止，錐体外路症状

表2　有機リン中毒とカーバメート中毒の比較

	有機リン中毒	カーバメート中毒
AChE 阻害	非可逆的	可逆的
重症度	高い	低い
発現	早い〜遅い	早い
持続時間	長い（数日〜3週間）	短い（24時間未満）
中枢神経症状	著明	軽度〜なし
血清 ChE 値	著明に低下	低下〜正常
アトロピン	高用量	低用量

薬であるプラリドキシムヨウ化メチル（PAM）の投与を考慮する。中間症候群に対しては気管挿管，呼吸管理を施行する。表2に有機リン中毒とカーバメート中毒の比較を示す。カーバメート中毒のほうが軽症で持続時間が短いため，アトロピンは低用量で十分なことが多い。

2　グルホシネートアンモニウム塩含有除草剤

1）毒性のメカニズムと症状

毒性はグルホシネートと陰イオン界面活性剤による。
グルホシネートはグルタミン酸にアンモニアを結合させてグルタミンを合成するグルタミン合成酵素を競合的に阻害する。その結果，アンモニアおよび興奮性神経伝達物質であるグルタミン酸が過剰となり，N-メチル-D-アスパラギン酸（NMDA）受容体を過剰に刺激する。そのほかにも，グルタミン酸からGABAを合成するグルタミン酸脱炭酸酵素を競合的に阻害して，グルタミン酸を増加させて抑制性神経伝達物質であるGABAを減少させる。グルタミン酸と類似構造をもつためNMDA受容体アゴニストとして作用する。以上のようなメカニズムの関与が疑われている。

一方，陰イオン界面活性剤は消化管粘膜刺激作用，血管透過性亢進作用，心筋抑制作用，末梢血管拡張作用などを発揮する。潜伏期（4〜60時間）には軽症にみえることが多いが，遅延性に昏睡，けいれん発作，呼吸抑制・呼吸停止などの中枢神経症状や血圧低下などの心循環器症状が突然に生じる。また，意識レベルが完全に清明になっても，慢性期に記銘力障害や健忘が生じる。

表3にグルホシネートアンモニウム塩含有除草剤の中毒症状を示す。

2）治療のポイント

図2[1]に示す小山らのノモグラムが遅延性に生じる重症化の予測に有用である。グルホシネートの血中濃度をこのノモグラムにプロットして，経口摂取後2時間値70μg/mLと8時間値5μg/mLを結ぶ直線より上方にある場合は重症化する可能性がある。また，バスタ®液剤100mL以上の経口摂取，または高アンモニア血症があると重症化する可能性がある。重症化の可能性があれば，予防的に適切な鎮静下で気管挿管および呼吸管理を施行する。

表3 グルホシネートアンモニウム塩含有除草剤中毒の症状

急性期
悪心・嘔吐，下痢，腹痛，肝障害など
4〜60時間後
傾眠，昏睡，昏迷，不穏・興奮，運動失調，構音障害，けいれん発作，低酸素血症，呼吸抑制・呼吸停止，呼吸不全，徐脈，血圧低下，循環不全など
後遺症
記銘力障害，健忘，遷延性認知機能障害など

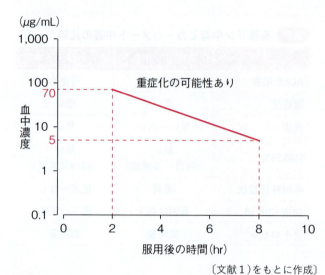

〔文献1）をもとに作成〕

図2 小山らのノモグラム

3 グリホサート・界面活性剤含有除草剤

1）毒性のメカニズムと症状

グリホサート・界面活性剤含有除草剤（glyphosate surfactant herbicide；GlySH）はグリホサート塩および界面活性剤を主成分としている。前者としてイソプロピルアミン塩，アンモニウム塩などが，後者として非イオン性界面活性剤であるポリオキシエチレンアミンが用いられているものが多い。

GlySHは2主成分が絡み合った複雑で多様な毒性を発揮する。消化管への腐食作用によって口腔内・咽頭痛，心窩部痛，嚥下困難，消化管粘膜のびらん，消化管出血などが生じる。このほかに，意識障害，急性呼吸促迫症候群（acute respiratory distress syndrome；ARDS），急性循環不全，不整脈，心停止，急性腎不全，高カリウム血症，代謝性アシドーシス，急性膵炎などが生じる。表4[2]にGlySH中毒の重症度分類を示すが，GlySHの誤飲や低濃度のGlySHの経口摂取による急性中毒のほとんどは軽症で，一過性の消化器症状が中心である。高濃度のGlySHの故意の経口摂取による急性中毒では重症となることがある。

2006年より，グリホサートカリウム塩を含有している商品が流通している。グリホサートカリウム塩を含むGlySH中毒では，重症高カリウム血症，および二次的な致死性不整脈に注意が必要である[3,4]。

2）治療のポイント

全身管理がもっとも重要である。十分な輸液を施行し，尿量を維持する。高カリウム血症や代謝性アシドーシスを伴う急性腎不全では血液透析法を施行する。循環動態が保てなければ静脈脂肪乳剤（intravenous lipid-emulsion therapy；ILE）療法やV-A ECMOを施行する。なお，グリホサートは分子量と分布容積が小さく，蛋白結合率が低いため，血液透析法が排泄の促進として有効な可能性がある。

表4 グリホサート・界面活性剤含有除草剤（GlySH）中毒の重症度分類

無症状
訴えがなく，身体所見または検査所見でも異常がない

軽症
悪心・嘔吐，下痢，腹痛，口腔内痛や咽頭痛などの消化器症状が主体であるが24時間以内に改善する。バイタルサインは安定し，呼吸器，心循環器，腎の症状を認めない

中等症
消化器症状が24時間以上持続し，消化管出血を認め，内視鏡で口腔内潰瘍，食道炎，胃炎などを認める。血圧低下は輸液に反応する。呼吸不全は気管挿管を要さない。酸塩基平衡の異常を認める。一過性の肝障害，腎障害，または，一時的な乏尿を認める

重症
呼吸不全は気管挿管を要する。急性腎不全は血液透析法を要する。血圧低下はカテコラミンなどの昇圧薬を要する。心停止，昏睡，けいれんを認め，死に至ることがある

〔文献2）より引用・改変〕

表5 シアン中毒の症状

初発症状
口腔・咽頭の灼熱感，激しい頭痛，めまい，胸部苦悶感，過呼吸，頻呼吸，過換気，呼吸促迫，動悸，頻脈，高血圧など

続発症状
失神，昏迷，昏睡，けいれん発作，呼吸困難，呼吸抑制・呼吸停止，肺水腫，徐脈，血圧低下，循環不全，心停止，アニオンギャップ開大性の代謝性アシドーシス，乳酸アシドーシスなど

化学用品・工業用品

1 シアン化合物

1）毒性のメカニズムと症状

代表的なシアン化合物であるシアン化カリウム（青酸カリ，KCN）やシアン化ナトリウム（青酸ソーダ，NaCN）は強アルカリであるため，経口摂取すると上部消化管に腐食作用を発揮する。また，胃酸と反応してシアン化水素（HCN）となる。HCNは消化管より速やかに吸収され，生体内で一部が解離してシアン化物イオン（CN^-）になり，細胞内ミトコンドリアにあるシトクロムcオキシダーゼの活性中心にあるヘム鉄と結合してこの酵素を失活させる。この結果，酸素を利用してグルコースからATPを大量に産生する好気性代謝が阻害されて，細胞内のATPは急速に枯渇するため，ATPの需要が大きい中枢神経系および心循環器系を中心とした症状が急速に進行する（表5）。著しいアニオンギャップ開大性の代謝性アシドーシス，静脈血の酸素飽和度上昇，皮膚の鮮紅色，網膜静脈の鮮紅色（眼底鏡検査），チアノーゼを伴わない低酸素症状，患者の呼気にシアン化水素のアーモンド臭を認めることがある。

2）治療のポイント

シアン中毒を疑えば，診断を待たずにヒドロキソコバラミンを投与する。ヒドロキソコバラミン分子中のコバルトイオン（Co^+）は，ヘム鉄よりもCN^-に対する親和性が高いため，ヘム鉄と結合していたCN^-は解離して，Co^+と結合している水酸化物イオン（OH^-）を置換して結合し，無毒なシアノコバラミン（ビタミンB_{12}）となる。この結果，シトクロムcオキシダーゼの活性は回復する。

2 メタノール，エチレングリコール

1）毒性のメカニズムと症状

メタノールは摂取後6〜30時間の潜伏期間を経て，親物質よりはるかに毒性が強いギ酸（蟻酸）になり，視神経，中枢神経系，心循環器系に毒性を発揮する（表6）。一方，エチレングリコールは摂取後4〜12時間の潜伏期間を経て，親物質よりはるかに毒性が強いグリコアルデ

表6　メタノール中毒の症状

摂取後0.5〜6時間
消化器症状：悪心・嘔吐，腹痛，胃炎，膵炎
中枢神経症状：多幸感，酩酊，傾眠，錯乱，運動失調
その他：呼気のアセトン臭，浸透圧ギャップ開大

摂取後6〜72時間（平均24時間）の潜伏期間後
視神経症状：かすみ目，snow storm vision などの視覚異常，失明，視神経乳頭の充血，うっ血乳頭，
中枢神経症状：頭痛，けいれん発作，傾眠，錯乱，昏睡，パーキンソン症候群
その他：呼吸困難，チアノーゼ，血圧低下，循環不全，アニオンギャップ開大性代謝性アシドーシス，低体温症

表7　エチレングリコール中毒の症状

第1期（摂取数時間）
消化器症状：悪心・嘔吐，胃炎，腹痛
中枢神経症状：酩酊，言語不明瞭，運動失調
その他：浸透圧ギャップ開大
＜摂取後4〜12時間の潜伏期間後＞
中枢神経症状：傾眠，昏睡，けいれん発作，脳浮腫
その他：アニオンギャップ開大性代謝性アシドーシス

第2期（摂取後12〜24時間）
呼吸器症状：Kussumaul 呼吸，頻呼吸，過呼吸，肺水腫，ARDS，低酸素血症
循環器症状：頻脈，心筋伝導障害，不整脈，高血圧，うっ血性心不全，循環不全
その他：アニオンギャップ開大性代謝性アシドーシス

第3期（摂取後24〜72時間）
腎・泌尿器症状：乏尿，無尿，血尿，蛋白尿，急性尿細管壊死，急性腎不全，低カルシウム血症
その他：テタニー，QTc延長，不整脈

ヒド，グリコール酸，グリオキシル酸になり，中枢神経系，呼吸器系，心循環器系に毒性を発揮する。さらに，摂取後24〜72時間では，グリオキシル酸からシュウ酸になり，カルシウムと結合して不溶性のシュウ酸カルシウムを形成し，腎などに沈殿し，腎を中心に毒性を発揮する。この結果，症状は三段階の経過をとる（表7）。

いずれの中毒でも，エタノールを一緒に摂取していると潜伏期は延長する。初期症状は軽微であっても，遅延性に重篤な症状が生じる。当初は浸透圧ギャップの開大を認めるが，しだいに正常化する一方でアニオンギャップ開大性代謝性アシドーシスが生じる。

2）治療のポイント

アルコール脱水素酵素阻害薬であるホメピゾール，またはメタノールやエチレングリコールよりアルコール脱水素酵素に対する親和性がはるかに高いエタノールを競合基質として投与することで，毒性代謝物の産生を阻害し（図3），血液透析法によって親物質の排泄を促す。

ガス

1　硫化水素

1）毒性のメカニズムと症状

2008年をピークに，多硫化カルシウムを含有する入浴剤や農薬，および塩酸を含有する洗浄剤を混合して生じる硫化水素を吸入することによる自殺（硫化水素自殺）が流行した[5]。硫化水素は吸入によって粘膜刺激作用を発揮する。また，生体内で一部が解離してスルフヒドリルイオン（HS⁻）になり，細胞内ミトコンドリアにあるシトクロムcオキシダーゼの活性中心にあるヘム鉄と結合してこの酵素を失活させる。この結果，酸素を利用してグルコースからATPを大量に産生する好気性代謝が阻害され，細胞内のATPは急速に枯渇する。

表8に硫化水素の濃度と臨床症状を示す。低濃度で認められる腐敗卵臭は硫化水素中毒の警告サインである

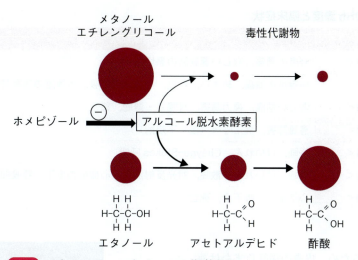

図3 メタノール，エタノールの代謝過程

表8 硫化水素濃度と臨床症状

濃度（ppm）	臨床症状
0.025〜100	腐敗卵臭
100〜150	嗅覚神経麻痺
50＜	粘膜刺激症状
50〜200	角結膜炎（gas eye），鼻炎，咽頭炎，気管支炎
200＜	細胞・呼吸障害，頭痛，悪心・嘔吐，健忘，失見当識，せん妄，錯乱，傾眠
300〜500	ARDS
500＜	けいれん発作，昏睡，呼吸停止，心筋障害，循環不全，死
750〜1,000	ノックダウン現象：数回以内の呼吸で昏睡，呼吸停止，死

が，100〜150ppm 以上になると嗅覚神経麻痺が生じて，この臭いを感知できなくなる。50ppm 以上の低濃度に長時間曝露されると粘膜刺激症状による局所症状が生じる。200ppm 以上の高濃度に曝露されると ATP の需要が大きい中枢神経系および心循環器系を中心とした全身症状が短時間で生じる。

2）治療のポイント

解毒・拮抗薬とされている亜硝酸ナトリウムの有効性については争点となっているが，短時間で致死的な経過をたどるこの中毒での有効性は乏しい。現場で二次被害のリスクがある一方で，心停止で搬送された患者の致死率はほぼ100％である[5]ことが，心停止患者の不搬送の根拠となっている。

2 一酸化炭素

1）毒性のメカニズムと症状

2000年代初頭をピークに，密閉した空間で練炭を燃焼させて生じる一酸化炭素（CO）を吸入することによる自殺（練炭自殺）が流行した。CO のヘモグロビン（Hb）に対する親和性は酸素の200〜250倍であるため，CO は吸入後に Hb に結合している酸素と容易に置換してカルボキシヘモグロビン（COHb）を形成する。COHb 濃度が高くなると血液の酸素運搬能は低下する。また，COHb の存在下では酸化ヘモグロビン（O_2Hb）の酸素とヘモグロビンの結合は強くなるため，Hb の酸素解離曲線は左方移動する。これらの結果，組織での酸素供給は減少して低酸素ストレスが生じる。表9に COHb 濃度と臨床症状を示す。低濃度でもっともよくみられる症状である頭痛，めまい，嘔気は CO 中毒の警告サインで

表9 COHb 濃度と臨床症状

濃度（％）	臨床症状
10＜	軽度の頭痛，激しい運動時の息切れ
20＜	中等度の頭痛，めまい，嘔気，頻脈，頻呼吸，中等度の運動時の息切れ
30＜	激しい頭痛，視力障害，耳鳴り・難聴，錯乱
40＜	意識障害，異常呼吸（浅く不規則）
50＜	昏睡，けいれん，Cheyne-Stokes 呼吸
60＜	昏睡，けいれん，散瞳，対光反射消失，心機能の低下，呼吸抑制
70＜	心不全，呼吸不全，死亡

ある。COHb は赤色であるため，皮膚の深紅色または静脈血の鮮紅色を認めることがある。

　CO 中毒による急性期の中枢神経症状が消失，もしくは部分的に改善して 2～40 日が経過してから，遅発性に精神症状や神経学的異常などの精神・神経症状が急速に発現・悪化することがある（遅発性脳症）。典型例は，神経病理学的には oligodendroglia の破壊による脱髄性白質脳症である。MRI（拡散強調画像，FLAIR 像）では脳室周囲の大脳白質および半卵円中心に両側・びまん性・合流性の高信号域が認められ（図4），髄液中のミエリン塩基性蛋白濃度は高値となる[6)7)]。予後は，完全回復するもの，部分的に回復するもの，永続性な精神・神経症状を残すもの，進行性に経過して植物状態もしくは死に至るものまでさまざまである。

2）治療のポイント

　血中の酸素含有量が増加すると Hb からの CO の解離が促され，COHb の半減期が短縮される。したがって，非再呼吸式リザーバ付きフェイスマスクで 100％ 酸素を 10 L/min 以上の高流量で投与する（常気圧酸素療法），または高気圧酸素治療を施行する。COHb の半減期は室内気では 240～300 分であるが，常気圧酸素療法によって 60～90 分に，高気圧酸素治療によって 20～30 分に短縮される。近年，ネーザルハイフロー療法も施行されている。遅発性脳症や後遺症に対する高気圧酸素治療の有効性については争点となっている。

3 刺激性ガス

1）毒性のメカニズムと症状

　二酸化硫黄（亜硫酸ガス），塩化水素（塩酸ガス），アンモニアなどの水溶性の高い刺激性ガスを吸入すると，ほとんどが眼・鼻・口腔・咽頭・喉頭・上気道の粘膜に

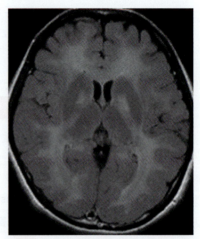

図4　一酸化炭素中毒後の遅発性脳症の MRI 像（FLAIR）

速やかに吸収されて，急速に刺激性を発揮する。塩素などの水溶性の中等度の刺激性ガスを吸入すると，眼・鼻・口腔・咽頭・喉頭・上気道・気管支・細気管支・肺胞などの広範な粘膜に吸収されて刺激性を発揮する。ただし，低濃度では曝露に気づかれずに長期曝露となりやすい。

　二酸化窒素などの水溶性の低い刺激性ガスを吸入すると眼・鼻・口腔・咽頭・喉頭・上気道の粘膜にはほとんど吸収されず，気管支・終末細気管支・肺胞などの下気道の粘膜に緩徐に吸収・蓄積されて，遅延性に刺激性を発揮する。吸入しても不快な症状が直ちに生じない，すなわち警告サインが乏しいので，曝露に気づかれずに長期曝露となりやすい。

　重症度は，刺激性ガスの曝露の強さ（曝露濃度および曝露時間）による。表10に刺激性ガス中毒の全般的な症状を示す。水溶性の高い刺激性ガスでは，直ちに，眼・鼻・口咽頭・喉頭症状および上気道症状が生じる。水溶性の中等度の刺激性ガスでは，症状の発現の早さは濃度によるが，症状は広範囲に生じる。水溶性の低い刺激性

表10 刺激性ガス中毒の症状

眼症状
流涙，結膜炎，角膜混濁，角膜潰瘍，角膜壊死，失明
鼻・口腔・咽頭・喉頭症状
鼻炎，咽頭炎，喉頭炎，喉頭浮腫，喉頭蓋浮腫，嗄声，喉頭攣縮
呼吸器症状
咳嗽，くしゃみ，窒息感，呼吸困難，上気道浮腫，上気道閉塞，気管炎，気管支炎，気管支攣縮，喘鳴，細気管支炎，化学性肺臓炎，ARDS

ガスでは，初期には，易疲労感や咳嗽などの軽度の症状であっても，遅発性（4～24時間後）に下気道症状が生じる。初期症状が軽度であるため，長時間曝露されても気づかれずに重症化しやすい。

2）治療のポイント

喉頭浮腫，喉頭蓋浮腫，喉頭攣縮，上気道浮腫，上気道閉塞があれば気管挿管，または気管挿管ができなければ輪状甲状靱帯切開術により気道を確保し，必要に応じて呼吸管理を施行する。ARDSがあれば気管挿管・呼吸管理を施行する。

市販薬中毒

1 アセトアミノフェン

1）毒性のメカニズムと症状

アセトアミノフェンは経口摂取後に，大部分は肝でグルクロン酸抱合または硫酸抱合されて水溶性の代謝物となって尿中に排泄されるが，一部分は，シトクロムP450酵素系によって代謝されて，毒性代謝物であるN-アセチル-P-ベンゾキノンイミン（NAPQI）となる。NAPQIは速やかに肝細胞内のグルタチオンと結合・無毒化されて尿中に排泄される。アセトアミノフェンを過量摂取すると，グルクロン酸抱合および硫酸抱合が飽和して，グルクロン酸および硫酸が枯渇するために，シトクロムP450酵素系による代謝に移行して，NAPQIの産生が増加する。さらに，グルタチオンの消費が亢進してグルタチオンが枯渇すると，処理しきれなくなったNAPQIが細胞蛋白のスルフヒドリル基と結合して細胞死をもたらす。表11に示すように，急性中毒では症状の経過は4相に分けることができる。

2）治療のポイント

過量摂取後4時間以降の血中濃度がRumack & Mat-

表11 急性アセトアミノフェン中毒の症状経過

第1相（過量摂取後30分～4時間）
無食欲，悪心・嘔吐
第2相（過量摂取後24～72時間）
第1相の症状の緩和および持続 ビリルビンおよび肝酵素の上昇，右上腹部痛
第3相（過量摂取後3～5日）
黄疸，凝固異常，低血糖，肝性脳症，腎不全，心筋症
第4相（過量摂取後7～8日）
ビリルビンおよび肝酵素の正常化，または持続的な悪化

thewのノモグラムより上にあれば肝障害が生じる可能性がある。過量摂取後4時間以降の血中濃度がSmilksteinらのノモグラムより上にあればアセチルシステインを投与する（図5）。アセチルシステインは生体内で速やかにシステインとなりNAPQIと結合・無毒化するだけでなく，グルタチオンの前駆物質としてグルタチオンの貯蔵を増加させる。

2 アスピリン

1）毒性のメカニズムと症状

アスピリン（アセチルサリチル酸）は生体内で速やかに加水分解されてサリチル酸になるが，サリチル酸は細胞内のミトコンドリアにおける酸化的リン酸化を脱共役することで好気性代謝を干渉する。この結果，嫌気性代謝が亢進し，乳酸の産生が増加する。また，延髄にある呼吸中枢を直接刺激する。さらに，迷路の聴覚細胞のClチャンネルの阻害による耳毒性を発揮する。アスピリン中毒の古典的な三徴は，耳鳴り・難聴，過呼吸・頻呼吸，悪心・嘔吐であるが，そのほかにも表12に示すような症状が生じる。

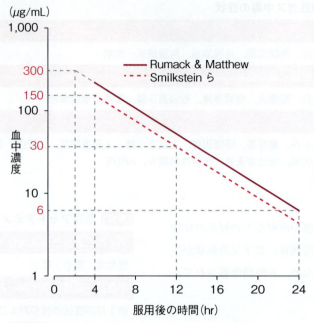

図5 Rumack & Matthew および Smilkstein らのノモグラム

表12 急性アスピリン中毒の症状

軽症〜中等症
高体温，耳鳴り・難聴，過呼吸・頻呼吸，頻脈，悪心・嘔吐，腹痛，肝障害，低カリウム血症，呼吸性アルカローシスと代謝性アシドーシスの混合障害
重症
失見当識，傾眠，昏睡，錯乱，けいれん発作，脳浮腫，肺水腫，ARDS，呼吸停止，うっ血性心不全，不整脈，血圧低下，重度代謝性アシドーシス，凝固異常，低血糖

2）治療のポイント

代謝性アシドーシスがあると脳などの組織へのサリチル酸の移動が増加して中枢神経毒性が強くなり，中枢神経症状が重症化して予後を悪化させるため，炭酸水素ナトリウムを投与してできるだけ速やかにアシドーシスを補正する。重症中毒では，酸塩基平衡および電解質異常も同時に補正できる血液透析法が第一選択となる。血液透析法の適応がない中等症から重症中毒では尿のアルカリ化を施行する。

3 カフェイン

1）毒性のメカニズムと症状

2013年以降，カフェインを主成分とする眠気・怠さ防止薬などによる急性カフェイン中毒の報告が増加している[8)9)]。カフェインは副腎髄質からのカテコラミンの遊離を促進し，サイクリックヌクレオチドホスホジエステラーゼを阻害して細胞内 cAMP を増加させ，競合的アデノシン受容体拮抗作用を発揮することなどにより，中枢神経刺激作用，気管支平滑筋弛緩作用，心筋刺激作用，利尿作用，骨格筋興奮作用を発揮する。過量服用ではこれらの作用が増強して，嘔気・嘔吐，不穏・興奮，洞頻脈，心室頻拍，高血糖，低カリウム血症，低リン血症，高乳酸血症，横紋筋融解症などの症状が生じる（表13）。

2）治療のポイント

頻脈性不整脈や血圧低下にはβ遮断薬であるプロプラノロールの静注または塩酸ランジオロールの持続静注を施行する。カフェインは分子量と分布容積が小さく，蛋白結合率が比較的低く，半減期が比較的長いので，重症例には血液透析法を施行する[10)]。難治性不整脈などにより循環動態が保てなければ V-A ECMO を考慮する。

表13 急性カフェイン中毒の症状

消化器症状
悪心・嘔吐，腹痛
神経症状
いらいら，不穏・興奮，焦燥，幻覚・妄想，せん妄，傾眠，昏睡，けいれん発作，けいれん重積発作，ミオクローヌス，振戦，筋攣縮
心循環器症状
動悸，洞頻脈，上室頻拍，心室期外収縮，心室頻拍，心室細動，血圧低下，急性循環不全，心停止
その他
高血糖，高体温，頻呼吸，肺水腫，急性呼吸不全，低カリウム血症，低リン血症，高乳酸血症，横紋筋融解症，急性腎不全

医薬品中毒

1 GABA作動薬

1) 毒性のメカニズムと症状

GABA作動薬にはベンゾジアゼピン誘導体，チエノジアゼピン誘導体，非ベンゾジアゼピン系睡眠薬などのベンゾジアゼピン受容体作動薬およびバルビツール酸が含まれるが，前者はもっとも過量服用の頻度の高い薬物である。抑制性伝達物質であるGABAは神経細胞の興奮を抑制する作用を発揮するが，GABA作動薬は脳内のGABA$_A$受容体・複合体にあるベンゾジアゼピン受容体，またはバルビツール酸結合部位と結合してGABA受容体のGABAに対する親和性を高めて，GABAによる神経細胞の興奮の抑制を増強する。GABA作動薬の過量服用では，GABAによる細胞の興奮の抑制が過度に増強された結果として中枢神経抑制が生じ，傾眠，昏睡，運動失調などの症状が生じる。バルビツール酸は，延髄呼吸中枢に分布しているGABA$_A$受容体・複合体への親和性が高く，過量服用では延髄呼吸中枢抑制作用を発揮して呼吸抑制・呼吸停止が生じる。

2) 治療のポイント

ベンゾジアゼピン受容体作動薬の過量服用は予後が良好であり，保存的治療で十分なことがほとんどである。ベンゾジアゼピン受容体拮抗薬であるフルマゼニルは作用時間が短いので，鑑別診断としては用いられるが，治療で用いられることはほとんどない。バルビツール酸の過量服用で呼吸抑制・停止があれば速やかに気管挿管・呼吸管理を施行する。腸肝循環するフェノバルビタールには活性炭の繰り返し投与が有効である。重症または難治性フェノバルビタール中毒では血液灌流法または血液透析法を考慮する。

2 リチウム

1) 毒性のメカニズムと症状

リチウムはいまだに双極性障害の第一選択薬である。リチウムは経口摂取後に血液および細胞外液に分布し，緩徐に脳などの組織の細胞内に分布・蓄積する。また，未変化体としてほぼ完全に尿中に排泄されるが，尿細管からの再吸収を受ける。リチウムは中枢神経毒性を発揮するが，毒性の強さは脳細胞内に分布する程度，すなわち脳中濃度と相関する。リチウムを過量服用しても，脳への移行が緩徐な一方で，尿中排泄は速やかであるため重症になりにくい。一方，慢性中毒では，脱水，ナトリウム欠乏，サイアザイド系利尿薬などによる尿細管からの再吸収の増加，腎機能障害や糸球体濾過率を低下させる非ステロイド性抗炎症薬（NSAIDs）の経口摂取などによる腎排泄の低下などによって，リチウムの脳細胞内への緩徐な分布・蓄積を経て，表14に示すような症状が発現する。リチウムはいったん脳細胞内に入ると排出されにくいため，中枢神経症状は遷延して数日～数週間持続することがある。

2) 治療のポイント

十分量の輸液により脱水およびナトリウム欠乏の補正，およびリチウムの尿中排泄を促す。リチウムは活性炭には吸着されないので活性炭の投与は無効である。リチウムは粒子が小さく，分布容積が小さく，蛋白に結合せず，半減期が比較的長いので，血液透析法が有効であ

表14 リチウム中毒の症状

軽症〜中等症

口渇，悪心・嘔吐，下痢，腹痛，めまい，眼振，言語不明瞭，傾眠，錯乱，せん妄，振戦，運動失調，ジストニア，筋強剛，筋緊張の亢進，腎機能障害

重症

傾眠，昏睡，けいれん発作，ミオクローヌス，血圧低下，循環不全，乏尿，急性腎不全，高体温

その他

QTc時間の延長，ST低下，T波の平坦化，陰性T波，脚ブロック，I度房室ブロック，徐脈，洞停止などの心電図異常，白血球増多など

る。ただし，血液透析法は過量服用ではリチウムの血中濃度を急速に低下させて，脳細胞内への分布・蓄積を妨げて中枢神経症状が生じるリスクを減少させるという予防的な意味がある。一方で，慢性中毒では血液と脳での濃度勾配を増大させて，脳細胞内から血中または細胞外液へのリチウムの再分布を促進し，臨床症状を改善するという治療的な意味がある。

3 三環系抗うつ薬

1）毒性のメカニズムと症状

三環系抗うつ薬は抗うつ作用のほかにヒスタミンH_1受容体遮断作用，ムスカリン受容体遮断作用，α_1アドレナリン受容体遮断作用，心筋の速いナトリウムチャンネル阻害作用を併せもつ。過量服用では，これらの作用が増強されて毒性を発揮する。第1世代三環系抗うつ薬でとりわけ重要なのが，心筋の速いナトリウムチャンネル阻害作用による心毒性で，過量服用するとPR時間の延長，QRS時間の延長，QTc時間の延長などの心電図異常，房室ブロックによる徐脈性不整脈，上室頻脈や心室頻脈などの頻脈性不整脈，心筋収縮力の低下による血圧低下などが生じる。第2世代三環系抗うつ薬であるアモキサピンの過量服用で重要なのは中枢神経毒性で，けいれん発作やけいれん重積が生じる。

2）治療のポイント

QRS時間の延長，血圧低下，心室不整脈があれば炭酸水素ナトリウムを投与して血液のアルカリ化およびナトリウム負荷を行う。致死性不整脈や血圧低下が改善せず循環動態が保てなければILE療法またはV-A ECMOを考慮する。けいれん重積発作にはミダゾラムまたはプロポフォールの持続静注を施行する。

4 ジギタリス

1）毒性のメカニズムと症状

ジギタリスはNa/K ATPaseに細胞外から結合し，この酵素の活性を抑制してATP依存性ナトリウム/カリウムポンプを阻害し，細胞内へのK^+の流入および細胞外へのNa^+の流出を抑制する。この結果，細胞外ではK^+濃度が上昇し，細胞内ではNa^+濃度が上昇する。また，ジギタリスは心筋細胞の再分極の際に迷走神経の緊張を高めて交感神経を遮断し，Purkinje線維の自動能を亢進させる。過量服用ではこれらの作用が増強して，高カリウム血症，徐脈や房室ブロックなどの不整脈，血圧低下などが生じる。重症では心室頻拍や心室細動などの心室不整脈や心停止が生じる。

2）治療のポイント

高カリウム血症には炭酸水素ナトリウムの静注，グルコース・インスリン療法，ポリスチレンスルホン酸ナトリウムの経口投与などを施行するが，それでも改善しなければ血液透析法を施行する。徐脈性不整脈にはアトロピンを静注する。致死性不整脈や心停止にはV-A ECMOを考慮する。海外ではFab抗体が第一選択の治療薬となっているが，わが国では未承認である。

5 カルシウム拮抗薬

1）毒性のメカニズムと症状

カルシウム拮抗薬はL型Ca^{2+}チャンネルのα_1サブユニットに結合することによって選択的にこのチャンネルを遮断してカルシウムの細胞内への流入を阻害する。この結果，洞房結節の自動能は抑制され，房室結節の刺激伝導は抑制され，心筋収縮力は低下し，血管平滑筋は弛緩し，インスリンの分泌は低下する。過量服用ではこれらの作用が増強して徐脈，房室伝導障害，血圧低下，急

表15	急性覚醒剤中毒の症状
中枢神経症状	多幸感，いらいら，不安，多弁・多動，不穏・興奮，焦躁，錯乱，幻覚・妄想，せん妄，昏睡，けいれん発作，舞踏病アテトーシス様運動，ジスキネジア
末梢神経症状	口渇，発汗，散瞳，振戦，筋攣縮，筋固縮，高血圧，頻脈，不整脈，心筋梗塞，血管攣縮，循環不全，急性大動脈解離，排尿困難
その他	下痢，嘔吐，消化管出血，高体温，脳血管炎，壊死性血管炎，頭蓋内出血，脳梗塞，肝障害，劇症肝不全，急性腎不全，代謝性アシドーシス，横紋筋融解症，凝固異常，DIC

性循環不全，高血糖，代謝性アシドーシスなどが生じる。

2）治療のポイント

徐脈や血圧低下にはカルシウム製剤の静注，高インスリン血症・正常血糖療法，カテコラミンの持続静注，アトロピンの静注などを施行する。

6 β遮断薬

1）毒性のメカニズムと症状

β遮断薬は，G蛋白に結合している$β_1$アドレナリン受容体を競合的に遮断し，ATPからcAMPへの産生を抑制し，プロテインキナーゼAの活性を低下させ，L型Ca^{2+}チャンネルの開放を阻害し，カルシウムの細胞内への流入を抑制する。この結果，洞房結節の自動能は抑制され，心筋の収縮力は低下する。過量服用ではこれらの作用が増強して徐脈，房室ブロック，血圧低下，急性循環不全などが生じる。

2）治療のポイント

心機能障害には高インスリン血症・正常血糖療法を施行する。そのほか，強心薬・昇圧薬，グルカゴン，ホスホジエステラーゼ阻害薬などの投与を考慮する。

7 オピオイド類

1）毒性のメカニズムと症状

モルヒネやヘロインなどのオピオイド類は中枢神経系にあるμ，κ，δオピオイド受容体のアゴニストとして作用し，中枢神経抑制作用や呼吸抑制作用などを発揮する。過量摂取ではこれらの作用が増強する。急性中毒の古典的な三徴は，意識障害，呼吸抑制，縮瞳である。典型的な縮瞳は"対称性の針穴縮瞳"である。そのほかに悪心・嘔吐，イレウス，血圧低下などが生じる。

2）治療のポイント

呼吸抑制・呼吸停止には気道の確保および補助換気を施行して，オピオイド受容体拮抗薬であるナロキソン塩酸塩を静注する。有効であれば，その後は静注を繰り返す，または持続静注を施行する。5～10分以内に呼吸状態が改善しなければ，気管挿管および呼吸管理を施行する。

8 覚醒剤

1）毒性のメカニズムと症状

メタンフェタミンは血液脳関門を通過し，脳内ではドパミン，ノルアドレナリン，セロトニンなどのモノアミンの遊離を促進し，モノアミンの再取り込みを阻害する。その結果，シナプス間隙のモノアミン濃度が上昇して中枢神経刺激作用を発揮する。末梢ではノルアドレナリンなどのカテコラミンの遊離を促進し，カテコラミンの再取り込みを阻害し，モノアミンオキシダーゼによるカテコラミンの分解を阻害することによって，シナプス間隙のカテコラミンの濃度を上昇させて交感神経刺激作用を発揮する。過量摂取ではこれらの作用が増強して，表15に示すような交感神経興奮症状を伴う中枢神経興奮症状が生じるが，重篤な臓器障害を伴うことがある。

2）治療のポイント

極度の脱水を伴っていることが多いため，十分量の輸液を施行する。不穏・興奮などの中枢神経興奮症状，高血圧・頻脈などの交感神経興奮症状，および高体温などに対してはミダゾラムなどのベンゾジアゼピン受容体作動薬を投与する。幻覚・妄想を伴う不穏・興奮にはハロペリドールなどの抗精神病薬を投与する。

表16　フグ中毒の重症度分類

重症度	徴候および症状	発症時間
Ⅰ度	口唇周囲のしびれ感や異常感覚	5〜45分
Ⅱ度	舌のしびれ感，顔面および四肢遠位端のしびれ感	10〜60分
Ⅲ度	全身の弛緩性麻痺，換気不全，失声，眼球の固定または散瞳	15分〜数時間
Ⅳ度	重症換気不全および低酸素血症，低血圧，徐脈，不整脈，	15分〜24時間

表17　トリカブト中毒の症状

神経症状
めまい，口唇周囲・口腔内・舌などの灼熱感・しびれ感・異常感覚，縮瞳または散瞳，複視，かすみ目，脱力，発語困難，嚥下困難，骨格筋麻痺，呼吸困難・呼吸停止，強直間代性けいれん

循環器症状
胸部絞扼感，胸痛，動悸，血圧低下，徐脈，洞頻脈，心室期外収縮，二段脈，頻脈性心室調律，心室細動，心室頻拍，多原性心室頻拍，torsade de pointes，心停止

消化器症状
流涎，腹痛，嘔気，激しい嘔吐，疝痛性下痢

生物毒

1　フグ

1）毒性のメカニズムと症状

フグ毒であるテトロドトキシンは陽電荷および負電荷である部分をもつ。末梢神経のランヴィエ絞輪には膜電位依存性 Na^+ チャンネルが高い密度で存在するが，テトロドトキシの陽電荷の部分がこのチャンネルの負電荷である外孔部分にあるレセプターサイトⅠに細胞外から結合する。この結果，外孔が塞がれて Na^+ の流入が妨げられ，活動電位の発生および興奮伝導が抑制され，シグナルが筋肉に伝わらずに麻痺が生じる。表16にフグ中毒の重症度分類を示すが，重症度や発症速度はテトロドトキシンの摂取量による。

2）治療のポイント

進行性の呼吸器症状を認めたら，速やかに気管挿管および呼吸管理を施行する。全身の弛緩性麻痺があっても通常は意識が保たれているので，適切に鎮静することが重要である。

2　トリカブト

1）毒性のメカニズムと症状

トリカブト毒であるアコニチン，ヒパコニチン，ジェサコニチン，メサコニチンなどのアコニチン類は，高い親和性で心筋，神経，筋肉などの興奮性組織の細胞膜にある電位依存性 Na^+ チャンネルのレセプターサイトⅡに作用し，Na^+ チャンネルの活動を持続させて心毒性および神経毒性を発揮する。初期症状は副交感神経および感覚神経刺激症状が中心で，その後に神経症状，循環器症状，消化器症状が出現する（表17）。死因のほとんどは心室細動などの心室不整脈による心停止である。

2）治療のポイント

呼吸困難・呼吸停止には速やかに気管挿管および呼吸管理を施行する。不整脈には抗不整脈薬を投与するが，難治性不整脈により循環動態が保てなければV-A ECMOを考慮する。

3　テングタケ属キノコ

1）毒性のメカニズムと症状

テングタケ（Amanita）属のキノコであるドクツルタケ，シロタマゴテングタケ，タマゴテングタケはもっとも致死率の高いキノコで，世界のキノコ中毒による死亡事故の90%以上の原因となっている。これらのキノコ

表18 テングタケ中毒の症状

Stage Ⅰ（消化管相，gastrointestinal phase）（摂取後6～24時間）
悪心・嘔吐，水様性下痢，血性下痢，激しい腹痛など
Stage Ⅱ（潜伏期，latent period）（摂取後24～48時間）
消化器症状の改善，肝機能障害，腎機能障害
Stage Ⅲ（肝・腎相，hepatorenal phase）（摂取後2～6日）
急性肝不全，肝性脳症，凝固障害，黄疸，低血糖，出血傾向，出血性ショック，傾眠，いらいら，錯乱，せん妄，昏睡，けいれん，乏尿，無尿，急性腎不全，ARDS，多臓器不全など

には消化管毒性を発揮するファロトキシン類やビロトキシン類のほかに肝毒性を発揮するアマトキシン類が含まれている。なかでも，ファロトキシン類の一つであるα-アマニチンはもっとも毒性が強く，RNAポリメラーゼⅡと非可逆的に結合してこの酵素を失活させる。この結果，DNAからmRNAへの転写が阻害されるため蛋白合成が障害されて細胞壊死が生じる。α-アマニチンは主として肝や腎などの細胞代謝回転速度が速く，蛋白合成の比率の高い臓器に影響を及ぼす。無症状の潜伏期を経て激しい消化器症状が発現する。症状はいったん改善するが，遅発性に肝腎症状が発現するのが特徴である（表18）。

2）治療のポイント

肝不全には新鮮凍結血漿の輸血，血漿交換などを施行する。肝性脳症，高ビリルビン血症，10％以下のプロトロンビン時間を認めるような肝不全であれば肝移植を考慮する。急性腎不全には血液透析法を施行する。

▶文　献

1) 小山完二, 他：グルホシネートアンモニウム塩含有除草剤（バスタ®液剤）の服毒中毒における患者の重症化と血清グルホシネート濃度との関係. 日救急医会誌 8：617-8, 1997.
2) Talbot AR, et al：Acute poisoning with a glyphosate-surfactant herbicide（'Roundup'）：A review of 93 cases. Hum Exp Toxicol 10：1-8, 1991.
3) Kamijo Y, et al：Glyphosate-surfactant herbicide products containing glyphosate potassium salt can cause fatal hyperkalemia if ingested in massive amounts. Clin Toxicol（Phila）50：159, 2012.
4) Kamijo Y, et al：A multicenter retrospective survey of poisoning after ingestion of herbicides containing glyphosate potassium salts or other glyphosate salts in Japan. Clin Toxicol（Phila）54：147-51, 2016.
5) Kamijo Y, et al：A multicenter retrospective survey on a suicide trend using hydrogen sulfide in Japan. Clin Toxicol（Phila）51：425-8, 2013.
6) Kamijo Y, et al：Recurrent myelin basic protein elevation in cerebrospinal fluid as a predictive marker of delayed encephalopathy after carbon monoxide poisoning. Am J Emerg Med 25：483-5, 2007.
7) Ide T, et al：Myelin basic protein：A predictive marker of delayed encephalopathy from carbon monoxide poisoning. Am J Emerg Med 26：908-12, 2008.
8) Kamijo Y, et al：A retrospective study on the epidemiological and clinical features of emergency patients with large or massive consumption of caffeinated supplements or energy drinks in Japan. Intern Med 57：2141-6, 2018.
9) Yoshizawa T, et al：Which of hemodialysis and direct henmoperfusion is more recommended for treating severe caffeine poisoning? Am J Emerg Med 37：1801-2, 2019.
10) Yoshizawa T, et al：Criterion for initiating hemodialysis based on serum caffeine concentration in treating severe caffeine poisoning. Am J Emerg Med 46：70-3, 2021.

V 疾患領域別の救急診療　21. 環境障害

21-1 熱中症

三宅　康史

定義と分類

　熱中症（heat illness/heat related illness）は，「暑熱環境にいる間に，あるいはいた後に起こる体調不良」であり，暑熱環境を原因として生じる身体（臓器）障害の総称である．欧米では，症状と（深部）体温によって分類され，軽症から「熱けいれん」「熱失神」「熱疲労」「熱射病」とされている（表1）．

　日本救急医学会では，現場には体温計がないことを前提に体温で分類せず，一般市民が医療機関受診の必要性を判断し，医療者が入院適応を判断できるようにという観点から，2000年に暑熱障害を「熱中症」という呼称に統一し，下記のI～III度に分けるわが国独自の分類を提唱し実臨床に導入されている[1]．

- I度：軽症（ほぼ熱失神および熱けいれんに相当し現場で対処可能な症例）
- II度：中等症（熱疲労よりも広範囲に及び，医療機関受診が必要な症例）
- III度：重症（熱射病に相当し，医師によって入院適応と判断された症例）

　現行の日本救急医学会熱中症分類2015を表2に，付記（注意事項）を表3に示す[2]．

わが国における熱中症の実態

　全国的な熱中症の実態調査として，①速報性に優れた総務省消防庁の熱中症救急搬送数[3]，②医療機関を受診し熱中症と診断された全症例のレセプトデータを収集した匿名レセプト情報[4]，③前年の死亡診断書・検案書に基づく人口動態統計に記載された熱中症死亡者数[5]，そして④日本救急医学会「熱中症および低体温症に関する委員会」が救命救急センターにおける重症例を中心に2006年から継続的に収集しているHeatstroke STUDY（HsS）[6]がある．

　総務省消防庁のデータは，救急外来担当医が救急隊の搬送表に記載する内容に基づいており，確定診断や重症

表1　欧米における暑熱障害の分類

熱けいれん（heat cramp）

高温多湿の環境下での多量の発汗により水分と塩分が喪失し，塩分を含まない水のみを補給することで，血清電解質の低下（とくに低ナトリウム血症）から筋のけいれんが起こる．骨格筋の有痛性けいれん，平滑筋のけいれんによる腹痛と嘔吐などの症状が出現するが，意識障害，電解質異常（血清ナトリウムの低下）はない．体温の上昇は起こらず，予後良好である

熱失神（heat syncope）

体温上昇を避けるために体表の血管が拡張し放熱すると同時に，気化のための発汗に伴う脱水が加わり，血管内容量の低下によって血圧が低下し一時的に脳虚血をきたす．一過性意識消失に加え，悪心，頭痛，めまいなどが出現するが，体温上昇はない

熱疲労（heat exhaustion）

発汗による脱水が高度で，皮膚血管の拡張と運動による筋肉の血流増加により循環不全が起こる．38.3℃以上の体温上昇を伴うが41℃を超えず，末梢血管拡張を伴う循環血液量減少が本態である．初期に倦怠感，頭痛，めまい，悪心・嘔吐が出現し，続いて頻脈，血圧低下，電解質異常が生じる．過換気，興奮，判断力の低下，知覚異常，共同運動の失調，意識障害などの中枢神経症状を伴う場合もある

熱射病（heat stroke）

高温多湿下で熱産生と熱放散のバランスが崩れてうつ熱を生じ，体温調節機序が破綻して41℃以上の高体温を呈する．中心部体温が41.5℃を超えると細胞機能障害が発生し，42℃以上では組織細胞の破壊が始まり，細胞障害が全身臓器に及び，循環不全を含む多臓器障害に陥る
臨床的には著しい脱水とうつ熱により，皮膚が乾燥し紅潮を呈する．意識障害，けいれん，末梢血管抵抗の減少と循環血液量減少による血圧低下，頻脈，過換気，横紋筋融解によるミオグロビン尿，溶血によるヘモグロビン尿，高クレアチンキナーゼ血症，血液凝固異常による血小板数減少，DIC，急性腎不全，肝機能障害，急性呼吸不全が発生する．発生現場や救急外来での症候の特徴は，意識障害，高体温，皮膚乾燥（発汗停止），ショックを呈することであり，予後はきわめて悪い

表2 日本救急医学会熱中症分類2015

分類		症状	重症度	治療	臨床症状による分類
Ⅰ度	応急処置と見守り	・めまい，立ちくらみ，生あくび ・大量の発汗 ・筋肉痛，筋肉の硬直（こむら返り） ・意識障害を認めない（JCS = 0）		通常は現場で対応可能 ・冷所での安静 ・体表冷却 ・経口的に水分とNaの補給	熱けいれん 熱失神
Ⅱ度	医療機関へ	・頭痛，嘔吐，倦怠感，虚脱感 ・集中力や判断力の低下（JCS ≦ 1）		医療機関での診察が必要 ・体温管理 ・安静 ・十分な水分とNaの補給（経口摂取が困難なときには点滴にて）	熱疲労
Ⅲ度	入院加療	下記の3つのうち，いずれかを含む C：中枢神経症状（JCS ≧ 2，小脳症状，けいれん発作） H/K：肝・腎機能障害（入院経過観察，入院加療が必要な程度の肝または腎障害） D：血液凝固異常〔急性期DIC診断基準（日本救急医学会）にてDICと診断〕→Ⅲ度のなかでも重症型		入院加療（場合により集中治療）が必要 ・体温管理（体表冷却に加えて体内冷却，血管内冷却などを追加） ・呼吸・循環管理 ・DIC治療	熱射病

> Ⅰ度の症状が徐々に改善している場合のみ，現場の応急処置と見守りでOK

> Ⅱ度の症状が出現したり，Ⅰ度に改善がみられない場合，すぐ病院へ搬送する（周囲の人が判断）

> Ⅲ度か否かは救急隊員や，病院到着後の診察・検査により診断される

〔文献2）より引用〕

表3 日本救急医学会熱中症分類2015の付記

- 暑熱環境にいる，あるいはいた後の体調不良は**すべて熱中症の可能性**がある
- 各重症度における症状は，よくみられる症状であって，その重症度では<u>必ず</u>それが起こる，あるいは起こらなければ別の重症度に分類されるというものではない
- 熱中症の病態（重症度）は対処のタイミングや内容，患者側の条件により**刻々変化する**。とくに意識障害の程度，体温（とくに体表温），発汗の程度などは，短時間で変化の程度が大きいので注意が必要である
- そのため，予防がもっとも重要であることは論をまたないが，早期認識，早期治療で重症化を防げれば，死に至ることを回避できる
- Ⅰ度は**現場**にて対処可能な病態，Ⅱ度は速やかに**医療機関**への受診が必要な病態，Ⅲ度は採血，医療者による判断により**入院**（場合により集中治療）が必要な病態である
- 欧米で使用される臨床症状からの分類を右端に併記する
- Ⅲ度は記載法としてⅢC，ⅢH，ⅢHK，ⅢCHKDなど障害臓器の頭文字を右下に追記
- 治療にあたっては，**労作性**か**非労作性（古典的）**かの鑑別をまず行うことで，その後の治療方針の決定，合併症管理，予後予想の助けとなる
- DICはほかの臓器障害に合併することがほとんどで，発症時には最重症と考えて集中治療室などで治療にあたる
- これは，安岡らの分類をもとに，臨床データに照らしつつ一般市民，病院前救護，医療機関による診断とケアについてわかりやすく改訂したものであり，今後**さらなる変更**の可能性がある

〔文献2）より引用〕

度の正確性が下がるものの，重症度を含め発生場所や年齢層，発生都道府県について前週のデータを翌週の火曜日に公表するため，マスコミや研究機関などで利用されることが多い。これを用いた2021年までの年齢層別救急搬送数を**図1**に示す。

これに対し，匿名レセプト情報は診断が正確である一方，データ提供までに数年を要するうえ，提供される者や使用目的などに制限がある。匿名レセプト情報に基づく重症度別の症例数（2018年まで）を**図2**に示す。統計的には総務省消防庁の救急搬送数はこれに含まれる。軽症・高齢者が多いこと，暑い夏季に患者が増えることなど，登録数は違っても傾向は同様である。

厚生労働省が毎年公表する人口動態統計に基づく熱中症死亡者数（2020年まで）を**図3**に示す。これには医療機関で死亡した症例だけでなく，搬送されず現場で死亡した例（死体検案書）が含まれている。

21. 環境障害

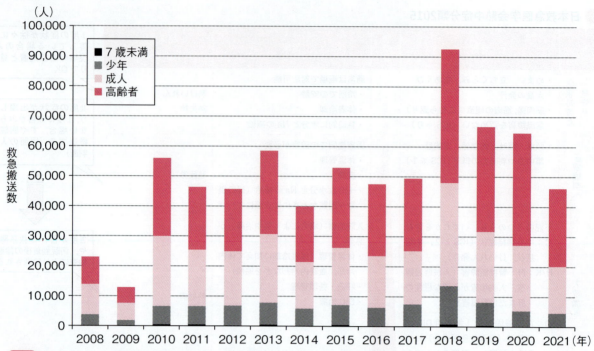

図1 熱中症による救急搬送数の推移（総務庁消防庁データ，各年6〜9月）
2008〜2009年は7〜9月のデータ
7歳未満：新生児＋乳幼児，少年：7歳以上18歳未満，成人：18歳以上65歳未満，高齢者：65歳以上

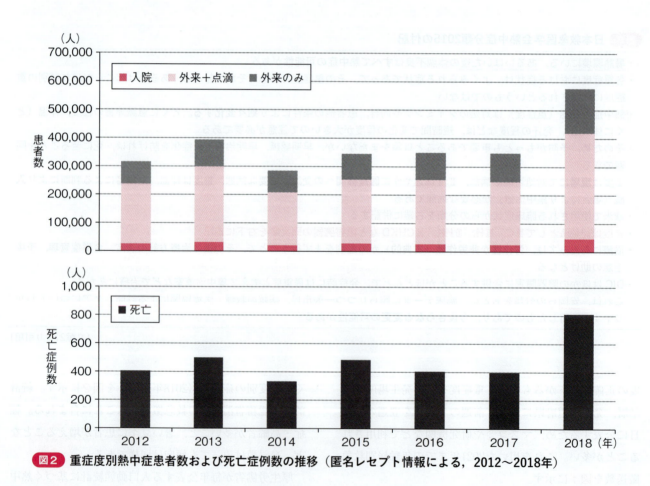

図2 重症度別熱中症患者数および死亡症例数の推移（匿名レセプト情報による，2012〜2018年）

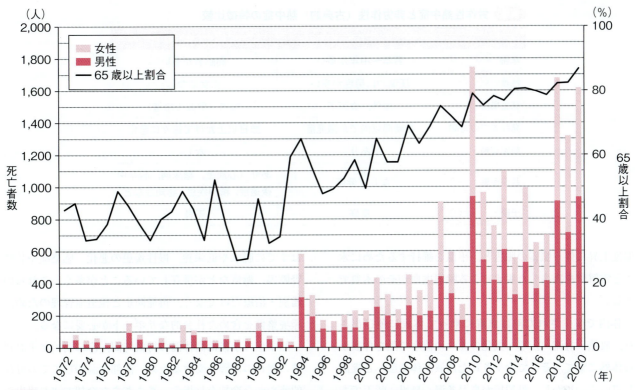

図3 年次別・男女別熱中症死亡者数の推移（人口動態統計による，1972〜2020年）

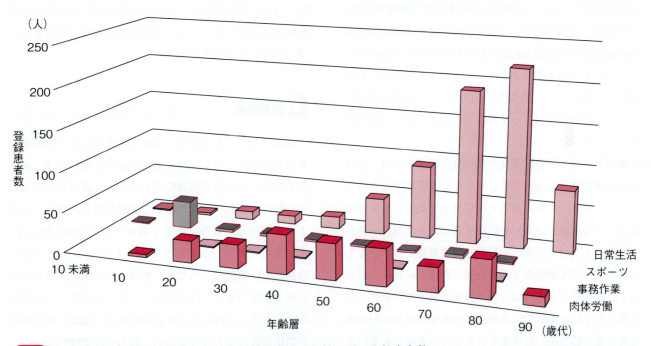

図4 Heatstroke STUDY2020における活動内容別・年齢層別の登録患者数

HsSの活動内容別・年齢層別登録患者数（2020年）を図4に示す。救命救急センターに運ばれる症例としては，10歳代のスポーツおよび中壮年の肉体労働（ともに男性が多い），日常生活中の高齢者が多く，後者ほど重症度が高い傾向にある。

病態生理と症状・所見

熱中症は，体内で産生された熱（生命維持のための熱産生＋筋肉運動による熱産生）を適切に体外へ棄てることができなくなって深部体温が上昇し，その結果生じる

表4 労作性熱中症と非労作性（古典的）熱中症の特徴比較

	労作性	非労作性（古典的）
年齢	若年〜中年が多い	高齢者が多い
性差	圧倒的に男性が多い	男女差なし
発生場所	屋外，炎天下	屋内（熱波で急増）
発症までの時間	数時間以内で急激発症	数日以上かけて徐々に悪化
筋肉運動	あり	なし
基礎疾患	なし（健康）	あり（心疾患，糖尿病，脳卒中後遺症，精神疾患，認知症など）
予後	良好	不良

温度上昇に伴う臓器の障害と，平温を維持するために水分と電解質を喪失した脱水による臓器虚血がその本質である。

体内で産生された熱は血流に乗って体表に運び出され，放熱・対流・伝導・気化の4つの機序で熱を体表から体外に棄て，そこで冷やされた血液が体深部へと灌流していく。しかし，外環境が高温多湿，無風，晴天であれば冷却効率が下がり，体内水分量の減少（大量の発汗，不感蒸泄だけでなく，高血糖や利尿薬による影響を含む）や低栄養，水分補給ができない状況では，体内の熱を体表に運び出す血液量（水分およびナトリウム）が減少し，そこに心不全やβ遮断薬などによるポンプとしての心機能低下が加わると，必要な心拍出量が得られなくなる。さらに，筋肉運動によって体内での熱産生がいっそう増すことになる。

前述した日本救急医学会の熱中症分類2015には，それぞれの重症度（Grade）でよくみられる症状が示されている。しかし，これらはあくまで目安であって，実際にはあらゆる症状（訴え）が出現することを念頭に，暑熱環境下（またはその後）で起こる体調不良ではいかなる症状であっても熱中症を鑑別診断にあげ，症状にこだわらず応急処置による回復具合，採血結果で判断すべきである。とくに高齢者では既存疾患の悪化が暑さへの対処を遅らせ，結果的に熱中症を併発している場合も多いと考えられる。

診断・治療

診療開始時に，まず労作性熱中症か非労作性（古典的）熱中症なのかを見極める必要がある。表4に示すように，その後の対応手順や予後に大きな違いがあるためである。労作性では熱中症治療に専念できるが，非労作性ではすでに脱水や低栄養，慢性疾患の悪化，感染症や急性腎障害，褥瘡などが併存していることが多く，これらの鑑別・治療だけでなく，再発防止と後遺症管理のために環境整備を含めた社会的なサポートが必要になる。

熱中症の予後は高体温の持続時間，冷却開始と平温到達の遅れの影響を受けるため，深部体温39℃までの可及的速やかな冷却を目指す。さまざまな冷却方法が報告されているが，現場・自施設でできることを実践すればよい。なお，"Cool first, transport second"は意識のある軽症例に限るべきであり，重症例では現場で時間を労せず，冷やしながら搬送する。

1 応急処置

現場でもっとも緊急度・重症度を正確に示すのは意識レベルである。声をかけ，意識が清明でなければ，救急車を要請しつつ冷却処置を開始する。意識がしっかりしていれば，涼しい場所に移して衣服を緩め，濡らしたタオルを腕や足，首筋にかけて風を当てて冷却を始める。氷が入ったビニール袋をタオルや上着に包んで，頭部，腋窩，鼠径部に広く当てる。無理やり水を飲ませて誤嚥を起こさないよう，自分でペットボトルを持って水を飲んでもらう。これらにより意識の確認，冷却，水分補給が開始されたことになるので，数十分程度はそばについて見守り，水が飲めない，症状が回復してこないようであれば，医療機関受診の適応となる[7]。

2 初期診療と集中治療

受け入れ医療機関では，来院前から前室を含め初療室の冷房を最強に設定し，大量の氷嚢と氷水の張った大きめの洗面器とタオル，膀胱温など深部体温を測定できる

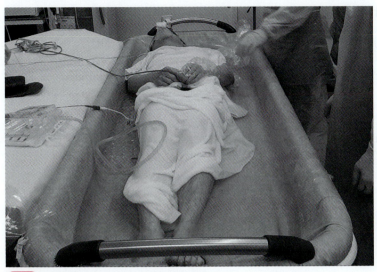

〔東京都立多摩総合医療センター 清水敬樹先生ご提供〕
除染用ベッドにビニールシートを敷き詰め，シャワー水を溜めて簡易なアイスバスとしている。心電図，酸素飽和度，膀胱温計測付き尿道バルーンが留置され，左手の点滴ルートはビニール袋をかぶせて濡れないようにしている。身体の前面には濡れタオルが全体にかけられ，冷水シャワーとともにスポットクーラー2台が向けられており，スタッフの熱中症予防にも貢献している。溺水の心配がなく，人数を要さず準備が可能で，汚染されても安全に後片づけができる

図5 救急外来における冷却法の工夫

機器を準備しておく。ストレッチャーにはタオルで包んだ氷枕を敷き詰めておく。

患者来院後は，脱衣と並行してABCDの順にバイタルサインを確認・蘇生の後，氷水で濡らしたタオルで頸部から下を覆い，頭部，前頸部/腋窩/鼠径部など太い静脈が体表近くを走行している部位に氷枕・氷嚢を広く当てて冷却する。冷水（体表が高体温であれば常温である必要はない）の噴霧と大型扇風機による蒸泄法，脱水に対し冷却した細胞外液補充液の大量投与，冷却ブランケット，体腔冷却（胃，膀胱内への冷水注入），体外循環（HD，CHDF，PCPS），アイスバス（**図5**）や前室の除染用シャワーなど，熱中症のタイプやスタッフ数，患者の体温，体格，年齢，意識レベルに応じて，安全に施行できる冷却法を併用する。

深部体温が39℃まで下がったら冷却を緩め，38℃まで下降したら冷却を中止し，自然に平温になるのを待つことで低体温やリバウンドを防止する。中心静脈カテーテルの表面のバルーンに冷却生理食塩液を灌流させる方法（サーモガードシステム™：保険適用）や，冷却ジェルパッドを用いる方法（アークティック・サン™5000：保険適用外）では，設定温まで短時間で人手を要さず直線的な冷却が可能である。呼吸・循環管理，脳浮腫治療，血糖・電解質の補正，DIC治療を軸に，並存症の発見と治療，必要に応じ多臓器不全に対する集中治療を実施する。

Ⅲ度の入院例であっても翌日には退院可能となる例が多い一方で，循環不全による当日死亡や，DICを合併した多臓器不全による数日内死亡も起こり得る。重症例における生存者の後遺症は約2%にみられ，多くが中枢神経障害（高次脳機能障害，小脳症状，嚥下機能障害など）である[8]。オーストラリアのレビューではその割合は23%に上る（死亡率も23%に上る）[9]。

予防と啓発

熱中症は予防できる疾患であり，救急医は積極的にそこに関与すべきである。高齢者，単身者，生活困窮者などの熱中症リスクの高い者には，行政のサポートと救急医の助言が欠かせない。地元医師会や行政機関と協力して，教育機関や介護施設における予防・啓発活動にも参画する必要がある。また，夏季の屋外イベントでは準備段階から関与して，開催日の救急医療活動のなかに熱中症対策を組み込んで対応する。毎年開催されるようなイベントであれば，熱中症予防責任者を決め，それに特化した予算を立て，マニュアルの作成や消防救急行政・医療機関との協力関係を構築する[7)10)]。

▶文 献

1) 安岡正蔵，他：熱中症（暑熱障害）1～3度分類の提案；熱中症新分類の臨床的意義．救急医学 23：1119-23，1999.
2) 日本救急医学会熱中症に関する委員会：熱中症診療ガイドライン2015，2015.
 https://www.jaam.jp/info/2015/info-20150413.html
3) 総務省消防庁：熱中症情報．
 https://www.fdma.go.jp/disaster/heatstroke/post3.html
4) 厚生労働省：匿名レセプト情報・匿名特定健診等情報の提供に関するホームページ．
 https://www.mhlw.go.jp/stf/seisakunitsuite/bunya/kenkou_iryou/iryouhoken/reseputo/index.html

5) 厚生労働省：熱中症による死亡数 人口動態統計（確定数）より，2022.
https://www.mhlw.go.jp/toukei/saikin/hw/jinkou/tokusyu/necchusho20/index.html
6) 日本救急医学会：Heatstroke STUDY と Hypothermia STUDY の報告.
https://www.jaam.jp/nettyu/nettyusyou.html#2
7) 環境省：熱中症環境保健マニュアル2022.
https://www.wbgt.env.go.jp/heatillness_manual.php
8) 中村俊介，他：熱中症による中枢神経系後遺症；Heatstroke STUDY 2006, Heatstroke STUDY 2008の分析結果．日救急医会誌 22：312-8，2011.
9) Lawton EM, et al：Environmental heatstroke and long-term clinical neurological outcomes：A literature review of case reports and case series 2000-2016. Emerg Med Australas 31：163-73，2019.
10) 環境省，他：学校における熱中症対策ガイドライン作成の手引き，2021.
https://www.env.go.jp/press/109616.html

21-2 偶発性低体温症

高氏 修平

定義

低体温症は深部体温（直腸温，膀胱温，食道温）が35℃以下に低下した状態と定義され，健常人が寒冷ストレスに曝露されることによって起こる一次性低体温症と，何らかの背景疾患をもつ患者や高齢者に起こる二次性低体温症に分類される[1]。これらを合わせて「偶発性低体温症（accidental hypothermia）」と呼び，体温管理療法（targeted temperature management；TTM）や低体温麻酔などの治療として行われる低体温と区別される。

偶発性低体温症の重症度分類

低体温症の重症度を体温のみで判断することはできないものの，一般に深部体温により，軽症：32～35℃，中等症：28～32℃，重症：28℃未満の3つに分類される（表1）。深部体温の測定が困難な状況，例えば山岳救急の現場では，体温測定によらずに意識レベル，シバリング（ふるえ熱産生）の有無，バイタルサインにより重症度を判断するSwissステージング分類が従来から使用されてきた[2]。近年，このSwissステージング分類が変更され，シバリングの有無によらず意識レベルとバイタルサインにより分類されるようになった。この改定Swissステージング分類は心停止の危険性に重点を置いたものとなっている（表2）[3]。しかし，低体温症以外の病態により意識障害が生じている場合には適切な評価が困難である。

疫学

わが国の偶発性低体温症については大規模な疫学調査が行われておらず，その発症数は正確には明らかにされていない。一方，ヨーロッパの国々からは人口10万人当たり，3.4～5.05人/yearの発症率であることが報告されている[4]~[6]。近年，高齢人口の増加とともに低体温症の発生が増加しており，非常に高齢化率の高いわが国においても低体温症の発症数増加が推測される。

近年，海や山でのレジャー関連の事故報道でも低体温症が注目されている。しかし，日本救急医学会の熱中症および低体温症に関する委員会が行った低体温症の全国調査（Hypothermia Study 2018 and 2019）によると，外傷，溺水，遭難を原因とする一次性低体温症の割合は全体の13.7％と低く，多くは二次性低体温症が占めていた[7]。この全国調査は全国87および89施設が参加し，1,194例の低体温症が登録された。この結果，低体温症の81％が65歳以上の高齢者に発生し，70％が屋内での発症，49％が内因性疾患を原因としており，30日死亡率は24.5％と高かった。一方，海外の報告では，若年者に多く，レジャースポーツによる一次性低体温症が大部分を占め，死亡率は6％程度と低い[4][5]。

表1 低体温症の分類

重症度	深部体温	臨床所見	Swissステージング分類
軽症	32～35℃	覚醒しているが清明ではない シバリング（+）	HT 1
中等症	28～32℃	意識障害あり シバリング（+）～（−）	HT 2
重症	<28℃	意識なし バイタルサイン（+）	HT 3
	（<24℃）	バイタルサイン（−） 見かけ上は死亡	HT 4

表2 改定 Swiss ステージング分類

分類	臨床所見	心停止リスク
HT1	意識清明	低い
HT2	呼びかけに反応	中程度
HT3	痛みに反応, あるいは意識なし, かつバイタルサインあり	高い
HT4	意識なし, かつバイタルサインなし（最長1分間確認）	低体温心停止

〔文献3〕より引用・改変〕

HT3で窒息, 中毒, 高山病による脳浮腫, 外傷など, ほかの意識障害をきたす状況では, 本分類は低体温症による心停止リスクを過大評価する危険がある. 意識清明あるいは呼びかけに反応があるが, 不安定なバイタルサイン（徐脈, 徐呼吸, 低血圧）の場合は心静止への移行に注意する

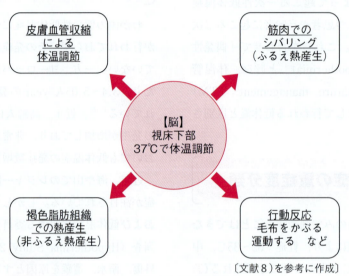

図1 寒冷ストレスに対する体温調節機構

病態生理

1 体温調節機構

体温調節は視床下部と末梢の体温調節機構により行われ, 約37℃で維持されている（図1）[8]. 寒冷ストレスに曝露されると, 視床下部が応答してシバリングによる熱産生（ふるえ熱産生）と褐色脂肪組織での熱産生（非ふるえ熱産生）メカニズムが働き, 体温が維持される. 末梢では交感神経を介する皮膚血管の収縮が起こり, 血流を減少させることで熱損失を抑えるメカニズムが働く. これに加え, 毛布をかける, 運動をするなど行動反応をとることで体温が維持されている.

熱損失は伝導, 対流, 蒸発, 放射を介する熱エネルギーの移動により起こる. 一次性低体温症は, 寒冷ストレスによる熱損失が体温調節機構による熱産生を上回った結果として生じる. 一方, 二次性低体温症は背景疾患や加齢の影響で体温調節機構自体が減弱化, あるいは破綻することで生じる. したがって, 二次性低体温症は必ずしも寒冷曝露がない屋内においても発生し得る. また, 同じ環境下であっても, BMI（body mass index）が高い成人と比べ, 小児やBMIが低い高齢者では, 体重に対する体表面積の比率が大きく, 熱損失が増加するため低体温症になりやすい[9].

2 低体温症により起こる生理変化

低体温症が発症すると体温低下とともにさまざまな臓器障害が起こる（表3）[10)11].

軽症（32〜35℃）では錯乱や判断力の低下, 頻脈, 頻呼吸となり, シバリングが出現する. また, 寒冷利尿により尿量増加が起こり, 血液検査では血小板減少や凝固異常がみられる.

表3 低体温の重症度と各臓器の生理変化

臓器	軽症（32～35℃）	中等症（28～32℃）	重症（<28℃）
神経	錯乱，呂律が回らない，判断力の低下，健忘	無気力，幻覚，対光反射の消失，脳波異常	脳血管調節機能の低下，脳波活動の低下，昏睡
循環	頻脈，心拍出量増加，血管抵抗増加	徐脈，心拍出量低下，血圧低下，不整脈（心房細動），J波（Osborn波）	血圧低下，心拍出量低下，心室細動，心停止
呼吸	頻呼吸，気管支収縮	低換気，酸素消費量減少，CO_2産生減少，咳反射消失	肺水腫，無呼吸
腎	寒冷利尿	寒冷利尿	腎血流低下，乏尿
筋骨格	シバリング増加	シバリング減少，筋硬直	偽性死後硬直
代謝	代謝率増加，高血糖		代謝率低下，高血糖あるいは低血糖
血液凝固	ヘマトクリット上昇，血小板低下，白血球数低下，出血傾向		
消化器	イレウス，膵炎，胃潰瘍，肝不全		

〔文献10)11)をもとに作成〕

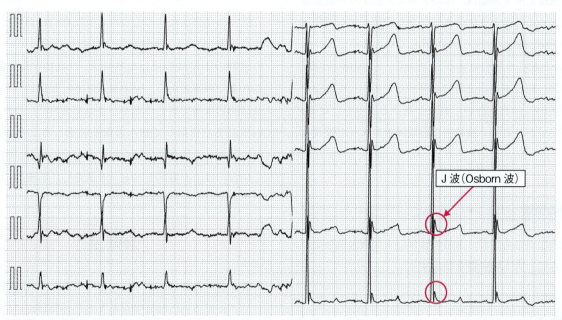

図2 偶発性低体温症の心電図：J波（Osborn波）

　中等症（28～32℃）では無気力，対光反射消失，脳波異常が出現し，徐脈，血圧低下，不整脈（心房細動など）がみられる。心電図上でQRS波の終末にJ波（Osborn波）を認めることがある（図2）。

　30℃以下になるとシバリングは消失し，重症（28℃未満）では昏睡，心室細動から心停止へ移行する危険性が高くなる。

診　断

　偶発性低体温症の診断は，まず低体温症を疑い，深部体温を測定することである。一般的な腋窩温や非接触型体温計による皮膚温は体表温であり，低体温時には深部体温と乖離するため推奨されない。深部体温は直腸，膀胱，食道で測定することが望ましい。前述したHypothermia Study 2018 and 2019では，全体の61.9％で深部体温の測定が行われ，測定部位は膀胱（66.8％），直腸（27.3％），食道（5.8％）の順に多かった[7]。なお，鼓膜温は深部体温であるが，一般的な赤外線鼓膜温は低体温症では正確な深部体温を示さない。

　体温以外のバイタルサインを評価する際，重症低体温症では徐脈や血圧低下のために脈拍を触知しづらい場合がある。したがって，通常よりもゆっくりと時間をかけて評価する。

低体温症の診断と並行して，低体温症になった原因について情報を収集する。Hypothermia Study 2018 and 2019では，低体温症の原因として感染症（9.7％），脳血管障害（6.0％），低血糖（5.4％），消化管疾患（5.1％），低栄養（4.4％），心不全（3.8％），高血糖（3.7％）が含まれていた[7]。

救急外来での注意点

1 Rescue collapse

低体温症患者の救助や搬送中に心室細動へ移行（目撃あり心停止）する現象を"rescue collapse"という。救急外来でも患者の移動や処置で誘発される危険がある。また，復温治療を開始後，冷却された末梢からの血液が再灌流することにより深部体温がさらに低下する現象をafter dropと呼ぶ。このafter dropに引き続いてrescue collapseが起こる場合もある[8]。rescue collapseを発症した場合，死亡率が約2倍に上昇するため[12]，可能なかぎり愛護的に診察を行い，刺激を避けるよう心がける。復温が完了されるまで持続的に心電図モニターで監視する。

2 呼吸管理

意識障害がある場合，気道の確保および酸素投与を行うとともに，人工呼吸器を使用する。

3 体温管理

膀胱留置カテーテルに温度センサーが付いたものを使用したり，経鼻から食道温プローブを挿入することで，持続的な深部体温のモニタリングを行う。

検　査

1 血液検査，動脈血ガス分析，各種培養検査

低体温症では電解質異常（低カリウム血症など）や膵酵素上昇（高アミラーゼ血症），腎機能異常，血液凝固異常が起こりやすく，これらの血液検査が必要である。凝固検査（PTやAPTT）は通常体温37℃の条件で測定されるため，低体温症に伴う凝固異常が見過ごされやすい[13]。低体温症の原因として甲状腺機能低下症や副腎不全が疑われる状況では内分泌検査，血糖測定を考慮する。これらに加えて，動脈血ガス分析も有用である。さらに，低体温症の原因に感染症が疑われる場合には血液，尿，喀痰など各種培養検査が必要となる。

2 心電図検査

中等症から重症の低体温症では前述したJ波（Osborn波）のほかにも徐脈や心房細動，房室ブロック，心室細動を発生しやすい。なお，徐脈に対して一時的ペースメーカの有効性は乏しく，復温治療を優先する。

3 画像検査

低体温症をきたすに至った背景疾患の精査のため，必要時に胸部X線，頭部CTやMRIを撮像する。撮像時の移動の際には前述したrescue collapseに注意する。これまでの研究から，rescue collapseを起こしやすい体温は30℃未満であることが示されており[14]，これより高い体温まで復温してから画像検査を行うことが望ましい。しかし，低体温症に合併する疾患の診断・治療を急ぐ場合には，心電図モニターを装着し，急変時の対応ができる体制で画像検査を行う。

治療法

低体温症の治療の基本は復温である。二次性低体温症では，復温以外に低体温症をきたした背景疾患に対する治療を並行して行う。低体温症の予後に関する研究では，復温中や復温直後に死亡する患者は少なく，復温後に背景疾患の悪化で亡くなる例が多いと示されている[15]。

1 復温治療

復温治療は，受動的体表加温，積極的体表加温，積極的体腔内加温の3種類に分けられる（表4）。

復温治療の選択について強いエビデンスはないが，軽症例では毛布や濡れた衣服の除去などの保温により熱損失を防ぐ受動的体表加温が行われる。この方法はシバリングなどの熱産生が保たれている軽症例では有効であるが，中等症から重症例では適さない。

中等症では，電気毛布や温風加温システム，体表加温

表4 復温治療の種類

受動的体表加温
- 毛布
- 濡れた衣服の除去
- 暖かい部屋へ移動

積極的体表加温
- 電気毛布
- 温風加温システム
- 体表加温パッド

積極的体腔内加温
- 加温輸液（40〜42℃）
- 膀胱灌流，胸腔灌流，腹腔灌流
- 血管内カテーテル
- 血液浄化療法（HDF，HD）
- ECMO（V-A）

パッドを用いた積極的体表加温が中心となる。ただし，積極的体表加温を施行する際に，四肢末梢から加温すると末梢血管が拡張し，血圧が低下する（rewarming shock）。この rewarming shock を避けるために必ず体幹部から復温することが重要である。

重症例では，胸腔灌流，腹腔灌流，血液透析および濾過透析，血管内カテーテルや ECMO（extracorporeal membrane oxygenation）などの積極的体腔内加温が用いられる。胸腔灌流や腹腔灌流のような侵襲的な復温法に代わり，近年では血管内カテーテルなど低侵襲な復温法が普及しつつある。血管内カテーテルによる復温法（わが国では2023年現在，保険適用外）は，主に海外を中心に2014年以降，増加している[16]。40〜42℃の加温輸液は軽症例から重症例まで幅広く行われているが，復温効果は乏しく，血管内容量の減少や電解質異常の補正として使用される。また，ECMO による復温治療は心停止および循環不安定な場合に，循環補助と復温治療を並行して行うことができる有効な治療法である。

Hypothermia Study 2018 and 2019によると，復温方法は，加温輸液（60.0%），温風加温システム（50.3%），電気毛布（34.8%），体表加温パッド（4.0%）の順で多かった。ECMO は全体の2.9%に使用されていた[7]。

2 低体温心停止患者への ECMO 導入

低体温心停止症例は神経学的予後が良好である可能性があるため，通常の体外循環式心肺蘇生（extracorporeal cardiopulmonary resuscitation；ECPR）の除外基準（加齢や心静止，目撃のない CPA，瞳孔散大，$EtCO_2$<10mmHg，long low flow time，long no flow time）は適応できない[17]。近年，低体温心停止患者への ECMO 導入の決定に有用な2つのスコア（HOPE スコア，ICE スコア）が推奨されている[18]。

HOPE スコア[19]は，年齢，性別，深部体温，血清カリウム値，受傷原因（雪崩，窒息），心肺蘇生時間の6項目からなるスコアである。従来のカリウム値単独を用いた生存予測よりも精度が高い。ICE スコア[20]は，窒息，血清カリウム，性別からなるスコアである。欧州蘇生協議会のガイドライン2021では，HOPE スコア≧10，ICE スコア<12を低体温症心停止患者に対する ECMO の適応として推奨している[18]。

低体温症による心停止への対応については他項（p.75）も参照のこと。

予後因子

これまでの報告から，偶発性低体温症の予後不良因子として，目撃なし心停止，pH 異常，高カリウム血症，乳酸値異常，高齢，ADL 不良，循環不安定，腎障害，凝固異常があげられる[21]〜[23]。Hypothermia Study 2018 and 2019では，年齢（75歳以上），男性，ADL（全介助），GCS 低値，高カリウム血症が予後不良因子であった[7]。体温が予後因子に含まれていないことは注目すべき点である。

予防法

低体温症の予防は，発症リスクが高い患者を早期にみつけ，必要な対応をとることである。わが国では高齢者や背景疾患をもつ患者に起こる二次性低体温症の発症が多いことは前述したとおりで，とくにフレイルを有する低体温症患者では予後が不良であり[24]，フレイル予防や居住環境の整備に加えて，これらの低体温症の発症リスクを有する患者への社会的なサポートが低体温症の予防に重要と考えられる。

▶文　献

1) Brown DJ, et al：Accidental hypothermia. N Engl J Med 367：1930-8，2012.
2) Dow J, et al：Wilderness Medical Society clinical practice guidelines for the out-of-hospital evaluation and treatment of accidental hypothermia：2019 up-

date. Wilderness Environ Med 30 (4S) : S47-69, 2019.
3) Musi ME, et al : Clinical staging of accidental hypothermia : The Revised Swiss System : Recommendation of the International Commission for Mountain Emergency Medicine (ICAR MedCom). Resuscitation 162 : 182-7, 2021.
4) Brändström H, et al : Accidental cold-related injury leading to hospitalization in northern Sweden : An eight-year retrospective analysis. Scand J Trauma Resusc Emerg Med 22 : 6, 2014.
5) Kosinski S, et al : Accidental hypothermia in Poland : Estimation of prevalence, diagnostic methods and treatment. Scand J Trauma Resusc Emerg Med 23 : 13, 2015.
6) Wiberg S, et al : Accidental hypothermia in Denmark : A nationwide cohort study of incidence and outcomes. BMJ Open 11 : e046806, 2021.
7) Takauji S, et al : Accidental hypothermia : Characteristics, outcomes, and prognostic factors : A nationwide observational study in Japan (Hypothermia study 2018 and 2019). Acute Med Surg 8 : e694, 2021.
8) Paal P, et al : Accidental hypothermia : 2021 update. Int J Environ Res Public Health 19 : 501, 2022.
9) Singer D : Pediatric hypothermia : An ambiguous issue. Int J Environ Res Public Health 18 : 11484, 2021.
10) Danzl DF, et al : Accidental hypothermia. N Engl J Med 331 : 1756-60, 1994.
11) Mallet ML : Pathophysiology of accidental hypothermia. QJM 95 : 775-85, 2002.
12) Podsiadlo P, et al : Impact of rescue collapse on mortality rate in severe accidental hypothermia : A matched-pair analysis. Resuscitation 164 : 108-13, 2021.
13) Levi M : Hemostasis and thrombosis in extreme temperatures (hypo- and hyperthermia). Semin Thromb Hemost 44 : 651-5, 2018.
14) Frei C, et al : Clinical characteristics and outcomes of witnessed hypothermic cardiac arrest : A systematic review on rescue collapse. Resuscitation 137 : 41-8, 2019.
15) van der Ploeg GJ, et al : Accidental hypothermia : Rewarming treatments, complications and outcomes from one university medical centre. Resuscitation 81 : 1550-5, 2010.
16) Klein LR, et al : Endovascular rewarming in the emergency department for moderate to severe accidental hypothermia. Am J Emerg Med 35 : 1624-9, 2017.
17) Swol J, et al : Extracorporeal life support in accidental hypothermia with cardiac arrest : A narrative review. ASAIO J 68 : 153-62, 2022.
18) Lott C, et al : European Resuscitation Council Guidelines 2021 : Cardiac arrest in special circumstances. Resuscitation 161 : 152-219, 2021.
19) Pasquier M, et al : Hypothermia outcome prediction after extracorporeal life support for hypothermic cardiac arrest patients : The HOPE score. Resuscitation 126 : 58-64, 2018.
20) Saczkowski RS, et al : Prediction and risk stratification of survival in accidental hypothermia requiring extracorporeal life support : An individual patient data meta-analysis. Resuscitation 127 : 51-7, 2018.
21) Silfvast T, et al : Outcome from severe accidental hypothermia in Southern Finland : A 10-year review. Resuscitation 59 : 285-90, 2003.
22) Debaty G, et al : Outcome after severe accidental hypothermia in the French Alps : A 10-year review. Resuscitation 93 : 118-23, 2015.
23) Okada Y, et al : Prognostic factors for patients with accidental hypothermia : A multi-institutional retrospective cohort study. Am J Emerg Med 37 : 565-70, 2019.
24) Takauji S, et al : Association between frailty and mortality among patients with accidental hypothermia : A nationwide observational study in Japan. BMC Geriatr 21 : 507, 2021.

21-3 気圧障害（減圧障害，圧外傷）

鈴木 信哉

減圧障害の定義

潜水や潜函など高い気圧に曝露される環境では，時間経過とともに体内に生理的に不活性な窒素ガス（呼吸ガスがヘリウム酸素混合ガスである場合はヘリウムガス）が蓄積する。その状態から減圧を行うと窒素ガスは過飽和状態となって気泡が組織内や血管内に形成され，これがきっかけとなり病態を形成して発症したものを減圧症（decompression sickness；DCS）という[1]。

一方，肺が何らかの原因で過膨張になって気体が肺の毛細血管から肺静脈を経て動脈系へ，もしくは静脈系に生じた気泡や静脈系に入り込んだ気体が右-左シャントにより動脈系に入り，末梢の組織で気体による病態を作り発症したものを動脈ガス塞栓症（arterial gas embolism；AGE）という[2]。AGE は DCS と鑑別困難な場合があり，AGE と DCS の両者を総称して減圧障害（decompression illness；DCI）という[3,4]。DCI には圧外傷（barotrauma）は含まれない。

減圧障害の原因

環境の加圧（潜降）により吸入空気中の窒素分圧が上昇すると，窒素が血液中に取り込まれ，最終的に組織内窒素分圧が上昇する。環境と体内組織の窒素分圧差（潜水深度），呼吸（換気）量，組織の血流量，窒素の組織における溶解度，環境曝露時間，温度などが，体内に取り込まれる窒素量に影響する。例えば，深い深度で運動量が大きい（換気量や血流量が多くなる）場合，短時間で窒素ガスが蓄積される。

環境の減圧（浮上）では，高気圧下で体内組織に取り込まれた窒素ガスが過飽和状態となり，組織内や血管内に気泡が発生し，限度を超えると DCS を発症する。減圧症に罹患しないように過飽和の程度を許容限度内に保ちながら減圧する速度や時間が規定されており，減圧要領を示す減圧表として潜水や潜函で使用されている。ただし，この減圧表は理論上の想定であり，潜水者の換気量（運動量）や水温などの体内のガス動態要素は含まれておらず，減圧表を忠実に守った潜水でもある程度 DCS は発生する。

発生した気泡は肺に運ばれ，肺胞・気道へ移動し体外へ呼出される。静脈内にある気泡は，減圧中や減圧後の心エコー検査で右心系に観察でき，手足を動かすなどの運動をさせると気泡の発生が誘発される。無症候性気泡（silent bubbles）は通常の潜水でも観察され得るため，気泡の存在をもって治療の対象とはならない。

スクーバ潜水においては，1 m に満たない水深からの息こらえ浮上でも，AGE が発生し得る肺過膨張となる。また，気腫性肺嚢胞や気管支喘息がある場合には，通常の浮上であっても AGE の発症リスクがある。AGE を疑うときには潜水の状況を詳しく聞き出し，潜水呼吸ガス供給のトラブル（レギュレータの不調によるフリーフローや呼吸用ガス切れ）や浮力調整ミス，浮上中の深呼吸や呼吸ガス消費を節約するための間欠的呼吸（スキップ・ブリージング）などにも注意する。スキップ・ブリージングは一方で体内の二酸化炭素の蓄積を招き，酸素濃度が高い呼吸ガスを使用する潜水では，酸素中毒としてのけいれん発作あるいは意識消失が起こりやすく，そのときの浮上により肺は過膨張となる。

AGE は医原性でも発生し，原因として CT ガイド下肺針生検，カテーテルアブレーション，中心静脈カテーテル，人工心肺，心肺蘇生術，血液透析，腹腔鏡検査，子宮鏡検査などがある。動脈に直接気体が入るか，静脈内気体が肺内シャントや心房中隔の機能的開存によって動脈系に入ることで発症し得る。中心静脈ラインの開放など静脈系に入った気体の量が多い場合にも動脈系に気体が入ることがある[5]。

減圧障害の病態

DCS は主に静脈系の気泡，AGE は動脈系の気泡が病態を形成する。気泡による物理的な組織傷害や血管閉塞による循環障害といった一次的な影響の後に，二次的に気泡の周辺組織の炎症を引き起こし[6,7]，内皮細胞障害，

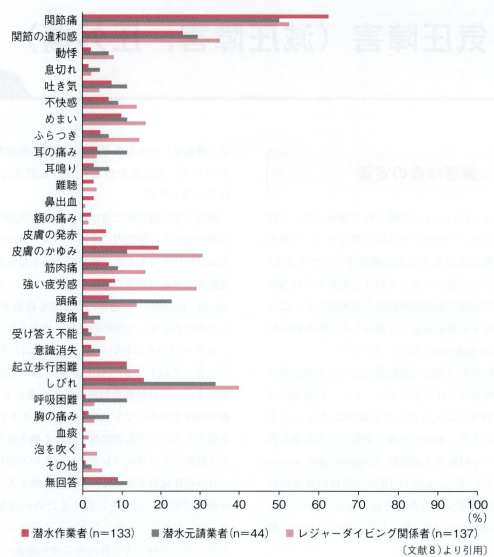

図1 減圧障害の症状

2020年12月〜2021年2月に実施したアンケート調査で，潜水作業者288名，潜水元請業者153名，レジャーダイビング関係者368名から回答が得られ，それぞれ133名，44名，137名に症状がみられた。症状は，いずれの群においても関節痛がもっとも多かった（潜水作業者62％，潜水元請業者50％，レジャーダイビング53％）。潜水作業者では，次いで関節の違和感（26％），皮膚のかゆみ（20％），しびれ（16％）が多く，潜水元請業者では，しびれ（34％），関節の違和感（30％），頭痛（23％）が多かった。症状のなかには鼻出血，額の痛みなど圧外傷によるものも含まれている

毛細血管漏出，凝固・線溶系や補体の賦活化が起きる。二次的な影響で1〜2時間後に発生し得る新たな症状は重症化・難治化しやすいため，早期の再圧治療が必要である。

減圧障害の症状・病型

DCIの症状は非常に多彩である（図1）[8]。DCSの分類は，1960年に四肢や関節の痛みを呈する軽症あるいは単純型とするⅠ型と，Ⅰ型以外の症状でそれよりも重症あるいは複雑型としてのⅡ型に分けられた（表1）[9]。再圧治療の成績とある程度相関し，型分類が治療表に直結することから，米海軍ダイビングマニュアルでは現在もこの分類が用いられている。なお，DCSとAGEの合併と考えられる病態をⅢ型と呼称することもあるが，広くコンセンサスは得られていない。

1 皮膚型

掻痒感がよくみられる。わずかな発赤を伴っても再圧治療は不要であるが，高濃度酸素の吸入が推奨される。発赤が広範な場合は再圧治療を考慮する。

大理石斑（cutis marmorata）は，掻痒感を伴う紅斑で始まった後，発疹は色が深まって不規則に地図状に広

表1 減圧障害の分類

分類	臨床症状など
Ⅰ型減圧症	皮膚型：皮膚の発赤（搔痒感を伴う），大理石斑 リンパ浮腫型：局所リンパ節や四肢の浮腫 筋骨格型：関節痛（四肢）
Ⅱ型減圧症	脊髄型：知覚・運動・膀胱直腸障害 脳　型：意識障害，けいれん，片麻痺 肺　型：胸痛，咳，息切れ 内耳型：めまい，嘔気，聴力低下 その他：Ⅰ型以外の症状，全身倦怠感，疲労感など
（Ⅲ型減圧症）	（減圧症と動脈ガス塞栓症の合併）
動脈ガス塞栓症 （肺過膨張症候群）	脳：意識障害，けいれん，片麻痺，視力低下，頭痛 心臓：心停止，不整脈 その他：内耳障害，脊髄障害の症状 ※随伴症状：血痰，気胸，皮下気腫，縦隔気腫，胸痛

〔文献9）より引用・改変〕

がり，周囲は暗紫色，内側の皮膚はやや蒼白となる（**図2**）。脊髄型DCSの前兆のことがあるため注意する。広範な大理石斑では血圧低下を伴い得るため，迅速な再圧治療を要する。一方，大理石斑を呈さずに蕁麻疹様の発赤膨隆疹が全身に出現し，血圧低下する事例もある。再圧治療開始とともに速やかに皮膚所見は改善し循環も安定する。

皮膚型DCSはⅠ型であるが，大理石斑についてはⅡ型に対応した再圧治療表として米海軍再圧治療表6（後述）を選択する[9]。

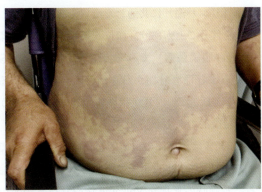

図2 皮膚型減圧症の大理石斑（cutis marmorata）

2 リンパ浮腫型

局所のリンパ節や四肢の浮腫があり，痛みを伴う。再圧により痛みは速やかに消失するが，浮腫は残ることがある。

3 筋骨格型

疼痛はしだいに増していき，疼痛部位が定まって深部に鈍痛を訴えるようになる。通常は自発痛であり，動作により痛みが増す場合とそうでない場合がある。再圧により痛みがさらに増すこともある。肩・殿部を含む体幹部の痛みはⅡ型DCSであり，内臓痛あるいは脊髄の障害に起因する可能性がある。とくに腰部の帯状痛（girdle pain）は，膀胱直腸障害の予兆となることがあるため，注意を要する。

4 神経型（脊髄型，脳型）

神経型DCSはどの神経レベルでも発生する。初発症状が痛みのみであっても，引き続いて神経症状が出るパターンがよくみられる。知覚低下，筋力低下，麻痺，精神状態や運動能力の変化が一般的である。高次脳機能が障害された場合，人格変化，健忘症，異常行動，浮動性めまい，協調運動障害，振戦などが生じる。下部脊髄の障害では排尿障害を起こす。

5 肺型

肺型DCS（chokes）は静脈ガス塞栓症として心拍出量と酸素化が低下し，二次的な影響で肺水腫を発症し，時に死亡するため迅速な診断と再圧治療が重要である。潜函作業での急減圧や酸素減圧中の不適切な酸素呼吸，

深深度潜水の不適切な減圧や航空機与圧装置の不調で発生する。

減圧直後から数時間の間に，胸骨下の痛み（灼熱感あるいは圧迫感）や深吸気時の胸部違和感が増悪し，頻呼吸，息切れや乾性咳嗽が出現する。息切れ，低酸素症，咳嗽は，水中環境で生起する浸漬性肺水腫（immersion pulmonary edema）にも現れる症状で，判別が困難な場合があるが，水温が低い環境で強度の運動など心臓血管系に負担がかかるような潜水では浸漬性肺水腫が起こりやすい。chokes のほとんどは再圧治療により数分で症状が消失する。

6 内耳型

回転性めまい，聴力低下，耳鳴は内耳型 DCS と内耳圧外傷（外リンパ漏）に共通した症状である。嘔気，嘔吐，眼振を伴うことがあり，頭位変換眼振は非注視条件下（Frenzel 眼鏡装着）でみるとよい。内耳型 DCS は最大深度および滞底時間から不活性ガス負荷があること，および/または，内耳症状以外の神経学的所見があることが特徴的である。

内耳型 DCS は，早期の積極的な再圧治療が必要である。一方，内耳圧外傷は再圧で増悪しやすいため注意を要する。潜降時の無理な Valsalva 法や耳抜きが悪い場合に外傷が起こりやすく，潜水中に膜の破裂音を自覚し，その後に症状が現れたとすれば内耳圧外傷の可能性が高い。

なお，浮上時の耳管通気不良で回転性めまいが起こる圧変動性めまいは，一過性である点で内耳型 DCS と鑑別が可能である。

7 その他の減圧障害

潜水後の異常な倦怠感や疲労感，腹痛や下痢，あるいは集中力低下や性格の変化も DCI の症状として出現する場合がある。しかし，II 型 DCS の初期には症状がはっきりせず，全身倦怠感や力が入りにくいことを潜水による運動疲労とダイバー自身が軽くみる傾向がある。そのため，筋力低下がはっきりしてきても治療の必要性を自覚せず，歩行困難や排尿困難になって初めて医療機関を受診する例もある。異常な全身倦怠感は DCI の可能性が高いため，より深刻な症状が現れる前に再圧治療を行う必要がある。

表2 潜水プロフィールによる減圧症（DCS）と動脈ガス塞栓症（AGE）の鑑別点

- 急浮上の場合には AGE が生じやすい
- 浮上中に息こらえや咳などがあった場合には AGE が生じやすい
- 減圧表からの逸脱度合いが大きいほど DCS の危険性が高い
- 10m 以浅の潜水では DCS の頻度はかなり低く，6m 以浅では起こらないが，AGE は 6m 以浅でも起こる
- 空気による深深度潜水では，脊髄型 DCS を生じやすい

表3 重症として取り扱うべき減圧障害の症状

- 血圧低下
- 頻脈，頻呼吸
- SpO_2 93％以下
- 意識・運動・知覚障害
- めまい
- 息切れ
- 血痰
- 胸痛
- 腰背部痛*
- 大理石斑*
- 潜水終了 2 時間以内の発症
- 時間経過で新症状が発現

* 脊髄型減圧症の前兆である可能性がある

8 動脈ガス塞栓症の症状

AGE では，意識障害，けいれん，片麻痺，視力低下，頭痛，内耳症状，脊髄症状，心停止，不整脈が生じ得る。気泡が多ければ即時発症し，少量でも持続的に気泡が入ると時間が経過した後にも発症する。意識障害，脊髄障害あるいは内耳障害があると DCS と AGE の鑑別が困難になるが，いずれも緊急の再圧治療が必要であり，厳密に区別する必要はない。潜水プロフィールによる鑑別点を表2に示す。

9 重症として取り扱うべき症状

浮上中や水面到着直後の発症は一般的に重症となりやすいが，とくに表3に示す所見がみられる場合には重症として取り扱うべきである。

減圧障害の診断

診断に決定的な検査はない（航空機搭乗などの気圧低下により増悪や再圧による改善がみられれば診断可能）ため，①潜水と発症のタイミング，②症状や所見，③不活性ガス（空気の場合，窒素）の負荷状況，④発症危険因子や影響因子（表4，5）の程度を総括して診断する。神経学的所見は DCI の鑑別や重症度の評価に有用であ

表4 減圧症発症の危険因子・影響因子

発症危険因子
- 減圧表に定められた減圧を省略する（実施しない）
- 急速浮上
- 潜水後の待機時間を省略した低気圧曝露（高所への移動や航空機搭乗）
- 大深度の潜水
- 1日3回以上の潜水
- 潜水後の重作業
- 潜水後の素潜り　など

発症に影響する因子
- 脱水（飲水不足）
- 寝不足，疲労，ストレス（不安）
- 低水温での潜水
- 潜水後の低気圧曝露
- 潜水中，減圧中，潜水後の運動
- 体調不良や外傷
- 減圧停止を必要とする潜水
- 繰り返しの潜水
- 高地での潜水
- 潜水前の飲酒
- 肥満
- 高齢　など

表5 動脈ガス塞栓症発症の危険因子・影響因子

発症危険因子
- パニック
- 急速浮上
- 息こらえ
- 咳嗽，海水誤嚥
- 呼吸用ガス切れ
- 圧力調整器フリーフロー
- 緊急浮上訓練
- 浮力調整不良
- 気管支喘息
- 気腫性肺嚢胞
- 過換気（深呼吸含む），間欠的呼吸
- 意識消失
- 酸素中毒　など

発症に影響する因子
- 波高，うねり
- マウスピース交換
- 水中での急激な動作
- 潜水初心者
- 既往歴（自然気胸，糖尿病，てんかん）　など

るが，CT検査やMRI検査の有用性は限定的である。治療の可否判断に血管内空気の有無を用いてはならない[2)10)]。

DCIを診断するうえでの必要条件は以下のとおりである。

1 症状発現時間

症状の発現が，潜水からの浮上後48時間以内であること。

大部分が潜水終了後6時間以内に発症する。米海軍の空気潜水データベースによると，水面浮上後のDCI発症率は，1時間以内：42％，3時間以内：60％，8時間以内：83％，24時間以内：98％とされ[9)]，48時間以降はほとんど可能性がないと考えられる。ただし，飽和潜水など潜水時間が長かった場合や，低圧曝露（航空機など）をきっかけとして48時間後でも発症することはある。また，症状発現に気づかず数日経って症状がはっきりしてきたという症例もある。

AGEは水面浮上後10分以内に発症する例が多く，脳塞栓では50％が3分以内，脊髄塞栓では50％が9分以内とされている。95％は水面浮上後2時間以内の発症であるが，6時間以上経過した後に発症することもある[11)]。

2 潜水前の症状

潜水前には同様の症状を有していないこと。

潜水前から症状をもっている場合には診断がやや難しくなるが，潜水時に症状変化（潜降時軽減あるいは浮上後増悪）があれば，DCIの可能性が高い。潜水中，浮上開始前に症状が発現している場合はDCIとは考えにくく，潜降時に圧外傷を起こした可能性がある。例えば，前頭洞の圧外傷による頭痛がある。

3 既往疾患

DCI以外で，症状に関する既往疾患がないこと。

潜水を契機に症状が発現したとしても，必ずしもDCIとは限らないため除外診断が必要である。脳血管障害，心筋梗塞，糖尿病の低血糖，椎間板ヘルニア，てんかんなど，現症状に関連する疾患の既往がないことを確認する。

4 圧外傷・刺咬症の否定

耳や副鼻腔の圧外傷，海洋生物による刺咬症が否定できること。

5 症 状

DCSあるいはAGEとして矛盾のない症状を有すること。

6 生理的不活性ガスの体内取り込み

DCSの場合，潜水深度と潜水時間から発症するに矛盾しない生理的不活性ガス（窒素やヘリウム）の体内への取り込みがある。

減圧表からの逸脱度合いが大きいほどDCSの危険性が高くなる。一方で，潜水深度・時間および浮上速度が減圧表に沿ったものでも発症は否定できないため，窒素負荷状態を把握する必要がある。その場合，減圧表に記載のある深度ごとの無減圧潜水限界時間と照らし合わせる必要があるが，減圧表がない場合には，ヘンプルマンの曝露指数Q値で簡易的に評価することが可能である（表6）[4)12)]。潜水深度に関係なく窒素ガスの過剰負荷状態を判断することができるが，適用範囲は滞底時間（潜水始めから浮上開始までの時間）が100分以内という制限がある。

減圧障害の治療

再圧治療が基本である。発症後，再圧治療を行うまでは酸素吸入（高濃度酸素マスク10～15L/min）が強く推奨される[13)]。

DCIに対する米海軍標準治療表および応急治療表を図3～5[4)]に示す。発症後早期であれば完治が期待でき

表6 ヘンプルマンの曝露指数Q値と減圧症の可能性

Q値＝m（メートル）×√t（min）
※m：最大潜水深度，t：滞底時間

Q値（m）	窒素ガス負荷	減圧症の可能性
200以上	過大	ある
200～150	相当	あり得る
150～100	ある程度	否定できない
100以下	少ない	ほぼない*

〔文献4）より引用・改変〕

*動脈ガス塞栓症は否定できない

るため，初回治療は症状が消失するまで治療表を延長することが標準治療の原則である。重症例であれば，はじめから治療表6（long table）を使用する。軽症もしくはDCIか疑わしい場合には治療表5（short table）で治療効果をみてもよい。また，発症24時間以内で四肢の疼痛のみの症例に対しては治療表5（short table）が標準治療となる。

一人用高気圧酸素治療装置（第1種装置）でもエア・ブレイク（酸素中毒予防のための空気呼吸）が可能であれば治療表6（long table）も使用可能であるが，狭い装置内に長時間拘束され，輸液・薬剤投与や医療者介助に制限が生じるため，重症例への適応には慎重な検討が必要である。

なお，治療表1～4は1960年代までは再圧治療に使用されていたが，治療表5および6が開発されてからは医療機関では使用されていない。

1 発症時の対応

酸素再圧治療ができなければ，一般的な救命処置を行いながら，再圧治療施設への連絡・搬送を実施する（表7）。潜函あるいは深深度混合ガス潜水では，現場に設置されている再圧室で再圧治療が可能な場合がある。潜水による利尿作用やDCIの病態により脱水に陥るため，細胞外液補充液を用いて0.5mL/kg/hrの尿量を確保する。ただし，肺型DCSでは過剰輸液に注意する。搬送時は，非再呼吸式マスク（non-rebreather mask）で15L/minの酸素を吸入させ，環境の気圧が低くならない搬送方法および経路（高度300m以下）を選択する。

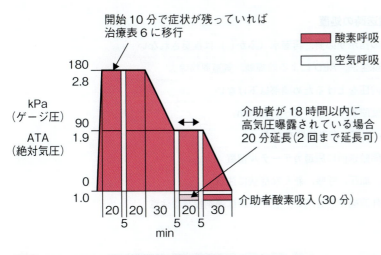

図3 標準治療表：米海軍再圧治療表5（short table）
第2種装置，もしくは空気加圧型第1種装置で実施
治療時間2時間15分，UPTD 334

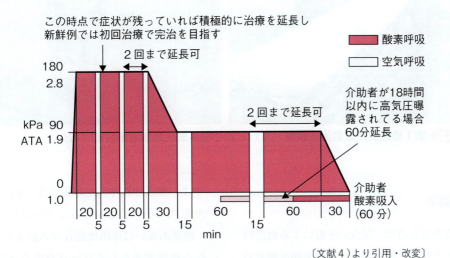

〔文献4）より引用・改変〕

図4 標準治療表：米海軍再圧治療表6（long table）
第2種装置，もしくは空気加圧型第1種装置（要経験）で実施
治療時間4時間45分～8時間5分（フル延長時），UPTD 646～1,078

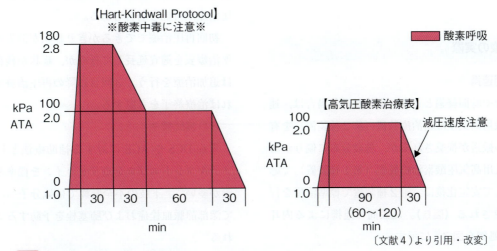

〔文献4）より引用・改変〕

図5 応急治療表（short table）
エア・ブレイクができない酸素加圧型第1種装置で実施
左：治療時間2時間30分，UPTD 402。最大治療圧140kPaとしてもよい
右：治療時間2時間，UPTD 317。最大治療圧140kPa，60分としてもよい

表7 減圧障害発症・搬送時の処置

救急再圧	医師の指示が必要，再潜水（ふかし）は推奨されない
一次救命処置	心肺蘇生法，AEDによる除細動，気道異物除去
水平仰臥位	頭蓋内圧を上げるため頭部は下げない
酸素投与	高濃度酸素マスク（10〜15L/min）
搬送経路高度	300m以下，搬送時間を考慮
排尿確認	長時間搬送前に尿道カテーテル留置
症状の変化	意識，血圧，呼吸，新たな症状に注意
水分補給・保温	細胞外液補充液を用い，息切れ時は過剰投与に注意

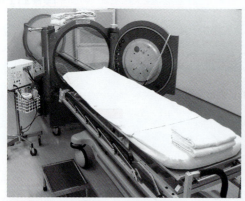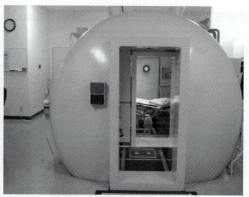

図6 第1種高気圧酸素治療装置（左）と第2種高気圧酸素治療装置（右）

2 再圧治療の効果

再圧治療で期待されるのは，気泡の圧縮による血流回復，気泡の速やかな消滅，障害組織への効率的な酸素の運搬である。二次的な影響（好中球が関与する内皮細胞障害）を抑えるとされ，炎症機転の進行を防ぐことが高気圧酸素治療に期待されている[14)15)]。

3 再圧治療の実際

1）施設間連携

重症の場合や時間経過とともに症状が進む場合は，速やかに多人数用高気圧酸素治療装置（第2種装置）を有する施設への搬送が推奨されるが，施設分布に偏りがあるため，一人用高気圧酸素治療装置（第1種装置）で応急的に治療して安定化後に，第2種装置で標準治療を行うことが推奨される（図6）。施設間の連携による内耳型DCSの対処例を図7[16)]に示す。

2）治療時期

速やかな再圧治療開始が求められ，発症2時間以内の再圧治療では良好な予後が期待される[17)]。脊髄型DCSでは，発症後12時間が経過すると高率に障害を残し[18)]，AGEでは5時間を過ぎると予後が不良である[19)]。

潜函あるいは深深度混合ガス潜水では，体内に蓄積される窒素ガスもしくはヘリウムガス量が過大となるため，想定外の急減圧があった場合などには直ちに再圧処置を実施しなければ致死的となり得る。複室構造の再圧室が作業現場に設置され，現場で酸素を使用した救急再圧治療が可能な場合もある。

初回再圧治療でできるかぎり症状が消失するよう，標準治療表を適宜延長して行うが，症状が残存した場合には追加治療を行う。3回目以降の再圧治療で変化がなければ治療終了を考慮する。

3）補助療法

重症DCSやAGEに対する補助療法として，高用量メチルプレドニゾロンやリドカインを標準とするには議論が多い[20)]。下肢の不全麻痺では低分子ヘパリンを用いて深部静脈血栓症および肺塞栓を予防することが推奨される[21)]。

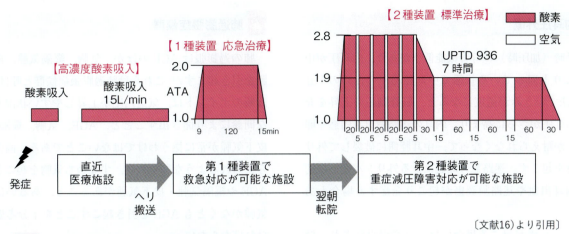

図7 施設間の連携による内耳型減圧症の対処例

〔文献16）より引用〕

圧外傷の分類と症状，対応

環境圧変化により影響を受けるのは，壁に囲まれて空気の出入りに制限がある部位，すなわち，中耳，副鼻腔，肺などである。潜水において，圧外傷の多くは水深10m以浅〔1 atm（ゲージ圧）以内〕の浅い深度で発生する。

1 中耳圧外傷

潜降時（加圧時）の不十分な耳抜きや，咽頭炎などによる耳管機能不全により中耳腔が相対的に陰圧となることで発生し，中耳スキーズ（middle ear squeeze）と呼ばれ，潜水や高気圧酸素治療で多く経験される。陰圧変化により耳閉感・伝音性の聴力低下で始まり，8 kPaの気圧差で耳痛が生じ，30 kPaで耐えられない疼痛を経て，穿孔する。鼓膜穿孔から水が流入すると激しい回転性めまいが惹起され，潜水中のダイバーはパニックに陥りやすくなる。

一方，浮上時（減圧時）は耳抜き操作は不要で，自然に中耳腔から耳管を通して排気される。十分な排気がなされない場合は相対的な陽圧により耳痛を生じ，逆スキーズ（reversed squeeze）と呼ばれる。浮上時の気圧変動による回転性めまいは一過性の症状である。

高気圧酸素治療では初回治療時に中耳圧外傷が起こりやすい[22]。事前に耳圧外傷の説明と耳抜き法を確認したうえで，加圧中は5 kPaで耳閉感の有無，15 kPaで耳痛の有無を確認し，症状がある場合には加圧を止めて，耳抜きをして症状消失後に加圧再開する。症状が消失しない場合には，5 kPa減圧して症状消失の確認後に再加圧

表8 中耳圧外傷の分類（修正 Edmonds スケール）

評価	鼓膜および鼓室所見
0	正常
1	鼓膜の充血
2	鼓膜の充血＋鼓膜内の軽度出血
3	鼓膜内の高度出血もしくは鼓室貯留液
4	血鼓室
5	鼓膜穿孔

〔文献22）より引用・改変〕

を行う。

耳抜き法として，Toynbee法（鼻つまみ嚥下），Frenzel法（鼻つまみ舌根挙上），Valsalva法（鼻つまみ咽頭内圧上昇）があり，Valsalva法は有効性が高いが内耳圧外傷を起こすリスクがある。高気圧酸素治療ではToynbee法として水を一口含み，鼻をつまんで上を向いて飲み込んでもらう方法が推奨されている。意識障害などにより患者自身で耳抜きができない場合には，予防的な鼓膜切開が必要となるが，高位頸静脈球など中耳の解剖学的異常がある場合には大出血することがあるため，耳鼻咽喉科医による処置が推奨される。

加圧中（潜降中）に耳痛があった場合には耳鏡検査で中耳圧外傷の程度を診る必要がある（**表8**）[22]。初回の高気圧酸素治療後に鼓膜の発赤とツチ骨柄に沿った軽度の出血程度であれば，翌日の高気圧酸素治療が可能であることが多い。

2 内耳圧外傷

潜降時（加圧時）に耳管機能低下があり，内耳圧が中耳圧より上回っている状態で中耳腔均圧のための Valsalva 法でいきみが過度になると，脳脊髄圧の上昇を介して内耳圧がさらに高まり，内耳の迷路窓（正円窓や卵円窓）が耐えられなくなって，中耳腔側に破裂して外リンパ瘻を起こす。迷路窓の破裂による外リンパ瘻とは別に，内耳出血や迷路膜裂傷が起こり発症する場合もある[23]。

外リンパ瘻が起こる場合には pop 音が自覚され，続いて持続性の回転性めまい，耳鳴，感音性難聴，眼振がみられる。外リンパの漏出が少量であれば発症が遅れることがある。破裂音を自覚しないものもあり，診断が困難な場合がある。外リンパ瘻に対する高気圧酸素治療は禁忌である。

3 副鼻腔圧外傷

副鼻腔スキーズ（sinus squeeze）とも呼ばれる。副鼻腔は狭い開口部を介して鼻腔に通じており，閉塞があると加減圧（減圧時は reversed sinus squeeze という）に伴って副鼻腔粘膜の浮腫や出血を起こし，前頭部，頬部，眼の奥に痛みが出てくる。アレルギー性鼻炎，鼻茸，慢性副鼻腔炎，上気道炎があると副鼻腔圧外傷を起こす可能性が高くなる。

解剖学的に鼻前頭管が長く彎曲しているため，前頭洞圧外傷がもっとも多い。環境圧と均圧すると痛みは和らぐが，閉塞が解除されなければ差圧により再び痛みが出てくる。減圧時には副鼻腔に貯留した血液が押し出されて鼻腔から出てくる。reversed sinus squeeze の場合，再加圧すると副鼻腔内圧と均圧した時点で閉塞が解除されて血液が鼻腔に出てきて治まることがある。通常，血管収縮薬や消炎鎮痛薬による保存的治療で軽快する。

眼窩周囲の副鼻腔と接する骨が薄くなっている部分があり，副鼻腔内圧が環境圧よりも過大な差圧になると骨折を起こして，複視，圧痛，知覚麻痺などがみられる。加減圧により前頭部，頬部，眼の奥の痛みの訴えがあった場合にはすぐに加減圧を停止し，痛みがなくなるまで圧力を調整する。

4 肺過膨張症候群

肺の過膨張は AGE のほか，気胸，縦隔気腫，皮下気腫を引き起こすが，これらは肺過膨張症候群と呼ばれる。診断のポイントは，気道内圧が上昇しやすい状況を詳細な問診により聞き出すことと，AGE，気胸，縦隔気腫，皮下気腫が常に揃うわけではないことである。画像でとらえられるような肺胞破裂，すなわち気胸を起こさない AGE や縦隔気腫・皮下気腫があること，あるいは縦隔気腫がなくとも AGE を引き起こすことを十分考慮しなければならない。

5 潜水器具による圧外傷

潜水時に使用する面マスクによるマスクスキーズでは，眼球・眼瞼結膜が充血や出血を起こす。ドライスーツによるものは潜降時に部分的な皮膚スキーズが起こる。また，伝統的な潜水法としてヘルメット潜水があるが，ヘルメット後部にある逆止弁が作動しない状態でコンプレッサー配管の破断などで送気できなくなると，潜水器内の空気が水面に吸い上げられる状態となり，強烈なヘルメットスキーズとドライスーツスキーズが起こって致死性 AGE となる[24]。

6 歯科領域の圧外傷

歯根管治療後の齲歯の進行で小空洞が形成されている場合，環境圧の変化に伴って歯痛が起こることがある。また，抜歯後や歯根管を開いているときの圧縮空気使用により，顔面や頸部に皮下気腫が起こることがある。

▶文　献

1) Moon RE, et al：Hyperbaric oxygen for decompression sickness. Undersea Hyperb Med 48：195-203, 2021.
2) Moon RE：Hyperbaric treatment of air or gas embolism：Current recommendations. Undersea Hyperb Med 46：673-83, 2019.
3) UHMS DCS-AGE Committee：UHMS Best Practice Guidelines, 2011.
https://www.uhms.org/images/DCS-AGE-Committee/dcsandage_prevandmgt_uhms-fi.pdf
4) 日本高気圧環境・潜水医学会：潜水による障害，再圧治療. 高気圧酸素治療法入門, 第6版, 日本高気圧環境・潜水医学会, 2017, pp 147-74.

5) 日本医療機能評価機構：医療安全情報 No.130；中心静脈ラインの開放による空気塞栓症. 医療事故情報収集等事業, 2017.
http://www.med-safe.jp/pdf/med-safe_130.pdf
6) Thom SR, et al：Association of microparticles and neutrophil activation with decompression sickness. J Appl Physiol（1985）119：427-34, 2015.
7) Yu X, et al：Bubble-induced endothelial microparticles promote endothelial dysfunction. PLoS One 12：e0168881, 2017.
8) 望月徹, 他：潜水業務等における救急処置の実態についての調査 アンケート調査報告；労災疾病臨床研究事業費補助金研究報告書「潜水業務における現場で出来る応急対応に関する研究」令和2年度～3年度総合研究報告書, 2022, p 165.
9) Navy Department：U.S. Navy Diving Manual, 2016.
https://www.navsea.navy.mil/Portals/103/Documents/SUPSALV/Diving/US%20DIVING%20MANUAL_REV7.pdf?ver=2017-01-11-102354-393
10) Benson J, et al：Hyperbaric oxygen therapy of iatrogenic cerebral arterial gas embolism. Undersea Hyperb Med 30：117-26, 2003.
11) Francis TJ, et al：Central nervous system decompression sickness：Latency of 1070 human cases. Undersea Biomed Res 15：403-17, 1988.
12) Hempleman HV：History of decompression procedures. In：Bennett PB, et al ed, Physiology and Medicine of Diving, 4th ed, W.B. Saunders, 1993, pp 361-75.
13) 日本高気圧環境・潜水医学会：減圧症に対する高気圧酸素治療（再圧治療）と大気圧下酸素吸入. 日高気圧環境・潜水医会誌 53：109-12, 2018.
14) Thom SR, et al：Inhibition of human neutrophil beta2-integrin-dependent adherence by hyperbaric O2. Am J Physiol 272：C770-7, 1997.
15) Thom SR, et al：Microparticles initiate decompression-induced neutrophil activation and subsequent vascular injuries. J Appl Physiol（1985）110：340-51, 2011.
16) 鈴木信哉, 他：第1種装置で応急治療後に転院し第2種装置で再圧治療し軽快した内耳型減圧障害の一例. 日高気圧環境・潜水医会誌 53：260, 2018.
17) Thalmann ED：Principles of U. S. Navy recompression treatments for decompression sickness. 45th Workshop of UHMS：75-95, 1996.
18) Ball R：Effect of severity, time to recompression with oxygen, and re-treatment on outcome in forty-nine cases of spinal cord decompression sickness. Undersea Hyperb Med 20：133-45, 1993.
19) Ziser A, et al：Hyperbaric oxygen therapy for massive arterial air embolism during cardiac operations. J Thorac Cardiovasc Surg 117：818-21, 1999.
20) 鈴木信哉：減圧障害に対する治療；補助療法について. 日高気圧環境・潜水医会誌 45：41-8, 2010.
21) Undersea and Hyperbaric Medical Society：Report of the Decompression Illness Adjunctive Therapy Committee of the Undersea and Hyperbaric Medical Society, 2003.
22) Lima MA, et al：Middle ear barotrauma after hyperbaric oxygen therapy：The role of insuflation maneuvers. Int Tinnitus J 17：180-5, 2012.
23) Parell GJ, et al：Conservative management of inner ear barotrauma resulting from scuba diving. Otolaryngol Head Neck Surg 93：393-7, 1985.
24) 日本高気圧環境・潜水医学会減圧障害対策委員会：潜水・潜函作業に伴う障害症例集（症例10）；潜水業務等における救急処置の実態についての調査 聞き取り調査；労災疾病臨床研究事業費補助金研究報告書「潜水業務における現場で出来る応急対応に関する研究」令和2年度～3年度総合研究報告書, 2022, pp 149-54.

22 溺水

中川 儀英

定義

世界保健機関（World Health Organization；WHO）では2002年に，溺水を「液体のなかに浸漬（しんし）もしくは水没して呼吸に障害をきたす過程」と定義した。溺れた人がいずれかのタイミングで救助され，溺水の過程が中断した場合を「非致死性溺水」といい，いずれかのタイミングで救助されても死亡した場合は「致死性溺水」という。どんな浸漬や水没でも，呼吸障害がない場合は溺水ではなく「水難救助」と呼ぶべきであり，従来のnear drowning，乾性溺水や湿性溺水，二次性溺水，能動的溺水や受動的溺水，遅発性呼吸障害といった用語は使用すべきではない[1]。

疫学・実状

世界では，毎年372,000人が溺死しており，このうちの90％以上が，低〜中所得の国々で発生している[2]。WHO，および世界ライフセービング連盟（International Life Saving Federation；ILS）も溺死者数の多さを重要視している。

日本国内では，溺水の発生現場として，海，河川，プールといった水のある環境のほか，家庭内の風呂にも注意が必要である。警察庁が毎年発表している「令和4年夏期における水難の概況」[3]によると，水難者638人（うち中学生以下120人）のうち，死者・行方不明者228人（うち中学生以下9人），負傷者81人（うち中学生以下16人），無事救出329人（うち中学生以下95人）であった。発生場所別の死者・行方不明者数は，海113人（49.6％），河川88人（38.6％），用水路15人（6.6％），湖沼池9人（3.9％），プール1人（0.4％），その他2人（0.9％）であった。また，年齢層別の水難者数（死者・行方不明者を含む）は，中学生以下120人（18.8％），高校生またはこれに相当する年齢の者29人（4.5％），高校卒業に相当する年齢以上65歳未満の者339人（53.1％），65歳以上の者142人（22.3％），不明8人（1.3％）となっている。

さらに，2020年の人口動態統計データによると，浴槽内での溺死および溺水は5,004件あり，80歳以上が2,883件と圧倒的に多く，65〜79歳が1,786件，0〜14歳は22件であった。

日本ライフセービング協会認定のライフセーバーが監視活動を行っている全国の海浜約200カ所で発生した溺水事故の統計[4)5)]では，2019年の総海水浴客は約830万人で，ライフセーバーが救助した意識がある溺水事案は2,113件，意識のない溺水事案は15件，うち6件で心肺蘇生（cardiopulmonary resuscitation；CPR）が行われた。少なくともこのうち1件は心拍再開し，社会復帰した（そのほか2件で心拍再開したことが確認されたが，ほか3件と合わせて生命予後は不明）。また，溺者のうち少なくとも3割で飲酒歴があったとされている。

病態生理

溺水の原因には，単に泳力不足の問題で浮いていることができない，あるいは離岸流や河川の急流や深みなどによって水から出ることができない，といったものあるが，そのほかにも，脳卒中や不整脈で意識を失ってしまう，波の荒い浅瀬で波にもまれ海底で頭部を打撲する，水深の浅いプールに飛び込み頭部を打撲して頸髄損傷・四肢麻痺をきたすなど，溺水を余儀なくされるようなさまざまな病態が存在する。

意識のある人が溺水する場合，口や鼻を水面上に保つことができなければ，流入してくる水に対して，吐き出す，飲み込むなどの反応をする。それでも流入してくる水の量や勢いが多いと「Airwayの異常」となる。水が気道に吸引されると咳嗽反射が起こり，気道に入ってきた水をクリアしようとする。このときに喉頭けいれんが発生することがあるといわれているが，それは2％未満であり，いずれにしてもその後に低酸素血症となれば速やかに停止する[6]。

咳嗽をしても気道への水の流入（誤嚥）が続き，呼吸細気管支より肺胞まで水が流入するようになると，「Breathingの異常」として低酸素血症が生じる。肺胞

まで水が流入すると，肺胞のサーファクタント流出，肺胞・毛細血管膜の障害などをきたす。これは浸透圧の異なる海水でも淡水でも同様である[7]。ヒトはわずか1〜3mL/kgの水の吸引で肺のガス交換に大きな変化を生じ，肺のコンプライアンス低下，肺の右-左シャントの増大，換気血流比不均等，無気肺，非心原性肺水腫を引き起こす[8]。

従来，溺水の状況が海水か淡水かによって電解質異常が起こるとされていたが，電解質障害を引き起こすには，少なくとも22mL/kgの水を吸引する必要があり，ほとんどの非致死的溺死者は3〜4mL/kg以上吸引しないため，電解質異常は起こらないと考えられている[9]。むしろ臨床上考慮すべきは，誤嚥したのが細菌が一定以上いるような汚染された水か，あるいは誤嚥した液体が気道粘膜に刺激性があるか，などである。

低酸素血症が持続すると，速やかに意識消失，そして「Circulationの異常」として数秒〜数分の経過でまず頻脈を呈し，その後まもなく徐脈，無脈性電気活動，そして心静止となる。

ヒトが冷水に顔をつけると潜水反射（diving reflex）という生理的反射が起こる[10]。この末梢受容体は鼻腔粘膜に分布する三叉神経で，低温刺激が求心性ニューロンとしての三叉神経を伝わり，脳幹を反射中枢とし，遠心性ニューロンは，一つは$α_1$受容体を含む交感神経系で末梢血管収縮をきたし，もう一つはムスカリン系M_2受容体を含む副交感神経系で徐脈を引き起こす。この潜水反射を利用して，若年者の発作性上室頻拍の治療が行われることがある。

また，潜水時の徐脈や末梢血管抵抗上昇は，上記の神経路のほかに，頸動脈小体や大動脈の化学受容器が関与している場合もある。ヒトが水中で息を止めていると，PaO_2が低下し，$PaCO_2$が上昇する。PaO_2が60mmHg以下になると化学受容器が働き，それぞれ舌咽神経，迷走神経から脳幹に働き，末梢血管を収縮させ，脳と心臓に血流を再分配する。心拍数の減少は心筋での酸素消費量を節約させ，心臓を保護する作用をもつ。

その一方で，冷水への浸漬と突然の息止め解除は，交感神経の冷温ショック反応による頻脈を引き起こす。副交感神経の潜水反射による徐脈が起これば，自律神経系の拮抗する作用が同時に活性化させられることになり，これが致死的な不整脈を誘発する理由とされている[11]。

頸髄損傷の頻度は溺者の0.5％といわれている[12]が，わが国における正確な統計はない。日本ライフセービング協会によると，全国で約200ある協会認定のライフセーバーが監視活動を行っている海水浴場において，毎年1〜2例程度の頸髄損傷が発生している[5)13)]。

溺水によって低体温症を合併した場合，それが脳の保護作用をもたらす場合がある。体温37℃から20℃の範囲では，1℃低下するごとに脳内酸素症比率は約5％低下し，細胞の無酸素状態，ATPの枯渇のタイミングを遅らせることができるといわれている[14]。

ファーストエイドと一次救命処置

海外では，バイスタンダーによって救助された溺者の30％がCPRを必要としたと報告されている[15]。また，ライフセーバーによる監視活動が行われている地域では，救助された人のうち医療処置が必要であったのは全体の6％未満で，CPRが必要であったのは0.5％と報告されている[16]。日本ライフセービング協会の報告によれば，件数にバラツキはあるものの，年に10人前後の溺者に対してライフセーバーによるCPRが実施されている[5)13)]。

水上の溺者に対する救助・救護活動は，ライフセーバーのような高度な訓練を受けた救助者が行うべきである。呼吸停止のみの場合，数回の人工呼吸により反応が回復することがあるため，ヨーロッパ蘇生協議会では，水上で溺者に接触した場合にはまず最大1分間（10回）の人工呼吸を行うことを推奨している[17]。反応がない場合，水上での胸骨圧迫は無効であるため，直ちに陸上へ搬送する。その際，気道を確保して，嘔吐やさらなる水の誤嚥を防ぎながら，ボードやレスキューチューブといった溺者搬送用の道具を用いていち早く陸上にあげるか，水上から救助用ボートなどの船上に引き上げることを優先する。

陸上では，溺者を海岸線と平行に仰臥位としてCPRを開始する。意識がなく，心停止と判断した場合には，直ちにCPRを開始するが，通常のCPRが"C-A-B"の手順であるのに対し，溺水による心停止は低酸素血症が原因であるため，"A-B-C"の手順で行うべきであり，とくに人工呼吸による酸素化が重要視される。したがって，基本的には胸骨圧迫のみのCPRは推奨されない。

また，溺者へのCPRの約90％で胃内容物の逆流を合併するといわれている[18]。吐物を気道から極力除去するための準備をしておくとともに，腹部の圧迫や溺者の頭部を下げることなどはさらなる嘔吐のリスクを高めるた

め避けるべきである。

　溺者の意識がある場合，あるいは意識を回復した場合でも，溺水で水を誤嚥したことが少なからず疑われるときには，最初の段階では無症状であっても悪化することがあるため，少なくとも8時間は注意深く経過を観察する[9]。そのため，意識があっても医療機関に搬送することが推奨される。

二次救命処置および救急外来での処置

　一次救命処置から速やかに二次救命処置チームに引き継ぐ。溺水の臨床像は多彩であり，現在では重症度別に6段階の分類が推奨されている（図1）[1]。Grade 1が軽症，Grade 6が最重症となっており，この分類をもとに治療戦略を立てていく。

　溺水の根本的な病態は低酸素血症であるため，適切な呼吸管理による酸素化が重要になる。フェイスマスクによる高流量の酸素投与，あるいは気管挿管のうえ人工呼吸を行い，必要であれば人工呼吸器を使用する。プレホスピタルでは$SpO_2>92\%$，救命救急センターでは$PaO_2/F_IO_2≧250$を目標とする[8]。

　循環動態については，低酸素血症による血管収縮，中心静脈圧上昇，肺血管抵抗上昇により，心拍出量が低下する傾向にある。ショックを呈する場合には，酸素投与による低酸素血症の是正，細胞外液補充液の輸液を行う。

　溺水で搬送された患者の70％に代謝性アシドーシスが生じる[16]。一方で，救急外来での血液生化学検査上，電解質，血中尿素窒素，クレアチニン，ヘマトクリットはほとんど正常であり，淡水・海水関係なく電解質補正の必要があることはまずないといってよい。

集中治療室における治療

1 呼吸器系

　溺水後の肺障害の治療に関して，明確なエビデンスはまだない[19]。

　Grade 3〜6で，人工呼吸管理を行っている場合，PEEPは5 cmH$_2$Oから開始し，$PaO_2/F_IO_2≧250$，肺内シャント Qs/Qt ≦20％を目標とし，2〜3 cmH$_2$Oずつ増加させる。Grade 4で，低血圧が酸素化で改善しない場合は，PEEPを減少させる前に輸液を行う[8]。望ましい酸素化が達成されたら，離脱を試みる前にそのレベルのPEEPを少なくとも48時間維持する必要がある[20]。早すぎる離脱は肺水腫を再発させるおそれがある。溺水後はARDSの治療に準じてよいが，Grade 6で低酸素脳症がある場合，高二酸化炭素血症を避けるべきである[8]。

　細菌による汚染が強く疑われるような水質環境での溺水では，当初からグラム陽性菌とグラム陰性菌の双方をカバーする広域スペクトラムの抗菌薬を投与する。

　溺水後に人工呼吸器を使用した場合，人工呼吸器関連肺炎の発生は約15％と多い[21]。48〜72時間後にかけて，持続する発熱，持続的な白血球増多，気管吸引からの白血球反応などがある場合には感染を強く疑う。また，人工呼吸器使用の際には圧外傷を合併しやすいため注意を要する。

　最近では，非侵襲的換気，HFNCといった呼吸管理法を使用した報告や，ECMO（extracorporeal membrane oxygenation）を利用した報告もあるが，これらの治療法について予後改善などの明確なエビデンスはまだ示されていない[19)22]。抗菌薬，ステロイド，利尿薬の予防的投与に対しても明確なエビデンスはない。

2 循環器系

　重症溺水後には，低酸素による肺毛細血管閉塞による肺高血圧，中心静脈圧上昇，肺血管抵抗上昇が起こり，数日持続することがある。その結果，心拍出量は減少し，溺水後の非心原性肺水腫に加えて心原性肺水腫になる。低心拍出量に対しては，適切な酸素化，晶質液の輸液，体温管理によって改善が可能である。カテコラミンは難治性低血圧の場合に投与する。心エコー検査での心機能の評価は，輸液量が十分かの評価やカテコラミンの増減などの方針を決定する際に有用である。

　なお，海水による溺水か，淡水による溺水かによって治療方針を変えるべきという具体的なエビデンスは現在のところない。

3 神経系

　溺水治療後の死因および後遺症のほとんどは低酸素脳症によるものである。CPRの段階から脳機能予後を意識した治療を行うことが重要であり，酸素化の目標として$SaO_2>92\%$，適切な脳灌流の目標として平均動脈圧>100 mmHgを確保するよう努める[8]。また，蘇生後には体温管理療法を実施する。重度低体温や通常の呼吸管

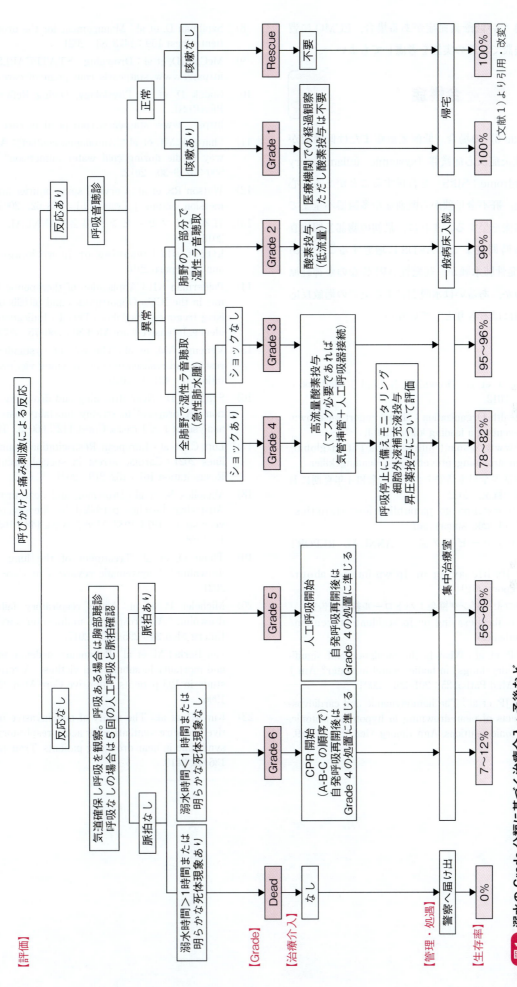

図1 溺水のGrade分類に基づく治療介入・予後など

理で改善できない低酸素血症がある場合，ECMO に習熟している施設ではその実施を考慮してもよい．

合併症

重症（Grade 6）の場合，低酸素血症または低灌流があると全身性炎症反応症候群（systemic inflammatory response syndrome；SIRS）を合併することがある．心不全，腎不全，肝不全単独から敗血症や多臓器不全までさまざまな病像を呈する．まれに，最初の胸部X線検査で正常でも8時間後までに ARDS に増悪することがある[9]．この遅発性肺水腫が，遅発性 ARDS なのか神経原性肺水腫なのか，あるいは水吸引による気道の過敏反応なのか，原因ははっきりとしていない．

▶文献

1) Szpilman D, et al：Drowning. N Engl J Med 366：2102-10，2012.
2) World Health Organization：Global report on drowning：Preventing a leading killer，2014.
https://www.who.int/publications/i/item/global-report-on-drowning-preventing-a-leading-killer
3) 警察庁生活安全局生活安全企画課：令和4年夏期における水難の概況，2022.
https://www.npa.go.jp/publications/statistics/safetylife/r4_kaki_suinan.pdf
4) 日本ライフセービング協会：ANNUAL REPORT 2019.
https://jla-lifesaving.or.jp/wp/images/about/annual-report/2019/
5) 日本ライフセービング協会：パトロール統計報告書．
https://ls.jla-lifesaving.or.jp/accident-prevention/patrol-statistics/
6) Lunetta P, et al：What is the incidence and significance of "dry-lungs" in bodies found in water? Am J Forensic Med Pathol 25：291-301，2004.
7) Orlowski JP, et al：The hemodynamic and cardiovascular effects of near-drowning in hypotonic, isotonic, or hypertonic solutions. Ann Emerg Med 18：1044-9，1989.
8) Szpilman D, et al：Management for the drowning patient. Chest 159：1473-83，2021.
9) McCall JD, et al：Drowning（STATPEARLS）.
https://www.statpearls.com/point-of-care/20708
10) Godek D, et al：Physiology, Diving Reflex（STATPEARLS）.
https://www.statpearls.com/point-of-care/20629
11) Shattock MJ, et al：'Autonomic conflict'：A different way to die during cold water immersion? J Physiol 590：3219-30，2012.
12) Watson RS, et al：Cervical spine injuries among submersion victims. J Trauma 51：658-62，2001.
13) 日本ライフセービング協会：ANNUAL REPORT 2016.
https://jla-lifesaving.or.jp/wp/images/about/annual-report/2016/
14) Polderman KH：Application of therapeutic hypothermia in the ICU：Opportunities and pitfalls of a promising treatment modality：Part 1：Indications and evidence. Intensive Care Med 30：556-75，2004.
15) Venema AM, et al：The role of bystanders during rescue and resuscitation of drowning victims. Resuscitation 81：434-9，2010.
16) Szpilman D：Near-drowning and drowning classification：A proposal to stratify mortality based on the analysis of 1,831 cases. Chest 112：660-5，1997.
17) Lott C, et al：European Resuscitation Council guidelines 2021：Cardiac arrest in special circumstances. Resuscitation 161：152-219，2021.
18) Manolios N, et al：Drowning and near-drowning on Australian beaches patrolled by life-savers：A 10-year study, 1973-1983. Med J Aust 148：165-7, 170-1，1988.
19) Thom O, et al：Treatment of the lung injury of drowning：A systematic review. Crit Care 25：253，2021.
20) Michelet P, et al：Acute respiratory failure after drowning：A retrospective multicenter survey. Eur J Emerg Med 24：295-300，2017.
21) van Berkel M, et al：Pulmonary oedema, pneumonia and mortality in submersion victims：A retrospective study in 125 patients. Intensive Care Med 22：101-7，1996.
22) Kim JH, et al：The utility of non-invasive nasal positive pressure ventilation for acute respiratory distress syndrome in near drowning patients. Trauma Inj 32：136-42，2019.

23 異物

北川 喜己

異物とは，生理的にはその位置に存在しないものが外部から体内に侵入し，とどまっている状態をいう。開口部分から管腔内に侵入した異物がそのままとどまるものを体腔内異物，皮膚や粘膜を貫通して侵入した異物が組織や臓器内にとどまるものを組織内異物と呼ぶ。鼻腔・耳・気道・消化管異物などは前者，植物や昆虫のトゲや針は後者にあたる。

疫学

異物による救急患者の疫学でもっとも重要なトピックは，日本では外国に比して窒息の発生率が高く，人口当たりの死亡者数も多いことであろう[1]。これは，正月に餅を食べる日本特有の食文化や，諸先進国に先駆けて高齢化が進んでいることなどが要因と考えられている[2]。

厚生労働省の人口動態統計では，窒息は不慮の事故死の原因として転倒・転落・墜落に次いで第2位であり，2020年では8,000人近い死亡例が報告されている[3]。窒息死例の多くは高齢者で，自宅または高齢者福祉施設で食事中に発生している。年次的な推移でみても，窒息による死亡はやや減少傾向にもみえるが，ほぼ高止まりの状況にある。

このような現状を受けた動きとして現在，気道異物による窒息に関する多施設共同観察研究（Multi-center Observational Choking Investigation；MOCHI）グループを中心に，日本救急医学会学会主導研究として世界初の前向き多施設観察研究が進行中である[4]。

気道異物

1 種類・特徴

通常，咽頭喉頭〜気管支までの異物を気道異物という。部位により，咽喉頭異物，気管異物，気管支異物に分けられる。嚥下反射や咳嗽反射が低下している高齢者や，反射が未熟な小児で生じやすい。脳梗塞，パーキンソン病などの中枢神経系の基礎疾患や統合失調症などの精神疾患がある場合も起こしやすい。気管分岐部より上の咽喉頭異物および気管異物で完全閉塞の場合は換気不能となるため，緊急対応が必要となる。なお，異物が気管分岐部まで達すると，左右の気管支の角度（左は45°，右は25°）から，異物は右気管支に落ちやすい。

異物の種類としては，高齢者では食物が多く，餅や肉，生魚（刺身や寿司），ご飯，パンなどが原因となる[5]。小児ではピーナッツなどの豆類，飴などとともに，小さい玩具など口に入る物すべてが異物の原因となり得る。

2 病態・観察

完全閉塞か不完全閉塞かの判断が重要である。

1）完全閉塞の場合

完全閉塞では，会話（発声），咳，呼吸が不能となる。両手の指で喉のあたりをつかむ「チョークサイン」を示す場合もある（図1）[6]。低酸素血症から急速に心停止に至る。

2）不完全閉塞の場合

不完全閉塞では，会話（発声），咳，呼吸が可能であるが，喘鳴やいびき音などが聴取され，呼吸は努力呼吸やシーソー呼吸となる。喘鳴は異物の部位や形状により異なるが，咽喉頭異物の場合，多くは吸気困難で吸気時に雑音や喘鳴（stridor）が聞かれ，気管異物以下では呼気困難となり呼気時に雑音や喘鳴が聞かれる。気管支異

〔文献6）より引用〕

図1 チョークサイン

異　物

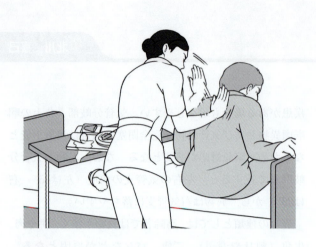
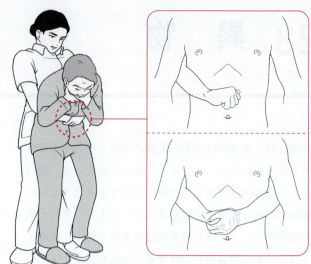

〔文献7〕より引用〕

図2 背部叩打法（左）と腹部突き上げ法（右）

物では，呼気時に笛声音（wheeze），いびき音（rhonchi）が聞かれ，呼吸音の左右差がみられることがある。

3 診　断

1）状況評価

気道異物に至る状況を確認する。食事・服薬をしていたかどうか，小児では発生直前に飴や風船，玩具などを口にくわえていたかなどを聴取する。

2）初期評価

発声・呼吸は可能か（完全閉塞か不完全閉塞か），意識，脈拍の確認など，ABCに沿った観察を実施する。完全閉塞の場合は異物除去までの時間が患者の予後に大きく影響するため，119番通報は必須であるが，救急隊到着前のバイスタンダーによる応急手当での異物除去が重要となる。

3）単純X線検査，喉頭鏡・気管支鏡検査

来院後は，異物がX線非透過性の場合は単純X線検査が診断に有用である。ただし，小児の場合は多くがX線透過性異物であり，描出することは難しい。最終的な確定診断は喉頭鏡・気管支鏡検査による直接の異物確認である。

4 治　療

上気道での閉塞の場合，異物除去の処置は以下のように区分される[7]〜[10]。

1）意識があり，完全閉塞の場合

成人・小児ではまず声をかけ，「助けますね」と話しつつ背部叩打を行う。背部叩打が有効でなければ腹部（胸部）突き上げ法を行い，異物除去を図る（**図2**）[7]。腹部突き上げ法の要領は下記のとおりである。

①患者の後ろに回り，腹部に手を回す。
②一方の手で患者の臍の位置を確認する。
③もう一方の手で握りこぶしをつくり，親指は握りこまず，患者の臍とみぞおちの間に当てる。
④臍を確認した手で握りこぶしを握り，素早く手前上方に向かって突き上げる。

※妊婦や肥満体型で手が十分腹部に回らない場合は，胸部に手を回して同様の手技で胸部を圧迫する。

乳児の場合は腹部突き上げ法は行わず，背部叩打のみ，もしくは背部叩打と胸骨圧迫の要領による胸部突き上げ法を5回1セットで交互に繰り返し行う（**図3**）[7]。

異物を除去して窒息が解除されても，腹部突き上げ法を行った場合は内臓損傷など合併症の危険性があるため，必ず医療機関を受診させる。

2）意識があり，不完全閉塞の場合

咳をさせて自力喀出を促す。自力喀出が不可能な場合は喉頭ファイバーや気管支鏡を使用して摘出する。気管支異物で異物が小さい場合は見逃される場合もあるため，咳が続く場合などには注意が必要である。

3）意識がなくなった場合

完全閉塞で異物除去がうまくいかないと，患者は意識を失って倒れこむ。処置中に意識がなくなった場合は，

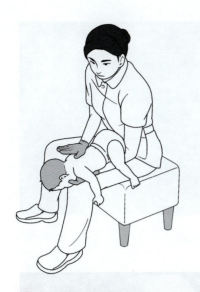
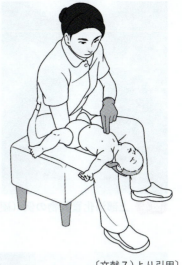

〔文献7)より引用〕

図3 乳児に対する背部叩打法（左）と胸部突き上げ法（右）

患者を仰臥位にしたうえで，直ちに胸骨圧迫を開始する（異物除去を期待して行うもの）。口腔内に異物を視認できる場合，可能であれば除去する。盲目的な指による掻き出し（フィンガースイープ）は異物を逆に奥に押し込む可能性があるため行わない。早期に気道の開通が得られない場合，患者は心停止に移行する。

5 予 防

小児の気道異物による窒息を予防する一つの方法は，小児の口の大きさに入るものを周りに置かないことである。前述したとおり，小さい玩具や硬貨，ボタン，食品などさまざまなものが原因となり得る。近年では一口サイズのパンでの事例も報告されている。

小児や高齢者の食品による窒息を予防するには，窒息を起こし得る「本人側の要因」と「食品側の要因」の両方に注意する必要がある。「本人側の要因」には，年齢による噛む力や飲み込む力，咳の反射の減弱などがあり，ゆっくり水分を摂りながら食べ，食事中の会話は慎む。「食品側の要因」には，丸くつるっとしている，硬くて噛み切りにくい，粘着性が高いなどがあり，細かく刻んで少量ずつ口に入れるようにする。とくに5歳未満の小児では，うずら卵やぶどうなど球形の食物は1/4以下の大きさに切って与えることが推奨されている[11]。

上部消化管異物

1 種類・特徴

上部消化管異物の原因として，小児では硬貨や瓶のふた，ボタン，電池，玩具などが多く，高齢者では魚骨やPTP（press through pack）包装シート，義歯が多い。硬貨およびボタン型電池による上部消化管異物の症例画像を図4，5に示す。

2 病態・観察

上部消化管異物のほとんどは無症状であり，軽症にとどまる。魚骨などは，高齢者では咽頭にとどまる場合も多い。食道では，生理的狭窄部位である食道入口部，気管分岐部直下（大動脈・左主気管支），食道裂孔部の3カ所で種々の異物が滞留しやすく，長時間とどまると食道粘膜を損傷して穿孔や縦隔炎を生じる可能性がある。

3 診 断

1）状況評価

いつ，何を，何口摂取したかを聴取する。わからない場合には誤飲したと思われる物を病院に持ってきてもらうと画像との比較が可能である。ボタン型アルカリ電池やコイン型リチウム電池が疑われる場合，1カ所に滞留していると短時間でも局所の放電による消化管の損傷や

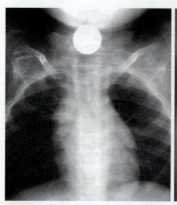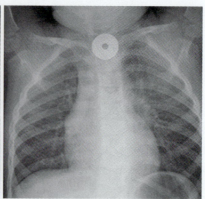

図4 上部消化管異物の例（硬貨）

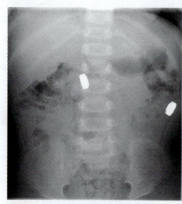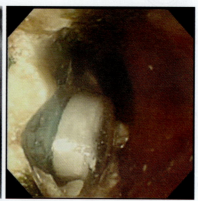

図5 上部消化管異物の例（ボタン型電池）

穿孔の危険性があるため，電池の種類および使用ずみであるかを確認する。電池以外でも，義歯などの先の尖った異物の場合は穿孔の危険性があり，形状をよく確認する。また，唾液も嚥下できない，空嘔吐がみられる，胸骨後面の痛みや膨満感があるなど，食道の完全閉塞が疑われる症状がある場合は，放置による圧迫壊死の可能性を考慮して緊急で対処する。

2）初期評価（単純X線検査）

呼吸状態を含め，全身状態には注意する。消化管異物の多くはX線非透過性の異物であるため，消化管異物が疑われる場合は頸部から腹部骨盤までの単純X線撮影を行い，異物の種類と場所の同定を行う。前述したボタン型電池をはじめ，異物が鋭利なものや大きなもの，高磁力の複数個の磁石，食道に異物が滞留している場合や，胃内に長く滞留し腸への流出がみられない場合には摘出の対象となる。

4 治療

摘出は，Foley カテーテルや先端に磁石のついたマグネットカテーテルを用いる選択肢もあるが，一般的には上部消化管内視鏡を行って摘出する。まれではあるが，異食症など特殊な事例で上部消化管内視鏡による摘出が困難な場合や腸閉塞症状を呈する場合には，外科手術が必要となる可能性がある。そのほかの場合は単純X線撮影で異物の位置を確認しながら自然排泄を待ち，特別な処置は必要とならないことが多い。

5 予防

小児の気道異物の予防と同様に，消化管異物の予防もその原因となるものを周りに置かないことが第一であろう。両親や介護者への指導や啓発活動が重要である。

下部消化管異物（直腸異物）

下部消化管異物は，上部消化管異物が大腸や直腸で滞留したものを除くと，いわゆる直腸異物である。直腸異物のほとんどは本人もしくは他人によって故意に挿入されたものであるが，まれに事故などによって誤って入り

込んでしまう場合もある。

　故意に挿入される異物の種類はさまざまであるが，自慰行為など性的嗜好による場合は体温計や玩具，注射器や浣腸器，ビン類など先が挿入しやすい形のものが多く，多くの場合，挿入に至る正しい経緯を聴取できない。そのほか，暴行目的の場合や，密輸目的の"body packer"などでは違法薬物入りの袋などが挿入されている場合もある。

　診断は腹部から骨盤の単純X線撮影もしくはCT撮影を行い，異物の形体や位置はもちろんのこと，腸管穿孔によるfree airなどに注意する。腸管穿孔などの合併症がなければ，経肛門的に肛門鏡などを用いて摘出を試みる。摘出が困難な場合も多く，腰椎麻酔や硬膜外麻酔，場合により全身麻酔下で摘出を実施することもある。経肛門的に摘出が不可能な場合や直腸・肛門の損傷の可能性がある場合には，経腹的手術に切り替える。直腸・肛門の損傷や腸管穿孔などの合併症があると，人工肛門造設に至ることもある。

鼻腔・耳・眼・性器異物

　これらの異物は専門性が高く，除去については無理をせず，各科専門医へのコンサルトも考慮する。

1 鼻腔内異物

　鼻腔内異物は小児に多く，主にビーズ，ボタン，豆，玩具などが多い。目視できる場合は異物鉗子などを用いて除去を試みる。詰まっていないほうの鼻の穴を押さえて，口から人工呼吸の要領で息を吹き込むなど，さまざまな除去方法が考案されているが，小児で協力が得られず奥に押し込んでしまう危険があるような場合には，無理に除去しようとせず耳鼻咽喉科へコンサルトする。

2 外耳道異物

　外耳道異物の原因としては，耳かきの先端や，ハエ・蚊などの虫，小児では豆類や玩具が多い。主な症状は，ゴソゴソ音が聞こえる，違和感や疼痛，難聴であり，問診などで判明することもある。虫の場合，部屋を暗くして，耳の入り口付近から中に向かって懐中電灯の光を当

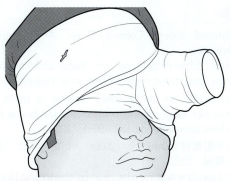

図6 眼球損傷が疑われる場合の両眼の保護

てて除去する方法や，リドカインやオリーブオイル，ベビーオイルを注入し鉗子で除去する方法もある。鼓膜穿孔に注意し，とくにリドカインを使用する場合，鼓膜穿孔があると内耳麻酔が生じ，めまいを引き起こすことがあるため注意を要する。除去が難しい場合には耳鼻咽喉科へコンサルトする。

3 眼異物

　眼の異物には，コンタクトレンズの不適切な使用，高速機械（ドリルや電動ノコギリなど），金槌作業，爆風や破裂により発生する異物など，さまざまな原因がある。鉄粉，砂塵，炭粉，灰，虫などは涙とともに出てくることも多い。ライトを使用して，結膜・角膜表面の異物の有無を確認する。針金や釣り針など，異物が結膜・角膜に刺入している場合は安易に異物を触ったり，抜こうとせず，眼科へコンサルトする。眼球損傷が疑われる場合の応急手当として，眼に直接包帯を巻かず，紙コップなどを使用して保護する[12]が，この場合は眼球運動を避けるため両眼を覆うことが肝要である（**図6**）。

4 性器異物

　性器の異物は，主に性的嗜好のため男性では尿道，女性では腟内に異物を挿入して除去できなくなったものである。直腸異物と同じく，羞恥心のため問診では発生状況を把握できないことが多い。発見した場合，除去は無理をせずに，男性であれば泌尿器科へ，女性であれば婦人科へコンサルトする。

▶文　献

1) National Safety Council：Home And Community Overview.
https://injuryfacts.nsc.org/home-and-community/home-and-community-overview/introduction/
2) Igarashi Y, et al：Seasonal choking in Japan：Japanese rice cake (mochi), ehomaki, and beans for Setsubun. Resuscitation 150：90-1, 2020.
3) 厚生労働省：令和2年（2020）人口動態統計（確定数）の概況, 2022.
https://www.mhlw.go.jp/toukei/saikin/hw/jinkou/kakutei20/index.html
4) Norii T, et al：Protocol for a nationwide prospective, observational cohort study of foreign-body airway obstruction in Japan：The MOCHI registry. BMJ Open 10：e039689, 2020.
5) Igarashi Y, et al：Prehospital removal improves neurological outcomes in elderly patient with foreign body airway obstruction. Am J Emerg Med 35：1396-99, 2017.
6) 日本救急医療財団心肺蘇生法委員会（監）：救急蘇生法の指針2020（市民用・解説編）, 改訂6版, へるす出版, 2021.
7) 日本救急医療財団心肺蘇生法委員会（監）：救急蘇生法の指針2020（医療従事者用）, 改訂6版, へるす出版, 2022.
8) 日本蘇生協議会（監）：JRC蘇生ガイドライン2020, 医学書院, 2021.
9) 日本医師会ホームページ：気道異物除去の手順.
https://www.med.or.jp/99/kido.html
10) American Heart Association：BLSプロバイダーマニュアル；AHAガイドライン2020準拠, シナジー, 2021.
11) 日本小児科学会ホームページ：食品による窒息 子どもを守るためにできること, 2020.
https://www.jpeds.or.jp/modules/guidelines/index.php?content_id=123
12) 日本外傷学会東京オリンピック・パラリンピック特別委員会：銃創・爆傷患者診療指針（Ver. 2）, 2021.
http://2020ac.com/documents/ac/04/2/1/2020AC_JAST_gun02_2021.11.pdf

24 刺咬症

一二三 亨

毒ヘビ

わが国にはマムシ，ハブ，ヤマカガシの3種類の毒ヘビが生息している[1]〜[4]。

マムシ（図1）[1]は60cm程度の小さなヘビで，牙は5mm程度で非常に細い。マムシ毒の成分はプロテアーゼ，ホスホリパーゼA2など多様である。年間約2,000〜3,000件の咬傷が発生し，死亡者は10人程度である[1][2]。

ハブ（図2）[1]は，現在は沖縄・奄美地方に生息している。2mほどの大きさになり，3種のなかではもっとも危険である。ハブ毒は神経毒以外マムシと同様にさまざまな毒を有し，咬傷から30分以内に著明な腫脹をきたす。牙は1.5〜2cmである。咬傷数は年間約100件程度であるが[2]，今後，地球温暖化などにより本州に生息域を広げる可能性も完全には否定できない。

ヤマカガシ（図3）[1]は1〜1.5mほどの大きさで，牙は後方に位置し，毒腺はその根元に開口している。毒の成分は，トロンビン活性化に加えて，フィブリノゲン直接分解作用を有する。咬傷数としては50年間の調査で43件の重症例が報告され，5例の死亡が報告されている[5]。

これら3種の毒ヘビの牙の違いを図4[1]に示す。

〔文献1）より引用〕

図1 マムシの色の変化
a：一般的な色，bおよびc：さまざまな色のバリエーション，d：黒色型

〔文献1）より引用〕

図2 ハブの生息地による色の変化
a：奄美大島，b：徳之島，cおよびd：沖縄本島

〔文献1）より引用〕

図3 ヤマカガシの生息地による色の変化
a：関東・東北地方，b：中部・近畿地方，c：中国地方，d：黒化型

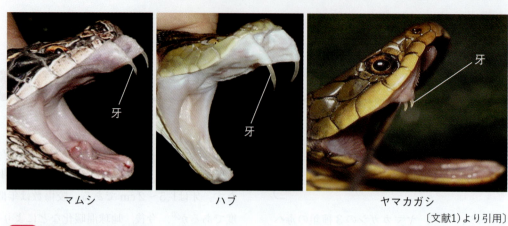

図4 各毒ヘビの牙の位置，大きさ

〔文献1)より引用〕

表1 毒ヘビ咬傷の典型的な症状と血液所見

症状・所見	マムシ	ハブ	ヤマカガシ
典型的な症状	局所の疼痛，腫脹，血小板減少，複視，霧視，悪心・嘔吐，胃痛，下痢，チアノーゼ	局所の腫脹，壊死，咬傷部位からの出血，悪心・嘔吐，チアノーゼ，血圧低下，コンパートメント症候群	咬傷部位からの持続的な出血，鼻出血，歯肉出血，頭痛
ヘビ咬傷を疑った際の通常の検査項目	CBC, CK, BUN, Cre, Na, K, Cl, フィブリノゲン, FDP, D-dimer, PT, APTT		
典型的な血液所見	CK↑ 血小板数<10,000/μL		FDP >100μg/mL フィブリノゲン<100mg/dL
追加検査項目	ミオグロビン CK-MB	ミオグロビン	AT-Ⅲ, TAT, PIC

〔文献1)より引用・改変〕

1 症状・診断

一般にいわれている咬み痕からのみの診断は困難である。そのため，臨床医は症状・血液検査などから診断を行う必要がある。典型的な症状・所見を表1[1)]に示す。

1) マムシ

マムシ咬傷の重症度を評価するためにマムシ Grade が使用されている（表2）。局所の疼痛と腫脹が主症状であり，血液検査でCK値の上昇を認めるが（図5）[3)]，毒が直接血中に入った場合には著明な血小板数の減少をきたすため，注意を要する。

2) ハブ

標準的な診断基準は存在しないが，局所の腫脹が強く，コンパートメント症候群をきたすため注意を要する。

3) ヤマカガシ

診察時に80％以上の患者で咬傷部位から持続的な出血を認めるのが特徴である。これは著明なフィブリノゲン

表2 マムシ Grade

Grade	症状
Grade Ⅰ	咬傷部局所のみの発赤・腫脹
Grade Ⅱ	手関節または足関節までの発赤・腫脹
Grade Ⅲ	肘関節または膝関節までの発赤・腫脹
Grade Ⅳ	1肢全体に及ぶ発赤・腫脹
Grade Ⅴ	1肢を越える腫脹または全身症状

値の低下を伴う線溶亢進型 DIC によるものであり，フィブリノゲン値<100mg/dL が診断の目安となる[1)]。また，FDP値は初回採血で増加していなくても，数時間の経過で100μg/mL を超える場合がある。初期は凝固線溶系マーカー以外は正常値を示すことが多く，診断に慣れていないがために検査結果の間違いと決めつけてはならない。

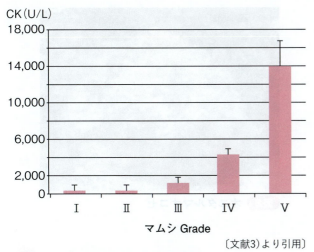

図5 マムシGradeとCK値の関係
〔文献3)より引用〕

2 治療方針

救急外来ではまず，毒ヘビ咬傷を疑ったら入院させて経過をみることがきわめて重要である．疼痛や腫脹が強い，また出血傾向をきたしている場合には毒ヘビ咬傷の可能性があり，専門家に連絡のうえ指示を仰ぐ．局所応急処置については，切開，吸引，駆血などの有効性は証明されていない．

抗毒素はヘビ毒に対する唯一の根本治療薬であるが，現状ではウマ血清から作られた製剤であり，アナフィラキシーや血清病などの副反応に注意する必要がある．気道確保器具や緊急薬剤を用意し，救急対応が可能な施設（場所が重要で，できれば病室ではなく救急外来が望ましい）で抗毒素を点滴静注することが望ましい．前述したとおり，ハブは沖縄・奄美地方に限局して生息しているが，地球温暖化などの影響で今後本州に生息域を広げる可能性も否定できないため，沖縄・奄美以北の医師もその治療法について認識しておく必要がある．

1) マムシ

図6に治療方針を示す．マムシ抗毒素の投与基準は，マムシGrade Ⅲ（肘・膝関節までの腫脹）以上である．セファランチン®にマムシ毒の中和作用はない．

2) ハブ

ハブ抗毒素の投与基準は明確ではなく，地域によって対応が異なっている．

3) ヤマカガシ

ヤマカガシ抗毒素が根本治療薬となる．ただし，保険承認薬ではないため，臨床研究でのみ投与可能である．抗毒素投与の目安としてフィブリノゲン<100 mg/dLがあげられる．抗DIC薬も治療の候補となる．

海洋生物

海洋生物による咬刺傷被害はわが国では沖縄県を中心に報告されており，死亡症例もある[6]．診断に至る特異的検査はないため，加害生物を目撃したら写真を撮るなどできるかぎり情報を集める．局所症状のみの軽症であれば，消炎鎮痛薬，ステロイド外用などで治療する．

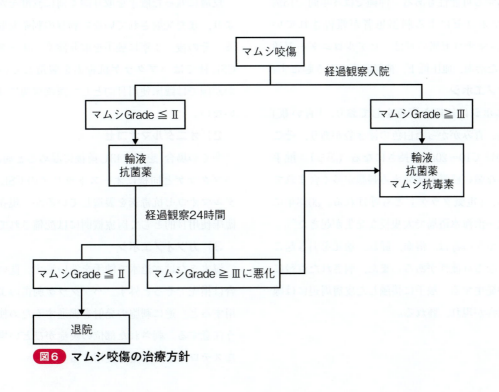

図6 マムシ咬傷の治療方針

刺咬症

図7 ハブクラゲ 〔文献7）より引用〕

図8 オニダルマオコゼ

1 特徴・症状

1）ハブクラゲ

ハブクラゲの傘径は10～14cm程度であるが，触手を伸ばすと約1.5mにも及び，4本の腕に7本の触手が付いている（図7）[7]。沖縄では5年間で5例の重症例を含む204例のハブクラゲによる刺傷患者が報告されている[7]。ハブクラゲの毒は，皮膚壊死活性，溶血活性，神経毒性を有し，血圧低下を引き起こす。

2）オニダルマオコゼ

オニダルマオコゼの全長は約40cmで，海底の岩などの環境に溶け込んでおり，見分けるのが困難である（図8）。棘は強靱であり，靴のゴム底やウェットスーツを貫通する。地域によっては食用とされているため，料理人などが受傷する可能性もある。沖縄では5年間で15例のオニダルマオコゼによる刺傷患者が報告されている[8]。オニダルマオコゼ属の毒は，ヒアルロニダーゼ活性を有し，また溶血，血圧低下，神経麻痺を引き起こす。

3）カツオノエボシ

カツオノエボシは綺麗な青色をしており，「青い瓶」とも呼ばれる。青みがかった白色の浮き袋があり，そこから触手が伸びて10～20mの長さになる（図9）。触手に感電のような強い感覚を誘発する刺胞が多く含まれていることから，「電気クラゲ」とも呼ばれる。2018年には日本の由比ヶ浜海水浴場で大規模な発生が起きた[9]。

カツオノエボシの毒は，溶血，腫れ，壊死を引き起こし，致死的となる可能性がある。また，刺された直後に極度の痛みが発生する。触手に接触した皮膚周辺には線状の丘疹性発疹が現れ，腫れる。

図9 カツオノエボシ

2 治療方針

1）ハブクラゲ

皮膚に残った触手を取り除く前に食酢をかけることにより，まだ発射されていない刺胞の刺糸発射を抑制できる。その後，丁寧に触手を取り除く。オーストラリアのCSL社ではハブクラゲ抗毒素を製造しているが，現在わが国では臨床使用目的として医療機関には配備されていない。

2）オニダルマオコゼ

多くの場合，患部を43℃前後に温めると痛みが和らぐ。ハブクラゲと同様にオーストラリアのCSL社ではオニダルマオコゼ抗毒素を製造しているが，現在わが国では臨床使用目的として医療機関には配備されていない。

3）カツオノエボシ

海水または水道水で触手を洗い流す。洗い流せない場合は指先でそっと外す。ハブクラゲ刺傷のように酢を使用すると，逆に刺胞の発射を促進するため使用しないよう注意する。刺された部位の炎症がひどい場合は，強力なステロイド外用薬を使用する。

節足動物（昆虫および昆虫以外）

1 ハ チ

ハチ刺傷による死亡者数は，厚生労働省の人口動態調査によると，2020年は13人，2019年は11人であった。2020年の死亡者13人のうち，8人が60歳以上であり，高齢者での死亡例が多い。ただし，毒ヘビのようにわが国全体の包括的かつ詳細な臨床情報の疫学データは存在しない。実際に人を刺すことで問題となるのは，主にスズメバチ類，アシナガバチ類，ミツバチ類，マルハナバチ類，アリガタバチ類である[10]。ただし，臨床医が苦手とするハチの種類の特定を実臨床で重視する必要はない。

1）症状・診断

症状は，ハチ毒素そのものにより呈する症状と即時型アレルギー反応のいずれか，あるいは両者が混在する。

(1) 局所症状

刺傷部周囲の発赤，腫脹と激しい疼痛を起こす。比較的広範囲に広がることもある。

(2) ハチ毒素そのものによる全身症状

数十カ所を同時期に刺されることで大量の毒素が体内に入ることにより発症する。全身倦怠感や冷汗などが多いが，毒素の量によっては溶血，急性腎不全，横紋筋融解，多臓器不全など重症化する場合がある。

(3) アナフィラキシー，アナフィラキシーショック

即時型のアレルギー反応である。発疹などの皮膚・粘膜症状に加えて，上・下気道閉塞などの呼吸器症状，腹痛・下痢などの消化器症状，意識障害などの中枢神経症状，血圧低下などの循環器症状が出現する。非常に緊急性が高く，死亡原因となり得る。

2）治療方針

ハチ毒素そのものによる全身症状に対しては，血漿交換を含めた集中治療が必要である。アナフィラキシーおよびアナフィラキシーショックの重症例では，アナフィラキシーショックに準じて，気道確保/酸素投与，輸液，アドレナリンの投与が必要となる。アドレナリンの大腿四頭筋外側への筋注を行う。

2 毒グモ

わが国では，比較的有名なセアカゴケグモ（図10）[11]のほか，ハイイロゴケグモ（図11）も生息しているが，

図10 セアカゴケグモのメスと抗毒素
〔文献11）より引用〕

図11 ハイイロゴケグモ

ここではセアカゴケグモについて述べる。

セアカゴケグモは現在，日本全域に生息しており，体長はメスが10mm程度，オスは3〜4mm程度であり，全体的に黒く，背中に赤い帯状の模様があるのが特徴である。毒の主成分はα-ラトロトキシンであり，神経細胞に作用し，アセチルコリンやカテコラミンなどの神経伝達物質を放出させることでさまざまな症状を呈する。

1）症状・診断

セアカゴケグモに咬まれると，5分以内に咬傷部に激しい疼痛が生じる。その後の症状は多彩であり，咬傷部以外での疼痛，悪心・嘔吐，異常な発汗，動悸，倦怠感，不穏，筋攣縮，下腹部痛，発熱などが認められる。診断は咬傷の確認が第一である。血液所見では，LDH（乳酸脱水素酵素）のみ特異的に増加していることがある。

2）治療方針

激しい疼痛が主症状であり，鎮痛薬を投与する。疼痛は1週間ほど持続することがある。複数回の鎮痛薬投与が必要な場合や，全身症状を呈している場合には，セアカゴケグモ抗毒素の適応となる。ただし，セアカゴケグモ抗毒素はウマ血清であるため，投与に際してはアナフィラキシーショックや血清病に対する十分な準備が必要である。投与方法は，セアカゴケグモ抗毒素 1バイア

ル（500単位）を筋注する．ただし，セアカゴケグモ抗毒素は臨床研究でのみ投与可能である．

3 ムカデ

ムカデはわが国に約150種類が生息しており，オオムカデ類，イシムカデ類，ジムカデ類に分けられる[10]．

1）症状・診断

ムカデに咬まれると，直ちに激しい疼痛が出現し，局所は発赤・腫脹する．アナフィラキシーショックに至ることもある．

2）治療方針

直後の疼痛に対してはリドカインなど局所麻酔薬の貼付薬や局所注射が有効である．翌日以降の炎症反応に対してはステロイド外用薬で対応する．

動物（イヌ，ネコ）

動物咬傷による感染の原因菌としては*Pasteurella multocida*が重要であり，また*Capnocytophaga canimorsus*は易感染患者で注意が必要である．

対応としてまず，腱，神経，関節，血管の損傷を確認する．ネコの歯は細く，非常に鋭いことから，軟部組織や関節，骨まで容易に貫通するため注意を要する．真皮に達しない単純な擦過傷や挫創に対しては，洗浄と破傷風予防のみでよい．真皮以上の刺創や裂創では十分な洗浄とデブリドマンを行う．場合によっては局所麻酔を用いたり，メスで追加切開を加える．また，表3[12]に示すような状況では，咬傷を初期閉鎖するのではなく，二次的に治癒するよう開放しておくことが提案されている．

表3 初期閉鎖せず開放しておくべき動物咬傷の状況

- crush injuries
- 穿通創
- ネコ咬傷（顔面は除く）
- 手足の創傷
- 12時間以上経過した傷（顔面では24時間以上）
- 免疫不全の宿主（糖尿病を含む）の創傷
- 静脈うっ滞のある患者の創傷

〔文献12）より引用・改変〕

▶文献

1) Hifumi T, et al：Venomous snake bites：Clinical diagnosis and treatment. J Intensive Care 3：16, 2015.
2) Hifumi T, et al：Surveillance of the clinical use of mamushi (Gloydius blomhoffii) antivenom in tertiary care centers in Japan. Jpn J Infect Dis 64：373-6, 2011.
3) Hifumi T, et al：Clinical efficacy of antivenom and cepharanthine for the treatment of Mamushi(Gloydius blomhoffii) bites in tertiary care centers in Japan. Jpn J Infect Dis 66：26-31, 2013.
4) Hifumi T, et al：Clinical characteristics of Yamakagashi (Rhabdophis tigrinus) bites：A national survey in Japan, 2000-2013. J Intensive Care 2：19, 2014.
5) Hifumi T, et al：Rhabdophis tigrinus (Yamakagashi) bites in Japan over the last 50 years：A retrospective survey. Front Public Health 9：775458, 2021.
6) 沖縄県保健医療部衛生環境研究所：気をつけよう!!海のキケン生物．
http://www.pref.okinawa.jp/site/hoken/eiken/eisei/uminokikennseibutu.html
7) Hifumi T, et al：Clinical characteristics of jellyfish stings in Japan. Acute Med Surg 7：e469, 2020.
8) Hifumi T, et al：Clinical characteristics of stonefish "Oni-daruma-okoze" envenomation in Japan. Acute Med Surg 7：e496, 2020.
9) 抗毒素製剤の高品質化，及び抗毒素製剤を用いた治療体制に資する研究（AMED 阿戸班）：血清療法ホームページ．
https://www.serum-therapy.com/
10) 夏秋優：Dr. 夏秋の臨床図鑑；虫と皮膚炎；皮膚炎をおこす虫とその生態，学研メディカル秀潤社，2013.
11) Hifumi T, et al：Clinical characteristics of redback spider bites. J Intensive Care 2：62, 2014.
12) Animal bites (dogs, cats, and other animals)：Evaluation and management 2022 (UpToDate).

索引

※上巻 p.1〜812，下巻 p.813〜1460 を一括して掲載している。

記号・数字・ギリシャ文字

#7119　16
#8000　15, 16
%TBSA　710
1回換気量　1135
Ⅰ型呼吸不全　127, 268
Ⅰ度熱傷　709
1度房室ブロック　164, 395
2度房室ブロック　164, 395
Ⅱ型呼吸不全　127, 268
Ⅱ度熱傷　709
3Eアプローチ　830
Ⅲ度熱傷　709
3度房室ブロック　164
4F-PCC　646
4H4T　73
4Ts　585
5 killer chest pain　246, 248
5P　393, 1079
5の法則　710
6P　393
9の法則　710
12誘導心電図　136, 162, 249, 375, 674
23条通報　857
β遮断薬中毒　769
ω-3系多価不飽和脂肪酸　1188

A

A/C（assist control）　945
abbreviated surgery　631
ABCDEFGH バンドル　1200
ABCDEF アプローチ　838
ABCDE アプローチ　3, 109, 629
ABCDE バンドル　1199
ABC スコア　631
ACC（aortocaval compression）　90, 836
ACO
　→オーバーラップ症候群
ACP
　→アドバンス・ケア・プランニング
Adams-Stokes 発作　163, 395
ADD-RS
　→大動脈解離診断リスクスコア
ADL
　→日常生活動作

A-DROP　409
AED
　→自動体外式除細動器
AED パッド　63, 965
aEEG（amplitude integrated electroencephalography）　1127
AFBN
　→急性巣状細菌性腎炎
after drop　782, 1182
AGEP
　→急性汎発性発疹性膿疱症
AHA
　→米国心臓協会
aHUS
　→非典型溶血性尿毒症症候群
AIDS（acquired immunodeficiency syndrome）　887
AIS（Abbreviated Injury Scale）　1282
AIUEOTIPS　210
AKI
　→急性腎障害
ALARA の原則　178, 1263
ALI
　→急性下肢虚血
A-line　178, 267
Allis 法　1075
ALS
　→二次救命処置
Alvarado score　436
AMPLE　114
AMR
　→薬剤耐性
AN69ST 膜　1158
AO/OTA 分類　691
APACHE スコア　1113
Apgar スコア　89
arc burn　742
ARDS　995, 1131
ARS
　→急性放射線症候群
Artz の基準　712, 715
ASA-PS（American Society of Anesthesiologists physical status）　452, 1025
ASPECTS（Alberta Stroke Program Early CT Score）　346

AT
　→アンチトロンビン活性
ATP　395
atypical target lesion　522
AVPU スケール　816
A群β溶血性レンサ球菌　331, 540, 609, 613

B

BAE
　→気管支動脈塞栓術
BAL
　→気管支肺胞洗浄
barcode sign　672
Barthel index　412
Barton 骨折　510
BCVI（blunt cerebrovascular injury）　654
Bell 麻痺　364
Bezold-Jarisch 反射　248
Bezold 膿瘍　561
BI
　→熱傷指数
Bickerstaff 型脳幹脳炎　364
Biot 呼吸　128
B-line　178, 180, 267, 268, 1147
BLS
　→一次救命処置
BLUE プロトコル　130, 266
BNP　268, 1150
Boerhaave 症候群　429
Borchers 法　1076
Boston approach　156
BPPV
　→良性発作性頭位めまい症
BPS（Behavioral Pain Scale）　1193
Brown-Sequard 型損傷　662
Brugada 症候群　167, 397
Burkitt リンパ腫　487
BURP 法　914
burst suppression　103, 1128
B型肝炎ウイルス　1357, 1359
B型肝炎ワクチン　1359
Bモード　178

C

C1インヒビター補充療法　495
Call-A-CAB'N Go　1256

CAM-ICU（Confusion Assessment Method for the ICU） 335, 1193
CAP
　→市中肺炎
Captain Morgan 法　1075
cardiac pump theory　56
Care Flight 法　1222
Castleman 病　488
CBF
　→脳血流量
CBRNE　1237, 1246, 1253
CCF
　→胸骨圧迫比率
CCI
　→チャールソン並存疾患指数
CCOT（critical care outreach team）　1323
CDR（child death review）　83
CDS（crowned dens syndrome）　500
CECTS（childhood epilepsy with centrotemporal spikes）　827
CHDF
　→持続的血液濾過透析
Cheyne-Stokes 呼吸　128, 139, 345, 637
Chvostek 徴候　150
Ciaglia 法　926
CICV（cannot intubate, cannot ventilate）　125, 917
CIM
　→重症疾患多発ミオパチー
CINM
　→重症疾患多発ニューロミオパチー
CIP
　→重症疾患多発ニューロパチー
clamshell 開胸　1004
closed deglovinginjury　705
closed-fist percussion sign　851
Clostridioides difficile　1345
CNS-FACE Ⅱ　1422
CO_2 ナルコーシス　268, 935
coat-hanger pain　241
cog-wheel sign　573
Colles 骨折　510
comet tail artifact　672
complicated 急性B型解離　381
contre-coup injury　635
COPD
　→慢性閉塞性肺疾患
Copenhagen approach　158
Cormack-Lehane グレード　914
corona mortis　689
CoSTR　61

cough CPR　76
coup injury　635
COVID-19
　→新型コロナウイルス感染症
CPAP
　→持続的気道内陽圧
CPP
　→冠灌流圧
CPP
　→脳灌流圧
CPPV
　→中枢性発作性頭位めまい症
CPR
　→心肺蘇生
CQI（continuous quality improvement）　1272, 1285
crackle　129, 847
CRBSI
　→カテーテル関連血流感染
CRE
　→カルバペネム耐性腸内細菌目細菌
cricoid pressure　915
CRRT
　→持続的腎代替療法
CRT
　→毛細血管再充満時間
CRTD
　→両心室ペーシング機能付き植込み型除細動器
CSCATTT　1210, 1253
CSWS
　→中枢性塩類喪失症候群
CTZ（chemoreceptor trigger zone）　291
CT 検査　171
Cushing 現象　139, 637, 642, 1125
Cushing の3徴　636
CVA tenderness　461
CVS
　→周期性嘔吐症候群
C 型肝炎ウイルス　1357

D

DA
　→困難気道
DAI（drug-assisted intubation）　918
damage control laparotomy　632
damage control resuscitation　631
damage control surgery　630, 680, 685
DAMPs（damage-associated molecular patterns）　1119, 1168

DCIR（damage control interventional radiology）　633
DDABCDE　1238
DDB
　→深達性Ⅱ度熱傷
D-dimer　249, 379, 383, 1171
Debakey 分類　378
de-escalation　337, 863
Denis 分類　660
Denver grading scale　660
DESIGN-R2020　542
DHEAT　1215
DIC　602, 1121, 1170, 1172
DIHS
　→薬剤性過敏症症候群
Dix Hallpike 法　214
DKA
　→糖尿病ケトアシドーシス
DMAT　1224
DMAT ロジスティックチーム　1228
DNAR（do not attempt resuscitation）　1389, 1425
DO_2
　→酸素運搬量
DOAC（direct oral anticoagulant）　386, 646
Donabedian の3原則　1272
DOPE アプローチ　947
double tract sign　179
Douglas 窩膿瘍　573
DPC（diagnosis procedure combination）　1283, 1311
DPL
　→診断的腹腔洗浄
Duke criteria　391
duty cycle　58
DV（domestic violence）　844
DVT
　→深部静脈血栓症
dynamic guidance　975

E

early CT sign　346
ECMO（extracorporeal membrane oxygenation）　783, 881, 991
ECOG performance status　876
ECPELLA　389
ECPR（extracorporeal CPR）　75, 82, 94, 992
EEM major
　→重症多形滲出性紅斑
EFAST　171, 184, 669

EGDT（early goal-directed therapy） 598
EHEC-HUS 492
EMIS
　→広域災害救急医療情報システム
empty delta sign 353
Epley 法 218
EQ-5D（EuroQol 5 Dimension） 1281
ERC
　→ヨーロッパ蘇生協議会
ER 型救急 1290
ESBL 産生菌 1344
eschar 333
ESI（Emergency Severity Index） 1276
EVENDOL スケール 818
EXTRIP（Extracorporeal Treatments in Poisoning） 755

F

FACT（focused assessment with CT for trauma） 173
fallen lung sign 674
FASO（focused assessment with sonography for obstetrics） 839
FAST（focused assessment with sonography for trauma） 171, 184, 630, 668, 678
fat pad sign 511
FCI（Functional Capacity Index） 1281
FCT（fluid challenge test） 198
FDEIA
　→食物依存性運動誘発アナフィラキシー
FDP（fibrin/fibrinogen degradation products） 1171
FES
　→脂肪塞栓症候群
FFP
　→新鮮凍結血漿
FIM（Functional Independence Measure） 1281
Fisher 症候群 364
Fitz-Hugh-Curtis 症候群 431, 573
FLACC スケール 818
flame burn 742
FN
　→発熱性好中球減少症
FoCUS（focused cardiac ultrasound） 181
Fontan 手術 403
Forchheimer spots 527
Fournier 壊疽 609
Frankel 分類 663
Frank-Starling 曲線 133, 197

G

GABA 作動薬中毒 767
Gallavardin 現象 1146
Garden 分類 508, 851
Gartland 分類 511
GBFDE
　→汎発性水疱性固定薬疹
GCS（Glasgow Coma Scale） 140, 344, 637, 818
Geckler 分類 271
Gianotti 症候群 531
Glasgow-Blatchford スコア 1042
G-MIS 1269
GOARN（Global Outbreak Alert and Responder Network） 617
GONAI 法 1077
GOS（Glasgow Outcome Scale） 1281
GOS-E（GOS extended version） 1281
GRACE リスクスコア 376
Guillain-Barré 症候群 234, 362
Gustilo 分類 703

H

H7N9 618
HA
　→血液吸着
HAE
　→遺伝性血管性浮腫
Hamman's sign 429
Hangman 骨折 658
HAP
　→院内肺炎
hard sign 653, 654, 701
Harris-Benedict の式 721, 1184
HBV
　→B 型肝炎ウイルス
HCV
　→C 型肝炎ウイルス
HD
　→血液透析
HDF
　→血液濾過透析
Heatstroke STUDY 772
HELLP 症候群 581
HELP 体位 914
hemostatic resuscitation 631
Henderson-Hasselbalch の式 156
HER-SYS 1269
HES 製剤
　→ヒドロキシエチルデンプン製剤
HF
　→血液濾過
HFNC（high flow nasal cannula） 934, 1134
HHS
　→高浸透圧高血糖状態
high quality TTM 101
high-intensity type ICU（closed ICU） 1111
highly malignant EEG 103
HINTS 213
HIT（head impulse test） 213
HIV（human immunodeficiency virus） 532, 887, 1357
HLH
　→血球貪食性リンパ組織球症
Hodgkin リンパ腫 488
Homans 徴候 249
HOPE スコア 783
HPS
　→血球貪食症候群
HTLV-1 1358
Huang らの分類 460
HUI（Health Utility Index） 1281
HUS
　→溶血性尿毒症症候群
Hutchinson 徴候 534
hyperdense MCA 346
Hypothermia Study 779

I

I：E 比 1136
IABO（intra-aortic balloon occlusion） 695, 1006
IABP（intra-aortic balloon pumping） 985
IAH
　→腹腔内圧上昇
IAP
　→腹腔内圧
ICD
　→植込み型除細動器
ICDSC（Intensive Care Delirium Screening Checklist） 335, 1193
ICE スコア 783
ICP
　→頭蓋内圧
ICU
　→集中治療室

ICU-AW（ICU-acquired weakness） 371, 604, 1199
ICU日記 604, 1200
IIPs
　→特発性間質性肺炎
ILCOR
　→国際蘇生連絡委員会
ILD
　→間質性肺疾患
IMH（intra mural hematoma） 378
Impella 377, 389, 985
IMS（ICU mobility scale） 1200
INTERMACS分類 985
IPF
　→特発性肺線維症
IPPV
　→侵襲的陽圧換気
irAE
　→免疫関連有害事象
I-ROAD 409
IRRT
　→間欠的腎代替療法
ISNCSCI 663
ISS（Injury Severity Score） 1282
ISTH overt-DIC診断基準 1173
ITD（impedance threshold valve） 58
IUBT
　→子宮内バルーンタンポナーデ
IVIG
　→免疫グロブリン療法
IVR（interventional radiology） 175, 633, 1090

J

Janeway病変 333, 391
Jarish-Herxheimer reaction 529
JATEC（Japan Advanced Trauma Evaluation and Care） 112, 629
JCS（Japan Coma Scale） 139, 344, 818
Jefferson骨折 658
JRC
　→日本蘇生協議会
JRC蘇生ガイドライン 61
JTAS（Japan Triage and Acuity Scale） 118
JTDB
　→日本外傷データバンク
Judet-Letournel分類 697

K

KDIGO（Kidney Disease：Improving Global Outcomes） 1155
Kerley's B line 268
Kernohan's notch 634
Kiesselbach部位 564
Killip分類 377
Korsakoff症候群 480
Korsakoff精神病 480
Kounis症候群 490
Kouwenhovenの因子 742
KPI（key performance indicators） 1273
Kussmaul呼吸 127, 345, 470

L

LABA
　→長時間作用性β2刺激薬
LAMA
　→長時間作用性抗コリン薬
Lambert Eaton筋無力症候群 370
Larrey's point 974
Lasègue徴候 501
Lavine法 1072
Le Fort型骨折 649
Lemierre症候群 327, 609
Lightの基準 426
Linton-Nachlasチューブ 1051
low flow time 98, 992
low-intensity type ICU（open ICU） 1111
LRINECスコア 333, 611
Ludwig's angina 327, 567, 609
Lund and Browderの法則 710
lung point 180, 267
lung pulse 180, 267
lung rest 996
lung sliding 180, 267, 672

M

M&Mカンファレンス 1321
Macklerの3徴 429
macrocirculation 131
Mallampati分類 917
Mallory-Weiss症候群 284, 430
MALTリンパ腫 487
MANTRELS 436
MARCH 1249
MASCCスコア 885
MDCコード 1311
MDRA
　→多剤耐性アシネトバクター
MDRP
　→多剤耐性緑膿菌
MERS
　→中東呼吸器症候群
MET（medical emergency team） 78, 820, 1323
METHANE Report 1212
MEWS（Modified Early Warning Score） 1116, 1323
Mg tolerance test 151
MGFA分類 368
microcirculation 131
Milch法 1073
Miller & Jones分類 271
Minnesotaチューブ 1051
Mirizzi症候群 449
MMT
　→徒手筋力テスト
MOANS 124, 917
MobitzⅡ型2度房室ブロック 164
modified Centorスコア 325
LEMON/modified LEMON 124, 917
MODS（Multiple Organ Dysfunction Score） 1115
Morel-Lavallée lesion 696, 706
Moschcowitzの5徴候 491
mottled skin 135, 333
MRI検査 173
MRSA
　→メチシリン耐性黄色ブドウ球菌
MTP
　→大量輸血プロトコル
multiple concentric ring sign 831
Murray score 995
Mモード 178

N

N95マスク 1343
narrow QRS tachycardia 395
NBCA（n-butyl-2-cyanoacrylate） 1092, 1093
NCPR
　→新生児蘇生
NCSE
　→非けいれん性てんかん重積状態
neck exploration 654
NETs（neutrophil extracellular traps） 1120, 1170
NEWS（National Early Warning Score） 1116, 1323
NHCAP
　→医療・介護関連肺炎

NIHSS（National Institutes of Health Stroke Scale） 232, 346
Nikolsky 徴候 331, 522
NINDS 分類 345
NIV
　→非侵襲的人工呼吸
NLRs（nucleotide oligomerization domain-like receptors） 1119, 1168
NNT（number needed to treat） 1273
no flow time 98, 992
Nohria-Stevenson 分類 1149
NOM
　→非手術療法
NOMI（non-occlusive mesenteric ischemia） 434
non-cavity hemorrhage 706
NPPV
　→非侵襲的陽圧換気
NPWT
　→陰圧閉鎖療法
NRS（Numeric Rating Scale） 1192
NSAIDs 323, 1181
NSE
　→神経特異エノラーゼ
NSTE-ACS
　→非 ST 上昇型急性冠症候群
NSTEMI
　→非 ST 上昇型心筋梗塞
NT-proBNP 268, 1150

O

OAM
　→腹部開放管理
ODS
　→浸透圧性脱髄症候群
off-the-job training 1303
OHSS
　→卵巣過剰刺激症候群
OMA（oral mite anaphylaxis） 516
oncologic emergency 875
on-scene time 52
on-the-job training 1302
OPQRST 247
OPSI
　→脾摘出後重症感染症
Osborn 波（J 波） 168, 781
Osler 結節 333, 391

P

PA
　→血漿吸着
PAC
　→肺動脈カテーテル
PAM
　→プラリドキシムヨウ化メチル
PAMPs（pathogen-associated molecular patterns） 1119, 1168
Pancreatitis Bundle 2021 446
paramedian approach 1031
PAT
　→小児アセスメント・トライアングル
PAT 法 1218
PAWSS（Prediction of Alcohol Withdrawal Severity Scale） 865
PBI
　→熱傷予後指数
PC
　→血小板製剤
PCAS
　→心停止後症候群
PCI
　→経皮的冠動脈インターベンション
PCNV（post chemotherapy nausea and vomiting） 295
PDCA サイクル 1328
PE
　→血漿交換
PEA
　→無脈性電気活動
PECARN 833
PEEP
　→呼気終末陽圧
pelvic binder 692
pelvic clamp 693
Pemberton's sign 877
permissive hypotension 631
PEWS
　→小児早期警告スコア
PI（performance indicator） 1272
PICC（peripherally inserted central catheter） 958, 961
PICS（post intensive care syndrome） 604, 1199
PICS-F（post intensive care syndrome-family） 604
PID
　→骨盤内炎症性疾患
PIP 関節脱臼 1070
PLAPS（posterolateral alveolar and/or pleural syndrome） 267
PMCD
　→死戦期帝王切開
PMMA 膜 1158
PMX-DHP（polymyxin-B direct hemoperfusion） 602, 1106
PNES
　→心因性非てんかん発作
POCT（point-of-care testing） 136
POCUS（point-of-care ultrasonography） 176
POLST（physician orders for life-sustaining treatment） 1391
PPE
　→個人防護具
PRES
　→可逆性後頭葉白質脳症
preventable trauma disability 699
primary survey 113, 170, 629, 648, 653, 662, 668, 678, 690, 711
PRRs（pattern recognition receptors） 1119, 1168
PRSP
　→ペニシリン耐性肺炎球菌
PSA（procedural sedation and analgesia） 1014
pseudokidney sign 831
P-SILI
　→自発呼吸誘発性肺傷害
psoas position 503
PSV
　→圧支持換気
PT
　→プロトロンビン時間
PTD（preventable trauma death） 642
PTE
　→肺血栓塞栓症
PT-GVHD
　→輸血後移植片対宿主病
PTP
　→輸血後紫斑病
Pucker sign 511

Q

QA（quality assurance） 1272
QT 延長症候群 166, 398
quick SOFA 597

R

R on T 164
radial distribution 439
Ramsay Hunt 症候群 365
RASS（Richmond Agitation-Sedation Scale） 1193

RBC
　→赤血球製剤
RCA
　→アジア蘇生協議会
RCVS
　→可逆性脳血管攣縮症候群
REBOA（resuscitative endovascular balloon occlusion of the aorta）　586, 632, 695, 1006
red flags　303, 502
remote guidance　975
rescue collapse　782
response time　50
rewarming shock　783, 1182
RH
　→蘇生的子宮切開術
rhonchi　129, 802
rhTM
　→ヒト遺伝子組み替えトロンボモジュリン製剤
RLRs（retinoic acid-inducible gene-1-like receptors）　1119, 1168
Rockall スコア　1042
Rocket launcher 法　1075
Romberg 徴候　215
Rommens 分類　507
Roth 斑　391
RPLS
　→可逆性後頭葉白質脳症
RRS（rapid response system）　69, 1322
RRT（rapid response team）　78, 820, 1323
RSI（rapid sequence intubation）　918, 1027
rSO$_2$
　→局所脳酸素飽和度
RS ウイルス　833
RT
　→蘇生的開胸術
rt-PA　347, 385
RUSH（rapid ultrasound in shock）　184

S

SAAG
　→血清腹水アルブミン勾配
SABA
　→短時間作用性β2刺激薬
SAH
　→くも膜下出血
salt and pepper appearance　638
Salter-Harris 分類　832
SALT 法　1221
SAMPLE　844
SAPS（Simplified Acute Physiologic Score）　1113
SARS
　→重症急性呼吸器症候群
SARS-CoV-2　620
SAT
　→自発覚醒トライアル
Sauer の危険域　667
SAVE 法　1222
SBT
　→自発呼吸トライアル
SB チューブ　1051
SCARs
　→重症皮膚有害反応
SCAT（Sports Concussion Assessment Tool）　645
scene to ER time　52
SCORTEN スコア　525
SDB
　→浅達性Ⅱ度熱傷
SDM
　→共同意思決定
secondary survey　113, 170, 649, 654, 663, 671, 678, 690, 712
Sepsis-3　597, 1118
SF-36（36-item Short Form Health Surveys）　1281
SFTS
　→重症熱性血小板減少症候群
SGLT2阻害薬　470
SIADH
　→抗利尿ホルモン不適合分泌症候群
Sibai の診断基準　581
SIC（sepsis-induced coagulopathy）　1174
Sieve 法　1221
silent chest　269
SIMV
　→同期式間欠的強制換気
SINS（Spine Instability Neoplastic Score）　877
SIRS
　→全身性炎症反応症候群
Sjögren 症候群　365
SLEDD
　→持続的低効率血液透析
SLIC system　660
smaller SMV sign　433
Smart 法　1221
Smith 骨折　510
sniffing position　914
SNNOOP10　219
SOFA スコア　1115
soft sign　653, 654, 701
sonographic Murphy's sign　183
Sort 法　1222
spine sign　181
Splinter 出血　333
spontaneous モード　936
SSCG（Surviving Sepsis Campaign Guideline）　597
SSEH
　→特発性脊髄硬膜外血腫
SSEP
　→短潜時体性感覚誘発電位
SSSS
　→ブドウ球菌性熱傷様皮膚症候群
standard precautions
　→標準予防策
Stanford 分類　378
START 法　1218
static image guidance　975
STEMI
　→ST 上昇型心筋梗塞
Stevens-Johnson 症候群　332, 521
Stewart approach　158
stridor　129, 266, 648, 801
STSS
　→劇症型溶血性レンサ球菌感染症
ST 上昇型心筋梗塞　249, 374
sucking chest wound　670
Supine Roll 法　214
supine sign　851
SVS 分類　393
Swan-Ganz カテーテル　980
Swansea criteria　581
Swiss ステージング分類　779
S 状結腸軸捻転　438

T

TACO
　→輸血関連循環過負荷
TAE
　→経カテーテル的動脈塞栓術
TAFRO 症候群　488
talk and deteriorate（T and D）　645
TALK の原則　870
TAPSE
　→三尖弁輪収縮期移動距離
target sign　831
TARGET モデル　1304
TCP
　→経皮的ペーシング
TeamSTEPPS　1319

tertiary survey 114
Thompsonの2杯分尿法 313
thoracic pump theory 56
timedモード 936
TIMIリスクスコア 376
TLOC
　→一過性意識消失
TLRs（Toll-like receptors） 1119, 1168
TLS
　→腫瘍崩壊症候群
TMA
　→血栓性微小血管症
Todd麻痺 234
torsade de pointes 166, 399, 963
total prehospital time 50
Toynbee法 793
TQM（total quality management） 1272
TRALI
　→輸血関連急性肺障害
triangle of safety 930
tripod position 566, 567, 829
TRISS（Trauma and Injury Severity Score） 1282
Trousseau徴候 150
TRPG
　→三尖弁逆流圧格差
true electric injury 742
TSLS
　→トキシックショック様症候群
TSS
　→トキシックショック症候群
TTE
　→経胸壁心エコー
TTM
　→体温管理療法
TTP
　→血栓性血小板減少性紫斑病
tubal thickening sign 573
TVP
　→経静脈的ペーシング

U

uncomplicated B型解離 381

V

V-A ECMO 82, 991
VALI
　→人工呼吸器関連肺傷害
Valsalva法 793
VAP
　→人工呼吸器関連肺炎

VAS（Visual Analogue Scale） 1192
VF
　→心室細動
VIDD
　→人工呼吸器誘発性横隔膜障害
VILI
　→人工呼吸器誘発肺傷害
VitalTalk 1418
VO_2
　→酸素消費量
Volkmann拘縮 706
VRE
　→バンコマイシン耐性腸球菌
VT
　→心室頻拍
VTE
　→静脈血栓塞栓症
V-V ECMO 994
VZV
　→水痘・帯状疱疹ウイルス

W

waist sign 573
wake-up stroke 348
Waldenströmマクログロブリン血症 488
Wenckebach型2度房室ブロック 164
Wernicke脳症 229, 359, 480
Westleyスコア 829
WFNS分類 349
wheeze 129, 269, 802
Whippleの三徴 469
whirl sign 439

Y

Young-Burgess分類 691

あ

アイスバス 777
アウトカム指標 1273, 1280
あえぎ呼吸 87
亜急性硬化性全脳炎 626
アクシデント 1315, 1326
悪性腫瘍 151, 275
悪性症候群 866
亜酸化窒素 1023
アジア蘇生協議会 61
アシデミア 156
アスピリン 323, 375, 1181
アスピリン中毒 765
アセトアミノフェン 323, 436, 1181
アセトアミノフェン中毒 765

アセトン臭 470
圧外傷 793
圧挫症候群
　→クラッシュ症候群
圧支持換気 936, 945
アデノシン三リン酸
　→ ATP
アテローム血栓性脳梗塞 345
アドバンス・ケア・プランニング 1389, 1410
アドレナリン 63, 73, 87, 490, 600
アナフィラキシー 76, 267, 331, 490, 516, 811
アニオンギャップ 156, 474
アニオンギャップ開大性アシドーシス 159
アニオンギャップ正常性アシドーシス 159
アニサキス 293, 517, 518
アミオダロン 65, 74
アルカレミア 156
アルギニン 1187
アルコール依存症 336, 480, 866
アルコール性肝炎 456
アルコール性ケトアシドーシス 471
アルコール離脱症候群 336, 864
アルブミン製剤 197, 203, 599, 718
安静時呼吸困難 265
アンダーセンシング 970
アンチトロンビン活性 1170
アンチトロンビン製剤 604
安定ヨウ素剤 1264
アンデキサネットアルファ 646
アンフェタミン中毒 262

い

胃管挿入 1047
意識障害 208
意識消失 240, 382
意識レベル 139, 208
意思決定支援 1425
医事紛争 1335
胃・十二指腸潰瘍 661
胃・十二指腸穿孔 430
異常高体温 319
異状死 1331, 1438
異常子宮出血 577
異所性妊娠 579
胃洗浄 752, 1048
イダルシズマブ 646
一次救命処置 69, 80, 90, 797
一次性頭痛 219, 223
一次性脳損傷 138, 635

索引

一次性無呼吸　86
一次トリアージ　1217
一部負担金減免制度　900
一過性意識消失　237
一酸化炭素中毒　763
遺伝性血管性浮腫　494
遺伝性不整脈　397
異物除去　79, 802, 948, 1045
医薬品・医療機器等安全性情報報告制度　194
医薬品医療機器等法　193
医薬品添付文書　194
医薬品副作用被害救済制度　194
医療安全　1314
医療・介護関連肺炎　408
医療過誤　1315
医療関連感染　1348
医療関連機器圧迫創傷　941
医療計画　7
医療事故　1315, 1332, 1339
医療事故情報収集等事業　1329
医療事故調査制度　1331
医療事故調査等支援団体　1333
医療訴訟　1335
医療的ケア児　19
医療費　1306
医療法　7
医療保護入院　859
医療倫理　1364
イレウス　432
イレウス管　1055
陰圧閉鎖療法　1166
院外心停止　65
咽喉頭異物　801
咽後膿瘍　327, 567
インシデント　1314, 1326
インスリノーマ　469
インターディシプリナリ・モデル　1297
咽頭炎　325
咽頭痛　324
院内感染　1346, 1348
院内災害対策本部　1237
院内トリアージ　117
院内肺炎　408
インフォームド・アセント　1385
インフォームド・コンセント　1383, 1397
インフルエンザワクチン　1360

う

ウイルス性胃腸炎　294, 827, 834
ウイルス性気道感染症　833
ウイルス性髄膜炎　354
ウイルス性脳炎　356
植込み型除細動器　377, 400, 966
ウォーターパッド体温管理装置　1181
受取物等返還義務　1451
右室梗塞　377
右心不全　1153
うっ血性心不全　402
ウツタイン様式　61, 65, 1286
うつ病　339, 860
ウルソデオキシコール酸　455
運動麻痺　231, 344

え

エアロゾル　622, 926, 1344
栄養チューブ　1185
会陰裂傷　589
液性免疫障害　888
易疲労感　328
壊死性感染症　610
壊死性筋膜炎　333, 609
壊死性軟部組織感染症　609
壊疽性膿瘡　333
エダラボン　348
エチレングリコール中毒　762
エネルギー消費量　1183
エピペン　35, 76, 490
エホバの証人　1383, 1387
エボラ出血熱　624
エラー　1314
遠隔ICU　1112
嚥下時痛　324
塩酸　728
エンテロウイルス　833
延命措置　1375

お

横隔膜損傷　675
応急入院　859
応召義務　1452
黄色ブドウ球菌　293, 331, 609
嘔吐　291, 941
横紋筋融解症　512
オーサーシップ　1398
オーバーセンシング　970
オーバーラップ症候群　412
悪心　291
オニダルマオコゼ　810
オピオイド中毒　769
オリンピック・パラリンピック　1234
オンラインメディカルコントロール　41

か

カーバメート中毒　758
外陰血腫　590
開胸CPR　75
開胸（直接）心マッサージ　632, 1003
下位頸椎損傷　660
介護タクシー　906
外固定　1066
外耳道異物　568, 805
外傷CT　172
外傷死の三徴　630, 680
外傷初期診療　112, 629
外傷性凝固障害　1176
外傷性くも膜下出血　640
外傷性視交叉症候群　651
外傷性視神経症　556, 638
外傷性髄液漏　644
外傷性てんかん　645
外傷性頭頸部血管障害　644
外傷性脳内血腫　638
外傷センター　1284
外傷専門医　1283
外傷パンスキャン　173
疥癬　544
疥癬トンネル　545
咳嗽　271
介達牽引　1068
解凍　739
開頭外減圧術　348
解凍赤血球液-LR　201
開腹手術　681
開放型酸素マスク　934
開放骨折　703
開放性気胸　670
開放性骨盤骨折　696
加温輸液　783, 1181
化学眼外傷　558
下顎挙上　123, 629
下顎骨骨折　649
化学剤　1241
化学損傷　726
化学テロ　1241
化学熱傷　726
過換気症候群　339
可逆性後頭葉白質脳症　358, 402, 581
可逆性脳血管攣縮症候群　219, 359
角化型疥癬　546
顎関節脱臼　1076
覚醒剤中毒　769
覚醒剤取締法　1454

下肢静脈エコー 383
下肢伸展挙上テスト 501
カシリビマブ/イムデビマブ 621
ガス壊疽 610, 704
加速型-悪性高血圧 262, 402
家族性多発性内分泌腫瘍症 478
ガソリン 731
下大静脈フィルター 386
肩関節脱臼 1073
片肺挿管 915
カタルシス 872
カタル症状 626
カツオノエボシ 810
脚気 480
脚気心 480
喀血 277
褐色細胞腫クリーゼ 262, 478
褐色尿 312
活性炭 752, 1106
喀痰検査 272
カテーテル関連血流感染 956
仮名加工情報 1447
化膿性関節炎 497, 1039
化膿性脊椎炎 306, 502
痂皮性膿痂疹 538, 541
過敏性肺炎 421
カフェイン中毒 766
下部消化管出血 283, 440
ガムエラスティックブジー 917
硝子体出血 550
カルシウム拮抗薬中毒 768
カルシトニン 151
カルテ 1340
カルディオバージョン 963
カルバペネム耐性腸内細菌目細菌 1345
川崎病 332, 531
簡易酸素マスク 934
肝移植 456
眼異物 805
眼外傷 554, 651, 1251
感覚障害 231
眼窩（底）骨折 555
眼窩コンパートメント症候群 1251
眼窩壁骨折 650
眼窩蜂窩織炎 221
冠灌流圧 74
がん関連血栓症 879
眼球運動 210
がん救急 875
眼球所見 344
眼球破裂 555, 651
緩下剤 753

間欠的腎代替療法 1157
観血的整復 1069
観血的動脈圧測定 954
肝硬変 456
寛骨臼骨折 688, 696
監察医制度 1441
患肢温存 705
環軸関節脱臼 658
間質性肺炎 418
間質性肺疾患 418
患者・家族ケア 1422
肝周囲炎 431
緩衝作用 154
眼振 213
肝腎症候群 457
肝性脳症 457
がん性腹膜炎 431
関節液検査 497
関節穿刺 1038
間接熱量計 1183
完全自由主義 1393
感染性関節炎 497
感染制御チーム 1347
感染性下痢症 297, 299
感染性心内膜炎 333, 391, 403
感染性膵壊死 448
感染性腸疾患 435
感染対策チェックリスト 1349
完全房室ブロック 164
肝損傷 683
環椎後頭関節脱臼 658
環椎破裂骨折 658
感度 111
嵌頓包茎 831
肝膿瘍 453
肝庇護療法 455
カンピロバクター 294
顔面 CT 172
顔面外傷 648
顔面骨骨折 649, 651
顔面神経麻痺 364, 650
顔面帯状疱疹 534
関連痛 285, 304
緩和ケア 1415
緩和的治療 721

き

気圧障害 785
キーワード方式 46, 51
期外収縮 257
機械性蕁麻疹 517
機械の合併症 377
機械的血栓回収療法 347, 353

機械的CPR 75
気管異物 801
気管支異物 801
気管支拡張症 279
気管支鏡 948
気管支鏡的止血術 281
気管支喘息 269, 412, 828
気管支損傷 673
気管支動脈塞栓術 281
気管支肺胞洗浄 420, 949
気管支ファイバースコープ 723
気管食道瘻 928
気管切開 124, 922, 924
気管挿管 74, 124, 912
気管損傷 655, 673
気管チューブ 913
気管腕頭動脈瘻 928
被虐待児頭部外傷 644
気胸 249, 269, 424, 929, 931, 942, 961
偽性喀血 277
偽性腸閉塞 300
偽痛風 499, 1040
拮抗薬 188, 755, 1238
気道異物 79, 267, 801, 830
気道確保 63, 71, 74, 91, 123, 629, 912, 920
気道狭窄 123, 267, 653, 928
気道損傷 267, 722, 916, 949
気道熱傷 722, 949
気道閉塞 123, 267, 648, 653, 669, 928
気道閉塞圧 1137
起動要素 1322
機能性神経症状 235
機能性ディスペプシア 295
ギプス障害 1069
ギプス包帯 1066
気分障害 860
基本的人権 1450
偽膜性大腸炎 299
逆作動薬 188
逆スキーズ 793
虐待 713, 823, 852, 894, 1432, 1456
虐待対応チーム 824
吸気時無呼吸 345
吸気性呼吸困難 265
救急安心センター 16
救急医学 5
救急医療管理加算 1309
救急医療情報センター 16
救急科専門医 5, 23, 1291

索引

救急患者 3, 9
救急救命士 32
救急救命士法 32
救急救命処置 32, 34, 37
救急告示制度 10
救急車 906
救急隊員 36
弓状骨折 832
急性異常出血 577
急性陰嚢症 465
急性咳嗽 271, 273
急性下肢虚血 393
急性肝炎 452
急性冠症候群 165, 248, 250, 262, 305, 374
急性感染性電撃性紫斑病 612
急性肝不全 454
急性期DIC診断基準 1173
急性喉頭蓋炎 267, 326, 565, 828
急性硬膜外血腫 638
急性硬膜下血腫 638, 644
急性呼吸促迫症候群
　→ ARDS
急性骨髄性白血病 486
急性コリン作動性症候群 758
急性細菌性前立腺炎 463
急性散在性脳脊髄炎 356
急性症候性発作 226
急性腎障害 1155
急性心嚢減圧症候群 978
急性心不全／心不全 262, 268, 279, 377, 582, 1148
急性腎不全 708
急性膵炎 446
急性ストレス障害 896
急性前骨髄球性白血病 486
急性巣状細菌性腎炎 460
急性代謝性中毒性脳症 358
急性大動脈解離 234, 248, 251, 262, 294, 305, 315, 378, 841
急性胆管炎 450
急性単純性膀胱炎 463
急性胆嚢炎 183, 450
急性中耳炎 560
急性虫垂炎 436
急性中毒 747
急性動脈閉塞 393
急性妊娠脂肪肝 581
急性汎発性発疹性膿疱症 333, 523
急性腹症 433
急性副腎不全 478
急性放射線症候群 1260
急性腰痛 302
急性緑内障発作 294, 552
急性リンパ球性白血病 484, 487
急速遂娩 93
吸入ステロイド薬 413
救命救急センター 2, 12, 1290
救命救急センター充実段階評価 6, 1275
救命救急入院料 1308
救命の連鎖 63, 69, 78
気腫性腎盂腎炎 459
胸郭包み込み両母指圧迫法 87
胸腔穿刺 425
胸腔ドレナージ 425, 670, 671, 929
凝固系分子マーカー 1171
胸骨圧迫 56, 63, 71, 80, 86, 91
胸骨圧迫比率 58, 74
頬骨弓骨折 650
狭心症 165
胸水貯留 425
胸腺腫関連重症筋無力症 367
胸痛 246, 374, 378, 382, 390, 402
共同意思決定 1367
胸部CT 172
胸部外傷 667
胸部下行大動脈遮断 632, 1003
胸部大動脈損傷 672
胸部大動脈瘤破裂 381
胸部突き上げ 79, 802
胸膜炎 249, 425
胸腰椎損傷 660
強力ネオミノファーゲンC 455
局所急性高線量被ばく 1260
局所性脳損傷 638
局所性破傷風 608
局所脳酸素飽和度 1128
局所麻酔薬中毒 94, 843
虚血性心疾患 165
虚血性腸炎 438
起立性低血圧 238
キルシュナー鋼線 1068
緊急措置入院 858
緊急度 3, 110, 117
緊急内視鏡 1042
緊急避妊 896
緊急被ばく医療 1259, 1261
緊急輸血 204
筋区画内圧 706, 1079, 1082
筋弛緩薬 1024, 1132
筋腎代謝症候群 393
金属コイル 1092
緊張型頭痛 223
緊張性気胸 269, 424, 670
筋膜切開 707, 1082

く

クインケ浮腫 517
空気感染予防策 1343
偶発所見 173
偶発性低体温症／低体温症 75, 167, 779
クーリング 323, 1181
駆血帯 699
口すぼめ呼吸 128
駆動圧 1136
クプラ結石症 563
熊本地震 1224
くも膜下出血 168, 219, 222, 294, 349, 640, 1029
クライシスコミュニケーション 1270
クライシスマネジメント 1267
クラッシュ症候群 707, 1083
クラミジア肺炎 275
クリーゼ 369
クリオプレシピテート 202, 1177
グリコカリックス 195, 1120
クリニカルシナリオ分類 1150
クループ 267, 829
グルコース・インスリン療法 149
グルタミン 1187
クロイツフェルト・ヤコブ病 1358
クロストリジウム性筋壊死 610
群発呼吸 345
群発頭痛 224

け

経カテーテル大動脈弁留置術 387
経カテーテル的動脈塞栓術 695, 1091
頸管裂傷 588
経胸壁心エコー 379, 383
経験の学習サイクル 1305
警告頭痛 349
脛骨高原（プラトー）骨折 1041
経済的虐待 852
軽症頭部外傷 644
経静脈栄養 601, 1184
頸静脈損傷 655
経静脈的ペーシング 969
頸髄損傷 657, 916
経腸栄養 447, 601, 1184, 1189
頸椎カラー 662, 663
頸椎椎間板ヘルニア 502
頸動脈エコー 380
頸動脈損傷 655
頸動脈洞症候群 239
経肺圧 1137

経鼻胃管 1055
経鼻カニューレ 933
経皮的冠動脈インターベンション 99, 376
経皮的気管切開 926
経皮的ペーシング 969
頸部外傷 652
傾眠 209
けいれん 226, 826, 842
けいれん性イレウス 432
けいれん性失神 241
外科的気管切開 926
外科的気道確保 124, 629
外科的血腫除去 351
外科的人工弁置換術 387
劇症型心筋炎 388
劇症型溶血性レンサ球菌感染症 331, 540, 613
劇症肝炎 454
下血 282, 442
ケタミン 1018, 1023, 1195
血液濾過 1102
血圧 132, 817, 849
血液温 1180
血液型検査 200
血液吸着 1102, 1106
血液凝固因子製剤 204
血液剤 1242
血液浄化量 1158
血液浄化療法 754, 1102, 1155
血液・体液曝露 1356
血液透析 1102
血液培養検査 321
血液分布異常性ショック 134
血液濾過透析 1102
結核 275, 279, 624, 1359
結核性髄膜炎 354
結核性腹膜炎 1035
血管収縮薬 600
血管性浮腫 267, 516
血管造影検査 175
血管損傷 701
血管内体温管理装置 1182
血管迷走神経性失神 239
血気胸 425, 978
血球貪食症候群 488
血球貪食性リンパ組織球症 488
血胸 929, 931
月経 835
血漿吸着 1102
血漿交換 1102
血漿浄化療法 363
結晶沈着性関節炎 1040

血小板製剤 202
血漿分画製剤 203
血色素尿 312
血清腹水アルブミン勾配 1034
血栓性血小板減少性紫斑病 491, 1175
血栓性微小血管症 491, 1175
血栓弁 387
血栓溶解療法 347, 385, 740
血痰 277
結腸損傷 682
血尿 308, 312, 464
血便 282, 440
血友病 495
解毒薬 755, 1238
解熱薬 322, 1180
下痢 297, 1189
ゲルシンガー事件 1396
減圧開腹術 1166
減圧症 785
減圧障害 785
研究倫理 1395
健康危機管理 1266
肩甲骨回旋法 1073
減災 1208
幻視 335
原子力災害 1258
原子力災害医療協力機関 1264
原子力災害医療・総合支援センター 1265
原子力災害拠点病院 1264
倦怠感 328
減張切開 1082
犬吠様咳嗽 829
原発性骨髄線維症 486
原発性副甲状腺機能亢進症 151
原発性マクログロブリン血症 488
原発性免疫不全症 883
顕微鏡的血尿 312

こ

誤飲 814, 830
抗D人免疫グロブリン 203, 845
抗HBs人免疫グロブリン 203
抗NMDA受容体脳炎 357
広域医療搬送 1214, 1229
広域災害救急医療情報システム 1214, 1269
広域集中治療搬送システム 1112
高位脊髄くも膜下麻酔 842
口咽頭エアウエイ 123
高額療養費貸付制度 900
高額療養費制度 900

高カリウム血症 149, 167, 207, 707
高カルシウム血症 151, 167, 877
抗がん剤 295
高気圧酸素治療 790, 793
抗凝固薬 646
抗凝固療法 348, 353, 385, 396, 603, 1175
口腔アレルギー症候群 516
口腔・咽喉頭部感染症 325
航空機搬送 906
口腔底蜂窩織炎
→ Ludwig's angina
高血圧緊急症 136, 259, 260, 294, 401
高血圧性脳出血 350
高血圧性脳症 261, 401
高血圧切迫症 136, 259, 260
抗血小板薬 375, 646
抗血小板療法 348
抗血栓薬 646
抗血栓療法 351
抗コリン薬 307
交叉性片麻痺 231, 232
交差適合試験 200
好酸球性肺炎 423
好酸球性肺疾患 423
好酸球増多症 487
抗酸菌感染症 279
甲状腺機能亢進症 149
甲状腺機能低下症 474
甲状腺クリーゼ 476
高浸透圧高血糖状態 469
高浸透圧利尿薬 643
合成血液-LR 201
合成甲状腺ホルモン製剤 475
抗精神病薬 335
向精神薬 866
抗線維化薬 420
高体温症 319
高張食塩液 643
後天性QT延長症候群 399
後天性血友病 495
後天性免疫不全症候群
→ AIDS
喉頭損傷 655
抗毒素 809, 811
高度被ばく医療支援センター 1264
高度房室ブロック 164
高ナトリウム血症 147
抗破傷風人免疫グロブリン 203, 608
紅斑 331
広範囲熱傷 715
後腹膜ガーゼパッキング 695

索引

後腹膜血腫　686
抗不整脈薬　65, 73, 377
興奮　337
鉤ヘルニア　209, 634, 1126
硬膜下圧　1097
硬膜外圧　1097
硬膜外血腫　306, 638
高マグネシウム血症　152
肛門周囲膿瘍　442
絞扼性腸閉塞　432
功利主義　1392
高リスク受傷機転　642
抗利尿ホルモン不適合分泌症候群
　145, 879
高リン血症　152
高齢者外傷　850
高齢者虐待　852, 1458
高齢者虐待防止法　854
高齢者救急医療　15, 847
高齢者の薬物動態　193
誤嚥　830, 916, 941, 1189
コードブルー　1322
コカイン中毒　262
股関節脱臼　1074
呼気終末陽圧　945, 1135
呼気性呼吸困難　265
呼吸困難　265, 382, 390
呼吸数　127, 849, 1136
呼吸性アシドーシス　161
呼吸性アルカローシス　161
呼吸不全　127, 268, 881, 890
呼吸様式　128
国際蘇生連絡委員会　61
黒色痂皮　333
国民健康保険　899
個人情報　1397, 1446
個人情報保護法　1446
個人防護具　1240, 1342
骨髄異形成症候群　486
骨髄系腫瘍　484
骨髄路輸液　199
骨折整復　700, 1066
骨粗鬆症　506, 851
骨端線損傷　832
骨盤ガーゼパッキング　695
骨盤骨折　688
骨盤内炎症性疾患　431, 572
骨盤腹膜炎　572
骨盤輪損傷　688, 690, 691, 695
固定翼機　907
子ども医療電話相談　15, 16
コバラミン異常症　492
後負荷　133

コプリック斑　528, 626
鼓膜温　1180
コミュニケーションエラー　1318
コレクティングポイント　1255
混合性呼吸困難　265
昏睡　209
困難気道　124
コンパートメント症候群　393, 706,
　708, 717, 1079, 1082
コンベックスプローブ　177
昏迷　209

さ

サーベイメータ　1260
再圧治療　792
災害医療　1206, 1213
災害医療コーディネーター　1215
災害救助法　1213
災害拠点病院　1214
災害サイクル　1208
災害時健康危機管理支援チーム
　→ DHEAT
災害弱者　1208
災害対策基本法　1213
災害派遣医療チーム
　→ DMAT
再灌流療法　99
催奇形性　192
細菌性角膜炎　551
細菌性髄膜炎　354, 826
細菌性肺炎　409
最高気道内圧　1136
再生医療　665
在宅ドクターカー　44
サイトカイン　1120
細胞外液　195
細胞外液補充液　196
細胞性免疫障害　886
再膨張性肺水腫　932
細胞内液　195
催涙剤　1244
酢酸リンゲル液　197
坐骨神経痛　500
左室自由壁破裂　377
左側門脈圧亢進症　428
殺虫剤　758
作動薬　188
サドル型感覚脱失　304
サルコペニア　457
サルモネラ　294
酸アルカリ薬傷　558
酸塩基平衡異常　154
産科DIC　586

産科異常出血　584
酸化カルシウム　731
産科危機的出血　585, 1008
三環系抗うつ薬中毒　768
三叉神経・自律神経性頭痛　221
三叉神経痛　325
三次救急医療機関　12
産褥血腫　589
三尖弁逆流圧格差　383
三尖弁収縮期移動距離　383
酸素運搬量　131
酸素消費量　131
酸素投与　128
酸素毒性　1141
酸素療法　933
産道損傷　588

し

シアン中毒　761
シーソー呼吸　128, 801
シーツラッピング　692
シーネ　1066
痔核　442
耳下腺管損傷　651
歯牙損傷　651, 916
自家培養表皮移植　720
子癇　580, 842
死冠　689
弛緩出血　587, 593
ジギタリス中毒　768
指揮調整要素　1323
子宮型羊水塞栓症　583
子宮頸部移動痛　287
糸球体疾患　316
子宮内バルーンタンポナーデ　588
子宮内反症　590
子宮内膜炎　573
子宮破裂　590, 845
軸椎関節突起間骨折　658
シクロオキシゲナーゼ阻害薬　323
刺激性ガス中毒　764
止血帯　1257
刺咬症　807
事後検証　41
自己免疫性脳炎　356
自己免疫性溶血性貧血　484
自殺　869
自殺総合対策大綱　869
自殺対策基本法　869
四肢外傷　699, 1250
四肢切断　704
四肢麻痺　231, 232, 362
視床下部調節系　208

自傷行為　336, 844
視神経管骨折　556, 638
視神経損傷　650, 652
システム改善要素　1323
自然気胸　425
死戦期呼吸　70, 80
死戦期帝王切開　93
自然災害　1207
持続的気道内陽圧　936
持続的血液濾過透析　1105
持続的腎代替療法　1157
持続的低効率血液透析　1157
死体血　1444
死体検案　1441
死体検案書　96, 1439
死体硬直　1442
事態対処医療　1253
市中肺炎　408
耳痛　560
シックデイ　478
失神　228, 237, 390
失調性呼吸　345, 637
児童虐待　823, 1458
指導救命士　36
自動体外式除細動器　71, 964, 965
歯突起骨折　658
自発覚醒トライアル　1139
自発呼吸トライアル　1139
自発呼吸誘発性肺傷害　947, 1133
シバリング　780, 1182
紫斑　331, 613
死斑　1442
死亡診断書　96, 1439
脂肪塞栓症候群　424
死亡届　1439
シミュレーション教育　1303
社会的処方　898
若年性頭部外傷症候群　644
斜偏倚　214
従圧式換気　944
周期性嘔吐症候群　295
周産期医療　835
周産期救急医療　13
周産期心筋症　582
重症急性呼吸器症候群　617
重症筋無力症　367
重症疾患多発ニューロパチー　371
重症疾患多発ニューロミオパチー　371
重症疾患多発ミオパチー　371
重症多形滲出性紅斑　521
重症多発外傷　629

重症デング熱　623
重症度　3, 110, 117
重症頭部外傷　642
重症熱性血小板減少症候群　617, 1357
重症皮膚有害反応　520
重炭酸リンゲル液　197
集中治療　1110
集中治療室　1110
十二指腸壁内血腫　682
十二指腸損傷　682
自由平等主義　1392
終末期　1410, 1423
従量式換気　944
手指衛生　1342
手指関節脱臼　1070
出血性黄体嚢胞　570
出血性ショック　113
ジュネーブ宣言　1365
守秘義務　1451, 1455
腫瘍崩壊症候群　879
循環器病対策推進基本計画　12
循環血液量減少性ショック　134
上位頸椎損傷　658
常位胎盤早期剝離　592
障害者虐待　1459
消化管異物　803, 804, 830
消化管止血　1045
消化管損傷　1087
焼痂切開/切除　720, 1082
笑気　1023
状況失神　239
小血管閉塞　346
症候性血尿　312
上行性ヘルニア　209
上行性網様体賦活系　208, 635
硝酸薬　375, 1150
硝酸　728
上室期外収縮　163
衝心脚気　480
上大静脈症候群　877
上腸間膜静脈閉塞症　432
上腸間膜動脈解離　434
上腸間膜動脈閉塞症　432
小腸穿孔　430, 677
小腸損傷　682
小腸閉塞　432, 1055
情緒不安定性パーソナリティ障害　863
消毒　1345
小児COVID-19関連多系統炎症性症候群　332

小児アセスメント・トライアングル　120
小児救急医療　14
小児早期警告スコア　78, 820
小児の薬物動態　191
小脳扁桃ヘルニア　209
上部消化管出血　283, 1008, 1042
消防防災ヘリコプター　10, 906
静脈血栓塞栓症　382, 604, 879
上腕骨顆上骨折　511
初期救急医療機関　11
褥瘡　542
食中毒　435, 1452
食道・胃静脈瘤破裂　428, 457, 1051
食道温　1180
食道穿孔　429
食道挿管　915
食道損傷　655, 675
食道断裂　429
食道破裂　249, 250, 429
食物依存性運動誘発アナフィラキシー　516
除細動器　71, 964
除染　726, 748, 1239, 1263
除草剤　759, 760
ショック　79, 133, 333, 1036
除脳硬直　139
除皮質硬直　139
徐脈　136, 849, 916
徐脈性不整脈　395
ジョンセンらの4分割表　1368
自律神経ニューロパチー　366
ジルチアゼム　396
痔瘻　442
人為災害　1207
心因性嘔吐　295
心因性非てんかん発作　228
腎盂腎炎　295, 459
心音　1146
心外閉塞・拘束性ショック　134
新型コロナウイルス感染症　275, 620
心筋炎　166, 388
心筋梗塞　165, 262, 294, 374, 842
心筋挫傷　674
真菌性髄膜炎　354
心筋バイオマーカー　249
神経因性膀胱　307
神経学的予後評価　102
神経筋電気刺激療法　1201
神経原性ショック　661, 662
神経剤　1241
神経サルコイドーシス　365
神経集中治療　1124

索引

神経除圧　665
神経損傷　702
神経調節性失神　239
神経特異エノラーゼ　103
神経内視鏡血腫除去　351
深頸部感染症　324, 828
心原性失神　238, 241
心原性ショック　134, 377, 992, 1148
心原性脳梗塞　346
心原性肺水腫　1147, 1150
人工肝補助療法　456
人工膠質液　197, 718
人工呼吸　59, 71, 80, 86, 91
人工呼吸器関連肺炎　408, 946
人工呼吸器関連肺傷害　947, 1139
人工呼吸器誘発性横隔膜障害　1141
人工呼吸器誘発肺傷害　1139
人工呼吸器離脱　946, 1137
人工真皮移植　720
進行性細菌性相乗性壊疽　609
腎梗塞　316, 462
人工弁置換術後　387
腎後性乏尿・無尿　308
深在性凍傷　736
心雑音　1146
心室期外収縮　164
心室細動　72, 164, 396, 963
心室中隔穿孔　377
心室頻拍　164, 257, 258, 377, 396, 963
心理的虐待　824, 852
心収縮能　133
侵襲性髄膜炎菌感染症　1359
侵襲性肺炎球菌感染症　492, 614
侵襲的陽圧換気　129, 943, 1135
滲出性下痢症　297
心静止　72
新生児蘇生　84, 93
腎性乏尿・無尿　308
腎前性乏尿・無尿　308
振戦せん妄　865
新鮮凍結血漿　202
心臓アナフィラキシー　491
心臓震盪　668
腎損傷　315, 685
身体拘束　1374
深大性呼吸　127
腎代替療法　1155
身体的虐待　824, 852
深達性II度熱傷　709
診断的腹腔鏡　1089
診断的腹腔洗浄　1087

心タンポナーデ　181, 389, 671, 908, 972
心停止後症候群　94, 98, 1127, 1129
心停止後臓器提供　1434
心電図伝送　163
浸透圧性下痢症　297
浸透圧性脱髄症候群　145
人道的緊急事態　1208
心囊液貯留　972
心囊開窓　976
心囊穿刺　671, 973
腎膿瘍　461
心肺虚脱型羊水塞栓症　583
心肺蘇生　56, 69, 797, 881
心拍出量　132, 1148
深部静脈血栓症　183, 382
心不全/急性心不全　262, 268, 279, 377, 582, 1148
深部縫合　1062
心房細動　164, 257, 395, 963
心房粗動　164, 257, 963
心膜炎　166, 249, 389
心膜切開　1003
蕁麻疹　516
診療放射線技師　1296
診療報酬　1306
診療報酬明細書　1307

す

髄液検査　355, 826
膵炎後貯留　448
水酸化カリウム　730
水酸化ナトリウム　730
水腎症　183
膵損傷　684
垂直マットレス縫合　1062
水痘　533, 1358
水痘・帯状疱疹ウイルス　533
髄内釘固定　1069
水平マットレス縫合　1062
水疱　739
水疱性膿痂疹　538, 541
髄膜炎　223, 353, 614, 1029, 1359
髄膜炎菌ワクチン　1361
髄膜脳炎　356
頭蓋骨円蓋部骨折　640
頭蓋骨骨折　640
頭蓋底骨折　640
頭蓋内圧　636, 1095
頭蓋内圧亢進　138, 636, 640, 643, 1095, 1124
スガマデクス　1024
スキップ・ブリージング　785

頭痛　219
ステロイド　1132
ステントグラフト内挿術　673
ストラクチャー指標　1273, 1279
スルファジアジン銀クリーム　712, 719, 720

せ

セアカゴケグモ　811
生活困窮者　898
生活保護　901
性感染症　466
性器異物　805
性器クラミジア感染症　466
生活困窮者自立支援制度　901
脆弱性骨盤骨折　507, 851
脆弱性脊椎骨折　506
正所異所同時妊娠　579
正常血糖ケトアシドーシス　470
正常体温　142, 318
成人T細胞性白血病　487
精神科救急医療　15, 857
精神科救急情報センター　16
精神科リエゾン　721
成人先天性心疾患　402
精神保健福祉法　858
精巣上体炎　465
精巣捻転　466
性的虐待　824, 852
制吐薬　295
性犯罪　895, 1457
性犯罪・性暴力被害者のためのワンストップ支援センター　896, 1457
生物学的結紮　587
生物剤　1244
生物テロ　1244
生物由来製品感染等被害救済制度　194
性暴力　895, 1457
生命の尊厳　1372
生命倫理　1365
声門上器具　123
声門上気道デバイス　74
生理食塩液　196
セカンドハラスメント　894
セカンドレイプ　894
脊髄圧迫　303, 877
脊髄圧迫症候群　305
脊髄ショック　660
脊髄損傷　657, 660
脊椎圧迫骨折　851
脊椎硬膜外膿瘍　306
脊椎固定　665

脊椎疾患　302
脊椎損傷　657，658
セクタプローブ　177
舌咽神経痛　325
石灰硫黄合剤　731
節外性NKT細胞リンパ腫　487
赤血球液-LR　201
赤血球系疾患　484
赤血球製剤　200
接触感染予防策　1343
絶対的貧困　898
切断肢　704
切迫するD　138，630，637，642
切迫早産　845
説明義務　1450
セボフルラン　1022
ゼラチンスポンジ　1091
セルフ・ネグレクト　1459
セレスキュー　1091
セロトニン症候群　867
ゼロポジション法　1073
遷延性咳嗽　271，273
前期破水　845
全国メディカルコントロール協議会連絡会　40
浅在性凍傷　736
前酸素化　913，1027
前失神　212，237
洗浄赤血球液-LR　201
全身性炎症反応症候群　800，1118，1169
全身性破傷風　607
全人的苦痛緩和　1424
潜水反射　797
全脊髄くも膜下麻酔　842
浅達性Ⅱ度熱傷　709
前置胎盤　593
疝痛　285
前庭神経炎　294，563
先天性QT延長症候群　398
先天性心疾患　402
先天性水痘症候群　533
先天梅毒　529
前頭洞骨折　651
浅表性呼吸　127
前負荷　132
前房出血　554
せん妄　335，942，1193，1197，1201
専門研修　1305
専門除染　1240
線溶系分子マーカー　1171
線溶亢進型DIC　1172
線溶抑制型DIC　1172

前立腺炎　463
前立腺膿瘍　464
前立腺肥大症　307，316
線量評価　1263

そ

躁うつ病　861
創外固定　693，697，700，1067，1069
臓器移植　889
早期再分極症候群　399
早期内固定　1067
双極性感情障害　861
双極性障害（双極症）　339
早期リハビリテーション　604，1199，1201
造血機能　482
総合周産期母子医療センター　13
双手圧迫　588
創傷　1060
創傷被覆材　719，1064
相対的貧困　898
総胆管結石　450
創閉鎖　1062，1064
僧帽弁逆流症　387
僧帽弁乳頭筋断裂　377
ゾーニング　1239，1254，1349
即時除染　1239
促進的インシデントモニタリング　1329
続発性気胸　425
続発性免疫不全症　883
鼠径ヘルニア嵌頓　831
組織低酸素　127
蘇生の開胸術　632，999
蘇生の開腹術　632，680，686
蘇生的子宮切開術　93
塑性変形　832
措置入院　858
ソトロビマブ　622
ソフトドリンクケトーシス　469
尊厳　1372
尊厳死　1376

た

ターニケット　1257
タール便　282，284
第一印象　109
体液貯留　1152
対応要素　1322
体温管理　144，1179
体温管理療法　82，100，643，1179
体温測定　143，318，1180

体温調節機構　142，780
体腔内加温　782
胎児毒性　192
代謝性アシドーシス　158，469，798
代謝性アルカローシス　160
代償性ショック　79
代償反応　156
帯状疱疹　533
帯状疱疹ワクチン　1361
体性痛　246，249，285
体送性右心室　402
大腿骨近位部骨折　851
大腿骨頸部骨折　508
大腿骨転子部骨折　508
大腿神経伸展テスト　501
大腸がん　300，440
大腸虚血　438
大腸憩室炎　440
大腸通過正常型便秘　300
大腸通過遅延型便秘　300
大腸閉塞　440
大動脈解離診断リスクスコア　249，379
大動脈遮断用バルーン　1006
大動脈内バルーンパンピング
　→IABP
大動脈弁狭窄症　386
大動脈瘤破裂　381
大脳鎌下ヘルニア　209
胎盤早期剥離　586，592，845
胎盤卵膜遺残　591
体表加温　782，1181
大麻　1453
大理石斑　785
大量喀血　277
大量血胸　670
大量腹水/腹水　457，1033
大量輸血プロトコル　204，586，631
たこつぼ症候群　390
多剤耐性アシネトバクター　1345
多剤耐性緑膿菌　1345
タスキギー事件　1384，1395
脱衣　143，712，1239
脱臼整復　665
脱力感　328
多発神経根ニューロパチー　366
多発性骨髄腫　488
多発単ニューロパチー　366
多発ニューロパチー　366
ダビガトラン　646
ダメージコントロール戦略　630，680，686
痰/喀痰　271，948

索引

単結節縫合　1062
炭酸水素ナトリウム　730
短時間作用性β₂刺激薬　416, 418
胆汁性腹膜炎　431
単純X線検査　169
単純型熱性けいれん　827
単純性腸閉塞　432
単純性癒着性腸閉塞　432
単純ヘルペス脳炎　357
胆石症　449
胆石性膵炎　448
短潜時体性感覚誘発電位　103
炭疽　1244
胆道結石　448
丹毒　538, 541
ダントロレン　1181
単ニューロパチー　366
蛋白代謝　1188
蛋白投与量　1187
単麻痺　231, 232

ち

チアノーゼ　88, 403, 817
チアノーゼ性心疾患　403
地域医療構想　18
地域医療搬送　1229
地域周産期母子医療センター　13
地域包括ケアシステム　19
地域メディカルコントロール協議会　39
チーム医療　1295, 1425
チオペンタール　1016
チクングニア熱　532
致死的喘息　76
窒息　801
窒息剤　1244
腟損傷　696
腟壁血腫　589
腟壁裂傷　589
遅発性外傷性脳内血腫　638
遅発性肝不全　454
チャールソン併存疾患指数　452
着床部位不明異所性妊娠　579
中耳圧外傷　793
中耳スキーズ　793
中心静脈カテーテル　958
中心静脈路輸液　199
中心性ヘルニア　209
中枢神経系感染症　345, 826
中枢性塩類喪失症候群　145
中枢性チアノーゼ　88, 817
中枢性発作性頭位めまい症　217
中東呼吸器症候群　619

中毒　747, 758
中毒疹　527
中毒性表皮壊死症　332, 522
肘内障　832
超音波検査　171, 176
聴覚器損傷　1251
長距離搬送　904
長時間作用性β₂刺激薬　413
長時間作用性抗コリン薬　417
腸軸捻転　438
腸重積症　831
腸洗浄　753
腸閉塞　294, 300, 432, 1055
腸腰筋膿瘍　503
チョークサイン　801
直接作用型経口抗凝固薬
　→ DOAC
直達牽引　1068
直腸異物　804
直腸温　1180
直腸損傷　682, 696
著作権　1399
鎮静　601, 1192
鎮痛　601, 1192

つ

椎間板ヘルニア　500, 502
椎骨動脈解離　217, 352
椎骨動脈損傷　655, 660
対麻痺　231, 232
通常疥癬　545
痛風　498, 1040
痛風関節炎　498
ツツガムシ病　333

て

手足口病　528, 531
低アルブミン血症　457
ディーゼル燃料　731
ディオバン事件　1396
低温熱傷　733
低カリウム血症　148, 167, 1159
低カルシウム血症　150, 167, 207
低血糖　234, 468, 827
低酸素血症　127, 933, 943
低ナトリウム血症　145, 295, 879
低フィブリノゲン血症　586
低マグネシウム血症　151, 1159
低リン血症　152, 1159
デキサメタゾン　622
溺水　76, 796
デキストラン製剤　197
デクスメデトミジン　1017, 1195

出口問題　21
デグロービング損傷　705
デスフルラン　1022
デブリドマン　611, 704, 720, 1062
転医義務　1450
転移性眼内炎　553
転移性脊髄圧迫　306
電解質異常　145
てんかん　226, 228, 827
てんかん重積状態　101, 229
てんかん発作　101
電気ショック　71, 72, 963
電気的除細動　396
テングタケ中毒　770
デング熱　532, 623
電撃傷　742
点状出血　333, 391
伝染性紅斑　528, 531
伝染性膿痂疹　538, 541
テント切痕ヘルニア　209, 634, 1126
天然痘　1245
デンバー式発達スクリーニング検査　814
電紋　744
電流斑　742

と

動眼神経麻痺　557
動悸　253
同期式間欠的強制換気　945
同期電気ショック　963
瞳孔異常　139
統合失調症　862
橈骨遠位端骨折　509
導出18誘導心電図　162
同種皮膚移植　720
凍傷　736
洞徐脈　163
糖尿病ケトアシドーシス　469
糖尿病性ニューロパチー　366
糖尿病治療関連性ニューロパチー　366
洞頻脈　163, 257
頭部CT　172
頭部外傷　634, 832, 1129, 1179, 1252
頭部後屈あご先挙上　71, 123, 629
洞不全症候群　163, 258, 395
頭部打撲　645
動物咬傷　812
頭部軟部組織損傷　641
頭部破傷風　608
動脈ガス塞栓症　785, 788

索引

動脈血ガス分析　130
動脈シース挿入　955
動脈穿刺　954，961
灯油　731
トキシックショック症候群　331，539
トキシックショック様症候群　539
トキシドローム　749
特異度　111
毒グモ　811
ドクターカー　10，44，906
ドクターヘリ　10，48，906
特定行為　34，35，1297，1301
特定生物由来製品　193
特定保険医療材料　1310
特定臨床研究　1401，1404
特発性喀血症　279
特発性間質性肺炎　418
特発性血小板減少性紫斑病　494
特発性細菌性腹膜炎　431，1035
特発性食道破裂　429
特発性腎出血　316
特発性脊髄硬膜外血腫　504
特発性肺線維症　418
毒ヘビ　807
吐血　282
徒手筋力テスト　232，663
突発性難聴　294，561
都道府県メディカルコントロール協議会　40
届出義務　1452
ドパミン　600
ドプラモード　178
トラップドア型骨折　555
トラネキサム酸　587，632，646，1177
トラフェルミン　719
トランスディシプリナリ・モデル　1297
トリアージ　1217，1393
トリアージタグ　1218
鳥インフルエンザ　618
トリカブト中毒　770
トリコモナス症　466
努力呼吸　128，801
鈍的心損傷　674
ドンペリドン　478

な

内耳圧外傷　794
内臓痛　246，285

に

肉眼的血尿　312，685，686
二次救急医療機関　12
二次救命処置　72，80，92，798
二次性QT延長症候群　399
二次性頭痛　219
二次性脳障害　99
二次性脳損傷　138，635
二次性腹膜炎　431，1035
二次性無呼吸　86
二次トリアージ　1218
二重出版　1399
二重投稿　1399
日常生活動作　848
ニトログリセリン　375
ニフェカラント　65，74
日本外傷データバンク　634，657，667，677，1281
日本救急医学会　5
日本救急医学会指導医　6，23
日本紅斑熱　333
日本専門医機構　5，23
日本蘇生協議会　61
日本中毒情報センター　16
日本版敗血症診療ガイドライン　598
乳酸アシドーシス　473
乳酸リンゲル液　197
乳突洞炎　560
乳幼児揺さぶられ症候群　644
ニュルンベルク綱領　1395
尿管結石　183
尿管損傷　685
尿検査　313
尿沈渣　313
尿道（尿路）損傷　315，696
尿排泄　308
尿閉　307
尿路感染症　315
尿路結石　315，464
尿路閉塞　307
ニルマトレルビル　621
任意入院　858
人間の尊厳　1373
妊娠高血圧症候群　580
妊娠高血圧腎症　580
妊娠週数　91，836
妊娠と薬情報センター　192
妊婦外傷　843
妊婦・授乳婦専門薬剤師　192
妊婦・授乳婦薬物療法認定薬剤師　192
妊婦の薬物動態　192

ね

ネオスチグミン　1024
ネグレクト　824，852
熱けいれん　772
熱失神　772
熱射病　772
熱傷指数　713，715
熱傷初期輸液　712，717
熱傷深度　709
熱傷性ショック　717，719，721
熱傷センター　713
熱傷創処置　719
熱傷入院患者レジストリー　709，715，722
熱傷面積　710
熱傷予後指数　713，715
熱性けいれん　816，827
熱帯熱マラリア　625
熱中症　772
熱疲労　772
粘液水腫顔貌　474
粘液水腫性昏睡　474

の

脳炎　356，827，1029
脳炎後症候群　356
脳幹脳炎　357
脳灌流圧　636，1124
脳血管障害　261，345
脳血流量　636，1124
脳梗塞　232，294，345
脳挫傷　638
脳死　1427
脳死下臓器提供　1427，1435
脳実質圧　1096
脳室ドレナージ　643
脳室内圧　1096
脳死とされうる状態　1428
脳出血　350
脳症　345，358，827
脳静脈洞閉塞症　353
脳振盪　645
脳脊髄炎　357
脳卒中　232，841，1179
脳卒中センター　13
脳動脈解離　351
脳膿瘍　358
脳波　103，1127
脳ヘルニア　208，642，1031，1126
脳保護薬　348
農薬中毒　758
膿瘍ドレナージ　453

索引

ノルアドレナリン　600
ノロウイルス　834
ノンテクニカルスキル　1319

は

パーソナリティ障害　863
肺アスペルギルス症　279
肺炎　274, 408, 614
肺過膨張症候群　794
肺がん　279
配偶者暴力　1457
配偶者暴力相談支援センター　896, 1458
敗血症　597, 841, 1121, 1180
敗血症性 DIC　602, 1174
敗血症性ショック　597, 598, 600
肺血栓塞栓症　76, 165, 183, 268, 382, 842
肺高血圧　403
肺挫傷　669, 674
肺塞栓症　248, 250
肺動脈カテーテル　980
梅毒　528, 532, 1358
背部叩打　79, 802
背部痛　302, 378
肺胞リクルートメント　1134
肺門遮断　1003
爆傷　1249
爆傷肺　1250
曝露事故　1355
播種性血管内凝固症候群
　→ DIC
播種性帯状疱疹　535
破傷風　607, 704, 1064
破傷風トキソイド　608, 720, 1361
バセドウ病　477
バソプレシン　600
働き方改革　1293
ハチ　811
バッグ・バルブ・マスク　71
白血球系腫瘍　484
発熱　319, 388, 391, 850
発熱性好中球減少症　885
バトルサイン　640
パニック障害　864
パニック発作　340, 864
馬尾症候群　306, 500
ハブ　807
ハブクラゲ　810
バリシチニブ　622
パルスオキシメータ　129
バルビツレート療法　643
パレコウイルス　833

半規管結石症　563
パンケーキ症候群　517
バンコマイシン耐性腸球菌　1344
半昏睡　209
犯罪被害者　893
犯罪被害者等基本法　893, 1456
反射性失神　239
斑状出血　333
パンダの眼徴候　640
パンデミック　617
汎発性水疱性固定薬疹　524

ひ

非 ST 上昇型急性冠症候群　250, 374
非 ST 上昇型心筋梗塞　249, 374
鼻咽頭エアウエイ　123
鼻咽頭温　1180
皮下気腫　926, 932
東日本大震災　53, 1215, 1224
非観血的整復　1067
非感染性炎症性疾患　345
ビグアナイド薬　473
鼻腔内異物　805
非けいれん性てんかん重積状態　228, 645, 1127
非結核性抗酸菌症　279
鼻骨骨折　650, 651
非骨傷性頸髄損傷　660
非細菌性血栓性心内膜炎　391
膝外傷　1041
肘関節脱臼　1071
非手術療法　682
鼻出血　564
微小妄想　860
皮疹　331
非侵襲的人工呼吸　936
非侵襲的陽圧換気　129, 936, 1134, 1150
ヒスタミン中毒/食中毒　331, 517, 519
非ステロイド性抗炎症薬
　→ NSAIDs
ヒストアクリル　1092
ビスホスホネート　151
ヒゼンダニ　544
脾損傷　684
非代償性ショック　79
悲嘆ケア　1425
ビデオ喉頭鏡　917
脾摘出後重症感染症　615, 684, 888, 1094
非典型溶血性尿毒症症候群　492, 1175

ヒト遺伝子組み替えトロンボモジュリン製剤　604
非同期電気ショック　963
非特異的腰痛　306
ヒトヘルペスウイルス　833
ヒト免疫不全ウイルス
　→ HIV
ヒドロキシエチルデンプン製剤　197
人を対象とする生命科学・医学系研究に関する倫理指針　1396
被ばく　1259
皮膚紅潮　331
皮膚細菌感染症　537
皮膚軟部組織感染症　537
非閉塞性腸管虚血　434
ヒポクラテスの誓い　1364
飛沫感染予防策　1343
飛沫・飛沫核曝露　1358
びまん性軸索損傷　639
びまん性脳腫脹　640
びまん性脳損傷　639
びまん性肺疾患　418
びまん性表層角膜炎　550
百日咳　275
百日咳ワクチン　1361
ヒヤリ・ハット　1326
ヒューマンエラー　1316, 1319
病院機能評価　1275
病院前救護　28, 38, 1350
病院前蘇生的開胸術　1000
非溶血性副作用　204
標準予防策　1342, 1349, 1355
びらん剤　1242
非労作性熱中症　776
貧血　484
頻脈　136, 819, 849, 916

ふ

不安定狭心症　262, 374
フィブリノゲン製剤　587, 1177
フィブリノゲン補充療法　1176
フィンガースイープ　803
風疹　527, 532, 1358
フェノール　731
フェンタニル　1018, 1024, 1195
不穏　335, 942
フォンダパリヌクス　385
不規則抗体スクリーニング　200
不均衡症候群　295
復温治療　782
腹臥位療法　1133
腹腔穿刺　679, 1033
腹腔洗浄　679, 1087

索引

腹腔動脈解離　434
腹腔内圧　1099, 1125, 1161, 1186
腹腔内圧上昇　448, 680, 1099, 1161, 1165, 1186
腹腔内出血　182, 1033, 1087, 1251
腹腔内貯留液　1034
複雑型熱性けいれん　827
副作用　190
副腎クリーゼ　478
腹水/大量腹水　457, 1033
腹水濾過濃縮再静注法　1033
フグ中毒　770
腹痛　285
複発性帯状疱疹　535
副鼻腔圧外傷　794
副鼻腔スキーズ　794
腹部CT　172, 678
腹部外傷　593, 677, 1087
腹部開放管理　680, 1166, 1186
腹部コンパートメント症候群　448, 680, 717, 1099, 1161, 1165
腹部刺創　681
腹部主要血管損傷　686
腹部大動脈瘤破裂　182, 305, 382, 1007
腹部突き上げ　79, 802
腹膜炎　430, 1034
不随意運動　228
不正性器出血　577
不整脈　80, 163, 255, 377, 395, 402
防ぎ得る災害死　1213
フッ化水素酸　728
不同意性交等罪　1457
ブドウ球菌性熱傷様皮膚症候群　539, 541
不同調/非同調　941, 1141
フライトドクター　50
プラトー圧　1136
プラリドキシムヨウ化メチル　759
プリオン病　1358
フレイル　330, 783
フレイルセグメント　669
フレイルチェスト　128, 669
プレート固定　1069
プロセス指標　1273, 1279
プロトロンビン時間　1170
プロポフォール　1016, 1023, 1195
プロポフォール注入症候群　1197
分泌性下痢症　297
分娩後異常出血　584
分離肺換気　280

へ

ベアメタルステント　376
米国心臓協会　61
閉塞後利尿　308
閉塞性腎盂腎炎　459
平坦脳波　1431
ペースメーカ　400, 966
ペーパーバッグ法　340
へき地・離島　15
ベクロニウム　1024
ペスト　1246
ペナンブラ　1232
ペニシリン耐性肺炎球菌　1344
ヘモグロビン尿　312
ベラパミル　396
ヘルシンキ宣言　1395
ベルモント・レポート　1385, 1396
ベルリン定義　1131
辺縁系脳炎　357
弁機能不全　388
片頭痛　223
ベンゾジアゼピン受容体作動薬　336
ベンゾジアゼピン受容体作動薬中毒　767
ベンゾジアゼピン離脱症候群　336
ペンタゾシン　1018
ベンチュリーマスク　934
扁桃炎　325, 564
扁桃周囲膿瘍　326, 564
便排出障害　300
便秘　300, 440, 1189
ヘンプルマンの曝露指数　790
弁膜症　386
片麻痺　231, 232

ほ

法医解剖　1441
蜂窩織炎　537, 538, 541
膀胱炎　463
膀胱温　1180
膀胱がん　315
膀胱洗浄　316
膀胱損傷　315, 686, 696
膀胱タンポナーデ　308, 316
膀胱内圧　1099
防災　1208
放散痛　286, 304
房室ブロック　164, 258, 395
放射線災害　1259
放射線事故　1259
放射線防護　1263
傍腫瘍性脳炎　357
放水除染　1240
法的脳死判定　1428, 1429
乏尿　308
膨隆骨折　832
保健医療福祉調整本部　1215
母指MP関節脱臼　1071
母児間輸血症候群　845
母子健康手帳　835
補足的静脈栄養　1186
母体安全への提言　95
補体関連aHUS　492
発作後状態　227
発作性寒冷ヘモグロビン尿症　312
発作性上室頻拍　164, 257, 963
発作性夜間呼吸困難　265, 268
発作性夜間ヘモグロビン尿症　312, 485
ボツリヌス症　370, 1246
ボツリヌス食中毒　371
母乳栄養　192
骨欠損型骨折　556
ポリファーマシー　848
ボルスター固定　651

ま

マイコプラズマ肺炎　274
マグネシウム中毒　94
麻疹　528, 532, 626, 1358
麻疹・風疹・流行性耳下腺炎・水痘ワクチン　1360
麻酔下ストレス検査　691
マスギャザリング　1231
マッキントッシュ型喉頭鏡　912
末梢静脈路輸液　198
末梢性T細胞リンパ腫　487
末梢性チアノーゼ　88, 817
麻痺性イレウス　300, 432
マムシ　807
マムシGrade　808
麻薬及び向精神薬取締法　193, 1452
マラソン大会　1235
マラリア　625
マルチディシプリナリ・モデル　1297
慢性咳嗽　271, 273
慢性肝不全　456
慢性骨髄性白血病　486
慢性膵炎　449
慢性閉塞性肺疾患　269, 415
慢性リンパ球性白血病　487
マントル細胞リンパ腫　487

み

ミオクローヌス　103

ミオグロビン尿　312, 707
ミオグロビン尿症　513
水治療　720
ミダゾラム　1016, 1023, 1195
三日熱マラリア　625
未分画ヘパリン　385
耳外傷　651
ミラー型喉頭鏡　912

む

ムカデ　812
無呼吸テスト　1431
無症候性血尿　312
無水アンモニア　730
無痛分娩　842
無尿　308
無熱性けいれん　827
無脈性心室頻拍　72, 164, 396, 963
無脈性電気活動　72
無料低額診療事業　900
ムンプスウイルス　833

め

メタノール中毒　762
メチシリン耐性黄色ブドウ球菌　1344
滅菌　1345
メディカルコントロール　3, 31, 38
メディカルコントロール協議会　39, 1292
メトクロプラミド　478
メニエール病　217, 294, 562
めまい　212, 563
免疫学的副作用　204
免疫関連有害事象　880
免疫グロブリン製剤　203
免疫グロブリン療法　363, 602
免疫血栓　1121, 1170
免疫再構築症候群　887
免疫性血小板減少症　493
免疫チェックポイント阻害薬　388, 468, 880
免疫調整栄養剤　1187
免疫不全症　883
免疫抑制薬　890

も

毛細血管再充満時間　135, 817, 1148
網状皮斑　135, 333
網膜中心静脈閉塞症　549
網膜動脈閉塞症　548
盲目的心嚢穿刺　976
モニター心電図　162

モノアミン酸化酵素（MAO）阻害薬　262
モルヌピラビル　621
モルヒネ　1195

や

薬剤性過敏症症候群　332, 523
薬剤耐性　1344
薬剤溶出性ステント　376
薬疹　332, 520
薬物過量　76
薬物性肝障害　524
薬物相互作用　190, 848
薬物動態学　189
薬物動態学的相互作用　190
薬物有害反応　190
薬理学　188
薬力学　188
薬力学的相互作用　190
薬理作用　188
ヤマカガシ　807

ゆ

有機リン中毒　758
尤度　111
輸液製剤　196
輸液療法　195, 598, 821
輸血関連急性肺障害　206
輸血関連循環過負荷　207
輸血拒否　204, 1387
輸血後移植片対宿主病　206
輸血後紫斑病　206
輸血副作用　204
輸血用血液製剤　200
輸血療法　200
癒着胎盤　591, 593

よ

溶血性尿毒症症候群　491, 1175
溶血性副作用　204
溶血性レンサ球菌性トキシックショック症候群　539, 541
用手的気道確保　123
用手的子宮左方移動　91, 836
羊水塞栓症　583, 586
腰椎穿刺　223, 1029
腰椎椎間板ヘルニア　500
腰痛　302
腰背部痛　302
用量-反応曲線　188
ヨード造影剤　479
ヨーロッパ蘇生協議会　61
抑うつ状態　339

四日熱マラリア　625
予防的抗菌薬　1065

ら

雷撃傷　744
ライム病　365
雷鳴様頭痛　219
ラクナ梗塞　346
ラグビーワールドカップ　1233
落雷　744
ラテックス-フルーツ症候群　516
ラピッドカー　44
ラピッド・ドクターカー　44
ラリンゲアルチューブ　123
ラリンゲアルマスク　123
卵管炎　573
卵形マラリア　625
卵巣過剰刺激症候群　574
卵巣茎捻転　294
卵巣出血　570
卵巣腫瘍　571
卵巣嚢腫茎捻転　571
ランデブーポイント　50, 1255

り

利益相反　1398
リケッチア症　333
リコイル　58
リザーバ付き非再呼吸型酸素マスク　934
リスクコミュニケーション　1270
リスクマネジメント　1266
リスボン宣言　1387
リチウム中毒　767
リドカイン　65, 74
リニアプローブ　177
リバーストリアージ　745
リハビリテーション　665, 721, 724
硫化水素中毒　762
流行性角結膜炎　553
流行性耳下腺炎　833, 1358
硫酸　728
流出創　742
流入創　742
両心室ペーシング機能付き植込み型除細動器　400
良性発作性頭位めまい症　213, 294, 563
淋菌感染症　466
リンゲル液　196
臨床研究　1395, 1400
臨床研究法　1400
臨床検査技師　1296

臨床研修　1305
臨床工学技士　1296
輪状甲状靱帯切開　124, 921
輪状甲状靱帯穿刺　920
臨床推論　110
輪状軟骨圧迫　915
臨床倫理　1366, 1369, 1378
臨床倫理コンサルテーション　1379
リンパ球系腫瘍　484

れ

冷却　323, 776, 1181

レジストリー　1285
レセプト　1307
裂孔原生網膜剥離　550
レミフェンタニル　1024
レムデシビル　621

ろ

労作性呼吸困難　265, 268, 419
労作性熱中症　776
ローランドてんかん　827
ロクロニウム　1024
ロタウイルス感染症　294, 834

濾胞性リンパ腫　487

わ

ワークステーション型ドクターカー　45
ワイヤー固定　1069
若木骨折　832
ワクチン　608, 1350, 1359
ワルファリン　646
腕神経叢損傷　655

```
JCOPY 〈(社)出版者著作権管理機構 委託出版物〉
本書の無断複写は著作権法上での例外を除き禁じられています。
複写される場合は，そのつど事前に，下記の許諾を得てください。
(社)出版者著作権管理機構
TEL.03-5244-5088  FAX.03-5244-5089  e-mail：info@jcopy.or.jp
```

改訂第6版　救急診療指針　上巻

定価（本体価格 19,000 円＋税）

1994年10月 1 日	第 1 版第 1 刷発行
1998年 5 月29日	第 1 版第 2 刷発行
2003年 8 月 7 日	第 2 版第 1 刷発行
2005年 3 月15日	第 2 版第 2 刷発行
2008年 4 月10日	第 3 版第 1 刷発行
2010年 7 月20日	第 3 版第 3 刷発行
2011年 4 月25日	第 4 版第 1 刷発行
2016年 5 月31日	第 4 版第 5 刷発行
2018年 4 月 1 日	第 5 版第 1 刷発行
2021年11月11日	第 5 版第 3 刷発行
2024年 4 月 1 日	第 6 版第 1 刷発行

監　修　一般社団法人　日本救急医学会
編　集　日本救急医学会指導医・専門医制度委員会
　　　　日本救急医学会専門医認定委員会
発行者　長谷川　潤
発行所　株式会社　へるす出版
　　　　〒164-0001　東京都中野区中野2-2-3
　　　　電話（03）3384-8035（販売）　（03）3384-8155（編集）
　　　　振替 00180-7-175971
印刷所　広研印刷株式会社

© 2024, Printed in Japan　　　　　　　　　　　　　　〈検印省略〉
落丁本，乱丁本はお取り替えいたします。
ISBN 978-4-86719-083-8